図解・業務別

会社の税金実務必携

令和6年版

公認会計士・税理士 溝端 浩人 ● 公認会計士・税理士 妙中 茂樹

税理士 松本栄喜 ● 公認会計士・税理士 城 知宏

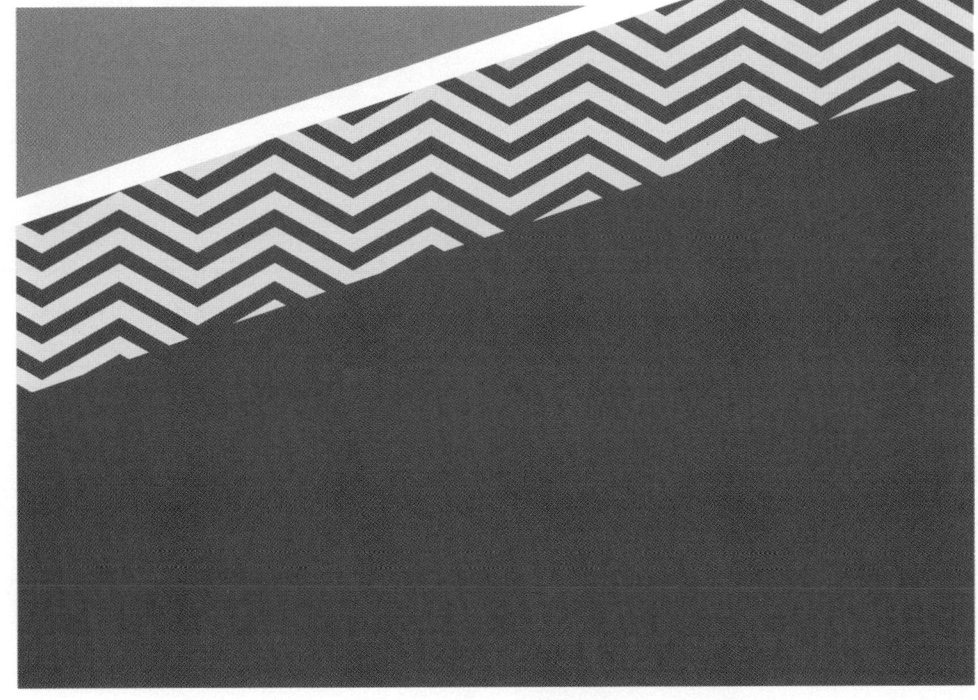

清文社

はじめに

円安の影響等を受け、海外からの旅行者はコロナ前を超える勢いで増えており、訪日消費額も過去最高を記録しようとしていますが、一方では、物価高が進行しており、給与の上昇が物価の上昇に追いつかない問題に対する対応が求められています。

こうした状況の中で成立した令和６年度税制改正では、定額減税や賃上げ促進減税の強化等が行われていますが、十分な対応となるかどうかの評価は難しいところです。

法人関係の改正は多くはありませんが、交際費から除外される飲食費の金額基準が１人当たり5,000円から10,000円に引き上げられましたので、その経済効果は大きく、コロナで打撃を受けた飲食店にとっては重要な改正と評価できるものと思われます。

さて、この本の特徴としては、会社業務の内容や担当者、経営戦略別といった個別の内容ごとに対応できる章立てを組み、税務の問題だけでなく幅広く経営に関する問題点を取り上げ、辞書代わりに、特別な事案が発生するたびに関連する税務知識や周辺知識を入手していただけるという構成となっています。

そして、この構成は、税務の専門家にとっても、日常の会社業務の中で生じてくる疑問点に答えていく上で役に立つものだと考えています。本書は、「会社の税金実務必携」と題して、法人税だけの議論にとどまらず、給与の源泉所得税の手続や消費税、社長等経営者に関する個人の税務についても幅広く検討を行っており、加えて、巻末には総合計算例を入れるとともに、税実務の中で必要となる諸表を織り込み、この一冊をもって会社税務の日常における簡単な問題点の検討について、ほとんど解決するように工夫しています。

しかし、記載スペースが限られているため、細かい取扱いについては省略している場合があります。実際具体的な適用を考えるにあたっては、最新の関係法令及びその周辺法令等にあたっていただくか、専門家の助言等を受け効果的な対策をとっていただければ幸いです。

今後も、経済が予想外の状況に動き、また、税法の改正が行われ、本書の内容が幾分時代遅れとなったり、対策が結果的に不十分なものになることも考えられます。できましたら、本書の内容を参考にしていただきながらも、常にその時々の状況に応じた対応をお願いしたいと思います。

令和６年７月

執筆者一同

目次　会社の税金実務必携

序章 会社に関する税金

●会社の税金編

Ⅰ 事業活動と会社の税金

1　人材活用と税務

2　生産活動と試験研究活動の税務

3　営業活動と税務

4　有価証券投資と税務

5　不動産投資と税務

6　圧縮記帳と税務

7　建物や機械を取得したときの税務

8　海外活動と税務

Ⅱ　決算対策・経営戦略と会社の税金

1　消費税と税務

2 同族会社と税務

3 決算対策と税務

4 税務調査の対応と税務

5　会社の一生と税務

6　グループ法人と税務

●社長の税金編

1　社長の税金チェックポイント

2　会社と社長間の取引と税金

3　事業承継と社長の税金

凡例

法法……法人税法
所法……所得税法
措法……租税特別措置法
消法……消費税法
地法……地方税法
相法……相続税法
通法……国税通則法
徴法……国税徴収法
登法……登録免許税法
印法……印紙税法
法令……法人税法施行令
所令……所得税法施行令
措令……租税特別措置法施行令
消令……消費税法施行令
地令……地方税法施行令
相令……相続税法施行令
通令……国税通則法施行令
法令附……法人税法施行令附則
消令附……消費税法施行令附則
法規……法人税法施行規則
措規……租税特別措置法施行規則
消規……消費税法施行規則
相規……相続税法施行規則
消規附……消費税法施行規則附則
耐令……減価償却資産の耐用年数等に関する省令
法基通……法人税基本通達
所基通……所得税基本通達
措通……租税特別措置法関係通達
消基通……消費税法基本通達
耐通……耐用年数の適用等に関する取扱通達
相基通……相続税法基本通達
通基通……国税通則法基本通達
評基通……財産評価基本通達
整備法……会社法の施行に伴う関係法律の整備等に関する法律
円滑化法（円滑化法施行令）……中小企業における経営の承継の円滑化に関する法律（法律施行令）
改正震災特例法……東日本大震災の被災者等に係る国税関係法律の臨時特例に関する法律の一部を改正する法律（平成28年法律第15号）
措特透明化法（措特透明化法令）……租税特別措置の適用状況の透明化等に関する法律（法律施行令）
復興財源確保法……東日本大震災からの施策を実施するために必要な財源の確保に関する特別措置法
中小企業等経営強化法……中小企業の新たな事業活動の促進に関する法律の一部を改正する法律
税制抜本改革法附則……社会保障の安定財源の確保等を図る税制の抜本的な改革を行うための消費税法の一部を改正する等の法律附則
電特法（電特規）……電子計算機を使用して作成する国税関係帳簿書類の保存方法等の特例に関する法律（法律施行規則）

本書は令和６年６月30日現在の法令によっています。

令和６年度税制改正のあらまし

―― 定額減税の実施と賃上げ促進税制の強化が目玉 ――

令和６年度税制改正では、物価高・社会保障料等の国民負担の増加に対処するため、構造的な賃上げの実現、生産性向上・供給力強化に向けた国内投資の促進、子育て支援に関する税制の見直し、地域経済・中小企業等の活性化等の観点から諸制度の見直しが行われました。

所得税関係では、賃金上昇が物価高に追い付いていない国民の負担を緩和するため、所得税・個人住民税の定額減税が実施され、子育て支援の観点から子育て世帯等の住宅ローン控除の借入限度額が上乗せされ、また、スタートアップ企業の人材獲得力の向上を図る観点から税制適格ストックオプションの拡充が行われました。

法人税関係では、物価高に負けない構造的・持続的な賃上げの動きをより多くの国民に拡げ、効果を深めるため、賃上げ促進税制が強化され、また、資本蓄積の推進や生産性の向上により、半導体等の供給力を強化するために戦略分野国内生産促進税制やイノベーションボックス税制が創設されました。

地方税関係においても税制の安定収入を図り、租税回避への対応を図るため、減資等による外形標準課税逃れ等を防止する改正が行われました。資産税関係では直系尊属からの住宅取得等資金贈与の非課税措置の見直し・延長や中小企業経営者及び個人事業者の事業承継を進めるために、法人版・個人版事業承継税制の承継計画の提出期限が延長されました。

なお、消費税関係では、国境を超えたアプリ・ゲームソフトなどのデジタルサービス市場の拡大による捕捉、調査及び徴収の問題に対処するため、プラットフォーム課税が創設され、国外事業者に係る事業者免税点制度について不正利用が目立つことから制度の抜本的な見直しが行われました。

【法人税関係】

<table>
<tr><th>項目</th><th>改正の内容</th><th>適用時期</th><th>記　載
ページ</th></tr>
<tr><td>賃上げ促進税制の強化※</td><td>物価高に負けない構造的・持続的な賃上げの動きをより多くの国民に拡げ効果を深めるため、賃上げ要件等が見直されるとともに、従来の大企業と中小企業という枠組みとは異なり、新たに中堅企業という枠組みを設けることで実態に合った措置が講じられました。また、厚生労働省が実施するくるみん認定（子育てサポート）やえるぼし認定（女性活躍支援）を実施している法人に対して、税額控除率の上乗せ措置が創設されました。
（１）全企業向け・中堅企業向け
全企業については、より高い賃上げへのインセンティブを強化する観点から、継続雇用者の給与等支給額の増加に応じて賃上げ率の要件が拡充され、地域の良質な雇用を支える中堅企業の賃上げ環境を整備する観点から、新たに中堅企業向け制度が創設されました。
<table>
<tr><th></th><th>継続雇用者給与等支給額の増加額</th><th>上乗せ要件①
教育訓練費の増加額</th><th>上乗せ要件②
子育て支援・女性活躍支援</th></tr>
<tr><td rowspan="4">全企業</td><td>前年度比３%以上⇒税額控除率10%</td><td rowspan="6">前年度比10%以上⇒税額控除率５%上乗せ
（注）適用事業年度の教育訓練費の額が、適用事業年度の雇用者給与等支給額の0.05%以上である場合に限り適用できます。</td><td rowspan="4">プラチナくるみん認定
又は
プラチナえるぼし認定
⇒税額控除率５%上乗せ</td></tr>
<tr><td>前年度比４%以上⇒税額控除率15%</td></tr>
<tr><td>前年度比５%以上⇒税額控除率20%</td></tr>
<tr><td>前年度比７%以上⇒税額控除率25%</td></tr>
<tr><td rowspan="2">中堅企業＊</td><td>前年度比３%以上⇒税額控除率10%</td><td rowspan="2">プラチナくるみん認定
又は
えるぼし認定（３段階目以上）
⇒税額控除率５%上乗せ</td></tr>
<tr><td>前年度比４%以上⇒税額控除率25%</td></tr>
</table>
＊　青色申告書を提出する従業員数2,000人以下（支配関係がある法人との従業員数の合計が10,000人超を除く）の法人
（２）中小企業向け
中小企業については、従来の賃上げ要件及び税額控除率を維持しつつ、赤字法人においても賃上げを促進するために新たに繰越税額控除制度が創設されました。</td><td>令和６年４月１日から令和９年３月31日までの間に開始する事業年度</td><td>20
ページ</td></tr>
</table>

<table>
<tr>
<td></td>
<td>
<table>
<tr><th>雇用者給与等支給額の増加額</th><th>上乗せ要件①
教育訓練費の増加額</th><th>上乗せ要件②
子育て支援・女性活躍支援</th></tr>
<tr><td>前年度比1.5%以上⇒税額控除率15%</td><td rowspan="2">前年度比５%以上
⇒税額控除率10%上乗せ
（注）（ⅰ）ページ（１）（注）と同じ</td><td rowspan="2">くるみん認定以上
又は
えるぼし認定（２段階目以上）
⇒税額控除率５%上乗せ</td></tr>
<tr><td>前年度比2.5%以上⇒税額控除率30%</td></tr>
</table>
（注）　賃上げを実施した年度に控除しきれなかった金額は５年間の繰越しができることとされ、繰越税額控除を適用する年度において、雇用者給与等支給額が前年度より増加している場合に限り適用できます。（未控除額を翌年度以降に繰り越す場合は、未控除額が発生した年度の申告において「給与等の支給額が増加した場合の法人税額の特別控除に関する明細書」を提出する必要があります。）
</td>
<td></td>
<td></td>
</tr>
<tr>
<td>中小企業事業再編投資損失準備金制度の拡充・延長</td>
<td>適用期限を令和９年３月31日まで延長した上で、中堅・中小企業によるグループ化に向けた複数回M&Aを集中的に後押しするため、積立額や据置期間等が見直されました。
<table>
<tr><th></th><th>現行枠</th><th>拡充枠</th></tr>
<tr><td>積立限度額</td><td>株式等の取得価額の70%</td><td>①産業競争力強化法の一定の事業再編計画に従って最初に取得した株式等：株式等の取得価額の90%
②上記①以外の株式等：株式等の取得価額の100%</td></tr>
<tr><td>据置期間</td><td>５年間</td><td>10年間</td></tr>
</table>
</td>
<td>改正産業競争力強化法の施行日から令和９年３月31日までの間に、認定を受けた一定の事業再編計画に従って取得した他の法人の株式等</td>
<td>242ページ</td>
</tr>
<tr>
<td>戦略分野国内生産促進税制の創設</td>
<td>経済安全保障の観点から日本国内で安定的に生産することが望ましい戦略分野の物質の国内生産を促す目的で戦略分野国内生産促進税制が創設されました。
<table>
<tr><td>適用対象者</td><td>認定エネルギー利用環境負荷低減事業適応計画について経済産業大臣の認定を受けた青色申告法人</td></tr>
<tr><td>対象資産</td><td>計画認定を受けた産業競争力基盤強化商品（電気自動車・半導体等）を生産するための設備の新設等</td></tr>
<tr><td>対象期間</td><td>計画認定日以後10年以内の日を含む各事業年度</td></tr>
<tr><td>税額控除額</td><td>下記の①又は②のいずれか少ない金額に対して法人税額の40%＊（半導体生産用資産については20%＊）を限度として税額控除ができます。
なお、控除限度超過額は、４年間（半導体生産用資産については３年間）の繰越しができます。
①その事業年度の対象期間において販売されたものの数量等に応じた金額（EV・FCV：控除額40万円/台、マイコン：控除額0.7～1.6万円/枚等）
②産業競争力基盤強化商品生産用資産の取得価額を基礎とした金額
＊　デジタルトランスフォーメーション投資促進税制による税額控除額及びカーボンニュートラル投資促進税制による税額控除額との合計で、法人税額の40%（又は20%）が限度</td></tr>
<tr><td>税額控除の不適用</td><td>所得金額が前事業年度の所得金額を超える事業年度で、かつ、下記の要件のいずれにも該当しない場合には、税額控除の適用を受けることはできません。（繰越控除制度の適用は可能）
①継続雇用者給与等支給額が継続雇用者比較給与等支給額から１%以上増加していること
②国内設備投資額が当期の減価償却費の40%を超えること</td></tr>
</table>
</td>
<td>改正産業競争力強化法の施行日から令和９年３月31日までの間の産業競争力基盤強化商品の生産をするための設備の新設等</td>
<td>124ページ</td>
</tr>
</table>

イノベーションボックス税制の創設	令和６年４月１日以降に取得した特許やAI関連のソフトウェア等の知財から生じる所得（譲渡所得、ライセンス所得）を対象に、一定額を損金算入できる措置が創設されました。 対象法人：特定特許権等の譲渡又は貸付けを行った青色申告法人 損金算入限度額：下記の①又は②のいずれか少ない金額の30%相当額 ①その事業年度において行った特許権譲渡等取引ごとの下記算式による金額を合計した金額 特許権譲渡等取引に係る所得の金額の合計額 × 分母に含まれる適格研究開発費の額の合計額／当期及び前期以前において生じた研究開発費の額の合計額 ②その事業年度の所得金額	令和７年４月１日から令和14年３月31日までの間に開始する事業年度において行った特定特許権等の譲渡又は貸付け	49ページ
交際費等の損金不算入制度の見直し等	交際費等の損金不算入制度について、交際費等の範囲から除外される飲食費の金額基準が「１人当たり10,000円以下（改正前：5,000円以下）」に引き上げられました。 また、「接待飲食費の50%損金算入特例」と「中小法人等の定額控除限度額(年800万円)」の適用期限が延長されました。	令和６年４月１日以後に支出する飲食費 令和９年３月31日までの間に開始する事業年度	60、61ページ
中小企業者等の少額減価償却資産の取得価額の損金算入特例※	中小企業者等の少額減価償却資産の取得価額の損金算入特例について、適用期限を令和８年３月31日まで延長した上で、出資金の額が１億円超で従業員数が300人超の農業協同組合等が適用対象外とされました。	令和６年４月１日以後に取得する減価償却資産	115ページ
暗号資産の期末時価評価課税に係る見直し	法人が有する暗号資産で、一定の要件を満たす暗号資産（下記（１）②）は、期末時価評価課税の対象外とされました。 【期末評価の方法】 （１）　活発な市場が存在する暗号資産 ①　下記②、③以外は時価法 ②　第三者が発行した暗号資産で、譲渡制限等の一定の要件が付されているものは、法人が選択した評価方法（原価法又は時価法） ③　自己の発行する暗号資産でその発行時から継続して保有し譲渡制限が付されているものは、原価法 （２）　活発な市場が存在しない暗号資産は、原価法	令和６年４月１日以後開始事業年度	81ページ
中小企業倒産防止共済掛金の損金算入制限※	中小企業倒産防止共済契約を解除した後、中小企業倒産防止共済契約を再契約した場合には、その解除の日から同日以後２年を経過する日までの間に支出する当該共済契約に係る掛金については、損金算入できないこととされました。	令和６年10月１日以後の共済契約の解除	―

※　所得税においても同様の規定が設けられています。

【国際関係】

外国子会社合算課税の見直し	グローバル・ミニマム課税の導入に伴い、ペーパー・カンパニー特例に係る収入割合要件について、外国関係会社の事業年度に係る収入等がない場合には、その事業年度における収入割合要件の判定が不要とされました。	令和６年４月１日以後開始事業年度	137ページ
子会社株式帳簿価額特例の見直し	特定支配関係にある他の法人から一定の配当等の額を受ける場合に、その配当等の額に係る益金不算入相当額を減算して当該他の法人の帳簿価額を算出する特例について、特定支配日の属する事業年度に受ける配当等の額についても、その減算する金額を特定支配後増加利益剰余金額超過額に達するまでの金額とする計算の特例の適用を受けることができることとなりました。	令和６年４月１日以後開始事業年度において受け取る対象配当等の額	79ページ

【所得税等関係】

<table>
<tr>
<td>所得税・個人住民税の定額減税の実施</td>
<td>物価高を克服し、デフレ脱却の観点から、所得税・個人住民税の定額減税が実施されることとなりました。
<table>
<tr><th></th><th>所得税</th><th>個人住民税</th></tr>
<tr><td>対象者</td><td>令和６年分所得税の納税者である居住者で、合計所得金額が1,805万円以下（給与所得のみの場合は給与収入2,000万円以下）の者</td><td>令和６年度分個人住民税の所得割額の納税者である居住者で、令和５年度の合計所得金額が1,805万円以下（給与所得のみの場合は給与収入2,000万円以下）の者</td></tr>
<tr><td>減税額</td><td>下記①～③の合計額（所得税額を限度）
①納税者本人⇒３万円
②同一生計配偶者＊[1、2]⇒３万円
③扶養親族＊[1]⇒１人につき３万円</td><td>下記①～③の合計額（所得割額を限度）
①納税者本人⇒１万円
②控除対象配偶者＊[3、4]⇒１万円
③扶養親族＊[3、5]⇒１人につき１万円</td></tr>
<tr><td rowspan="2">控除方法</td><td>①給与所得者
令和６年６月１日以後最初の給与等（賞与を含む）の源泉徴収税額から控除
控除しきれない部分は、同年７月以後の給与等から順次控除</td><td>①給与所得者
令和６年６月分は特別徴収を行わず、令和６年度分の住民税の所得割額から減税額を差し引いた額を11等分し、令和６年７月から令和７年５月までの11か月間で毎月特別徴収</td></tr>
<tr><td>②事業所得者等
令和６年分の所得税の第１期分予定納税額（７月）から本人の減税額を控除
控除しきれない部分は、第２期分予定納税額（11月）から控除
同一生計配偶者等の分は、確定申告又は予定納税額の減額申請により控除</td><td>②事業所得者等
令和６年度分の個人住民税に係る第１期分（６月）の納付額から控除
第１期分から控除しきれない場合は、第２期分（８月）以降の納付額から控除</td></tr>
</table>
（注）給与等の明細書・源泉徴収票・給与支払報告書に減税額等の記載が必要となります。
＊１　居住者に限ります。
＊２　合計所得金額が48万円以下の者で、非源泉控除対象同一生計配偶者（合計所得金額が900万円超の減税対象者の同一生計配偶者）も含まれます。
＊３　国外居住者を除く
＊４　住民税の控除対象配偶者以外の同一生計配偶者（減税対象者の合計所得金額が1,000万円超で、合計所得金額が48万円以下の配偶者）については、令和７年度分の所得割額から１万円を控除することとなります。
＊５「扶養控除等申告書」に記載された者をいいます。「住民税に関する事項」に記載された16歳未満の扶養親族も含まれます。</td>
<td>令和６年６月１日以後</td>
<td>－</td>
</tr>
<tr>
<td>住宅ローン控除の見直し（子育て世帯等に対する支援措置）</td>
<td>子育て支援の観点から、子育て世帯及び若者夫婦世帯の住宅ローン控除の借入限度額を上乗せし、令和５年中の居住と同水準としました。
（１）借入限度額の上乗せ措置
【居住年が令和６年の場合における借入限度額】
<table>
<tr><th colspan="2" rowspan="2">住宅の区分</th><th colspan="2">借入限度額</th></tr>
<tr><th>子育て世帯・若者夫婦世帯＊</th><th>左記以外</th></tr>
<tr><td rowspan="3">買取再販
新築・</td><td>認定住宅</td><td>5,000万円</td><td>4,500万円</td></tr>
<tr><td>ZEH水準省エネ住宅</td><td>4,500万円</td><td>3,500万円</td></tr>
<tr><td>省エネ基準適合住宅</td><td>4,000万円</td><td>3,000万円</td></tr>
</table>
＊子育て世帯・若者夫婦世帯とは、以下の世帯のことをいいます。
①　令和６年12月31日時点で19歳未満の扶養親族を有する世帯（子育て世帯）
②　令和６年12月31日時点で夫婦であり、夫婦いずれかが40歳未満の世帯（若者夫婦世帯）</td>
<td>令和６年１月１日以後の居住</td>
<td>247ページ</td>
</tr>
</table>

<table>
<tr><td></td><td>(2)床面積要件の緩和措置の延長
認定住宅、ZEH水準省エネ住宅、省エネ基準適合住宅の新築等の取得に係る床面積要件については、合計所得金額が1,000万円以下の者が令和6年12月31日以前に建築確認を受けた新築住宅等を取得した場合についても床面積要件が40㎡以上となりました。</td><td></td><td></td></tr>
<tr><td>税制適格ストックオプションの拡充</td><td>非上場会社又は上場後5年未満の上場会社等が付与するストックオプションの年間権利行使価額の限度額が引き上げられました。
<table>
<tr><th>区分</th><th>改正前</th><th>改正後</th></tr>
<tr><td>設立日以後5年未満の株式会社</td><td rowspan="2">1,200万円</td><td>2,400万円</td></tr>
<tr><td>設立日以後5年以上20年未満の株式会社の非上場会社又は上場後5年未満の上場会社</td><td>3,600万円</td></tr>
</table></td><td>令和6年分以降の所得税</td><td>25ページ</td></tr>
</table>

【資産税関係】

<table>
<tr><td>法人版及び個人版事業承継税制に係る承継計画の提出期限の延長</td><td>法人版事業承継税制に係る「特例承継計画」及び個人版事業承継税制に係る「個人事業承継計画」の提出期限がそれぞれ2年延長されました。
<table>
<tr><th></th><th>改正前</th><th>改正後</th></tr>
<tr><td>特例承継計画・個人事業承継計画の各提出期限</td><td>令和6年3月31日</td><td>令和8年3月31日</td></tr>
<tr><td>法人版事業承継税制の特例措置に係る適用期限</td><td colspan="2">令和9年12月31日</td></tr>
<tr><td>個人版事業承継税制に係る適用期限</td><td colspan="2">令和10年12月31日</td></tr>
</table></td><td>令和8年3月31日まで</td><td>284、290ページ</td></tr>
<tr><td>住宅取得等資金に係る贈与税の非課税措置等の見直し・延長</td><td>父母や祖父母等の直系尊属から住宅取得等資金の贈与を受けた場合に、一定額まで贈与税が非課税となる措置のうち、1,000万円までの贈与が非課税となる「省エネ等住宅」の要件が一部見直され、適用期限が令和8年12月31日まで延長されました。</td><td>令和6年1月1日以後に贈与により取得する住宅取得等資金に係る贈与税</td><td>293ページ</td></tr>
</table>

【消費税関係】

<table>
<tr><td>国外事業者に対する事業者免税点制度の特例の見直し</td><td>国外事業者による事業者免税点制度の特例等を適用した租税回避行為に対応するため、以下の見直しが行われました。
<table>
<tr><th></th><th>現行</th><th>改正</th></tr>
<tr><td>①特定期間の特例</td><td>特定期間における課税売上高が1,000万円超かつ支払給与等の額が1,000万円超の場合、事業者免税点制度の適用がありません。</td><td>国外事業者については、特定期間の課税売上高が1,000万円超かどうかだけの判定となります。</td></tr>
<tr><td>②新設法人の特例</td><td>基準期間がない事業年度開始の日における資本金の額等が1,000万円以上の法人は、事業者免税点制度の適用がありません。</td><td>外国法人については、基準期間の有無に関わらず、国内で課税資産の譲渡等に係る事業を開始した日の資本金の額等により判定を行います。</td></tr>
<tr><td>③特定新規設立法人の特例</td><td>基準期間相当期間の課税売上高が5億円超の事業者が50%超出資等して新規に設立した法人は、事業者免税点制度の適用がありません。</td><td>国外分を含む総収入金額が50億円超である事業者が50%超出資等して新規に設立した法人も事業者免税点制度の適用がありません。</td></tr>
</table></td><td>令和6年10月1日以後に開始する課税期間</td><td>153ページ</td></tr>
<tr><td>簡易課税制度や小規模事業者における税額計算の特例の適用除外</td><td>課税期間の初日において所得税法又は法人税法上の恒久的施設を有しない国外事業者については、簡易課税制度や小規模事業者における税額計算の特例(2割特例:売上の消費税の8割を税額控除)の適用ができなくなります。</td><td>令和6年10月1日以後に開始する課税期間</td><td>161ページ</td></tr>
</table>

免税事業者等からの課税仕入れに係る経過措置の見直し	適格請求書発行事業者以外の者から行った課税仕入れに係る税額控除に関する経過措置について、その事業年度において、一の適格請求書発行事業者以外の者からの課税仕入れの額の合計額が10億円を超える場合には、その超える部分の課税仕入れについて経過措置が適用できなくなります。	令和６年10月１日以後に開始する課税期間	161ページ
高額特定資産を取得した場合の事業者免税点制度等の制限	高額特定資産を取得した場合の事業者免税点制度及び簡易課税制度の適用を制限する措置の対象に、その課税期間において取得した金又は白金の地金等の額の合計額が200万円以上である場合が追加されました。	令和６年４月１日以後に行う金地金等の課税仕入れ等	157ページ
簡易課税制度と小規模事業者における税額計算の特例適用者の経理処理の見直し	簡易課税制度又は小規模事業者における税額計算の特例（２割特例）を適用する事業者が、令和５年10月１日以後に国内において行う課税仕入れについて、税抜き方式を適用した場合には、継続適用を条件として、当該課税仕入れに係る支払い対価の額の110分の10（軽減税率の場合は108分の８）を乗じて算出した金額を仮払消費税等とすることができることとなりました。	令和５年10月１日以後に行う課税仕入れ	167ページ
プラットフォーム課税の導入	国外事業者がデジタルプラットフォームを介して行う消費者向け電気通信利用役務の提供のうち、一定規模を超えるプラットフォーム事業者を介して対価を収受するものについては、そのプラットフォーム事業者が行ったものとみなして消費税の納税義務を課す制度が導入されます。	令和７年４月１日以後に行われる電気通信利用役務の提供	－

【その他】

外形標準課税の対象法人の見直し	外形標準課税の対象法人は、資本金の額等が１億円超の法人とされていますが、減資を行い外形標準課税の対象から外れる法人等が増加しているため、判定基準に資本金だけでなく資本剰余金も含める見直しが行われました。 <table><tr><th></th><th>減資対応＊</th><th>分社化等への対応＊</th></tr><tr><td>対象法人</td><td>前事業年度に外形標準課税の対象であった法人</td><td>資本金と資本剰余金の合計額が50億円を超える法人等（特定法人）の100％子法人</td></tr><tr><td>改正内容</td><td>事業年度終了日における資本金の額等が１億円以下であっても、同日における資本金と資本剰余金の合計額が10億円を超える場合は外形標準課税の対象となる</td><td>事業年度終了日における資本金の額等が１億円以下であっても、同日における資本金と資本剰余金の合計額が２億円を超える場合は外形標準課税の対象となる。</td></tr><tr><td>適用年度</td><td>令和７年４月１日以後開始事業年度</td><td>令和８年４月１日以後開始事業年度</td></tr></table>＊減資に対する経過措置、分社化等に対する激変緩和措置については、８ページ参照。	令和７年４月１日（又は令和８年４月１日）以後開始事業年度	8ページ
重加算税適用の拡大	申告後に税額の減額を求めて隠ぺい・仮装された事実に基づき更正請求書を提出した場合も、過少申告加算税などに代えて重加算税が課税されることとなりました。	令和７年１月１日以後法定申告期限	192ページ

MEMO

「中小法人等」と「中小企業者等」

中小企業の定義は、中小企業基本法や会社法、法人税法等、各法律によって異なります。

この本では、税法等の適用に関する箇所について、適宜、法人税法上の「中小法人等」、租税特別措置法上の「中小企業者等」や事業承継税制上の「中小企業者」などの要件の記載を行っています。

なお、「中小法人等」と「中小企業者等」は一致するケースとしないケースがあり、それぞれ受けられる税の特典が異なるため注意が必要です。（199ページ参照）

税務手続の電子化促進のための環境整備

平成15年の電子申告・納税制度の導入から、各種税務手続の電子化・簡素化が図られて、さらに、大法人の電子申告の義務化や年末調整の電子化、法定調書等の電子申告義務基準の引下げなどの改正が行われました。今後も、経済社会のＩＣＴ化等の進展により、税務手続の電子化等の推進、中小法人への電子申告の義務化等の適用拡大も予想されます。

１．大法人等の電子申告義務化

令和２年４月１日以後に開始する事業年度（課税期間）から資本金の額等１億円超の大法人に限り、確定申告書、修正申告書等を電子申告しない場合は無申告として取り扱われることになり、実質的に電子申告が義務化されました。

なお、通算法人（グループ通算制度の適用を受けた通算親法人及び通算子法人）は、資本金の額等が１億円超であるか否かに関わらず、電子申告が義務化されます。

対象となる申告書・添付書類等	法人税・地方法人税、消費税等、法人住民税・法人事業税の申告書の提出は電子申告（ｅ－Ｔａｘ又はｅＬＴＡＸ）。また、これらの申告書の添付書類については電子申告又は光ディスクによる提出。
対象者	内国法人のうち、事業年度開始時に資本金の額又は出資金の額が１億円を超える法人、通算法人、相互会社、投資法人、特定目的会社
対象申告	確定申告、中間申告、修正申告

＊　経過措置として、期限内に申告書の主要な部分が電子的に提出されていれば無申告加算税は課さない取扱いとされます。また、電気通信回線の故障、災害その他の理由により、電子申告が困難である場合においては、納税地の所轄税務署長の承認を受けて確定申告書と添付書類を書面により提出することができます。

（注）財務諸表データのe-Tax再送信時の取扱いの変更

財務諸表データにe-Taxで使用できない文字があった場合には、修正後の財務諸表データを再送信する必要があります。

なお、令和６年１月５日以降、修正後の財務諸表データの再送信が期限後になった場合、申告期限内に申告に係るデータが提出されている場合であっても、期限後申告として取り扱われることとなりました。

２．年末調整手続の電子化

令和２年分から「保険料控除証明書」、「住宅ローン残高証明書」は、電子データ（電子控除証明書データ）として提供されることになり、電子データで給与支払者へ提出することが可能となりました。

年末調整の電子化手続

①電子控除証明書データが、各自のマイナポータルに届けられる。
②国税庁の「年末調整控除申告書作成用ソフトウェア」（年調ソフト）で扶養控除等申告書等を作成し、雇用主に電子データで提出する。
③雇用主は、電子データで控除申告書等を受け取り、データで保管し、年末調整を行う。
④雇用主は、源泉徴収票等を電子データで作成し、国等へ電子データで提出する。

住宅ローン控除の電子化手続

①電子化された「給与所得者の住宅借入金等特別控除申告書兼控除証明書（税務署発行）」及び「住宅取得資金に係る借入金の年末残高証明書（金融機関発行）」がマイナポータルに届けられる。
②国税庁の「年末調整控除申告書作成用ソフトウェア」（年調ソフト）で扶養控除等申告書を作成し、雇用主に電子データで提出する。
③雇用主は、電子データで控除申告書等を受け取り、データで保管し、年末調整を行う。

３．その他の改正

（１）添付書類の会社保存の容認

収用等に伴う課税の特例等の制度を適用する場合の第三者作成書類の添付が省略され、会社保存要件となっています。

（２）提出先の一元化

外形標準課税対象法人等が、e-Taxにより財務諸表を提出した場合には、国税・地方税当局間の情報連携により法人事業税の申告における財務諸表の提出が不要となりました。

（３）納付書の事前送付取りやめ

社会全体の効率化と行政コストの抑制の観点から、国税庁がキャッシュレス納付の利用拡大に取り組んでおり、現在、事前送付されている納付書が、令和６年５月以降に送付する分から、e-Taxにより申告書を提出している法人やe-Taxによる申告書の提出が義務化されている法人等については、納付書の事前送付が行われなくなりました。

税務等実務年間スケジュール

（ただし、決算日に応じて変動する法人税等の申告、中間納付等については省略しています。）

	項　　目	期限**	留　意　点
1月	給与所得者の扶養控除等申告書の提出		最初の給与支払日前日までに従業員等から受領
	源泉所得税の納付（年２回納期の特例適用者）	20日	７月分から12月分を納付
	個人の住民税（第４期分）の納付	＊	普通徴収の場合
	給与支払報告書の提出	31日	31日までに給与の支払を受けている者の住所地の市町村に提出
	法定調書合計表、支払調書の提出	31日	給与の支給状況や報酬の支払状況等を合計表にまとめ、支払調書とともに税務署に提出
	固定資産税の償却資産税の申告	31日	固定資産税の課税対象となる償却資産について申告
	労働保険概算保険料（第３期分）の納付	31日	概算保険料が40万円以上で延納した場合
2月	固定資産税等（第４期分）の納付	＊	
	特別土地保有税（取得分）の申告・納付（当分の間適用停止）	28日	１月１日前１年以内に基準面積以上の土地を取得した者が申告
3月	所得税の確定申告・納付	15日	個人が前年中の所得金額及び税額について申告
	贈与税の申告・納付	15日	個人から前年中に110万円超の財産をもらった個人が申告
4月	固定資産税等（第１期分）の納付	＊	市町村によっては５月末までに納付の取扱いとなっている
	軽自動車税の納付	＊	
5月	自動車税の納付	＊	
	特別土地保有税（保有分）の申告納付（当分の間適用停止）	31日	１月１日に基準面積以上の土地を所有する者が申告
6月	個人の住民税（第１期分）の納付	＊	普通徴収の場合
7月	源泉所得税の納付（納期特例適用者）	10日	１月分から６月分を納付
	健康保険・厚生年金保険被保険者の報酬月額算定基礎届の提出	10日	７月１日現在の全被保険者の４月、５月、６月の報酬月額を届出。この申告に基づく保険料は９月１日から適用
	労働保険の年度更新手続（確定保険料、概算保険料（第１期分）の納付）	10日	労働保険の前年度の確定申告と当年度の概算申告・納付
	固定資産税等（第２期分）の納付	＊	
	個人の所得税の予定納税額（第１期分）の納付	31日	予定納税基準額が15万円以上になる場合
8月	個人の住民税（第２期分）の納付	＊	普通徴収の場合
	個人の事業税（第１期分）の納付	＊	
	特別土地保有税（取得分）の申告納付（当分の間適用停止）	31日	７月１日前１年以内に基準面積以上の土地を取得した者が申告
9月			
10月	個人の住民税（第３期分）の納付	＊	普通徴収の場合
	労働保険概算保険料（第２期分）の納付	31日	概算保険料が40万円以上で延納した場合
11月	個人の所得税の予定納税額（第２期分）の納付	30日	予定納税基準額が15万円以上になる場合
	個人の事業税（第２期分）の納付	＊	
12月	給与所得の年末調整		給与所得者の保険料控除申告書等、住宅借入金等特別控除申告書の受理と年末調整の実施
	固定資産税等（第３期分）の納付	＊	

＊　固定資産税、自動車税等の地方税については、都道府県・市町村により一部異なる場合があります。

＊＊　期限の日が土、日、祝日の場合は、その翌日となります。

序章 会社に関する税金

1 会社に関する税金あれこれ
——こんなにあるの？会社の税金——

会社法では、会社の種類は、出資者の責任態様の違いにより４つに区分されていますが、法人税法上はすべて普通法人として同一の取扱いを受けます。こうした普通法人以外にも法人にはさまざまなものがあり、その種類に応じて法人税の取扱いは異なります。

なお、会社の所得に対しては、法人税だけでなく、事業税もかかり、法人税額を基準にして都道府県民税や市町村民税といった住民税もかかってきます。また、不動産や自動車を買ったり所有していると、不動産取得税、自動車取得税、固定資産税、自動車税などがかかります。その他、消費税や印紙税、登録免許税など日常の取引の中でかかってくる税金もあります。

①会社の種類

社員（出資）の責任の態様に応じて次の４種類の会社が会社法に定められています。

株式会社		すべての出資者（株主）が有限責任社員からなる物的会社で、株主総会と取締役のみからなる中小会社向きの会社から、取締役会・監査役（会）・会計参与・会計監査人など必要な機関を選択し、大会社や上場会社向きの会社までさまざまな機関設計が可能です。
持分会社	合名会社	すべての社員が、会社債権者に対し無限責任を負う無限責任社員からなる人的会社で、別段の定めがない限りすべての社員に会社を代表する権限があります。
	合資会社	無限責任社員と出資金額を限度として責任を負う有限責任社員とによって組織される二元的組織の会社で、無限責任社員は合名会社の社員と同様の取扱いとなります。
	合同会社	すべての社員が、出資金額を限度として責任を負う有限責任社員からなる人的会社で、有限責任でありながら、定款自治が広く認められている点で株式会社とは異なります。

●特例有限会社：会社法の施行により既存の有限会社は、法的には会社法下の株式会社となりますが、経過措置により、これまで有限会社に認められていた制度の多く（取締役の任期がない、決算公告が不要等）を維持することもできます。（整備法）

〈法人税法上の法人の種類と法人税の取扱い〉

法人の種類	例　示	課税対象の所得	税　率		
公共法人	地方公共団体、国立大学法人など（法人税法別表第一）	納税義務なし	－		
公益法人等（10ページ参照）	学校法人、社会医療法人、宗教法人など（法人税法別表第二）	収益事業からなる所得	年800万円以下の所得について		15%＊1
			年800万円超の所得について		19%＊2
協同組合等	農業・漁業協同組合、信用金庫など（法人税法別表第三）	すべての所得	年800万円以下の所得について		15%＊1
			年800万円超の所得について		19%
			特定の協同組合等の10億円超の所得について		22%
人格のない社団等	法人でない社団又は財団で代表者又は管理人の定めがあるもの	収益事業からなる所得	年800万円以下の所得について		15%＊1
			年800万円超の所得について		23.2%
普通法人	合名・合資・合同・株式会社他、医療法人など	すべての所得	中小法人	年800万円以下の所得について	15%＊1、＊3
				年800万円超の所得について	23.2%
			中小法人以外の法人		23.2%

＊１　平成24年４月１日から令和７年３月31日までの間に開始する事業年度に適用される税率です。
＊２　公益社団法人、公益財団法人又は非営利型法人等は23.2%。（10ページ参照）
＊３　中小法人のうち、適用除外事業者（199ページ参照）に該当するものは、19%。

合同会社（LLC）と有限責任事業組合（LLP）について

会社法のLLCとLLPを、株式会社や民法上の組合と比較すると以下のとおりです。

	株式会社	LLC	LLP	民法上の組合
法人格の有無	会社制度につき法人格有		組合制度につき法人格無	
所有と経営	分離	一致		
構成員の責任態様	有限責任			無限責任
損益や権限の配分	出資額に比例	出資額に関係なく自由に設定可能		
構成員課税	法人課税		構成員課税（パススルー課税）＊	

＊　構成員の出資額を超える組合事業における損失は、当該事業年度の所得の計算上、損金の額に算入できないので注意が必要です。（措法67の12、67の13）

❷会社にかかる税金一覧

会社が事業活動をしていく上で関係してくる税金のうち主なものは以下のとおりです。
なお、＊印の税目は、時期は異なりますが、最終的に法人税の計算上損金に算入されます。

分類		税目	どんなときにかかるか	納税義務者は？	参照
基本的に所得を基準に課される税金		法人税	所得がある場合（使途秘匿金を支出した場合なども含みます。）	内国法人及び国内源泉所得を有する外国法人	6ページ
		地方法人税	納める法人税がある場合	法人税を納める義務がある法人	6ページ
		都道府県民税（注1）	納める法人税がある場合（法人税割）	都道府県内に事務所等を有する法人	7ページ
			原則として必ず納める（均等割）	都道府県内に事務所等を有する法人	350ページ
		市町村民税（注1）	納める法人税がある場合（法人税割）	市町村内に事務所等を有する法人	7ページ
			原則として必ず納める（均等割）	市町村内に事務所等を有する法人	353ページ
	＊	事業税（注2）	資本金1億円以下の会社で、所得がある場合	事業を行う法人	350ページ
			資本金1億円超の会社 原則として納める（外形標準部分）＋(所得割部分)		7、8ページ 358ページ
事業所を基準に課される税金	＊	事業所税	事業所を設け事業を行っている場合（資産割、従業者割）	事業所等において事業を行う法人	356ページ
資産の取得や所有に対して課される税金	＊	不動産取得税	不動産を取得した場合	不動産を取得した者	95ページ
	＊	自動車取得税	自動車を取得した場合	自動車を取得した者	下記
	＊	固定資産税	固定資産を所有している場合	固定資産の所有者	97ページ
	＊	特別土地保有税（当分の間適用停止）	一定面積以上の土地を取得又は所有している場合	土地を取得又は所有している者	96ページ
	＊	都市計画税	土地・家屋を所有している場合	土地・家屋の所有者	97ページ
	＊	㊍自動車税	㊍自動車を所有している場合	㊍自動車の所有者	下記
消費や流通などに対して課される税金	(＊)	消費税等	資産の譲渡を行った場合など	課税資産を譲渡した事業者等	150ページ
	＊	印紙税	契約書などを作成した場合	契約書など課税文書の作成者	12ページ
	＊	登録免許税	登記や登録などを行った場合	登記等を受ける者	95ページ
	＊	ゴルフ場利用税	ゴルフ場でゴルフを行った場合	ゴルフ場の利用者	
	＊	関税	外国から貨物を輸入した場合	貨物を輸入する者	

注1　東京都の23区内に事務所等を有する法人については、市町村民税としての特別区民税を道府県民税としての都民税に合わせて、都民税として申告納付することになっています。
注2　事業税の所得割の一部が、特別法人事業税（国税）として徴収され、その後、人口を基準に特別法人事業譲与税として都道府県に配分されます。
　3　非課税範囲が定められていたり、事業所税や都市計画税などの地方税については、課税される地域が限られているため、課税事由に該当する場合でも、必ずしもすべての税金が課されるわけではありません。

【自動車関係税制（エコカー減税など）】

排出ガス及び燃費性能の優れた環境負荷の小さい自動車について、自動車税、自動車重量税を免除・軽減する措置が設けられています。

税目			重量税（エコカー減税）		自動車税・軽自動車税		
					環境性能割＊1、2		種別割（グリーン化特例）
適用期間＊3			令和6年1月1日から令和7年4月30日まで		令和6年1月1日から令和7年3月31日まで		令和8年3月31日まで
対象車両			普通/軽		普通	軽	普通/軽
			初回車検	2回目車検			
乗用車＊5	電気自動車等＊4		免税	免税	非課税	非課税	75%軽減
	2030年度燃費基準	120%達成					営業用登録車は2030年燃費基準 90%達成⇒75%軽減 70%達成⇒50%軽減※ ※　令和7年1月1日以降は軽減なし (注)自家用登録車は対象外
		90%達成		軽減なし			
		85%達成	50%軽減				
		80%達成			1%		
		70%達成	25%軽減		2%	1%	
	上記以外（2020年度燃費基準達成車に限る）		軽減なし		3%	2%	

＊1　記載の割合は取得価額に乗じる割合です。表作成の都合上、一部記載を省略している点があります。
＊2　中古車の場合は課税標準基準額に一定の残価率を乗じた金額を取得価額として計算します。
＊3　エコカー減税は令和7年5月1日から令和8年4月30日まで、環境性能割は令和7年4月1日から令和8年3月31日まで上記表と異なる内容で免除・軽減措置があります。（令和5年版本書改正のあらまし（V）等参照ください）
＊4　乗用車では、電気自動車・燃料電池自動車、PHV（プラグインハイブリッド車）、天然ガス自動車、クリーンディーゼル車 なお、クリーンディーゼル車は燃費基準達成車のみが減税対象となります。
＊5　バスやトラック（重量車）にも、一定の基準を満たせばエコカー減税、グリーン化特例、環境性能割の軽減措置があります。

2 個人事業と会社の税金比較

——法人成りすれば税金はどうなる？——

個人事業者が会社を作ること（法人成りといいます）のメリット・デメリットについて税金面から検討します。個人事業の場合には個人事業主に対する税金、会社の場合には会社に対する税金に社長等の報酬に対する税金を加味して比較することになります。また、法人成りによって株式会社を設立する場合、税金面では、資本金の額等が1,000万円未満の新設法人は原則２年間、消費税が免除されるなどのメリットがあります。ここでは、どのような点に考慮して法人成りを検討すればよいのか説明します。

個人事業と会社との税金比較

個人事業と会社とで税務上どのような点が異なってくるのか検討します。ただし、資本金の額等が１億円超の会社には事業税の外形標準課税制度が導入されていますが、ここでは、資本金の額等が１億円以下の会社を前提にして所得のみを課税標準とする事業税を前提に検討します。

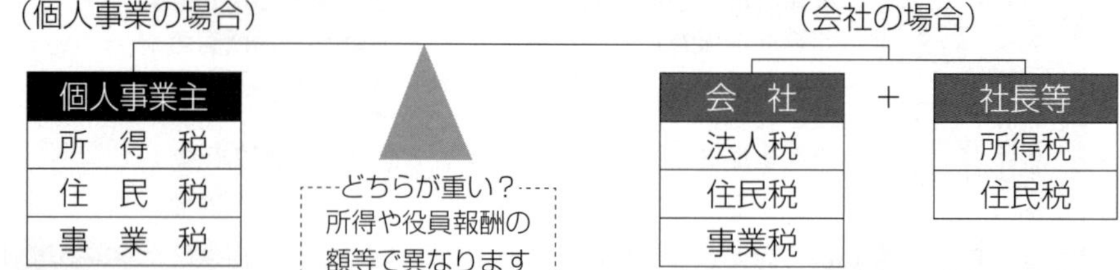

ポイント　個人事業と会社と、税金の上でどちらが有利かについては、一つの答えはありませんが、大体、次のような点を考慮して「法人成り」を考えてみるとよいでしょう。

項　目	個人事業	会　　社		有利不利
法人・所得税率等	所得税は７段階（住民税と合わせ15%～55%）の累進税率＊	実効税率（法人税、住民税、事業税を勘案した理論上の税負担率）は約30%	▶	所得が高くなれば法人税が有利
事業税率等	290万円の事業主控除があり、税率は原則５%の比例税率	事業主控除はなく、特別法人事業税を含めて9.6%（一定の軽減税率あり）の税率	▶	税率は個人事業が有利
事業主報酬	すべて個人の事業所得となり、給与所得控除はない。親族への給与も制約が多い。	会社は役員報酬として損金算入、社長は給与所得として給与所得控除が可能	▶	会社組織が有利
生命保険料	事業主個人契約の保険料は必要経費にできず、所得控除の対象となる。（最大12万円）なお死亡保険金は相続税の計算上、法定相続人１人につき500万円の非課税枠がある。	会社契約の保険料は、契約内容に応じて損金算入可能な部分がある。また死亡保険金や解約返戻金を（死亡）退職金や弔慰金の支払に充当できる。	▶	会社契約の生命保険で、損金となる保険料を活用できる点が有利な他、解約返戻金を含み益として退職時まで繰り延べることができる。また会社契約と別に、社長個人の契約が可能
交際費	業務の遂行上直接必要とされるものはすべて必要経費	800万円超の場合には損金不算入となる部分が生じる。（60ページ参照）	▶	個人事業が有利

＊　平成25年１月１日から令和19年12月31日までは、復興特別所得税（所得税額×2.1%）との合計額で計算されます。

法人の場合、役員や従業員に対する適正な退職金は損金として認められますが、個人事業の場合、事業主及び生計を一にする親族ともに事業に長年従事しても小規模企業共済に加入するなどしない限り、退職金は必要経費に認められません。

この他にも、役員報酬の適正額であれば所得分散がはかれる、事業承継対策の一つとなるといった税務面だけでなく、イメージ面や社会保険への加入が必要、設立費用や継続的に発生する役員の登記費用などが必要、決算期が選択可能といった点から会社の設立が検討されます。

計算例 事業所得しかない個人事業主が100%出資し、資本金500万円の株式会社に法人成りして、会社の所得はすべて役員報酬（法人税法上損金不算入となる過大役員報酬には該当しない。）として社長に支払った場合。

〔前提〕・事業所得は2,000万円、所得控除合計は所得税・住民税ともに200万円とします。
・従業員50人以下の物品販売業とし、住民税・事業税等の税率は標準税率によっています。
・会社の所得は０円（役員報酬控除前所得2,000万円－役員報酬2,000万円）とします。

個人事業主	
①所得税	449万円
②住民税	180万円
③事業税	86万円
合計715万円	

給与所得控除の影響により、会社形態の方が税負担が軽くなります。

会社	
❶法人税	0円
❷住民税	7万円
❸事業税	0円

社長個人	
❹所得税	375万円
❺住民税	158万円

合計540万円

	個人事業の場合の税金の計算
①所得税	所得金額　所得控除　税率　速算控除　復興税考慮　税額 ((2,000万円－200万円)×33%－154万円)×102.1%≒449万円
②住民税	所得金額　所得控除　税率　均等割＊　税額 (2,000万円－200万円)×10%＋5千円≒180万円
③事業税	所得金額　事業主控除　税率　税額 (2,000万円－290万円)×5%≒86万円

	法人成りした場合の税金の計算				
❶法人税	税額 0円	❷住民税	税額(均等割) 7万円	❸事業税	税額 0円
❹所得税	所得金額　給与所得控除　所得控除　税率　速算控除　復興税考慮　税額 ((2,000万円－220万円－200万円)×33%－154万円)×102.1%≒375万円				
❺個人住民税	所得金額　給与所得控除　所得控除　税率　均等割＊　税額 (2,000万円－220万円－200万円)×10%＋5千円≒158万円				

＊　均等割は市町村民税と都道府県民税を合わせて年額５千円（森林環境税（国税）千円を含む）の定額負担となっています。なお、個人住民税均等割の納税義務を負う夫と生計を一つにする妻で、所得金額が一定金額（パート収入なら100万円）を超え、夫と同じ市町村内に住所を有するものも均等割（５千円）を負担します。
また、均等割の超過課税として独自の森林環境税等を導入している地方公共団体もあります。

消費税の取扱い

法人成りの際に、上記の所得に対する課税に加えて、消費税がどのように取り扱われるかも重要なポイントになります。

資本金の額等が1,000万円未満の法人は、原則として法人設立から２期目の事業年度まで消費税の納税義務が免除されます。そのため、個人事業主が消費税の納税義務者であった場合には、法人成りにより消費税の納税義務の免除のメリットを受けられる場合があります。

ただし、特定新規設立法人に該当し、設立初年度から納税義務が免除されない場合、基準期間の翌期の上半期（特定期間）の課税売上高等が1,000万円超の場合に特定期間の翌期から納税義務が免除されない場合（153ページ参照）や適格請求書発行事業者の登録を受けたことにより納税義務が免除されない場合（161ページ参照）があるので、注意が必要です。

個人事業を廃止した場合の注意点

法人成りは、それまでの個人事業を法人が行うために、個人事業は廃止することになります。その場合には以下のことに注意する必要があります。

① 廃業届出（個人事業を廃止した旨及び廃止年月日を記載したもの）を廃業の日から１か月以内に、納税地の所轄税務署長に提出すること（所法229）
② 個人事業を廃止した年分の事業所得は、他の所得と合わせて、翌年に確定申告をすること
③ 法人成りによって事業を廃止した場合、事業を廃止しなければその年分以後の必要経費となるべき金額（例えば事業税等＊）が発生しているときは、その廃止した年分の必要経費となること（所法63）
＊ 一括償却資産については、その取得価額のうち必要経費に算入していない部分は、すべて事業を廃止した年分の必要経費に算入します。
④ 「源泉所得税の納期の特例」を選択していた個人事業者は、事業を廃止することによりこの特例の効果が消滅するので、預かっていた源泉所得税については、事業を廃止した日の属する月の翌月10日までに納付すること
⑤ 事業を廃止した日の属する年分にかかる所得税確定申告において予定納税の納付義務がある場合には、一定の期間までに「所得税の予定納税の減額申請書」を提出することにより、予定納税の納付を減額することができること（所法111～113）
⑥ 事業を廃止した日の属する課税期間において消費税の課税事業者に該当する場合、消費税の申告等が必要です。また事業の廃止に伴い車両等の事業用資産を家事のために使用等した場合は、みなし譲渡として消費税の課税対象となることに注意が必要です。（消法４）

3 会社の所得にかかる税金の仕組み

——利益と所得の関係と税金の計算——

法　人　税　は会社の所得に対して課される税金です。この所得は、法人税の計算では会社決算上の収益に相当する「益金」から会社決算上の費用に相当する「損金」を控除して求められます。しかし、会社決算上費用処理したものが、「損金」に認められなかったり、会社決算上収益処理したものが、「益金」に算入されなかったりするなど、会社決算上の利益と、法人税法上の課税所得とは一致しないことがほとんどです。こうした仕組みと、法人事業税の外形標準課税の内容と計算の仕組みについて説明します。

なお、法人事業税所得割について、資本金の額等が１億円超の法人に対する年800万円以下の所得に係る軽減税率が廃止されました。

①決算上の利益と法人税の所得と税金の計算

法人税の計算では、会社の決算上の利益に、収益･費用と益金･損金との不一致部分（図の❶～❹の部分）を加減算することにより、所得の金額を求めることになります。また、法人税、地方法人税の計算過程は以下のとおりです。なお、事業税（所得割）及び住民税（法人税割）の計算の流れは右ページ❷で説明しています。

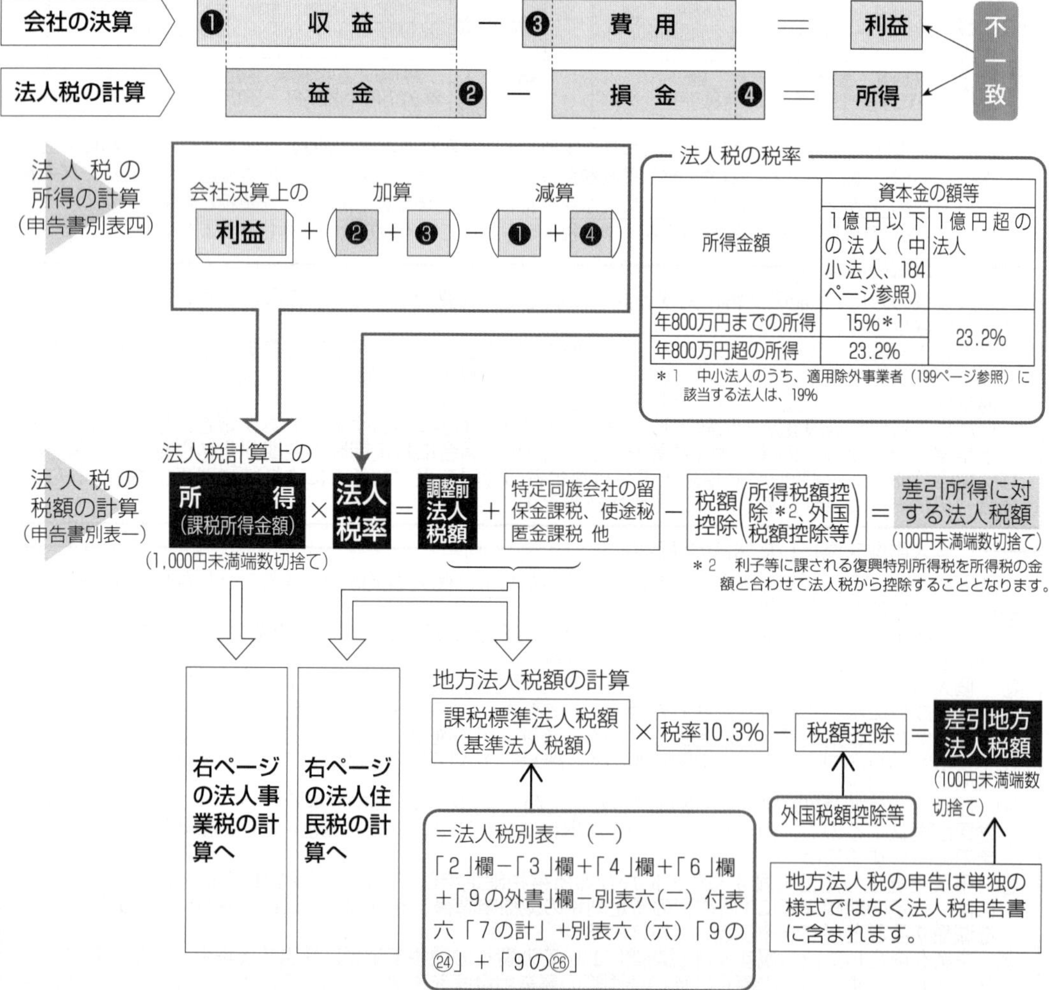

所得金額	資本金の額等 1億円以下の法人（中小法人、184ページ参照）	1億円超の法人
年800万円までの所得	15%＊1	23.2%
年800万円超の所得	23.2%	

＊1　中小法人のうち、適用除外事業者（199ページ参照）に該当する法人は、19%

❷事業税と住民税の計算の流れ

法人事業税と法人住民税はそれぞれ左ページ❶の法人税の課税所得金額と法人税額を課税標準として以下のような流れで計算されます。なお、法人住民税は、「均等割」と「法人税割」から構成されており、赤字の場合でも、期末資本金等の額や従業員数の区分に応じて自治体が定めた均等割を納める必要があります。(198ページ参照)

法人事業税の税額の計算(第六号様式)

所得(課税所得金額)(1,000円未満端数切捨て) × 事業税率 = 事業税額(所得割)(100円未満端数切捨て) + 特別法人事業税 (基準法人所得割額)×37%

法人税の課税所得金額を課税標準としますが、法人税で損金算入した源泉所得税及び復興特別所得税について、事業税の課税標準の計算上損金算入されないなど、一定の調整が必要な場合があります。(地令21の2の2)

標準税率により計算した法人事業税の所得割額

●資本金の額等が1億円超の法人(及び令和6年税制改正により、外形標準課税制度が適用される場合)の事業税額の計算方法は❸(8ページ)参照

事業税率(資本金の額等が1億円以下など外形標準課税制度の対象外となる法人)＊1

所得金額	令和元年10月1日以後開始事業年度	
	標準税率	制限税率
年400万円以下の金額＊2	3.5%	4.2%
年400万円超800万円以下の金額＊2	5.3%	6.36%
年800万円超の金額	7%	8.4%

(注)外形標準課税制度の対象となる法人の税率については8ページ参照

法人住民税の税額の計算(第六号様式 第二十号様式)

法人税額(1,000円未満端数切捨て) × 住民税率 = 法人税割額 − 税額控除(外国税額控除等) = 差引法人税割額(100円未満端数切捨て)

法人税額(別表一(一)「9」欄)を課税標準としますが、試験研究費の総額に係る法人税額の特別控除額が課税標準の計算上加算されるなど、一定の調整が必要な場合があります。＊3

住民税率(法人税割)＊1

	令和元年10月1日以後開始事業年度	
	法人税額に対し	
	標準税率	制限税率
道府県民税	1.0%	2.0%
市町村民税	6.0%	8.4%

＊1 税率は、基準となる標準税率と最高限度となる制限税率が定められており、実際の税率は各地方自治体により異なります。

＊2 分割法人(3以上の都道府県に事務所等を設けて事業を行う法人で資本金の額等が1,000万円以上の法人)については年800万円以下の所得に対する軽減税率が不適用となります。

＊3 その他の課税標準の計算上の調整項目としては、給与等の引上げ及び設備投資を行った場合等の法人税額の特別控除額を加算する場合や、還付法人税額等の控除額を減算する場合などがあります。なお、中小企業者等(199ページ参照)が受けた法人税額の特別控除額については加算しません。

「資本金の額等」と「資本金等の額」

「資本金の額等」…資本金の額又は出資金の額のことをいいます。

「資本金等の額」…法人が株主等から出資を受けた額をいいます。(法令8)

資本金又は出資金に、資本準備金等、株式発行時に払い込まれた額のうち資本金に組み入れなかった額などを加算し、自己株式の取得等により交付した額などを減算したもので、会計上の資本金、資本準備金等の合計と差異が生じます。

なお、平成27年4月1日以後に開始する事業年度から、法人住民税均等割の税率区分の基準である「資本金等の額」や外形標準課税の資本割の課税標準である「資本金等の額」は、事業年度終了日の「法人税法上の資本金等の額に無償増減資等の額を加減算した額＊」と「資本金の額及び資本準備金の額の合計額」を比較していずれか大きい金額となります。(地法52、地法72の21)

＊ 無償増減資等の額を加減算した額とは

加算する額	平成22年4月1日以後に、利益準備金又はその他の利益剰余金による無償増資を行った場合の増資額
減算する額	平成18年5月1日以後に、剰余金による損失の填補を行った場合(資本金の額又は資本準備金の額を減少し、その他資本剰余金として計上してから1年以内に損失の填補に充てた金額に限る。)の損失の填補に充てた金額

③外形標準課税の説明（地法72以下）

事業税の外形標準課税制度は、事業年度終了の日において資本金の額等が１億円超の法人（医療法人や公益法人等は除く。）を対象に、所得だけでなく付加価値や資本金等の外形基準に対しても事業税が課税される制度で、赤字法人にも課税が生じる可能性があります。なお、資本金の額等が１億円以下の法人については、所得に対する事業税しか課税されません。

また、令和６年度税制改正により以下のとおり対象企業が拡大されますので、対応には注意が必要です。（地法附則８の３の３、改正地法附則７②、８②③、地令附則６、地令10）

	減資対応＊1	分社化等への対応＊2
対象法人	前事業年度に外形標準課税の対象であった法人	資本金と資本剰余金の合計額が50億円を超える法人等（特定法人）の100%子法人
改正内容	事業年度終了の日における資本金の額等が１億円以下であっても、同日における資本金と資本剰余金の合計額が10億円を超える場合は外形標準課税の対象となる	事業年度終了の日における資本金の額等が１億円以下であっても、同日における資本金と資本剰余金の合計額が２億円を超える場合は外形標準課税の対象となる
適用年度	令和７年４月１日以後開始事業年度より	令和８年４月１日以後開始事業年度より

＊１　令和７年４月１日以後最初に開始する事業年度については、上記にかかわらず経過措置として、令和６年３月30日を含む事業年度の前事業年度（令和６年３月29日以前に資本金の額等が１億円以下の場合は、令和６年３月30日以後最初に終了する事業年度）に外形標準課税の対象法人であれば、当該改正の対象となります。

＊２　当該改正により外形標準課税の対象法人となった場合には、従来の課税方式で計算した税額を超える事業税額について一定の控除がされます。なお対象法人が令和６年３月30日以後に親法人に対して資本剰余金から配当を行った場合は、その配当に相当する額を資本金と剰余金の合計額に加算して当該改正の対象かどうかを判定します。

１．外形標準課税の計算

外形標準課税対象法人における事業税額 ＝ 所得割額 ＋ 特別法人事業税額（所得基準） ＋ 付加価値割額 ＋ 資本割額（外形基準）

電気供給業のうち、発電・小売電気事業等を行う法人の事業税は収入割のみで計算されていましたが、収入割に資本金の額等が１億円超の法人には外形標準課税が組み入れられ、資本金の額等が１億円以下の法人には所得割が組み入れられました。

所得基準	所得割額	＝	法人事業税の所得金額 × 税率＊1
	特別法人事業税額	＝	基準法人所得割額＊2 × 税率＊1
外形基準	付加価値割額	＝	付加価値額（収益配分額（右ページ参照）±単年度損益＊3） × 税率＊1
	資本割額	＝	資本金等の額＊4 × 税率＊1

＊１　税率（標準税率）

	標準税率	制限税率
所得割	1.0%	1.7%
特別法人事業税	260%	－
付加価値割	1.2%	1.4%
資本割	0.5%	0.6%

＊２　基準法人所得割額＝法人事業税の所得金額×所得割の標準税率

＊３　欠損金の繰越控除を行う前の法人税法上の所得金額をいい、所得金額がマイナスの場合は収益配分額から控除します。

＊４　７ページ「資本金の額等」と「資本金等の額」参照

（注）　特定ガス供給業者は、収入割以外に外形標準課税(付加価値割、資本割)が課税されます。

２．外形標準課税の具体的な計算とその対応策

(1)　具体的な設例における事業税額の計算とその影響

【設例】資本金と収益配分額が異なる３つのケースについて、それぞれ課税所得水準の違いにより適用される事業税がどのように変わるか比較してみます。会社は、株式会社（分割法人（７ページ＊２参照））で税務上の繰越欠損金はなく、事業税は標準税率で計算します。なお、ここでは令和６年４月１日開始事業年度の税率で計算しています。

（単位：万円）

課税所得金額 ＼ 資本金・収益配分額	ケース①　資本金１億円	ケース②　資本金３億円　収益配分額　小（1,000万円）	ケース③　資本金３億円　収益配分額　大（２億円）
	所得割＊	所得割＊＋付加価値割＋資本割＝合計	所得割＊＋付加価値割＋資本割＝合計
A　ゼロ（赤字）	0	0 ＋ 12 ＋ 150 ＝ 162	0 ＋ 240 ＋ 150 ＝ 390
B　1,000万円	96	36 ＋ 24 ＋ 150 ＝ 210	36 ＋ 252 ＋ 150 ＝ 438
C　１億円	959	360 ＋ 132 ＋ 150 ＝ 642	360 ＋ 360 ＋ 150 ＝ 870

＊　特別法人事業税額を含みます。

(2)　**外形標準課税制度への対応策**

上記(1)を踏まえ、外形標準課税制度への対応方法について、具体的に検討します。

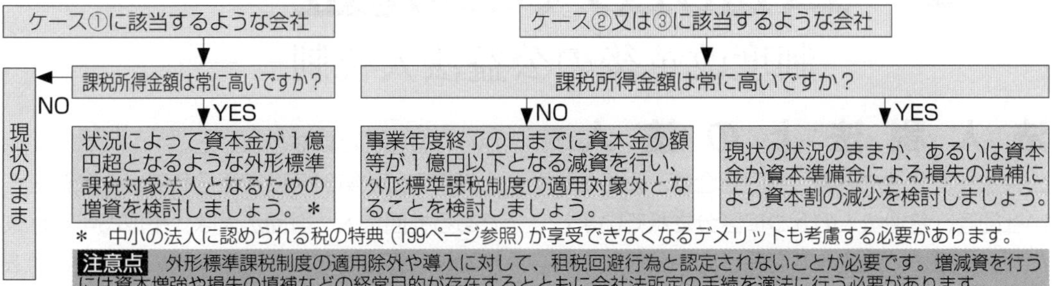

ケース①に該当するような会社
→ 課税所得金額は常に高いですか？
- NO → 現状のまま
- YES → 状況によって資本金が１億円超となるような外形標準課税対象法人となるための増資を検討しましょう。＊

ケース②又は③に該当するような会社
→ 課税所得金額は常に高いですか？
- NO → 事業年度終了の日までに資本金の額等が１億円以下となる減資を行い、外形標準課税制度の適用対象外となることを検討しましょう。
- YES → 現状の状況のままか、あるいは資本金か資本準備金による損失の填補により資本割の減少を検討しましょう。

＊　中小の法人に認められる税の特典（199ページ参照）が享受できなくなるデメリットも考慮する必要があります。

注意点　外形標準課税制度の適用除外や導入に対して、租税回避行為と認定されないことが必要です。増減資を行うには資本増強や損失の填補などの経営目的が存在するとともに会社法所定の手続を適法に行う必要があります。

また、令和７年４月１日以後最初に開始する事業年度においては対象範囲が拡大されるため、前事業年度に外形標準課税の対象法人であったかなどの確認が必要です。

３．収益配分額計算のポイント

収益配分額＝報酬給与額＋純支払利子＋純支払賃借料－雇用安定控除額－賃上げ促進税制控除額

各項目の内容と注意点は次のとおりです。なお、消費税を除いた金額で算定します。

●報酬給与額

内容	・役員（非常勤役員等含む。）や使用人、契約社員、アルバイト等（雇用関係又は委任関係等それに準ずる関係に基づくもの）への給与手当・賞与・退職金等の合計額 ・原則として法人税法上損金算入され、所得税法上は給与所得又は退職所得と判定されるもの
注意点	・出向元法人が支給した給与のうち出向先法人から受け取った給与負担金分は、出向元法人においては報酬給与額に含まれず、実質的負担者である出向先法人の報酬給与額となります。（出向者・転籍者の退職給与については、241ページ参照） ・法定福利費や通勤手当･旅費（所得税法上の非課税限度額内の金額）、在勤手当、ストックオプション、損金不算入となる役員給与は、報酬給与額に含まれません。 ・厚生年金基金、中小企業退職金共済等の企業年金等の事業主掛金は報酬給与額に含まれます。 ・労働者の派遣を受ける法人は、その派遣費用の75%が報酬給与額に含まれ､逆に、労働者の派遣法人は当該金額を報酬給与額から控除できます。なお、「派遣」とは、労働者派遣法に基づく派遣契約をいいます。 ・関係会社など労働者派遣法に基づかない会社から人材の受入れをする場合、それが請負や業務委託になるのであれば、受入会社の負担費用は報酬給与額になりません。しかし、雇用関係又はそれに準ずる関係があれば、その負担費用は名目に関係なく報酬給与額になります。

●純支払利子

内容	・各事業年度の支払利子（借入金利息・社債利息・社債発行差金・手形売却損等）の合計額から各事業年度の受取利子（貸付金利息・預金利息等）の合計額を控除したもの（マイナスの場合はゼロとする。） ・原則として各事業年度の法人税法上損金又は益金に算入されるもの
注意点	・相手が会社、個人あるいは所在が国内、海外に関係なく、「法人が他に貸し付けた金銭から生じる利息」は受取利子となるため、支払利子から控除します。 ・金利スワップ取引等を行っている場合は実質負担額が支払利子となります。 ・売掛金等を支払期日前に支払いを受けた場合に支払う売上割引料は、報奨金的な意味合いから支払利子に該当しません。

●純支払賃借料

内容	・各事業年度の支払賃借料の合計額から各事業年度の受取賃借料の合計額を控除したもの（マイナスの場合はゼロとする。） ・原則として各事業年度の法人税法上損金又は益金に算入されるもの
注意点	・建物の屋上や壁面を使用する広告用看板の設置料は支払賃借料に含まれます。 ・建物の賃借で、契約書などで共益費が明確になっていれば、その共益費を除いて支払賃借料を計算しますが、賃借料と比較して共益費の額が不合理な額であれば、たとえ区分されていてもその全額が支払賃借料となります。 ・土地又は家屋（一体として効用する構築物･附属設備を含む。）の賃借料で、存続期間が１か月以上のものが該当します。例えば、契約で荷物を１か月以上預け、それが土地又は家屋の使用となるのであれば、保管先が倉庫会社か物流会社かに関係なく、その保管料は支払賃借料に含まれます。また、保税倉庫の保管料も支払賃借料となります。

●雇用安定控除額は、報酬給与額が収益配分額の70%を超える場合のその超過額となります。

●令和４年４月１日から令和９年３月31日までの間に開始する各事業年度においては、賃上げ促進税制控除額は、雇用者全体の給与総額の対前年度増加額に一定の割合（雇用安定控除調整率）を乗じた額となります。

4 公益法人と税金

——制度改革後の公益法人税制——

法人税法上の法人は、公共法人、公益法人等、協同組合等、人格のない社団等、普通法人の５つに区分されていましたが、公益法人制度改革を受けて、公益法人等の中に一般社団法人等（一般社団法人、一般財団法人、公益社団法人、公益財団法人）という区分ができ、普通法人と同様の税率による課税が行われることになりました。

従来の民法第34条に定められていた公益法人である社団法人、財団法人は、平成25年11月末までの移行期間を経て、基本的には一般社団法人等に移行されましたが、従来の取扱いと異なる点もあるなど注意が必要です。

① 公益法人関係税制

法人税法上の法人の区分及び税務の取扱いは以下のとおりです。

法人の形態			課税対象所得	法人税率	みなし寄附金	一般寄附金の損金算入限度額
公益法人等	学校法人・社会福祉法人・更生保護法人		収益事業	19%（年800万円以下の金額は15%＊3）	あり	所得金額の50%又は年200万円いずれか多い額
	その他の公益法人等					所得金額の20%
	公益社団法人・公益財団法人		収益事業＊2	23.2%（年800万円以下の金額は15%＊3）	あり（右ページ参照）	右ページ参照
	一般社団法人・一般財団法人	非営利型法人＊1	収益事業		なし	原則所得金額の1.25%
特定普通法人		その他	全所得			

＊１　公益認定を受けていない一般社団法人又は一般財団法人のうち、一定の要件を満たす非営利性が徹底された法人もしくは共益的活動を目的とする法人（法法２九の二）

＊２　公益社団法人･公益財団法人が行う事業が上記の収益事業に該当したとしても、公益認定された公益目的事業に該当する場合には、収益事業課税の対象から除外されます。（法令５②）

＊３　平成24年４月１日から令和７年３月31日までの間に開始する事業年度に適用される税率です。

② 収益事業課税

公益法人等（非営利型法人に該当しない一般社団法人･一般財団法人を除きます。）及び人格のない社団等については、継続して事業場を設け、以下の34種類の事業（その性質上その事業に付随して行われる行為を含みます。）を行っている場合にのみ課税されます。

収益事業の種類	①物品販売業、②不動産販売業、③金銭貸付業、④物品貸付業、⑤不動産貸付業、⑥製造業、⑦通信業、⑧運送業、⑨倉庫業、⑩請負業、⑪印刷業、⑫出版業、⑬写真業、⑭席貸業、⑮旅館業、⑯料理店業その他の飲食店業、⑰周旋業、⑱代理業、⑲仲立業、⑳問屋業、㉑鉱業、㉒土石採取業、㉓浴場業、㉔理容業、㉕美容業、㉖興行業、㉗遊技所業、㉘遊覧所業、㉙医療保健業、㉚技芸教授業等、㉛駐車場業、㉜信用保証業、㉝無体財産権提供業、㉞労働者派遣業

収益事業課税を受ける場合に、一定の要件を満たす必要がありますが、収益事業用の固定資産の処分損益について収益事業に係る損益に含めなくてもよい場合（法基通15−2−10）や、収益事業に通常必要な資金を超える余裕資金の運用収益を収益事業の損益に含めなくてもよい場合（法基通15−１−７）があります。

❸みなし寄附金

公益法人等（一般社団法人・一般財団法人を除きます。）が、収益事業に属する資産のうちからその収益事業以外の事業のために支出した金額（公益社団法人・公益財団法人については、その収益事業以外の事業で公益目的事業のために支出した金額）は、その収益事業に係る寄附金の額とみなして、一定の限度額まで損金算入が認められています。（法法37⑤、法令77の３、法基通15－２－４）

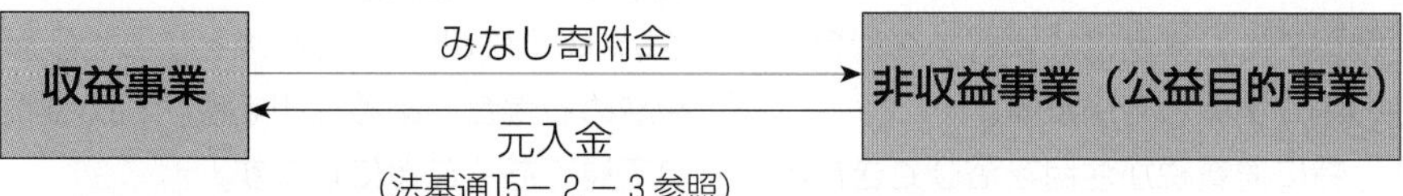

（法基通15－２－３参照）

公益社団法人・公益財団法人の寄附金損金算入限度額

次のいずれか多い金額（みなし寄附金額を限度）が損金算入限度額となります。（法令73、73の２）
- 当該事業年度の所得の金額の50／100
- 公益目的事業支出とみなし寄附金額いずれか少ない方

公益法人の交際費の損金算入限度額

交際費については、資本金の額等が１億円以下の法人について一定の損金算入枠が設けられていますが（60ページ参照）、公益法人等については次の金額を資本金とみなして損金算入限度額を計算します。（措令37の４）

①資本又は出資を有する公益法人等　$\text{資本金又は出資金の額} \times \dfrac{\text{分母のうち収益事業に係るもの（B）}}{\text{総資産価額（A）}}$

②資本又は出資を有しない公益法人等　$\left(\text{貸借対照表上の純資産価額} - \text{当期利益の額}\left(\text{又は}+\text{当期欠損金の額}\right)\right) \times \dfrac{60}{100} \times \dfrac{\text{（B）}}{\text{（A）}}$

❹損益計算書・収支計算書の提出

確定申告書を提出していない公益法人等は、損益計算書又は収支計算書を、その事業年度終了の日の翌日から４か月以内に税務署に提出することが必要です。（措法68の６）

損益計算書又は収支計算書の提出を要しない公益法人等の範囲（措令39の37）

①法人税法以外の法律によって公益法人等とみなされている政党等、管理組合法人など
②当該事業年度の収入金額（資産の売却収入で臨時的なものを除く。）の合計額が8,000万円以下の小規模法人

❺公益法人等とその他の税金

❶消費税等…消費税等の課税対象となる取引を行っている場合には公益法人等も消費税等の納税義務者となります。公益法人等については、原則課税業者で特定収入（資産の譲渡等の対価以外の収入をいい、寄附金・負担金・補助金等が該当します。）が多い法人の納付税額の計算は複雑となり大変です。

❷所得税……公益法人等が支払を受ける利子・配当・利息等の源泉所得税については非課税とされますが、一般社団法人、一般財団法人については非営利型法人であっても課税されます。（所法11、所法別表第１）

❸印紙税……公益法人等が作成する売上代金に係る金銭の受取書は、営業に関しない受取書として非課税となります。

MEMO

公益法人に対する寄附金については、税制上の優遇措置が設けられています。（71ページ、246ページ、248ページ参照）

また、公益法人と似た組織として認定NPO法人があり、認定NPO法人に対する寄附金も公益法人に対する寄附金と同様に税制上の優遇措置が設けられています。

なお、認定NPO法人とは、NPO法人（下記参照）のうち、一定の要件を満たすものとして都道府県知事の認定を受けるものをいいます。

NPOとは “Non-Profit Organization” の略で、公的な団体（国若しくは地方公共団体及び公益法人等）以外のすべての非営利の公益的な活動を行う団体のことをいいます。すなわち、「民間」「非営利」「公益」「団体」というのがNPOの条件です。

5 印紙税の取扱い

――契約書に税金がかかる⁉――

会 社であれ、個人であれ、法人税や所得税といった税金以外に、本当にさまざまな税金が日常の活動の中で関係しています。

最近では、特に消費税が注目を浴びてきたところですが、ここでは、普段あまり気には留めていないけれども、思わぬところで多額の税金を納める場合もある「印紙税」という税金について見ておくことにします。

印紙税とは

印紙税は、日常のさまざまな経済取引の中で作成される文書のうち、右ページの課税物件表に掲げられている文書を作成した場合に課される税金です。

印紙税には、課税物件の内容により、記載金額に応じて税率が変動するものと、税率が定額のものとがあります。税率が変動するものについては、その変動幅が比例的でない場合があるため、うまく記載金額を分割すれば節税につながることもあります。

印紙税節税のポイント

①税率の変動幅・非課税枠の活用	②電子契約の活用＊	③文書数の削減	④７号文書との比較
（手形の分割等）	（電子メールによる注文請書、領収書の送付） （後払い方式の電子マネー等による支払い）	（文書をまとめる） （銀行振込へ変更） （受取通帳方式へ変更）	（７号文書は必ず4,000円だが、１号や２号文書は、記載金額により税率が変動するため、記載内容を検討する。）

＊　電子契約における電磁的記録による契約は課税文書の作成に該当しないため、印紙税が不要とされています。（印法３、印基通44）

例えば……

１．３億５千万円分の約束手形を振り出す場合		印紙税
①	３億５千万円の手形１枚振り出した場合	100,000円
②	２億円と１億５千万円の手形２枚振り出した場合	80,000円
③	３億円と５千万円の手形２枚振り出した場合	70,000円
④	８万円の手形4,375枚振り出した場合	0円

２．銀行から１億円を借り入れる場合		印紙税
①	証書借入（１億円の金銭消費貸借契約証書）の場合	60,000円
②	証書借入（５千万円の金銭消費貸借契約証書２本）の場合	40,000円
③	手形借入（手形額面１億円）の場合	20,000円

用紙代と手間との比較も忘れずに！

注 意

印紙不納付や印紙不消印の場合には過怠税が課せられます。（この過怠税は法人税の計算上損金不算入となります。）

過 怠 税 の 金 額

不納付の場合……そ の 税 額 の ３ 倍
（不納付額＋その２倍相当額）

不消印の場合……そ の 税 額 相 当 額

（なお、課税文書の作成者が過怠税の決定があるべきことを予知せず不納付の申出をした場合の過怠税は、不納付額＋その10％に軽減されます。）

MEMO

過誤納の還付等

印紙税のかからない文書に収入印紙を貼ってしまったり、印紙税として定められた金額以上の収入印紙を文書に貼ってしまった場合には、文書の種類、納付税額、過誤納税額等を記載した「印紙税過誤納確認申請書」を所轄税務署長に提出し、過誤納の事実が証明できる文書＊、領収証等を提示すれば、還付を受けることができます。

なお、各種手数料の納付等で使用した収入印紙については過誤納の還付等の対象にはなりません。

＊　過誤納の事実を証する文書は原本が必要となり、スキャナデータ及びその出力文書では過誤納の還付を受けられないため、注意が必要です。

課税物件表

❶ 記載金額によって税率の変わるもの

<table>
<tr><th>文書番号</th><th>1号*1</th><th>2号*1</th><th>3号</th><th>4号</th><th colspan="2">17号*1</th><th colspan="2">特例措置*1</th></tr>
<tr><td>課税物件</td><td>●不動産・鉱業権・無体財産権・船舶・航空機・営業の譲渡に関する契約書
●地上権・土地の賃借権の設定・譲渡に関する契約書
●消費貸借に関する契約書
●運送に関する契約書</td><td>●請負に関する契約書</td><td>●約束手形・為替手形（一覧払い手形等を除きます）</td><td>●株券・出資証券・社債券・特定目的信託、受益証券発行信託の受益証券</td><td>●売上代金に係る金銭又は有価証券の受取書</td><td>●売上代金以外の金銭又は有価証券の受取書</td><td colspan="2">平成26年4月1日から令和9年3月31日までに作成される下記契約書</td></tr>
<tr><td>具体例
課税標準（記載金額）</td><td>不動産売買契約書
土地賃貸借契約書
金銭消費貸借契約書</td><td>工事請負契約書</td><td></td><td></td><td colspan="2">領収書
（営業に関しないものは非課税）</td><td>不動産譲渡契約書</td><td>建設工事請負契約書</td></tr>
<tr><td>1万円未満</td><td>非課税</td><td>非課税</td><td rowspan="3">非課税</td><td rowspan="9">200円</td><td colspan="2" rowspan="2">非課税</td><td colspan="2">非課税</td></tr>
<tr><td>5万円未満</td><td rowspan="3">200円</td><td rowspan="5">200円</td><td rowspan="4">200円</td><td rowspan="6">200円</td></tr>
<tr><td>10万円未満</td><td rowspan="4">200円</td><td rowspan="19">200円</td></tr>
<tr><td>10万円以下</td><td rowspan="3">200円</td></tr>
<tr><td>50万円以下</td><td>400円</td></tr>
<tr><td>100万円以下</td><td>1,000円</td><td>500円</td></tr>
<tr><td>200万円以下</td><td rowspan="3">2,000円</td><td>400円</td><td>400円</td><td>400円</td><td rowspan="3">1,000円</td></tr>
<tr><td>300万円以下</td><td>1,000円</td><td>600円</td><td>600円</td><td>500円</td></tr>
<tr><td>500万円以下</td><td>2,000円</td><td>1,000円</td><td>1,000円</td><td>1,000円</td></tr>
<tr><td>1,000万円以下</td><td>10,000円</td><td>10,000円</td><td>2,000円</td><td>1,000円</td><td>2,000円</td><td colspan="2">5,000円</td></tr>
<tr><td>2,000万円以下</td><td rowspan="3">20,000円</td><td rowspan="3">20,000円</td><td>4,000円</td><td rowspan="3">2,000円</td><td>4,000円</td><td colspan="2" rowspan="3">10,000円</td></tr>
<tr><td>3,000万円以下</td><td>6,000円</td><td>6,000円</td></tr>
<tr><td>5,000万円以下</td><td>10,000円</td><td>10,000円</td></tr>
<tr><td>1億円以下</td><td>60,000円</td><td>60,000円</td><td>20,000円</td><td>10,000円</td><td>20,000円</td><td colspan="2">30,000円</td></tr>
<tr><td>2億円以下</td><td rowspan="3">100,000円</td><td rowspan="3">100,000円</td><td>40,000円</td><td rowspan="6">20,000円</td><td>40,000円</td><td colspan="2" rowspan="3">60,000円</td></tr>
<tr><td>3億円以下</td><td>60,000円</td><td>60,000円</td></tr>
<tr><td>5億円以下</td><td>100,000円</td><td>100,000円</td></tr>
<tr><td>10億円以下</td><td>200,000円</td><td>200,000円</td><td>150,000円</td><td>150,000円</td><td colspan="2">160,000円</td></tr>
<tr><td>50億円以下</td><td>400,000円</td><td>400,000円</td><td rowspan="2">200,000円</td><td rowspan="2">200,000円</td><td colspan="2">320,000円</td></tr>
<tr><td>50億円超</td><td>600,000円</td><td>600,000円</td><td colspan="2">480,000円</td></tr>
<tr><td>記載金額のないもの</td><td>200円</td><td>200円</td><td>非課税</td><td>*2</td><td>200円</td><td colspan="2">200円</td></tr>
</table>

❷ 記載金額にかかわらず税率が定額のもの

文書番号と課税物件の内容	税率
5号：合併契約書、分割契約書・分割計画書*3　6号：定款	40,000円
7号：継続的取引の基本となる契約書（特約店契約書、代理店契約書など）	4,000円
8号：預貯金証書　9号：倉荷証券、船荷証券、複合運送証券　10号：保険証券　11号：信用状　12号：信託行為に関する契約書　13号：債務の保証に関する契約書　14号：金銭又は有価証券の寄託に関する契約書　15号：債権譲渡又は債務引受けに関する契約書　16号：配当金領収証又は配当金振込通知書	200円
18号：預貯金通帳、生命保険会社の保険料通帳など	1冊(1年)200円
19号：請負通帳、金銭受取通帳など*1	1冊(1年)400円
20号：判取帳*1	1冊(1年)4,000円

*1　消費税及び地方消費税若しくは消費税等の文言及びその具体的な金額が明確に区分記載又は税込価格及び税抜価格が記載されていることにより、その取引に当たって課されるべき消費税額等が明らかである場合には、消費税等の金額は記載金額から除かれます。

*2　株券に係る印紙税額は、払込金額の有無により次の算式で計算した金額を基に判定します。
払込金額がある場合…1株についての払込金額×その株券の株数
払込金額がない場合…{(資本金の額＋資本準備金の額)(注2)/発行済株式の総数(注1)}×その株券の株数
（注1）　発行済株式の総数は新たに発行する株式数を含みます。
（注2）　資本金の額と資本準備金の額は、直前の定時総会で承認され、法律上確定している最終の貸借対照表の額（合併等の企業再編があった場合には合併等の日の額）を用いて差し支えありません。

*3　合併契約等の内容を変更等する文書で会社法上合併契約書等で定めることとされていない事項のみを変更等する場合は課税対象にはなりません。

租税公課等の損金算入・不算入と損金算入時期

Ⅰ 法人税法上損金不算入とされる租税公課等（法法38、40、41、55、復興財源確保法63①）

①法人税（退職年金等積立金に対する法人税は除く。）
②地方法人税（退職年金等積立金に対する法人税に係るものを除く。）
③人格のない社団等又は一般社団法人等などに対して課される相続税及び贈与税
④都道府県民税及び市町村民税（退職年金等積立金に対する法人税に係るものを除く。）
⑤法人税額から控除する所得税額、復興特別所得税額及び外国法人税額
⑥法人税等の脱税経費
⑦証拠書類のない簿外経費
⑧国税に係る延滞税・過少申告加算税・無申告加算税・不納付加算税及び重加算税
⑨印紙税法の規定による過怠税
⑩地方税法の規定による延滞金（納期限の延長の場合の延滞金は除く。）・過少申告加算金・不申告加算金及び重加算金
⑪罰金・科料（裁判手続（刑事訴訟手続）、司法取引を経て外国の政府又は外国の地方公共団体が課する罰金又は科料を含む。）及び過料
⑫国民生活安定緊急措置法・私的独占の禁止及び公正取引の確保に関する法律（外国もしくは外国の地方公共団体及び国際機関が納付命令するものも含む。）・金融商品取引法・不当景品類及び不当表示防止法等の規定による課徴金及び延滞金
⑬公務員に対する賄賂

注１　労働保険又は社会保険等の追徴金及び延滞金、外国の政府又は地方公共団体によって課される附帯税（⑪のかっこ書き及び⑫のかっこ書きを除く。）は損金算入とされます。
２　上記の租税公課は法人税法上損金不算入とされますので、逆にその租税公課について還付金を受けた場合には益金に算入されません。（法法26）
３　平成26年４月１日以後開始事業年度においては、復興特別所得税額についても所得税額と同様に法人事業税の所得の計算上、損金不算入とされます。（地令21の２の２）

Ⅱ 法人税法上損金算入できる租税公課と損金算入時期（法基通９－５－１）

課税方式	項　目	損金算入時期
申告納税方式	事業税及び特別法人事業税＊１ 事業所税＊２ 消費税及び地方消費税＊３ 等	申告書を提出した日（更正・決定に係る税額は更正・決定があった日）
賦課課税方式	固定資産税・都市計画税 不動産取得税・自動車税　等	賦課決定のあった日（納期開始日又は実際に納付した日に損金経理したときはその日）
特別徴収方式	ゴルフ場利用税 軽油引取税　等	申告の日（・更正・決定に係る税額は更正・決定があった日 ・申告期限未到来のものについて損金経理により未払計上したときはその日）
その他	利子税 延滞金（納期限の延長の場合）	納付の日（その事業年度の期間に係る未納付額を損金経理により未払計上したときはその日）

＊１　申告事業年度の前事業年度分の事業税及び特別法人事業税の額は、事業税等の申告書を提出していない場合（例えば２期連続の修正申告等の場合）でも申告事業年度の損金に算入することができます。ただし、還付金の場合は申告書を提出した日を含む事業年度に益金算入します。（法基通９－５－２）
予定申告や中間申告分の事業税は未納であっても当期の損金に算入されます。
＊２　事業所税は、申告期限未到来のものであっても、製造原価や工事原価等に算入されているものについては、損金経理により未払計上した日の損金となります。
＊３　消費税及び地方消費税の損金算入時期については172ページ参照。
（注）上記の租税公課は法人税法上損金算入とされますので、逆にその租税公課について還付金を受けた場合には益金に算入されます。

会社の税金編

事業活動と会社の税金

1 従業員をめぐる税務

――従業員にかかる人件費と税務のチェックポイント――

企業経営において人材は重要な財産です。有能な人材をどれだけ抱えているかが企業の成長発展を決定づけるといっても過言ではないでしょう。

しかし、有能な人材を採用するために、会社案内を作成してイメージアップを図ったり、求人広告を出したり、あの手この手で求人・採用活動に取り組まねばなりません。

さらに採用した従業員には、適切な教育研修、社宅、レクリエーションといった福利厚生面の整備も必要になってきます。

そして、従業員には、通常の給料・賃金や賞与の他、現物給与とされる諸費用及び社会保険料の会社負担額、福利厚生費、退職金の準備などさまざまな人件費負担が伴います。

また、これらに関連して、社会保険料・源泉所得税等の計算と納付、年末調整事務といった事務負担がかかることも忘れてはなりません。

従業員にかかる人件費		定義・税務上の取扱い
給与	普通給与（給料・賃金など）	従業員に対する給与は、支払う側も受け取る側も、普通給与と賞与とで税務上の取扱いに基本的な差はなく、支払う側は損金となり、受け取る側は給与所得として課税されます。ただし、役員や役員の親族等である使用人に対する給与や退職給与については、会社側で損金不算入となる場合もあるため注意が必要です。（175ページ参照）
	臨時給与（賞与）	
	現物給与など（22ページ参照）	原則として金銭以外の物や権利その他の経済的な利益を受けた場合は、現物給与として給与課税されますが、一定のものは課税されません。
法定福利費		社会保険料（健康保険料（介護保険料を含む。）、厚生年金・基金の掛金、労働保険料）の会社負担額が含まれます。
福利厚生費		社内規程に基づく従業員への慶弔見舞金の支給、一定範囲内での社員旅行の費用、レクリエーション費用、医療・保健制度の補助、従業員を対象とした各種保険料などが含まれます。
退職金など		実際に支給した退職金以外に、将来の退職金支給に備えるための退職給付引当金の繰入額・企業年金の掛金などが含まれます。

介護保険と税務

会社は原則として40歳以上65歳未満の従業員について、その従業員との折半により介護保険料を支払わねばなりません。（実際の支払は健康保険料に含めて支払います。65歳以上の方は、原則、年金からの天引きとなります。）これは、従業員のための福利厚生の充実ではありますが、会社としては、介護保険料の負担や従業員からの保険料の徴収義務が生じます。

介護保険料の税務上の取扱いは以下のとおりです。

会社負担額　介護保険料の計算の対象となった月の末日の損金となります。

従業員負担額　①源泉徴収税額を計算する際「社会保険料の控除額」に含まれます。（30ページ参照）
②年末調整の際の「社会保険料控除」（33ページ参照）に含まれます。

介護保険の給付を受けるためには、被保険者（原則として65歳以上）が、各市区町村の調査員の訪問調査を受け、この調査結果によるコンピュータ判定（一次判定）と主治医の意見書をもとに、介護認定審査会の判定（二次判定）を経て要介護認定を受ける必要があります。

なお、平成24年1月1日以後に締結した介護保障又は医療保障を内容とする保険契約にかかる支払保険料について介護医療保険料控除（最大4万円）を受けることができます。（33ページ参照）

〈従業員に関する税務のチェックポイント〉

事業活動を行っていくうえで、従業員に関係する税務の問題はさまざまな局面で発生してきます。会社にかかってくる税金だけでなく、従業員個人の税金にも影響を与えますので十分な配慮が必要です。

こんなケースは…	税務上の取扱い	対策及び注意点	参照
求人活動費用 新卒者採用活動時に、採用内定者への支度金などいろいろな求人活動費用を支出したが、どう処理すればいいの？	その支出した費用の内容によって交際費、給与、福利厚生費などに区分され、それぞれに応じた取扱いを受けます。	支出した費用が交際費や役員給与に該当する場合は、損金算入できない場合がありますので注意が必要です。 税務上不利にならないような求人活動費用の支出を考えましょう。	18ページ
食事の支給 本社の移転に伴い、社員食堂を作ろうと考えているが、税務上、メニューにも配慮が必要だと聞くが…	原則として、食事代の名目で支給される金品等は、給与としての取扱いとなります。ただし、本人が食事代の半額以上を負担し、かつ、会社負担額が月額3,500円までの金品等については給与課税の取扱いは受けません。	自社食堂の場合、その食事の材料等に要する直接費の額で、会社負担額3,500円以下か否かの判断をしますので、外部から購入してそのまま支給する場合に比べ、いいメニューで給与課税を受けることなく従業員に食事を提供することができます。	22ページ
社員旅行 社内の慰安旅行を海外旅行にしようと思っているのだが、何か気をつける点は？	旅行に全従業員等の50%以上が参加し、海外の現地滞在日数が４泊５日以内であれば、原則として従業員は給与課税を受けることはありません。	現地滞在日数が５泊６日になれば、余分の１日分だけでなく、旅行全体が給与課税の対象となります。従業員の負担を考慮して４泊５日以内の行程で計画するようにしましょう。	24ページ
従業員社宅 従業員社宅を建てたのだが、無料で利用させることについて何か問題がある？	一定の計算式で計算した「通常の賃貸料」（世間相場より安い）の50%未満の賃貸料しか受け取っていないと、従業員は給与課税を受けることになります。	まったく無料にするのではなく、従業員が給与課税を受けることのない「通常の賃貸料」の50%をクリアする家賃を設定し、徴収するとよいでしょう。	26ページ
源泉徴収 初めて従業員を雇うのだが給与の支払時に何か気をつけなければならないことがあるの？	会社は給与等一定の種類の支払をした場合には、その支払時に所得税及び復興特別所得税を徴収し、原則として、翌月10日までに国に納付しなければなりません。（右記の１月の納付は20日まで）	給与の支給人員が常時10人未満の場合、税務署に申請書を提出し承認を受ければ源泉所得税は年２回（１月と７月）の納付で済みますので、事務手数の負担軽減となります。 （注）従業員からマイナンバーの提供を受ける必要があります。	28ページ
年末調整 従業員の所得税の申告はどのように行われるの？	給与所得者は、他に所得がない等一定の場合には、年末時にその年中の給与に対する税額を確定させる年末調整手続を給与支払者に行ってもらうと、確定申告の必要はありません。	年末調整手続は、従業員の税金を確定させる重要な手続です。配偶者の所得等きちんとデータを提出してもらい誤りのないように計算しましょう。 なお、年末調整は所得税と復興特別所得税の合計額により行います。	32ページ
退職金 退職金の負担がだんだん大きくなっていくので、退職一時金などによる決算数字の動きが気になるのだが…	退職一時金規定に基づく退職給付引当金繰入額は、税務上は損金算入されません。 損金算入できる中小企業退職金共済などの利用の検討が求められます。	退職金制度の見直しには、労働条件の不利益変更、受給権の確保、従業員の生活面の配慮などに注意が必要です。	39ページ

2 入社から退社までの手続と税金

——給与や従業員を増やすと優遇措置が！——

有能な人材を採用し、育て、会社の成長に貢献してもらえるようになるまで、求人費用や教育研修費用などいろんな費用が掛かります。また、採用時から退職時までいろんな手続が必要となってきます。最近の働き方改革の一環として、給与を増加させたり、教育訓練費用を増やすことで、税額控除を受けることができるなどの制度も設けられています。ここでは、従業員の採用から退職までの流れに沿って税務上の取扱いを見ていきます。

① 求人活動費用の税務上の取扱い

求人活動において支出する費用は、内容によって次のように区分されますが、各々でその税務上の取扱いが異なります。（法基通７－１－10、措通61の４(1)－１、61の４(1)－９、61の４(1)－21）

交際費

原則として、その支出額は、一定の飲食費等を除き損金不算入となる。
（資本金の額等によって取扱いが異なるため、注意が必要です。（60ページ参照））

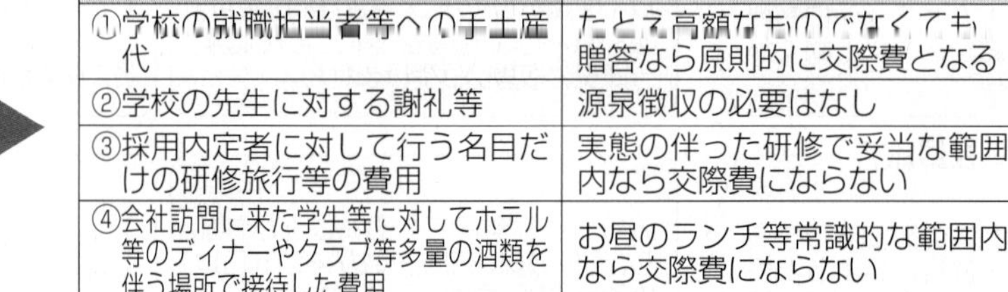

例	注意点
①学校の就職担当者等への手土産代	たとえ高額なものでなくても、贈答なら原則的に交際費となる
②学校の先生に対する謝礼等	源泉徴収の必要はなし
③採用内定者に対して行う名目だけの研修旅行等の費用	実態の伴った研修で妥当な範囲内なら交際費にならない
④会社訪問に来た学生等に対してホテル等のディナーやクラブ等多量の酒類を伴う場所で接待した費用	お昼のランチ等常識的な範囲内なら交際費にならない

従業員給与

給与を支払った側は損金算入となるが、その給与を支給された人は、課税される。

例	注意点
社内ＯＢが就職希望者を紹介した場合に支払う紹介料	その社内ＯＢが役員なら、損金不算入の役員給与となる

広告宣伝費など

原則として、その支出額は損金算入することができ、特別な課税関係は生じない。

例
①社史や社歌の製作費用
②会社案内のパンフレットの作成費用
③求人募集雑誌等への求人広告掲載費用
④学生等へのダイレクトメールの作成・発送費用
⑤学校訪問のための交通費と宿泊費
⑥会社説明会の開催費用
⑦採用試験に来た学生等に対する弁当代、交通費（ただし実費相当額）

② 採用内定者への奨学金・支度金等の税務上の取扱い

採用内定者に奨学金等を支給し返済を免除する場合と、社員を採用するに当たって支払う支度金等についての課税関係は以下のようになります。（所基通９－14～16、35－１、所法９①四）

(1)採用内定者に対する奨学金の免除

奨学金の貸与と返済免除のタイミング		税務上の取扱い	
		採用内定者	会社
採用内定時に貸与	入社時に免除	雑所得として課税	免除時の損金
	入社後一定期間経過後に免除	給与所得として課税＊	

＊　奨学金等の免除については、給与所得として課税されないケースや雑所得として課税されるケースもあります。
＊　社員の奨学金を企業から日本学生支援機構へ直接返還（代理返還）する場合、その返済額は社員の奨学金返済に充てるための給付となるため、給与として損金算入されます。（奨学金返還支援（代理返還）制度）

(2)採用内定者に対する支度金

支度金の内容	税務上の取扱い	
	採用内定者	会社
①転居費用や旅費等の実費相当額であり、通常必要と認められる金額	非課税	支出時の損金
②①以外＊	雑所得として課税	

＊　②については会社は雑所得として源泉徴収（100万円以下の部分について10.21％、100万円超の部分について20.42％）を行わなければなりません。（所法204①七、所基通204－30）

③従業員を採用したときの手続

新たに従業員を採用した場合に必要な手続は以下のとおりです。

	提出先	提出書類	提出期限
健康保険・厚生年金関係の手続	所轄の年金事務所又は健康保険組合 （厚生年金基金にも加入している場合は基金にも提出します。）	「健康保険・厚生年金保険被保険者資格取得届」＊ 【添付書類】 ①前に公的年金の被保険者であった人については「年金手帳」又はその「被保険者証」 (被扶養者がある場合) ②「健康保険被扶養者（異動）届」 ③被扶養者の在学証明書や住民税の非課税証明書等の扶養の事実を証明する書類	入社日から５日以内
雇用保険関係の手続	所轄の公共職業安定所 ハローワーク	「雇用保険被保険者資格取得届」＊ 【添付書類】 ①前職がある場合には「雇用保険被保険者証」 【その他提出は要しないが届出時に持参する書類】 ②雇用契約書・賃金台帳・労働者名簿・他の社会保険の資格取得関係書類等、雇用した事実や年月日等が明らかになる書類	入社日の属する月の翌月10日まで
源泉所得税関係の手続	従業員→事業主	⑴「給与所得者の扶養控除等（異動）申告書」＊	入社後最初の給料計算日まで
		⑵前職がある場合は前職分の源泉徴収票	年末調整の給料計算日まで

＊　原則として従業員、配偶者や扶養親族のマイナンバーを記載してもらう必要があります。（37ページ参照）

- 源泉所得税の納期の特例（31ページ参照）を受けている会社において、採用により常時給与等を受ける従業員（役員やパートを含む。）が10人以上になった場合は、所轄税務署長に「源泉所得税の納期の特例の要件に該当しなくなったことの届出書」を提出のうえ源泉徴収した税額を翌月10日までに納付し、以後各月の税額を毎月翌月10日までに納付する必要があります。
- 上記の各官庁への申請・届出等の行政手続は、e-Tax、eLTAX、e-Gov電子申請などによって行うことができます。

標準報酬の決定

健康保険・厚生年金の「健康保険・厚生年金保険被保険者資格取得届」に記載する従業員の報酬月額は、給与の支給体系に応じ以下のように算定します。

月給制の場合	月給の額（家族手当、通勤手当、住宅手当等を含みます。）
週給制の場合	週給の額を７で割り、これを30倍した額
日給制の場合	入社月の前１か月の間に、同様の仕事で同様の給与を受けた人の報酬の額を平均した額

④教育研修費用や技術習得費用の税務上の取扱い

会社が、従業員等の研修費用又は資格取得費用等を負担した場合、原則として支出時の損金となります。一方、以下の３つの条件を全て満たせば、従業員等について課税関係は生じません。なお、従業員に貸与した奨学金の返済を免除した場合について、同様の取扱いを受けることができる場合もあります。（所法9①十五、所基通9－14、36－29の２）

条件	
	①会社の業務遂行上必要なもの ②その従業員等の職務に直接必要な知識や資格等を取得するための費用 ③負担すべき費用として適正なもの

- 「職務に直接必要な知識」とは、現に従事している職務に必要な知識だけでなく、会社の業務遂行上、将来的にその職務に直接必要になる知識の習得まで含めて考えることができます。
- 従業員等が会社から給付を受ける学資金については、通常の給与に加算して給付されるものに限り非課税とされています。ただし、役員や役員及び従業員の親族等に対するものは、給与課税の対象となります。
- 従業員等が自ら費用を負担して厚生労働省が指定する教育訓練講座を修了した場合、ハローワークに申請することにより費用の一部が支給される制度（教育訓練給付制度）があります。

⑤賃上げ促進税制

賃上げ促進税制は、令和６年４月１日から令和９年３月31日までの間に開始する事業年度において給与等が増加した場合に税額控除を受けることができる制度です。（措法42の12の5）なお、設立事業年度は適用できません。この制度は、**1**の適用対象ごとに**2**の表中の賃上げ要件を満たす必要があり、さらに上乗せ要件①②を満たす場合には控除率が高くなります。

1．適用対象

（1）中小企業・・・青色申告書を提出する中小企業者等（199ページ参照）又は従業員数1,000人以下の個人事業主。

（2）中堅企業・・・青色申告書を提出する従業員数2,000人以下の企業（特定法人）又は個人事業主。
ただし、その企業及びその企業との間に支配関係＊1がある企業の常時使用する従業員数の合計が10,000人を超える企業を除く。（措法42の12の５⑤十）

（3）全企業・・・・青色申告書を提出する全企業又は個人事業主。

＊1　支配関係とは、一の者が企業の発行済株式等の総数の50%超の株式等を直接又は間接に保有する関係その他一定の関係（215ページ参照）をいいます。

2．税額控除額

雇用者全体の給与等支給額の増加額 × 税額控除率 ＝ 税額控除額（法人税額等の20%が限度）

↳ 適用事業年度の国内雇用者の給与等支給額 － 前事業年度の国内雇用者の給与等支給額

適用対象＊2	賃上げ要件		上乗せ要件① 教育訓練費＊４の増加額	上乗せ要件②（新設） 子育て支援・女性活躍支援＊５
(1)中小企業＊3	雇用者全体の給与等支給額の増加額	前年度比1.5%以上 ➡ 税額控除率15%	前年度比５%以上 ➡ 税額控除率10%上乗せ	くるみん認定以上 OR えるぼし認定（２段階目以上） ➡ 税額控除率５%上乗せ
		前年度比2.5%以上 ➡ 税額控除率30%		
(2)中堅企業	継続雇用者の給与等支給額の増加額	前年度比３%以上（新設） ➡ 税額控除率10%	前年度比10%以上 ➡ 税額控除率５%上乗せ	プラチナくるみん認定 OR えるぼし認定（３段階目以上） ➡ 税額控除率５%上乗せ
		前年度比４%以上（新設） ➡ 税額控除率25%		
(3)全企業		前年度比３%以上 ➡ 税額控除率10%	前年度比10%以上 ➡ 税額控除率５%上乗せ	プラチナくるみん認定 OR プラチナえるぼし認定 ➡ 税額控除率５%上乗せ
		前年度比４%以上 ➡ 税額控除率15%		
		前年度比５%以上（新設） ➡ 税額控除率20%		
		前年度比７%以上（新設） ➡ 税額控除率25%		

＊2　要件を満たせば中小企業は上記（2）、（3）を、中堅企業は上記(3)を適用できます。

＊3　中小企業は、賃上げ促進税制を適用した事業年度の税額控除額がその期の控除限度額を超える金額（未控除額）がある場合、その事業年度の申告で「給与等の支給額が増加した場合の法人税額の特別控除に関する明細書」を提出することにより未控除額を５年間繰越すことができます。この未控除額を使用して税額控除できる措置（繰越税額控除制度）は、雇用者全体の給与等支給額が前年度分より増加している事業年度に限り、適用できます。

＊4　教育訓練費とは、国内雇用者の職務に必要な技術又は知識を習得させ、又は向上させるための費用で損金の額に算入される次の金額の合計額から他の者から支払いを受ける金額（キャリア形成促進助成金など）を控除した金額をいいます。
・その法人が教育訓練等（教育、訓練、研修、講習など）を自ら行う場合の外部講師謝礼、外部施設等使用料等
・他の者に委託して教育訓練等を行わせる場合の委託費、他の者が行う教育訓練等に参加させる場合の参加費
なお、上乗せ要件①は、適用事業年度の教育訓練費の額が適用事業年度の雇用者全体の給与等支給額の0.05%以上である場合に限り適用できます。

＊5　適用事業年度の末日において、プラチナくるみん認定又はプラチナえるぼし認定を受けている場合、その認定を受けている事業年度については上記の上乗せ要件②を適用できます。（認定を受けていれば毎期適用できます。）
なお、プラチナくるみん認定又はプラチナえるぼし認定以外の認定を受けた場合は、その認定を受けた事業年度に限り、上乗せ要件②を適用できます。（適用を受けることができるのは１度限りで、翌事業年度以降は適用できません。）

6　中堅企業が次の（a）に該当する場合や全企業が次の（a）又は（b）のいずれかに該当する場合には、賃上げ促進税制の適用を受けるため、給与等の引上げ方針や取引先との適切な関係構築の方針をホームページ等で公表したことを経済産業大臣に届け出る必要があります。（マルチステークホルダー経営宣言）
（a）資本金の額等が10億円以上かつ常時使用する従業員数が1,000人以上の企業
（b）常時使用する従業員数が2,000人以上の企業又は個人

3．用語の説明

① 給与等支給額

国内雇用者（法人等の使用人のうち国内に所在する事業所で作成された賃金台帳に記載された者をいい、パート等を含みますが、使用人兼務役員を含む役員及び役員の特殊関係者（175ページ「特殊関係使用人」参照）は含まれません）に対する給与等（給与や賞与などで退職金等を除きます）の支給額から「他者から支払を受ける金額」（下記（イ)(ロ)参照）を控除した金額をいいます。

「他の者から支払を受ける金額」として左ページ2の税額控除額の計算における給与等支給額では、次の（イ）出向負担金等及び（ロ）雇用安定助成金額を控除します。ただし、左ページ表中の賃上げ要件の計算における給与等支給額では、（イ）のみを控除して計算しますので注意が必要です。

（イ）キャリア形成促進助成金、業務改善助成金、出向負担金等、特定求職者雇用開発助成金等

（ロ）雇用安定助成金額（雇用調整助成金、緊急雇用安定助成金、産業雇用安定助成金等）

② 継続雇用者の給与等支給額

継続雇用者（前事業年度及び適用事業年度の全ての月分の給与等の支給を受けた国内雇用者かつ、その全ての期間において雇用保険の一般被保険者で、前事業年度及び適用事業年度の全て又は一部の期間において高年齢者雇用安定法に定める継続雇用制度の対象となっていない者）に対する給与等支給額をいいます。

	くるみん認定	えるぼし認定
概　　要	子育て支援企業として次世代育成支援対策推進法に基づく行動計画を策定し、厚生労働大臣に認定された企業	女性の活躍推進に関する取組状況が優良で、女性活躍推進法に基づくものとして厚生労働大臣に認定された企業
認定基準	「75％以上の女性社員が育児休業を取得」、「短時間勤務や在宅勤務など」の制度がある企業	「採用」、「継続就業」、「労働時間」、「管理職比率」、「多様なキャリアコース」の5個の項目より判断＊7
特　　例	くるみん認定企業が、より高い水準の取組みを実施し、優良な子育て支援企業として認定される場合は「プラチナくるみん認定」に分類されます。	3段階目のえるぼし認定企業が、より高い水準の取組みを実施し、特に優良であると認められる場合は「プラチナえるぼし認定」に分類されます。

＊7　えるぼし認定は1段階目（1 ～ 2個の認定基準を満たす場合）、2段階目（3 ～ 4個の認定基準を満たす場合）、3段階目（5つ全ての認定基準を満たす場合）に分類されます。なお、その実績を毎年公表する必要があります。

8　くるみん認定又はプラチナくるみん認定企業が、不妊治療と仕事の両立が可能となる環境整備に積極的に取り組み、一定の認定基準を満たす場合には、それぞれくるみんプラス認定・プラチナくるみんプラス認定を受けることができます。

⑥ 従業員が退職したときの手続

従業員が退職した場合に必要な手続は以下のとおりです。

	提出先	提出書類	提出期限
健康保険・厚生年金関係の手続	所轄の年金事務所又は健康保険組合（厚生年金基金にも加入している場合は基金にも提出します。）	「健康保険・厚生年金保険被保険者資格喪失届」【添付書類】「健康保険被保険者証」 ●死亡退職の場合、従業員の遺族に「健康保険埋葬料」や「遺族厚生年金」の給付が受けられる場合があることを説明してください。	退職日の翌日（資格喪失日）から5日以内
雇用保険関係の手続	所轄の公共職業安定所ハローワーク	「雇用保険被保険者資格喪失届」 【添付書類】 ①「雇用保険被保険者離職証明書」（退職者が交付を希望しない場合は不要です。） 【その他提出は要しないが届出時に持参する書類】 ②雇用契約書・賃金台帳・労働者名簿・他の社会保険の資格喪失関係書類等、退職した事実や年月日、離職の日以前1年間の賃金の支払状況等が明らかになる書類	退職日の翌日（資格喪失日）から10日以内
源泉所得税関係の手続	退職者→事業主	「退職所得の受給に関する申告書」	支給日まで
	退職者	(1)「給与所得の源泉徴収票」（37ページ参照） (2)「退職所得の源泉徴収票」	―
	所轄税務署	「退職所得の源泉徴収票」（会社の役員に対するものに限り、また死亡退職の場合は必要ありません。）	退職日から1か月以内（1年分をまとめて翌年1月31日までに提出できます。）
		「退職手当金等受給者別支払調書」（死亡退職で退職金100万円超の場合に限ります。）	退職（死亡）日の属する月の翌月15日まで
住民税関係の手続	市区町村	「給与支払報告書 特別徴収に係る給与所得者異動届出書」 ●6月1日から12月31日までに退職した退職者が希望する場合及び1月1日から4月30日までに退職した退職者については住民税の一括徴収を行う必要があります。なお、退職後、新しい勤務先で引き続き特別徴収を希望する場合は、新しい勤務先を経由して届出書を提出します。	退職日の属する月の翌月10日まで

3 現物給与（経済的利益）

——給与課税されない福利厚生の検討を——

一般的に給与というと金銭で支給されるものだけを想像します。しかし、従業員は会社から食事の支給を受けていたり、安い賃貸料で社宅を借りていたり、会社の製品を安く買えたりというようにさまざまな形で物や権利その他の経済的な利益を受けています。

税務上は、こうした現物給与といわれる経済的利益についても、従業員の給与所得として課税することを原則としています。しかし、金銭で支給される給与とは異なり、選択性に乏しかったり、換金に難点があるなどの特殊性から、例外として課税されない特別の取扱いもあります。給与を支給する側は、こうした取扱いに十分留意し、従業員が思わぬ給与課税を受けることのないように注意しましょう。

❶「現物給与」とされるもの －課税されない範囲が決められている－

〈現物給与の取扱い一覧〉

金品等の区分	課税対象（原則）	左記の例外として課税されない現物給与の範囲
旅費	旅費の名目で支給を受ける金品等（所法9①四 所基通9-3、9-4）	①勤務する場所を離れて、その職務を遂行するために通常必要な旅費代金等（単身赴任者が業務のついでに帰郷する場合等の旅費については、その旅行が全体として業務遂行上必要な旅行と認められる必要があります。） ②転任に伴う転居のために通常必要な旅費代金等
結婚祝金品等	結婚祝い等の名目で支給を受ける金品等（所基通28-5）	常識程度と認められる結婚祝い等として支給を受ける金品等
葬祭料、香典、見舞金等	見舞金等の名目で支給を受ける金品等（所基通9-23）	常識程度と認められる見舞金等として支給を受ける金品等
交際費等	交際費等の名目で支給を受ける金品等（所基通28-4）	交際費や接待費などとして支給されるもので、業務のために使用したことが明らかなもの
宿日直料	宿日直料の対価として支給を受ける金品等（所基通28-1）	原則として、1回の宿日直について4,000円（支給される食事があれば、その価額を控除）までの金品等
食事代の支給	食事代の名目で支給を受ける金品等（所基通36-24、36-38の2）	本人が、食事代の半額以上を負担して、かつ会社負担額が月額3,500円までの金品等（通常の勤務時間外に宿日直又は残業をした人に対して、支給する食事についても課税されません。）
制服の支給	制服代の名目で支給を受ける金品等（所令21、所基通9-8）	職務の性質上制服を着用しなければならない人に対して支給又は貸与する制服その他身の回り品
永年勤続記念品等の支給	永年勤続の名目で支給を受ける記念品等（所基通36-21）	10年以上の勤務等一定の要件を満たす者に対する記念品や旅行等への招待費用等で、5年以上の間隔をおいて行われるもの
創業記念品等の支給	創業記念、合併記念等の名目で支給を受ける記念品（所基通36-22）	記念品としてふさわしく、処分見込価額が10,000円以下のものなど一定の要件を満たすもの
商品、製品等の値引販売	会社が取り扱う商品、製品等の値引販売に伴う経済的利益（所基通36-23）	値引販売の価額が通常販売の70%以上で、かつ会社の取得価額以上であるなど一定の要件を満たすもの
福利厚生施設の利用	福利厚生施設の運営費などを会社が負担することにより利用者が受ける経済的利益（所基通36-29）	会社の負担金が著しく多額とならず、しかも役員など特定の者だけを対象としていない場合
通勤手当等	通勤手当等の名目で支給を受ける金品等	❷通勤手当等の取扱い参照（23ページ）

金銭の無利息貸付け等	金銭を無利息又は低い金利で貸し付けたことによる経済的利益（所基通36-28）	①災害、疾病等により一時的に多額な生活資金を要することとなった人に対する貸付けで、合理的なもの ②合理的な貸付利率により利息を徴収しているもの ③上記①及び②以外の貸付けで、その年の利益が5,000円以下のもの
従業員に対する住宅取得資金の低利貸付け等	従業員が受ける一定の住宅取得資金の低利貸付け等に伴う経済的利益等	原則として基準利率（年１％）以上の利率による貸付けに伴う経済的利益（ただし、平成22年12月31日以前の貸付けに限ります。）＊
社宅等の貸与	社宅等に無償又は低額で入居することによる経済的利益（所基通36-40～48）	４「社宅の賃貸料と給与課税」参照（26ページ）
レクリエーション費用の負担	会社が負担する社内行事に伴う経済的利益等（所基通36-30）	③ レクリエーション費用と税務参照（24ページ）
有利な発行価額による新株予約権等	新株又は自己株を取得できる権利の行使により受ける経済的利益	④ インセンティブ・プラン の活用参照（25ページ）

＊　平成23年１月１日以後の貸付けについては、「金銭の無利息貸付け等」の区分と同じ取扱いとなります。

② 通勤手当等の取扱い

通勤手当等の非課税限度額は、交通機関を利用する場合の最も経済的かつ合理的と認められる経路及び方法による運賃等の額を基礎に計算することになっています。

具体的には、次の区分に応じ、それぞれ１か月当たり次の金額までの通勤手当等は、課税されません。（所法９①五、所令20の２）

区　分				課税されない金額
①	交通機関又は有料道路を利用している人に支給する通勤手当			１か月当たりの合理的な運賃等の額（最高限度150,000円）
②	自転車や自動車などの交通用具を使用している人に支給する通勤手当	通勤距離	片道55km以上である場合	月額31,600円
			片道45km以上55km未満である場合	月額28,000円
			片道35km以上45km未満である場合	月額24,400円
			片道25km以上35km未満である場合	月額18,700円
			片道15km以上25km未満である場合	月額12,900円
			片道10km以上15km未満である場合	月額7,100円
			片道２km以上10km未満である場合	月額4,200円
			片道２km未満である場合	全額課税
③	交通機関を利用している人に支給する通勤用定期乗車券			１か月当たりの合理的な運賃等の額（最高限度150,000円）
④	交通機関又は有料道路を利用するほか、交通用具も使用している人に支給する通勤手当や通勤用定期乗車券			１か月当たりの合理的な運賃等の額と②の金額との合計額（最高限度150,000円）

（注）１　課税されない金額は、消費税等相当額を含めて判定します。
　　２　合理的な運賃等の額には、新幹線の特急料金は含みますが、グリーン料金は含みません。

現物給与に関する消費税等の取扱い	（平26課法９－１、消基通５－４－４、11－２－１）
①現物給与の課税価額には、消費税等を含める？ ➡	物品や用役などの経済的利益が現物給与として課税される場合に、その物品や用役の価額に消費税等が含まれている場合には、その消費税等を含めた金額が給与等とされます。
②現物給与の非課税限度額の判定は、消費税等を含める？ ➡	創業記念品等の支給、食事代の支給については、所定の評価方法による評価額から消費税等相当額を除いた金額をもって非課税限度額を超えるかどうかの判定を行います。
③出張旅費に含めて精算される日当について、消費税等は？ ➡	旅費の非課税限度額に照らして通常必要な金額の範囲内であれば、出張旅費･宿泊費･日当等は課税仕入れとなります。ただし、国内出張の旅費、日当に限ります。
④会社の厚生施設内で食事の提供や宿泊サービスの提供を行う場合、消費税等は？ ➡	会社が従業員等の福利厚生として行うものであっても、対価を得て行う場合には、消費税等の課税対象となります。

③レクリエーション費用と税務

福利厚生関係の支出であっても、内容によっては、従業員が給与課税を受けたり、会社が交際費として処理しなければならないケースも生じます。不利な取扱いを受けないよう計画段階から十分に注意しておく必要があります。

1.慰安旅行費用の取扱い

レクリエーションの一環として慰安旅行を行う場合には、その旅行の企画立案、主催者、旅行の目的、規模・行程、従業員等の参加割合、参加者の負担額及び負担割合などを総合的に勘案して実態に即した処理を行うことになりますが、次の条件のいずれにも該当する場合には、会社負担が多額になるなどのケースを除き、会社は福利厚生費用として処理でき、従業員は給与課税を受けることがありません。（平5課法8－1）

①旅行に要する期間は4泊5日（海外旅行のときは目的地の滞在日数）以内であること
②旅行の参加者が全従業員等の50%以上であること

＊　工場、支店等の単位で旅行を行う場合はその工場、支店等の従業員の50%以上が旅行に参加していることが必要です。

2.忘年会費用の取扱い

会社が負担した忘年会等の費用は、参加者の内容によってその取扱いが異なります。（所基通36－30）

会社が負担した忘年会費用…社会通念上、一般的に行われていると認められる範囲を超えた負担額については給与として取り扱われます。（役員に対するものは損金に算入されない役員給与となります。）

参　加　者	税務上の取扱い
役員や部課長のみなど特定の人を対象 ▶	給　与（参加者は給与課税を受けます。）（一定の場合は交際費）
得意先の人も参加 ▶	全額交際費
役員や社員の全員を対象 ▶	福利厚生費

3.レクリエーション不参加者の取扱い

レクリエーション不参加者に対して金銭を支給した場合、それが業務の必要に基づき不参加となったことに代えて支給されたものであれば、その支給を受けた人についてだけ課税されますが、業務上の必要以外の理由で不参加となった者にまで金銭を支給すると、すべての参加者に対し、不参加者への支給額相当額の給与課税がなされます。（所基通36－30、36－50）

ケース	（自己の都合によって参加しなかった者に金銭を支給したケース）	（会社の仕事の都合で参加できなかった者のみに金銭を支給したケース）
不参加者	給与課税される	給与課税される
参 加 者	給与課税される	給与課税されない

[その他の税務上の取扱い]　MEMO

①会社が補助する従業員のクラブ活動費用

会社が従業員のクラブ活動のための必要経費を福利厚生事業の一環として補助金を支給して負担した場合には、その補助金を会社が福利厚生費として処理することができます。

要件…各クラブごとにクラブ活動の必要経費に充当したことを証する支出明細書を作成すること

②福利厚生等を目的として組織された従業員団体等の収入及び支出（所基通2－8、法基通14－1－4～5）

役員又は従業員で親睦や福利厚生の活動を実施する共済会等の団体を組織した場合には、会社が業務の運営に参画するなど一定の要件を満たせば、その活動に係る収入及び支出のうち、会社の収入及び支出として取り扱われる部分が生じます。このため、会社がその共済会等の団体へ支出した金額全てが費用として損金となるものではありません。

❹インセンティブ・プランの活用

インセンティブ・プランとは、会社が自社で働く人（取締役・使用人など）に自社株式などを与え、株価上昇後に売却することでキャピタルゲインを得られるようにする仕組みです。この仕組みを活用し、会社の業績が向上して株価が上がれば一種の成果報酬として取締役・使用人の士気を高める効果や、有能な人材を確保できるといった効果が期待できます。

交付資産	報酬類型	損金算入時期（給与等課税時期）
株式	①リストリクテッド・ストック（RS）	役務提供完了日（譲渡制限解除日）
新株予約権	②株式報酬型ストック・オプション（SO）	権利行使日
	③税制適格型ストック・オプション（SO）	株式売却日

①リストリクテッド・ストック

リストリクテッド・ストック（RS）とは、会社が自社の役員や従業員に対して、一定期間の譲渡制限や没収条項等の定めがある株式（特定譲渡制限付株式）を交付する株式報酬制度の一種です。

会社は役員等に対して役務提供に係る報酬債権を付与し、役員等から金銭報酬債権の現物出資を受けるのと引換えに特定譲渡制限付株式を交付します。交付後、会計上は報酬債権のうち役務提供として当期に発生したと認められる額を費用処理しますが、税務上は譲渡制限解除日を役員等の役務提供完了日（RSを没収しないこと等が確定した日）として取り扱い、その日に金銭報酬債権の金額が損金に算入されます。

【損金算入要件等】

令和３年６月25日前に開始する会計期間に支給決議をしたRS	令和３年６月25日以後に開始する会計期間に支給決議をしたRS
・事前確定届出給与＊1に該当する給与等＊2 ・法人税法上の退職給与	・事前確定届出給与に該当する給与等＊2＊3

＊1　事前確定届出給与については262ページ参照。
＊2　職務執行開始日から１か月を経過する日までに行われる決議による定めに基づき交付されるRS等の場合には、事前の届出なしに事前確定届出給与として損金算入できます。
＊3　所得税法上は退職所得に該当する場合であっても損金算入するためには事前確定届出給与に該当する必要があります。（法基通９－２－27の２）

●交付を受ける役員等は譲渡制限解除日に解除日の時価で給与所得課税（退職による解除のときは退職所得課税）されます。法人税法上の損金算入時期は、譲渡制限解除日の属する事業年度となり、金銭報酬債権の金額が損金算入されます。

②株式報酬型ストック・オプション

ストック・オプション（SO）とは、会社の役員や従業員等が将来の一定期間内にあらかじめ定めておいた価額で自社株を取得できる権利（新株予約権）を報酬として付与する仕組みのことですが、株式報酬型SOとは１株当たりの権利行使価格を低く（通常１円）に設定したSOのことです。

会社が新株予約権を個人から受ける役務提供の対価として発行した場合において、当該役務提供に係る費用の額は、新株予約権が権利行使された日の属する事業年度における損金とされます。ただし、平成29年10月１日以後に決議された役員に対するSOの場合は、当該役務提供に係る費用の額を損金に算入するためには役員給与の損金算入要件を満たす必要があります。（262ページ参照）

なお、権利行使して自社株を取得した段階で、新株予約権に係る経済的利益を時価とみなし、株式の時価と行使価額の差額は給与所得（退職による権利行使のときは退職所得）として課税され、株式を売却した段階で権利行使時における株式の時価と売却価額の差額は譲渡所得として課税されます。（所令84③）この取扱いは信託型ストック・オプションについても基本的に同様となります。

③税制適格型ストック・オプション（措法29の2）

租税特別措置法第29条の２に定められた一定の要件（税制適格要件）を満たしたストック・オプション（SO）です。通常ＳＯを権利行使すると自社株を取得した段階で時価と行使価格の差額が給与所得等として課税されますが、下記の税制適格要件を満たした場合は、実際に株式を売却する段階まで課税を繰り延べる措置が設けられています。

税制適格要件	
	取得者が会社の取締役、執行役、従業員、一定の特定従事者（取締役及び使用人等以外の者）であること
	新株予約権に係る付与決議の日より２年を経過した日から10年（設立５年未満の非上場の株式会社等は15年）を経過する日までに新株予約権の行使を行うこと
	新株予約権に係る権利行使価額の年間合計額が1,200万円以内＊4であること
	１株当たりの権利行使価額がストック・オプション契約時における時価＊5以上であること
	ストック・オプションが譲渡不可であること

＊4　設立日以後５年未満の株式会社は2,400万円以内、設立日以後５年以上20年未満の株式会社の非上場会社又は上場後５年未満の上場会社は3,600万円以内であること。令和６年４月１日以後に締結された契約について適用されます。ただし、令和６年３月31日以前の契約についても同年12月31日までの間に一定の要件を満たせば適用することができます。
＊5　取引相場のない株式については一定の条件の下、財産評価基本通達の評価方法によることもできます。

（課税される時期と対象額）

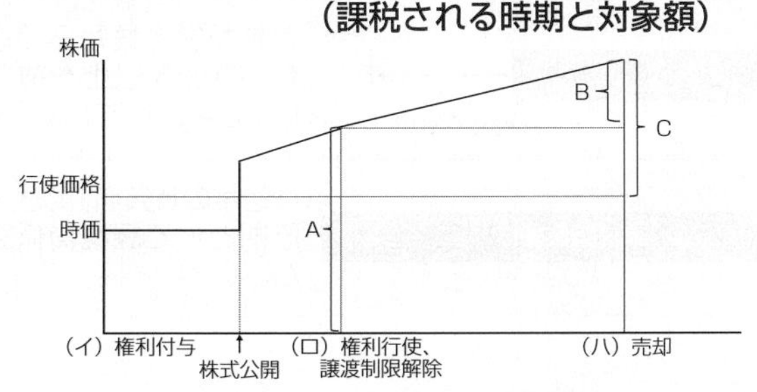

A	①②の給与課税額
B	①②の譲渡課税額
C	③の譲渡課税額

4 社宅の賃貸料と給与課税

――社宅を完備して福利厚生面の充実を――

住宅事情の厳しい昨今において、世間相場の賃貸料に比べ低額で使用できる社宅の制度は魅力的な福利厚生と言われています。

ただし、会社が従業員・役員から実際に徴収している社宅の賃貸料が下の図のように「通常の賃貸料」（税務上定められている額）を基準として、上回っているか又は下回っているか、また、その程度によって現物給与としての課税関係が異なってきます。

特に、役員に貸与する場合の「通常の賃貸料」は、従業員に貸与する場合の「通常の賃貸料」よりも高く設定しておかなければ現物給与として課税される点に注意が必要です。

①従業員の社宅家賃

従業員に対して貸与した社宅等について実際に徴収している賃貸料が、次の算式（A）で計算した「通常の賃貸料」の50%相当額未満である場合、実際に徴収している額と「通常の賃貸料」との差額が給与として課税されることになります。(所基通 36－41、36－45～36－47)

従業員の場合の「通常の賃貸料」の計算（算式(A)）

通常の賃貸料（月額）＝（その年度の家屋の固定資産税の課税標準額×0.2%＋12円×$\frac{\text{その家屋の総床面積（㎡）}}{3.3\text{㎡}}$）

＋（その年度の敷地の固定資産税の課税標準額×0.22%）

世間相場の賃貸料よりかなり低くなります。

1　従業員に対する社宅については、自社所有の社宅であっても、借上社宅であっても税務上の取扱いは同じですが、従業員自らが賃貸借契約をした家屋の賃貸料の一部を会社が負担した場合には、全額給与として課税されます。

2　固定資産税の課税標準額について 20%超の改定がなされた場合には、改定して計算しなければなりません。

[徴収した賃貸料と給与課税の関係]

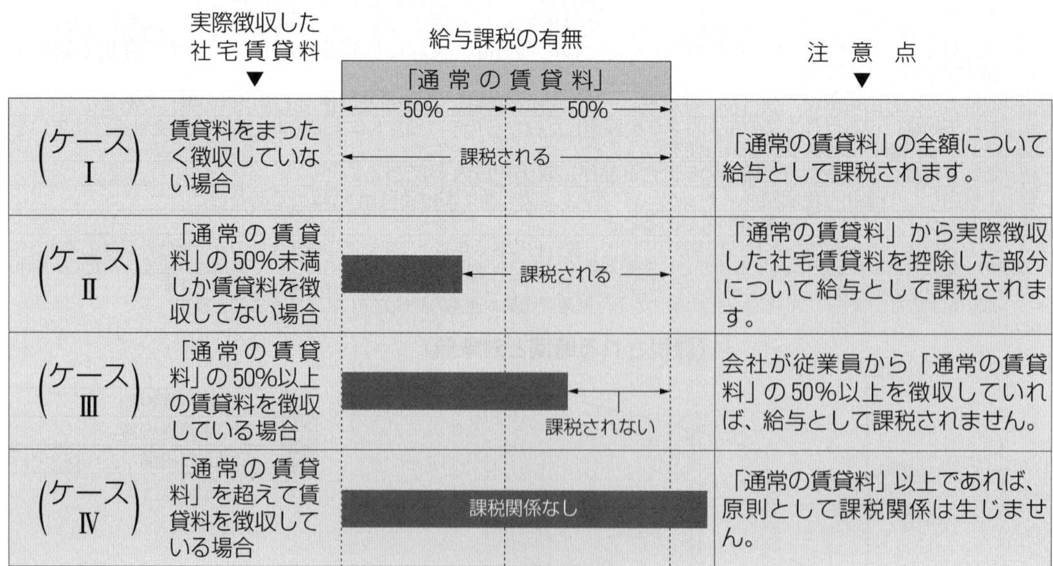

❷役員の社宅家賃

役員に対して、役員社宅を無償又は低い価額で提供した場合、通常の賃貸料と実際に徴収した賃貸料との差額は、役員給与（役員は給与所得）＊1となります。（法基通９－２－９、所基通36－40、36－41）

役員の場合の「通常の賃貸料（月額）」の計算

①小規模住宅の場合 → 前ページ**算式Ⓐ**により計算した金額

②小規模住宅以外の場合
- 社宅が会社の所有物件 → 次の**算式Ⓑ**により計算した金額
- 社宅が借上社宅 → 借上社宅の借上料の50%相当額／次の**算式Ⓑ**による額 のいずれか多い額

●小規模住宅とは、貸与した家屋の床面積が132㎡（木造家屋以外の家屋は99㎡）以下のものをいいます。

算式（B）＝（その年度の家屋の固定資産税の課税標準額×12%（木造家屋以外の家屋＊2については10%）＋その年度の敷地の固定資産税の課税標準額×６％）×$\frac{1}{12}$

＊１　役員給与となる場合は、その差額が、継続的に供される経済的利益で毎月概ね一定であることから、定期同額給与として損金の額に算入されることになります。（法法34①、法令69①、法基通９－２－11）

＊２　住宅用の建物のうち、耐令別表第１に規定する耐用年数30年超の建物を「木造家屋以外の家屋」といいます。

豪華な役員社宅には要注意！

豪華な役員社宅には上記の算式は適用されず、通常の相場並みの賃貸料が通常の賃貸料とされます。

豪華か否かの判定は、①床面積が240㎡を超えるものが一つの目安とされますが、床面積が240㎡以下であっても、例えば②プール等の設備や役員個人の嗜好を著しく反映した設備がある場合もこれに該当することになります。これらは、取得価額、支払賃貸料の額、内外装その他の設備の状況等を総合的に勘案した上で社会通念に照らして個々に判定されることとなります。（平７課所４－４）

注意 会社全体による判定（プール計算）

会社が個々の社宅の状況に応じたバランスのとれた賃貸料を受け取っている場合で、会社全体で従業員及び役員から受け取っている賃貸料のそれぞれの合計額が、個々の社宅の通常の賃貸料の合計額の従業員の場合は50%以上、役員の場合はその合計額以上である場合は、個々の社宅について必ずしも通常の賃貸料の従業員の場合は50%以上、役員の場合はその合計額以上の賃貸料を受け取っていなくても、課税されません。（所基通36－44、36－48）

〈設例〉

次の自社所有の社宅を従業員に貸す場合と役員に貸す場合の通常の賃貸料を計算してみます。

		固定資産税の課税標準額
家屋（木造）	150㎡	8,377,000円（家屋の床面積が132㎡超のため小規模住宅には該当しない。）
土地	250㎡	3,710,000円

従業員の場合	役員の場合
通常の賃貸料（月額） ＝（8,377,000円×0.2%＋12円×$\frac{150㎡}{3.3㎡}$） ＋（3,710,000円×0.22%） ＝ 25,461円	通常の賃貸料（月額） ＝（8,377,000円×12%＋3,710,000円×6%）×1/12 ＝ 102,320円

MEMO

以上のように同一の社宅であっても小規模住宅に該当しない場合は、従業員に貸与する場合と役員に貸与する場合では通常の賃貸料の金額がかなり違ってきます。

また従業員に貸与する場合には、その半分以上徴収していれば給与課税は受けませんから、更にその差は大きくなります。

5 源泉徴収事務の内容

――源泉徴収はどうするの？――

法　人・個人を問わず、給与、賞与、退職金、報酬・料金等源泉徴収の対象となる特定の所得の支払をする者は、その所得にかかる所得税を徴収し、その徴収した所得税を一定の日までに国に納付する義務を負っています。

この制度を「源泉徴収制度」といい、このような義務を負っている法人や個人を「源泉徴収義務者」といいます。源泉徴収すべき金額は、所得の種類や支払うべき金額に応じて異なります。（所法 181～186、199～205）

なお、源泉徴収義務者は、平成25年１月１日から令和19年12月31日までの間に生じる所得については、源泉徴収する際に復興特別所得税（源泉徴収するべき所得税額の2.1％）を併せて徴収する必要があります。

また、源泉徴収の対象となる給料や報酬等について、源泉徴収税の徴収が漏れていたり、源泉徴収した所得税及び復興特別所得税を納期限までに納付していなかった場合には、不納付加算税や延滞税等のペナルティが課されることがあります。

① 源泉徴収の対象となるものと源泉徴収すべき金額

例えば支払う内容によって、源泉徴収すべき所得税及び復興特別所得税の額は次のようになります。

支払う内容の具体例	源泉徴収すべき金額	納期の特例対象（31ページ参照）
役員・従業員などに対する給与	給与所得の源泉徴収税額表の月額表又は日額表を使って算出した金額	○
役員・従業員などに対する賞与	賞与に対する源泉徴収税額の算出率の表を使って算出した金額	○
役員・従業員などに対する退職金	退職所得の源泉徴収税額の速算表を使って算出した金額（37ページ参照） ただし、「退職所得の受給に関する申告書」を提出していない者は、支払金額の20.42％の金額を徴収し、確定申告で精算	○
税理士、公認会計士、弁護士などに対する報酬＊	１回の報酬が①100万円以下なら支払金額の10.21％ ②100万円超なら支払金額の20.42％から102,100円を控除した金額	○
司法書士、土地家屋調査士などに対する報酬＊	１回の報酬について１万円を控除した金額の10.21％	○
個人に対する講演料、原稿料、デザイン料など＊	１回の報酬が①100万円以下なら支払金額の10.21％ ②100万円超なら支払金額の20.42％から102,100円を控除した金額	×
個人に対する広告宣伝のための賞金＊	１回の報酬について50万円を控除した金額の10.21％	×
株主に対する配当金＊	支払うべき配当金額の20.42％（ただし、上場株式等については254ページ参照）	×

＊　支払調書の提出が必要となる場合には、税理士や司法書士等からマイナンバーの提供を受ける必要があります。

- 算出した金額に１円未満の端数があるときは切り捨てます。
- 所得税と復興特別所得税は区分せずに１枚の所得税徴収高計算書（納付書）で納付します。
- 会社の従業員等への福利厚生として招いたお茶やお花の先生などに対する一定の報酬・料金等の支払いについても、源泉徴収が必要です。
- 講師の先生等に、報酬・料金等以外に車代や宿泊代（実費相当額）を支払う場合は、原則として、支払いの際、報酬・料金等と合わせて源泉徴収が必要です。
  ただし、旅費や宿泊費などを講師の先生等に支払わないで、直接交通機関や宿泊施設に支払い、かつ、その金額が旅費等の費用として通常必要であると認められる範囲内のものであるときは、源泉徴収をしなくてもよいこととなっています。
- 消費税等の課税取引となる報酬・料金等に対する源泉徴収
  原則…消費税等の額を含めた金額を源泉徴収の対象とします。
  例外…請求書等において本来の報酬・料金等の金額と消費税等の額とが明確に区分されている場合は、消費税等を除いた金額を源泉徴収の対象として差し支えありません。（なお、支払調書の摘要欄に消費税等の額を記載すること）
  また、インボイス制度開始以後においても、請求書等への源泉徴収税額及び消費税等の記載方法は従来通りのまま取り扱います。

❷給与の源泉徴収税額の計算

毎月の給与の源泉徴収税額は、給与の総支給額（課税される現物給与を含みます。）から、個人負担の社会保険料（健康保険料（介護保険料を含む。）、厚生年金・基金の掛金、雇用保険料）を控除した後の給与の金額（「社会保険料控除後の給与等の金額」）を基に、源泉徴収税額表を適用して計算します。ここでは、源泉徴収税額表の選択から源泉徴収税額の計算までの流れとポイントについてみていくことにします。

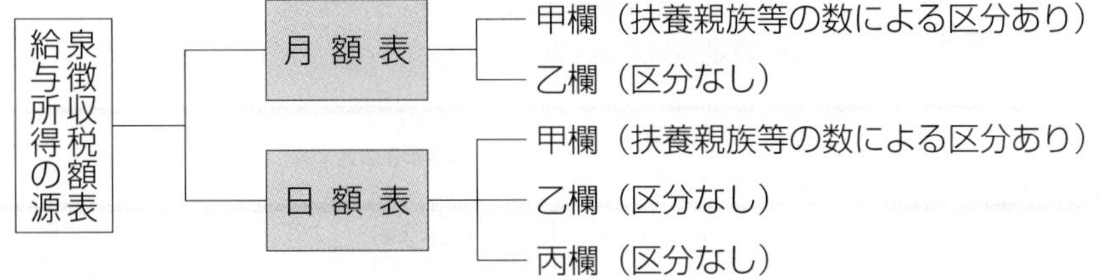

手順1：月額表と日額表の使い分け

源泉徴収の対象者ごとに月額表と日額表を正しく使い分けることが最初のポイントになります。（所法185、所令308、309）

給与等の支払形態		源泉徴収税額表
❶月ごとに給与等を支払う場合（日額合計を月払する場合も含む）	（所基通185－1）	月額表
❷給与等を、例えば3か月に1回といった月の整数倍の期間ごとに支払う場合	（所基通185－2）	月額表
❸給与等を10日ごと、半月ごとに支払う場合	（所基通185－1）	月額表
❹あらかじめ定めた月間給与総額を月ごと又は出社の都度分割払する場合	（昭57直法6－12）	月額表
❺例えば、週1回勤務する人に当月分をまとめて月払する場合	（昭57直法6－12）	月額表
❶支払期を毎日と定めて給与を支払う場合		日額表
❷中途の入退社であったため日割計算で給与を支払う場合	（所基通185－5）	日額表
❸週給制で週ごとに支払う場合		日額表
❹その他給与の支給期が25日ごと等であるため月額表を使用できない場合		日額表
❺労働した日又は時間で算定した日雇労務者等の賃金を、労働した日ごとに支払う場合	（所基通185－8）	日額表

手順2：甲欄、乙欄及び丙欄の使い分け

月額表か日額表、いずれかの適用が決まったら、次の区分に従って源泉徴収税額表の甲・乙・丙欄のいずれかにより源泉徴収税額を計算します。（所法185）

源泉徴収対象者		源泉徴収税額表
「給与所得者の扶養控除等申告書」を提出している人		甲欄
「給与所得者の扶養控除等申告書」を提出していない人及び「従たる給与についての扶養控除等申告書」を提出している人		乙欄
日雇労務者	日々雇い入れられ労働した日数又は時間により賃金を計算される人（同一使用者に2か月を超えて継続雇用された人を除く。）	丙欄（日額表のみ）

- 源泉徴収税額表に記載されている税額は所得税と復興特別所得税の合計額です。
- 給与所得者の扶養控除等申告書は、扶養親族等がない場合でも毎年最初に給与の支払を受ける日の前日までに提出を受け、給与の支払者が7年間保管しておくことになっています。（194ページ参照）

MEMO

月額表及び日額表の甲欄の「**扶養親族等の数**」は、提出を受けた「給与所得者の扶養控除等申告書」における源泉控除対象配偶者と控除対象扶養親族の合計数で求めます。（平成23年分以後の所得税については、16歳未満の年少扶養親族の人数を扶養親族等の数に加えないことになっています。） また、本人が障害者、ひとり親、寡婦又は勤労学生に該当するときはその該当する数を加え、源泉控除対象配偶者（36ページ参照）や扶養親族（年少扶養親族を含む。）に障害者又は同居特別障害者に該当する人がいるときはその該当する数を加えます。

給与計算の具体例

山田一郎さん（昭和 46 年生まれ）の 6 月の給与計算をしてみましょう。

支給金額　525,050 円 （基本給　465,000 円 諸手当　50,000 円 通勤手当 10,050 円） （非課税限度内）	（協会けんぽ）健康･厚生年金保険料の標準報酬月額 530,000 円 雇用保険料率 $\frac{6}{1000}$ （被保険者負担分）* 源泉控除対象配偶者　あり 特定扶養親族（長女）　1 人

●標準報酬月額は、4～6 月の報酬を基に算出した月平均の報酬額によって決定されます。
健保・厚保の保険料はこの標準報酬月額と賞与支給時の標準賞与額に基づいて計算されます。

＊　令和 6 年 4 月 1 日以降の料率

所得税源泉徴収簿（部分）

甲欄　乙欄

所属		職名	経理部長	住所	（郵便番号　－　） 大阪市住吉区××

区分	月区分	支給 月	支給 日	総支給金額	社会保険料等の控除額	社会保険料等控除後の給与等の金額	扶養親族等の数	算出税額	年末調整による過不足税額	差引徴収税額
給料・	1	1	25	515,000円	83,736円	431,264円	2人	12,730円	円	12,730円
	2	2	25	515,000	83,736	431,264	2	12,730		12,730
	3	3	25	515,000	83,736	431,264	2	12,730		12,730
	4	4	25	515,000	83,286	431,714	2	12,730		12,730
	5	5	25	515,000	83,286	431,714	2	12,730		12,730
	6	6	25	515,000	83,286	431,714	2	12,730		12,730

❶ 支給金額525,050円のうち、通勤手当10,050円は非課税限度内のため除外します。
525,050円－10,050円＝515,000円

❸ 右ページの(月額表)の「その月の社会保険料等控除後の給与等の金額」欄の431,000円以上434,000円未満の行の扶養親族等の数 2 人の欄12,730円が源泉徴収税額となります。
定額減税は考慮しないで源泉徴収税額を計算しています。
定額減税の詳細は令和 6 年度税制改正のあらまし(iv)をご参照ください。

❷
●標準報酬月額530,000円の健康保険料（介護保険第 2 号被保険者）、厚生年金保険料の従業員負担分を「標準報酬額･保険料額表」を使用して求めます。山田一郎さんは40歳以上65歳未満であるため、介護保険第 2 号被保険者としての介護保険料（令和 6 年 2 月分まで18.2/1000。右記表は令和 6 年 3 月分以後分）を徴収する必要があります。
また、社会保険料は翌月徴収を前提としているため、料率変更後の 3 月分の健康保険料(介護保険料含む。)は 4 月分の給与から徴収する形となっています。（当月徴収の場合には 3 月分の給与から徴収となります。）

●雇用保険料は、支給金額525,050円に 6 /1000を乗じて計算します。

健康保険料（介護保険料を含む。）	31,641円	83,286円
厚生年金保険料	48,495円	
雇用保険料	3,150円	

〈標準報酬額・保険料額表（抜粋）〉

等級 健康保険	等級 厚生年金保険	標準報酬 月額	健康保険 保険料率 10.34% 全額	健康保険 10.34% 被保険者負担額	介護保険第2号被保険者 11.94% 全額	介護保険第2号被保険者 11.94% 被保険者負担額	厚生年金保険 保険料率 18.300% 全額	厚生年金保険 18.300% 被保険者負担額
30	27	500,000	51,700.0	25,850.0	59,700.0	29,850.0	91,500.00	45,750.00
31	28	530,000	54,802.0	27,401.0	63,282.0	31,641.0	96,990.00	48,495.00
32	29	560,000	57,904.0	28,952.0	66,864.0	33,432.0	102,480.00	51,240.00

事業主が、給与から被保険者負担分を控除する場合は、被保険者負担分の端数は、50銭以下切捨て、51銭以上切上げとします。
厚生年金保険の保険料率は平成17年度以降 9 月分から毎年0.354%ずつ引き上げられ、平成29年 9 月以降は18.3%に固定されています。また、健康保険料については、平成21年 9 月以降は全国健康保険協会（協会けんぽ）による都道府県単位の保険料率が適用されることになりました。（上記表の率は、令和 6 年 3 月分以降の大阪府の率です。）

❹支給金額から、社会保険料、源泉所得税等を差し引き本人に支給します。

（支給金額）525,050円 － （社会保険料等）83,286円 － （差引徴収税額）12,730円 ＝ 429,034円

上記以外にも個人住民税特別徴収額や会社によっては親睦会費等が差し引かれて、実際に支給される金額となります。

〈給与所得の源泉徴収税額表（月額表）〉抜粋

その月の社会保険料等控除後の給与等の金額		甲 扶養親族等の数								乙
		0人	1人	2人	3人	4人	5人	6人	7人	
以上	未満	税額								税額
円 431,000	円 434,000	円 19,210	円 15,970	円 12,730	円 9,510	円 7,280	円 5,670	円 4,050	円 2,430	円 108,500
434,000	437,000	19,450	16,210	12,980	9,750	7,400	5,790	4,180	2,550	110,300
437,000	440,000	19,700	16,460	13,220	10,000	7,520	5,910	4,300	2,680	112,000
440,000	443,000	20,090	16,700	13,470	10,240	7,650	6,030	4,420	2,800	113,600
443,000	446,000	20,580	16,950	13,710	10,490	7,770	6,160	4,540	2,920	115,400

電子計算機等による源泉徴収税額の計算

電子計算機等を使用して源泉徴収税額を計算する場合には、上記の月額表（甲欄）に代えて以下の算式により源泉徴収税額を求めることができる特例が設けられています。

Aその月の社会保険料等控除後の給与等の金額	−	給与所得控除の額【別表第１】	−	配偶者控除、扶養控除の合計額【別表第２】	−	基礎控除の額【別表第３】	=	Bその月の課税給与所得金額
左ページの例によると 431,714円	−	123,010円	−	63,334円	−	40,000円	=	205,370円

B × 税率【別表第４】 − 控除額【別表第４】 ＝ 源泉徴収税額（10円未満四捨五入）

205,370円 × 10.21% − 8,296円 ＝ 12,672円

（注）左ページの例の源泉徴収税額12,730円と誤差が生じる場合がありますが、年末調整で精算されますので問題ありません。

【別表第１】

Aその月の社会保険料等控除後の給与等の金額 以上	以下	給与所得控除の額（１円未満端数切上げ）
−円	135,416円	45,834円
135,417	149,999	A×40%− 8,333円
150,000	299,999	A×30%＋ 6,667円
300,000	549,999	A×20%＋ 36,667円
550,000	708,330	A×10%＋ 91,667円
708,331	−	162,500円

【別表第２】

配偶者（特別）控除の額	（１人当り）	31,667円
扶養控除の額	（１人当り）	31,667円×控除対象扶養親族の数

＊ 控除対象扶養親族の数の計算については、29ページ参照。

【別表第３】

Aその月の社会保険料等控除後の給与等の金額 以上	以下	基礎控除の額
−円	2,162,499円	40,000円
2,162,500	2,204,166	26,667
2,204,167	2,245,833	13,334
2,245,834		0

【別表第４】

Bその月の課税給与所得金額 以上	以下	税額の算式
−円	162,500円	B× 5.105%
162,501	275,000	B×10.210%− 8,296円
275,001	579,166	B×20.420%− 36,374円
579,167	750,000	B×23.483%− 54,113円
750,001	1,500,000	B×33.693%−130,688円
1,500,001	3,333,333	B×40.840%−237,893円
3,333,334	−	B×45.945%−408,061円

❸源泉徴収税額の納付

源泉徴収義務者が源泉徴収した所得税及び復興特別所得税は、次の納付期限までに納付することになります。（所法183、199、204、216、217）

納付期限

原則 ••••••▶ その源泉徴収の対象となる所得を支払った月の翌月10日

特例＊ ••••••▶
① その年の１月から６月の間に支払ったもの→７月10日までに納付
② その年の７月から12月の間に支払ったもの→翌年１月20日までに納付

＊ 上記の特例が認められるには、次の２つの要件を満たすことが必要です。
① 給与等の支給を受ける者の人員が常時10人未満であること
② 所轄税務署長に「源泉所得税の納期の特例の承認に関する申請書」を提出し承認を受けること

留意事項

納期の特例が認められるのは、給与や退職金等及び弁護士や税理士等に対する報酬等の支払に対する源泉徴収税額のみで、それ以外の源泉徴収税額（例えば、個人に対するデザイン料や、株主に対する配当金の源泉徴収税額）は原則どおり納付しなければなりませんので注意が必要です。（28ページ参照）

また、住民税については給与等の支給を受ける者の人員が常時10人未満の特別徴収義務者（給与支払者）が「特別徴収税額の納期の特例に関する承認申請書」を提出し承認を受けた場合には、毎月の納付から年２回（６月分から11月分を12月10日まで、12月分から翌年５月分を翌年６月10日まで）とすることができます。

6 年末調整の仕組み

――何のために年末調整するの？――

給与所得者についても、申告納税制度に従って所得税の課税が行われるのが原則です。

しかし、給与所得者については、会社でその年中の給与の支払総額に対する正規の年税額と給与の支払を受けるたびに源泉徴収された所得税及び復興特別所得税の合計額との差額を精算してもらえば、他に所得がない等の条件を満たした場合、確定申告をする必要がありません。

この精算手続を年末調整といい、給与の支払者（会社など）が原則としてその年最後の給与の支払をする際に行います。（所法190～193）

① 年末調整事務の手順

年税額計算のための準備

- 給与所得者の扶養控除等(異動)申告書の受理と内容の確認＊1
  - 本年最後に給与の支払をするときまでに提出が必要
  - 源泉控除対象配偶者、扶養親族、障害者などの確認
- 給与所得者の保険料控除申告書及び給与所得者の基礎控除申告書兼給与所得者の配偶者控除等申告書兼所得金額調整控除申告書の受理と内容の確認＊2
  - 控除対象となる生命保険料、地震・損害保険料、社会保険料、小規模企業共済等掛金かどうか確認します。
  - 本人及び配偶者の合計所得金額を確認し、各控除の適用の有無を判定します。＊3（36ページ参照）
- 給与の総額、徴収税額の集計
  - 1月から12月までの支給実績額、徴収実績額を集計します。
  - 通勤手当等の調整が必要な場合があります。
- 住宅借入金等特別控除申告書の受理と内容の確認
  - 控除を受ける最初の年分は、確定申告によりますが、それ以後は、年末調整の際に控除が受けられます。

年税額の計算

（所得控除）

給与所得控除後の給与等の金額の計算
（「年末調整等のための給与所得控除後の給与等の金額の表」を見ます。）

↓

課税給与所得金額の計算
（基礎控除などの所得控除を差し引いて計算します。）

↓

（税額控除）

年　税　額　の　計　算
（速算表で計算した算出所得税額から住宅借入金等特別控除額を控除した後の税額に102.1%を乗じて、復興特別所得税を含んだ年税額を計算します。）

税額の徴収及び納付又は還付

過　不　足　額　の　精　算
（年税額から毎月徴収した所得税及び復興特別所得税の合計額を差し引きます。）

→ 過納額の還付

→ 不足額の徴収・納付

＊1　国外居住親族に係る「給与所得者の基礎控除申告書兼給与所得者の配偶者控除等申告書兼所得金額調整控除申告書」を提出する者は、その申告書を給与等の支払者に提出する際に「親族関係書類」を併せて提出又は提示し、年末調整を行う際に給与等の支払者に「送金関係書類」を提出（提示）する必要があります。

＊2　年末調整手続のプロセス全体を電子化することが可能です。国税庁が無償で提供する年末調整控除申告書作成用ソフトウェア（年調ソフト）に従業員が複数の保険会社や金融機関からの控除証明書などの電子データを一括して取り込むことで、勤務先に提出するデータが作成されます。

＊3　年末調整後、配偶者特別控除の適用を受けた配偶者の合計所得金額の見積額と確定した合計所得金額に差額が生じた場合には年末調整をやり直すことができます。このやり直しは「給与所得の源泉徴収票」を受給者に交付することとなる翌年1月末日までです。

注　意

次に該当する人は、年末調整の対象とはならず、確定申告で納税額の精算をすることになります。

① その年中に支払を受ける給与の収入金額が2,000万円を超える人
② 年末調整を行うときまでに「給与所得者の扶養控除等（異動）申告書」を提出していない人
③ 災害による被害を受けて「災害被害者に対する租税の減免、徴収猶予等に関する法律」の規定により、その年分の給与に対する源泉所得税の徴収猶予又は還付を受けた人
④ 年の中途で退職（死亡退職等を除きます。＊）し、再就職していない人
⑤ 国内に住所も、1年以上の居所も有していない非居住者など

＊　年の中途で死亡退職した人などは、退職の時などに年末調整を実施します。

②年末調整で受けられる所得控除

最大48万円の基礎控除以外に、年末調整で控除を受けられる所得控除は次のとおりです。（医療費控除等、下記以外に確定申告で適用を受ける所得控除及び税額控除は246 ～ 248ページ参照。）

区分	要　　件	控　除　金　額	留意点・控除額
配偶者控除	合計所得金額が1,000万円以下の納税者で、生計を一にする合計所得金額が48万円以下の配偶者がいる	合計所得金額900万円以下の納税者　38万円 合計所得金額900万円超950万円以下の納税者　26万円 合計所得金額950万円超1,000万円以下の納税者　13万円 （老人控除対象配偶者　＋3～10万円）	●内縁の夫・妻は対象となりません。 ●12月に籍を入れれば対象になります。 ●配偶者が給与収入だけなら103万円までが対象となります。（36ページ参照）
配偶者特別控除	合計所得金額が1,000万円以下の納税者で、生計を一にする合計所得金額が48万円超133万円以下の配偶者がいる	合計所得金額900万円以下の納税者　3万円～38万円 合計所得金額900万円超950万円以下の納税者　2万円～26万円 合計所得金額950万円超1,000万円以下の納税者　1万円～13万円	●配偶者が給与収入だけなら103万円超201.6万円以下が対象となります。（36ページ参照）
所得金額調整控除	①給与等の収入金額850万円超の納税者で、 ●所得者本人が特別障害者である ●特別障害者である同一生計配偶者もしくは扶養親族がいる ●23歳未満の扶養親族がいる	①（給与等の収入金額－850万円）×10%	①給与等の収入金額の上限は1,000万円（控除金額は上限15万円）となります。
	②給与所得控除後の給与等の金額と公的年金等に係る雑所得の金額があり、その合計額が10万円を超える者	②{給与所得控除後の給与等の金額(最大10万円)＋公的年金等に係る雑所得の金額(最大10万円)}－10万円	②　①の適用がある場合は①の適用後の給与所得の金額から控除します。
扶養控除	12月31日現在で所得者と生計を一にする合計所得金額が48万円以下の親族等（16歳未満の人を除く。）＊がいる	一般の扶養親族　38万円（1人当り） （同居老親等以外の老人扶養親族　＋10万円／1人 同居老親等の老人扶養親族　＋20万円／1人 特定扶養親族(19歳以上23歳未満)　＋25万円／1人）	●6親等内の血族、3親等内の姻族が対象となります。
障害者控除	所得者、その控除対象配偶者、扶養親族に身体障害者手帳をもらっている人など精神や身体に障害のある人がいる	一般の障害者　27万円／1人 特別障害者　40万円／1人 同居特別障害者　75万円／1人	●寝たきり老人等も適用があります。 ●身体障害者手帳に身体上の障害の程度が1級・2級と記載されている人等は特別障害者となります。
寡婦控除	合計所得金額500万円以下の所得者本人が ●夫と離婚した後婚姻していない者であり、所得者と生計を一にする合計所得金額48万円以下の子以外の扶養親族がいる ●夫と死別した後婚姻していない者	27万円 （ひとり親控除の要件に該当する者を除く。）	●生計を一にする子は、他の者の控除対象配偶者又は扶養親族とされている人を除きます。 ●控除を受ける者の住民票に世帯主との続柄として未届の妻（夫）等の記載がないこと等、事実婚状態にないことが要件とされています。
ひとり親控除	合計所得金額500万円以下の所得者本人が婚姻状態にない又は配偶者が生死不明の状態にあり、所得者と生計を一にする合計所得金額48万円以下の子がいる	35万円	
勤労学生控除	所得者本人が合計所得金額75万円以下（うち、給与所得等以外の所得は10万円以下）で、大学等の課程を履修している	27万円	各種学校等の生徒の場合は、証明書の添付又は提示が必要です。
生命保険料控除	一般の生命保険料：●生命保険会社の生命保険契約 ●簡易生命保険契約 ●農業協同組合などの生命共済契約 ●確定給付企業年金に係る規約 などに基づいて支払った保険料・掛金	平成24年1月1日以後契約分（更新・転換・変更等含む。）の支払保険料について一般・介護・個人年金ごとに次の計算をして、最大合計12万円まで控除 (1)20,000円以下…支払保険料全額 (2)20,000円超40,000円以下…(支払保険料)×1／2＋10,000円 (3)40,000円超80,000円以下…(支払保険料)×1／4＋20,000円 (4)80,000円超…一律40,000円	●平成23年12月31日以前契約の生命保険料(一般)の額が9,000円以下の場合を除き証明書を添付又は提示しなければなりません。なお、令和2年分より、年末調整手続の電子化による提出が可能となっています。（32ページ参照） ●平成23年12月31日以前の契約分は旧制度（最大各5万円）の適用となります。 ●新制度（最大各4万円）と旧制度の双方について適用を受ける場合は、新旧制度別の合計額（最大各4万円）となります。
	介護医療保険料：●生命保険会社の介護医療保険契約 ●旧簡易生命保険契約 などに基づく保険料・掛金で医療費支払事由に基因して保険金が支払われるもの		
	個人年金保険料：●年金の受取人は被保険者である保険料支払者又は配偶者であること ●保険料の払込みは年金支払開始日前10年以上の期間定期に行うこと ●年金の支払は、受取人が60歳以後10年以上又は生存している期間定期に行うこと の要件を満たす契約に基づく保険料・掛金		
地震保険料控除	所得者本人又は本人と生計を一にする親族が所有している居住用家屋・家財の地震等損害に備える地震保険料で一定のもの	最高5万円まで控除（経過措置として存続する平成18年12月31日までに締結した長期損害保険契約等の損害保険料控除（最高15,000円）の適用を受ける金額を含む。）	●証明書を添付又は提示しなければなりません。なお、令和2年分より、電磁的方法による提出が可能となっています。（32ページ参照）
社会保険料控除	個人負担の健康保険料、介護保険料、厚生年金・基金の掛金、雇用保険料など	全額	国民年金保険料・国民年金基金掛金は支払証明書の添付又は提示が必要です。
小規模企業共済等掛金控除	独立行政法人中小企業基盤整備機構との共済契約、確定拠出年金法の個人型年金制度等のうち一定のもの等に対する掛金	全額	－

＊　国外居住親族については、令和5年分より以下に該当しない30歳以上70歳未満の者は対象となりません。
①留学で非居住者になった者、②障害者、③38万円以上の生活費や教育費を受けている者
また、一定の場合には、現行の「親族関係書類」等に加えて、「留学ビザ等書類」や「38万円送金書類」等の提出が必要となりました。

年末調整の具体例

山田一郎さんの年末調整を行ってみましょう。なお、定額減税については考慮しておりません。
詳細については、令和６年度税制改正のあらまし（i）をご参照ください。

家族構成

山田一郎	53歳
妻：山田花子	48歳
長女：山田花美	21歳
長男：山田　一	0歳（令和６年６月１日生）

- 妻の山田花子さんはパートの給与収入が年間145万円あります。
- 長男の山田一さんについては、控除対象扶養親族とはなりません。

〈年末調整等のための給与所得控除後の給与等の金額の表〉

給与等の収入金額の合計額 以上	給与等の収入金額の合計額 未満	給与所得の金額
円	円	円
〜	〜	〜
6,592,000	6,596,000	4,633,600
6,596,000	6,600,000	4,636,800
6,600,000	8,500,000	給与等の金額に90%を乗じて算出した金額から1,100,000円を控除した金額

- 給与等の収入金額が850万円超の場合は、給与所得控除額は195万円となります。

STEP１

下の源泉徴収簿の左側の①③④⑥欄の金額を右側の①③④⑥欄へ転記し、それぞれの合計（⑦⑧欄）を算出します。また左側の②欄と⑤欄を合計して右側の⑫欄に記載します。

- 社会保険料等の控除額については30ページ参照。

STEP２

⑦欄の給与総額に対する給与所得控除後の給与等の金額（⑨欄）を左記の「年末調整等のための給与所得控除後の給与等の金額の表」を使って算出します。
（8,190,000×90%－1,100,000＝6,271,000円）

STEP３

36ページ❶所得金額調整控除申告書に記載がある場合は、（⑦－8,500,000）×10%（１円未満切り上げ）の金額を記載します。

STEP４

右ページの保険料控除申告書の❹❺をそれぞれ⑮⑯欄に転記します。

STEP５

妻の山田花子さんの給与収入が145万円（合計所得金額90万円）であり、納税者本人の山田一郎さんの給与収入が819万円（合計所得金額627.1万円）であるため、配偶者特別控除を適用することができます。（36ページ参照）
36ページの給与所得者の基礎控除申告書兼給与所得者の配偶者控除等申告書兼所得金額調整控除申告書の❸を⑰欄に転記します。

令和６年分　給与所得に対する源泉徴収簿

（甲欄）乙欄　所属：　職名：　住所：（郵便番号　－　）大阪市住吉区××　氏名：（フリガナ）山田一郎（生年月日　明・大・（昭）・平・令　46年　4月　1日）　整理番号：

区分	月区分	支給月日	総支給金額	社会保険料等の控除額	社会保険料等控除後の給与等の金額	扶養親族等の数	算出税額	年末調整による過不足税額	差引徴収税額
給料・手当等	1	1.25	515,000円	83,736円	431,264円	2人	12,730円	円	12,730円
	2	2.25	515,000	83,736	431,264	2	12,730		12,730
	3	3.25	515,000	83,736	431,264	2	12,730		12,730
	4	4.25	515,000	83,286	431,714	2	12,730		12,730
	5	5.25	515,000	83,286	431,714	2	12,730		12,730
	6	6.25	515,000	83,286	431,714	2	12,730*		12,730
	7	7.25	515,000	83,286	431,714	2	12,730*		12,730
	8	8.25	515,000	83,286	431,714	2	12,730*		12,730
	9	9.25	515,000	83,286	431,714	2	12,730*		12,730
	10	10.25	515,000	83,286	431,714	2	12,730*		12,730
	11	11.25	515,000	83,286	431,714	2	12,730*		12,730
	12	12.25	515,000	83,286	431,714	2	12,730*	△201,212	△188,482
計			① 6,180,000	② 1,000,782	5,179,218		③ 152,760	△201,212	△[illegible]
賞与等	7	7.10	990,000	155,628	834,372	2	（税率12.252%）102,227*		102,227
	12	12.10	1,020,000	160,344	859,656	2	（税率12.252%）105,325*		105,325
							（税率　%）		
							（税率　%）		
計			④ 2,010,000	⑤ 315,972	1,694,028		⑥ 207,552		207,552

転記

前年の年末調整に基づき繰り越した過不足税額　円
同上の税額につき還付又は徴収した月区分：月別　月　還付又は徴収した税額　円　差引残高　円　月別　月　還付又は徴収した税額　円　差引残高　円

扶養控除等の申告・各種控除額

申告の有無	区分／申告月日	源泉控除対象配偶者	一般の控除対象扶養親族	特定扶養親族	老人扶養親族 同居老親等	老人扶養親族 その他	一般の障害者 本人・配・扶（人）	特別障害者 本人・配・扶（人）	同居特別障害者 配・扶（人）	寡婦又はひとり親	勤労学生	従たる給与から控除する源泉控除対象配偶者と控除対象扶養親族の合計数	配偶者の有無
（有）・無	当初	（有）・無	人	1人	人	人	人	人	人	寡婦・ひとり親	有・（無）	当初　人	（有）・無
	／	有・無								寡婦・ひとり親	有・無		
	／	有・無								寡婦・ひとり親	有・無	月　日　人	
控除額	1人当たり（万円）		38	63	58	48	27	40	75	27（寡婦）35（ひとり親）	27		
	合計（万円）			63									

年末調整

区分		金額	税額
給料・手当等		① 6,180,000円	③ 152,760円
賞与等		④ 2,010,000	⑥ 207,552
計		⑦ 8,190,000	⑧ 360,312
給与所得控除後の給与等の金額		⑨ 6,271,000	所得金額調整控除の適用　有・（無）（※ 適用有の場合は⑩に記載）
所得金額調整控除額（（⑦－8,500,000円）×10%、マイナスの場合は０）		⑩（1円未満切上げ、最高150,000円）	
給与所得控除後の給与等の金額（調整控除後）（⑨－⑩）		⑪ 6,271,000	
社会保険料等控除額	給与等からの控除分（②＋⑤）	⑫ 1,316,754	配偶者の合計所得金額（900,000円）
	申告による社会保険料の控除分	⑬	旧長期損害保険料支払額
	申告による小規模企業共済等掛金の控除分	⑭	（　円）
生命保険料の控除額		⑮ 75,000	⑫のうち小規模企業共済等掛金の金額
地震保険料の控除額		⑯ 22,000	（　円）
配偶者（特別）控除額		⑰ 380,000	⑬のうち国民年金保険料等の金額
扶養控除額及び障害者等の控除額の合計額		⑱ 630,000	
基礎控除額		⑲ 480,000	（　円）
所得控除額の合計額（⑫＋⑬＋⑭＋⑮＋⑯＋⑰＋⑱＋⑲）		⑳ 2,903,754	
差引課税給与所得金額（⑪－⑳）及び算出所得税額		㉑（1,000円未満切捨て）3,367,000	㉒ 245,900
（特定増改築等）住宅借入金等特別控除額			㉓ 90,000
年調所得税額（㉒－㉓、マイナスの場合は０）			㉔ 155,900
年調年税額（㉔×102.1%）			㉕（100円未満切捨て）159,100
差引（超過額）又は不足額（㉕－⑧）			㉖ 201,212
超過額の精算	本年最後の給与から徴収する税額に充当する金額		㉗
	未払給与に係る未徴収の税額に充当する金額		㉘
	差引還付する金額（㉖－㉗－㉘）		㉙ 201,212
	同上のうち 本年中に還付する金額		㉚ 201,212
	同上のうち 翌年において還付する金額		㉛
不足額の精算	本年最後の給与から徴収する金額		㉜
	翌年に繰り越して徴収する金額		㉝

STEP 1（③・⑥欄）
STEP 2（⑨欄）
STEP 3（⑩欄）
STEP 1（⑫欄）
STEP 4（⑮欄）
STEP 5（⑯欄）
STEP 6（⑰欄）
STEP 7（㉑・㉒欄）
STEP 8（㉓欄）
STEP 9（㉕欄）
STEP10（㉖欄）
STEP11（㉙欄）

＊定額減税は考慮しないで税額を計算しています。

令和６年分　給与所得者の保険料控除申告書

所轄税務署長	給与の支払者の名称（氏名）	株式会社　ハナマル商会	（フリガナ）あなたの氏名	ヤマダ　イチロウ 山田　一郎
天王寺	給与の支払者の法人番号	※この申告書の提出を受けた給与の支払者（個人を除きます。）が記載してください。 9 9 9 9 9 9 9 9 9 9 9 9 9		
税務署長	給与の支払者の所在地（住所）	大阪市天王寺区××	あなたの住所又は居所	大阪市住吉区××

給与の支払者受付印　保

生命保険料控除

区分	保険会社等の名称	保険等の種類	保険期間又は年金支払期間	保険等の契約者の氏名	保険金等の受取人 氏名	あなたとの続柄	新・旧の区分	あなたが本年中に支払った保険料等の金額（分配を受けた剰余金等の控除後の金額）(a)	給与の支払者の確認印
一般の生命保険料	××生命	定期保険	10年	山田　一郎	山田　花子	妻	旧	(a) 40,000円	
								(a)	
								(a)	
								(a)	
介護医療保険料	××生命	医療保険	10年	山田　一郎	山田　一郎	本人		(a) 12,500円	
								(a)	
個人年金保険料	××生命	個人年金	10年	山田　一郎	山田　一郎 支払開始日　・　・	本人	新	(a) 40,000円	
					支払開始日　・　・			(a)	
					支払開始日　・　・			(a)	

項目	金額	計算	金額	項目	金額
(a)のうち新保険料等の金額の合計額 A	円	Aの金額を下の計算式Ⅰ（新保険料等用）に当てはめて計算した金額	①（最高40,000円）　円	計（①＋②）	③（最高40,000円） 32,500円
(a)のうち旧保険料等の金額の合計額 B	40,000円	Bの金額を下の計算式Ⅱ（旧保険料等用）に当てはめて計算した金額	②（最高50,000円） 32,500円	②と③のいずれか大きい金額	㋑ 32,500円
(a)の金額の合計額 C	12,500円			Cの金額を下の計算式Ⅰ（新保険料等用）に当てはめて計算した金額	㋺（最高40,000円） 12,500円
(a)のうち新保険料等の金額の合計額 D	40,000円	Dの金額を下の計算式Ⅰ（新保険料等用）に当てはめて計算した金額	④（最高40,000円） 30,000円	計（④＋⑤）	⑥（最高40,000円） 30,000円
(a)のうち旧保険料等の金額の合計額 E	円	Eの金額を下の計算式Ⅱ（旧保険料等用）に当てはめて計算した金額	⑤（最高50,000円）　円	⑤と⑥のいずれか大きい金額	㋩ 30,000円

計算式Ⅰ（新保険料等用）※ A,C又はDの金額	控除額の計算式	計算式Ⅱ（旧保険料等用）※ B又はEの金額	控除額の計算式	生命保険料控除額 計（㋑＋㋺＋㋩）（最高120,000円）
20,000円以下	A、C又はDの全額	25,000円以下	B又はEの全額	Ⓐ75,000円
20,001円から40,000円まで	A、C又はD×1/2＋10,000円	25,001円から50,000円まで	B又はE×1/2＋12,500円	
40,001円から80,000円まで	A、C又はD×1/4＋20,000円	50,001円から100,000円まで	B又はE×1/4＋25,000円	
80,001円以上	一律に40,000円	100,001円以上	一律に50,000円	

※　控除額の計算において算出した金額に１円未満の端数があるときは、その端数を切り上げます。

地震保険料控除

保険会社等の名称	保険等の種類（目的）	保険期間	保険等の契約者の氏名 / 保険等の対象となった家屋等に居住又は家財を利用している者等の氏名	あなたとの続柄	地震保険料又は旧長期損害保険料区分	あなたが本年中に支払った保険料等のうち、左欄の区分に係る金額（分配を受けた剰余金等の控除後の金額）Ⓐ	給与の支払者の確認印
××保険	地震保険	1年	山田　一郎 同上	本人	地震	22,000円	

Ⓐのうち地震保険料の金額の合計額	Ⓑ 22,000円
Ⓐのうち旧長期損害保険料の金額の合計額	Ⓒ　円

地震保険料控除額：Ⓑの金額（最高50,000円）22,000円 ＋ Ⓒの金額（Ⓒの金額が10,000円を超える場合は、Ⓒ × 1/2+5,000 円）※（最高15,000円）　円 ＝（最高50,000円）Ⓑ 22,000円

社会保険料控除

社会保険の種類	保険料支払先の名称	保険料を負担することになっている人 氏名	あなたとの続柄	あなたが本年中に支払った保険料の金額
				円
合計（控除額）				円

小規模企業共済等掛金控除

種類	あなたが本年中に支払った掛金の金額
独立行政法人中小企業基盤整備機構の共済契約の掛金	円
確定拠出年金法に規定する**企業型**年金加入者掛金	
確定拠出年金法に規定する**個人型**年金加入者掛金	
心身障害者扶養共済制度に関する契約の掛金	
合計（控除額）	円

◎　この申告書の記載に当たっては、裏面の説明をお読みください。

STEP6

・長女の山田花美さんは、19歳以上23歳未満で所得がないため、特定扶養親族に係る扶養控除は630,000円であり、⑱欄に記入します。
・長男の山田一さんは、16歳未満のため控除対象扶養親族に該当しません。
・山田一郎さん本人の基礎控除480,000円を⑲欄に記入します。

STEP7

・⑫欄～⑲欄の合計が所得控除の合計（⑳欄）となります。
・（⑪欄－⑳欄）が課税給与所得金額（㉑欄1,000円未満切捨て）となり下の速算表を使用して税額（㉒欄）を計算します。

《所得税額の速算表》

課税給与所得金額(A)		税　額
195万円以下		(A)×５％
195万円超	330万円以下	(A)×10％－　97,500円
330　〃	695　〃	(A)×20％－　427,500円
695　〃	900　〃	(A)×23％－　636,000円
900　〃	1,800　〃	(A)×33％－1,536,000円
1,800　〃	4,000　〃	(A)×40％－2,796,000円
4,000　〃		(A)×45％－4,796,000円

STEP8

・㉒欄の金額から住宅借入金等特別控除額（㉓欄）を控除した金額が年調所得税額（㉔欄）です。
・住宅借入金等特別控除額の計算については、247ページ参照。（ここでは住宅借入金等特別控除額は90,000円として計算しています。）

STEP9

年末調整は、所得税と復興特別所得税の合計額により行いますので、年調所得税額（㉔欄）に102.1％を乗じて計算した金額が年調年税額（㉕欄、100円未満切捨て）となります。

STEP10

年調年税額（㉕欄）と、毎月の給与等で源泉徴収された所得税及び復興特別所得税の合計額（⑧欄）との差引で計算した金額が、年末調整で精算する税額（㉖欄）です。

STEP11

超過・不足額の精算を本年最後に支払う給与で行う場合、超過のときは㉖欄の税額に本年最後の給与に係る算出税額を充当（㉗欄）した後の残額（㉙欄）を還付します。また、不足の場合は、本年最後の給与に係る算出税額と合わせて㉖欄の金額を徴収します。

令和6年分　給与所得者の基礎控除申告書 兼 給与所得者の配偶者控除等申告書 兼 所得金額調整控除申告書

所轄税務署長	給与の支払者の名称（氏名）	株式会社ハナマル商会	（フリガナ）あなたの氏名	ヤマダ イチロウ 山田一郎
天王寺	給与の支払者の法人番号	※ この申告書の提出を受けた給与の支払者（個人を除きます。）が記載してください。 9999999999999		
税務署長	給与の支払者の所在地（住所）	大阪市天王寺区××	あなたの住所又は居所	大阪市住吉区

給与の支払者受付印　**基・配・所**

～記載に当たってのご注意～

◎「基礎控除申告書」と「配偶者控除等申告書」については、次の場合に応じて記載してください。
1　あなたの本年中の合計所得金額の見積額が1,000万円以下で、かつ、配偶者の本年中の合計所得金額の見積額が133万円以下である場合は、「基礎控除申告書」、「配偶者控除等申告書」の順に記載してください。
2　上記1以外で、かつ、あなたの本年中の合計所得金額の見積額が2,500万円以下である場合は、「基礎控除申告書」のみ記載してください（「配偶者控除等申告書」を記載する必要はありません。）。

◎「所得金額調整控除申告書」については、年末調整において所得金額調整控除の適用を受けようとする場合に記載してください。なお、あなたの本年中の主たる給与の収入金額が850万円以下である場合又は「所得金額調整控除申告書」の「要件」欄の各項目のいずれにも該当しない場合には、所得金額調整控除の適用を受けることはできません。

◆ 給与所得者の基礎控除申告書 ◆

○ あなたの本年中の合計所得金額の見積額の計算

	所得の種類	収入金額	所得金額
(1)	給与所得	8,190,000円	（裏面「4(1)」を参照）6,271,000円
(2)	給与所得以外の所得の合計額		（裏面「4(2)」を参照）円
	あなたの本年中の合計所得金額の見積額（(1)と(2)の合計額）		6,271,000円

○ 控除額の計算

判定	☑ 900万円以下		(A)	48万円
	□ 900万円超	950万円以下	(B)	
	□ 950万円超	1,000万円以下	(C)	
	□ 1,000万円超	2,400万円以下		
	□ 2,400万円超	2,450万円以下		32万円
	□ 2,450万円超	2,500万円以下		16万円

区分Ⅰ　A（左のA～Cを記載）

基礎控除の額　480,000円

参考に記載してください。

◆ 給与所得者の配偶者控除等申告書 ◆

○「控除額の計算」の表の「区分Ⅰ」欄については、「基礎控除申告書」の「区分Ⅰ」欄を参照してください。
○「基礎控除申告書」の「区分Ⅰ」欄が(A)～(C)に該当しない場合や「配偶者控除等申告書」の「区分Ⅱ」欄が①～④に該当しない場合は、配偶者控除及び配偶者特別控除の適用を受けることはできません。

（フリガナ）配偶者の氏名	配偶者の個人番号	配偶者の生年月日	
ヤマダ ハナコ 山田花子	222222222222	明・大・㊐・平 51年5月2日	
	あなたと配偶者の住所又は居所が異なる場合の配偶者の住所又は居所	非居住者である配偶者	生計を一にする事実

○ 配偶者の本年中の合計所得金額の見積額の計算

	所得の種類	収入金額	所得金額
(1)	給与所得	1,450,000円	（裏面「4(1)」を参照）900,000円
(2)	給与所得以外の所得の合計額		（裏面「4(2)」を参照）円
	配偶者の本年中の合計所得金額の見積額（(1)と(2)の合計額）		＊ 900,000円

判定			
□	48万円以下かつ年齢70歳以上（昭26.1.1以前生）《老人控除対象配偶者に該当》	(①)	配偶者控除
□	48万円以下かつ年齢70歳未満	(②)	配偶者控除
☑	48万円超95万円以下	(③)	配偶者特別控除
□	95万円超133万円以下	(④)	配偶者特別控除

区分Ⅱ　③（上の①～④を記載）

○ 控除額の計算

区分Ⅰ＼区分Ⅱ	①	②	③	④ 95万円超100万円以下	100万円超105万円以下	105万円超110万円以下	110万円超115万円以下	115万円超120万円以下	120万円超125万円以下	125万円超130万円以下	130万円超133万円以下
A	48万円	38万円	38万円	36万円	31万円	26万円	21万円	16万円	11万円	6万円	3万円
B	32万円	26万円	26万円	24万円	21万円	18万円	14万円	11万円	8万円	4万円	2万円
C	16万円	13万円	13万円	12万円	11万円	9万円	7万円	6万円	4万円	2万円	1万円
摘要	配偶者控除		配偶者特別控除								

④（上記「配偶者の本年中の合計所得金額の見積額（(1)と(2)の合計額）」（＊印の金額））

配偶者控除の額　円

配偶者特別控除の額　Ⓒ380,000円

※ 左の「控除額の計算」の表を参考に記載してください。

◎ この申告書の記載に当たっては、裏面の説明をお読みください。

◆ 所得金額調整控除申告書 ◆ Ⓓ

○ 年末調整において所得金額調整控除の適用を受けようとする場合は、「要件」欄の該当する項目にチェックを付け、その項目に応じて「☆扶養親族等」欄及び「★特別障害者」欄にその該当する者について記載してください。
なお、「要件」欄の2以上の項目に該当する場合は、いずれか1つの要件について、チェックを付け記載をすることで差し支えありません。
○ 年末調整における所得金額調整控除の額については給与の支払者が計算しますので、この申告書に所得金額調整控除の額を記載する欄はありません。

要件	
□ あなた自身が特別障害者	（右の★欄のみを記載）
□ 同一生計配偶者(注)が特別障害者	（右の☆欄及び★欄を記載）
□ 扶養親族が特別障害者	（右の☆欄及び★欄を記載）
☑ 扶養親族が年齢23歳未満（平10.1.2以後生）	（右の☆欄のみを記載）

☆扶養親族等				
（フリガナ）同一生計配偶者又は扶養親族の氏名	左記の者の個人番号	左記の者の生年月日		
ヤマダ ハジメ 山田 一	××××××××××××	明・大・昭・平・㊎ 6年6月1日		
	あなたと左記の者の住所又は居所が異なる場合の左記の者の住所又は居所	左記の者のあなたとの続柄	左記の者の合計所得金額（見積額）	
		子	0円	

★特別障害者　特別障害者に該当する事実（裏面「3－2(4)」を参照）

（注）「同一生計配偶者」とは、あなたと生計を一にする配偶者（青色事業専従者として給与の支払を受ける人及び白色事業専従者を除きます。）で、本年中の合計所得金額の見積額が48万円以下（給与所得だけの場合は、給与の収入金額が103万円以下）の人をいいます。

〈参考〉パートの収入と税金

平成30年分から納税者本人に対する所得制限が導入されたことに伴い納税者本人の合計所得金額が900万円以下の場合は、配偶者の給与収入150万円（従前は103万円）まで38万円の控除対象となりますが、合計所得金額1,000万円を超えた場合は、配偶者控除及び配偶者特別控除を受けることができなくなるなど、高額所得者にとっては、従前と比較すると実質的な増税となっています。（所法83、83の2）

配偶者がパート勤務で働く場合に、収入金額による税金等の影響についてまとめました。

配偶者の年間パート収入		税制上の扶養	納税者本人の給与収入（合計所得金額） 10,950,000円以下（900万円以下）		11,450,000円以下（950万円以下）		11,950,000円以下（1,000万円以下）		配偶者本人の課税	配偶者本人の社会保険の影響
給与収入	合計所得金額		所得税	住民税	所得税	住民税	所得税	住民税		
100万円以下	45万円以下	配偶者控除	38万円【48万円】	33万円【38万円】	26万円【32万円】	22万円【26万円】	13万円【16万円】	11万円【13万円】	所得税も住民税も課税されない	世帯主の社会保険の扶養に入れる
103万円以下	48万円以下								住民税のみ課税	
106万円以下	51万円以下	配偶者特別控除	38万円	33万円	26万円	22万円	13万円	11万円	所得税も住民税も課税される	
130万円以下	75万円以下									法人規模等＊1によってはパート先の社会保険に加入
150万円以下	95万円以下									
155万円以下	100万円以下		36万円	33万円	24万円	22万円	12万円	11万円		配偶者本人がパート先の社会保険に加入するか加入条件に該当しない場合は国民健康保険・国民年金に加入
160万円以下	105万円以下		31万円	31万円	21万円	21万円	11万円	11万円		
166.8万円未満	110万円以下		26万円	26万円	18万円	18万円	9万円	9万円		
175.2万円未満	115万円以下		21万円	21万円	14万円	14万円	7万円	7万円		
183.2万円未満	120万円以下		16万円	16万円	11万円	11万円	6万円	6万円		
190.4万円未満	125万円以下		11万円	11万円	8万円	8万円	4万円	4万円		
197.2万円未満	130万円以下		6万円	6万円	4万円	4万円	2万円	2万円		
201.6万円未満	133万円以下		3万円	3万円	2万円	2万円	1万円	1万円		
201.6万円以上	133万円超		0円	0円	0円	0円	0円	0円		

＊1　令和5年10月以降は、年間収入が130万円を超えた場合においても一時的な収入増加であることを事業主が証明すれば、世帯主の社会保険の扶養に入れます。ただし、最大2年間が期限となります。
2　基礎控除以外の控除がある場合には最終的に税金がかからない場合があります。パート収入が100万円を超える配偶者に対しては、住民税の均等割が課されます。
3【　】は、老人控除対象配偶者の場合の控除額
4 ▭ 内は、源泉控除対象配偶者（合計所得金額が900万円以下の納税者と生計を一にする合計所得金額95万円以下の配偶者をいい、納税者の給与の源泉徴収税額の計算上の扶養親族等の数に1人を加えることとなります。（29ページMEMO参照））

パートの毎月の給与から控除される源泉徴収税

パートの勤務先に「扶養控除等申告書」を提出している場合は、毎月の給与の源泉徴収税額の計算は、源泉徴収税額表の甲欄により計算されます。令和6年については、扶養親族等が0人とすると、その月の社会保険料控除後の金額が88,000円未満であれば源泉徴収される税額は0円となります。もし、乙欄が適用される場合には、その月の社会保険料控除後の金額の3.063%相当額が必ず源泉徴収されるようになります。なお、日給制や週給制で、毎日、毎週支払われる場合には、日額表により源泉徴収税額が計算されることになります。

〈参考〉ふるさと納税制度

「ふるさと納税制度」とは、自分が生まれ育ったふるさとに貢献したい、自分と関わりが深い地域を応援したいと想う納税者が、地方公共団体等に対して寄附を行った場合、２千円を超える部分について、一定の限度まで全額控除する寄附金税制をいいます。（地法37の２、314の７、地法附則５の５）

この制度の適用を受けるためには、原則として確定申告をする必要がありますが、確定申告が不要な給与所得者が行う寄附については、「寄附金税額控除に係る申告特例申請書」をふるさと納税先自治体に提出することで、確定申告不要で寄附金控除を受けることができます。（ふるさと納税先が５団体以内に限られます。）

なお、寄附金集めのために高額返戻品の導入が過熱したため、令和元年度税制改正において、総務大臣が指定した自治体に対する寄附金のみを税額控除の対象とすることとされています。また、法人については、平成28年度税制改正において企業版ふるさと納税が創設されています。（71ページ参照）

地方公共団体等への寄附金が控除される仕組み

地方公共団体等に対する寄附金＊１の控除税額（①＋②＋③）	住民税	①税額控除（寄附金－２千円）×10% ②税額控除（寄附金－２千円）×（90%－0～45%）	※なお②の額は、個人住民税所得割の額の２割が限度
	所得税	③所得控除（寄附金－２千円）×税率0～45%	← 所得税の限界税率＊２

＊１　地方公共団体等に対する寄附金以外の寄附金と合わせて住民税は総所得金額等の30%（所得税は40%）が控除対象となる寄附金の上限です。この上限と上記※の限度を超えない場合には、最低負担の２千円を除いた寄附金の全額が控除できます。（①+②+③＝寄附金－２千円）

＊２　便宜上、復興特別所得税については考慮していません。

〈参考〉源泉徴収票とマイナンバー（個人番号）

従業員が年度の途中で退職した場合の給与所得の源泉徴収票は下記となります。受給者（本人）用は、退職日以後１月以内に本人に交付し、税務署及び市町村へは退職日の翌年１月31日までに他の従業員分等と併せて提出します。

税務署提出用には本人、控除対象配偶者及び控除対象扶養親族等のマイナンバー（個人番号）を記載します。

市町村に提出する給与支払報告書には記載が必要です。

給与支払者の法人番号を記載します。

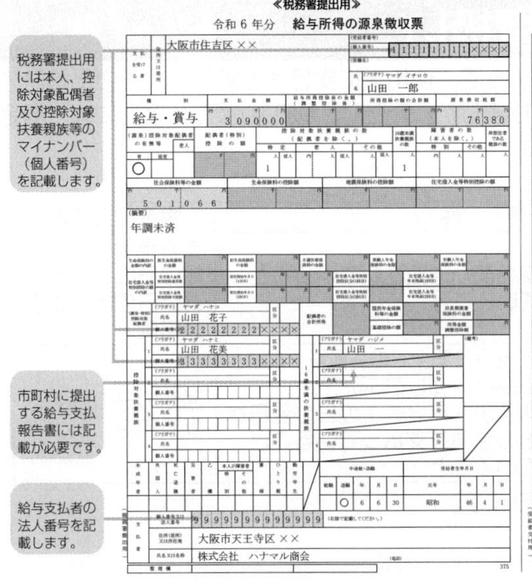

《税務署提出用》

令和６年分　給与所得の源泉徴収票

住所	大阪市住吉区××
個人番号	4111111111×××
氏名	（フリガナ）ヤマダ イチロウ　山田　一郎
種別	給与・賞与
支払金額	3 090 000
源泉徴収税額	76 380
社会保険料等の金額	501 066
（摘要）	年調未済
控除対象配偶者	（フリガナ）ヤマダ ハナコ　山田　花子　個人番号 2222222×××
控除対象扶養親族	（フリガナ）ヤマダ ハナミ　山田　花美　個人番号 3333333×××
16歳未満の扶養親族	（フリガナ）ヤマダ ハジメ　山田　一
中途就・退職	退職　6　6　30
受給者生年月日	昭和　46　4　1
支払者 個人番号又は法人番号	9999999999999
住所（居所）又は所在地	大阪市天王寺区××
氏名又は名称	株式会社　ハナマル商会

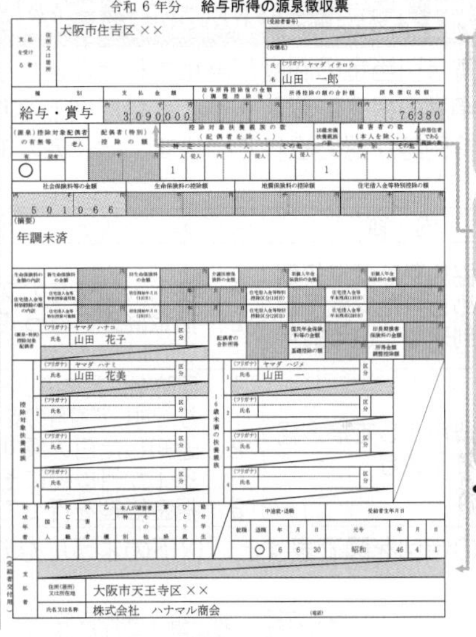

《受給者（本人）交付用》

令和６年分　給与所得の源泉徴収票

住所	大阪市住吉区××
氏名	（フリガナ）ヤマダ イチロウ　山田　一郎
種別	給与・賞与
支払金額	3 090 000
源泉徴収税額	76 380
社会保険料等の金額	501 066
（摘要）	年調未済
控除対象配偶者	（フリガナ）ヤマダ ハナコ　山田　花子
控除対象扶養親族	（フリガナ）ヤマダ ハナミ　山田　花美
16歳未満の扶養親族	（フリガナ）ヤマダ ハジメ　山田　一
中途就・退職	退職　6　6　30
受給者生年月日	昭和　46　4　1
支払者 住所（居所）又は所在地	大阪市天王寺区××
氏名又は名称	株式会社　ハナマル商会

受給者（本人）交付用にはマイナンバー（個人番号）を記載しません。また、給与支払者の法人番号の記載も必要ありません。

源泉徴収簿より退職時までのそれぞれの項目の合計額を転記します。

▒欄は、年末調整後に源泉徴収票を作成する際に記載します。なお、年末調整がまだの場合は「摘要」欄に年調未済と記載します。

●給与の源泉徴収票等の書面交付に代えて記載事項を電子交付することが認められます。電子交付の利用にあたっては、受給者の承諾を得ること、請求があれば書面交付することの等の要件を満たす必要があります。（所法225、231）

退職金を支給する場合の源泉徴収事務　MEMO

「退職所得の受給に関する申告書」＊１の提出があった場合に、源泉徴収すべき退職所得に対する所得税及び復興特別所得税の源泉徴収税額は、次の算式に従って計算した金額となります。（所法30、201、203）

①（退職手当等の収入金額－退職所得控除額）×1/2＊２＝Ⓐ課税退職所得金額（1,000円未満の端数切捨て）

勤続年数	退職所得控除額
20年以下	40万円×勤続年数（最低80万円）
20 年 超	800万円＋{70万円×（勤続年数－20年）}

（注）障害退職者については、別に100万円を加算します。
また、勤続期間の１年未満の端数は切り上げて勤続年数を計算します。

＊１　「退職所得の受給に関する申告書」の提出を受けていない場合は、退職手当等の支給額に対して所得税等（20.42%）と住民税（10%）を源泉徴収する必要がありますので注意が必要です。

②Ⓐ課税退職所得金額から、退職所得の源泉徴収税額の速算表を使って税額を求めます。＊３

課税退職所得金額Ⓐ 超	以　下	税額（１円未満の端数切捨て）
－	195万円	（Ⓐ×５%　　　　　）×102.1%
195万円	330万円	（Ⓐ×10%　－　97,500）×102.1%
330万円	695万円	（Ⓐ×20%　－　427,500）×102.1%
695万円	900万円	（Ⓐ×23%　－　636,000）×102.1%
900万円	1,800万円	（Ⓐ×33%　－1,536,000）×102.1%
1,800万円	4,000万円	（Ⓐ×40%　－2,796,000）×102.1%
4,000万円	－	（Ⓐ×45%　－4,796,000）×102.1%

＊２　特定役員退職手当等又は短期退職手当等に該当する場合の退職所得の計算方法は245ページ参照。

＊３　退職所得については、住民税の特別徴収が必要です。
退職所得に対する住民税＝Ⓐ課税退職所得金額×10%（市町村民税６%、道府県民税４%）
特別徴収した税額は納入先の市町村に徴収した月の翌月10日までに納入します。なお、納入書は特別徴収納入書と同一用紙の「退職所得分」の欄に記入します。退職所得の源泉徴収票（特別徴収票）については、退職後１か月以内に本人に交付し、法人の役員については市町村に提出します。（税務署へは翌年の合計表と一緒に提出）

7 従業員の賞与と退職金

――引当金制度のなくなった賞与と退職金の税務――

従 業 員には、毎月の給与以外に、賞与を支給することが通例ですが、支給額は通常多額になるため、賞与の支給に要する資金を確保することも大変です。

しかも、税務上、資金の内部留保を図るための手段として認められていた賞与引当金が平成10年度の税制改正により廃止されたため、賞与の支給財源を確保することがより困難になったといえるでしょう。

また、退職金についても、退職給与引当金制度が平成14年度の税制改正により廃止（平成24年３月31日までに開始する事業年度で経過措置も終了）され、適格退職年金制度も平成23年度末をもって廃止されました。さらに厚生年金基金の積立不足問題による厚生年金基金の解散や他制度への移行が進んでおり、退職金制度についても抜本的な見直しの必要性が生じています。

① 使用人賞与の税務上の取扱い

税務上の賞与引当金の制度が廃止されたことによって、使用人に支給する賞与は、その支給日の属する事業年度の損金に算入することが原則となりました。ただし、以下のような場合には、損金算入時期の特例等が認められています。（法令72の３）

	内　容	要　　件	損金算入時期
(1)	労働協約又は就業規則に定められた支給予定日が到来している賞与	１．使用人に賞与の支給額が通知されていること ２．損金経理を行っていること	支給予定日又は通知の日のいずれか遅い日の属する事業年度
(2)	未払費用として損金経理できる賞与	１．同時期に賞与の支給を受ける全ての従業員一人ひとりに対して賞与の支給額を通知していること ２．通知した日の属する事業年度終了の日の翌日から１か月以内にその全額を支払っていること ３．損金経理を行っていること	通知の日の属する事業年度

(1)及び(2)の特例を図で表すと、以下のようになります。

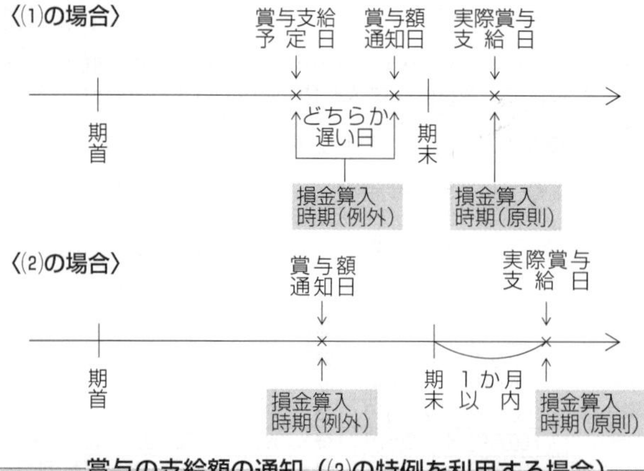

●資金繰りがつかず、支給予定日に賞与が支給できなかった場合でも、期末までに従業員に支給額を通知して損金に算入すれば、当期の課税所得を減少させることができます。

●期末日後１か月以内に賞与を支給する場合は、期末までに、従業員一人ひとりに実際の支給額を通知して損金に算入することで、当期の課税所得を減少させることができます。

賞与の支給額の通知（(2)の特例を利用する場合）

・支給額を一人ひとりに通知しても、「支給日に在職する使用人のみに賞与を支給する」場合は、(2)１．の「支給額を通知」したことにはなりませんので、注意が必要です。（法基通９－２－43）

・パートタイマー、臨時雇等（雇用関係が継続的で、他の使用人と同様の基準で賞与を支給する人を除く。）は、他の使用人とは区分して、(2)１．の「支給額の通知」を行ったかどうかを判定できます。（法基通９－２－44）

②退職金の税務上の取扱い

使用人に支給する退職金は、原則として債務確定時に全額が損金に算入されますが、法人税法における退職給与引当金制度が廃止されたため会計上の退職給付引当金は、全額が損金不算入となります。

内容		損金算入時期
退職一時金	退職給与規定等により支給額が確定している場合	退職日の属する事業年度
	その他の場合	退職金の支給日（債務確定日）の属する事業年度
退職年金（法人が退職した役員又は使用人に支給するもの）		退職年金を支給すべき日の属する事業年度

●役員退職給与の損金算入時期については、260ページ参照。

③各種年金制度

1．厚生年金基金・確定給付企業年金

確定給付型の企業年金は、給付額が決定している企業年金で、厚生年金基金と確定給付企業年金があります。厚生年金基金は、厚生年金の代行部分も含んだ年金資金を管理・運用し、年金給付を行っていたため、バブル崩壊後、積立不足の問題が生じ、受給権保護を最大の目的として確定給付企業年金制度が創設されました。

2．確定拠出年金制度

確定拠出年金制度は、拠出された掛金が個人ごとに明確に区分され、掛金とその運用収益の合計額をもとに年金給付額が決定される制度です。掛金を企業が拠出する企業型と、加入者自身が拠出する個人型（iDeCo）がありますが、掛金拠出者に対して、税制上の優遇措置など各種メリットがあります。令和４年５月からは加入可能年齢が拡大され、企業型が70歳未満の厚生年金被保険者（ただし、企業によって加入できる年齢などが異なります）、個人型（iDeCo）が国民年金被保険者であれば加入することができます。

また、中小企業＊は、個人型に加入する従業員の拠出に追加して事業主拠出が可能となっています。

＊　令和２年10月１日から対象範囲が拡大され、従業員規模が100人以下から300人以下とされました。

3．中小企業退職金共済

中小企業退職金共済は法令で予定利回りが随時改定され、企業の追加負担がないという意味において確定拠出型の制度です。利点として補助金の交付＊や税制上の優遇措置などがあります。また、一定の場合に確定給付企業年金制度や特定退職金共済制度から、確定拠出年金制度への資産移換などが可能となっています。

＊　新しく中小企業退職金共済に加入した場合、掛金の１／２（上限5,000円）を加入後４か月目から１年間、掛金月額（18,000円以下）を増額した場合、増額分の１／３を増額月から１年間、国が助成します。

		掛金負担	税制上の優遇措置		
			拠出時	運用時	給付時
各制度の比較と税制上の優遇措置	厚生年金基金	企業（個人も可）	企業…年金財政計算の必要額まで損金 個人…所得控除	給付基準が一定基準を超えた場合…特別法人税・法人住民税＊1	年金…公的年金等控除 一時金…退職所得控除
	確定給付企業年金	企業（個人も可）	企業…年金財政計算の必要額まで損金 個人…所得控除	年金資産…特別法人税・法人住民税＊1	年金…公的年金等控除 一時金…退職所得控除
	確定拠出年金企業型	企業（個人も可）	企業…拠出限度額まで損金（従業員の給与とはなりません） 個人…限度額まで所得控除＊2	年金資産…特別法人税・法人住民税＊1 運用収益…非課税	年金…公的年金等控除 一時金…退職所得控除 障害給付金…非課税 脱退一時金…一時所得
	中小企業退職金共済	企業	掛金上限まで損金	非課税	分割…公的年金等控除 一時金…退職所得控除

＊１　年金資産残高（掛金・運用益）に対して特別法人税・法人住民税の合計で1.173％が課税されますが、令和８年３月31日までに開始する事業年度の年金資産残高については課税が凍結されています。（措法68の５）

＊２　企業拠出との合計額が拠出限度額の範囲内であれば、従業員の個人拠出（マッチング拠出）が認められ、個人拠出については、所得控除（小規模企業共済等掛金控除）の対象となります。

1 生産活動の税務

――生産活動の税務は棚卸資産がポイント――

生　産　活　動における税務については、原材料や製品等の棚卸資産の取扱いがポイントになります。というのも、棚卸資産がいくらに評価されるかによって、費用の中心となる売上原価の金額が影響を受けるからです。

棚卸資産を購入した場合にその取得価額をいくらにするのか、社内で製造した場合にはどのような金額をつけるのか、繰り返し購入したり製造したりする棚卸資産の期末の在庫評価はどうすればいいのか、災害に遭って通常の金額では売れそうもない棚卸資産は期末にどうすればいいのか、試験研究活動にかかる経費の取扱いはどうすればいいのか等々、生産活動の中で、いろいろな税務上の問題が出てきます。ここでは、税務上の観点から棚卸資産を見てみることにします。

① 棚卸資産の定義

棚卸資産とは販売を目的として保有・製造中の財貨又は用役などの棚卸しをすべきもので、次に掲げる資産がこれに該当します。(法法2二十、法令10)

棚卸資産の範囲

①商品又は製品（副産物及び作業くずを含む）
②半製品
③仕掛品（半成工事を含む）
④主要原材料
⑤補助原材料
⑥消耗品で貯蔵中のもの
⑦上記の資産に準ずるもの

アドバイス

1　一般の会社が保有する土地や建物は、棚卸資産ではなく固定資産とされますが、不動産会社が保有する販売用の土地や建物は、販売を目的として保有されるものであるため、棚卸資産とされます。
2　有価証券については、別に評価方法が定められており、たとえ売買目的の有価証券であっても、法人税法上の棚卸資産には該当しません。
3　消耗品については、各事業年度ごとにおおむね一定数量を購入し、かつ、経常的に消費するものについては、継続適用を条件に棚卸資産に計上せず、購入した事業年度に損金計上することができます。(法基通2－2－15)（例：事務用消耗品、作業用消耗品、包装材料、広告宣伝用印刷物、見本品等）

② 期末棚卸資産の数量の確定

期末の在庫数量を計算する方法には次の3通りの方法があります。

継続記録法………在庫の受払いをその都度記帳し在庫数量を把握する方法

実地棚卸法………期末に実際の在庫数量を数えて把握する方法

上記2つを併用する方法………棚卸減耗数量等が把握できる最も好ましい方法

MEMO

実地棚卸しは原則として期末日に実施するのですが、継続適用を条件に法人の業種･業態、棚卸資産の性質等に応じ、部分計画棚卸しやその他合理的な方法により、期末棚卸数量を算定することもできます。(法基通5－4－1)

〈生産活動に関する税務のチェックポイント〉

棚卸資産は会社の損益計算に重要な影響を与えます。会社にあった方法をうまく選択しているか再検討してみてください。

こんなケースは…	税務上の取扱い	対策及び注意点	参照
棚卸資産の取得価額 海外から原材料を輸入する際、いろいろな費用がかかったが、どうしたらいいの？	棚卸資産の取得価額には、購入代価のほか関税等の購入に伴って発生する費用や検収に要した費用も含めなければなりません。 また、自社で棚卸資産を製造した場合も同様に原材料費や労務費、経費のほか検査、荷造等の費用を取得価額に含める必要があります。	棚卸資産の取得に伴って発生した費用であっても、少額な付随費用は取得価額に含めなくてもかまいません。 少額かどうかは、事業年度ごとに、かつ、棚卸資産の種類ごと（事業所ごとに異なる評価方法を採用している場合は、それごと）に判定できますので、一度検討してみましょう。	42ページ
原価差額の調整 原価差額が多額に発生したがどうしたらいいの？	自社で製品を製造し、原価計算制度を採用している場合には、通常原価差額が発生します。原価差損の場合には、期末棚卸資産への配賦計算を行う必要があります。	一定の場合には、原価計算の結果をそのまま棚卸資産の取得価額とすることができますので、適正な原価計算の仕組みを構築することが重要です。	43ページ
棚卸資産の評価方法 棚卸資産の期末在庫の評価方法はどうしたらいいの？	税務署長に届出をしなかった場合は、最終仕入原価法による原価法で評価することになります。 選定・届出することにより、評価方法として原則６種類、評価基準として原価法又は低価法、その組み合わせの中から選択することができます。	棚卸資産の評価は、事業の種類ごと、かつ、棚卸資産の区分ごとに選定します。 事業所別や棚卸資産の異なる種類ごとにも選定できますので、より合理的な方法がないか一度検討してみましょう。	44ページ
棚卸資産の評価損 型崩れで商品が売れ残ったがどうしたらいいの？	棚卸資産が著しく陳腐化したり、破損、型崩れ等で通常の価額や通常の方法で販売できなくなった場合には、評価損の計上が認められます。	普段から在庫の状況把握に努めるとともに、評価損を計上する場合には、状況を説明できる資料を整理しておきましょう。	45ページ
試験研究費の意義 新製品発明研究に多額の費用を投下しているがどうしたらいいの？	試験研究に要する費用のうち基礎研究・応用研究に要した費用は製造原価に算入しなくてもよいのですが、明らかに工業化研究の費用や、生産に関連した研究費用は製造原価に算入しなければなりません。	製造原価に算入しなければならない試験研究費であっても、税額控除の対象となる場合があります。	47ページ
生産設備への投資 生産性や収益性を高めるために多額の設備投資を行う計画をしているがどうしたらいいの？	中小企業者等が特定経営力向上設備を新規に取得し、事業供用した場合、即時償却や税額控除を受けることができます。また、市町村の認定を受けた先端設備を取得した場合は、固定資産税が２分の１から３分の１の範囲内で軽減される措置が設けられています。	この制度の適用に当たっては、原則として、設備を取得する前に、経営力向上計画を提出し、主務大臣の認定を受ける必要があります。取得する資産の範囲など適用要件を確認し、該当する場合には早目に動くようにしましょう。	97・122ページ

2 棚卸資産の取得価額

――製品を製造したときの取扱い――

会　社　の売上高に対応する原価（売上原価といいます。）は、右の算式により計算されます。

この算式からわかるように、売上原価の計算のポイントは、棚卸資産の取得価額の計算と期末棚卸資産の評価にあります。ここでは棚卸資産の取得価額について説明します。

【商社、卸・小売業の場合】

売上原価 ＝ 期首商品棚卸高 ＋ 当期商品仕入高 － 期末商品棚卸高

【製造業の場合】

売上原価 ＝ 期首製品棚卸高 ＋ 当期製品製造原価 － 期末製品棚卸高

（**当期製品製造原価**＝期首仕掛品棚卸高＋当期総製造費用－期末仕掛品棚卸高
当期総製造費用＝原材料費（期首原材料棚卸高＋当期原材料仕入高－期末原材料棚卸高）＋労務費＋経費）

① 棚卸資産の取得価額

棚卸資産の取得価額について、その取得の形態別に分けて説明すると次のようになります。(法令32)

	項目	内　　容	取得価額に含めなくてよいもの
購入した場合	購入代価	・仕入先に支払った代金 ・購入に要した費用 引取運賃、荷役費、運送保険料、購入手数料、関税（附帯税を除く。）等	①不動産取得税　②固定資産税・都市計画税　③特別土地保有税　④登録免許税その他登記又は登録のために要する費用　⑤借入金の利子など（法基通5－1－1の2）
	付随費用	・買入事務、検収、整理、選別、手入れ等に要した費用の額 ・販売所等から販売所等への移管に要した運賃、荷造費等の費用の額 ・特別の時期に販売するなどのため、長期にわたる保管に要した費用の額	付随費用の合計額が購入代価のおおむね3%以内の少額なもの（法基通5－1－1）
自社で製造した場合	製造原価	・原材料費 ・労務費 ・経費	①特別な賞与（例えば創立○周年記念賞与）②試験研究費のうち基礎研究及び応用研究の費用、工業化研究に該当することが明らかでないものの費用　③特別償却の額　④一定の工業所有権等の使用料　⑤複写して販売するための原本となるソフトウエアの償却費　⑥事業税及び地方法人特別税　⑦工場が支出した寄附金　⑧借入金の利子など（法基通5－1－4）
	付随費用	・製造等の後に要した検査、検定、整理、選別、手入れ等の費用の額 ・製造場等から販売所等への移管に要した運賃、荷造費等の費用の額 ・特別の時期に販売するなどのため、長期にわたる保管に要した費用の額	付随費用の合計額が製造原価のおおむね3%以内の少額なもの（法基通5－1－3）

❷原価差額の調整

法人税法上、自社で製造した場合の棚卸資産の取得価額は❶で説明した実際原価によって算定するのですが、法人が予定原価等によって原価計算を行っている場合には、実際原価との間に差額（原価差額といいます。）が生じます。

ここでは、❶で説明した実際原価をⒶ、法人の原価計算によって算定した原価をⒷとし原価差額の税務上の取扱いを説明します。

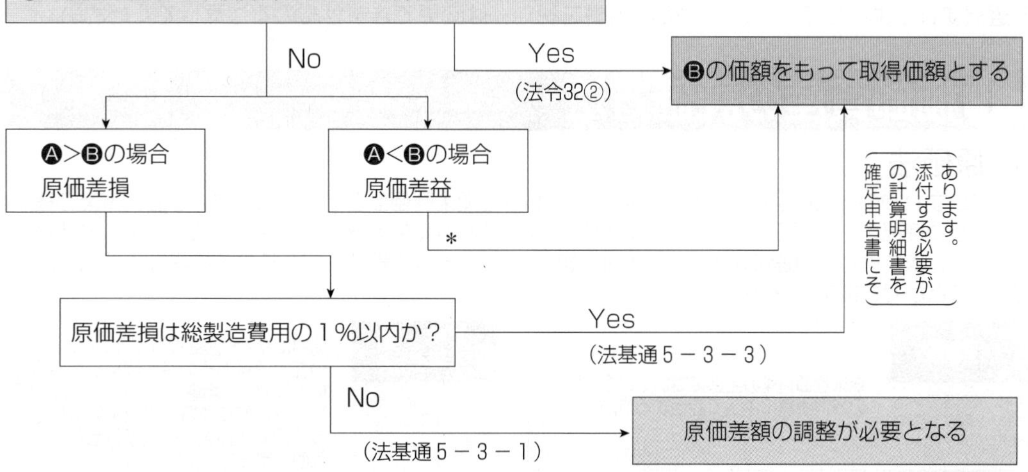

MEMO

原価差額には、材料費差額、労務費差額、経費差額のほか、内部振替差額も含まれますが（法基通５－３－２）、内部振替差額について合理的な調整方法による場合は、他の原価差額と区分して調整することが認められています。（法基通５－３－６）

＊　法人税法上、原価差益の場合は原価差額の調整は必要とされていませんが、企業会計上は調整すべきものと考えられます。

原価差額の調整方法

原　則------仕掛品・半製品・製品の順に、ころがし計算して調整する。

簡　便------原価差額を一括して次の算式で計算して調整する。（法基通５－３－５）

$$\text{期末棚卸資産に配賦する原価差額} = \text{原価差額} \times \frac{\text{期末棚卸資産の合計額}}{\text{売上原価}+\text{期末棚卸資産の合計額}}$$

MEMO

原材料の受入差額（受入価格差異）はここでの原価差額に含まれず、必ず調整計算しなくてはなりません。ただし、受入差額を個々の資産に配賦しないで一括して期末原材料に配賦する簡便方式が認められています。（法基通５－３－８）

●棚卸資産の購入の代価が確定していないため見積価額で取得価額を計算し、その後の事業年度で確定した購入代価との間に多額の差額が生じた場合には、原価差額と同様の調整を行う必要があります。（法基通５－１－２）

MEMO

期末在庫と売上原価の関係

売上原価は、「期首の在庫」に「当期の仕入」を加算して、そこから「期末の在庫」を差し引くことにより計算されます。

「期首の在庫」と「当期の仕入」の金額が確定していることから、「期末の在庫」の評価額が売上原価に及ぼす影響を十分に理解し、期末棚卸資産の評価や原価差額の配賦計算は慎重に行うようにしましょう。

3 棚卸資産の評価方法と評価損

――在庫の金額はどう計算したらいいの？――

棚卸資産をどの評価方法で評価するかは、原則として下記の中から自社の棚卸資産の性質や計算の手間、価格の動き等を考慮して選択すればよいのですが、選定の届出書を税務署長に提出しないと、法定評価方法である最終仕入原価法による原価法で評価しなければなりませんし、一度選定すると原則として３年間は変更できませんので注意してください。

① 棚卸資産の評価方法 (法法29、法令28、29)

１.原価法

次のいずれかの方法により算出した取得価額をもって期末評価額とする方法です。なお、事業の種類ごとに、かつ商品または製品、仕掛品、主要原材料等の棚卸資産の区分ごとに評価方法を選定しますが、事業所別に、または棚卸資産の区分をさらに種類の異なるごと等に細分して、それぞれ異なる評価方法を選定することができます。(法基通５－２－12)

評価方法	内容
①個別法 宝石、書画等個々の受払が明確なものに適用されます。	期末棚卸資産の全部について、その個々の取得価額によって評価する方法
②先入先出法 物価下落時には節税につながります。	先に取得したものから先に払い出されたものと仮定し、期末棚卸資産は期末近くに取得したものから順次なるものとみなし、そのみなされた取得価額をもって期末評価額を計算する方法
③総平均法 計算が簡単です。	期首棚卸資産の取得価額の総額と期中に取得した棚卸資産の取得価額の総額との合計額を、その総数量で除した一単位当たりの単価によって期末評価額を計算する方法＊1＊2
④移動平均法 払出のつど払出原価を把握することができます。	期中に棚卸資産を取得するつど、その時の在庫資産とその時に取得した資産とにより順次平均単価を改訂し、期末から最も近い時に改訂された平均単価をもって期末棚卸資産の一単位当たりの評価額とする方法＊1
⑤最終仕入原価法 時価法に近い方法といえます。	期末に最も近い時に取得した棚卸資産の一単位当たりの取得価額をもって期末棚卸資産の一単位当たりの評価額とする方法 ●法人が評価方法の届出をしなかった場合は、この方法を採用したとされます。
⑥売価還元法 小売店やスーパー等に適します。	期末棚卸資産に係る通常の販売予定価額の総額に原価率を乗じて計算した金額をもってその取得価額とする方法＊2 原価率＝(期首棚卸資産の取得価額＋当期の棚卸資産の取得価額の合計)／(当期売上高＋期末棚卸資産の通常の販売価額の合計)

＊１　１月ごとに総平均法又は移動平均法により計算した価額を月末における棚卸資産の取得価額とみなして翌月に繰り越す方法は、それぞれ総平均法又は移動平均法に該当するものとされます。(法基通５－２－３)

＊２　６月ごとに総平均法又は売価還元法により棚卸資産の取得価額を計算する方法は、それぞれ総平均法又は売価還元法に該当するものとされます。(法基通５－２－３の２)

２.低価法

原価法のいずれかによって算定された価額と期末の時価のうち、いずれか低い方を期末評価額とする方法です。

ここにいう時価は、会計上及び税務上ともに正味売却価額（売却市場における時価から見積追加製造原価（未完成品に限る。）及び見積販売直接経費を控除した金額）をいいます。(法基通５－２－11)

中小企業会計指針でも、期末に時価が簿価よりも下落し、金額的重要性がある場合には、時価を貸借対照表価額とすることになっています。(中小企業の会計に関する指針)

低価法の適用については、会計上は継続適用を条件に「洗替え法」と「切放し法」の選択適用が可能ですが、税務上は「洗替え法」しか認められないため、「切放し法」を採用している場合は、申告調整が必要となります。

アドバイス

低価法を採用すると、時価が取得価額よりも低いときは時価で、また時価が取得価額より高いときは取得価額で評価することができるため、業績がよい場合などには節税につながります。棚卸資産の時価を把握できる会社は低価法の採用を検討されるとよいでしょう。

❷評価方法の届出（法令29〜31、法基通５－２－13）

質問	回答
新たに会社を設立した場合や、新たに他の事業を開始したり、事業の種類を変更した場合は？	左記の事実の生じた事業年度の確定申告書提出期限までに「棚卸資産の評価方法の届出書」を納税地の税務署長に提出します。
評価方法を選定しなかった場合又は選定した評価方法により評価しなかった場合は？	法定評価方法である最終仕入原価法による原価法で評価します。
選定していた評価方法（法定評価方法により評価している場合を含みます。）を変更したい場合は？	新たな評価方法を採用しようとする事業年度開始の日の前日までに「棚卸資産の評価方法の変更承認申請書」を納税地の税務署長に提出します。
選定していた評価方法の変更はどんな場合でも認められますか？	現状の評価方法を採用して３年経過していない場合、その変更に合理的な理由がない場合、所得計算が適正に行われ難いと認められる場合には、変更の申請は却下されます。

❸棚卸資産の評価損

低価法を採用していない場合であっても、次の事実が生じた場合には、棚卸資産の評価損を計上することができます。（法法33、法令68、68の２）

A（法法33②、法令68）	(1) 物損等の事実 ① 災害による著しい損傷があったこと ② 著しく陳腐化したこと（法基通９－１－４） （例）1 売れ残った季節商品（極めて流行性の強いものをいいます。）で、今後通常の価額では販売することができないことが既往の実績等からみて明らかであること 2 型式、性能、品質等が著しく異なる新製品が発表されたことにより、今後通常の方法によっては販売できなくなったこと ③ 上記に準ずる特別の事実（法基通９－１－５） （例）破損、型崩れ、棚ざらし、品質変化等により通常の方法では販売することができなくなったこと
	(2) 法的整理の事実 更生手続における評定が行われることに準ずる事実 （例）再生手続の開始の決定があったことにより評価換えの必要が生じたこと
	〈ポイント〉 ①損金経理すること…評価損の計上は、その損失を損金経理によって帳簿価額から減額した場合にのみ認められます。 ②限度額まで…損金の額に算入される額は、評価換え直前の帳簿価額と期末時価との差額までしか認められません。
B（法法33③）	更生計画認可決定があったことにより会社更生法等の規定による評価換えをしてその帳簿価額を減額した場合
	〈ポイント〉 ①損金経理すること…評価損の計上は、その損失を損金経理によって帳簿価額から減額した場合にのみ認められます。 ②限度額まで…損金の額に算入される額は、評価換え直前の帳簿価額と評価換え後の価額との差額までしか認められません。
C（法法33④）	(1) 再生計画認可の決定があり、その資産の価額につき所定の評価を行っていること
	(2) その他上記に準ずる事実 一定の要件を満たす私的整理（中小企業活性化協議会中小企業再生支援スキーム等（210ページ参照））についても認められています。
	〈ポイント〉 損金経理不要…損金経理は必要ありませんが、評価損を損金算入するためには、確定申告書に「評価損益明細（別表14(1)）」の記載及び「評価損益関係書類」の添付が必要となります。

会社更生法等による債務免除等があった場合の欠損金の損金算入の特例（209ページ参照）

更生会社や再生会社、一定の要件を満たした私的整理会社等は、青色繰越欠損金の期限切れ欠損金を優先して損金算入することができます。

しかし、再生会社や私的整理会社等がこの特例を受けるためには、税務上、資産の評価益と評価損をともに益金・損金に計上する必要があり、評価損だけを計上する場合には、期限切れ欠損金を優先して使用することはできず、青色欠損金からの使用となります。

アドバイス

① 棚卸資産の時価が帳簿価額を下回ったといっても、それが単に物価変動、過剰生産、建値の変更等の事情によって低下しただけでは、棚卸資産の評価損を計上できる場合には該当せず、評価損を計上しても認められません。（法基通９－１－６）

② 評価損を計上するためには、期末の時価がいくらであったかを証明することが必要です。単なる見込価格というのでは根拠が弱いので、納品伝票、請求書、見積書等で期末の時価を説明できるようにしておきましょう。

③ 不良在庫を廃棄する場合は、必ず期末までに実際に廃棄することが必要です。決算日後に廃棄すると、帳簿上廃棄の処理をしていてもその期の廃棄とは認められませんので、決算日までに廃棄したことを証明する資料（廃棄業者の証明書等）を整えておくことが大切です。

4 試験研究費と工業所有権

――会計処理と研究開発税制――

AI(人工知能) の台頭に世界中の関心が高まっていますが、企業が拡大成長していくためには、AIのような新技術・新製品の開発や新分野への進出などが求められ、そのための試験研究活動への投資は必要不可欠となります。

税務では、試験研究活動を後押しするため、試験研究費用について一定の要件を満たせば、法人税額が軽減される税額控除制度が設けられています。（措法42の４）

そして、試験研究活動が奏功して実を結ぶと、その成果が特許権や実用新案権などの工業所有権として、無形の資産（権利）となります。ここでは、試験研究費や工業所有権の会計処理及び税務の取扱いを見ていきます。

① 試験研究費・工業所有権とは

試験研究費と工業所有権の内容は、それぞれ次のとおりです。

試験研究費	製品の製造、技術の改良、考案若しくは発明又は対価を得て提供するサービスの開発に係る試験研究のために要する費用。
工業所有権	無体財産権の一種で、産業上の無形に対する独占的・排他的権利。 一般的には、特許権、実用新案権、意匠権、商標権の４つの権利の総称。＊

＊　国内源泉所得における源泉徴収が必要となる工業所有権等の使用料等（141ページ参照）や組織再編税制（外国法人への現物出資）における工業所有権等の定義は次のとおりです。

一般的な工業所有権（特許権、実用新案権、意匠権、商標権）及びその実施権等のほか、これらの権利の目的にはなっていないが、生産その他の業務に繰り返し使用し得るまでに形成された創作、特別の原料や器具等による独自の考案又は方式を用いた生産方式その他特別な技術的価値を有する知識及び意匠等となります。（法基通20－３－２）

② 試験研究費と工業所有権の関係

会計・税務における、試験研究費と工業所有権との関係は次のようになります。なお、工業所有権の取得価額は、自己が試験研究を行って取得したのか、それとも他の者から購入したのか、その取得形態によって異なります。

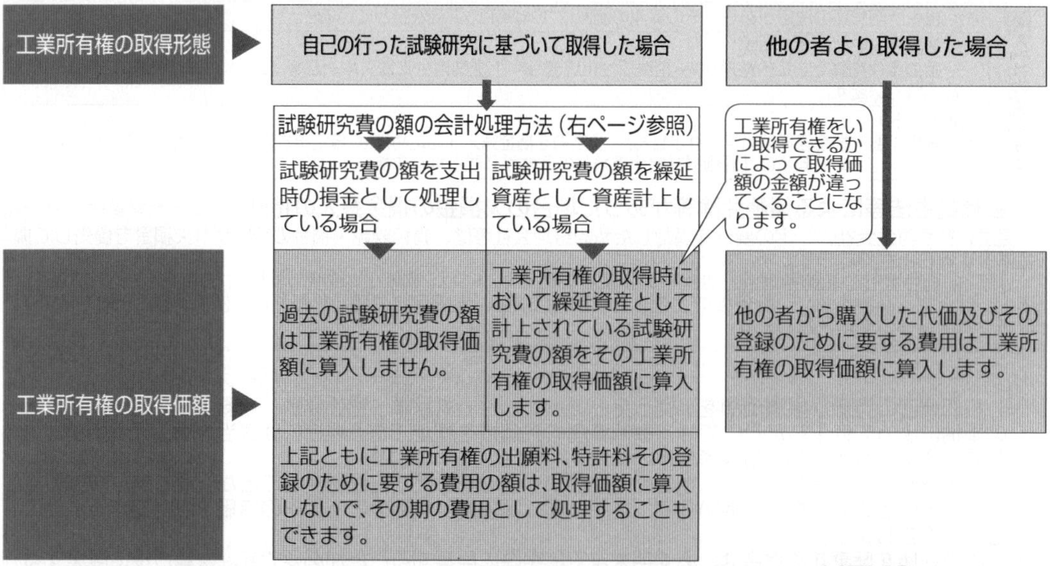

工業所有権の取得形態 ▶

- 自己の行った試験研究に基づいて取得した場合
  - 試験研究費の額の会計処理方法（右ページ参照）
    - 試験研究費の額を支出時の損金として処理している場合 → 過去の試験研究費の額は工業所有権の取得価額に算入しません。
    - 試験研究費の額を繰延資産として資産計上している場合 → 工業所有権の取得時において繰延資産として計上されている試験研究費の額をその工業所有権の取得価額に算入します。
  - 上記ともに工業所有権の出願料、特許料その他登録のために要する費用の額は、取得価額に算入しないで、その期の費用として処理することもできます。
- 他の者より取得した場合 → 他の者から購入した代価及びその登録のために要する費用は工業所有権の取得価額に算入します。

工業所有権の取得価額 ▶

工業所有権をいつ取得できるかによって取得価額の金額が違ってくることになります。

MEMO

ISO規格の認証取得費用は、工業所有権には該当せず支出時の損金となります。

③試験研究費の会計処理

企業会計上、研究開発費については、「研究開発費等に係る会計基準」（企業会計審議会）において発生時に費用処理するとされています。また、「繰延資産の会計処理に関する当面の取扱い」（企業会計基準委員会）において繰延資産の範囲から除かれています。法人税法上も同様に、試験研究費は繰延資産の範囲＊１から除かれており（法令14）、原則として債務確定時の期間費用＊２として処理することとなります。

＊１　繰延資産の範囲に含められている開発費の定義は、「新たな技術若しくは新たな経営組織の採用、資源の開発又は市場の開拓のために特別に支出する費用」であるため、新たな技術の採用のために特別に支出する費用については、法人税法上は繰延資産として計上できる可能性はあります。

＊２　原則として期間費用とされ、一部については棚卸資産・固定資産・繰延資産として資産計上される可能性があります。なお、試験研究費のうち基礎研究及び応用研究の費用、工業化研究に該当することが明らかでないものの費用については期間費用とすることができます。（42ページ参照）

企業会計上の研究開発費

「研究開発費等に係る会計基準」において、

1．「研究」とは新しい知識の発見を目的とした計画的な調査及び探求
2．「開発」とは新しい製品・サービス・生産方法についての計画若しくは設計又は既存の製品等を著しく改良するための計画若しくは設計として、研究の成果その他の知識を具体化すること

とされています。法人税法上の試験研究費は企業会計上の研究開発費にすべて含まれます。一方で、特定の研究開発目的にのみ使用され、他の目的に使用できない機械装置等の取得価額は、企業会計上は研究開発費として費用処理されますが、法人税法上は資産計上されます。また、自社利用のソフトウエアの製作費のうち将来の収益獲得又は費用削減が不確実なものは、企業会計上は研究開発費等として費用処理されますが、法人税法上は資産計上されます。

④税額控除の対象となる試験研究費

税額控除の対象となる試験研究費＊１は、①製品の製造又は技術の改良、考案若しくは発明に係る試験研究と②対価を得て提供する新たな役務の開発に係る試験研究＊２とに区分されます。

試験研究の意義
事物、機能、現象などについて新たな知見を得るため又は利用可能な知見の新たな応用を考案するために行う創造的で体系的な調査、収集、分析その他の活動のうち自然科学に係るものをいい、新製品の製造又は新技術の改良、考案若しくは発明に係るものに限らず、現に生産中の製品の製造又は既存の技術の改良、考案若しくは発明に係るものも含まれます。（措通42の４⑴－１）

試験研究費の範囲＊３（①と②の合計）
①試験研究のために要した損金経理された費用（原材料費、人件費＊４及び経費＊５、６）であり、各事業年度の損金の額に算入されるもの。（措法42の４⑲一イ）
②会計上、研究開発費として費用処理された金額＊７で、税務上、棚卸資産や固定資産（事業供用の時に試験研究の用に供する固定資産を除く）の取得に要した金額とされる費用の額、繰延資産となる費用の額。（措法42の４⑲一ロ）

＊１　人文科学及び社会科学に係る活動（リバースエンジニアリングその他の単なる模倣、既存の販売技術・方法の改良又は販路の開拓、性能向上を目的としない単なる製品のデザインの考案及びそれに基づく設計・試作、その他事務能率・経営組織の改善等）は含まれません。（措通42の４⑴－２）
＊２　新規に収集したデータまたは既存のビッグデータの分析、サービスの設計・適用の全てを行うことが求められます。また、既存のサービスの改良等は対象外です。
＊３　内国法人の国外事業者等を通じて行う事業に係る試験研究費の額は範囲から除外されます。（措法42の４⑲一）
＊４　専門的知識をもって「試験研究の業務に専ら従事する者」の人件費に限ります。（研究所等に専属であっても、事務職員、守衛、運転手等は含まれません。）（措通42の４⑵－３）なお、下記の要件をすべて満たす場合には、試験研究以外の業務と兼務する者の人件費も税額控除の対象となります。

要件	
	①研究プロジェクトチームに参加した研究者が、担当業務期間中は専属的に従事すること
	②担当業務が試験研究に欠かせないもので、専門的知識が当該担当業務に不可欠であること
	③従事期間がトータルとして相当期間（おおむね１か月以上）あること
	④担当業務への従事状況が明確に区分され、担当業務に係る人件費が適正に計算されていること

＊５　受託研究で他の者から支払を受ける金額は控除（措通42の４⑵－１）し、他の者に委託して試験研究を行う場合の委託を受けた者に対して支払う費用、技術研究組合の賦課金を含めます。
＊６　試験研究用の減価償却資産については、減価償却費（特別償却費は含まれますが、積立金方式による特別償却準備金の積立額は含まれません。）が試験研究費となります。（措通42の４⑵－４）なお、開発研究用減価償却資産については別途耐用年数が定められています。また、固定資産の除却損などで、通常行われる取替更新に基づくものは試験研究費となります。（措通42の４⑵－５）
＊７　研究開発費以外の科目名であっても財務諸表の注記において研究開発費の総額に含まれているものは対象となります。（措通42の４⑴－３）

(注)　❺で説明する試験研究費の税額控除制度で試験研究費の増減を計算する際には、試験研究費の範囲及び共通経費の配賦基準等について継続して同一の方法で算定し比較する必要があります。（措通42の４⑵－２）
　また試験研究費に含まれる費用の範囲が改正された場合には、比較年度又は基準年度の試験研究費も改正後の規定で計算します。（措通42の４⑵－６）

❺研究開発税制（措法42の4）

制度の内容　令和５年度税制改正により、控除額の計算における控除割合や上限額が見直され、また、研究開発費の範囲が拡大されています。従来の研究開発税制については令和４年版の本書等をご参照ください。

青色申告法人の各事業年度に損金算入された試験研究費の額（❹参照）がある場合、特別試験研究費以外の試験研究費総額に一定の税額控除割合を乗じた額を法人税額から控除することができます。（下表の**一般型**）なお、中小企業者等（適用除外事業者を除く。199ページ参照）は、税額控除割合が優遇されています。（下表の**中小企業技術基盤強化税制**）また、令和８年３月31日までに開始する事業年度において、一定の条件を満たした場合には、税額控除割合を上乗せすることができます。（下表の＊6）さらに、特別試験研究費については、その内容に応じた税額控除割合を乗じた額を、法人税額から控除することができます。（下表の**オープン・イノベーション型**）

比較試験研究費	適用年度の前３年間の事業年度の損金の額に算入される試験研究費の平均額
特別試験研究費＊11	試験研究費の額のうち、Ⓐ国の試験研究機関、大学との間の共同・委託研究、Ⓑ特別新事業開拓事業者＊3との共同・委託研究、Ⓒ他の法人＊1との間の共同研究、Ⓓ特定中小企業者＊2、公益法人、地方公共団体の機関、民間企業（基礎・応用研究又は知財利用を目的とした研究開発に限る）への委託試験研究、Ⓔ特定の知的財産権の使用料、Ⓕ新規高度研究業務従事者＊4に対する人件費　等
増減試験研究費割合	（試験研究費－比較試験研究費）÷比較試験研究費
試験研究費割合	適用年度の損金の額に算入される試験研究費/平均売上金額
平均売上金額	適用年度を含む前４年間の売上金額の平均

＊１　発行済株式の25%以上の保有関係や支配関係がある場合などグループ内の法人は省かれます。
＊２　特定中小企業者とは中小企業者等のうち試験研究を行う拠点を有していることなど一定の要件を満たす会社をいいます。
＊３　特別新事業開拓事業者とは設立15年未満かつ売上高研究開発費割合10%以上で、スタートアップに対する投資を目的とする投資事業有限責任組合や研究開発法人から出資を受けている等の一定の要件を満たす未上場の会社をいいます。
＊４　新規高度研究業務従事者とは役員又は使用人のうち５年以内に博士の学位を授与された者や、５年以内に役員又は使用人になった者のうち外部で10年以上専ら研究業務に従事していた者をいいます。

控除額の計算

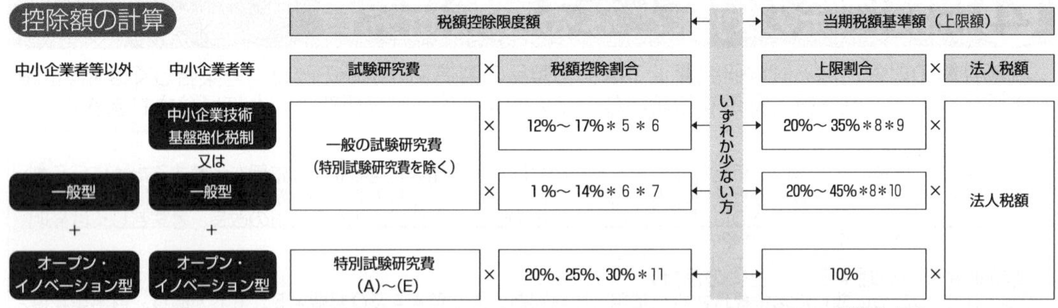

MEMO
研究開発税制では中小企業者等（適用除外事業者を除く。199ページ参照）に該当すれば中小企業技術基盤強化税制と一般型の選択適用となります。なお、法人住民税の課税標準（法人税額）の計算上、中小企業技術基盤強化税制を選択した場合には税額控除されますが、一般型を選択した場合には税額控除されません。

＊５　令和８年３月31日までに開始する事業年度の通常の控除割合は以下のように算定されます。

増減試験研究費割合	算定式
12%超	12%＋（増減試験研究費割合－12%）×0.375（17%が上限）
12%以下	12%

設立事業年度又は比較試験研究費がゼロの場合
12%

＊６　売上高に対する試験研究費割合が10%超の場合、税額控除割合＝通常の控除割合＋上乗せ割合（通常の控除割合×（試験研究費割合－10%）×0.5（上限は10%））
ただし、税額控除割合は最大14%（中小企業技術基盤強化税制の場合は最大17%）
＊７　令和８年３月31日までに開始する事業年度の通常の控除割合は以下のように算定されます。

増減試験研究費割合	算定式
12%超	11.5%＋（増減試験研究費割合－12%）×0.375（14%が上限）
12%以下	11.5%－（12%－増減試験研究費割合）×0.25（１%が下限）

設立事業年度又は比較試験研究費がゼロの場合
8.5%

＊８　原則25%です。
＊９　中小企業技術基盤強化税制については、以下①か②のいずれかに該当する場合は選択適用し上乗せが可能です。
①増減試験研究費割合が12%超の場合、上限割合上乗せ10%
②試験研究費割合が10%超の場合、上限割合上乗せ（（試験研究費割合－10%）×２）（上限は10%）
＊10　一般型については、次の①か②のいずれかに該当する場合は増減します。
①増減試験研究費割合が４%超の場合、上限割合上乗せ（（増減試験研究費割合－４%）×0.625%）（上限は５%）
②増減試験研究費割合が△４%超の場合、上限割合減額（（増減試験研究費割合＋４%）×0.625%）（下限は△５%）
また、以下③か④のいずれかに該当する場合は選択適用し上乗せが可能です。（①といずれか大きいほう）
③試験研究費割合が10%超の場合、上限割合上乗せ（（試験研究費割合－10%）×２）（上限は10%）
④研究開発を行う一定のベンチャー企業（大法人の子会社等、株式移転完全親会社を除く。）の場合、上限割合上乗せ15%
＊11　特別試験研究費のうち上表中の（A）については30%、（B）については25%、（C）～（F）については20%。

申告要件
確定申告書等に控除の対象となる（特別）試験研究費の額、控除を受ける金額及びその計算に関する明細（別表六（九）～（十四））の添付がある場合に限り適用できます。なお、当初の別表六（十四）等に記載された（特別）試験研究費の額を修正申告等により増加させることはできません。

特定税額控除規定の不適用措置

大企業＊1が、次の①～③の要件の「全て」に該当する場合には、その事業年度については、研究開発税制の適用が受けられません。（措法42の13⑤、措令27の13③⑥）なお、この不適用措置は、地域未来投資促進税制、５G投資促進税制、カーボンニュートラル投資促進税制及びDX投資促進税制についても同様です。（124ページ参照）

① 継続雇用者給与等支給額が継続雇用者比較給与等支給額を超えていない（雇用調整助成金等を控除しないで判定する）＊2
② 当期の国内設備投資額が当期の損金経理した減価償却費の総額×30％以下である＊3
③ 当期の所得が前期の所得の金額を上回っている

＊１ 中小企業者（適用除外事業者に該当するものを除く。）又は農業協同組合等以外の事業者（199ページ参照）

＊２＊３ 大企業のうち、「期末の資本金の額等が10億円以上かつ常時使用する従業員が1,000人以上」又は「常時使用する従業員が2,000人以上」で、前事業年度の所得が黒字の企業については、令和６年４月１日以後に開始する事業年度における上記①②の要件は以下となります。
①継続雇用者給与等支給額の増加率が継続雇用者比較給与等支給額と比較して１％未満であること
②国内設備投資額が当期の損金経理した減価償却費の総額×40％以下であること

⑥工業所有権の会計処理

法人税法上、無形固定資産に計上した工業所有権は、残存価額ゼロの定額法で、取得の日＊から一定の耐用年数にわたって償却します。（期中取得資産は月割償却。）次の表では、特許法等の各法律の目的・権利保護期間をまとめるとともに、法人税法上の耐用年数と比較してみます。

＊ 工業所有権は、その取得の日から事業の用に供したものとして減価償却することができます。（法基通７－１－６）

項　目	目　的	権　利　期　間	耐用年数
特許権	技術的思想たる発明を保護	出願日から20年	８年
実用新案権	小発明たる考案を保護	出願日から10年	５年
意匠権	物品のデザインを保護	登録から20年	７年
商標権	商品名・商品マークを保護	登録から10年（更新可能）	10年

工業所有権に係る諸問題

①譲渡収益の帰属時期

工業所有権及びこれらの出願権の譲渡又は実施権の設定によって受け取る対価は下記の日の属する事業年度に収益計上します。（法基通２－１－16）

原則…契約の効力発生の日

特例…契約の効力発生が、登録を要件としている場合はその登録の日

また、契約の際に受領する一時金で後の使用料に充当することになっている場合であっても一時に収益計上する必要があります。

②使用料の帰属時期

受け取る使用料の額は、その額が確定した日の属する事業年度に収益計上するのが原則ですが、生産高等に応じてその額が変動する場合などは、継続して支払を受け取ることとなっている日（支払期日）の事業年度に収益計上することができます。（法基通２－１－30の５）

イノベーションボックス税制

青色申告書を提出する法人が、令和７年４月１日から令和14年３月31日までの間に開始する各事業年において、特許権譲渡等取引（＊1、＊2）を行い、一定の要件を満たす場合にはその取引に係る所得金額を基礎として計算した金額の30％相当額が所得控除できます。（措法59の３①）

＊１ 居住者又は内国法人（関連者を除く）に対する特定特許権等（特許権又は人工知能関連技術を活用したプログラムの著作物）の譲渡

＊２ 他の者（関連者を除く）に対する特定特許権等の貸付け（特定特許権等に係る権利の設定その他一定の者に特定特許権等を使用させる行為を含む）

なお、関連者とは、法人で適用対象法人との間にいずれか一方の法人が他方の法人の発行済株式等の総数の50％以上の株式を直接又は間接に保有する関係その他一定の特殊関係にあるものをいいます。（措法59の３②一）

MEMO

発明等に関する社内提案の報償金のうち、次に掲げるものについては消費税法上課税仕入れに該当します。（消基通11－２－２）

① 業務上有益な発明等をした使用人等から当該発明等に係る特許等を受ける権利又は特許権等を継承したことにより支給するもの
② 特許権等を取得した使用人等に実施権の対価として支給するもの
③ 事務若しくは作業の合理化等に寄与する工夫・考案（通常の職務の範囲内の行為を除く。）をした使用人等に支給するもの

1　営業活動をめぐる税務

——営業マンにも周知徹底したい!?——

営業活動に関して税務の問題がかかわってくるのは、

① 会社の利益の基本的な源泉である販売による収益（売上げ）をどの時点で計上するのか

② 営業活動には不可欠な接待交際費やリベートといった費用は税務上どのように処理されるのか

③ 売掛金の回収が困難になったときはどうするのか、またその場合、事前にどのような手当てをすればよいのか

といった点です。いずれも会社にとって基本的な項目ですので十分に理解しておく必要があります。

〈営業活動に関する税務のチェックポイント〉

営業活動の各段階において、例えば以下のような税務上のチェックポイントがあります。

営業活動	こんなケースでは…	税務上の取扱い	対策及び注意点	参照
情報収集	**情報提供料** 新規取引先に関する情報提供を受けたので謝礼を支払いました。	情報提供等を業としていない者への支払は交際費となるケースがあります。	情報提供等を業としない者への支払については、正当な情報提供に対する対価であることをあらかじめ契約によって明示しておく必要があります。また、請求書・領収書等も忘れずに入手・保管しましょう。	63ページ
広告宣伝	**広告宣伝用資産の贈与** 当社製品の宣伝のため卸売業者に軽トラックを寄附することにしました。	特約店等に対し自己の製品等の広告宣伝等のため、広告宣伝用（製品名、会社名等を記載）の看板、陳列棚、自動車等の資産を贈与若しくは著しく低い価格で譲渡した場合は、譲渡した資産の取得価額と譲渡価額との差額は繰延資産として計上し償却していかなければなりません。	広告宣伝用の資産を受領した会社は、原則として贈与者の取得価額の3分の2の金額から取得に際し支払った金額を控除した金額で受贈益を計上することになりますが、その金額が30万円以下の場合や受け取った資産が看板、ネオンサインのようにもっぱら広告宣伝用に使用されるものである場合は受贈益を計上する必要はないので、相手方のことも考えて寄附をするとよいでしょう。	63ページ
受注	**交際費と会議費** 得意先を旅行に招待して旅行先で新製品の説明をしました。	旅行日程に新製品の説明を付け足した程度のものであれば会議に名を借りた接待ということになり、交際費として取り扱われます。	目的はあくまで新製品の説明会であり、会議としての実体を備えた旅行であることを、計画書、日程表、案内表などで明らかにしておく必要があります。また、その内容が会議に通常要するものであるか計画段階から検討が必要です。	64ページ

営業活動	こんなケースでは…	税務上の取扱い	対策及び注意点	参照
受注	**使途秘匿金** 寄附を求められましたが、相手先の名前を明らかにすることができません。	相手先の名前等を明らかにできないというのであれば使途秘匿金として自己否認せざるを得ません。使途秘匿金となると損金不算入は当然として、追加的に極めて高率の税金が課されることになります。	使途秘匿金に対しては、住民税を合わせると支出額の約78%の税金が課されます。売上げは増加したが、使途秘匿金に係る税負担を考慮すると結果的には損をしていたということのないよう支出の前には十分な検討を行うべきでしょう。	61ページ
契約	**売上割戻しの支払** 得意先からリベートを要求されました。	リベートといっても、支払方法によってはその取扱いが交際費になったり売上割戻しになったりします。	リベートの支払基準を明確にした内部規定や議事録等を完備しておくとともに、その支払方法・支払の時期など得意先も交えて事前に検討しておきましょう。	62ページ
出荷・引渡し	**売上計上時期** 新しい事業を始めたが、売上げはどの時点で計上すればいいのでしょうか？	原則として商品等の引渡しの日とされています。 ただし、引渡しといっても自社が出荷したときを引渡しとすることもあれば、先方が検収したときを引渡しとすることもあります。いくつかの方法があり、自社に最も適した基準を選択することができます。	売上げの計上基準にはさまざまな方法があるため、自社に有利な方法がないか検討するとよいでしょう。なお、収益認識基準を新たに適用する場合には、継続適用が求められるため慎重に検討する必要があります。中小企業は従来の取扱いによることも可能です。	52ページ
	長期請負工事 １年後に完成する建設工事は、工事中に決算を迎えたとしても全く売上げに計上できないのでしょうか？	原則は工事が完成した日の売上げとされます。 ただし、一定の条件を満たす工事については、その工事の進行度合いに応じて売上げを計上する方法（工事進行基準）があります。	工事進行基準は強制適用される場合と任意適用できる場合とがあり、それぞれの適用要件が異なります。 工事進行基準の適用に当たっては、両方の適用要件を検討する必要があります。	59ページ
代金回収	**長期割賦販売等** 代金回収が長期にわたる取引についての売上げの計上はどうすればよいのでしょうか。	代金回収時に売上計上を行う延払基準は平成30年度税制改正で廃止されており、令和５年４月１日以後に開始する事業年度からは経過措置も終了し、延払基準は適用できません。	令和５年４月１日以後に開始する事業年度より前から繰り延べられている利益については、その事業年度で全額計上するか、10年間で均等分割して計上する必要があります。	58ページ
	債権の貸倒れ 得意先が倒産したのですが貸倒れとして処理できますか？	債権の回収が困難となった場合には、貸倒損失を計上したり、回収不能見込額を貸倒引当金に繰り入れたりすることができます。その得意先がいずれのケースに当てはまるのか検討が必要です。	年に１度は売掛金も内容調査や年齢調べを行って、貸倒損失や貸倒引当金の繰入れの対象となる債権がないかどうか検討しましょう。 貸倒引当金の計上は、中小法人等、銀行、リース会社に限定されています。	66ページ

2 売上げの計上時期

――商品を引き渡した。さあ売上計上――

会　社　を設立したときや新規事業を始めたときに、まず決定しなければならないのは売上計上基準（いつ売上げを計上するか）です。

一般的に会社の販売プロセスは、先方発注→当方受注→当方出荷→先方検収→先方使用というように区分されますが、どの時点で引渡しがあったとみるかによって、売上げの計上基準が決まります。また、委託販売や試用販売等、特殊な販売形態をとる会社の売上計上基準や工期が長期間にわたる工事を請け負った場合の売上計上基準等もあり、それぞれ自社に適合した方法を選択適用する必要があります。

なお、収益認識に関する会計基準の公表に伴い、平成30年度税制改正において税務上の収益認識基準が明確化され、長期割賦販売等における延払基準や返品調整引当金が廃止されています。（経過措置あり）また、収益認識に関する会計基準は、中小企業は適用しないこともでき、その場合は従来の税務処理を継続することになります。

① 「収益認識に関する会計基準」と税務の関係

平成30年３月に企業会計基準第29号「収益認識に関する会計基準」（以下、収益認識会計基準）が公表され、原則として、令和３年４月１日以後開始する事業年度より適用されています。なお、中小企業においては、「中小企業の会計に関する指針」や「中小企業の会計に関する基本要領」に沿った会計処理を継続し、売上げに関して従来の計上基準の継続が認められています。

収益認識会計基準に対する法人税及び消費税の対応関係は次のとおりです。

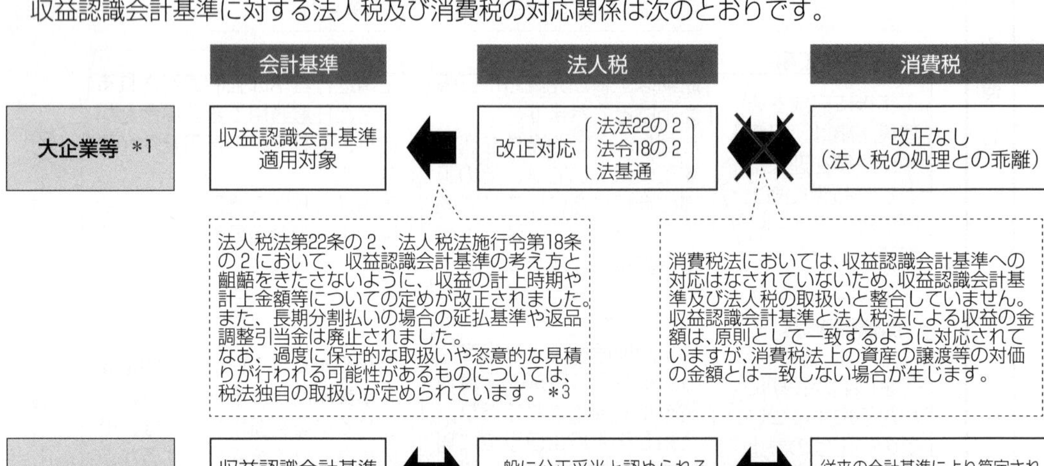

＊１　金融商品取引法監査及び会社法監査の対象となる会社、あるいは、それらの会社の連結子会社や持分法適用会社

＊２　収益認識会計基準は中小企業においても自主的に適用することができます。

＊３　貸倒れや返品の可能性がある場合又は、売上値引きや割戻しがある場合（54ページ参照、法基通２－１－１の11、１の12、２－２－16、９－６－４）、ポイント等を付与した場合（57ページ参照、法基通２－１－39の３）、商品券を発行した場合（57ページ参照、法基通２－１－39、39の２）等については、税務上は収益認識会計基準と異なった取扱いが求められ、収益認識会計基準適用会社においても、申告書上の調整が必要となる場合があります。

＊４　法人税法第22条の２は、収益認識会計基準適用対象外の会社の従来の収益認識時期を変更するものではなく、また、収益認識会計基準の適用を前提とした法人税基本通達は、収益認識会計基準適用対象外の会社には適用されません。そのため、収益認識会計基準適用対象外の会社では、従来の税務処理が可能です。

❷「収益認識に関する会計基準」の概要

従来は、財貨またはサービスの提供を行い、対価としての現金等価物(代金回収の権利等)を取得した時点で収益を認識していました。(実現主義の原則)

収益認識会計基準では、「約束した財又はサービスの顧客への移転」を「当該財又はサービスと交換に企業が権利を得ると見込む対価の額」で収益認識することを原則としています。具体的には、次の５つのステップに沿って収益を認識することになります。

このため、取引によっては従来の会計基準と計上単位、計上金額、計上時期が異なる場合があります。

（例　保守サービス付きの製品の販売における収益認識プロセス）

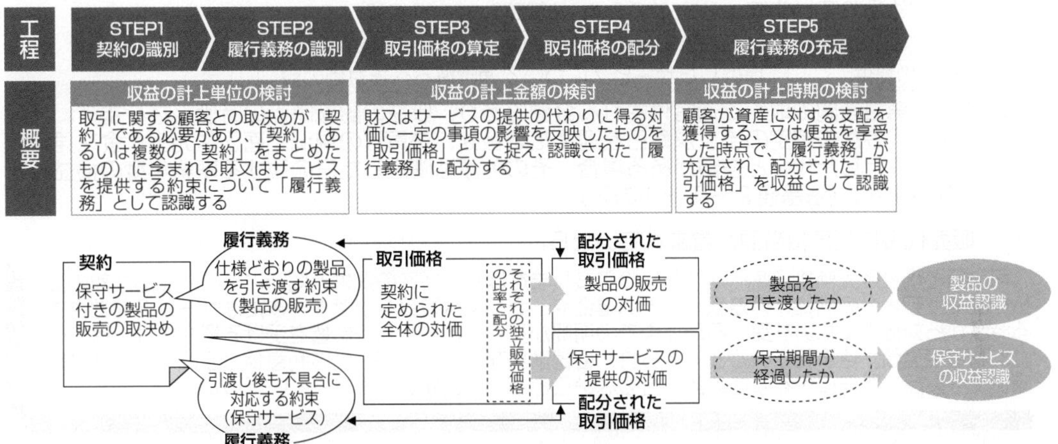

❸収益の計上単位の検討

1. 契約の識別（STEP 1）

収益認識会計基準の適用は、原則として「個々の契約＊1」ごとに行います。

> ＊1　契約
> 法的な強制力のある権利及び義務を生じさせる複数の当事者間における取決めであり、次の要件をみたすもの
> ①当事者が書面、口頭、取引慣行等により契約を承認し、それぞれの義務の履行を約束していること
> ②移転される財又はサービスに関する各当事者の権利を識別できること
> ③移転される財又はサービスの支払条件を識別できること
> ④契約に経済的実質があること（契約の結果として、企業の将来キャッシュ・フローのリスク、時期又は金額が変動すると見込まれること）
> ⑤顧客に移転する財又はサービスと交換に企業が権利を得ることとなる対価を回収できる可能性が高いこと

なお、同一の顧客等と同時期に締結した複数の契約について、それらを組み合わせて初めて単一の「履行義務＊2」となる場合は、それらの複数の契約で定められた財の引渡し又はサービスの提供を組み合わせたものを単位とします。(法基通２－１－１)

2. 履行義務の識別（STEP 2）

顧客との契約において定められている、財又はサービスを顧客に移転する約束は、「履行義務＊2」として認識されます。

> ＊2　履行義務
> 顧客との契約において、次のいずれかを顧客に移転する約束
> ・別個の財又はサービス（あるいは別個の財又はサービスの束）
> ・一連の別個の財又はサービス（特性が実質的に同じであり、顧客への移転のパターンが同じである複数の財又はサービス）

１つの契約に複数の「履行義務」が定められており、財又はサービス自体の性質や契約内容から、それぞれの「履行義務」が別個のものとして区分される場合には、それぞれの「履行義務」が収益の計上単位となります。(法基通２－１－１)

④収益の計上金額の検討

従来は、収益の計上金額については、「その収入に基づいて計上する」とされており、具体的な算定の方法は定められていませんでした。収益認識会計基準では、財又はサービスの顧客への移転と交換に企業が権利を得ると見込む対価の額である「取引価格」により収益を算定し、計上します。

ただし、例えば消費税のように、第三者のために回収する額は「取引価格」から除きます。

1．取引価格の算定（STEP３）

⑴通常の売上取引

商品又は製品の販売、あるいは、サービスの提供について、認識時点で計上すべき収益の額は、次のとおり定められています。（法法22の２④、法基通２－１－１の10）

商品又は製品の販売	商品又は製品の引渡しのあった時点の価額
サービスの提供	提供したサービスについて通常得るべき対価の額

いずれも、第三者間の取引で通常付される金額であり、収益の認識時点の時価となります。

なお、販売代金が未確定のまま決算日を迎えた場合は、決算日の現況で適正な売上代金を見積計上し、その後確定した代金と差額がある場合、その差額は確定した日の属する事業年度の損益とすることになります。（法基通２－１－１の10）

販売代金に利息相当額が含まれていたら

契約額と現金販売価格（商品又は製品の引渡しまたはサービスの提供と同時にその対価の全額の支払いを受ける場合の価格）の差額が大きい場合や、商品又は製品を引渡す、またはサービスを提供する時点から対価の支払いを受ける時点までの期間が長く、市場金利の影響を受ける場合には、販売代金に利息相当額が含まれていると考えられ、継続適用を条件として、当該利息相当額については当該商品又は製品の販売に係る収益の額に含めないことができます。（法基通２－１－１の８）

⑵売上マイナス取引（変動対価等）

収益認識会計基準においては、返品や回収不能、値引き、割戻し等の影響を適切に見積り、取引価格に反映させる必要があるため、販売価格のうち実質的に受け取れないと見込まれる部分については、当初から売上げではなく返金負債として認識します。一方、税務上は次のとおり、返品及び回収不能は、商品又は製品、サービスそのものの価値に関係ないものとして、返品及び回収不能が見込まれる場合でも、取引価格に反映させることはできません。

【税務上の取扱い】

返品	販売した商品又は製品が返品された場合は、従来の会計基準と同様に、いつその商品又は製品が販売されたかに関係なく、その返品の事実が生じた日に収益を減額することになります。＊1 なお、一定の要件を満たした場合には返品調整引当金（右ページ参照）を計上できます。
回収不能	販売価格の一部の回収が困難になり、一定の条件を満たした場合には、その貸倒等の事実が生じた時点で貸倒損失として損金処理する、あるいは貸倒見込額を貸倒引当金として計上することができます。（66～69ページ参照）（法法22の２⑤、法基通２－２－16）＊1
売上値引・割戻	（収益認識会計基準を適用する場合） 次の要件をすべて満たすときは、引渡し等を行った事業年度に、満たさないときは、値引・割戻しが確定した事業年度で収益を減額します。（法令18の２、法基通２－１－１の11） １．値引・割戻しの内容等が、契約や取引慣行などにより顧客に明らかにされていること又は引渡しを行った事業年度終了の日において内部的に決定されていること ２．過去の実績等による合理的な方法のうち継続して適用されている方法により発生可能性や基礎数値を見積り、その見積りに基づき算定されていること ３．１．及び２．の根拠書類が保存されていること
	（従来の会計基準を適用する場合） 割戻しについて、通知をした日又は支払いをした日に収益を減額します。（法基通２－１－１の12） ただし、顧客との契約等により一定期間支払いをしないなど、顧客が実質的に利益を享受できない売上割戻しの場合には、通知した日ではなく、実際に支払った日に収益を減額します。（法基通２－１－１の13） 値引について、税務上は具体的な定めはなく、従来の会計基準の取扱いと同じです。
顧客に支払われる対価	キャッシュバックやリベート等、顧客に対価が支払われることが条件となっている場合には、次のいずれか遅い日に収益から減額＊2します。 ・財の引渡し又はサービスの提供に対する収益を認識する日 ・対価を支払う日又はその支払いを約する日 なお、その支払いが顧客から財の引渡しやサービスの提供を受けたことの対価である場合には収益の減額ではなく、仕入れあるいは経費として計上します。

＊1　収益認識会計基準を適用した場合でも、販売した年度に遡って修正することや、返品や貸倒れの生ずる可能性に基づき見積計上（収益の調整項目として取引価格に反映）することは認められません。

＊2　支払をした日の費用として損金に算入することも当分の間認められます。（平成30年５月30日法基通附則経過的取扱い⑶）

【返金負債の計上の具体例】

１個あたり売価500円（原価300円）の商品を20個現金で販売したが、そのうち２個の返品が合理的に見積もられる場合

（従来の会計基準）				（収益認識会計基準）			
現金	10,000	売上	10,000	現金	10,000	売上	9,000
返品調整引当金繰入額	400	返品調整引当金	400			返金負債	1,000
売上原価	6,000	商品	6,000	売上原価	5,400	商品	6,000
				返品資産	600		
返品見込みの商品の利益は将来の損失であるため、引当処理する				返品見込みの商品については、売上計上・売上原価への振替を行わない			

参考　仕入割戻しの計上時期

仕入割戻しは売上割戻しと表裏の関係にありますが、その計上時期は、売上割戻しと異なります。算定基準が価額又は数量によっており、かつ、その基準が契約などで明示されている場合は購入した日、それ以外の場合には通知を受けた日に計上することになります。また、一定期間支払を受けない仕入割戻しは、売上割戻し同様原則として支払を受けた日に計上することになります。（法基通２－５－１、２－５－２、165ページ参照）

⑶返品調整引当金

出版業など特定の事業範囲に属し、かつ、販売する棚卸資産の大部分について常に当初の販売価額で買い戻すといった特約を結んでいる会社は、買戻しによる損失に備えるため、一定の繰入限度額まで返品調整引当金の繰入額を損金に算入することが認められていましたが、平成30年度税制改正により、返品調整引当金は廃止されました。しかし、平成30年４月１日において対象事業を営み、適用要件を満たす法人については、下表の範囲で損金に算入することが認められる経過措置が設けられています。（旧法法53、平成30年改正法附則25、旧法令99 ～ 101）

対象事業	①　出版業、出版に係る取次業 ②　医薬品（医薬部外品を含む。）、農薬、化粧品、既製服等の製造業 ③　②の物品の卸売業
適用要件	次のような特約を結んでいる場合（慣習により特約があると認められる場合も含まれます。（旧法基通11－３－１の３、平成30年５月30日法基通附則経過的取扱い⑻）） ①　販売先からの求めに応じ、販売した棚卸資産を当初の販売価額によって無条件に買い戻す。 ②　販売先において、棚卸資産が送付された場合に注文したかどうかを問わずこれを購入する。

対象事業年度	損金算入可能額
令和３年３月31日までに開始する事業年度	従来どおり下記の繰入限度額まで
令和３年４月１日から令和12年３月31日までの間に開始する事業年度	１年ごとに下記の繰入限度額から１/10ずつ縮小した金額まで
令和12年４月１日以後に開始する事業年度	損金算入不可

繰入限度額		
	売掛金基準	期末売掛金等×返品率×売買利益率
	売上高基準	期末以前２月間の売上高×返品率×売買利益率

上記の対象事業①～③ごとに、いずれかの基準を選択適用して計算した額の合計額が繰入限度額となります。
また、継続適用は要求されていないため、年度毎に有利な方法を選択できます。

計算項目の意味	期末売掛金等 （旧法基通11－３－２、平成30年５月30日法基通附則経過的取扱い⑻）	・期末売掛金等（売掛金、受取手形、割引手形、裏書手形）は適用対象事業に係るものに限定されます。 ・延払基準・割賦基準を適用している棚卸資産の販売に係るものは除きます。（以下の各項目についても同じ）
	期末以前２月間の売上高 （旧法基通11－３－３、11－３－４、平成30年５月30日法基通附則経過的取扱い⑻）	（期末以前２月間の総売上高）－（当期売上割戻し高）× 期末以前２月間の総売上高 / 当期の総売上高 ●総売上高は返品高を控除しないで計算します。
	返　品　率 （旧法令101②、平成30年改正法令附則９）	分母の期間の特約に基づく返品高 / 当期及び当期首前１年以内に開始した各期の総売上高
	売買利益率 （旧法令101③、平成30年改正法令附則９）	当期の純売上高－（当期の売上原価＋販売手数料＊） / 当期の純売上高（総売上高－返品高）

＊　使用人たる外交員等に支払う歩合給、手数料等で事業所得等とされる報酬等も含まれます。（旧法基通11－３－７、平成30年５月30日法基通附則経過的取扱い⑻）

２．取引価格の配分（STEP４）

顧客との契約に複数の「履行義務」が含まれている場合は、それぞれの「履行義務」に係る商品又は製品の販売、あるいは、サービスの提供を収益の計上単位とします。（53ページ③２参照）

STEP３で算定された「取引価格」を、認識された「履行義務」に対して、それぞれの「履行義務」の対象となる財又はサービスを別個に販売した場合の価額（「独立販売価格」）の比率に応じて配分します。

⑤収益の計上時期の検討

1．履行義務の充足（STEP 5）

企業は認識された「履行義務」を充足した時点で、または充足するにつれて一定期間にわたって、収益を認識します。

ここで、「履行義務」の充足とは、約束した財又はサービスを顧客に移転することをいいます。

いずれのパターンに該当するかは、履行義務の性質によって判断されます。

2．主要な販売形態における収益の計上時期

(1) 商品又は製品の販売

商品・製品等の販売収益は、原則として、「引渡しのあった日」に計上しなければなりません。（引渡基準）ただし、「引渡しのあった日」に近接する日とすることもできます。（法法22の2）

「引渡しのあった日」は、例えば以下の基準の中から継続適用を条件として、棚卸資産の種類や性質、販売契約の内容などから判断して合理的と認められる日を選択することができます。（法基通2－1－2、2－1－3、2－1－4）

なお、収益認識会計基準においては、原則として、顧客が資産に対する支配を獲得した時点で「履行義務」を充足したものとして売上げを認識しますが、出荷時から支配獲得時までの期間が合理的な範囲内である場合には、その期間内の一時点で売上げを認識することができるとされており、法人税法における収益の計上時期との乖離は生じていません。（検針日基準を除く。）

基準区分		収益認識日	備考
引渡しのあった日	出荷基準	商品等を出荷した日	不良・返品等がほとんどない商品等の販売に適します。画一的に処理できるので、手間がかかりません。
	検収基準	顧客が商品等を検収した日	商品等の内容から先方の検収が重要となる精密機械等の販売に適します。出荷済未検収品の把握、検収書の確認等が必要となり、手間がかかります。
	使用収益開始基準	顧客が商品等を使用収益できることとなった日	土地や建物等を販売する場合に採用されます。不動産の使用状況の把握が必要となり、手間がかかります。
引渡しのあった日に近接する日	契約効力発生日基準	販売等にかかわる契約の効力が発生した日	土地や建物等を販売する場合に採用されます。売買契約書の契約日で画一的に処理できるので、手間がかかりません。
	仕切精算書到達日基準	委託販売における仕切精算書が届いた日	販売委託先から定期的に販売実績を取りまとめた仕切精算書が送付されてくる場合に採用されます。
	検針日基準	電力等の使用量を検針により測定した日	電気・ガス・水道等のようにメーター検針等によりはじめて販売数量が確認できるものに採用されます。

MEMO

棚卸資産が土地又は土地の上に存する権利である場合に、その引渡しの日が明らかでないときは、次のいずれか早い日を使用収益開始基準の「使用収益できることとなった日」とすることができます。（法基通2－1－2）

① 代金の相当部分（おおむね50%以上）を受け取った日

② 所有権移転登記の申請（又は相手方への必要書類の交付）をした日

(2) サービスの提供

サービスの提供に係る販売収益は、原則として「役務を提供した日」に計上しなければなりません。（引渡基準）ただし、「役務を提供した日」に近接する日とすることもできます。（法法22の2）

なお、収益認識会計基準においても、原則として、顧客が便益を享受した時点、顧客が支配する資産が生じた、あるいは資産の価値が増加した時点等で「履行義務」を充足したものとして売上げを認識します。また、サービスの提供等が一定の期間にわたって継続される場合には、「履行義務」も一定の期間にわたって充足されるため、履行義務の充足に関して合理的に見積られた進捗度に応じて売上げを認識しますが、法人税法上の取扱いも同様であり（法基通2－1－21の2、2－1－21の5、2－1－21の6）、法人税法における収益の計上時期との乖離は生じていません。

⑥特殊な販売形態の収益計上単位及び計上時期

1．特殊な販売形態の場合の収益認識基準

特殊な販売形態については、税務上独自の取扱いが定められているものがあります。特殊な販売形態の具体的な売上計上単位及び計上時期は次のとおりです。

【税務上の取扱い】

<table>
<tr><th>取引形態</th><th colspan="2">売上の計上単位及び計上時期</th></tr>
<tr><td rowspan="2">委託販売
商品の販売に当たり直接顧客と取引しないで他人に販売を委託することによって行う方法（法基通２－１－３）</td><td>原則</td><td>受託者が販売した日</td></tr>
<tr><td>例外
事務の手間が楽になります。</td><td>当該委託品についての売上計算書が売上げの都度作成され、送付されている場合は、売上計算書の到達した日（継続適用すること）
●受託者が売上計算書を週、旬、月を一括の単位として、継続して作成し送付しているときは、「売上げの都度作成され、送付されている場合」に該当します。</td></tr>
<tr><td>製品保証の付与
引渡し後に発生した不具合や故障等を修理するといったサービス型の製品保証を付して販売する場合（法基通２－１－１の３）</td><td colspan="2">従来の会計基準においては、一般的に、製品保証相当分も含めて、商品又は製品等の引渡日（役務の提供日）に売上計上し、将来に発生すると見込まれる修理・交換の費用を「製品保証損失引当金」として引当計上していました。
収益認識会計基準を適用した場合は、製品保証相当分は、契約負債として計上し、収益認識を繰り延べ、サービスの提供（時の経過）に応じて売上計上します。
●製品の引渡しの時点で製品に欠陥がある（取決めで定められた仕様や品質を満たしていない）場合に、正常品に無償で交換するといった品質保証型の製品保証は、合意された仕様の商品又は製品を引き渡すという「履行義務」に含まれるものであり、収益認識を区別すべき製品保証ではありません。そのため、製品保証損失引当金を計上し、将来の支出に備えることになります。なお、税務上は、製品保証損失引当金の計上は認められていません。</td></tr>
<tr><td rowspan="2">商品引換券等の発行
商品の引渡し等を約した商品券等を発行し対価を受領する場合（法基通２－１－39、２－１－39の２、平成30年５月30日法基通附則経過的取扱い(6)）</td><td>原則</td><td>商品引換券等（商品券、プリペイドカード等）と商品を引き換えた日</td></tr>
<tr><td>例外
定型的に処理することができます。</td><td>非行使の商品引換券等については、下記の事実が生じた事業年度で一括して益金に算入します。
①発行日から10年が経過した（②、③、④の事実が生じていない場合）
②発行事業年度ごとに管理しない場合又は管理しなくなった場合
③有効期限が到来した場合
④法人で定めた収益計上基準に達した場合（継続適用すること）
・上記事実の生じていない非行使の商品引換券等について、過去の実績による権利行使割合などの合理的な方法に基づき計算した一定の金額を益金に算入することができます。なお、根拠書類の保存が必要です。
・平成30年４月１日前に終了した事業年度に発行した商品引換券等につき、旧法基通２－１－42本文の適用を受けている場合には、継続的取扱いとして、新たに基準を定める日までの間、発行日の益金に算入することができます。また、旧法基通２－１－42ただし書の適用を受けている場合には、同様に、発行日の事業年度終了の日の翌日から３年を経過した日の益金に算入することができます。</td></tr>
<tr><td rowspan="3">自己発行ポイント等の付与
商品の購入時に顧客へポイントを付与する場合（法基通２－１－１の７、２－１－39の３）</td><td colspan="2">従来の会計基準においては、一般的に、自己発行ポイント等相当分も含めて、商品又は製品等の引渡日（役務の提供日）に売上計上し、将来に自己発行ポイントとの交換に要すると見込まれる費用を「ポイント引当金」として引当計上していました。
収益認識会計基準を適用した場合は、自己発行ポイント等相当分は、契約負債として計上し、収益認識を繰り延べ、自己発行ポイント等を使用して実際に値引等を行った日に売上計上します。</td></tr>
<tr><td>原則</td><td>下記の全ての要件を満たす場合のみ、継続適用を条件として、自己発行ポイント等の付与時に値引き処理し、値引相当額は負債として繰り延べます。なお、繰り延べた負債は自己発行ポイントの使用に応じて、益金算入されます。
①自己発行ポイント等が当初の契約の締結によるものである
②発行年度ごとに管理されている
③有効期限の経過などの理由以外で一方的に自己発行ポイントを失効させられないことが規約等で明らかにされている
④１ポイントからでも値引等が可能で、その金額が明らかにされている、又は、別のポイント等に所定の交換比率で交換できる</td></tr>
<tr><td>例外
定型的に処理することができます。</td><td>未使用の自己発行ポイント等については、下記の事実が生じた事業年度で繰り延べた負債を一括して益金に算入します。
①発行日から10年が経過した（②、③、④の事実が生じていない場合）
②発行事業年度ごとに管理しない又は管理しなくなった
③有効期限が到来した
④法人で定めた収益計上基準に達した場合（継続適用すること）</td></tr>
</table>

取引形態		売上の計上単位及び計上時期
不動産仲介・あっせん報酬 土地、建物等の売買、賃貸借等の仲介又はあっせんをして報酬を受け取る場合（法基通2－1－21の9）	**原則**	取引事業者間で売買契約が成立した日
	例外 収益の計上時期が遅くなります。	取引が完了した日（取引完了日前に現実に収受した金額については収受した日）（継続適用すること）
技術役務の提供に係る報酬 設計、作業の指揮監督、技術指導等の技術役務の提供により報酬を受け取る場合（法基通2－1－1の5、2－1－21の10）	**原則**	役務の全部の提供を完了した日
	例外 収益の計上時期が早くなります。	部分的に支払をうけるべき報酬の額が確定した日（部分完了基準） ●以下の要件を満たせば計上しなければなりません。 ①　報酬の額が現地に派遣する技術者等の数及び滞在期間の日数等により算定され、かつ、一定の期間ごとにその金額を確定させて支払を受けることとなっている場合 ②　報酬の額が作業の段階ごとに区分され、かつ、それぞれの段階の作業が完了する都度その金額を確定させて支払を受けることとなっている場合 ［ただし、役務の全部の提供が完了するまで又は1年を超える相当の期間が経過するまで支払を受けることができないこととされている部分の金額については、完了する日と支払を受ける日とのいずれか早い日まで収益計上を見合わせることができます。］
知的財産のライセンスの供与 知的財産のライセンスの供与に係る収益を受領する場合（法基通2－1－30） 知的財産のライセンスの供与に係る売上高等に基づく使用料を受領する場合（法基通2－1－30の4）		知的財産のライセンスの供与に係る収益については、当該ライセンスの性質に応じて、売上計上します。 ①ライセンス期間にわたり存在する法人の知的財産にアクセスする権利…サービスの提供に応じて売上計上します。 ②ライセンスが供与される時点で存在する法人の知的財産を使用する権利…ライセンスの供与日に売上計上します。 知的財産のライセンスの供与に対して受け取る売上高等に基づく使用料については、下記のいずれか遅い日に売上計上します。 ①知的財産のライセンスに関連して相手方が売上高を計上する日又は相手方が知的財産のライセンスを使用する日 ②当該使用料に係る役務の全部又は一部が完了する日
工業所有権の実施権の設定又は使用料 工業所有権等の実施権の設定に係る収益を受領する場合（法基通2－1－30の2） 工業所有権等の使用料を受領する場合（法基通2－1－30の5）		工業所有権等の実施権の設定により受ける対価（使用料を除く）については、下記のいずれかの日に売上計上します。 ①その設定に関する契約の効力発生の日 ②その設定の効力が登録により生ずることとなっている場合におけるその登録の日 工業所有権等を他の者に使用させたことにより支払を受ける使用料の額については、法人が継続して契約によりその使用料の額の支払を受けることとなっている日に売上計上している場合には、「役務を提供した日」に近接する日（56ページ参照）に売上計上しているものとします。

2. 長期分割払いの場合の収益認識基準

代金回収が長期にわたる取引について認められてきた延払基準は、平成30年度税制改正で廃止されましたが、経過措置として、平成30年4月1日前に長期割賦販売等*1に該当する資産の販売等（特定資産の販売等）を行っていた場合には、令和5年3月31日までに開始する事業年度に行われた特定資産の販売等について、延払基準の適用が認められていました。

令和5年4月1日以後に開始する事業年度においては、延払基準の適用は認められず、過年度に行った取引も含めて、繰り延べられていた利益をその事業年度で全額計上するか、10年間で均等分割して計上するかを選択することとなります*2（平成30年改正法附28）

＊1　長期割賦販売等とは、以下の要件を満たす資産（固定資産を含む。）の販売、譲渡、工事（製造を含み、工事進行基準が適用される長期大規模工事を除く。）の請負又は役務の提供、建物の賃貸借権利金の授受等をいいます。
①対価を3回以上に分割して受領、②賦払金の支払期間が2年以上、③頭金が代金の3分の2以下

＊2　上場会社や会社法上の大会社においては、令和3年4月1日以降開始する事業年度の期首から、企業会計基準第29号「収益認識に関する会計基準」が強制適用され、延払基準の適用を取りやめています。

●　消費税においても延払基準の適用は認められず、法人税と同様に取り扱われます。

3. 工事収益の計上基準

建設工事等の請負契約の場合は、次の基準により売上げを計上します。

収益計上基準	収益を計上する時期	要　件　等
工事完成基準 【原則】 (法基通2-1-21の7)	目的物の全部を引き渡した日又は役務の全部を完了した日	建設工事等の種類及び性質、契約の内容等に応じて、①作業結了日、②受入場所への搬入日、③検収完了日、④使用収益開始日、等引き渡した日として合理的な日を継続適用します。(法基通2-1-21の8) ただし、収益認識会計基準を適用する場合で「履行義務」が一定の期間にわたって充足されるものは、履行義務の充足に関して合理的に見積もられた進捗度に応じて収益を計上します。
部分完成基準 【一定の場合】 (法基通2-1-1の4)	完成部分を引き渡した日	次のような場合には原則として適用しなければなりません。 ①一の契約により同種の建設工事等を多量に請け負ったような場合で、その引渡量に従い工事代金を収入する旨の特約又は慣習がある場合 ②1個の建設工事等であっても、その建設工事等の一部が完成し、その完成部分を引き渡した都度その割合に応じて工事代金を収入する旨の特約又は慣習がある場合
工事進行基準 【一定の場合】 (強制適用される場合と、任意適用できる場合があります。) (法法64、法令129、法基通2-1-21の5注3)	毎事業年度 (工事の進捗に応じて収益を計上) (注) 工事着手の初期段階において履行義務の充足に係る進捗度を合理的に見積もることができない場合は、収益及び費用を計上しないことができます。	**i. 平成20年4月1日以後に開始する事業年度に着工する工事で、次の要件を満たす長期大規模工事には、原則として適用しなければなりません。** ①着工から引渡しまでの期間(工事期間)が1年以上の工事(製造及びソフトウエアの開発を含む)(ただし、事業年度末において着工から6か月を経過していないものや、工事進行割合が20%未満のものについては適用しないことができます。) ②請負金額が10億円以上で、かつその対価の額の2分の1以上を工事の完成・引渡しから1年を超えて受け取る旨の契約事項がないこと **(注) 損失が生じる見込みの工事であっても適用されます。** **ii. iの長期大規模工事以外の工事であっても以下の要件を満たす場合には、個々の工事ごとに適用することができます。** ①契約で着工から引渡しまでが2事業年度以上にわたる工事 ②工事進行基準で経理すること ③選択適用した工事については、毎期継続して適用すること **(注) 損失が生じる見込みの工事であっても適用できます。**
原価回収基準 【一定の場合】 (法基通2-1-21の5 注2)	毎事業年度 (発生する原価のうち回収することが見込まれる原価の額をもって収益を計上)	工事の進捗度を合理的に見積もることができないものの、発生する費用を回収することが見込まれる場合に限って適用することができます。

(注1) 消費税法上も工事進行基準を適用している場合は、工事進行基準による収益の計上に合わせて資産の譲渡等を行ったものとすることができます。(消法17) 消費税率引上げに伴う経過措置は159ページ参照。
(注2) 工事進行基準により計算された売掛金は、貸倒引当金の設定対象となる売掛債権等(67ページ参照)に該当します。(法令130)

計算例

(1) 工事進行基準を適用した場合の収益の額及び原価の額は、次の算式により計算します。

工事進行基準による当期の収益の額＝工事請負金額 × 工事進行割合[*2] − 前期までに計上した収益の累計額
工事進行基準による当期の費用の額＝工事原価の額[*1] × 工事進行割合[*2] − 前期までに計上した費用の累計額

＊1　期末の現況によりその工事につき見積もられる工事の原価の額をいいます。
＊2　工事進行割合 ＝ $\frac{\text{発生工事原価累計額}}{\text{工事原価の額}}$ (その他工事の進行の度合を示すものとして合理的と認められるものによることもできます。)

(2) 具体的な計算例
① X1事業年度は、総原価の見積が不明であり、工事の進捗度を合理的に見積ることができないため、原価回収基準を適用
② X2事業年度から、工事の進捗度を合理的に見積ることができたため工事進行基準を適用

X1事業年度：工事請負金額・工事原価未確定　発生工事原価1,000千円(全額回収可能)
X2事業年度：工事請負金額600,000千円、見積工事原価500,000千円、発生工事原価(累計)200,000千円

工事進行割合＝$\frac{200,000}{500,000}$　　売上高＝600,000×$\frac{200,000}{500,000}$−1,000＊＝239,000

＊　X1事業年度で計上した売上高

X3事業年度：工事の完成、確定工事原価490,000千円

(単位：千円)

	売上高	原価	利益
X1事業年度	1,000	1,000	0
X2事業年度	239,000	199,000	40,000
X3事業年度	360,000	290,000	70,000
累計	600,000	490,000	110,000

3 交際費と使途秘匿金

――お金をかけて販売促進、でも…――

交際費は、会社経営のために支出するものですから、本来は全額損金算入されるべきですが、法人税では種々の理由から損金算入額に制限が設けられています。

中小法人等（199ページ参照）については、交際費の定額控除限度額を定め、定額控除限度額を超過した分は損金不算入とされています。また、主に大法人向けの制度として、資本金の大小にかかわらず、交際費のうち接待飲食費については上限なくその50%を損金算入することができることとされています。

また、会社が支出した金銭のうちその使途が明らかにされない使途秘匿金に対しては、通常の法人税以外に支出額の40%の法人税が追加的に課され、住民税と合わせると約78%の高率で税金が課されることになっています。

1 交際費等の損金不算入制度

(1) 損金不算入制度の対象となる交際費等とは

交際費等 （措法61の4④）	①交際費、接待費、機密費その他の費用で、②得意先、仕入先その他事業に関係のある者等に対する③接待、供応、慰安、贈答その他これらに類する行為のために支出するもの

損金不算入制度の対象となる交際費等とは、下図の社内飲食費Ⓐ、１人当たり10,000円*1超の接待飲食費Ⓑ、飲食費以外の交際費Ⓒの合計となります。

なお、交際費等に係る消費税のうちで、控除対象外消費税となった金額は、交際費等としての損金不算入の対象となります。（169ページ参照）

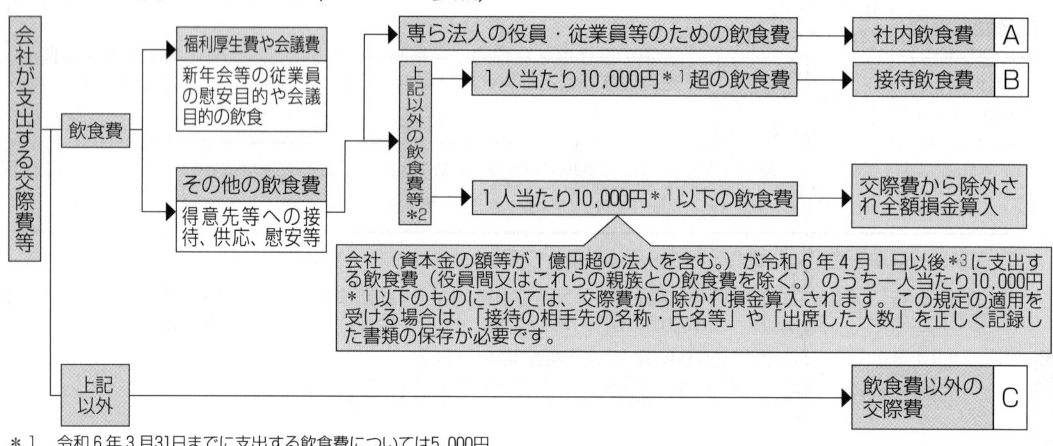

＊1　令和６年３月31日までに支出する飲食費については5,000円

＊2　飲食費等の対象は次のように区分されます。（措通61の４（１）－15の２）

飲食費に含まれる行為	飲食費に含まれない行為
・得意先等社外の者に対する接待の際の飲食（テーブルチャージ料やサービス料等の飲食店に直接支払うものも含めることができます） ・得意先の行事の開催等に際して得意先の従業員等により飲食される弁当等の差入	・接待ゴルフに際してのゴルフ場における飲食費 ・お歳暮における飲食物の詰め合わせの贈答

＊3　適用期間は令和９年３月31日までの間に開始する事業年度まで

MEMO

交際費の経理処理

会社の支出する交際費等については、仮払処理しようと未払処理しようと、接待、供応等の事実のあった事業年度の交際費等として損金不算入の計算がなされます。

●棚卸資産や繰延資産、固定資産の取得価額に含まれた交際費等も損金不算入の対象となりますが、その交際費等の一定部分に相当する金額は調整することができます。

アドバイス

交際費が損金不算入になるからといって個人的な支出を交際費として処理してはなりません。

役員の個人的な費用が入っていたり、領収書のないものがあったりすると、損金に算入されない役員給与となり、役員個人には所得税も課税され、ダブルで税金を納めることになりかねません。

(2) 損金不算入額の計算

中小法人等に該当する法人は、定額控除限度額(年800万円)まで損金算入可能です。また、令和9年3月31日までの間に開始する事業年度において支出する接待飲食費[B]の50%については、資本金の額等が100億円超の法人を除き損金算入することができます。整理すると以下のフローチャートとなります。

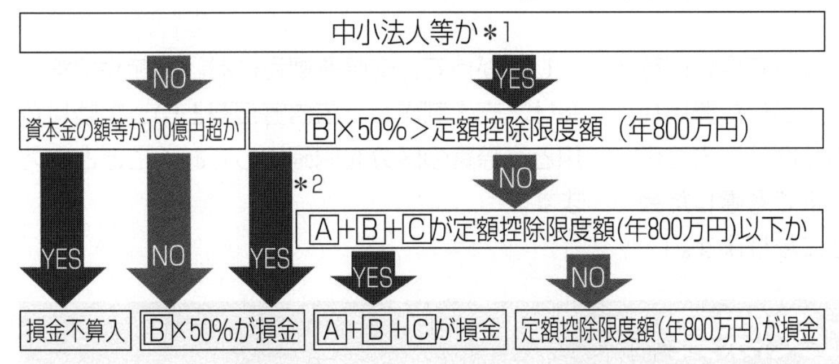

＊1　資本金の額等が1億円以下の法人(資本金の額等が5億円以上である法人等の100％子法人を除く。)

＊2　中小法人等であっても選択適用は可能とされています。金額に上限がないため、定額控除限度額を超える場合には有利になります。適用を受ける場合には、社内飲食費には該当しない等適用要件を明らかにするために「接待の相手先の名称・氏名等」を帳簿書類に記載しておく必要があります。

❷ 使途秘匿金課税

会社が支出した金銭のうちその使途が明らかにされていない使途秘匿金は、違法ないし不当な支出につながりやすく、公正な取引を阻害することにもなりかねないことから、通常の法人税に加えて会社が赤字であっても支出額の40%もの高率で法人税が課され、住民税を合わせると約78%の税金を支払わなければなりません。(措法62、措令38)

使途秘匿金 (措法62②)	法人がした金銭の支出のうち、相当の理由がなくその相手方の氏名等（氏名又は名称及び住所又は所在地並びにその事由＊）をその法人の帳簿書類に記載していないもの

＊　相手方の氏名等は、確定申告期限までに帳簿書類に記載があるかどうかで判定しますが、資産の譲受けその他の取引の対価の支払としてなされたことが明らかな場合及び相手方の氏名等を秘匿するものでないと認められる場合は、記載がなくとも税務署長が認めた場合等一定の条件を満たせば、使途秘匿金としての課税の対象とはなりません。(措法62②、③)

なお、下記のケースも使途秘匿金に含まれます。

①	贈与・供与その他これらに類する目的のためにする金銭以外の資産の引渡し ・この場合、引渡し時の価額(時価)が支出額となります。
②	会社から個人を通じて支払ったような場合 ・例えば、支出先を社長として「社長仮払金」と経理し、実際には氏名等を秘匿する者に支払われているようなケース

使途秘匿金と交際費の税額への影響

―資本金が2億円の会社の場合（税率は計算の便宜上通常分30%、使途秘匿金に対する分48%として計算）―

	黒字会社が 情報提供料 10,000千円支出	黒字会社が 交際費 10,000千円支出	黒字会社が 使途秘匿金 10,000千円支出	赤字会社が 交際費 10,000千円支出	赤字会社が 使途秘匿金 10,000千円支出
当期利益	100,000千円	100,000千円	100,000千円	△50,000千円	△50,000千円
交際費	0	10,000(加算)	0	10,000(加算)	0
使途秘匿金	0	0	10,000(加算)	0	10,000(加算)
課税所得	100,000	110,000	110,000	△40,000	△40,000
通常の税金	30,000	33,000	33,000	0	0
使途秘匿金に対する追加課税	0	0	4,800	0	4,800
税金合計	30,000	33,000	37,800	0	4,800

- 事業税の外形標準課税については考慮していません。
- 資本金が2億円の会社であるため、交際費（接待飲食費は含まれていません。）は全額損金不算入です。
- このように、支出した内容が損金となる情報提供料か交際費か使途秘匿金かによって税額が異なってくるとともに、使途秘匿金については所得がマイナスであっても税金が課されます。

4 交際費と隣接費用の区分

――これは交際費？それとも…――

交　際　費は資本金の額によって損金に算入できる額に制限があるため、支出した費用が交際費となるのか、その他の例えば、広告宣伝費となるのかによって、税負担まで考慮した会社の支出額に影響を及ぼすことになります。

したがって、交際費課税における節税の第一歩は、売上割戻し、広告宣伝費といった隣接費用と交際費の区分を明確にしておくことといえます。

①売上割戻しと交際費

▶▶支払基準が明確かどうかがポイント（措通61の４(1)－３、61の４(1)－４、61の４(1)－６）

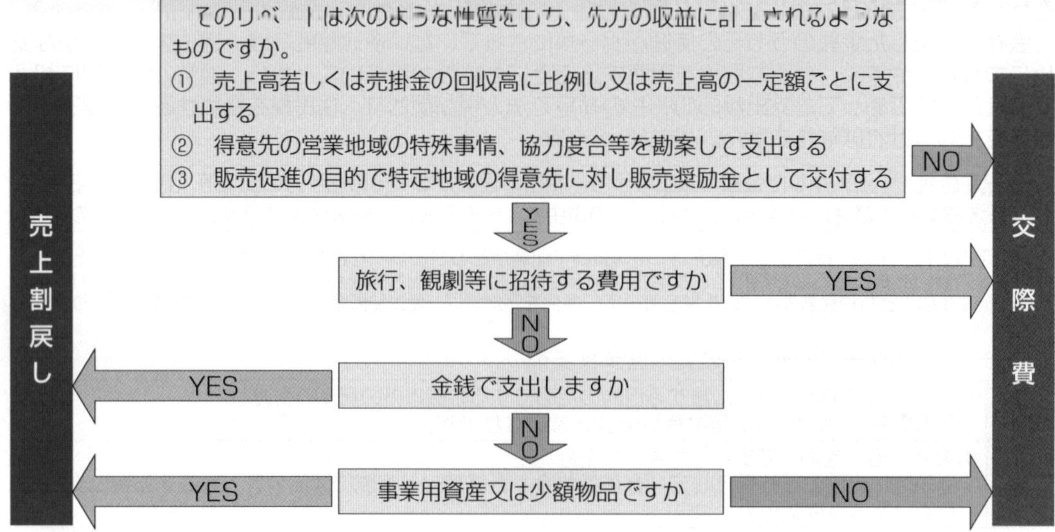

1．事業用資産とは、得意先である事業者において棚卸資産又は固定資産として販売したり、使用したりするものをいいます。
2．少額物品とは購入単価がおおむね3,000円以下の物品をいいます。

アドバイス

売上割戻しとして容認されるためには、支払基準を明記した内部規程や議事録等を完備しておくことを忘れないようにしましょう。

②景品引換券付販売等による景品の費用と交際費

▶▶引換景品が事業用資産かどうかがポイント（措通61の４(1)－５）

景品引換券付販売による景品の費用	交　　際　　費
①　直接得意先に交付する事業用資産の費用 ②　少額物品（おおむね3,000円以下）に該当する引換景品の費用 ③　景品を引き渡す側（製造業者･卸売業者）が直接得意先に交付しないでその費用を負担している場合で、引換景品の種類及び金額が確認でき②を満たす引換景品の費用	少額物品に該当せず、事業用資産ではない引換景品の費用

③広告宣伝費と交際費

▶▶不特定多数を対象としているかどうかがポイント（措令37の５、措通61の４(1)－９、61の４(1)－20）

広告宣伝費	交際費
①　一般消費者に対する抽選による金品の交付、旅行・観劇への招待の費用 ②　小売業者が一定商品を購入した一般消費者に対し交付する景品 ③　あらかじめ行った広告宣伝どおりに、一般消費者が一定商品を購入した場合に招待する旅行・観劇の費用 ④　一般の工場見学者等に対する試飲、試食の費用 ⑤　得意先に対する見本品、試用品の費用 ⑥　カレンダー、手帳、扇子、うちわ、手ぬぐい、テレホンカードその他これらに類する物品を贈与するために通常要する費用（主として広告宣伝的効果を意図する物品でその価額が少額であるもの）	①　特定の得意先等に、贈答、謝礼をするための費用 ②　特定の得意先等を旅行、観劇等に招待するための費用 ●次のような場合は、一般消費者に該当しません。

製造業者等	対象者
医薬品の製造業者又は販売業者	医師又は病院
化粧品の製造業者又は販売業者	美容業者又は理容業者
建築材料の製造業者又は販売業者	大工、左官等の建築業者
飼料、肥料等の農業用資材の製造業者又は販売業者	農家
機械又は工具の製造業者又は販売業者	鉄工業者

④寄附金と交際費

▶▶事業に関係あるかどうかがポイント（措通61の４(1)－２）

寄附金	交際費
①　事業に直接関係ない者への金銭でした贈与 ②　社会事業団体、政治団体に対する拠出金 ③　神社の祭礼等の寄贈金	①　事業に直接関係のある者への贈与 ②　総会対策のために支出する費用 ③　ビル建設や百貨店進出等の際の近隣対策費

⑤販売奨励金と交際費

▶▶販売促進の明確な目的があれば販売奨励金（措通61の４(1)－７）

販売奨励金	交際費
①　特定地域の得意先に対する販売奨励金としての金銭又は事業用資産の交付 ②　特約店等の従業員等の掛捨て保険料の負担費用	①　販売奨励のための旅行、観劇等への招待費用 ②　特約店、代理店等となるため又はするための運動費の支払 ③　得意先、仕入先等の役員、従業員個人に対して取引の謝礼として支出する金品等 ④　工事の入札等における談合金

●販売奨励金等とされる費用であっても、支出の効果が１年以上に及ぶと認められる場合は、その費用の額は原則として繰延資産に該当します。

⑥情報提供料等と交際費

▶▶事前に契約をしているかどうかがポイント（措通61の４(1)－８）

情報提供料	交際費
①　情報提供を業としている者への支払 ②　情報提供を業としていない者に対し契約に基づき支払う正当な対価	情報提供を業としていない者に対し契約なく情報提供料として支払う謝礼

⑦会議費と交際費

▶▶通常要する程度のものかどうかがポイント（措令37の５、措通61の４(1)−16、61の４(1)−21)

会　議　費	交　際　費
①　会議、来客との商談、打合せ等に際しての飲食費用で社内や通常会議を行う場所で通常供与される昼食程度の飲食物費用 ②　得意先を旅行、観劇等に招待し合せて新製品の説明会や販売研究会、展示会等を開催した費用のうち会議に通常要する費用	会議・打合せに際し、高額の酒食（社内飲食費以外の飲食費で１人当たり10,000円＊以下の飲食費を除く。）により会食した費用、手土産費用 ＊令和６年３月31日までに支出する飲食費については5,000円

⑧給与と交際費

▶▶全員一律に支給すれば給与（措通61の４(1)−12)

給　与	交　際　費
①　常時支給される昼食等の費用 ②　自社の商品、製品等を原価以下で従業員等に販売した場合の原価に達するまでの費用 ③　機密費、接待費、交際費、旅費等の名目で支出したもののうち、法人の業務のために使用したことが明らかでないもの	①　特定の従業員等のための慰安等の費用 ②　渡切交際費が精算され、その内容が交際費の場合

●従業員等に常時支給される昼食等の費用は、一定の要件を満たせば福利厚生費となります。(22ページ参照)
●給与については、源泉徴収が必要です。

⑨福利厚生費と交際費

▶▶従業員を対象にしているかどうかがポイント（措通61の４(1)−10)

福　利　厚　生　費	交　際　費
①　創立記念日、国民の祝日、新社屋完成等の祝賀会の費用で、従業員等におおむね一律に社内で供与する通常の飲食に要する費用 ②　慶弔、禍福関係の費用で従業員等やその親族に対し一定の基準に従って支給する金品 ③　もっぱら従業員等の慰安のために行われる運動会、演芸会、旅行等のために通常要する費用	①　創立記念日等の祝賀会に得意先等を招待する費用 ②　得意先等に対し支給する慶弔、禍福関係の支出 ③　得意先等が出席した宴会等の費用

●従業員等には、役員やかつて従業員等であった者も含まれます。

⑩セールスマン等に関する費用と交際費

▶▶全員一律の取扱いであれば問題なし（措通61の４(1)−13)

セールスマン等に関する費用	交　際　費
自社や特約店等に専属する一定のセールスマン等のために支出する次のような費用 ①　取扱金額等に応じてあらかじめ定められた規定等により交付する金品の費用 ②　慰安のために行われる運動会、旅行等のために通常要する費用 ③　本人やその親族等の慶弔、禍福に際し一定の基準に従って交付する金品の費用	特定の専属セールスマン等に対して行う慰安、贈答等

⑪販売直接費と交際費

▶▶通常要する費用かどうかがポイント（措通61の４⑴−17）

販　売　直　接　費	交　際　費
①　不動産販売業者が土地の販売に当たり、一般顧客を現地に案内する場合の交通費又は食事・宿泊に通常要する費用 ②　旅行斡旋業者が団体旅行の斡旋をするに当たって、旅行先の決定責任者等を事前に旅行予定先に案内する場合の交通費又は食事・宿泊に通常要する費用 ③　新製品、季節商品等の展示会等に得意先等を招待する場合の交通費又は食事・宿泊に通常要する費用 ④　自社製品等の商品知識の普及等のため得意先等に製造工場等を見学させる場合の交通費又は食事・宿泊に通常要する費用	①　左の行為と合せて実施した宴会等の費用や手土産代 ②　実体の伴わない展示会等で接待、供応、慰安等が主目的のもの

⑫業務委託費と交際費

▶▶支出基準が明確であるかがポイント（措通61の４⑴−18）

業　務　委　託　費	交　際　費
①　自社工場内等で下請け企業の従業員等が業務遂行上災害を受けたことにより、自社の従業員等に準じて支出する見舞金 ②　自社工場内等での無事故記録の達成等に伴って、下請け企業の従業員等に自社の従業員等とおおむね同一基準で支給する表彰金品 ③　自社の業務の特定部分を継続的に請け負っている企業の従業員等で、専属的にその業務に従事している者の慰安のために行う運動会、旅行等のために通常要する費用 ④　自社の従業員等と同等の事情にある専属下請先の従業員等及びその親族等に一定の基準で支給する慶弔、禍福の費用	①　特定の下請け企業の従業員等にのみ支給する場合や、支給基準が不明確な場合 ②　自社の従業員等への支給内容と大きく乖離するなど恣意的な場合

⑬災害関連費用と交際費

▶▶災害に関連するものかどうかがポイント（措通61の４⑴−10の２〜61の４⑴−10の４）

災　害　関　連　費　用	交　際　費
①　災害を受けた取引先の復旧支援のために、災害後相当期間内に行った売掛金等の免除による損失 ②　被災前の取引関係の維持・回復を目的に、取引先に対し災害後相当期間内に行った災害見舞金、事業用資産の供与、役務の提供に要する費用 ③　不特定多数の被災者を救援するため、緊急に行う自社製品等の提供に要する費用	①　災害の被害も少ない取引先に対する債権を意図的に免除したことによる損失 ②　取引関係維持のために特定の被災者に行った自社製品等の提供

●国税庁HPには、災害により被害を受けた場合の各種の税制上の措置に関する情報が掲載されています。

アドバイス

交際費と会議費、福利厚生費といった隣接費用との区分は、トラブルになりがちな点です。社外資料で立証できるものがあればベストですが、なければ社内規程、報告書、企画書、稟議書等の内部資料だけでもそろえておくようにしましょう。

5 貸倒損失と貸倒引当金

——取引先が倒産したときの損失はどうなる——

得意先が営業不振に陥ったり不渡手形を出したりして債権の回収が困難となった場合には、貸倒損失として損金処理したり、貸倒見込額を貸倒引当金として計上したりすることが認められています。

ところが、貸倒損失は、その債権の全額が回収不能とならなければ認められない場合があったり、貸倒引当金の計上は、一定の事由が生じている必要があったり計上できる法人に制約があったりと、それぞれの計上にはかなり厳しい要件が付されています。

ここでは、貸倒損失として処理したり、貸倒引当金として計上することができるのはどのような場合か、また、貸倒引当金に計上することができる金額はどれだけかについてまとめています。

① 貸倒損失

会社が有する金銭債権に貸倒れが生じた際の税務上の取扱いは次のようになります。

事　実	損金算入時期	損金算入額	
①　更生計画認可の決定 ②　特別清算に係る協定の認可の決定 ③　再生計画認可の決定 ④　債権者集会で合理的基準により協議決定 ⑤　行政機関又は金融機関等の斡旋による協議契約	その事実の発生した日の属する事業年度	切り捨てられることとなった部分の金額	法基通 9－6－1
⑥　債務者の債務超過が相当期間継続し、弁済不能のため書面で債務免除		債務免除通知をした金額	
⑦　債務者の資産状況、支払能力等からみて全額が回収不能と認められる場合（担保物のある場合は担保物が処分された後に限ります。）	回収できないことが明らかとなった事業年度	金銭債権の全額（一部は認められません。）	法基通 9－6－2
⑧　継続取引していた債務者につきその資産状況、支払能力等が悪化したために取引を停止し、その後原則として１年以上経過	取引停止後原則として１年以上経過した日以後	売掛債権の額から備忘価額（１円）を控除した金額	法基通 9－6－3
⑨　同一地域の債務者について有する売掛債権の回収に要する旅費等の金額よりも売掛債権額の方が小さい	督促したにもかかわらず弁済がないとき以後		

●売掛債権とは、売掛金、受取手形その他これらに準ずる債権をいい、貸付金その他これに準ずる債権は含まれません。
●中小企業会計指針及び会計基本要領では、法的に債権が消滅した場合のほか、回収不能な債権がある場合は、その金額を貸倒損失として計上し、債権金額から控除しなければならないとされています。

MEMO

1　貸倒損失は損金に算入できる時期が決められています。タイミングを逃さないように。
2　①～⑥の貸倒れ以外は損金経理が要件となっています。
3　債権回収の可能性があるのに貸倒損失として処理すると寄附金とされます。
　上記の各要件を満たしているか十分に検討してから処理しましょう。

アドバイス

貸倒損失を計上しやすいのは、得意先との取引を停止した後１年以上というケースです。不良債権は貸倒処理することでその半額は回収したのと同じことになりますから、積極的に処理すべきです。

❷貸倒引当金

1. 貸倒引当金の適用法人

法人税法上の貸倒引当金制度の適用を受けられる法人が、中小法人等、銀行、リース会社等に限定されています。（法法52）

	法人区分	引当金の対象債権	繰入限度額の算定
A	中小法人等（資本金等の額が５億円以上の法人等の100%子法人を除く。）	金銭債権＊１＊３	個別評価金銭債権と一括評価金銭債権に区分して繰入限度額を算定（２参照）
B	銀行、保険会社等（Aに該当する法人を除く。）		
C	売買があったものとされるリース資産の対価の額に係る金銭債権を有する法人等（リース会社等）（Aに該当する法人を除く。）	リース債権等の一定の金銭債権＊２＊３	
D	上記以外の法人	税務上、貸倒引当金は全額損金に算入されません。	

＊１　令和２年４月１日以後終了事業年度より、債券（市場価格のない社債等）が対象債権から除かれました。
＊２　Cに該当する法人については、リース事業であればリース資産の対価の額に係る金銭債権、信用保証事業であれば保証債務の履行により生じた金銭債権等、法人の営む事業ごとに貸倒引当金の対象となる債権が限定されています。
＊３　令和４年４月１日以後開始事業年度からは、完全支配関係がある法人に対して有する金銭債権は対象となりません。（239ページ❻参照）

2. 貸倒引当金の設定対象と繰入限度額

貸倒引当金の計上が認められている場合には、会社が期末に有する金銭債権を下記のように個別評価金銭債権と一括評価金銭債権とに区分し、それぞれの区分ごと（個別評価金銭債権についてはさらに債務者ごとに区分します。）に繰入限度額を計算します。（法基通11-2-1の２）

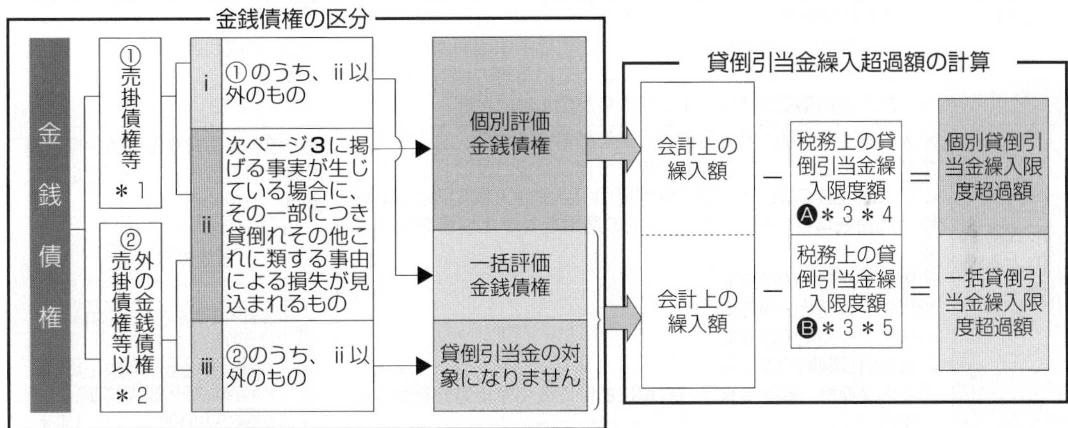

＊１　売掛債権等とは、「売掛金・貸付金その他これらに準ずる金銭債権」をいい、次のように区分されます。（法基通11－２－４、11－２－16～11－２－22、旧法基通11－２－19）▶返品債権特別勘定の金額がある場合は売掛債権等の額から除きます。

含めるもの	含めないもの
①　売掛金、受取手形（先日付小切手を含みます。）、貸付金、裏書手形、割引手形 ②　未収の譲渡代金、地代家賃等で益金算入されたもの ③　立替金（将来精算される旅費等の仮払い、立替えは除かれます。） ④　未収の損害賠償金で益金算入されたもの ⑤　保証債務を履行した場合の求償権 ⑥　売買があったものとされるリース取引に係るリース料のうち、期末において支払期日未到来のリース料合計額 ⑦　工事進行基準により計上された売掛金（平成20年４月１日以後開始事業年度において計上された売掛金に限る。）　など	①　預貯金とその未収利子、公社債の未収利子、未収配当 ②　保証金、敷金、預け金 ③　手付金、前渡金等資産の取得の代価に充てられるもの ④　仕入割戻しの未収金 など ●コマーシャルペーパー（CP）は企業が機関投資家等から事業に必要な短期的資金を調達するために発行する約束手形ですが、法人税法上は有価証券に含まれているため、貸倒引当金の対象となる金銭債権には含まれません。

＊２　保証金や前渡金等について返還請求を行った場合の、返還請求権等がこれに該当します。（法基通11－２－３）
＊３　貸倒れや返品の可能性があることにより売掛金等に計上されていない金額（金銭債権計上差額）がある場合には、その金銭債権計上差額に相当する金額について貸倒引当金が設定されているものとみなします。（法令99）
＊４　個別貸倒引当金繰入限度額…次ページ３に掲げる事由が生じている金銭債権を個別に評価した金額。
＊５　一括貸倒引当金繰入限度額…一括評価金銭債権に一定率を乗じて計算します。（69ページ参照）

3. 個別貸倒引当金繰入限度額Ⓐ

個別評価金銭債権の債務者について次に掲げる事実が生じている場合には、個別評価金銭債権の損失の見込額を、それぞれの場合の区分に応じて各債務者ごとに貸倒引当金に繰り入れることができます。なお、更生手続等による評価損の計上として金銭債権の帳簿価額を損金経理により減額したときはその金額も貸倒引当金繰入額として取り扱われます。(法令96①、法基通9－1－3の2、11－2－8)

区　分	事　　実	繰入限度額Ⓐ
(一) 長期棚上げによる場合 (法令96①一)	法人の有する個別評価金銭債権が次の事実に基づいてその弁済が猶予され又は賦払により弁済される場合 ㋑更生計画認可の決定 ㋺再生計画認可の決定 ㋩特別清算に係る協定の認可の決定 ㊁再生計画認可の決定に準ずる事実等（法令24の2①） ㋭債権者集会での合理的基準による協議決定又は行政機関、金融機関等の斡旋による協議契約 ＊　5年の起算日は「上記事由が生じた日の属する事業年度終了の日の翌日」となります。	繰入限度額　5年＊経過後弁済予定額又は切捨て額 担保権の実行等により取立て等が見込まれる金額 5年＊内弁済予定額 （控除する金額／その個別評価金銭債権の額）
(二) 債務超過状態の継続等による場合 (法令96①二)	法人の有する個別評価金銭債権に係る債務者につき、次の事由が生じていることにより、個別評価金銭債権の一部の金額につき取立て等の見込みがないと認められる場合（上記 **(一)** に該当する場合を除きます。） ㋑債務超過の状態が相当期間（おおむね1年以上）継続し、事業好転の見通しがないこと ㋺債務者が災害、経済事情の急変等により多大な損害が生じたこと ㋩その他一定の事実（法基通11－2－8） ①担保物を処分しても回収不能部分があり、その担保物の処分に日時を要すると認められる場合 ②資産に計上した貸付金又は有価証券に係る未収利息が、回収努力しても債務者が債務超過に陥っている等の理由から未収計上事業年度後2年以上その入金が全くないとき	取立て等の見込みがないと認められる金額 ①回収不能が明らかとなった金額 ②その未収利息として計上した金額
(三) 形式基準による場合 (法令96①三)	法人の有する個別評価金銭債権に係る債務者につき、次の事実が生じている場合（上記 **(一)** の事実に掲げる場合及び上記 **(二)** の繰入限度額に掲げる金額を個別貸倒引当金繰入限度額として個別評価金銭債権に係る貸倒引当金の適用を受けた場合を除きます。） ㋑更生手続開始の申立て ㋺再生手続開始の申立て ㋩破産手続開始の申立て ㊁特別清算開始の申立て ㋭手形交換所・電子債権記録機関において取引停止処分を受けた場合	その相手先に対する個別評価金銭債権の額のうち、次の「設定対象金額」の50%相当額 設定対象金額 実質的に債権とみられない部分の金額（右ページ） 担保権の実行又は金融機関等による保証債務の履行等により取立て等が見込まれる金額 （控除する金額／その個別評価金銭債権の額）
(四) 外国政府等の履行遅延等による場合 (法令96①四)	外国の政府、中央銀行又は地方公共団体に対する個別評価金銭債権のうち、これらの者の長期にわたる債務の履行遅滞によりその経済的な価値が著しく減少し、かつ、その弁済を受けることが著しく困難であると認められる場合	その相手先に対する個別評価金銭債権の額のうち、次の「設定対象金額」の50%相当額 設定対象金額 実質的に債権とみられない部分の金額（右ページ） 保証債務の履行等により取立て等が見込まれる金額（法基通11-2-15） （控除する金額／その個別評価金銭債権の額）

資料等の保存

個別評価金銭債権の個別評価を行う場合、以下の資料が会社に保存されていなければ損金算入が認められませんので注意が必要です。（法規25の4）
①上記**3**に掲げる事由が生じていることを証する書類
　（例）債務者に対する金銭債権の金額に関する資料、会社更生計画の認可決定書又は債権者間の協議決定書、債務者の貸借対照表の明細及び時価評価書、会社更生手続等の保全決定書の写し又は手形取引停止報告書 等
②担保権の実行等により取立てが見込まれる金額がある場合は、その金額を明らかにする書類
　（例）登記簿謄本・登記事項証明書、担保権の評価証明など
③その他参考となる書類

4. 一括貸倒引当金繰入限度額 Ⓑ

一括評価金銭債権については、以下の算式により計算した金額を貸倒引当金に繰り入れることができます。（法令96⑥、措令33の7）

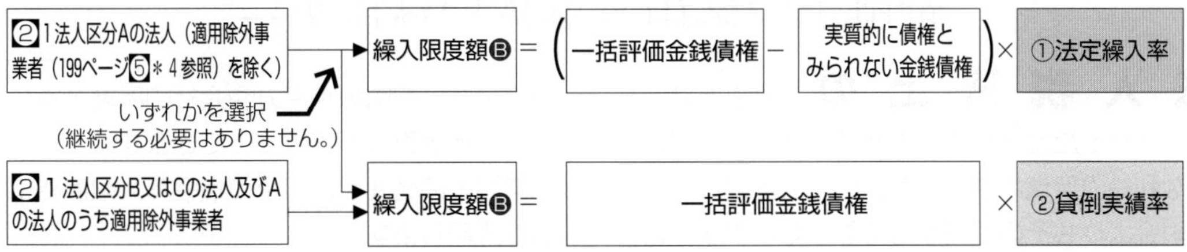

①法定繰入率 ……繰入率は、業種別に定められています。

業　種	卸売業・小売業（飲食店業・料理店業を含む）	製造業（電気業・ガス業等を含む）	金融・保険業	割賦販売小売業等	その他の事業
法定繰入率	10／1,000	8／1,000	3／1,000	7／1,000	6／1,000

〈実質的に債権とみられない金銭債権の控除〉

法定繰入率を適用する場合で、実質的に債権とみられない部分の金額があるときは、その金額を一括評価金銭債権から控除して、一括貸倒引当金繰入限度額を計算します。

「実質的に債権とみられない部分の金額」とは、同じ相手先に対して、以下のような債権・債務を有する場合の債権の金額と債務の金額のいずれか少ない金額をいいます。（法基通11－2－9、措通57の9－1）

	債　権	債　務		債　権	債　務		債　権	債　務
(1)	売掛金 受取手形	買掛金 支払手形	(4)	売掛金	借入金	(7)	使用人への貸付金	使用人からの預り金
(2)	売掛金 受取手形	裏書手形	(5)	完成工事未収入金	未成工事受入金	(8)	専ら融資を受けるための受取手形	受取手形の見合いとしての借入金又は支払手形
(3)	売掛金	預り保証金 （営業にかかるもの）	(6)	貸付金	買掛金	(9)	未収地代家賃	預った敷金

→(1)、(8)の支払手形は、一括貸倒引当金繰入限度額の計算上、実質的に債権とみられない部分の金額を控除する場合にのみ控除し、左ページ**3**の個別貸倒引当金繰入限度額の計算上は控除しません。

なお、この実質的に債権とみられない部分の金額の算定に際して、平成27年4月1日に存する中小法人等の平成27年4月1日以後開始する事業年度については以下の **簡便法** の採用も認められています。（措法57の9①、措令33の7③）

$$\text{一括評価金銭債権の額} \times \overbrace{\frac{\text{分母と同一の各事業年度末における実質的に債権とみられない部分の金額の合計額}}{\text{平成27年4月1日から平成29年3月31日までの間に開始した各事業年度末における一括評価金銭債権の額の合計額}}}^{\text{債務控除の実績割合＊}} = \text{実質的に債権とみられない金銭債権}$$

＊小数点以下3位未満切捨て

②貸倒実績率 ……貸倒実績率は次の計算式による過去3年間の平均貸倒実績率によります。

$$\text{貸倒実績率} = \frac{\text{分母の各事業年度における貸倒損失等の合計額＊1} \times \dfrac{12}{\text{各事業年度の月数の合計数}}}{\text{当期前3年以内に開始した各事業年度末における一括評価金銭債権の帳簿価額の合計額} \times \dfrac{1}{\text{各事業年度の数}}}$$

（小数点以下4位未満切上げ）

＊1　分子の各事業年度における貸倒損失等の合計額の計算例については338ページ参照。

● リース会社等の貸倒引当金の繰入対象となる債権が限定される法人（❷1法人区分Cに該当する法人）については、対象となる一括評価金銭債権はリース債権等の一定の金銭債権に限られ、貸倒実績率の計算もリース債権等の一定の金銭債権のみにより計算する必要があります。

6 寄附金の取扱い

――寄附金の支出も取扱いは慎重に――

法人税法上の寄附金とは、法人が行った金銭その他の資産の贈与又は経済的な利益の無償の供与等をいい、通常言われる寄附金よりもその範囲が広くなっています。寄附金についても、交際費と同様、支出金額がすべて損金になるわけではありません。特に資本金の小さな会社については、損金算入限度額が少なくなるため十分な注意が必要です。

寄附金は、寄附の相手方や会社の所得金額によっても損金算入額が異なってきます。ここでは、寄附金の範囲や寄附金の損金算入限度額について説明します。

グループ法人税制の導入により、完全支配関係にある100%グループ内における寄附金については、その課税について見直しが行われています。（右ページ参照）

❶寄附金になるものならないもの

寄附金については、次のような点が税務取扱い上のポイントとなります。

固定資産の取得に関して支出する地方公共団体に対する寄附金　（法基通7－3－3）	➡	その支出が実質的にその資産の代価を構成すると認められるときは、取得価額に算入します。　（114ページ参照）
広告宣伝用資産の贈与又は低額譲渡　（法基通8－1－8）	➡	その資産の取得価額又はその資産の取得価額からその譲渡価額を控除した費用は、繰延資産となります。　（135ページ参照）
出向元法人が給与較差補てんのために出向者に支給する給与　（法基通9－2－47）	➡	出向元法人の損金（給与）となります。　（240ページ参照）
役員等が負担すべき寄附金　（法基通9－4－2の2）	➡	負担すべき者に対する給与となるため、役員の場合、損金不算入となる役員給与となります。
債務者の資産状況からみて、返済能力があるにもかかわらず債務免除をした場合	➡	経済的利益の供与をしたものとして、その免除額は寄附金として取り扱われます。
子会社等を整理する場合の損失負担金等　（法基通9－4－1）	➡	その損失負担について相当な理由があると認められるときは、法人税法上の寄附金には該当しません。　（206ページ参照）
子会社等に対する無利息貸付け等　（法基通9－4－2）	➡	その貸付等について相当な理由があると認められるときは、法人税法上の寄附金には該当しません。　（206ページ参照）
取引先の災害復旧支援費用　（法基通9－4－6の2、9－4－6の3）	➡	復旧過程の期間内において、復旧支援目的になされた売掛金等の債権の免除等については、法人税法上の寄附金には該当しません。
自社製品等の被災者に対する提供　（法基通9－4－6の4）	➡	不特定又は多数の被災者を救援するために緊急に行う自社製品等の提供に要する費用の額は、法人税法上の寄附金には該当しません。

●その他、交際費等との区分（63ページ参照）に注意が必要です。

❷経理処理と寄附金の関係

寄附金は現金で支払ったときに寄附金として取り扱われます。

経理方法		取扱い
未払経理した寄附金　（法令78）	➡	現実に支払があるまでは、寄附はなかったものとされます。したがって、その事業年度において未払経理しても損金の額には算入されず、損金算入限度額の計算にも織り込みません。
仮払経理等した寄附金　（法基通9－4－2の3）	➡	支出のあった事業年度の寄附金とされ、損金算入限度額の計算に織り込まれます。

●手形で支払った寄附金は、決済までは未払として取り扱われます。（法基通9－4－2の4）

③損金算入限度額の計算

寄附金は、支出額がそのまま損金とはならず、限度額を超える金額は交際費と同様に損金不算入となります。なお、損金算入限度額は寄附金の内容によって異なります。（法法37、法令73〜77の４、措法66の11の３）

	寄附金の種類	損金算入限度額
1	一般の寄附金＊1	$\left\{ 期末における資本金の額及び資本準備金の額の合計額 \times \frac{事業年度の月数}{12} \times \frac{2.5}{1,000} + 当期の所得金額＊2 \times \frac{2.5}{100} \right\} \times \frac{1}{4}$
2	国・地方公共団体に対する寄附金	全額損金算入
3	財務大臣が指定した寄附金	全額損金算入
4	特定公益増進法人及び認定NPO法人に対する寄附金＊3（Ⓐ）	Ⓐの合計額もしくは下記のうちいずれか少ない金額 $\left\{ 期末における資本金の額及び資本準備金の額の合計額 \times \frac{事業年度の月数}{12} \times \frac{3.75}{1,000} + 当期の所得金額＊2 \times \frac{6.25}{100} \right\} \times \frac{1}{2}$
5	完全支配関係がある法人に対する寄附金＊4	全額損金不算入＊5

＊１　４に対する寄附金の損金算入限度超過額を含みます。
＊２　法人税申告書別表四の仮計の金額＋支出寄附金の額（339ページ参照）
＊３　出資に関する業務に充てられることが明らかなものを除きます。
＊４　法人による完全支配関係がある場合に限ります。（個人による完全支配関係で兄弟法人間の寄附金には適用されません。）
＊５　寄附金の受領法人については全額益金不算入となります。（法法25の２①）

財務大臣が指定した寄附金		公益社団法人、公益財団法人、その他公益を目的とする事業を行う法人（ex 非営利型法人）又は団体に対する寄附金のうち、次の要件を満たすものとして財務大臣が指定したものをいいます。
	要件 イ	広く一般に募集されるもの
	要件 ロ	教育又は科学の振興、文化の向上、社会福祉への貢献その他公益の増進に著しく寄与するための支出で緊急を要するものに充てられることが確実なもの
	例	日本育英会に対する寄附金（学資の貸与資金）や日本赤十字社に対する寄附金（４月１日から９月30日の間に支出するもの）などがこれに該当します。
特定公益増進法人		公共法人、公益法人等その他特別の法律により設立された法人のうち、教育又は科学の振興、文化の向上、社会福祉への貢献その他公益の増進に著しく寄与する法人のことをいいます。
	例	独立行政法人、自動車安全運転センター、公益財団法人日本体育協会、公益財団法人日本オリンピック委員会、日本赤十字社（経常経費に充てるもの）　等
認定NPO法人		NPO法人（11ページ参照）のうち、非営利・公益性の観点から情報公開、事業内容、運営組織及び経理の適正性のほか経常収入の５分の１以上が寄附金等であること等の一定の要件を満たすものとして都道府県知事等の認定を受けたものをいいます。 NPO法人に対する寄附金は、一般の寄附金として取り扱われますが、認定NPO法人に対する寄附金については、特定公益増進法人に対する寄附金と合計され、損金算入限度額計算が行われます。

④地方創生応援税制（企業版ふるさと納税）の創設

平成28年４月20日（改正地域再生法（平成28年第30号）の施行日）から令和７年３月31日までの期間に、地方公共団体が企画し、国から認定を受けた地方創生のための計画に基づき募集する寄附金を青色申告法人が支出した場合、現行の国等に対する寄附金としての損金算入措置に加えて、下記のように地方税及び法人税について税額控除を受けることができます。（措法42の12の２、地法附則８の２の２、９の２の２、地域再生法13の２）ただし、本社がある地方公共団体へ行う寄附については当該税額控除制度の対象外ですので、注意が必要です。

		税額控除額	控除限度額			
事業税		寄附金額×20%	事業税額×20%	税額軽減効果：約60%	＋	現行の国等に対する寄附金としての損金算入措置 税額軽減効果：約30%
法人住民税	都道府県民税	寄附金額×5.7%	都道府県民税額×20%			
法人住民税	市町村民税	寄附金額×34.3%	市町村民税額×20%			
法人税＊		①②のうちいずれか少ない額 ①寄附金額×40%－法人住民税における税額控除額 ②寄附金額×10%	法人税額×５%			

＊　法人住民税における税額控除額が、支出した寄附金額の40%を下回った場合に法人税から控除できます。

1 有価証券をめぐる税務

――有価証券投資に関する税務は難しい？――

有価証券投資と一口でいってもさまざまな内容があり、会計や法人税法などの取扱いについては、十分に検討しておかなければなりません。例えば、どんなものに投資するのか、株式か債券か、それとも特定金銭信託やデリバティブ取引などの特殊な取引か、その種類によって取扱いもいろいろと異なります。

また、「購入した時には」、「その取得価額はどうする」、「配当金や利息を受け取ったが」、「会社分割をすると言われたが」、「期末の貸借対照表にはどんな金額で計上する」、「時価がものすごく下がっているが」、「売却したときの売却損益の計算は」など、会計処理や法人税の計算を行う上でさまざまな問題が発生してきます。

有価証券の種類

法人税法上においては、金融商品取引法第２条第１項の有価証券と法人税法施行令第11条に定められている有価証券に準ずるものが有価証券としての取扱いを受けます。(販売を目的として保有する棚卸資産としての有価証券も含みます。)（法法２二十一）

なお、自己株式については、有価証券の範囲から自己株式が除外され、自己株式を取得した場合には有価証券に計上せず、取得時に資本金等の額及び利益積立金額を減少させることになります。

金融商品取引法と有価証券の種類

金融商品取引法は、企業内容等の開示の制度を整備し、金融商品取引所の適切な運営を確保すること等により、有価証券の発行及び金融商品等の取引等を公正にし、有価証券の流通の円滑、資本市場の機能の十全な発揮による金融商品等の公正な価格形成等を図り、もって国民経済の健全な発展及び投資者の保護に資することを目的としています。

金融商品取引法第２条第１項の有価証券

「証券」自体を捉えて投資者保護の規制の対象とするものを定めています。

①国債証券　②地方債証券　③金融債、特定目的会社の特定社債券　④社債券　⑤日本銀行等の出資証券　⑥株券、新株予約権証券　⑦投資信託又は外国投資信託の受益証券、投資証券又は外国投資証券、貸付信託の受益証券　⑧コマーシャルペーパー＊　⑨外国株券等　⑩ＣＡＲＤｓ等　⑪海外ＣＤ等　など

＊　コマーシャルペーパー（ＣＰ）は企業が機関投資家等から事業に必要な短期的資金を調達するために発行する約束手形であり、昨今はペーパレス化され、電子ＣＰとして流通していますが、上記定義のとおり、法人税法上は有価証券に含まれているため、貸倒引当金の対象となる金銭債権には含まれません。

法人税法施行令第11条の「有価証券に準ずるもの」

①金融商品取引法第２条第１項（１号～15号及び17号：上記①～⑨に該当）の有価証券に表示されるべき権利（有価証券が発行されていないものに限ります。）
②合名会社・合資会社・合同会社の社員の持分、協同組合の組合員の持分等の出資者の持分
③株主又は投資主となる権利等
④国内ＣＤ　など

MEMO
短期売買商品等（金、銀、白銀等及び暗号資産）は法人税法上の有価証券に含まれませんが、一単位当たりの帳簿価額の算出方法や期末評価の方法等は、有価証券と同様の方法で行います。(81ページ参照)

〈有価証券投資に関する税務のチェックポイント〉

有価証券に投資すると一口にいっても、その取得に始まって、配当や利子の受け取り、期末の評価、売却などさまざまな状況が次々と発生してきます。不利な取扱いを受けることのないよう対策を十分に練ってから行動するようにしましょう。

こんなケースでは？	税務上の取扱い	対策及び注意点	参照
有価証券の取得価額 **有利発行により株式を取得した。**	株主割当増資で株主が平等に取得した場合を除き、払込期日における価額(時価)で取得したものとされ、その差額は、受贈益として処理しなければなりません。（その益金部分が課税対象になります。）	有利な発行価額となる払込金額でないかチェックしておきます。	74ページ
有価証券の評価換え **株式の発行元法人から分割型分割により新たな会社を設立する旨の報告を受けた。**	分割型分割により分割承継法人から新たな株式が交付されるため、それに合わせて旧株（分割法人の株式）の１単位当たりの帳簿価額を改訂する必要があります。	株式の発行元法人からの通知書に基づき、所有株式の改訂計算をすることになります。発行元法人の状況には注意する必要があります。	79ページ
有価証券の保有目的 **有価証券の保有目的によって何が変わるのか。**	有価証券はその保有目的によって期末の評価基準が異なります。例えば、保有目的を売買目的とすると期末の評価が時価法となり、評価損益を毎期計上することになります。	保有目的にはそれぞれ一定の要件があります。どの目的で取得するのか検討しておく必要があります。	80ページ
有価証券の評価損 **投資先の会社の業績が悪い様子である。**	一定の事実に該当すれば、損金経理を要件に評価損の計上が認められる場合があるので、自社の業績が好調ならば評価損の計上を検討します。	売買価格が公表されていない有価証券については、評価損を計上する場合の価額の計算方法が非常に複雑です。	82ページ
受取配当等の収益計上時期 **配当を支払う旨の通知を受け取った。**	原則は、株主総会等の決議のあった日に収益計上することになりますが、継続適用を要件に支払を受けた日の収益計上が認められる場合があります。	基本的には、収益はより遅く計上する方が有利なので、支払を受けた日の収益計上の継続適用を考えてみます。	84ページ
受取配当等の益金不算入 **関係会社の業績が良いので多額の配当金が入ってくる予定である。**	完全子法人株式等に係る配当等は全額が、関連法人株式等に係る配当等は負債利子控除後の金額が益金不算入となり、他の株式等に係る配当等は株式等の保有割合に応じて50%又は20%しか益金不算入となりません。	例えば、30%の株式を保有している会社などについては、関連法人株式等になるように基準日以前６か月以上継続して⅓超となるような追加出資を検討します。	85ページ
控除負債利子の計算 **当期は借入金の利子が多くなっているので、受取配当等の益金不算入の金額から控除される負債利子が多くなりそうである。**	受取配当等の益金不算入の金額から控除される負債利子の計算方法は、２種類あります。	受取配当金の額から計算する簡便な方法を適用しない場合は、負債利子に関する資料の添付が必要です。	86ページ
受取配当等と源泉徴収税 **受取配当の中に配当の計算期間の中途で取得した株式分の配当が含まれていた。**	源泉所得税の税額控除等の適用を受けられる金額は、元本所有期間に対応する利息等に係る金額のみであり、その計算方法には、原則法と簡便法の２種類があります。	計算することが面倒でなければ原則法と簡便法の両方を計算し、有利な方を選択します。	88ページ

2 有価証券の取得価額

——有価証券を購入したけれどどうする?——

有価証券の取得価額は、通常購入した場合は、実際の購入代価に、購入のために要した購入手数料などの費用を加えて求めます。

取得価額の計算において特に気をつけなければならないのは、有利発行による払込みによって取得する場合です。この場合には、株主割当増資で株主が平等に取得した場合を除いて、実際の払込金額ではなく、払込期日における時価により取得したものとされ、取得価額を計算することになります。つまり、時価と払込金額との差額が受贈益として益金に計上され課税されることになるわけです。

取引相場のある株式を除いて時価が簡単には求められないため、非上場会社の増資に応じる場合や、子会社等の増資を行う場合などには十分にこの払込金額を検討しておくことが必要です。

① 有価証券の取得価額

有価証券の取得価額は、取得の態様に応じて次のように計算されます。このうち、他の株主等に損害を与える有利発行又は無償交付による取得については、課税上さまざまな問題が生じますので十分な注意が必要です。(法令119)

区　分	取得価額	留　意　点
購入による取得 (繰延ヘッジ処理の適用を受けない信用取引等及びデリバティブ取引による取得は除く。)	購入の代価＋購入手数料その他購入のために要した費用	●取得するために要した通信費、名義書換料は取得価額に含めないことができます。(法基通２－３－５) ●公社債等の直前の利払期から購入時までの経過利子を支払った場合、取得価額に含めないで、購入後最初に到来する利払期まで前払金経理することもできます。(法基通２－３－10)
金銭の払込み又は金銭以外の資産の給付による取得	払込金額＋取得のために要した費用	●他の株主等に損害を与えない有利発行＊を含みます。 ＊　他の株主等に損害を与えないと認められる場合とは、株主等である法人が有する株式の内容及び数に応じて株式等が平等に与えられ、かつ、他の株主等との間においても経済的な衡平が維持される場合をいいます。(法基通２－３－８)
無償交付による取得	ゼロ	●株式分割、株式又は新株予約権の無償割当で他の株主等に損害を与えないものに限ります。
有利発行又は無償交付による取得 (株主等として取得していないもの及び株主等として取得したもので他の株主等に損害を与えるものに限る。) (法基通2－3－7～2－3－9)	時価 ①新株が上場等されている→新株の払込期日における新株の公表された最終価格 ②旧株は上場等しているが新株は上場等していない→新株の払込期日における旧株の最終価格を基準にして合理的に計算した価額 ③これら以外→売買実例等合理的に計算した価額（82ページ参照）	●有利発行とは、次の割合がおおむね10％以上となる場合（社会通念上相当と認められる価額を下回る価額）をいいます。 （払込金額等を決定する日の株式の価額－払込金額等）÷払込金額等を決定する日の株式の価額　つまり　（有利発行）払込金額等決定日の株式の価額（時価）と実際の払込金額等の差が時価の10％以上 ●払込金額等を決定する日の株式の価額は、決定日の価額のみだけでなく、決定日前１か月間の平均株価等の相当と認められる価額をいいます。
合併等企業組織再編成による株式の取得については、次ページ参照		
その他の方法による取得	時価	●信用取引やデリバティブ取引により取得する場合等が該当します。

区分	取得価額	留意点
合併による合併法人の株式のみの取得	被合併法人株式の合併直前の帳簿価額＋交付を受けるために要した費用	●剰余金の分配とみなされるみなし配当金額は取得価額に加算する必要があります。
分割型分割による分割承継法人の株式のみの取得	分割純資産対応帳簿価額＋交付を受けるために要した費用 分割純資産対応帳簿価額＝旧株の分割型分割直前の帳簿価額×（分割法人の分割事業年度終了時の分割承継法人への移転資産の帳簿価額－移転負債の帳簿価額）／（分割法人の分割前事業年度等終了時の資産の帳簿価額－負債の帳簿価額）（小数点第3位未満の端数切上げ）	●剰余金の分配とみなされるみなし配当金額は取得価額に加算する必要があります。
株式分配による完全子法人株式の取得（完全子法人株式以外の資産が交付されなかったものに限ります）	完全子法人株式対応帳簿価額＋交付を受けるために要した費用 完全子法人株式対応帳簿価額＝株主が所有する現物分配法人株式の株式分配直前の帳簿価額×（現物分配法人が所有する株式分配直前の完全子法人株式の帳簿価額）／（現物分配法人の株式分配前事業年度等終了時の資産の帳簿価額－負債の帳簿価額）（小数点第3位未満の端数切上げ）	●剰余金の分配とみなされるみなし配当金額は取得価額に加算する必要があります。
株式交換又は株式移転による完全親法人株式の取得	完全子法人株式の株式交換等直前の帳簿価額＋交付を受けるために要した費用	●金銭その他の資産が交付されなかったものに限ります。
適格株式交換又は適格株式移転による完全子法人株式の取得	⑴完全子法人の株主数が50人未満の場合 完全子法人株主の株式交換等直前の帳簿価額＊の合計額＋取得のために要した費用 ⑵完全子法人の株主数が50人以上の場合 （直前の申告における完全子法人の簿価純資産価額＋直前の申告から株式交換等までの資本金等の額等の増減の調整額）＋取得のために要した費用	＊　株主が個人の場合は、株式交換等直前の取得価額となります。
適格分社型分割又は適格現物出資による分割承継法人又は被現物出資法人の株式の取得	適格分社型分割等直前の移転資産の帳簿価額－適格分社型分割等直前の移転負債の帳簿価額＋交付を受けるために要した費用	●移転資産及び移転負債とは適格分社型分割等により分割承継法人等に移転した資産及び負債をいいます。
組織変更による取得等	旧有価証券の帳簿価額＋交付を受けるために要した費用	●種類株式の行使の対価として取得する株式、新株予約権付社債の新株予約権行使の対価として取得する株式等もこれに該当します。

❷債権の現物出資により取得した株式の場合（法基通２－３－14）

子会社等＊1に対して債権を有する法人が、合理的な再建計画等に従って当該債権を現物出資＊2することにより株式を取得した場合

↓

当該取得時における当該債権の価額（時価）を取得価額とする

＊1　子会社等には当該法人と資本関係を有する者の他、取引関係、人的関係、資金関係等において事業関連性を有する者が含まれます。（207ページ参照）

＊2　適格現物出資（225ページ参照）の場合は、適格現物出資直前の移転資産の帳簿価額－移転負債の帳簿価額＋交付を受けるために要した費用を取得価額とします。

債務の株式化（ＤＥＳ）による株式の取得

債権の株式化（デット・エクイティ・スワップ（ＤＥＳ））とは、債務（デット）と資本（エクイティ）を交換することをいい、業績不振により債務超過となった会社の再生手段などとして利用されています。ＤＥＳは債権者が債権を債務者へ譲渡すると同時に、債務者株式の交付を受ける「現物出資」に該当することとなり、適格現物出資（225ページ参照）を除き、債権者が取得する株式の取得価額は債権の時価で評価し、債務者は債務のうち債権の時価相当額を資本金･資本準備金に振替え、残りの債務については消滅益を認識することになります。この債務消滅益については、企業再生税制の対象となる一定の場合＊、期限切れ欠損金からの控除（209ページ参照）が可能となります。

＊　この場合のＤＥＳにおける税務上の評価については、以下のとおりです。

ＤＥＳ対象債権の時価	→	合理的に見積もられた回収可能額
交付される株式の取得価額	→	ＤＥＳ対象債権の時価

3 有価証券譲渡損益の計算と計上時期

――有価証券を売ったら儲かった!?――

売 買 目 的で有価証券を買った場合などは、いくらで売れば儲かるということを常に知っておきたいものです。しかし、有価証券の譲渡原価は、有価証券の一単位当たりの帳簿価額を算出してはじめて求まるという仕組みになっており、その一単位当たりの帳簿価額は有価証券を売買目的、満期保有目的等、その他の保有目的ごとに区分し、その区分ごと、かつ、種類ごとに選定した移動平均法もしくは総平均法により計算します。有価証券の取得が何回かにわたる場合は総平均法では正確な売却損益を期末まで求めることができないため、売却の都度売却損益を確定したい場合には法定の算出方法である移動平均法がよいでしょう。また、保有目的の区分を変更したときは譲渡があったものとみなされて、課税問題が発生する場合があるので注意が必要です。

①有価証券の譲渡損益の計上時期

有価証券を譲渡した場合の譲渡損益は、原則としてその譲渡契約を締結した日の属する事業年度の益金又は損金に計上します。（法法61の２、法基通２－１－22、法規27の３）

有価証券の所有形態	計上基準
①所有している有価証券	約定日
②有価証券の空売り（③に該当するものは除く。）＊1	買戻し約定日
③信用取引及び発行日取引＊2	反対売買の約定日

＊１　有価証券を有しないでその売付けをし、その後同じ銘柄の有価証券を買い戻して決済する取引をいいます。
＊２　有価証券が発行される前にその有価証券の売買を行う取引をいいます。

(ｲ)証券会社等に委託している場合：取引成立日
(ﾛ)相対取引の場合：約定成立日
(ﾊ)合併による場合：合併効力発生日又は設立登記日
(ﾆ)分割型分割による場合：分割効力発生日又は設立登記日
(ﾎ)解散による残余財産の分配の場合：分配の日
(ﾍ)株式交換・移転による場合：株式交換効力発生日又は設立登記日
(ﾄ)株式交付による場合：株式交付効力発生日

②有価証券の譲渡損益の計算

①　有価証券を譲渡（合併、分割型分割、株式交換・移転、適格分社型分割又は適格現物出資による移転は除く）した場合の譲渡損益の計算

譲渡損益 ＝ 譲渡対価（みなし配当金額を含むときはその金額を控除する。） － 譲渡原価

譲渡原価 ＝ 有価証券の一単位当たりの帳簿価額を算出する方法（移動平均法・総平均法）により算定した金額 × 譲渡した有価証券の数

一単位当たりの帳簿価額は、その有価証券を売買目的有価証券、満期保有目的等有価証券、その他有価証券の保有目的ごとに区分し、その区分ごと、かつ、その銘柄＊を同じくするものごとに計算します。（法法61の２、法令119の２）

＊　同一法人が発行する一の種類株式と他の種類株式を有する場合、それらの権利内容からみて、他の種類株式が同一の価額で取引されると認められる場合には、当該一の種類株式と他の種類株式は同一の銘柄の株式として、一単位当たりの帳簿価額を計算します。（法基通２－３－17）

有価証券の一単位当たりの帳簿価額の算出方法は、保有目的の区分（次ページ③参照）ごと、かつ、その種類ごと（内容については72ページ参照）に選定しなければなりません。なお、外貨建て有価証券と円建ての有価証券又は国外有価証券と国内有価証券とは、それぞれ別の種類とすることができます。（法令119の５、法基通２－３－15）

MEMO

・有価証券の種類が同じであったとしても有価証券の保有目的が違う場合には異なった一単位当たりの帳簿価額の算出方法が選定できます。
・新株予約権付社債に係る社債及び新株予約権について、その帳簿価額を合理的に区分して経理しているときは、それぞれ別の種類とすることができます。

② 一単位当たりの帳簿価額の算出方法

計算方法

	計算方法	
移動平均法	有価証券をその銘柄の異なるごとに区別し、銘柄を同じくする有価証券の取得の都度次の算式で計算した価額を一単位当たりの帳簿価額とする方法 $\frac{\text{新たに取得する直前の有価証券の帳簿価額＋新たに取得した有価証券の取得価額}}{\text{新たに取得する直前の有価証券の数＋新たに取得した有価証券の数}}$	新たに取得するたびに平均単価を求めるため計算は煩雑ですが売却損益は売却の都度確定させることができます。
総平均法	有価証券をその銘柄の異なるごとに区別し、銘柄を同じくする有価証券について次の算式で計算した価額を一単位当たりの帳簿価額とする方法 $\frac{\text{期首の有価証券の帳簿価額＋期中に取得した有価証券の取得価額の総額}}{\text{期首の有価証券の数＋期中に取得した有価証券の総数}}$	この方法は計算は楽ですが正確な売却損益が期末になるまで計算できません。

③ 保有目的

	内容
売買目的有価証券（企業支配株式に該当するものは除きます。）	①短期的な価格の変動を利用して利益を得る目的（「短期売買目的」といいます。）で行う取引に専ら従事する者が、短期売買目的でその取得の取引を行った有価証券（「専担者売買有価証券」といいます。） ②短期売買目的で取得したものとして、その取得の日に売買目的有価証券等の勘定科目により区分した有価証券（上記専担者売買有価証券に該当するものを除きます。） ③短期売買目的の有価証券を取得する金銭の信託（投資信託等一部のものは除きます。）として、信託財産となる金銭を支出した日に短期売買目的に区分した金銭の信託のその信託財産に属する有価証券（信託の契約ごとに売買目的有価証券に該当するかどうかの判定を行います。）
満期保有目的等有価証券	④償還期限の定めのある有価証券（売買目的有価証券に該当するものは除きます。）のうち、償還期限まで保有する目的で取得し、かつ、その取得の日に満期保有目的債券等の勘定科目により区分した有価証券 ⑤企業支配株式（法人の特殊関係株主等＊がその法人の発行済株式総数又は出資金額（自己株式又は出資を除きます。）の20％以上に相当する数又は金額の株式・出資を有する場合の、その特殊関係株主等が有するその法人の株式・出資）
その他有価証券	⑥売買目的有価証券及び満期保有目的等有価証券以外の有価証券

＊ その法人の株主及びその株主と同族関係にある個人又は法人等の特殊の関係その他これに準ずる関係にある者をいいます。（175ページ参照）

税務上のクロス取引の取扱い（法基通２－１－23の４）

同一の有価証券（売買目的有価証券は除く。）が売却の直後に購入された場合（購入の直後に売却が行われた場合も含む。）その売却先から売却した有価証券の買戻し又は再購入（証券業者等に売却の媒介等を委託している場合の当該証券業者等からの購入等を含む。）をするという同時の契約＊があるときは、売却した有価証券のうち買戻し又は再購入に対応する部分について売却がなかったもの（当該取引によって生じた利益又は損失は、益金又は損金処理することができない。）として取り扱います。

＊ 同時の契約がない場合でも、これらの契約があらかじめ予定されており、かつ、売却価額と購入価額が同一となるように設定されている、又はこれらの価額が売却決済日と購入決済日との間の金利調整となるように設定されているときは、同時の契約があることになります。

❸有価証券の一単位当たりの帳簿価額の算出方法の届出

有価証券を取得した場合には、既に届出をしている場合を除き、その事業年度に係る確定申告書の提出期限までに書面により採用した有価証券の一単位当たりの帳簿価額の算出方法を納税地の税務署長に届け出なければなりません。（法令119の５～119の７、法基通２－３－21、５－２－12、５－２－13）

有価証券の一単位当たりの帳簿価額の算出方法を選定しなかった場合又は選定した方法により算出しなかった場合は	法定算出方法である**移動平均法**となります。
選定していた有価証券の一単位当たりの帳簿価額の算出方法（法定算出方法により算出している場合を含みます。）を変更したい場合は	新たな算出方法を採用しようとする事業年度開始の日の前日までに有価証券の一単位当たりの帳簿価額の算出方法の変更承認申請書を納税地の税務署長に提出します。
選定した有価証券の一単位当たりの帳簿価額の算出方法の変更はどんな場合でも認められますか。	現状の算出方法を採用して３年経過していない場合、その変更に合理的な理由がない場合、所得計算が適正に行われ難いと認められる場合には、変更の申請は却下されます。

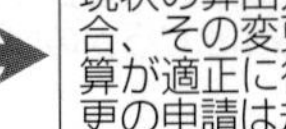

④有価証券の区分変更によるみなし譲渡

有価証券については、次の一定の事実が生じた場合のみ保有目的の区分変更が行われることになりますが、保有目的の区分変更が行われた場合においては、一定の事実が生じた時の時価によって譲渡が行われたものとみなされるケースがあります。（下記Aの場合）この場合には、みなし譲渡損益の計算が行われますので注意が必要です。（法法61の2㉒、法令119の11）

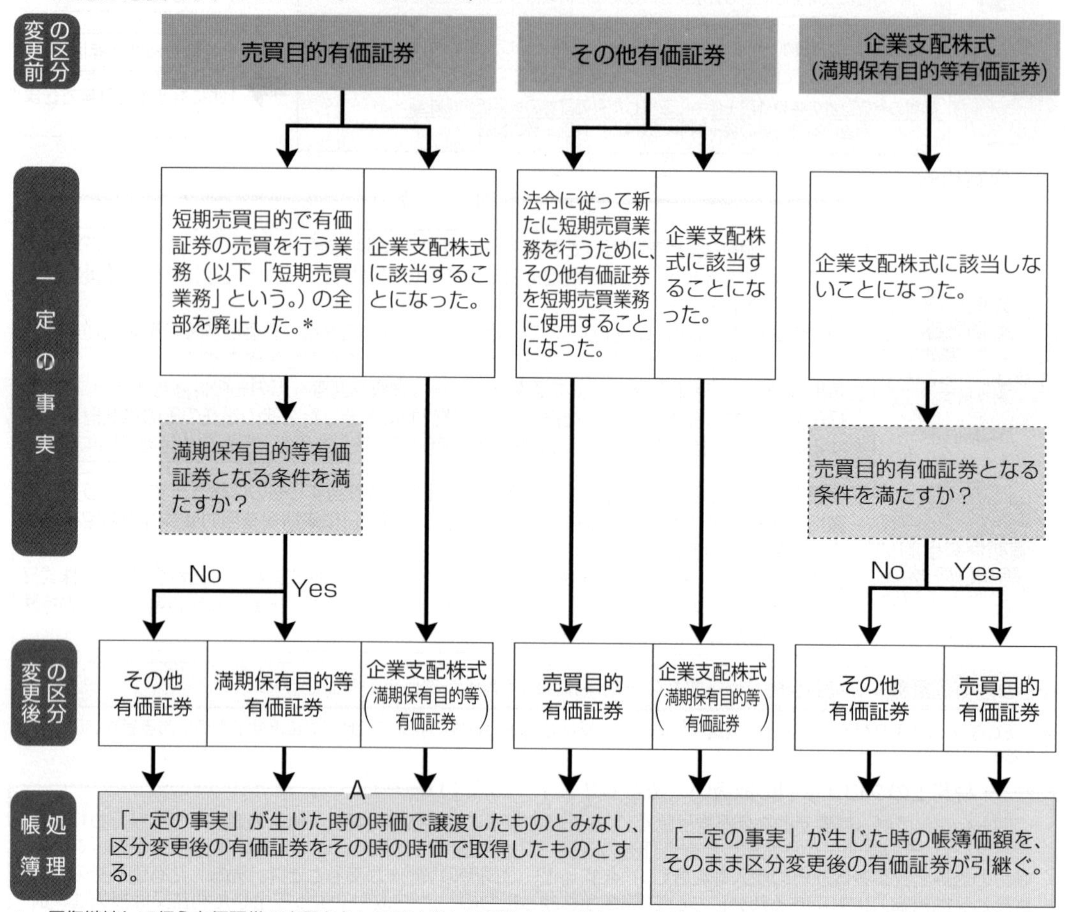

＊　反復継続して行う有価証券の売買を主たる又は従たる業務として営んでいる法人が、その業務を行っている事業所、部署等の撤収、廃止等をし、当該法人が当該業務そのものを行わないこととしたことをいいます。（法基通2－1－23の2）

有価証券の譲渡と消費税

課税売上高が5億円以下でも非課税となる有価証券の譲渡によって課税売上割合が95%未満となり、仕入税額控除できない消費税が発生することによって会社の決算にマイナスの影響が出てしまうケースがあります。有価証券の譲渡については、単なる売却損益の観点からだけでなく、消費税の面からも決算上注意を払っておく必要があります。（消令48）

消費税法上非課税となる有価証券の範囲	課税売上割合の分母に含める金額
●金融商品取引法第2条第1項に規定する有価証券＊（72ページ参照）（ゴルフ場利用株式を除く。） ●法人税法施行令第11条に掲げる権利等（72ページ参照）（現先を除く。）	譲渡対価の5％
●合資・合名・合同会社、協同組合等の持分　●抵当証券	譲渡対価全額
●国債等やCD、CP等の買現先の売戻し差損益	差益部分（差損の場合は控除）

●自己株式を当該法人へ譲渡する場合（証券市場での譲渡を除く。）及び当該法人が自己株式を処分する場合は、資産の譲渡等に該当せず不課税取引となります。（消基通5－2－9）

＊　電子化された上場株式などの振替機関等が取り扱うものはその振替機関等の所在地、それ以外の非上場株式などはその有価証券等の所在場所などで国内取引かどうかの判定を行います。判定を行った結果、国外取引に該当するときは不課税となります。（消令6①九）

⑤ 有価証券について評価換えがあった場合の一単位当たりの帳簿価額の算出方法

有価証券について評価換えを必要とする場合には、以下に示す区分に応じて選定している評価方法ごとに一単位当たりの帳簿価額の計算をすることになります。（法令119の３、119の４、法基通２－３－23）

(1) 移動平均法を選定している場合

区分	評価換えを必要とする場合	評価換えに伴う一単位当たりの帳簿価額の計算式
①	更生計画認可の決定や再生計画認可の決定を受けた場合等	評価換え直前の帳簿価額±評価換えにより当該事業年度に益金・損金に算入した金額 ／ 有価証券の数
	有価証券の発行法人の資産状態が著しく悪化した場合等（82ページ参照）	評価換え直前の帳簿価額－評価換えにより当該事業年度に損金に算入した金額 ／ 有価証券の数
②	株式の分割又は併合の場合	その旧株の分割又は併合の直前の帳簿価額 ／ 分割又は併合後の所有株式の数
③	集団投資信託の受益権の分割又は併合の場合	その分割又は併合の直前に有していた受益権のその分割又は併合の直前の帳簿価額 ／ 分割又は併合後の所有受益権の数
④	元本の追加信託ができる証券投資信託の受益権につき当該元本の払戻しに相当する金銭の交付を受けた場合	受益権の交付の直前の帳簿価額－交付された金銭の額 ／ 受益権の数
⑤	分割型分割により分割承継法人の株式その他の資産の交付を受けた場合	（旧株の分割型分割直前の帳簿価額－分割純資産対応帳簿価額（75ページ参照））／ 分割型分割後の所有株式の数
⑥	株式分配の場合	（旧株の株式分配直前の帳簿価額－完全子法人株式対応帳簿価額（75ページ参照））／ 株式分配後の所有株式の数
⑦	非適格株式交換＊１により時価評価資産として評価損又は評価益を計上した場合	有価証券の株式交換直前の帳簿価額±評価損益 ／ 有価証券の数
⑧	資本の払戻し又は解散による残余財産の一部の分配として金銭その他の資産を取得した場合	（その旧株の金銭等の取得の直前の帳簿価額－払戻し等の直前の所有株式の帳簿価額×払戻し等による交付金銭等／払戻法人の前期末時の簿価純資産）／ 所有株式の数
⑨	完全支配関係法人間＊２で寄附が行われた場合（所有する子法人株式の帳簿価額）	寄附事由直前の帳簿価額＋受贈益の額×持分割合 ／ 所有株式の数　又は　寄附事由直前の帳簿価額－寄附金の額×持分割合 ／ 所有株式の数
⑩	完全支配関係法人間＊２で無対価適格合併＊３が行われた場合（所有する合併法人株式の帳簿価額＊４）	合併法人の旧株の合併直前の帳簿価額＋合併直前に有していた被合併法人株式の合併直前の帳簿価額 ／ 所有株式の数
⑪	特定支配関係にある法人＊５から配当等の額＊６を受けた場合（子会社株式簿価減額特例）	配当等の額に係る基準時の直前の帳簿価額－受取配当等の益金不算入額＊７ ／ 所有株式の数

＊１　「企業組織再編成の税務」（229ページ）を参照
＊２　完全支配関係については215ページ参照
＊３　完全支配関係法人間＊２で無対価適格分割型分割、無対価適格分社型分割や無対価適格株式交換が行われた場合も評価換えの計算が必要となります。
＊４　合併法人と被合併法人の株式を同一の者が所有している場合
＊５　特定支配関係とは、他の法人の株式等又は配当等の議決権の数の50%超を直接又は間接に保有する関係をいいます。（法令119の３⑫二）ただし内国法人で設立の日から最後に特定支配関係を有することとなった日までの期間を通じて、内国法人が90%以上の株式等を保有している場合を除きます。
＊６　同一事業年度内の配当等の合計額が、所有株式の帳簿価額（直前で最も大きいもの）の10%を超える場合で以下のものを除きます。
・特定支配日から配当等の額を受ける日までの期間が10年を超える場合
・同一事業年度内の配当等の合計額が2,000万円を超えない場合
・特定支配日から増加した利益剰余金に達するまでの配当…等
＊７　85ページ及び144ページ参照
・⑪について、特定支配日の属する事業年度に受ける配当等の額についても、その減算する金額を特定支配後増加利益剰余金額超過額に達するまでの金額とする計算の特例を適用できることとなりました。

(2) 総平均法を選定している場合

上記(1)①～⑪までに示す評価換えを必要とする場合には、事業年度開始の時から評価換えの直前の時までの期間（評価換前期間）及び評価換えのあった時から期末までの期間（評価換後期間）をそれぞれ一事業年度とみなして、総平均法により有価証券の一単位当たりの帳簿価額を算出します。

この場合、評価換後期間の開始時の有価証券の帳簿価額は次式により計算した金額となります。

算式 ＝ 上記(1)①～⑪までの方法により算出した一単位当たりの帳簿価額 × 評価換え直後に有する有価証券の数

4 有価証券等の期末評価とヘッジ処理

――期末に保有している有価証券はどのように評価する？――

期　末に有する有価証券については、その保有目的に応じて売買目的有価証券、満期保有目的等有価証券、その他有価証券に区分し、その区分ごとに評価基準が異なります。特に売買目的有価証券は期末に時価評価（時価法）し、洗替方式により評価損益を益金又は損金の額に算入します。

発行元法人に会社更生法の更生手続開始の決定など一定の事実が生じた場合、評価損を計上できるケースがあり、その法人の状況にも注意してください。

期末の未決済デリバティブ取引等は決済をしたものとみなして計算した損益を益金又は損金に算入しますが、一定の条件を満たすヘッジ処理をした場合には益金又は損金計上の繰延処理等が認められます。

①有価証券の保有目的と評価基準

期末に有する有価証券は、その保有目的に応じて、売買目的有価証券、満期保有目的等有価証券、その他有価証券に区分し、その区分ごとに時価法、原価法により評価します。（法法61の３、法令119の12～119の14、139の２）

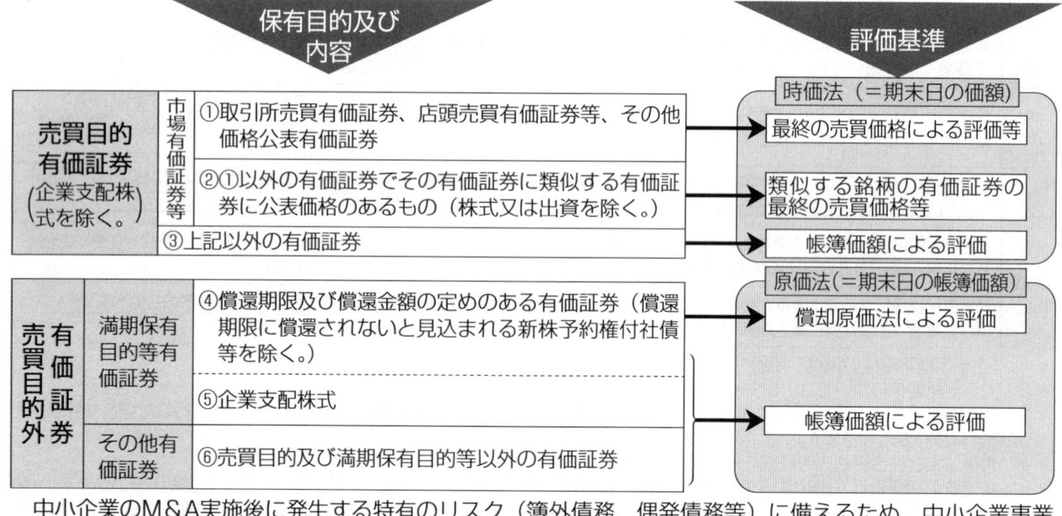

中小企業のM＆A実施後に発生する特有のリスク（簿外債務、偶発債務等）に備えるため、中小企業事業再編投資損失準備金の損金算入が認められています。（242ページ参照）

●売買目的外有価証券は、一定の要件を満たすヘッジ処理を行っている場合には時価評価が認められます。（83ページ参照）

〈評価基準〉

	内容及び計算方法		評価損益等の取扱い
最終の売買価格による評価	期末に有する有価証券を銘柄の異なるごとに区別し、更に上記①の区分に応じ次の算式で計算した金額を期末の評価額とする方法 期末時の時価（次ページ❷参照）×期末に有する有価証券の数	⇨	時価法による評価損益は当該事業年度の益金又は損金となります。
償却原価法による評価	帳簿価額と償還金額との差額のうち合理的な方法により計算した当該事業年度に属する金額（調整差損益）を期末の帳簿価額に加算又は減算したものを期末の評価額とする方法 償却原価法適用前の帳簿価額±当該事業年度に属する調整差損益	⇨	期末に有する有価証券の償却原価法による帳簿価額の調整差損益は当該事業年度の益金又は損金となります。
帳簿価額による評価	期末時の帳簿価額を期末の評価額とする方法	⇨	当該事業年度の損益には関係しません。

❷売買目的有価証券の評価損益

1.売買目的有価証券の時価

売買目的有価証券の時価法適用時の時価評価金額(時価)とは、期末日における以下の価格をいいます。(法法61の3①、法令119の13) なお、売買目的有価証券は、会計上と税務上の時価が同じになります。

(1) 市場有価証券等

① 取引所売買有価証券＊1＊2	金融商品取引所において公表されたその有価証券の期末日の最終の売買価格
② 店頭売買有価証券等＊1	日本証券業協会によって公表されたその有価証券の期末日の最終の売買価格
③ その他価格公表有価証券＊1	価格公表者＊3によって公表されたその有価証券の期末日の最終の売買価格
④ 上記以外の有価証券でその有価証券に類似する有価証券に公表価格のあるもの(株式又は出資を除く。)	その類似する有価証券について公表された期末日の最終の売買価格又は利率その他の価格に影響を及ぼす指標に基づき合理的な方法により計算した価格

＊1 公表されたその有価証券の期末日の最終の売買価格がない場合は、同日の公表された最終の気配相場の価格とし、その最終の売買価格及び最終の気配相場の価格がともにない場合は、同日における売買価格に相当する価格として同日前直近の公表された最終の売買価格又は最終の気配相場の価格を基礎とした合理的な方法により計算した価格とします。

＊2 最終の売買価格が2以上の活発な市場に存する場合には、主要な市場における価格をもって時価とします。ただし、いずれの市場が主要な市場に該当するかどうか明らかでない場合には、最も有利な市場の最終の売買価格をもって時価とします。

＊3 有価証券の売買価格又は気配相場の価格を継続的に公表し、かつ、その公表する価格がその有価証券の売買価格の決定に重要な影響を与えている場合(その時の価額を表すものとして一般的に認められている状態)におけるその公表をする者(銀行、証券会社等)をいいます。

●上記について合理的な方法によった場合は、一定の事項を記載した書類を保存しなければなりません。

(2) 市場有価証券等以外

期末日の帳簿価額(評価損を計上する場合は82ページ参照。)

2.売買目的有価証券の評価損益の翌事業年度の処理

売買目的有価証券の当該事業年度で益金又は損金に算入した評価益又は評価損は、翌事業年度に損金又は益金に算入します。よって、翌事業年度の期首の帳簿価額はその前事業年度末での時価評価額から益金算入額を減額し、損金算入額を加算した金額となります。(法法61の3②～④、法令119の15)

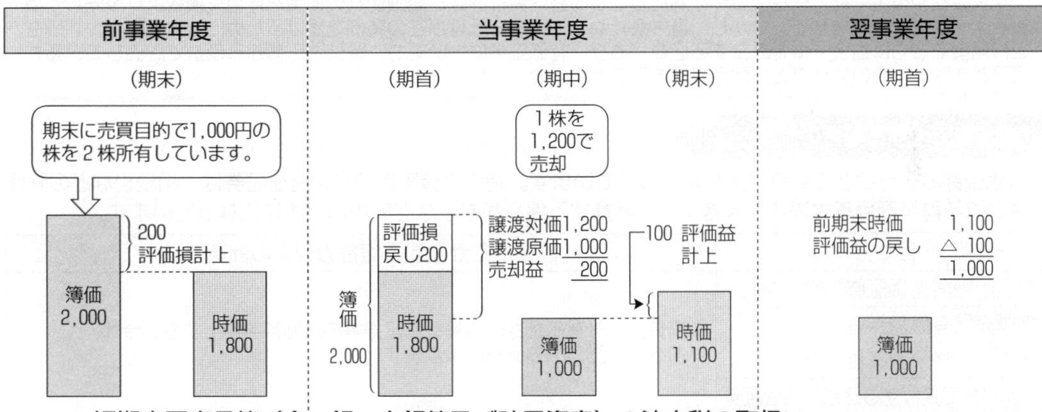

短期売買商品等(金、銀、白銀等及び暗号資産)の法人税の取扱い

取得価額(法法61①)	・取得価額には、委託手数料等の取得のために通常要する費用の額を含めます。(法令118の5、法基通2－3－63) ・取得時の暗号資産の価額と信用取引契約に基づき実際に支払った金額との差額は取得日の損益として計上します。
譲渡損益の計上時期(法法61①)	・譲渡損益は、原則として約定日に計上します。(法基通2－1－21の12) なお、未決済の信用取引等についても期末時点で決済したものとみなして、みなし決済損益＊を計上します。 ＊ みなし決済損益が外貨建で算出されている場合には、原則として、事業年度終了の日の電信売買相場の仲値で円換算します。(法基通2－1－49)
一単位当たりの帳簿価額の算出方法	・移動平均法(法定算出方法)または総平均法により算出します。(法令118の6①、⑦)
期末評価の方法(法法61②)	(1) 金、銀、白銀等は、時価法 (2) 活発な市場が存在する暗号資産 ① 下記②、③以外は時価法 ② 第三者が発行した暗号資産で、譲渡制限等の一定の要件が付されているものは、法人が選択した評価方法(原価法又は時価法) ③ 自己の発行する暗号資産でその発行時から継続して保有し譲渡制限が付されているものは、原価法 (3) 活発な市場が存在しない暗号資産は、原価法

●暗号資産の所得税の取扱いは245ページ、消費税の取扱いは162ページ参照

❸有価証券の評価損の損金算入

売買目的有価証券の時価法による評価損の計上を除き、会社が有価証券について評価換えを行い、帳簿価額を減額しても、通常はその評価換えにより減額した金額は損金に算入されません。しかし、次のような事実が生じた場合には、損金経理を要件として評価損の損金算入（切放処理）が認められます。（法令68、法基通９－１－７、９－１－９～９－１－12）

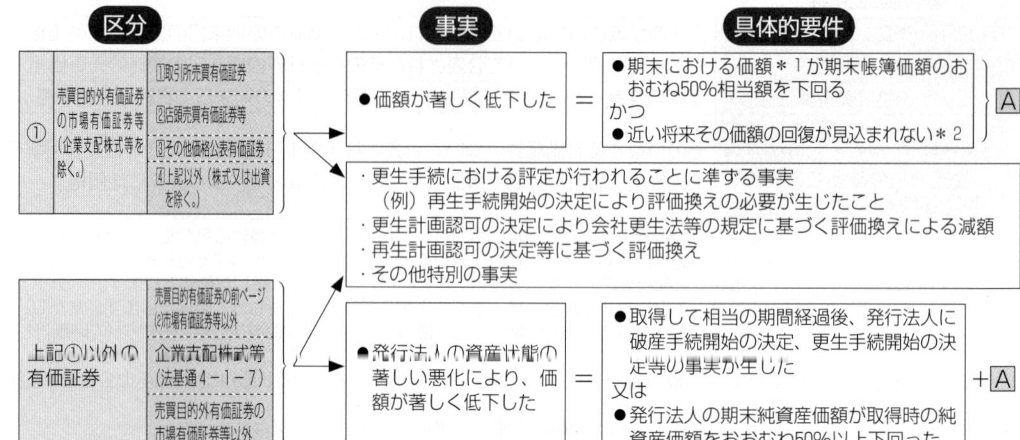

＊１　期末日の時価以外に期末日以前１か月間の当該市場価格の平均によることもできます。

＊２　株価の回復可能性の検証については、回復可能性がないことについて法人が用いた合理的な判断基準が示される限りにおいては、その基準が尊重されます。また、期末以後に株価の上昇などの状況変化があっても、期末の回復可能性の判断に影響を及ぼすものではないので、遡って是正する必要はありません。

（注）完全支配関係がある法人で清算中の法人や解散をすることが見込まれる法人の株式等については、評価損を計上することができません。（法法33⑤、法令68の３）

会社更生法等による債務免除等があった場合の欠損金の損金算入の特例（209ページ参照）

更生会社や再生会社、一定の要件を満たした私的整理会社等は、期限切れ欠損金を青色欠損金より優先して損金算入することができます。しかし、再生会社や私的整理会社等がこの特例を受けるためには、税務上、評価益と評価損をともに益金・損金計上する必要があり、有価証券についても、時価法・償却原価法で評価している有価証券を除き、その銘柄ごとに時価評価することが必要となります。

評価損を計上する場合の価額とは

（法令119の13、法基通９－１－８、９－１－13～９－１－15）

有価証券の区分ごとに計算方法が定められています。特に売買実例のない有価証券は、相続税などの評価に使われる財産評価基本通達を参考にして計算する場合があるなど取扱いが複雑になっています。

区　分		評価損を計上する場合の価額の計算方法
取引所売買有価証券		売買目的外有価証券の市場有価証券等の評価損を計上する場合は、前ページ❷の⑴の価格によります。
店頭売買有価証券等		
その他価格公表有価証券		
上記以外で類似する銘柄の有価証券		
企業支配株式等		取得目的が企業支配である場合 （当該株式等の通常の価額）＋（企業支配に係る対価の額）
上記以外の有価証券	①売買実例のあるもの	期末日前６か月において売買の行われたもののうち適正と認められる価額
	②公開途上にある株式で、その上場又は登録に際して公募又は売出しが行われるもの（①を除く。）	金融商品取引所又は日本証券業協会の内規によって行われる入札により決定される入札後の公募等の価格等を参酌して通常取引されると認められる価額
	③売買実例がなく事業の種類・規模等が類似する他の法人の株式の価額があるもの（②を除く。）	（原則）当該類似法人の株式の価額に比準して推定した価額
	④その他	（特例）課税上弊害がない場合には、財産評価基本通達の取引相場のない株式の評価の例によって算定した価額 〈条件〉・中心的な同族株主に該当するときは「小会社」として評価すること ・発行会社が土地、取引所売買有価証券を有するときは、これらの期末日の価額をもって１株当たりの純資産価額を求めること ・純資産価額方式による場合の評価差額の37%控除（280ページ参照）は行わないこと
		（原則）期末日又は同日に最も近い日における発行法人の期末日における１株当たりの純資産価額等を参酌して通常取引されると認められる価額

❹デリバティブ取引等の期末の評価

(1) デリバティブ取引等

デリバティブ取引等とは、デリバティブ取引、有価証券の空売り、信用取引、発行日取引等をいいます。(法法61の6④)

デリバティブ取引

デリバティブ取引とは、金利、通貨の価格、商品の価格その他の指標の数値としてあらかじめ当事者間で約定された数値と将来の一定の時期における現実の当該指標の数値との差に基づいて算出される金銭の授受を約する取引又はこれに類似する取引をいい、次に掲げる取引がこれに該当します。(法法61の5①、法規27の7①)

①金利先渡取引、②為替先渡取引、③直物為替先渡取引、④店頭金融先物取引、⑤商品デリバティブ取引、⑥クレジットデリバティブ取引、⑦スワップ取引、⑧オプション取引、⑨選択権付債券売買、⑩有価証券先物取引、⑪有価証券指数等先物取引、⑫有価証券オプション取引、⑬外国市場証券先物取引、⑭有価証券先渡取引、⑮有価証券店頭指数等先渡取引、⑯有価証券店頭オプション取引、⑰有価証券店頭指数等スワップ取引、⑱金融先物取引等、⑲先物外国為替取引、⑳①から⑲に類似する取引

(2) 期末の未決済デリバティブ取引等の評価及び翌事業年度の処理

期末において未決済となっているデリバティブ取引等(外貨建資産等の円換算額を確定させる先物外国為替契約等に基づくもの等は除く。)の処理は次のとおりです。

	期末時の処理内容	翌事業年度の処理内容
①デリバティブ取引 ②有価証券の空売り(③に該当するものは除く。) ③信用取引及び発行日取引	期末に決済したものとみなして算出した利益又は損失相当額を益金又は損金に算入する。(法法61の4①、61の5①)	益金算入した金額は損金、損金算入した金額は益金に算入する。(法令119の16、120)

(3) デリバティブ取引等の契約に基づき金銭以外の資産を取得した場合の処理

デリバティブ取引等の契約に基づき金銭以外の資産(下記❺の繰延ヘッジ処理に該当する場合を除く。)を取得した場合は、次の算式による差額を当該事業年度の益金又は損金として計上します。(法法61の5③)

資産の取得時における当該資産の価額(時価) − デリバティブ取引等に基づき取得した資産の対価として支払った金額

❺デリバティブ取引等のヘッジ処理

デリバティブ取引等については一定の条件を満たすと次に示すような繰延ヘッジ処理又は時価ヘッジ処理が認められます。

		繰延ヘッジ処理(法法61の6)	時価ヘッジ処理(法法61の7)
内容		資産(売買目的有価証券を除く。)又は負債の価額の変動等により生ずるおそれのある損失の額を減少させるために一定の要件を満たすデリバティブ取引等を行った場合には、期末に決済・みなし決済の当該デリバティブ取引等の利益又は損失相当額を当該事業年度の益金又は損金に算入せず、翌期に繰延処理することができます。	売買目的外有価証券の価額の変動により生ずるおそれのある損失の額を減少させるために一定の要件を満たすデリバティブ取引等を行った場合には、期末の評価が原価法である売買目的外有価証券について評価益又は評価損相当額を当該事業年度の益金又は損金に算入することができます。
要件	①	期末までヘッジ対象資産等を譲渡等しないこと、かつ、「ヘッジとして有効」であること	期末までヘッジ対象の売買目的外有価証券を譲渡等しないこと、かつ、「ヘッジとして有効」であること
	②	デリバティブ取引等を行った日に、ヘッジ目的で行った旨並びにヘッジ対象資産等及びデリバティブ取引等の種類、名称、金額、ヘッジ期間等の明細を帳簿書類に記載すること	デリバティブ取引等を行った日に、ヘッジ目的で行った旨及びヘッジ対象の売買目的外有価証券を時価評価する旨並びに売買目的外有価証券及びデリバティブ取引等の種類、名称、金額、ヘッジ期間等の明細を帳簿書類に記載すること
期末時の処理		デリバティブ取引等の利益額又は損失額のうちヘッジとして有効な部分の金額の益金又は損金計上を繰延処理	「ヘッジとして有効」な場合の売買目的外有価証券の時価と帳簿価額との差額のうちデリバティブ取引等の利益額又は損失額に対応する金額を益金又は損金に算入(翌期洗替処理)

「ヘッジとして有効」とは

ヘッジ対象となる資産又は負債等とヘッジ手段である上記の要件①、②を満たすデリバティブ取引等のそれぞれの利益額又は損失額が相殺されるように対応し、その対応が法人税法に定める一定の基準を満たす場合をいいます。

5 受取配当等の益金不算入制度
――配当金や利息が入ってきたとき――

法人税で受取配当という場合、定時株主総会決議等で行われる剰余金の配当だけでなく、臨時株主総会等で行われる剰余金の配当ももちろん含みますし、投資信託及び特定目的信託の収益の分配や、減資や企業組織再編成などにおけるみなし配当といわれるものまでその範囲に含められます。

そして、受取配当については、それぞれのケースに応じて収益計上のタイミングが定められており、受取利息についても、原則として発生主義で収益を計上すべきものとなっています。

また、受取配当については、会計上は収益になりますが、法人税法上は、二重課税を排除する目的から益金不算入の制度が設けられており、会社にとっては有利な制度となるため、積極的に活用しましょう。

① 受取配当と受取利息の収益計上時期

1. 受取配当

受取配当等は、その種類によって収益計上の時期が定められています。(法基通2－1－27)

受取配当の種類		収益を計上するタイミング
剰余金の配当		配当効力発生日
利益の配当又は剰余金の分配		社員総会等において決議のあった日
投資信託及び特定目的信託の収益の分配	信託期間中に係るもの	その収益の計算期間の末日
	終了又は一部解約に係るもの	その終了又は解約のあった日
みなし配当	合併（適格合併を除く。）	合併効力発生日又は設立登記日
	分割型分割（適格分割型分割を除く。）	分割効力発生日又は設立登記日
	資本の払戻し	剰余金の配当効力発生日
	解散による残余財産の分配	その分配の開始の日（分割分配の場合はそれぞれの分配開始の日）
	自己株式等の取得	その取得日
	出資の払戻し、退社又は脱退等によるもの	その事実があった日
	組織変更	組織変更効力発生日

●剰余金の配当等につき通常の支払期間内に支払を受けるものについては、継続処理を要件に支払を受けた日の収益計上が認められます。(法基通2－1－28)

2. 受取利息

貸付金、預貯金、有価証券から生ずる利子についての収益計上のタイミングは、原則として次のとおりです。(法基通2－1－24)

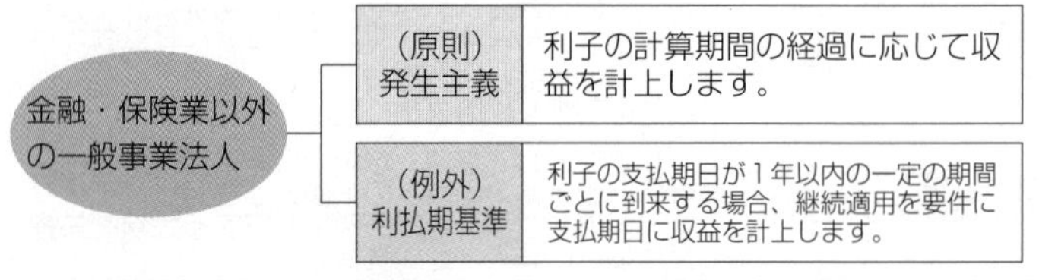

ただし、借入金と運用資産がひも付きの見合関係にある場合は、借入金の支払利子と、運用資産から生ずる利子は対応させて計上しなければなりません。

●貸付金利子については、受取利息計上の棚上げが認められる場合があります。(206ページ参照)

❷受取配当等の益金不算入制度（法法23）

法人税法上、**二重課税**を排除する制度として受取配当等の益金不算入制度が設けられています。

配当は、支払った内国法人（公益法人等を除く）側では、課税された所得の中から支払ったものであり、これを受け取った内国法人側でさらにこの配当収入に対して課税するならば、二重に課税することになるため

この制度により受取配当は収益に計上されますが、税務計算上は一部が益金から除かれます。

●受取配当等の益金不算入の適用を受けた場合には有価証券の帳簿価額を減額しなければならない場合があります。（79ページ⑪参照）

1．受取配当等の益金不算入の対象となる金額の計算

受取配当等の益金不算入額は、株式等の保有割合＊1により区分された株式等に係る配当等ごとに区分計算され、その合計額として求めることとされています。

株式等の区分＊2	株式等の保有割合	益金不算入額
①完全子法人株式等	100%	配当等の額の全額　※負債利子額控除なし
②関連法人株式等	3分の1超100%未満	配当等の額－関連法人株式等に係る負債利子額
③その他の株式等	5%超3分の1以下	配当等の額×50%　※負債利子額控除なし
④非支配目的株式等	5%以下	配当等の額×20%　※負債利子額控除なし

＊1　令和4年4月1日以後に開始する事業年度以後は、完全支配関係がある法人が有する株式を含めて判定します。
＊2　株式等の区分の範囲

①完全子法人株式等	配当等の計算期間＊3を通じて、内国法人と配当等の額を支払う他の内国法人（公益法人等を除く。）との間に、完全支配関係（215ページ参照）がある場合の株式等
②関連法人株式等	内国法人が3分の1超の株式等を、配当等の計算期間を通じて（配当等の計算期間が6か月以上となる場合には、配当等の支払いに係わる基準日以前6か月以上）、継続して保有している場合の株式等（①を除く。）
③その他の株式等	①、②、④以外の株式等
④非支配目的株式等	配当等の基準日において内国法人の株式等（短期保有株式等を除く。）の保有割合が5%以下の株式等及び特定株式投資信託の受益権

＊3　前回の配当等の基準日の翌日から今回の配当等の基準日までの期間をいいます。

2．受取配当等の益金不算入の対象となるものならないもの

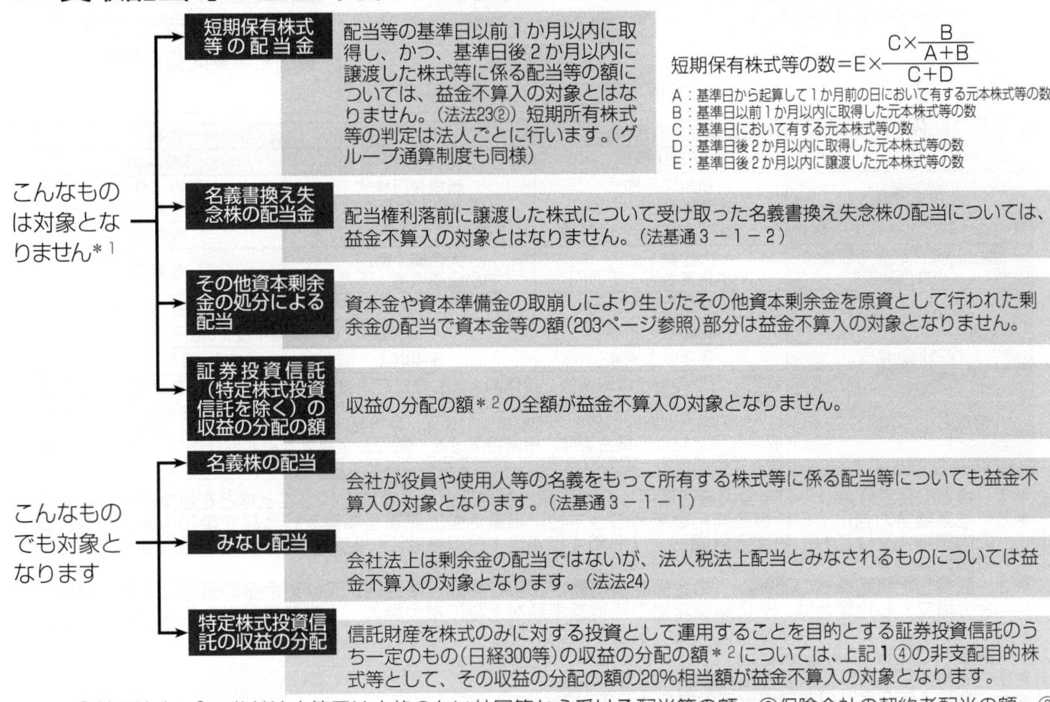

＊1　①外国法人＊3、公益法人等又は人格のない社団等から受ける配当等の額、②保険会社の契約者配当の額、③協同組合等の事業分量配当等の額、④特定目的会社及び投資法人から受ける配当等の額、などについても益金不算入の対象となりません。
＊2　信託期間終了又は一部解約による収益の分配の額は（収益の分配の額－受益証券の帳簿価額）と元本相当金額のいずれか多い方の金額となります。
＊3　外国子会社から受ける配当等の益金不算入については、144ページ参照。

3. 控除される負債利子の計算方法

借入れをして株を買い、配当を受け取った場合、受取配当が益金不算入、支払利息が損金算入と二重に課税所得が減少することになります。そこで、配当等の額から株式等見合いの負債利子を控除することにより調整をはかっています。

なお、調整の対象となるのは関連法人株式等に係る配当等のみであり、完全子法人株式等、その他株式等及び非支配目的株式等に係る配当等については、負債利子の控除をしません。

この控除負債利子の計算方法は、従来、総資産按分法と簡便的方法があり選択適用できましたが、制度の簡素化、負債利子の適正な控除の観点から、令和４年４月１日以後に開始する事業年度以後は計算方法が簡素化されています。

計算方法（いずれか有利選択）

原則（法令19①）　関連法人配当等の額　×　４％相当額

特例＊１（法令19②）　当該事業年度に支払う負債利子の額＊２　×　10%相当額　×　$\dfrac{\text{関連法人株式等の配当等の額}}{\text{関連法人株式等の配当等の額の合計額}}$

＊１　適用する場合は別表八（一）34欄の適用に○を囲んで表示します。
＊２　借入金の利子、手形の割引料、金銭債務に係る債務者の償還損など、経済的な性質が利子に準ずるものを含み、売上割引料などは含みません。グループ通算制度の場合は、238ページ参照。

4. 申告要件

受取配当等の益金不算入については、当初申告要件＊が廃止されており、更正の請求等により事後的に適用を受けることができます。

＊　当初申告の際に、申告書に適用金額を記載した場合に限り適用が可能とされる措置

オープンイノベーション促進税制

資本金の増加を伴う新規発行株式の取得だけでなく、発行済株式を取得する場合においても制度の適用が可能となりました。

また、令和６年度税制改正により、特定株式の取得期間が令和８年３月31日まで延長されました。

対象法人：青色申告法人で特定事業活動を行うもの＊１
→ 特定株式の取得 → **一定のベンチャー企業**：特別新事業開拓事業者＊２
↓ 取得価額の25%の所得控除＊３

	令和５年３月31日までに出資	令和５年４月１日以後出資・取得	
	新規出資型	新規出資型	M&A型
特定株式	新規発行株式 （議決権割合要件なし）	新規発行株式 （議決権割合要件なし）	発行済株式 （議決権の50%超の取得）
外国法人への出資	５億円以上の場合は対象	５億円以上の場合は対象	対象外
株式出資・取得下限額 （１件当たり）	大企業１億円 中小企業者等１千万円	大企業１億円 中小企業者等１千万円	５億円
所得控除上限額	１件当たり25億円	１件当たり12.5億円	１件当たり50億円
	１事業年度125億円	合わせて１事業年度125億円	
保有見込期間	３年以上＊４	３年以上	５年以上
特定勘定の取崩事由	新規出資型の場合は取得後３年以内＊５に株式を譲渡又は配当の支払いを受けた場合等にはその事由に応じた金額を特別勘定から取り崩して益金算入する必要があります。なお、M&A型の場合は新規取得型の取崩事由に加え、取得後５年以内に成長投資・事業成長の一定要件を満たさない場合等は、所得控除分を一括で益金算入する必要があり、さらに、取得後５年経過後も一定の取崩事由に該当する場合は益金算入が必要となります。		

＊１　自らの経営資源以外の経営資源を活用し高い生産性が見込まれる事業を行うことなどを目指す株式会社等
＊２　産業競争力強化法の新事業開拓事業者のうち特定事業活動に資する事業を行う設立後10年未満の非上場の内国法人又はこれに類する外国法人（令和４年４月１日以後は、一定の要件を満たす場合は設立後15年未満）
＊３　取得した特定株式の25%以下の金額を特別勘定として経理（損金経理又は剰余金の処分による任意積立金の積立）した場合は、その事業年度の所得基準額を上限に損金算入（１事業年度当たり125億円が上限）されます。なお所得基準額とは、その事業年度の所得金額に寄附金の額を全額損金算入するなどの一定の調整をしたものをいいます。
＊４　令和４年３月31日までの出資の場合は５年以上
＊５　令和４年３月31日までの出資の場合は５年以内
＊　令和５年４月１日以後に新規出資型により制度の適用を受けた後、当該企業の株式をM&A型により取得する場合の制度適用はできません。

計算例　受取配当等の益金不算入の計算

306ページ以下の総合計算例における数値を使って、受取配当等の益金不算入の計算を別表八㈠上で行ってみます。なお、この例では、その他の株式等（保有割合５％超３分の１未満）に係る配当等は受け取っていません。

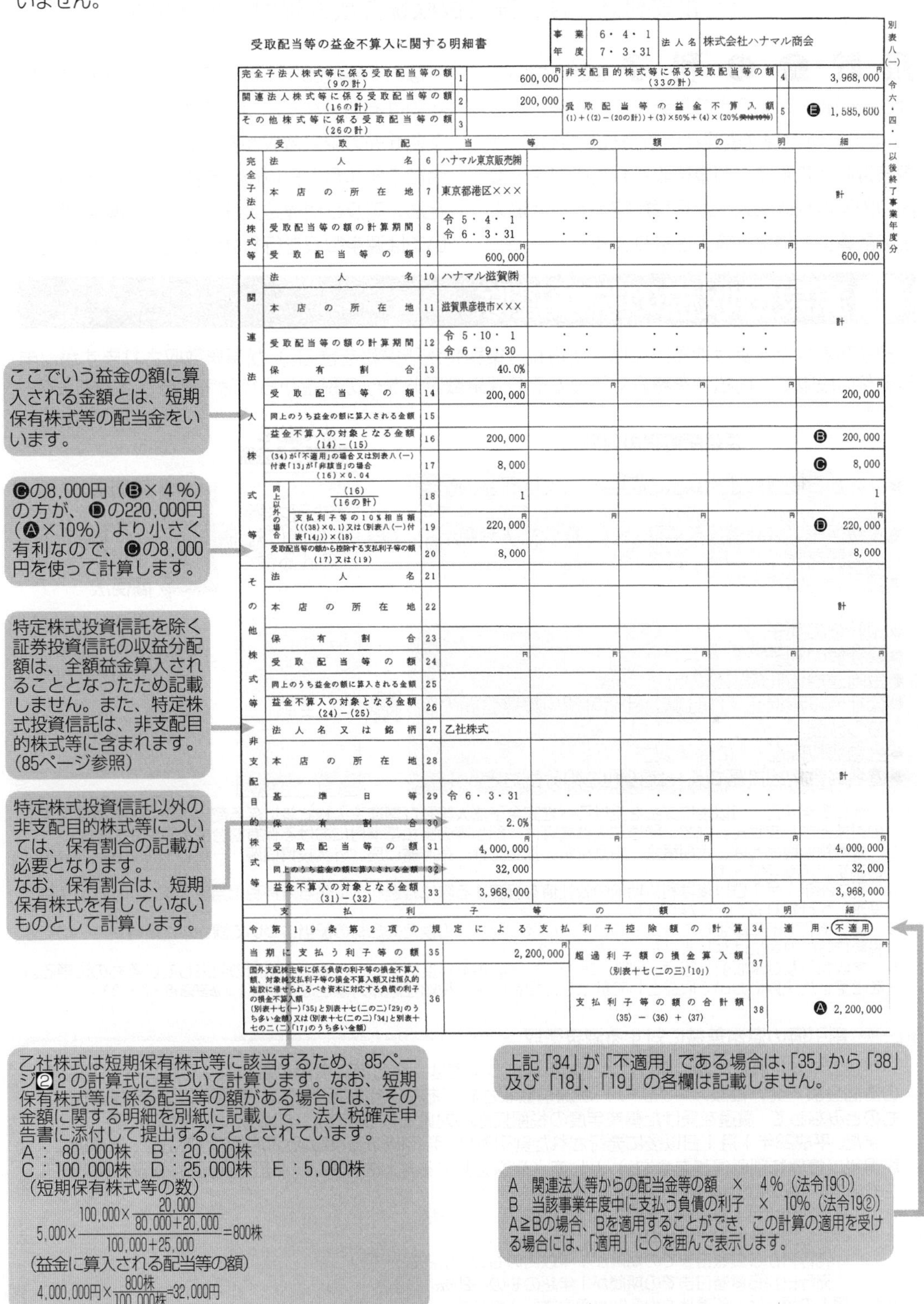

受取配当等の益金不算入に関する明細書

事業年度	6・4・1 7・3・31	法人名	株式会社ハナマル商会

別表八(一)　令六・四・一以後終了事業年度分

完全子法人株式等に係る受取配当等の額 （9の計）	1	600,000円	非支配目的株式等に係る受取配当等の額 （33の計）	4	3,968,000円
関連法人株式等に係る受取配当等の額 （16の計）	2	200,000	受取配当等の益金不算入額 (1)＋((2)－(20の計))＋(3)×50%＋(4)×(20%~~又は10%~~)	5	Ⓔ 1,585,600
その他株式等に係る受取配当等の額 （26の計）	3				

受取配当等の額の明細

区分	項目	番号					計
完全子法人株式等	法人名	6	ハナマル東京販売㈱				計
	本店の所在地	7	東京都港区×××				
	受取配当等の額の計算期間	8	令5・4・1 令6・3・31	・・ ・・	・・ ・・	・・ ・・	
	受取配当等の額	9	600,000円	円	円	円	600,000円
関連法人株式等	法人名	10	ハナマル滋賀㈱				計
	本店の所在地	11	滋賀県彦根市×××				
	受取配当等の額の計算期間	12	令5・10・1 令6・9・30	・・ ・・	・・ ・・	・・ ・・	
	保有割合	13	40.0%				
	受取配当等の額	14	200,000円	円	円	円	200,000円
	同上のうち益金の額に算入される金額	15					
	益金不算入の対象となる金額 (14)－(15)	16	200,000				Ⓑ 200,000
	(34)が「不適用」の場合又は別表八(一)付表「13」が「非該当」の場合 (16)×0.04	17	8,000				Ⓒ 8,000
	同上以外の場合　(16)／(16の計)	18	1				1
	同上以外の場合　支払利子等の10％相当額 (((38)×0.1)又は(別表八(一)付表「14」))×(18)	19	220,000円	円	円	円	Ⓓ 220,000円
	受取配当等の額から控除する支払利子等の額 (17)又は(19)	20	8,000				8,000
その他株式等	法人名	21					計
	本店の所在地	22					
	保有割合	23					
	受取配当等の額	24	円	円	円	円	円
	同上のうち益金の額に算入される金額	25					
	益金不算入の対象となる金額 (24)－(25)	26					
非支配目的株式等	法人名又は銘柄	27	乙社株式				計
	本店の所在地	28					
	基準日等	29	令6・3・31	・・	・・	・・	
	保有割合	30	2.0%				
	受取配当等の額	31	4,000,000円	円	円	円	4,000,000円
	同上のうち益金の額に算入される金額	32	32,000				32,000
	益金不算入の対象となる金額 (31)－(32)	33	3,968,000				3,968,000

支払利子等の額の明細

令第19条第2項の規定による支払利子控除額の計算	34	適用・（不適用）			
当期に支払う利子等の額	35	2,200,000円	超過利子額の損金算入額 （別表十七(二の三)「10」）	37	円
国外支配株主等に係る負債の利子等の損金不算入額、対象純支払利子等の損金不算入額又は恒久的施設に帰せられるべき資本に対応する負債の利子の損金不算入額 （別表十七(一)「35」と別表十七(二の二)「29」のうち多い金額）又は（別表十七(二の二)「34」と別表十七の二(二)「17」のうち多い金額）	36		支払利子等の額の合計額 (35)－(36)＋(37)	38	Ⓐ 2,200,000

ここでいう益金の額に算入される金額とは、短期保有株式等の配当金をいいます。

Ⓒの8,000円（Ⓑ×４％）の方が、Ⓓの220,000円（Ⓐ×10%）より小さく有利なので、Ⓒの8,000円を使って計算します。

特定株式投資信託を除く証券投資信託の収益分配額は、全額益金算入されることとなったため記載しません。また、特定株式投資信託は、非支配目的株式等に含まれます。（85ページ参照）

特定株式投資信託以外の非支配目的株式等については、保有割合の記載が必要となります。
なお、保有割合は、短期保有株式を有していないものとして計算します。

乙社株式は短期保有株式等に該当するため、85ページ❷２の計算式に基づいて計算します。なお、短期保有株式等に係る配当等の額がある場合には、その金額に関する明細を別紙に記載して、法人税確定申告書に添付して提出することとされています。

Ａ：80,000株　Ｂ：20,000株
Ｃ：100,000株　Ｄ：25,000株　Ｅ：5,000株
（短期保有株式等の数）

$$5{,}000\times\frac{100{,}000\times\frac{20{,}000}{80{,}000+20{,}000}}{100{,}000+25{,}000}=800株$$

（益金に算入される配当等の額）

$$4{,}000{,}000円\times\frac{800株}{100{,}000株}=32{,}000円$$

上記「34」が「不適用」である場合は、「35」から「38」及び「18」、「19」の各欄は記載しません。

Ａ　関連法人等からの配当金等の額　×　4％（法令19①）
Ｂ　当該事業年度中に支払う負債の利子　×　10％（法令19②）
Ａ≧Ｂの場合、Ｂを適用することができ、この計算の適用を受ける場合には、「適用」に○を囲んで表示します。

結　果　Ⓔ「５」欄の1,585,600円を受取配当等の益金不算入額として別表四「14」欄で所得から減算します。

6 受取利息と源泉徴収税

――預金利息には、源泉徴収税と法人税の二重課税が？――

預貯金の利子などについては、15.315％、剰余金の配当については、原則20.42％の所得税（復興特別所得税を含む。）が源泉徴収されます。源泉徴収された所得税・復興特別所得税は法人税から税額控除すれば法人税の計算上、損金不算入となります。

なお、平成28年１月１日以後に法人が支払いを受ける利子などについては、都道府県民税利子割５％の源泉徴収が廃止されました。また、令和５年10月１日以後に支払いを受けるべき完全法人等及び関連法人株式等に係る配当等については源泉徴収を行わないこととされました。

① 源泉徴収税の税額控除

預金利息などを受け取る際には、所得税（復興特別所得税を含む。）が源泉徴収されますが、申告調整の段階で、前払金を精算する形でその源泉徴収分を他の税金から控除等できます。（所法174、法法68）

源泉所得税の対象＊1

- 法人から受け取る剰余金の配当若しくは利益の配当等
- 投資信託（公社債投資信託及び公募公社債等運用投資信託を除く。）の収益の分配
- 割引債の償還差益

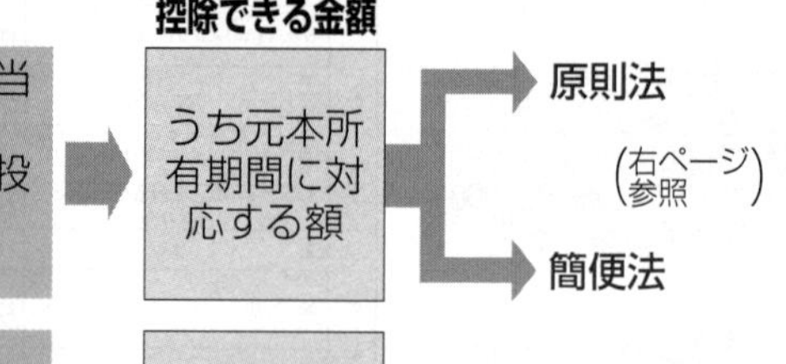

- 預貯金の利子
- 公社債の利子
- 合同運用信託の収益の分配
- 公社債投資信託又は公募公社債等運用投資信託の収益の分配
- 金融類似商品＊2に係る収益
- 匿名組合契約に基づく一定の利益の分配など

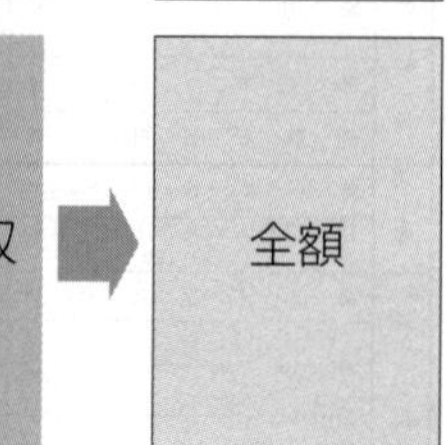

＊1　令和５年10月１日以後に支払を受けるべき完全子法人等及び関連法人株式等に係る配当等については源泉徴収の対象となりません。なお、関連法人株式等は、配当等の支払基準日における保有割合により判定します。

＊2　金融類似商品とは、定期積金、相互掛金、抵当証券、金貯蓄口座、外貨投資口座、一定の一時払養老保険をいいます。（所法174三～八）

3　平成28年１月１日以後は利払期前の公社債を譲渡する際に経過利子に係る所得税相当額を差し引かない金額で受渡しが行われることになりました。

4　配当権利落前に譲渡した株式について受け取った名義書換え失念株の配当について課された所得税については、税額控除の対象にはなりません。（法基通16－２－１）

5　未収利子及び未収配当等（利子等については、当該事業年度終了の日までに利払期の到来しているものに限る。）を確定した決算において収益として計上した場合には、税額控除の対象となります。（法基通16－２－２）

割引債の償還差益に対する源泉徴収

平成27年12月31日以前に発行された割引債については、発行時に償還差益に対する所得税〔（割引債の券面金額－発行価額）×18％＊1〕が源泉徴収されており、当該所得税は、償還時に源泉徴収されたものとみなして、償還を受けた事業年度の税額控除の対象となります。（措法41の12、措令26の11）

また、平成28年１月１日以後に発行された割引債は、発行時の源泉徴収が廃止されており、償還時に、所得税（復興特別所得税を含む。）として（償還金額×みなし割引率＊2×15.315％）が源泉徴収＊3されます。（措法41の12の２）

＊1　平成25年１月１日以後に発行された割引債は、18.378％

＊2　みなし割引率は、次のとおりです。

　　発行日から償還日までの期間が１年以内のもの…0.2％

　　発行日から償還日までの期間が１年超のもの…25％

＊3　個人の場合は、別途地方税５％が源泉徴収されます。

❷税額控除の所有期間按分

法人税等から控除される元本所有期間に対応する所得税等の計算には２通りの方法があり、株式及び出資、投資信託（公社債投資信託及び公募公社債等運用投資信託を除く。）の受益証券、割引債の区分ごとに毎年有利な方を選択できます。（法令140の２）

❶原則法（個別法）

元本の銘柄ごと、所有期間の月数の異なるごとに次の算式により計算します。

$$\begin{array}{l}\text{所得税}\\\text{利子割}\end{array}\text{の額}\times\frac{\text{分母のうち元本を所有していた期間の月数}}{\text{利子等の計算の基礎となった期間の月数}^{*}}\left(\begin{array}{c}\text{小数点以下}\\\text{3位未満の}\\\text{端数切上げ}\end{array}\right)$$

（月数は暦に従って計算し、１か月未満の端数は１か月とします。）

＊　剰余金の配当等の場合には、直前の支払配当の基準日の翌日から当該支払配当の基準日までの月数をいいます。

❷簡便法

元本を株式及び出資、投資信託（公社債投資信託及び公募公社債等運用投資信託を除く。）の受益証券、割引債の３種類に区分し、かつ、利子等の計算期間が１年超のものと１年以下のものとに区分し、その区分に属するすべての元本について銘柄ごとに次の算式により計算します。

$$\begin{array}{l}\text{所得税}\\\text{利子割}\end{array}\text{の額}\times\frac{\begin{array}{c}\text{計算期間開始}\\\text{時の元本の数}\end{array}+\begin{array}{c}\text{計算期間において}\\\text{増加した元本の数}\end{array}\times\frac{1}{2}}{\text{計算期間終了時の元本の数}}\left(\begin{array}{c}\text{小数点以下}\\\text{3位未満の}\\\text{端数切上げ}\end{array}\right)$$

●元本が計算期間開始時より減少している場合は全額控除対象となります。

❸税額控除と損金算入・不算入

❶所得税額

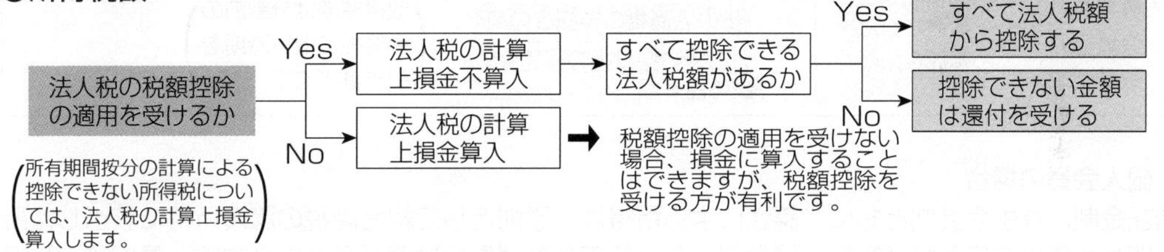

●所得税の処理方法による法人税と事業税との関係

事業税の課税標準となる所得を算定するに当たっては、所得税の全額が損金不算入となるため、法人税の計算における所得税の処理方法によっては、事業税の申告上調整計算が必要となる場合があります。（地令21の２の２）

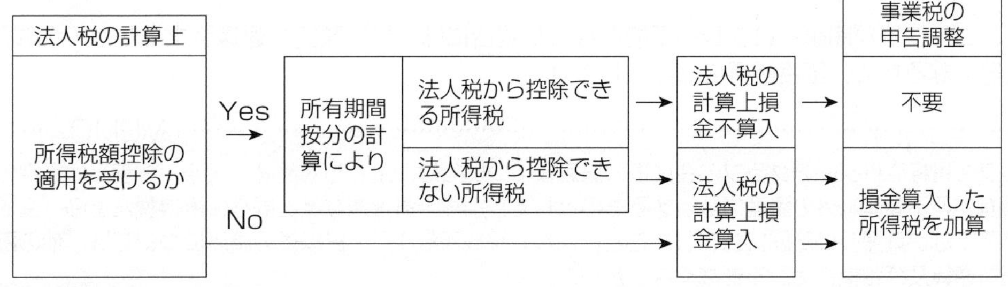

❷申告要件

所得税額の税額控除については、当初申告要件（86ページ参照）が廃止されており、更正の請求等により事後的に適用を受けることができます。

7 ゴルフ会員権をめぐる税務

――ゴルフ場が破綻した。会員権はどうなる？――

ゴルフ人口の減少やプレー代の低価格化等によりゴルフ場の経営環境は年々厳しさを増しており、預託金の償還原資を確保することは容易なことではありません。こうした状況下で、預託金償還問題で破綻状態にあるゴルフ場運営会社が、ゴルフ場を継続するため、会社更生や民事再生の手続をとったり、据置期間の延長や会員権の分割を行ったりとさまざまな手が打たれています。こうした場合において税務上はどのような取扱いになるのか、個人の場合も含めて検討することにします。

① 会員権を譲渡した場合

ゴルフ会員権には、大別して預託金制（優先的施設利用権と預託金返還請求権を主たる内容とする債権的法律関係により成立している会員権）、株主会員制（ゴルフ場経営会社の株主となることによって優先的施設利用権が付与される会員権で、当然株主としての権利も有する）、社団法人制の3つの形態があります。

① 法人会員の場合

預託金制、株主会員制ともに、譲渡による利益は益金、損失は損金になります。

・会員権の相場が下落しているゴルフ場が、預託金の償還期限を延長することを目的に会員権を分割するということが多く行われています。分割があった場合の取得価額の計算は以下のとおりです。（一部の預託金が償還された場合）

（分割前の会員権の取得価額 － 償還された預託金の額）× その会員権の預託金の額 ／ 分割後の会員権の預託金の額の合計額

（取得時期は分割前の会員権の取得時期を引き継ぎます。）

② 個人会員の場合

預託金制、株主会員制ともに、譲渡による所得は、原則として総合課税の譲渡所得に該当し、所有期間が5年以内であれば短期譲渡所得、5年超であれば長期譲渡所得となります。長期譲渡所得に該当すれば、所得の2分の1に税率をかけることになるため、税額が低く抑えられます。譲渡益が発生する場合には、所有期間に注意して譲渡の時期を検討ください。

譲渡損が発生する場合については、従来他の所得との損益通算が可能でしたが、平成26年4月1日以後の譲渡については、譲渡損失が発生した場合でも他の所得との損益通算はできなくなりました。

また、ゴルフ場が閉鎖されプレー不能となった場合には、単に預託金返還請求権だけの金銭債権の譲渡等になるため、譲渡所得にも該当しません。

MEMO

ゴルフ会員権やリゾートクラブの会員権の譲渡損については、主として趣味、娯楽、保養又は鑑賞の目的で所有する不動産以外の資産に該当するものとして、別荘・貴金属などと同様に所得税法上の「生活に通常必要でない資産」の範囲に含まれたことにより、平成26年4月1日以後の譲渡については、他の所得との損益通算及び雑損控除ができなくなりました。

❷ゴルフ場が破綻した場合

ゴルフ場が破綻した場合にも、破産のように原則プレーができなくなる場合と、会社更生や民事再生手続のようにプレーが継続できて再建して行く場合があります。

	個人会員	法人会員
再建型倒産手続の申立が行われた（プレー可能）	プレー権としての価値は存在しているため、損失計上することはできません。	預託金返還請求権の全部又は一部が顕在化しない限り単なる金銭債権ではないため、貸倒引当金、貸倒損失、評価損等の損失計上をすることはできません。
清算型倒産手続の申立が行われた（プレー不能）	個人が有するゴルフ会員権に事業関連性は認められないため、申立の事実のみで損失計上することはできません。	預託金返還請求権の全部又は一部が顕在化した場合には金銭債権として貸倒引当金の個別評価による繰入れの形式的要件を満たす場合、帳簿価額により計上できる金額は異なりますが、その一部について貸倒引当金としての損失計上が可能です。
法的手続の中で預託金債権の一部が切り捨てられた	個人が有するゴルフ会員権に事業関連性は認められないため、貸倒損失が生じたとしても、家事関連費ということで、事業経費にはならず、また、雑損控除も認められません。ただし、従来どおり優先的施設利用権を行使できる場合でその後に譲渡を行った場合等には、切捨て前の取得価額を基準に譲渡所得の計算を行います。＊	預託金返還請求権（帳簿価額とは必ずしも一致しない）として顕在化した部分については金銭債権として貸倒損失及び貸倒引当金の対象とすることができます。なお、損失の計上金額については、各社の状況（帳簿価額等）により異なることになります。（法基通９－７－12（注））

＊　破綻したゴルフ場で経営実態に変動があったような場合においては、その経営引継時の会員権の処理内容（プレー権の存続の有無、会員権がそのまま存続するのか、いったん引き取られるのか等）によって、譲渡所得の計算に影響を及ぼします。また、預託金債権の切り捨てが行われた後に譲渡する場合においても、従来のゴルフ会員権と同一性（プレー権及び預託金返還請求権の双方）を有しているかどうかが譲渡所得の計算上、譲渡収入から差し引く取得費を算定する上で重要な要素となります。

❸会員権の評価

①　法人会員の場合

ゴルフ会員権の相場が取得時の２分の１以下に下がっていたとしても、ゴルフ会員権の相場の下落は、資産の評価損が計上できる場合には該当しないと言われているため、法人税法上評価損の計上はできません。

②　個人会員の場合

所得税法上も、相場の下落による評価損の計上はできません。

相続が発生した場合のゴルフ会員権の評価

１．取引相場のある会員権	①通常の取引価格×70% 取引価格に含まれない預託金等がある場合は以下の金額を加える。 ② 直ちに返還を受けることができる預託金等の金額 ＋ 一定の期間を経過した後に返還を受けることができる預託金等の金額の返還期間に応じた基準年利率による複利現価の額
２．取引相場のない会員権	③株主しか会員になれない会員権 株式の評価方法（82ページ参照）に基づいて評価する。 ④株主であり、かつ、預託金等を預託しなければ会員となれない会員権 株式と預託金等に区分し、③と②に基づく評価の合計額で評価する。 ⑤預託金等を預託しなければ会員となれない会員権 ②の計算により評価する。

1 不動産投資をめぐる税務

――不動産を持つとなにかと手間がかかるもの――

不動産に関係する税金は、他の項目と比較すると税法の規定も多く、また、その取扱いも非常に複雑です。土地を取得したとき、土地を保有しているとき、土地を他人に貸したとき、土地を売却したとき、それぞれの局面でさまざまな税務上の問題が発生してきます。

景気低迷時においては、土地の有効利用等の観点から土地重課制度の停止や特別土地保有税の凍結など不動産流通に関する税負担の軽減が行われてきました。また、中小企業の生産性を向上させるために、市町村から認定を受けた先端設備等導入計画に基づき取得した設備については、固定資産税を軽減（3年間2分の1もしくは最長5年間3分の1）する制度が導入されています。

土地の価格

土地には上場された株式や商品のように共通の時価を形成する取引所はなく、その周辺の状況・土地自体の面積・地形等、個々の特性・事情が反映されて価格が形成されます。実際に売買等の取引が行われなくても、例えば保有にかかる税金や相続税等の算定のためには土地の価格を計算することが必要となります。こうした評価の基準や取引の参考にするといった目的のために、政府や地方公共団体が公表している土地の価格の主なものを挙げると次のとおりです。

名称	価格評価時点	公表のタイミング	概要
公示地価	1月1日現在（毎年改訂）	毎年3月下旬頃	・目的：一般の土地取引の価格に指標を与え、適正な地価の形成に寄与するため ・意義：「正常な価格」（自由な取引によって通常成立すると認められる価格） ・公表：国土交通省の土地鑑定委員会が公示地（標準地）（令和6年は全国で26,000地点）について公表
路線価	1月1日現在（毎年改訂）	毎年7月	・目的：相続税、贈与税、地価税等の課税価格算定の基礎となる財産の評価（宅地等の評価）に使用するため ・意義：路線（不特定多数の通行の用に供されている道路）に面する標準的な画地を有する宅地の価額 ・公表：国税庁により路線価図に収録
固定資産税評価額	原則として前年の1月1日現在（昭和33年から起算して原則3年ごとの基準年度（令和3年、令和6年…）に改訂）	原則として毎年3月末日までに市町村の固定資産税台帳に登録される	・目的：固定資産税や不動産取得税の課税標準算定の基礎とするため ・意義：総務大臣が定める「固定資産の評価の基準並びに評価の実施の方法及び手続」に従った価格（評価額の算出基準は平成6年以降、公示地価の約7割とされている。） ・公表：市町村の固定資産税台帳に登録されたあと原則として毎年4月1日から4月20日又は当該年度の最初の納期限の日のいずれか遅い日以後の日で市町村が定める日までの間市町村役場で縦覧＊（不服がある納税者は原則として毎年4月1日から納税通知書の交付を受けた日後60日までの期間内に固定資産評価審査委員会に審査の請求ができる。）

・このほかに、国土利用計画法施行令第9条に基づき都道府県知事が毎年公表する基準地の標準価格があります。これは毎年7月1日現在の価格を9月下旬頃、都道府県の公報に公表するものです。
・国土交通省ホームページ（https://www.reinfolib.mlit.go.jp）では、公示地価及び基準地の標準価格を検索できます。
・国税庁ホームページ（https://www.rosenka.nta.go.jp/）では、路線価図の閲覧ができます。
＊　土地又は家屋が所在する市町村内の他の土地又は家屋の比較をすることができる「土地（家屋）価格等縦覧帳簿による縦覧」ができます。

〈不動産に関する税務のチェックポイント〉

土地や建物といった不動産については、通常の法人税とは別に税金が課せられたり、税務上の取扱いが複雑であったりと、税金を考えていくに当たって重要な項目のひとつです。不動産に関係する取引を行う場合などには、幅広く税金対策を考えて慎重に行動するようにしましょう。

こんなケースは…	税務上の取扱い	対策及び注意点	参照
土地の取得に係る税金 土地を購入するつもりですが、どんなことに注意したらよいのでしょう。	1　土地の取得価額は次のように計算します。 購入代価＋仲介手数料等＋事業の用に供するために直接要した費用 2　土地の取得に当たっては、次のような税金が課される場合があります。 ・不動産取得税 ・特別土地保有税（当分の間適用停止） ・登録免許税 ・印紙税	①　土地の取得に伴って発生する費用には取得価額に含めなくてもよい費用があります。将来の売却予定を考慮して取得価額に含めるかどうかを決めることがポイントです。 ②　土地取得時の資金繰りに当たっては土地の購入代金や仲介手数料の支払に加えて不動産取得税や登録免許税等の追加支出が必要となる点を考慮する必要があります。	94ページ 95ページ
土地の保有に係る税金 土地を持っているとどんな税金が課されますか。	次のような税金が課される場合があります。 ・固定資産税 ・都市計画税 ・特別土地保有税（当分の間適用停止） ・地価税（当分の間適用停止）	土地を保有しているだけで毎年かなりの税金が課されますので、土地を取得する際にはその点も考えておくべきです。	96ページ
土地の売却に係る税金 土地を売ると高い税金がかかると聞きましたが。	土地を売却すると通常の法人税の他に特別の税率で税金が課される制度（土地重課）がありますが、令和８年３月末まで適用が停止されています。	将来に土地売却を予定している場合で土地の譲渡利益が出る場合には左の土地重課適用停止期間内に売却できないか検討してみましょう。	98ページ
借地権課税 関係会社に土地を貸すことになりました。どんなことに注意すればよいでしょうか。	権利金を受け取らないで土地を貸したり、一般の例よりも低い権利金しか受け取らないで土地を貸したりすると、貸主が寄附金認定、借主が借地権認定課税を受ける場合があります。	このような取扱いを受けるとかなり多額の税金が課されます。権利金をきちんと授受する又は権利金を受け取らないのであれば、相当の地代で貸すか、立退きの場合は土地を無償で返還する旨の契約を締結するなど、十分に検討したうえで貸し借りするようにしましょう。 なお、完全支配関係会社間の取引である場合の課税関係については、グループ法人税制が適用され、取扱いが異なりますので注意が必要です。	100ページ 214ページ

2 土地を取得した場合の税金と取得価額

――不動産投資で土地を購入したが、さて？――

会 社 で土地を購入した場合にまず問題となるのは、土地の取得価額をいくらにするかということです。現在は土地重課制度が令和8年3月末まで適用停止されていますが、将来土地重課制度が復活する可能性を考え、売却予定の土地については付随費用を取得原価に算入し、土地重課の対象となる金額を減らすことの検討も必要になります。一方、将来的に土地を売却する予定がないのであれば、経費として処理できるものはその時点で損金処理しておく方が節税につながります。土地の取得にかかる税金等を取得時に損金処理するか、取得価額に含めるか、取得時の損益状況と土地重課の動向を比較して選択してください。

① 土地の取得価額

土地の取得価額算出の仕組みは他の固定資産と同様で、以下のようになります。

取得価額	＝	購入先に支払った購入代金	＋	仲介手数料その他取得のために直接要した費用	＋	事業の用に供するために直接要した費用

(1) **土地の取得価額に含めなくてもよい費用の例**（法基通7－3－3の2）← 即時費用処理をして損金に算入できる

① 不動産取得税

② 特別土地保有税（土地の取得に対して課されるもの）＊

③ 登録免許税その他登記のために要する費用

④ 建設計画変更による不要となったものに係る費用（調査、測量、設計、基礎工事等）

⑤ 契約解除の違約金の額（手付け金等）

＊ 適用が停止されています。

(2) **土地の取得価額に含めなければならない費用の例**（法基通7－3－4～7－3－6）

① 土地とともに取得した建物の帳簿価額及びその取壊し費用（下記留意点参照）

② 土地の取得に伴って支払う立退料

③ 土地の造成又は改良のために要した費用（埋立て、地盛り、地ならし等）

留意点 土地と建物を一括購入した場合

1．土地と建物を一括購入し、その建物を直ちに取り壊したり、取得後おおむね1年以内に取壊しに着手するなど当初からその建物を取り壊して土地を利用する目的であることが明らかな場合は、建物の帳簿価額及び取壊し費用を土地の取得価額に含めなければならないとされていますので注意が必要です。

2．なお、土地･建物に係る固定資産税を月数や日数按分で買主が負担した場合、その負担額は取得価額に含めなければなりません。また、そのうち建物に係る部分は消費税の仕入税額控除の対象となります。（消基通10－1－6）

3．土地と建物を一括購入した場合には取得価額を区分することが重要になります。この区分は下図の方法によります。（消基通11－4－2、措通62の3(2)－3他）

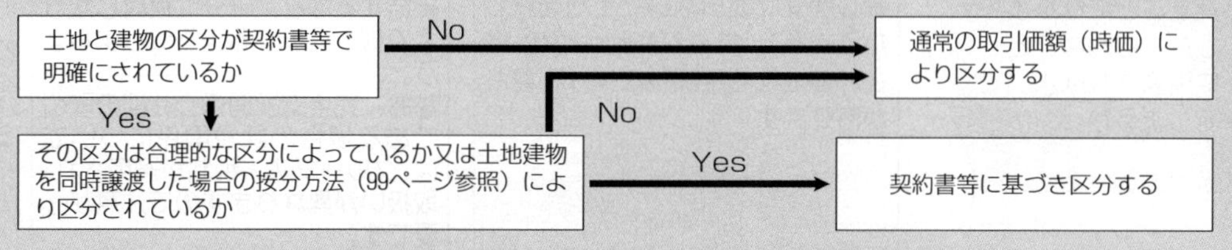

❷土地を取得したときにかかる税金

土地を取得したときには、次のような税金がかかります。なお、特別土地保有税(次ページ参照)は当分の間課税が停止されています。

	不動産取得税（都道府県民税）	登録免許税（国税）	印紙税（国税）
納税義務者	課税対象となる不動産（土地及び家屋）を取得した個人及び法人 （地法73の２）	登記等を受ける者 （登法３）	課税対象となる文書（契約書や領収書等）の作成者 （印法3、4）
課税標準	原則として取得不動産の固定資産税評価額（地法73の13、21） ●令和９年３月31日までの取得宅地等は固定資産税評価額の１/２ （地法附則11の５）	固定資産税評価額、抵当権の件数等（登法９～13）	課税物件表のとおり （印法７、13ページ参照）
税額計算	課税標準額×原則４％(地法73の15) ●令和９年３月31日までに取得した土地又は住宅は３％ （地法附則11の２） ●特定の住宅や住宅用地については、軽減措置の特例があります。	売買・贈与：課税標準額×２％※ 相続・合併：課税標準額×0.4%（登法９） ※土地の売買については、令和８年３月31日まで1.5%（措法72①） ●特定の住宅については、軽減措置の特例があります。	課税物件表のとおり （印法７、13ページ参照） ●不動産譲渡契約書等については軽減の経過措置（令和９年３月31日まで）があります。 （措法91）
免税点等	土地：課税標準額10万円未満 家屋１戸 ・建築等：課税標準額23万円未満 ・売買等：課税標準額12万円未満 （地法73の15の２）	課税標準額･税額ともに1,000円未満は1,000円とする。 （登法15、19）	――――
非課税の例	①国等による取得 ②一定の用途のための取得 ③相続、法人の合併や分割（分割対価が株式で一定の要件を満たすもの）等形式的な所有権移転等 （地法73の３～73の７） ●取壊しを条件として家屋を取得し、取得後使用することなく直ちに取り壊した家屋についても非課税になります。	①国等による登記 （登法５） ②個人が相続により土地の所有権を取得したものの、所有権移転登記を受ける前に死亡した場合に、平成30年４月１日から令和７年３月31日までの間に、当該個人に登記名義人を移すための登記。 （措法84の２の３①）	①国等が作成する文書 ②課税物件表の非課税欄に掲げる文書 （印法５）
（申告）納付	不動産を取得した日から一定期間内に申告 納税通知書に基づき指定された納期限までに納付 （地法73の16～73の18）	原則として現金納付 一定の条件のもと印紙納付も容認 （登法21、22）	原則として課税文書に印紙を貼り付け消印する方法で納付 （印法８～12）

●産業競争力強化法に基づき、令和９年３月31日までの間に事業再編計画の認定を受けた事業者は、その計画に基づく不動産の移転について、以下のとおり登録免許税の税率が軽減されます。（措法80①）
法人設立の場合の不動産移転登記：1.6%、合併による不動産登記：0.2%、会社分割による不動産移転登記：0.4%

●中小企業等経営強化法に基づく登録免許税の軽減措置は、令和６年度税制改正により廃止となりました。ただし、令和６年３月31日までの間に認定を受けた事業者は、その認定日から１年以内に行う登記について軽減措置を受けることができます。（旧措法80③）

●また、一定の不動産の取得については、不動産取得税の軽減措置を受けることができます。（地法附則11の４）

3 土地の保有に課される税金

――土地を持っているだけでも税金はかかる――

土地を保有しているだけで課される税金には、地方税として固定資産税、都市計画税、特別土地保有税（平成15年１月１日以後取得・保有分から新たな課税が当分の間停止）の３種類があり、これらの税金は、たとえ会社が赤字であっても課されます。土地を取得・保有する際には、保有に関する税金のコストも十分考慮に入れておくことが必要です。

また、固定資産税における土地の評価額の見直しは３年ごとに行われることになっていますが、令和６年度の評価替えに伴い、令和８年度までの土地に係る固定資産税の負担調整措置が講じられています。

① 特別土地保有税

特別土地保有税は、当分の間課税が停止されています。

	特別土地保有税（市町村税）　（地法585以下）	
	保有分	（参考）取得分（前ページ参照）
納税義務者	１月１日現在、課税対象となる土地（10年間超保有のものは除外）を保有する個人及び法人	課税対象となる土地を取得した個人及び法人
課税標準	土地の取得価額又は修正取得価額（地価公示価格の全国的変動率等を用いて修正した額）のいずれか低い金額	１月１日又は７月１日前１年以内に取得した土地の取得価額の合計額 （既に課税対象となったものを除く。）
税額計算	課税標準額×1.4％－固定資産税相当額	課税標準額×３％－不動産取得税相当額
免税点	次の基準面積未満の場合 ①指定都市の区の区域　2,000㎡ ②都市計画区域を有する市町村の区域　5,000㎡ ③その他の市町村の区域　10,000㎡	１月１日又は７月１日前１年以内に取得した土地の面積が次の基準面積未満の場合 ①指定都市の区の区域　2,000㎡ ②都市計画区域を有する市町村の区域　5,000㎡ ③その他の市町村の区域　10,000㎡
非課税の例	①国等の所有する土地等 ②一定の用途に供されている土地等	①国等による取得 ②一定の用途のための取得 ③相続、法人の合併や分割（分割対価が株式で一定の要件を満たすもの）等形式的な所有権移転等
申告納付	５月31日までに申告納付	２月末日（１月１日前の取得分）又は８月31日（７月１日前の取得分）までに申告納付

▶非課税等に該当しない土地でも所定の要件を満たせば特別土地保有税が免除されます。例えば恒久的な建物・施設等の用に供する土地に係る納税義務の免除制度では、①建物等又は特定施設自体及びその利用が一定の要件（恒久性）を満たすこと、②周辺地域の計画的な土地利用に適合していることが必要で、市町村長の認定を受ける必要があります。（取得の場合にも同様の制度があります。）

遊休土地に係る特別課税

遊休土地の利用を促進するため、上記の特別土地保有税とは別途に遊休土地転換利用促進地区内に所有する一団の土地で1,000㎡以上のものについては取得の時期の如何を問わず時価又は取得価額のいずれか高い金額を課税標準とした遊休土地に係る特別土地保有税が課されます。（地法621以下）

税額計算

税額＝（取得価額又は時価（高い方）×1.4％－その土地の固定資産税相当額）－当該土地に係る従来の特別土地保有税額（保有分）

②固定資産税及び都市計画税

	固定資産税（市町村税）（地法341以下）		都市計画税（市町村税）（地法702以下）
課税客体	償却資産＊1	土地及び家屋	土地及び家屋
納税義務者	1月1日現在固定資産を所有している個人及び法人		1月1日現在都市計画法による市街化区域内等に土地や家屋を有している個人及び法人
課税標準	償却資産課税台帳に登録された価格＊2	土地：土地課税台帳に登録された価格 家屋：家屋課税台帳に登録された価格＊3	
税額計算	課税標準額×1.4%		課税標準額×税率（制限税率0.3%）
免税点	一の市町村の区域内において課税標準額の合計額が次の額未満の場合		
	1,500,000円	土地：300,000円　家屋：200,000円	
非課税	①　国等の所有する土地等　②　一定の用途に供されている土地等		
納期	納期は原則4月、7月、12月及び2月の4回 （市町村から送付されてくる納税通知書により納付）		納期は原則4月、7月、12月及び2月の4回（納税通知書により固定資産税と合わせて納付）

＊1　償却資産とは、土地・家屋以外の事業の用に供される資産（自動車税が課される自動車等、無形減価償却資産を除きます。）で、その減価償却額が損金算入（法人の場合）されるものをいいます。（取得価額10万円以下の少額減価償却資産、一括償却資産を除きます。ただし、令和5年4月1日以後に取得した資産で貸付用として事業供用される資産のうち一定のものは、少額減価償却資産等に該当しても除外されません。）なお、毎年1月1日現在における償却資産の名称、取得価額、取得時期、耐用年数等を1月31日までに申告します。

＊2　中小企業者等が、今後3～5年における労働生産性を年平均3%以上向上させるものとして市町村から認定を受けた先端設備等導入計画に基づいて取得した以下の要件に該当する設備については、最初の3年間、課税標準が1/2（一定の場合は1/3）となります。（地法附則15㊹）

対象資産	1台(組)の金額
機械装置	160万円以上
測定工具・検査工具	30万円以上
器具備品	30万円以上
建物附属設備（償却資産）	60万円以上

- 令和7年3月31日までに取得した設備が対象です。
- 投資利益率が年5%以上の投資計画に記載された設備が対象です。
- 認定申請日を含む事業年度もしくはその翌事業年度における雇用者給与等支給額の増加割合を申請日直前の事業年度比で1.5%以上とする計画により認定を受けた場合の課税標準は以下のとおり1/3となります。

取得日	課税標準
令和5年4月1日から令和6年3月31日	最初の5年間1/3
令和6年4月1日から令和7年3月31日	最初の4年間1/3

＊3　住宅用地については、住宅政策に資するように課税標準の特例が設けられており、課税標準額の減額がなされています。なお、「空家等対策の推進に関する特別措置法」により、倒壊等著しく保安上危険となるおそれがある等の一定の空家等（特定空家等（空家等対策の推進に関する特別措置法第2条第2項））に該当した場合は、上記の特例の適用対象から除かれることになりますので注意が必要です。

土地の固定資産税の負担調整措置（地法附則18以下）

平成6年度から土地の固定資産税評価額は、公示地価の約7割まで引き上げられましたが、土地価格に合わせて固定資産税が急激に変動しないように課税標準額について負担調整措置が導入されています。

直近の基準年度である令和6年度の評価替えに伴う令和8年度までの負担調整措置は以下のとおりです。

負担水準＊1	商業地等の課税標準額	住宅用地の課税標準額
100%以上	本年度評価額×70%	本則課税標準額＊2
70%超100%未満	本年度評価額×70%	前年度課税標準額＋本則課税標準額＊2×5%（A） ・本則課税標準額＊2を限度とする。 ・（A）が本則課税標準額×20%を下回る場合 →　本年度評価額×20%
60%以上70%以下	前年度課税標準額に据置き	
60%未満	前年度課税標準額＋本年度評価額×5%（A） ・（A）が本年度評価額の60%を上回る場合 →　本年度評価額×60% ・（A）が本年度評価額の20%を下回る場合 →　本年度評価額×20%	

＊1　負担水準＝$\frac{\text{前年度課税標準額}}{\text{本則課税標準額＊2}}$×100%

＊2　本則課税標準額
商業地等：本年度評価額
住宅用地：本年度評価額×1/3（200㎡までの部分は1/6）

〈特例措置〉

固定資産税評価額は、基準年度（令和6年度が該当します。）の価格を3年間据え置くことになっていますが、令和7年度、令和8年度において、地価に下落傾向が見られる場合には簡易な方法により価格の下落修正ができます。また、各地方公共団体が条例により税額の減額措置を設けることもできます。

4 土地を譲渡した場合の税金

――土地を譲渡する場合には、要注意――

法　人　が土地等の譲渡を行った場合には、その土地等の譲渡利益に対し、通常の法人税のほかに、特別な税金が課されます（土地重課）が、土地重課制度は令和８年３月末まで適用停止とされています。

この土地重課制度の適用停止の延長に加え、平成21年・22年に取得した特定の長期所有土地等の所得の特別控除といった、土地の流動化や有効活用を促進する経済対策のための特例が設けられています。

①土地重課の特別税額の計算

土地重課の特別税額 ＝ 〔譲渡利益金額：収益の額 －（原価の額 ＋ 直接・間接に要した経費の額） ＋又は－ （圧縮記帳等の適用がある場合には譲渡利益金額の調整計算が必要となります。）〕 × 特別税率

直接・間接に要した経費の額	
直接・間接に要した経費の額とは、保有期間中の負債利子と販売費及び一般管理費であり、これらはそれぞれ概算法と実額配賦法のうちいずれか有利な方で計算することができます。	
①概算法（原則法）（措令38の４⑥他） 譲渡した土地等の帳簿価額の累計額に負債利子として６％、販売費及び一般管理費として４％をそれぞれ乗じて計算します。	**②実額配賦法**（措令38の４⑧他） 実際発生費用を譲渡土地等に合理的な基準により配賦した額をもって、負債利子又は販売費及び一般管理費とする方法

●概算法か実額配賦法かの選択は一般分・短期所有分のそれぞれの区分の中で事業年度（譲渡事業年度）ごとに、かつ、負債利子又は販売費及び一般管理費の区分ごとに認められます。

区	分	特別な法人税の税率	適　用
一般土地等の譲渡（措法62の３）	法人が所有する土地等で短期所有土地等以外のもの	その譲渡利益金額に対して５％の税率で重課	平成10年１月１日から令和８年３月31日まで適用停止
短期所有土地等の譲渡（措法63）	法人が所有する土地等で、所有期間（右ページ参照）が５年以下であるもの（取得した年に譲渡したものを含む。）	その譲渡利益金額に対して10％の税率で重課	

●土地や借地権の譲渡以外に、一定の要件を満たす土地類似株式等の譲渡、法人の組織変更に伴う評価換え、合併・分割・現物分配（適格の場合を除く。）による移転、清算中の法人の残余財産の確定の場合にも土地重課の対象となることがあります。

②土地重課の対象となる取引

土地以外に、一定の要件を満たす土地類似株式等の譲渡も土地重課の対象となります。

土地等の譲渡	①国内の土地等の譲渡 ②国内の賃借権の設定等で土地譲渡とみなされるもの ③土地等の売買取引の仲介で、宅地建物取引業法に規定する法定報酬の限度額を超える報酬を受ける行為
土地類似株式等の譲渡	対象となる株式等（土地類似株式等）＊ イ　$\frac{\text{土地等の価額}}{\text{総資産の価額}} \geq 70\%$ となる会社の株式等（株式の所有期間が５年以下の場合は短期所有土地等の譲渡に該当します。） ロ　$\frac{\text{短期所有土地等の価額}}{\text{総資産の価額}} \geq 70\%$ となる会社の株式等（株式の所有期間に関係なく、短期所有土地等の譲渡に該当します。） ＊　土地類似株式等に該当し、譲渡者を含む特殊関係株主等について次の要件をすべて満たすものが土地重課の対象となります。 ⑴発行済株式総数等の５％以上（１年当たり）の譲渡であること ⑵譲渡事業年度の末日以前３年内における譲渡株式数等の累計が発行済株式総数等の15％以上であること ⑶譲渡事業年度の末日以前３年内のいずれかのときにおいて発行済株式総数等の30％以上の株式を有すること

（注）上記のほかに、借地権の認定や法人の組織変更に伴う評価換え、合併・分割（適格合併・分割を除きます。）による移転、清算中の法人の残余財産の確定の場合にも土地重課の対象となることがあります。

❸長期所有土地等の譲渡の1,000万円控除

平成21年1月1日から平成22年12月31日までの期間内に取得した国内にある土地等（棚卸資産を除きます。）で、その取得の日から引き続き所有し、かつその所有期間（下記及び250ページ参照）が5年を超えるものの譲渡をした場合には、他の特例の適用を受けない等一定の要件の下、当該譲渡の日を含む事業年度の所得の金額の計算上1,000万円（当該譲渡による利益が1,000万円に満たない場合には、当該譲渡益の金額）を損金の額に算入することができます。（措法65の5の2）

❹土地建物を同時譲渡した場合の譲渡対価の按分

土地建物を同時に譲渡した場合には主に次の理由からその譲渡対価を合理的な基準で土地に係るものと建物に係るものとに区分することが必要になります。

- 土地重課は土地等の譲渡等が対象となり、建物部分は対象にならない。
- 建物の譲渡は消費税法上課税取引であり、土地等の譲渡は非課税取引である。

平成10年1月1日から令和8年3月31日までは土地重課が適用停止されているため、土地重課に関しては、当面、譲渡対価の按分を考慮する必要はありませんが、消費税の課税資産の譲渡の金額を明確にする必要があるため、従来どおり譲渡対価を合理的に按分しなければなりません。

譲渡対価の合理的な区分の方法（措通62の3(2)－3、63(2)－3）

❶建物の譲渡対価を求める方法

建物の譲渡対価の額として相当と認められる価額を算定し、一括した譲渡対価の額からその価額を控除した残額を土地等の譲渡対価の額とする方法

（建物の譲渡対価は、建築費の額又は購入価額に通常の利益の額を加算した金額とするのが一般的です。）

❷土地の譲渡対価を求める方法

土地の譲渡対価の額として相当と認められる価額を算定し、その価額を土地等の譲渡対価の額とする方法（ただし、一括した譲渡対価の額からその金額を控除した残額が建物の譲渡対価の額として相当な場合に限ります。）

（土地の譲渡対価は、売買事例や公示価格等を基に算定するのが一般的です。）

☆新築建物を土地等と同時に譲渡した場合には以下の簡便計算が認められます。（措通62の3(2)－4他）

	譲渡益が生ずる取引の場合	譲渡益が0か損失が生ずる取引の場合
イ　建物の譲渡対価	①又は②のうち低い方 ①　建物取得価額×142%（原則*） ②　譲渡対価の合計額－土地取得価額	譲渡対価の合計額 × $\frac{建物取得価額}{建物取得価額＋土地取得価額}$
ロ　土地の譲渡対価	全体の譲渡対価－上記イで計算された建物の譲渡対価の額	

（注）どの方法による場合でも契約書上、土地等の価額が明らかにされていること（建物の価額より算定できる場合を含みます。）が条件とされていますので注意してください。また、合理的に区分されていない場合には、それぞれの譲渡に係る通常の取引価額を基礎として区分することになります。

＊　自己の有する土地等に建物を建設し、同時に譲渡した場合において、建築期間が1年を超える場合には、154%になるまでその超える月数×1%の割合を加算した割合とすることができます。

土地重課等における所有期間

土地重課及び上記❸における所有期間は取得日の翌日から譲渡日の属する年の1月1日までの期間をいい、❶❷❸における取得日又は譲渡日は原則として、土地等の引渡しの日となります。ただし、法人の選択により以下の日とすることができます。（措通62の3(1)－4、65の5の2(1)－1、法基通2－1－14）

取得の日	ⓐ、ⓑいずれか遅い日（土地重課については、同日以後引渡しの日までの間で法人が取得日として選定した日） （引渡日の特約がある場合を除きます。）	ⓐ売買代金の支払額（手付金を含む。）の合計が売買代金の30%以上になった日 ⓑ売買契約締結日
譲渡の日	譲渡契約の効力発生日の属する事業年度で収益計上する場合には当該効力発生日	

5 借地権課税(その1)

――一口に関連会社に土地を貸すといっても――

会　社　が土地を賃貸するときに受け取る権利金は全額をその期の収益として計上しなければなりません。(なお、権利金等の額がその土地の更地価格の2分の1以上の場合は土地等の譲渡とされます。) ところが、子会社や関連会社などに土地を賃貸する場合に、権利金の収受が一般の慣行となっているにもかかわらず、権利金をまったく受け取らなかったりするケースがあります。このような場合には、通常の取引であれば受け取ったであろう額を認定して課税計算がなされます。(これを権利金の認定課税といいます。)

権利金の認定課税を受けると、通常かなり多額の税金を支払わねばならなくなりますので、土地を賃貸借する場合には、権利金の認定課税を受けないよう十分に注意することが必要です。

① 権利金の認定課税を回避する「相当の地代」と「無償返還の届出」

一時使用等の場合を除けば、通常、土地の賃貸借によって借主側には借地権が発生し、取引上の慣行として権利金の授受が行われ、その代わりに立退きの場合には借主側に立退料を支払うというのが通常の契約です。したがって権利金を収受していなかったり、収受していてもその金額が世間相場(通常収受すべき権利金の額)よりも少ないときには税務上、権利金の認定課税の問題が生じます。

これに対して、以下の1と2の方法のいずれかを行っていれば原則としてこのような課税関係が生じないこととされています。

1. 相当の地代の収受 (法令137)

実際に収受した権利金が世間相場よりも少ない場合、その埋合わせのために地代を高く取っていれば税務上権利金の認定課税の問題は発生しません。この権利金の認定課税の問題が発生しない地代の額は「相当の地代」といわれ、次の算式で計算されます。(法基通13－1－2、平元直法2－2)

相当の地代＝(土地の更地価額－収受した権利金等の額)×6%

1　土地の更地価額は、次の額とされます。
原則…通常の取引価額(時価)
例外…①　公示価格又は基準地の標準価格から合理的に算定した額
②　財産評価基本通達に基づく評価額もしくはその過去3年間における平均額

2　権利金等の一部を収受した場合で土地の更地価額として通常の取引価額以外のものを採用した場合は、収受した権利金等を次のように改訂します。

$$収受した権利金等の額 \times \frac{相続税評価額等(上記①②)}{通常の取引価額}$$

2. 土地の無償返還に関する届出書の提出 (法基通13－1－7)

賃貸借に当たって権利金を収受し、立退きの際には逆に立退料を支払うのが一般的ですが、契約により将来借地人がその土地を無償で返還することが定められている場合があります。このような場合には立退料の問題は発生しませんから、権利金の認定も行う必要がないことになります。

このような取扱いを受けるためには、次のような条件を満たしておくことが必要です。

❶契約書において、将来借地人がその土地を無償で返還することが定められていること
❷借地人との連名で上記❶の無償で返還する旨を記載した「土地の無償返還に関する届出書」を遅滞なく貸主の納税地の税務署長に提出すること

❷権利金の認定課税

契約当初の実際の地代の額が「相当の地代」に満たない場合で権利金の収受状況及び無償返還の届出書の提出状況が下表のケースでは、権利金の認定課税の問題が生じることになります。

		貸主側	借主側	次ページ参照番号
通常収受すべき権利金に満たない権利金を収受している		（権利金関係）（法基通13－1－3） 次の算式による権利金の認定を受けます。 土地の更地価額＊1 × （1 － 実際収受している地代の年額 ／ 相当の地代の年額＊2） － 収受した権利金等の額 ＝ 認定される権利金の額	〔借地権関係〕 左の計算式における認定される権利金の額相当の借地権の贈与が貸主側よりあったとみなされます。	1
権利金を収受していない	無償返還の届出書を提出していない	（通常の権利金との差額が寄附金とされます。）		4

＊1　「土地の更地価額」は、通常の取引価額を意味します。
＊2　相当の地代の年額は、実際に収受している権利金等の額があっても、これらの金額がないものとして計算した金額によります。

❸地代の認定課税

1. 契約当初に「相当の地代」に見合う額を収受している場合

「相当の地代」を収受していれば、権利金を受け取っていなかったり、世間相場よりも少ない権利金しか受け取っていなくても権利金の認定課税は受けません。

ただし、その後、その「相当の地代」を改訂するか否かにより次のように税務の取扱いが異なります。（法基通13－1－8）

権利金	無償返還の届出	相当の地代の改訂を実施するという届出	課税関係等	次ページ参照番号
権利金を収受していない又は通常収受すべき権利金に満たない権利金を収受している	無	する	3年ごとに地代を改訂し、常に地代を相当の地代の水準に維持しておかなければなりません。 改訂がなされない場合は、原則として貸主側で相当の地代との差額が寄附金とされますが、当初の契約を見直し、地代の改訂を行わないこととし、その旨を両者合意のうえ税務署に届け出たときは、下記と同様の効果が生じます。	2、7
		しない	契約当初は税務上の問題は特に発生しませんが、土地の価格の上昇とともに自然発生借地権が借地人側に発生し、立退きや土地の譲渡等の場合に課税問題が生じます。	3、8
権利金を収受していない	有	－	相当の地代の改訂の届出の有無にかかわらず3年ごとに地代を改訂し、常に地代を相当の地代の水準に維持しておかなければなりません。 改訂がなされない場合は、貸主側で相当の地代との差額が寄附金とされます。	6

2. 契約当初に「相当の地代」に見合う額を収受していない場合

権利金を収受していなくても土地の無償返還に関する届出書を提出すれば権利金の認定課税は回避できます。ただし、「相当の地代」を収受していない場合は次のように貸主たる法人は地代の認定課税を受けます。

権利金	無償返還の届出	地代	課税関係等	次ページ参照番号
権利金を収受していない	有	相当の地代未満	貸主：相当の地代と実際の地代との差額が寄附金とされます。 借主：特別の課税関係は生じません。	5

〈借主、貸主とも会社の場合の借地権の課税関係〉

借主、貸主とも会社の場合の課税関係をフローチャートで説明すると、次のようになります。

○は課税上問題がない
×は課税上問題が生ずる

- 権利金収受の慣行がある？ → NO →（行A）
  - YES ↓ 通常収受すべき権利金を収受している？ → YES →（行B）
  - NO ↓ 通常収受すべき権利金には満たないが権利金を収受している？
    - YES → 相当の地代を収受している？ → NO →（1）
      - YES ↓ 相当の地代の改訂を実施するという届出書を提出している？ → YES →（2）／ NO →（3）
    - NO ↓（権利金の収受がまったくない場合）
      - 相当の地代を収受している？
        - NO → 無償返還の届出書を提出している？ → NO →（4）／ YES →（5）
        - YES ↓ 無償返還の届出書を提出している？ → YES →（6）
          - NO ↓ 相当の地代の改訂を実施するという届出書を提出している？ → YES →（7）／ NO →（8）

権利金の認定		地代の認定		コメント		前ページ参照番号
貸主	借主	貸主	借主	借地権関係	地代関係	
○	○	○	○		地代は通常の地代としていれば問題ありません。	—
○	○	○	○		地代は通常の地代としていれば問題ありません。	—
×	×	○	○	貸主：寄附金課税の問題が発生します。 借主：借地権の認定がされ認定額は益金となります。		1
○	○	○	○		3年ごとに地代を改訂しなければなりません。 改訂しない場合は貸主に寄附金の問題が生じます。	2
○	○	○	○	土地の値上がりとともに自然発生借地権が生じます。		3
×	×	○	○	貸主：寄附金課税の問題が発生します。 借主：借地権の認定がされ認定額は益金となります。		4
○	○	×	○		貸主：相当の地代との差額が寄附金となります。	5
○	○	○	○		3年ごとに地代を改訂しなければなりません。 改訂しない場合は貸主に寄附金の問題が生じます。	6
○	○	○	○		3年ごとに地代を改訂しなければなりません。 改訂しない場合は貸主に寄附金の問題が生じます。	7
○	○	○	○	土地の値上がりとともに自然発生借地権が生じます。		8

1　課税上問題がなくても収受した権利金及び地代に対しては課税されます。
2　「通常の地代」とは土地の使用目的及び使用状況、使用期間などに照らして土地の使用の対価として経済的に合理的な地代をいいます。（法基通13－1－15）
3　個人と会社の間の賃貸借については264ページを参照してください。

❹定期借地権の概要

旧借地法による借地権と現行の借地借家法のもとでの普通借地権及び定期借地権を比較すると以下のようになります。なお平成４年７月31日以前に設定された借地権（旧借地権）もそのまま存続しているため、現行制度上は５種類の借地権が存在することになります。（一時使用目的の借地権（借地借家法第25条）は除いています。）

	旧借地権	普通借地権＊1	定期借地権		
			一般定期借地権	建物譲渡特約付借地権	事業用定期借地権＊2
存続期間	堅固な建物：30年以上(60年)＊3 それ以外：20年以上(30年)＊3	30年以上	50年以上	30年以上	10年以上 50年未満
契約方式	制限なし＊4	制限なし＊4	公正証書等書面	制限なし＊4	公正証書に限る
契約の更新	堅固な建物：30年 それ以外：20年	最初の更新後：20年 次の更新以降：10年	なし	更新の問題は発生しない	存続期間30年未満　なし 存続期間30年以上 普通借地権と同じ＊5
建物買取請求権	あり	あり	行使しない	建物譲渡特約	存続期間30年未満　なし 存続期間30年以上　あり＊5
期間終了時の処理	法定更新あり。更新拒絶には正当事由が必要	法定更新あり。更新拒絶には正当事由が必要（「正当」の判断要素が具体的に示された。）	借地人は更地にして返還	地主は借地人から建物買取り。 土地引渡し後、借地人は地主と借家関係を継続できる。	借地人は更地にして返還

＊1　普通借地権では契約の更新は契約によって上記期間より長い期間を定めることができます。
　　また建物の築造による存続期間の延長は普通借地権でのみ認められます。
＊2　利用目的は事業用建物の所有に限ります。
＊3　（　）内は特約がない場合の期間を示します。
＊4　書面でなくともよいが、通常書面になると思われます。
＊5　契約の更新や買取請求をしない旨の定めが可能です。

定期借地権の主なメリット・デメリット

	メリット			デメリット
地主	①土地は期間満了時に返還される。 ②特定の期間、遊休土地を有効活用でき、安定収入が得られる。	⇔	借地人	①期間満了後、原則として更地にして返す必要がある。また、建物の償却年数より実際の利用年数が短いことが多い。 ②建物が滅失し再築しなくても残債務の支払義務がある。
借地人	①普通借地権と比べて土地利用に要するコスト（権利金等）が少なくて済む。 ②投資額に占める償却資産（建物等）の割合が高いため法人税等の節税メリットがある。	⇔	地主	①普通借地権と比べて相対的に権利金や地代が安くなる。

定期借地権の賃料の一部又は全部を一括払いした場合の税務上の取扱い

定期借地権の設定時に、借地人が地主に借地に係る賃料の一部又は全部を一時金として一括払いする場合、権利金や保証金と区別するために定期借地権設定契約書＊でその一時金を前払賃料として、借地に係る契約期間にわたって賃料に充当することを明確にした場合には、借地人及び地主に対するその一時金の税務上の取扱いは次のようになります。

借地人	地主
一時金を「前払費用」に計上し、当該事業年度の賃料に相当する金額を損金の額に算入する。	一時金を「前受収益」に計上し、当該事業年度の賃料に相当する金額を益金の額に算入する。

＊　当該内容を明記した契約書を契約期間にわたり保管し、取引実態が当該契約に沿っている必要があります。

定期借家権の概要

「良質な賃貸住宅等の供給の促進に関する特別措置法」（平成12年３月１日施行）により、施行日以後の新規契約に限り定期借家権が法的に認められています。借り手保護の側面が強かった従来の借地借家法を修正したものです。定期借家権の概要は以下のとおりです。

	普通借家権	定期借家権
存続期間・契約方式	１年以上20年以下。（平成12年３月１日以後の契約は20年超も可能）書面・口頭契約ともに可能	期間制限なし。公正証書等書面による契約が必要（賃貸人に一定の説明義務あり）
契約の更新拒絶	賃貸人に正当事由が必要	契約の更新がない
賃借人の中途解約権	期間の定めのない賃貸借はいつでも解約可能。解約申入後３か月経過により賃貸借終了	原則認められない。ただし、やむを得ない事情で一定の場合等には中途解約可能
立退料	正当事由の補完材料として一般に必要	契約更新のない制度のため不要

●普通借家権、定期借家権ともに居住用・営業用いずれの用途でも契約可能です。

1 圧縮記帳の仕組み

――圧縮記帳って何？――

圧縮記帳とは、税務上、本来は課税所得となる特定の利益について、一定の要件の下にその課税を繰り延べる制度をいいます。つまり、資産を譲渡等したことによって得た利益に見合う額を、取得した資産の取得価額から控除し（圧縮）、その圧縮した額を損金とすることによって結果的にその事業年度には利益が生じなかったようにすることです。

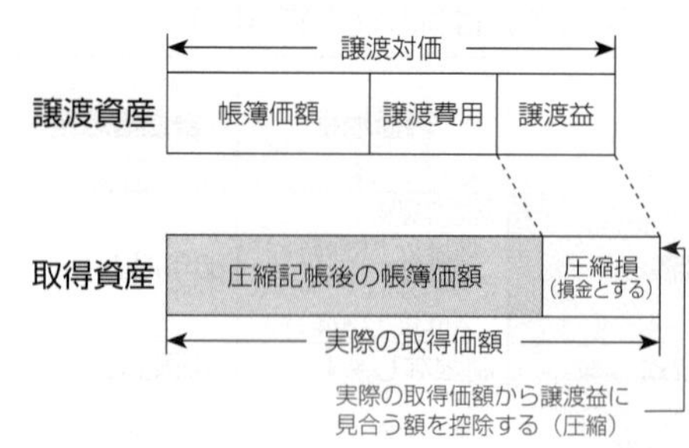

① 圧縮記帳の効果

圧縮記帳をすると、譲渡益だけが計上された場合と比較して、圧縮年度の所得は減少し税額が圧縮されます。しかし、取得した資産が減価償却資産の場合、圧縮後の小さくなった取得価額をもとに減価償却が行われるため、その後の事業年度では毎期計上する減価償却費が小さくなって所得が増え、税額も増加します。また非減価償却資産の場合にも、圧縮すると譲渡原価が小さくなり、圧縮記帳しない場合に比べて譲渡時の利益が多額に計上されます。

圧縮記帳が課税の繰延べといわれるのはこのような理由からです。

圧縮記帳の効果の比較例

取得価額1,000の減価償却資産について圧縮をした場合としない場合でその効果を比較してみます。（仮に減価償却は、耐用年数５年、定額法とし、税率は計算上30%、毎期の利益は350、初年度のみ圧縮の対象となる譲渡益が別に250あるとします。）

圧縮しない場合（取得価額1,000　帳簿価額1,000）

	初年度	2年度	3年度	4年度	5年度	合計
利益	600	350	350	350	350	2,000
圧縮損	—	—	—	—	—	—
減価償却費	200	200	200	200	200	1,000
差引	400	150	150	150	150	1,000
税金	120*	45	45	45	45	300

* つまり、圧縮記帳すると取得初年度については、税負担を軽くすることができます。

実際の取得価額から譲渡益に見合う額を控除する（圧縮）

圧縮した場合（取得価額1,000　圧縮損250　帳簿価額750）

	初年度	2年度	3年度	4年度	5年度	合計
利益	600	350	350	350	350	2,000
圧縮損	250	—	—	—	—	250
減価償却費	150	150	150	150	150	750
差引	200	200	200	200	200	1,000
税金	60*	60	60	60	60	300

合計すると一致
長期的に見れば税負担は、圧縮しない場合と変わらないことになります。

いつでも圧縮記帳を選択すべきか

上記圧縮記帳の効果の比較例では、圧縮記帳を適用した年度において課税の繰延べ効果により税負担は軽減されていますが、例えば、前事業年度に当期の譲渡益に相当する欠損金があり、また、近い将来その資産の売却を考えている場合など、その売却時の税負担を考えるとあえて圧縮記帳を適用しないという選択も考えられます。

❷主な圧縮記帳の種類

A 法人税法によるもの	①国庫補助金等で取得した固定資産等の圧縮記帳（法法42～44） ②工事負担金で取得した固定資産等の圧縮記帳（法法45） ③非出資組合が賦課金で取得した固定資産等の圧縮記帳（法法46） ④保険金等で取得した固定資産等の圧縮記帳（法法47～49） ⑤交換により取得した資産の圧縮記帳（法法50）
B 租税特別措置法によるもの	①収用等に伴い取得した資産の圧縮記帳（措法64、64の2、106ページ参照） ②換地処分等に伴い取得した資産の圧縮記帳（措法65、106ページ参照） ③特定の資産の買換え等により取得した資産の圧縮記帳（措法65の7～65の9、108ページ参照） ④特定の交換分合により取得した土地等の圧縮記帳（措法65の10）

❸圧縮記帳の共通要件

法人税法と租税特別措置法による圧縮記帳制度には次のような共通点がみられます。

経理方法 （いずれかの方法の選択適用）	・損金経理直接減額方式（税務上の原則） 建物圧縮損　××／建物　×× ・積立金方式（企業会計上の原則） 繰越利益剰余金　××／建物圧縮積立金　×× （積立金方式の場合、圧縮損は損金経理されていないため、申告調整（別表四において減算）することにより損金の額に算入します。）
棚卸資産の原則不適用	棚卸資産は通常回転期間が短く圧縮による課税繰延べの効果がないからです。
備忘価額の記帳	圧縮により帳簿価額がゼロになる場合でも備忘価額として１円以上の金額を付します。
清算中法人の不適用	清算中の法人は残余財産の処分により清算をすすめているため課税の繰延べをする意味がないからです。
申告要件	圧縮額の損金算入あるいは特別勘定の損金算入は、原則として確定申告書の別表の記載があり、必要に応じた書類の添付がある場合に限り適用されます。

●租税特別措置法の適用を受けた資産について、圧縮記帳制度を適用することは認められていますが、租税特別措置法の圧縮記帳制度を受けた資産については、原則として特別償却や税額控除などの特別措置の適用はありません。（特別措置の重複適用は適当でないため）

❹圧縮記帳の時期

圧縮記帳を行うには、固定資産の譲渡や補助金の交付等による課税所得の発生と新規資産の取得が前提となります。また、これらの取引が同一事業年度に発生すれば、その事業年度で圧縮記帳を行えますが、必ずしも両者が同一事業年度に発生するとは限りません。そこで、両者の発生時期に応じて次のように取り扱います。

	両者の発生時期	具体的な取扱い	取扱い上の注意
通常の場合	固定資産の譲渡等　新規資産の取得 X01期	X01期で圧縮記帳	上記❷A⑤B②④の圧縮記帳については固定資産の譲渡等による課税所得の発生と新規資産の取得とが同時になるため、下記事前（先行）取得、事後取得の場合の取扱いはありません。
事前（先行）取得の場合	新規資産の取得＊（X01期）　固定資産の譲渡等（X02期） ＊　新規資産の取得時期は、上記❷B①及び③の圧縮記帳については固定資産の譲渡等により課税所得が発生した事業年度開始の日前１年（工場等の建設を要する場合等は３年）以内とされています。	X01期は通常の減価償却 X02期で圧縮記帳	圧縮損として損金算入できる金額は、新規資産を取得した時点で圧縮記帳をした場合の圧縮限度額に一定の調整を行い計算します。（107ページ❸２参照）
事後取得の場合	固定資産の譲渡等（X01期）　新規資産の取得＊（X02期） ＊　特別勘定を設定した場合の新規資産の取得時期は、上記❷A④、B①、B③の圧縮記帳については固定資産の譲渡等により課税所得が発生した事業年度終了の日の翌日から起算し２年（場合により最短１年、最長８年６か月）以内とされています。	X01期は特別勘定の設定 X02期は特別勘定の取崩及び圧縮記帳	特別勘定を設定した場合には、新規資産を取得しても、取得できなくても一定の場合には、一定の金額を取り崩して益金の額に算入することになります。

●上記全ての場合において、一定の届出が必要となります。（108ページ参照）

2 収用等の圧縮記帳と5,000万円特別控除

——収用の申し出があったとき、どちらの軽減措置を選ぶ？——

法人の有する資産について、土地収用法等により収用等された場合でも税務上は譲渡と見られますから、原則として譲渡益全額が所得となります。しかしながら、収用等は法人が自ら望んだものではなく、法律で強制されてやむを得ず応じたものであり、その譲渡益全額に課税をすると公共事業の円滑な促進を困難にするとの理由から、圧縮記帳か5,000万円の所得控除が特例として認められています。

① 収用等による課税の特例——圧縮記帳と5,000万円特別控除との選択

収用等により補償金等を受け取った場合については税務上次のような特例が設けられており、会社はいずれかを任意に選択することができます。

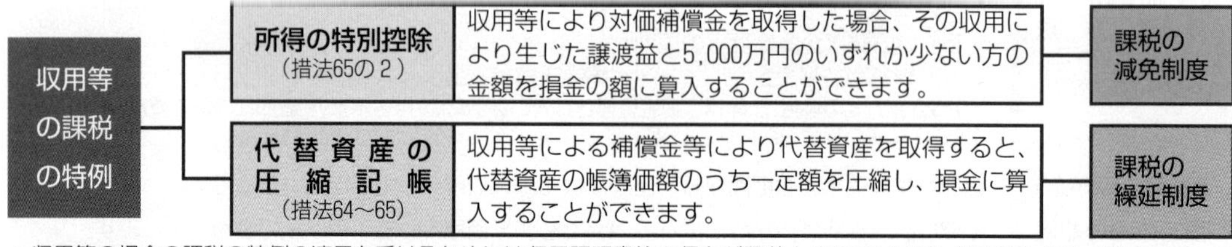

● 収用等の場合の課税の特例の適用を受けるためには収用証明書等の保存が要件とされています。（措法64⑤、65④、措規22の２④、措通64(4)－１）

圧縮記帳と所得の特別控除の比較例

圧縮記帳は、課税の繰延べに過ぎませんから、減価償却資産や将来売却を予定している資産については、圧縮記帳よりも課税の減免制度である所得の特別控除を選択する方が有利な場合が多くあります。

下表の例において、取得価額1,000百万円の減価償却資産について、圧縮記帳を選択しない場合、圧縮記帳を選択した場合および所得の特別控除を選択した場合の効果を比較してみます。（減価償却は、耐用年数10年、定額法とし、税率は計算上30%、毎期の利益は250百万円、初年度のみ圧縮の対象となる譲渡益が別に500百万円あるとします。）

（単位：百万円）

	普通償却のみ				圧縮記帳				特別控除			
	初年度	2～9年目	10年目	10年計	初年度	2～9年目	10年目	10年計	初年度	2～9年目	10年目	10年計
利益	750	250	250	3,000	750	250	250	3,000	750	250	250	3,000
圧縮額	0	0	0	0	500	0	0	500	0	0	0	0
特別控除	0	0	0	0	0	0	0	0	50	0	0	50
減価償却費	100	100	100	1,000	50	50	50	500	100	100	100	1,000
差引	650	150	150	2,000	200	200	200	2,000	600	150	150	1,950
税額	195	45	45	600	60	60	60	600	180	45	45	585

このように課税の減免制度である特別控除と課税の繰延制度である圧縮記帳では、その効果が現れる時期や金額が異なるため、選択に際しては会社の事業利益計画や市場金利等を考慮する必要があります。

なお、収用等により受け取る補償金のうち特例の対象となるのは対価補償金（資産の代価として交付を受ける補償金）だけであり、名義のいかんを問わず、以下のような補償金等は原則として特例の適用対象とはなりません。（措法64④、措通64(2)－１、64(2)－２）

適用対象外		
	収益補償金	収益の減少、損失の補てんに充てるものとして交付を受けるもの
	経費補償金	休廃業等により生ずる事業上の費用やその他の損失の補てんに充てるために交付を受けるもの
	移転補償金	資産（棚卸資産を含む。）の移転に要する費用の補てんに充てるために交付を受けるもの
	その他の補償金	その他対価補償金たる実質を有しない補償金

❷所得の特別控除

収用等によって補償金等を受領した場合、次の条件のすべてを満たしているときは、譲渡益のうち5,000万円までの金額を損金に算入することができます。ただし、譲渡益を限度とします。

所得の特別控除の条件		
	1	その譲渡を行った事業年度のうち同一の年に収用等によって譲渡したすべての資産について圧縮記帳をしていないこと
	2	買取り等の申し出のあった日から６か月以内に譲渡がなされること＊
	3	最初に買取りの申し出を受けた会社がその資産を譲渡し補償金を受領すること

＊　６か月経過後に譲渡がなされた場合でも、土地収用法の仲裁を受け、かつ、その仲裁の申請がその申し出のあった日から６か月以内になされているときは、一定の要件のもとに、所得の特別控除が認められます。

❸代替資産の圧縮記帳

原則として、対価補償金で収用等により譲渡した資産（棚卸資産を除きます。）と同一種類の資産その他これに代わるべき代替資産を105ページ❹の期間内に取得したときは、その代替資産についてそれぞれに掲げる圧縮限度額の範囲内で圧縮記帳をすることができます。

なお、代替資産の取得時期は、原則としてその譲渡資産の取得時期を引き継ぎます。

1．通常の場合

圧縮限度額 ＝ B × 差益割合［（A－譲渡資産の譲渡直前の帳簿価額）／A］

A→対価補償金－譲渡経費＊１＊２
B→Aの金額と代替資産の取得価額とを比較していずれか小さい方の金額

＊１　譲渡経費の範囲（措通64(2)－30）
①譲渡に要した斡旋手数料、謝礼　②譲渡した資産の借地人又は借家人に対して支払った立退料　③譲渡資産の取壊し又は除去費用　④建物等の移転費用や仮住居の使用に要する費用等、資産の譲渡に伴って支出した費用の額

＊２　前ページ❶の移転補償金を取得した場合には、A＝対価補償金－（譲渡経費－移転補償金）

代替資産の範囲（措法64①、措令39②③④、措規22の２③）

圧縮記帳の対象となる代替資産は原則として同種の資産その他これに代わるべき資産（所有権移転外リース取引による取得を除く。）で、次のものをいいます。

①譲渡資産と同種の資産等である場合…(1)土地、(2)建物及び特定の構築物、(3)その他の構築物、(4)その他の資産、の中で同区分に属する資産（(4)の場合は種類及び用途を同じくする資産）
②譲渡資産が一の効用を有する一組の資産の場合…それと同じ効用を有する他の資産（申告書に資産の明細の添付が必要）
③事業の用に供する場合…①②以外の減価償却資産、土地及び土地の上に存する権利

2．事前（先行）取得の場合

事前取得資産について、その取得等の後に国庫補助金等の交付を受けた場合等においても、一定の届出等を行うことにより、圧縮記帳の適用対象となることが令和４年度税制改正により法律上明確化され（法法42、45、46、措法64③）、収用において、代替資産の取得後に対価補償金を受け取った場合も圧縮記帳の適用対象となります。

事前取得資産について減価償却を実施している場合には、１の圧縮限度額の計算では既に償却した部分が過大になっているため、下記算式により圧縮限度額を計算します。

圧縮限度額 ＝ 上記１による圧縮限度額 × （代替資産の圧縮記帳をする直前の帳簿価額／代替資産の取得価額）

この圧縮限度額計算は、収用等に伴い取得した資産の圧縮記帳に係る計算方法であり、国庫補助金等を受けた場合等の圧縮記帳（105ページ❷A①～③）を適用する場合においては下記算式となります。

圧縮限度額 ＝ 国庫補助金等の交付を受け、又はその返還を要しないことが確定した時における当該固定資産の帳簿価格＊ × （その交付を受け、又は返還を要しないことが確定した国庫補助金等の額（分母の金額を限度とする）／当該固定資産の取得等に要した金額）

＊　特別償却準備金の積立て対象としている場合には、特別償却準備金の残高を控除する

3．事後取得の場合

収用事業年度末までに補償金の全部又は一部につき代替資産の取得等ができない場合、指定期間内に補償金等で代替資産を取得等することを条件に収用事業年度に特別勘定として経理することにより損金算入が認められています。

指定期間…収用等のあった日以後、原則２年。工場等の建設等を要する場合等で一定の要件を満たす場合は３年。一定の要件を満たし税務署長の承認を得た場合は、最長８年６か月。

特別勘定に経理することができる金額 ＝ 補償金等の額（既に代替資産の取得に充てられた部分を除く。）で代替資産の取得に充てようとするものの金額 × 差益割合

設定された特別勘定は、指定期間内に代替資産を取得等した場合や指定期間を経過する日に残高が残っている場合等の事由に該当した場合には、取り崩して益金に算入しなければなりません。（措法64の２⑨～⑫）

なお、この特別勘定を設定した場合、譲渡資産及び取得予定資産の明細等を記載した付表を作成する必要があります。

3 特定資産の買換え特例

――地域や資産によっては圧縮記帳が認められる――

資産を買い換えた場合であっても、税務上は譲渡となりますから、原則としてその譲渡益は益金とされ、課税の対象となります。

しかしながら、首都圏の既成市街地等から工場を分散させたり、都市機能の再生を図る地区への商業施設等の転入を促進することは限られた国土を有効に利用するために必要なことであり、これに合致するような土地等の譲渡についてまで一度に課税することは、国の産業政策の妨げとなる可能性があります。そのため、一定の要件を満たすような買換えについては圧縮記帳による税負担の軽減措置が設けられています。

① 対象となる資産と適用要件

特定資産の買換えによる圧縮記帳の適用は、譲渡資産と買換資産を１号から４号までの組合せのとおり対で買換えした場合に認められます。（措法65の７）

適用対象となる譲渡資産と買換資産の主な組合せを列挙すると右ページのとおりです。なお、買換資産の取得時期は、その買換資産の取得時期であり、譲渡資産の取得時期を引き継ぐものではありません。

●共通の適用要件

土地の面積比	土地を買換資産とした場合は、原則として譲渡資産の土地の面積の５倍までしか買換資産として特例の適用を受けることはできません。（措法65の７②、措令39の７⑩）
事業供用時期	特定資産の買換えの圧縮記帳を受けるためには、その買換資産の取得の日から１年以内に事業の用に供するか供する見込みであることが必要です。（措法65の７①）
買換資産取得時期	買換資産は原則として譲渡のあった事業年度に取得する必要がありますが、例外的に買換資産を先行して取得した場合や翌事業年度以降に取得した場合にも特例の適用が認められることがあります。（なお、こうしたケースでは税務署長への届出等が必要になる場合がありますので注意してください。）（措法65の７③、65の８①、措令39の７㉘）
対象除外	短期所有土地等にかかる土地重課の対象となる土地等には買換え特例の適用はありません。（措法65の７①）（ただし、土地重課は、平成10年１月１日から令和８年３月31日まで適用が停止されているため（措法63⑧）、この期間内は短期所有土地等に該当したとしても買換え特例が適用できます。）
届出書の提出等	以下の区分に応じて、一定の届出等が必要となります。 ①譲渡資産の譲渡と買換え資産の取得が事業年度を跨ぐ場合 事前（先行）取得の場合…譲渡予定資産の届出（措法65の７③、措令39の７⑩、105ページ参照） 事後取得の場合…買換え予定資産の届出（措法65の８、措令39の７㉕、105ページ参照） ②譲渡資産の譲渡と買換え資産の取得が同一事業年度の場合＊１ 譲渡した日又は取得した日のいずれか早い日の属する３月期間＊２の末日の翌日以後２か月以内に、譲渡（見込）資産及び取得（見込）資産に関する事項等を記載した届出書の提出が必要です。（届出期限のイメージは下の図参照）

＊１　令和６年４月１日以後に、譲渡資産の譲渡をし、同日以後に、買換資産の取得をした場合。（令和５年度税制改正）
＊２　事業年度をその開始の日以後３か月ごとに区分した各期間

＜届出期限のイメージ＞

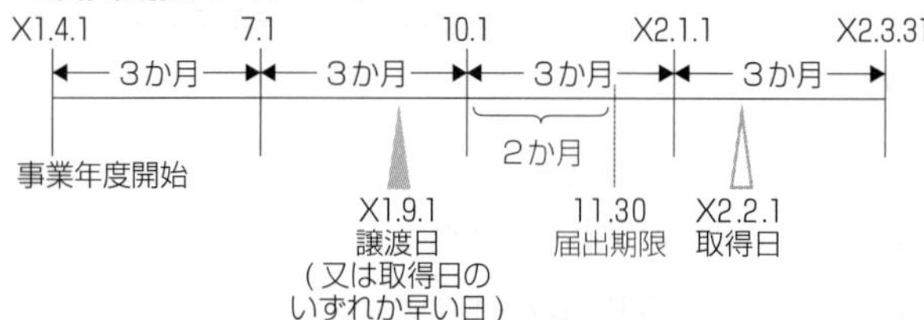

アドバイス

事前（先行）取得をし、翌事業年度に譲渡を行う予定であった場合、又は譲渡を先行し買換え資産を翌事業年度に取得する予定であった場合で、何らかの理由で取得年度と同一の事業年度に譲渡することとなったときに、特例の適用を受けるためには、上表の届出書の提出等の②の届出の提出が必要となります。従って、特定資産の買換え特例を受けようとする場合で、同一事業年度で譲渡と取得を行う可能性があるときには、上記②の届出について忘れずに検討するようにしましょう。

❷圧縮限度額

圧縮基礎取得価額		差益割合	圧縮割合
買換資産の取得価額 譲渡資産の譲渡対価の額 } いずれか少ない額	×	（譲渡資産の対価の額 －（譲渡資産の譲渡直前の簿価＋譲渡経費＊1））÷ 譲渡資産の対価の額	×80%＊2

＊1　譲渡経費には、①譲渡に要した斡旋手数料、謝礼、②譲渡資産が建物である場合の借家人に支払った立退料、③譲渡資産の測量、所有権移転に伴う諸手続の費用、④土地等又は建物の譲渡のために土地等の上にある資産又は建物内の資産の取壊し等による損失が含まれます。（措通65の7(3)－5～6）

＊2　❸1号の圧縮割合は70%です。また、❸3号については下記のように圧縮割合が縮小されています。（改正地域再生法の施行日（平成27年8月10日）以後に資産を譲渡し、同日以後に買換資産を取得する場合に適用されます。）

国内にある土地等＊1、建物			圧縮割合
譲渡資産	買換資産		
東京23区	集中地域＊2以外の地域 本店又は主たる事務所の所在地の移転を伴うもの		90%
集中地域＊2以外の地域	東京23区を除く集中地域＊2		75%
	東京23区	本店又は主たる事務所の所在地の移転を伴わないもの	70%
		本店又は主たる事務所の所在地の移転を伴うもの	60%
上記以外	制限なし		80%

＊1　一定の用に供される300㎡以上のもの（❸参照）

＊2　東京23区、首都圏近郊整備地帯、近畿圏既成都市区域、名古屋市の一部

❸買換え特例の適用対象となる買換えの範囲

適用対象となる譲渡資産と買換資産の組合せの主なものは以下のとおりです。（措法65の7①）

なお、令和5年度税制改正により、適用期間が令和8年3月31日まで延長されています。

	譲　渡　資　産	買　換　資　産
1号 (旧2号)	航空機騒音障害区域内にある土地等、建物、構築物	航空機騒音障害区域以外の地域内にある土地等、建物、構築物、機械及び装置
2号 (旧3号)	既成市街地等及び一定の人口集中地区の区域内の土地等、建物、構築物	左の区域内の土地等、建物、構築物、機械及び装置で都市再開発法による市街地再開発事業に関する都市計画の実施に伴い取得されるもの
3号 (旧4号)	国内にある土地等、建物又は構築物で所有期間が10年超のもの	国内にある土地等＊、建物、構築物又は国内の鉄道事業に供される特定の車両等

＊　事務所、工場、店舗、倉庫、住宅等一定の「施設」（福利厚生施設に該当するものを除く。）の「敷地」の用に供される土地等（その「施設」に係る事業の遂行上必要な駐車場用地を含む。）又は駐車場（建物等の建築手続中等の一定のやむを得ない事情のある場合に限る。）で、その面積が300㎡以上のものに限られます。（措令39の7⑤）

「既成市街地等」（措法65の7①二、措令39の7②）

既成市街地等	既成市街地となる区域
首都圏整備法の既成市街地	東京都23区・武蔵野市の全域、三鷹市・横浜市・川崎市及び川口市のうち一部を除いた区域
近畿圏整備法の既成都市区域	大阪市全域、京都市・守口市・東大阪市・堺市・神戸市・尼崎市・西宮市及び芦屋市のうち一部を除いた区域
旧名古屋市の区域	名古屋市の区域（周辺部を除く。）

所有期間の定義

3号買換えにおける所有期間は、取得日の翌日から譲渡した年の1月1日までの期間をいいます。譲渡した年の1月1日を基準とするのは土地重課や個人の譲渡所得における長短区分（250ページ参照）においても同様です。

【震災特例法に規定する特定資産の買換えの場合の課税の特例】

法人が、平成23年3月11日から令和6年3月31日までの間に、被災区域＊1以外にある譲渡資産などを譲渡し、その譲渡日を含む事業年度において、被災区域＊1内の買換資産などを取得し、かつ、その取得日から1年以内に事業の用に供した場合には、その譲渡資産に係る譲渡利益金額の全額を圧縮記帳することができます。当該特例措置については、適用期限の到来をもって廃止されました。

＊1　東日本大震災によって事業の用に供することができなくなった建物の敷地等の区域をいいます。

2　現時点の震災特例法において、令和6年1月に発生した能登半島地震の被災区域は、特定資産の買換えの場合の課税の特例の対象に含まれていません。

4 交換の場合の圧縮記帳

——交換相手が見つかった！——

資産の交換も税務上は譲渡の一種として取り扱われますから、時価により固定資産の譲渡と取得があったものとして、その譲渡益については原則として課税の対象となります。しかしながら、交換によって資産の増加があったわけではなく、また金銭の授受もないため、譲渡によって利益が生じたといっても単なる名目的な利益にしか過ぎません。

そこで、法人税では一定の要件を満たす固定資産の交換取引については圧縮記帳により、課税の繰延べを図ることが認められています。

① 譲渡・取得資産それぞれの要件

交換の場合の圧縮記帳の適用のためには以下の要件を満たしている必要があります。（法法50）なお、交換取得資産は、原則として交換譲渡資産の帳簿価額及び取得時期を引き継ぎます。

交換譲渡資産の要件		交換取得資産の要件
交換譲渡資産は１年以上有していた次の固定資産であること ① 土地等 ② 建物（建物付属設備、構築物を含みます。） ③ 機械及び装置 ④ 船舶 ⑤ 鉱業権		① 交換譲渡資産と種類を同じくする資産であること ② 譲渡資産の譲渡直前の用途と同一の用途に供したこと＊ ③ 交換の相手方が１年以上有していた固定資産であること（交換のために取得したと認められるものは除かれます。）

交換譲渡資産と交換取得資産の時価が異なる場合には、さらに右の要件を満たさなければなりません。

時価の差額が
譲渡資産の時価
取得資産の時価 } いずれか多い方の20%を超えないこと

交換資産の時価（法基通10－６－５の２）

交換の当事者が、通常の取引価額が異なる２以上の固定資産を相互に等価であるとして交換が行われた場合であったとしても、その交換がその交換をするに至った事情に照らし、正常な取引条件に従って行われたものと認められるときは、当事者の合意したところの価額をもってその時価とみなし、これにより交換差金が20%超かどうかの判定を行います。

＊ 取得資産を譲渡直前の用途と同一の用途に供したかどうかは、①土地についてはその現況により宅地、田畑、鉱泉地、池沼、山林、牧場又は原野、その他の区分、②建物については居住用、店舗又は事務所用、工場用、倉庫用、その他の用、③機械装置については耐用年数表の設備の種類の区分によって判定します。（法基通10－６－７）

２以上の種類の資産を同時に交換した場合（法基通10－６－４）

全体の時価が等価でも同種資産の時価が異なる場合→資産ごとの時価の差を交換差金とします。

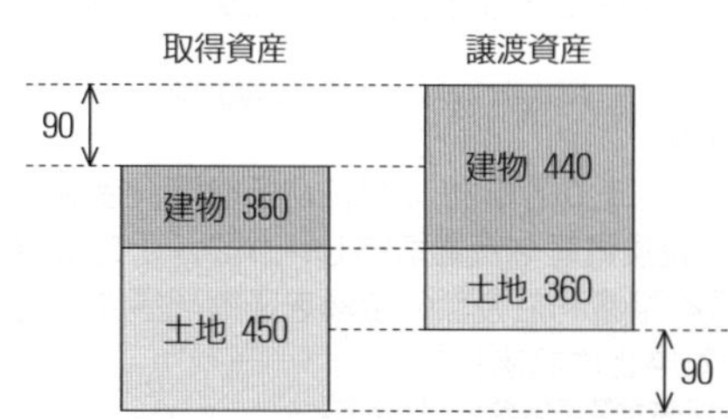

例えば左のケースでは、建物につき交換差金を90受け取り、土地につき交換差金を90支払ったと考えて圧縮限度額を計算します。ただし、このケースでは建物の時価の差が時価の高い方の20%を超えているため（$\frac{440-350}{440}$＝20.5%）、建物については圧縮記帳は認められません。

なお、譲渡経費は譲渡資産の時価の比により按分します。

❷圧縮限度額の計算

交換の場合の圧縮限度額は次のようになります。（法令 92）

区分	計算式	
① **交換差金のない場合**（法令 92 ①）	交換取得資産の時価 －（交換譲渡資産の帳簿価額 ＋ 譲渡経費の額）	＝ 圧縮限度額
② **交換差金を支払った場合**（法令 92 ②二）	交換取得資産の時価 －（交換譲渡資産の帳簿価額 ＋ 譲渡経費の額 ＋ 交換差金等の額）	＝ 圧縮限度額
③ **交換差金を受け取った場合**（法令 92 ②一）	交換取得資産の時価 －（交換譲渡資産の帳簿価額 ＋ 譲渡経費の額）× 交換取得資産の時価 ／ 交換取得資産の時価＋交換差金等の額	＝ 圧縮限度額

1　交換差金等の額とは取得資産と譲渡資産それぞれの時価の差額であり、交換差金として授受された金銭等の他に交換等により贈与した、あるいは贈与を受けたと認められる額も含まれます。

2　譲渡経費の額には①譲渡資産に係る譲渡経費（仲介手数料、取りはずし費、荷役費、運送保険料等）のほか②土地の上に存する建物を取り壊して交換した場合のその取り壊した建物の帳簿価額、取壊し費用、取壊しに伴い借家人に支払った立退料が含まれます。（法基通 10－6－9）

計算例　A社はB社と次のような固定資産の交換をしました。
交換譲渡資産･交換取得資産ともに、交換による圧縮記帳の要件をすべて満たしているとして、A社の圧縮限度額の計算をしてみましょう。

A社の譲渡資産の時価 800（譲渡直前の簿価 200、譲渡に要した経費 40）の場合の圧縮限度額の計算

区分	計算	借方	貸方	損益
交換差金のない場合	交換取得資産の時価が 800 のとき（交換差金等のないケース） 圧縮限度額＝800－(200＋40)＝560 取得資産の取得価額＝800－560＝240	交換取得資産の時価　800	圧縮限度額　560 譲渡経費の額　40 交換譲渡資産の帳簿価額　200	譲渡益　560 圧縮損　(560) 差　引　0
交換差金を支払った場合	交換取得資産の時価が 1,000 のとき（交換差金等を 200 支払ったケース） 圧縮限度額＝1,000－(200＋40＋200)＝560 取得資産の取得価額＝1,000－560＝440	交換取得資産の時価　1,000	圧縮限度額　560 支払交換差金　200 譲渡経費の額　40 交換譲渡資産の帳簿価額　200	譲渡益　560 圧縮損　(560) 差　引　0
交換差金を受け取った場合	交換取得資産の時価が 700 のとき（交換差金等を 100 受け取ったケース） 圧縮限度額＝700－(200＋40)×$\frac{700}{700+100}$＝490 取得資産の取得価額＝700－490＝210	交換取得資産の時価　700 受取交換差金　100	圧縮限度額　490 ／ 交換差金対応分　70 譲渡経費の額　40 交換譲渡資産の帳簿価額　200	譲渡益　560 圧縮損　(490) 差　引　70

●なお、交換の場合、経理処理方法は必ず損金経理直接減額方式によらなければなりません。

交換と買換えの圧縮記帳

交換の圧縮記帳を適用するためには交換譲渡資産、取得資産のそれぞれ要件があり、さらに両資産の時価の差についても要件があるため、これらの要件を満たさないときは交換の圧縮記帳を適用することができません。

しかし、交換も譲渡の一形態であり譲渡と取得が同時になされたものと見ることができますので、交換の圧縮記帳が適用できない場合でも、交換譲渡資産･取得資産が共に特定資産の買換えの圧縮記帳の対象となる資産である場合には、買換えの圧縮記帳を適用することができます。（措法65の9）

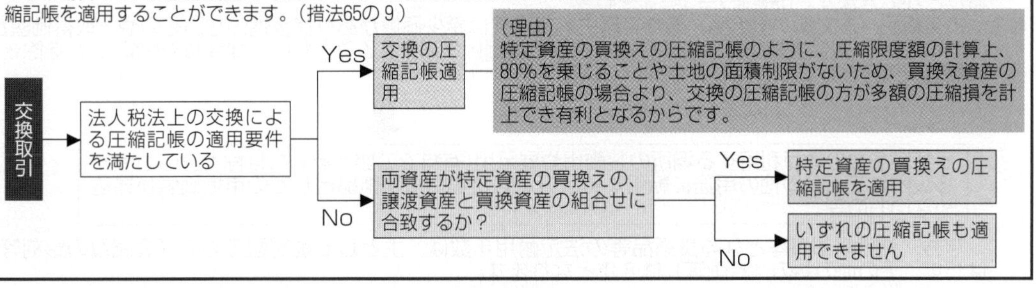

交換取引 → 法人税法上の交換による圧縮記帳の適用要件を満たしている
- Yes → 交換の圧縮記帳適用
  - （理由）特定資産の買換えの圧縮記帳のように、圧縮限度額の計算上、80%を乗じることや土地の面積制限がないため、買換え資産の圧縮記帳の場合より、交換の圧縮記帳の方が多額の圧縮損を計上でき有利となるからです。
- No → 両資産が特定資産の買換えの、譲渡資産と買換資産の組合せに合致するか？
  - Yes → 特定資産の買換えの圧縮記帳を適用
  - No → いずれの圧縮記帳も適用できません

1 減価償却資産と税務

――建物や機械は減価償却という費用配分がポイント――

事業を進めていくうえで、建物や機械といった減価償却資産の取得は不可欠です。その取得に要した費用は、原則として取得価額に算入し、その取得価額は取得した事業年度で一度に費用とするのではなく、減価償却という手続によって使用可能期間（耐用年数）にわたって費用配分していきます。

なお、有形減価償却資産については、備忘価額（１円）まで全額償却することができます。ただし、平成19年３月31日以前に取得した有形減価償却資産については、償却可能限度額（取得価額の95%）に達した翌事業年度から５年間で１円まで均等償却することとされています。

〈法人税関係特別措置＊を適用する場合の適用額明細書の添付〉

法人税関係特別措置＊を適用する場合、確定申告書に「適用額明細書」の添付が必要です。（記載例については349ページ参照）

なお、「適用額明細書」の添付がなかった場合には、法人税関係特別措置＊の適用が受けられないこととされています。（租特透明化法３②）

＊　法人税関係特別措置とは税額又は所得の金額を減少させる各租税特別措置をいい、具体的には下記の租税特別措置等が該当します。（租特透明化法令２）

①中小企業者等が機械等を取得した場合の特別償却（措法42の６）

②中小企業者等の少額減価償却資産の取得価額の損金算入の特例（措法67の５）等

減価償却資産のいろいろ

減価償却資産は、棚卸資産、有価証券及び繰延資産以外の資産のうち償却すべきものとして下の表に掲げるものをいいます。（事業の用に供していないもの＊１及び時の経過によりその価値の減少しないものを除きます。）（法法２二十三、法令13）

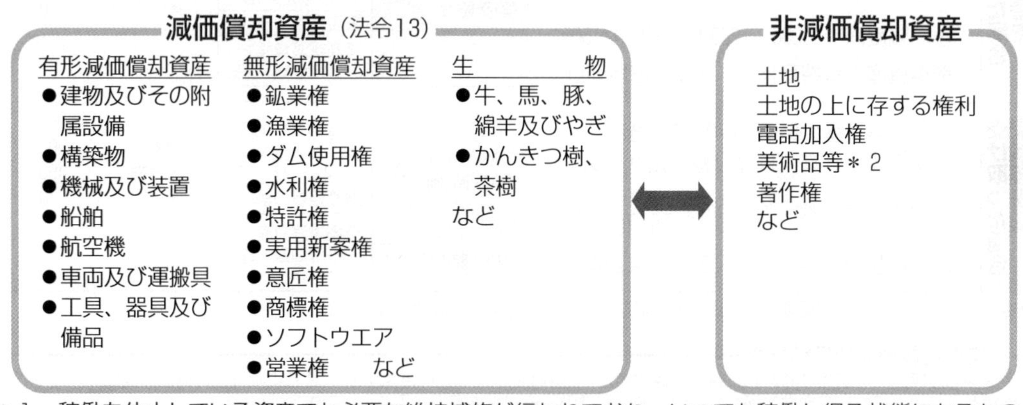

＊１　稼働を休止している資産でも必要な維持補修が行われており、いつでも稼働し得る状態にあるもの、及び建設中のものでも完成した部分を事業の用に供している場合のその部分については減価償却をすることができます。（法基通７－１－３～４）

＊２　古美術品、古文書、出土品、遺物等歴史的価値又は希少価値があり代替性のないものや、取得価額が１点100万円以上の美術品等（時の経過によりその価値が減少することが明らかなものを除く。）を除き、減価償却資産として取り扱われます。（法基通７－１－１）

↓

不特定多数の者が利用する場所の装飾用や展示用（有料で公開するものは除く。）のもので、移設困難で、かつ他の用途に転用すると仮定した場合に美術品としての市場価値が見込めないもの等

なお、減価償却資産となる美術品等の法定耐用年数は、主として金属製のもの（金属製の彫刻等）は15年、その他のもの（絵画等）は８年となります。

〈減価償却資産に関する税務のチェックポイント〉

減価償却資産については、原則としてその取得価額が減価償却という手続により費用配分され、各期の損金として処理されていくため、取得価額がいくらになるか、修繕費かそれとも資本的支出として取得価額に算入されるか、というような点が各期の所得を計算していくうえで重要なポイントとなります。

こんなケースは？	税務上の取扱い	対策及び注意点	参照
取得価額の算出と減価償却 機械を購入する予定ですが、何か注意することはありますか。	1 減価償却資産の取得価額は次のように算定します。 購入代価＋事業の用に供するため直接要した費用 2 減価償却の方法には、通常、定率法と定額法があります。 3 減価償却の特例として、耐用年数の短縮、増加償却があります。 4 取得価額が10万円未満の少額減価償却資産は一括損金算入できます。10万円以上20万円未満の減価償却資産については、一括して３年間で償却する方法（３年一括償却）が選択できます。 ●中小企業者等（199ページ参照）の場合は特例により取得価額が10万円以上30万円未満で、一事業年度の取得価額の合計額が300万円までの減価償却資産は一時に損金算入できます。	●平成19年４月１日以後取得分から残存価額と償却可能限度額が廃止されています。 ●定率法を適用できる有形減価償却資産の減価償却は定率法によった方が早期に費用化でき節税に役立ちます。 ●減価償却の特例の他に、所定の要件を満たせば特別償却や税額控除が適用できる場合があり、節税に役立ちます。 ●３年一括償却は個別資産ごとに選択でき、一部の耐用年数の短い資産を資産計上して通常の償却を行うことも可能です。ただし償却額が増える反面、個別資産管理の手間・コストも増加するので、いろいろな側面から比較検討する必要があります。	116ページ 117ページ 122ページ 115ページ
国外リース資産の取扱い レバレッジド・リースを使った節税が規制されていると聞いたのですが。	原則として平成17年４月１日以後締結する組合契約等について、一定の組合員を除き組合損失の損金算入が制限されています。	平成19年４月１日前に締結された一定の航空機リース契約については規制の対象から除かれますが、導入にあたっては慎重な検討が必要です。	
リース取引の取扱い 支払リース料は費用処理できないのですか。	平成20年４月１日以後に行う一定のリース取引については、売買処理することが必要です。したがって、リース資産は減価償却資産として資産計上され、リース期間定額法により減価償却費として費用化されることになります。	会計上は、リース料総額が300万円以下の少額なもの等は例外として賃貸借処理をすることが可能ですが、税務上は売買処理が原則です。ただし、会計上、賃貸借処理しても、賃借料として損金経理した金額が減価償却費とみなされますので、原則課税所得には影響を与えません。	126ページ
資本的支出と修繕費 機械を修理しました。すべて費用処理してもよいですか。	固定資産の使用可能期間を延長させたり、価値を増加させる部分については費用とせず、資本的支出として固定資産に計上しなければなりません。	修繕費として処理できる要件を念頭に入れて、修繕計画等を立てましょう。	130ページ
売却・除却 使えなくなった資産があるのですが。	固定資産を除却した場合には、「帳簿価額＋除却費用」を除却損、売却した場合には「帳簿価額＋売却に要した費用－売却価額」を売却損（益）とします。	実際に除却しなくても有姿除却として除却損を計上できる場合があります。	132ページ
繰延資産 支払った権利金や施設負担金はどう処理すればよいですか。	繰延資産には、資産計上して所定の年数にわたって償却しなければならないもの（ただし、20万円未満のものは支出時に一括損金算入ができます。）と任意償却が可能なものがあります。	権利金等のうち返還される部分は償却できないため、返還時まで資産計上しなければなりません。	134ページ

2 減価償却資産の取得価額

——購入価格と取得価額は違うもの…——

減価償却資産の取得の形態には購入だけでなく、自己建設や自己製造、合併、現物出資、交換、贈与等があり、いずれの取得形態かによってその資産の取得価額の計算が異なってきます。

また、減価償却資産の取得に関連して支出した費用については、原則として取得価額に算入し、減価償却により将来にわたって損金として処理していくことになりますが、中には、取得価額に算入しなくてもよい費用がありますので、これらについては、業績がいい場合には、その期の損金として処理するようにしましょう。

① 減価償却資産の取得価額の算出

取得の態様によって、取得価額（減価償却計算の基となります。）の計算方法は異なります。ここでは、購入及び自社製造等の場合についてみてみることにします。（法令54）

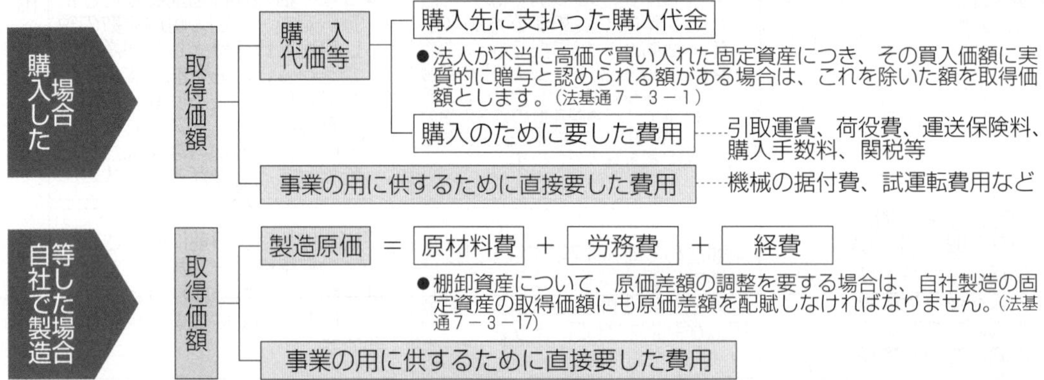

② 取得価額に含める費用、含めなくてもよい費用

取得価額の計算上、取得価額に含めるか含めないか判断が難しい費用は、次のように取り扱われます。（法基通7－3－1の2～7－3－12、7－3－15の2、7－3－15の3）

含めなければならない費用	含めなくてもよい費用
(1) 建設前から予定されている近隣の住民対策費、公害補償費等の費用 (2) 集中生産を行う等のため、機械装置を他の事業場に移設した場合の運賃、据付費等（移設費） 　なお、旧据付費は損金に算入します。ただし、移設費が移設前帳簿価額の10％以下のときは旧据付費をそのままとし、移設費を損金算入できます。 (3) 建設仮勘定に算入した借入金利子 (4) 地方公共団体から工場誘致を受け、進出する場合に支払う寄附金や負担金のうち実質的にみて固定資産の代価を構成するもの (5) 建物等の取得に際して支払う立退料、未経過固定資産税等（94、164ページ参照） (6) 他者から購入したソフトウエアについて、導入に当たり必要となる設定作業及び自社仕様に合わせるために行う付随的な修正作業等の費用	(1) 租税公課のうち、 イ 不動産取得税又は自動車取得税 ロ 登録免許税その他登記又は登録のために要した費用 (2) 建物建設等の計画変更で不要となった調査・測量・設計・基礎工事等にかかった費用 (3) 固定資産購入計画変更時の契約解除違約金 (4) 借入金の利子 (5) 割賦購入の場合、契約で区分けされている割賦期間の利息や代金回収諸費用部分 (6) 新工場の落成、操業開始時の記念費用等 (7) ソフトウエアについて イ 製作計画の変更等により仕損じがあったため明らかに不要となった費用 ロ 研究開発費（自社利用の場合はその利用により将来の収益獲得又は費用削減とならないことが明らかなものに限る。） ハ 製作等に要した間接費、付随費用等で、その費用合計額が少額なもの（製作原価のおおむね3％以内の金額） (8) 新車購入時に支払うリサイクル料（預託金として資産計上します。）

③少額減価償却資産等の取扱い

1．少額減価償却資産（法令133）

減価償却資産のうち、その使用可能期間が1年未満のもの又はその取得価額が10万円未満のものは、事業の用に供した時に損金経理すれば、損金に算入されます。（非減価償却資産については10万円未満でも資産計上が必要です。）

使用可能期間が1年未満のものとは
① その業界において一般的に消耗性のものと認識されており、
② その法人のおおむね過去3年間の平均的使用状況、補充状況等からみてその使用可能期間が1年未満とされているものをいいます。（法基通7－1－12）

取得価額が10万円未満であるかどうかは、通常一単位として取引されるその単位ごとに判定します。（法基通7－1－11）したがって、応接セットのようにイス1個では10万円未満でも、セットで判定すれば10万円以上になる場合は一時損金処理することはできません。

2．一括償却資産（法令133の2）

減価償却資産のうち取得価額が20万円未満で事業供用したもの（10万円未満の資産で一時損金処理をしなかったものを含む。）は、事業年度ごとに一括して3年で均等償却する方法が選択できます。一括償却は個々の資産ごとに選定できます。なお、その他の留意点は以下のとおりです。（345ページ参照）

経理処理方法	①決算調整等で1/3を費用（消耗品費等）処理する方法（残額は資産計上） ②一括償却資産全額を費用処理し、初年度に2/3を申告書別表四で加算（2年目・3年目は1/3ずつ減算）する方法
除却・滅失等	償却期間中に資産が滅失等あるいは譲渡しても除売却処理は認められない。なお、事業供用後に稼働休止しても償却停止は不要。（法基通7－1－13）
申告書記載要件等	一括償却資産を事業の用に供した日の属する事業年度の確定申告書に一括償却対象額の記載があり、かつその計算に関する書類を保存している場合に限り適用可能。
その他	①適用資産は、固定資産税（償却資産税）の課税客体から除かれ事務処理が軽減される一方、法人税の特別償却又は税額控除の対象からも除かれる。 ②適格分割が行われた場合、分割等の日以後2月以内に税務署へ一定の届出書の提出がないと分割法人から分割承継法人に一括償却資産を引き継ぐことはできない。

●残存価額はゼロであり、100％償却できます。（備忘価額1円を残す必要はありません。）

3．中小企業者等の少額減価償却資産の取得価額の損金算入の特例（措法67の5）

青色申告書を提出する中小企業者等＊1（通算法人、適用除外事業者（199ページ参照）を除く。）が、令和8年3月31日までの間に取得等し事業供用した減価償却資産のうち、取得価額10万円以上30万円未満（1個又は1組）のものを損金経理すれば、事業供用時に損金に算入されます。ただし、事業供用時に一時に損金算入できるのは、1事業年度の取得価額の合計額が300万円（事業年度が1年未満の場合には300万円を12で除してこれに当該事業年度の月数を乗じた金額）までです。（対象資産の範囲は下記表中＊2）

●以上の少額減価償却資産等の取扱いをまとめると次のようになります。

取得価額	通常の償却	3年一括償却	事業供用時一時損金	
	すべての法人	すべての法人	中小企業者等＊1	中小企業者等以外
30万円以上	○	×	×	×
20万円以上30万円未満	○	×	○ ＊2	×
10万円以上20万円未満	○	○	○ ＊2	×
10万円未満	○	○	○	○

＊1　中小企業者等のうち、常時使用する従業員の数が500人（出資金の額が1億円超の農業協同組合等は300人）を超える法人は、特例の対象外となります。（措令39の28）

●○は選択可能、×は選択できない処理を示します。
なお、中小企業者等に該当するかの判定については、少額減価償却資産事業供用日の現況によるものとされています。

MEMO

●少額減価償却資産等と消費税
取得価額が30万円未満、20万円未満あるいは10万円未満であるかどうかは、法人が採用している固定資産に係る消費税等の経理処理（税込経理方式又は税抜経理方式）に応じて算定した取得価額により判定します。

●適用対象資産の範囲（法規27-17、27-17の2、措規22の18）
上記1～3の適用対象資産について、令和4年4月1日以後に取得した資産のうち、貸付用として事業供用される資産は除外されます。この除外規定は、利益の圧縮など自ら行う事業で使用しない貸付けに供する資産等に対するもので、リース・レンタル業や不動産貸付業など「主要な事業として行う貸付け」や「通常の事業活動の中で行う貸付け」に供する場合には適用が可能です。

●資本的支出と少額減価償却資産（措通67の5－3）
法人が行った資本的支出については、原則として新たに資産を取得したものとして減価償却することとされましたが（法令55①）、新たな資産の取得ではないため原則として少額減価償却資産の特例は適用できません。ただし、その資本的支出の内容が、規模の拡張・単独資産としての機能の付加等、実質的に新たな資産の取得と認められる場合には適用を受けることが可能です。

●中小企業者等の特例と償却資産税
上記1、2の適用資産については、償却資産税の課税対象から除かれます（貸付（主要な事業として行われるものを除く）の用に供する資産を除く）。しかし、上記3の適用資産は償却資産税の課税対象となります。

●リース取引により取得した少額減価償却資産等
所有権移転ファイナンスリース取引により取得したリース資産については、上記1～3の適用を受けることが可能ですが、所有権移転外ファイナンスリース取引により取得したリース資産については、売買処理した場合でも、上記1、2は適用できないことに留意してください。

減価償却の仕組み

――取得年度によって計算方法が異なる――

減価償却資産は、時の経過や利用状況に応じて価値が減少していきます。そこで、減価償却資産の取得価額を使用可能期間（耐用年数）にわたり、費用配分（減価償却）し、一定のルールで収益と対応させる必要があります。減価償却費の計算は、①取得価額、②耐用年数、③償却方法の３つの要素により計算されます。

1 減価償却制度の改正と減価償却方法

代表的な償却の方法の内容及び計算方法は次のとおりです。なお、所轄税務署長の承認を受けて特別の償却の方法を選定することもできます。（法令48、48の２、法基通7-2-3）

償却方法		内　　容	計算式（償却限度額＊1）（備忘価額１円は残す必要があります。）
定額法		取得価額に償却率（1／耐用年数）を乗じて計算した額を償却額とする方法で、計算上償却費は毎期定額となります。	取得価額×耐用年数に応じた償却率（1／耐用年数）
定率法(250%定率法及び200%定率法）＊2		取得価額から償却累計額を控除した残額（未償却残高）に償却率（定額法の償却率の２倍もしくは2.5倍）を乗じて計算した額（調整前償却額）を償却額とする方法で、償却費が毎年一定の割合で逓減します。なお、調整前償却額が取得価額に保証率＊3を乗じて計算した額（償却保証額）に満たない場合は、その満たないこととなった最初の事業年度の期首未償却残高（改定取得価額）に改定償却率＊3を乗じて計算した額を償却額とします。	**・調整前償却額≧償却保証額の場合** （取得価額－既償却額）×耐用年数に応じた定率法の償却率 **・調整前償却額＜償却保証額の場合** 改定取得価額×耐用年数に応じた定率法の改定償却率
生産高比例法		取得価額を耐用年数にわたり採掘数量に応じて償却する方法で、採掘数量に応じて償却費は変動します。	取得価額／耐用年数と採掘予定年数のうち短い方の期間内の採掘予定数量×採掘数量
リース期間定額法		リース資産の取得価額をリース期間で除して計算した額を償却額とする方法で、償却額は毎期定額となります。	取得価額×事業年度のリース期間／総リース期間
平成19年3月31日以前取得資産に適用される方法	旧定額法	取得価額から残存価額＊4を控除した残額に償却率を乗じた額を償却額とする方法で、計算上償却費は毎期定額となります。	（取得価額－残存価額）×耐用年数に応じた旧定額法の償却率
	旧定率法	取得価額から償却累計額を控除した残額(未償却残高)に償却率を乗じた額を償却額とする方法で、計算上償却費は最初は大きく、だんだん小さくなります。	（取得価額－既償却額）×耐用年数に応じた旧定率法の償却率
	旧生産高比例法	取得価額から残存価額を控除した残額を耐用年数の期間内にわたり採掘数量に応じて償却する方法で、採掘量に応じて償却費は変動します。	取得価額－残存価額／耐用年数と採掘予定年数のうち短い方の期間内の採掘予定数量×採掘数量

＊１　通常の償却限度額は、各減価償却資産ごとに決められた耐用年数に応じ、その種類、構造、用途、細目又は設備の種類ごとに、かつ、耐用年数の異なるごとに計算します。したがって、種類等又は耐用年数が同一の減価償却資産については、１つの償却計算単位としてまとめて償却限度額を計算することになります。（法規19）
＊２　原則として、平成19年４月１日以後平成24年３月31日以前取得資産には250%定率法が、平成24年４月１日以後取得資産には200%定率法が適用されます。（ただし、250%定率法から200%定率法への改正に伴う特例措置（①事業年度終了までは250%定率法が適用できる措置、②250%定率法を200%定率法に統一できる措置）（平成23年12月改正法令附３②③）の適用を受けた場合を除きます。）
＊３　保証率、改定償却率は、耐用年数省令別表９、10の償却率表で定められています。（374ページ参照）
＊４　平成19年３月31日以前に取得した有形減価償却資産の法定残存価額は、その取得価額の10%です。
　５　平成19年３月31日以前に取得した有形減価償却資産を法定耐用年数経過後も引き続き事業供用する場合、残存価額から償却可能限度額（取得価額×95%）まで償却することができます。

《対象資産と取得時期による償却方法の選択》

対象資産	取得時期	法定償却方法	法定償却方法以外に選択できる償却方法
建物（鉱業用のものを除く。）	平成10年3月31日以前	旧定率法	旧定額法
	平成10年4月1日以後 平成19年3月31日以前	旧定額法	なし
	平成19年4月1日以後	定額法	
建物附属設備及び構築物（鉱業用のものを除く。）	平成19年3月31日以前	旧定率法	旧定額法
	平成19年4月1日以後 平成28年3月31日以前	定率法	定額法
	平成28年4月1日以後	定額法	なし
無形減価償却資産（鉱業権を除く。）及び生物	平成19年3月31日以前	旧定額法	なし
	平成19年4月1日以後	定額法	
鉱業用減価償却資産＊1	平成19年3月31日以前	旧生産高比例法	旧定額法・旧定率法
	平成19年4月1日以後	生産高比例法	定額法・定率法＊2
リース資産	平成20年4月1日以後	リース期間定額法	なし
上記以外の有形減価償却資産	平成19年3月31日以前	旧定率法	旧定額法
	平成19年4月1日以後	定率法	定額法

＊１　鉱業権は旧定率法及び定率法を選択できません。
＊２　平成28年４月１日以後に取得した鉱業用の建物、建物附属設備及び構築物については定率法を選択できません。（法令48の２）

❷定額法と定率法（250%及び200%定率法）の比較

定額法、定率法（250%、200%）と旧定額法、旧定率法の未償却残高の推移をそれぞれ示すと次図のようになります。なお、平成19年３月31日以前に取得した減価償却資産は旧償却方法で償却可能限度額（取得価額×95%）まで償却し、残額は償却可能限度額まで達した翌事業年度以降５年間で備忘価額１円まで均等償却(各事業年度の償却額は（償却可能限度額－１円)×各事業年度の月数／60となります。）します。

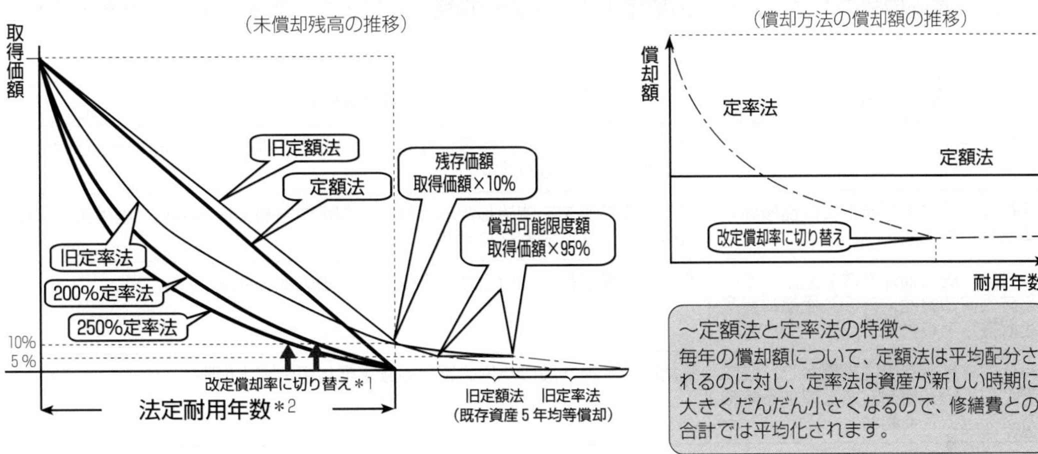

＊１　償却可能限度額が廃止されたため、法定耐用年数にわたり備忘価額１円を残して償却することになります。そのため定率法においては、調整前償却額＜償却保証額となった時点において改定償却率に切り替えることになります。

＊２　資産の種類、構造、用途、細目、設備の種類に応じて定められています。（耐令別表７～10、375ページ以下の資料参照）

《200%定率法の計算例》

取得価額　1,000千円、耐用年数10年で期首に備品を購入した場合（償却率0.200、保証率0.06552、改定償却率0.250）

経過年数	1	2	3	4	5	6	7	8	9	10
期首帳簿価額	1,000.0	800.0	640.0	512.0	409.6	327.7	262.1	196.6	131.1	65.6
調整前償却額	200.0	160.0	128.0	102.4	81.9	65.6	52.4(＊1)	39.3	26.2	13.1
償却保証額	65.52	65.52	65.52	65.52	65.52	65.52	65.52(＊2)	65.52	65.52	65.52
改定取得価額×改定償却率							65.5(＊3)	65.5	65.5	65.5
償却限度額	200.0	160.0	128.0	102.4	81.9	65.6	65.5	65.5	65.5	65.5
期末帳簿価額	800.0	640.0	512.0	409.6	327.7	262.1	196.6	131.1	65.6	0.0

調整前償却額＜償却保証額となるため７年目から改定償却率による償却を行います。
＊１　期首帳簿価額×定率法の償却率
262.1×0.200≒52.4
＊２　取得価額×保証率
1,000×0.06552＝65.52
＊３　期首帳簿価額×改定償却率
262.1×0.250≒65.5

1円（備忘価額）まで償却します。

MEMO

1．法人税法では、会社が減価償却費として損金経理しなければ、減価償却費を損金とすることができません。このことは、減価償却費をいくらにするかは、償却限度額までなら会社の任意に委ねられていることを意味します。そこで、会社によっては、自社の決算予測を行い、赤字傾向であれば、意図的に償却限度額まで減価償却を行わないことがあります。

しかし、中小企業会計指針では「固定資産の減価償却は経営状況により任意に行うことなく、定率法、定額法その他の方法に従い、耐用年数にわたり毎期継続して規則的な償却を行う。」とされています。

2．１の「損金経理をした金額」には、減価償却費の科目で経理した額以外にも次のようなものが含まれます。（法基通７－５－１）

❶前述（114ページ）の取得価額に算入すべき付随費用で原価外処理をしたもの
❷圧縮限度額を超えて帳簿価額を減額した場合のその超える額
❸修繕費のうち資本的支出に該当し損金算入されなかった額
❹無償又は低額で取得した減価償却資産につき、取得価額として経理した額が114ページの取得価額を下回る額
❺計上した除却損又は評価損（法人が計上した減損損失（132ページ参照）の金額を含む。）のうち損金算入されなかった額
❻少額な減価償却資産（おおむね60万円以下）又は耐用年数が３年以下の減価償却資産を損金経理した額
❼ソフトウエアの取得価額に算入すべき金額を研究開発費として損金経理した額
❽リース資産について賃借人が賃借料として損金経理した額
❾前期以前の会計上の誤謬の訂正に該当するため、会計上期首の利益剰余金を修正した額

ただし、以上の条件を満たしていない場合についても、確定申告書又は修正申告書(更正又は決定があるべきことを予知して提出されたものは除きます。）の別表十六に記載して申告調整をしているときは、償却費として損金経理した金額に含まれます。（法基通７－５－２）

❸減価償却方法の選定・届出・変更

1．償却方法の選定・届出

会社が有形固定資産（建物及び平成28年４月１日以後取得する建物附属設備、構築物を除きます。）の減価償却の方法を選定する場合の届出書の届出期限は、次のとおりです。（法令51）

なお、減価償却の方法は、資産の種類または設備の種類ごとに選定します。また、事業所ごとに選定することもできます。

区分	届出期限
新たに法人を設立した場合	設立の日の属する事業年度に係る確定申告書の提出期限（届け出しなければ法定償却方法となります。）
公益法人等などが新たに収益事業を開始した場合	新たに収益事業を開始した日の属する確定申告書の提出期限（届け出しなければ法定償却方法となります。）
設立後、既に償却方法を選定している減価償却資産以外の減価償却資産を取得した場合	その資産を取得した日の属する確定申告書の提出期限
新たに事業所を設けた場合で、既に選定している償却方法と異なる償却方法を選択する場合	新たに事業所を設けた日の属する確定申告書の提出期限

2．償却方法の変更

法人が選定した償却方法の変更をする場合は、新たな償却方法を選定しようとする事業年度開始の日の前日までに「減価償却資産の償却方法の変更承認申請書」を提出する必要があります。ただし、現に採用している方法を採用してから３年を経過していない場合等には変更が認められない場合があります。（法令52、法基通７－２－４）

❹減価償却方法を変更した場合の償却限度額

償却方法を変更した場合の変更後の償却限度額の計算は以下のとおりです。なお、旧定額法・旧定率法から定額法・定率法への変更は認められません。

区分	変更後の償却限度額
旧定額法から旧定率法への変更（法基通７－４－３）	変更事業年度開始日の帳簿価額 × その減価償却資産の法定耐用年数に応ずる旧定率法償却率
定額法から定率法への変更（法基通７－４－３）	変更事業年度開始日の帳簿価額又は当該減価償却資産にかかる改定取得価額 × その減価償却資産の法定耐用年数に応ずる償却率、改定償却率又は保証率
旧定率法から旧定額法への変更（法基通７－４－４）	（変更事業年度開始日の帳簿価額 － 取得価額×10%（残存価額））× 法定耐用年数又は（法定耐用年数－経過年数）*の旧定額法償却率
定率法から定額法への変更（法基通７－４－４）	変更事業年度開始日の帳簿価額 × 法定耐用年数又は（法定耐用年数－経過年数）*の定額法償却率

＊　経過年数とは変更事業年度開始日の帳簿価額を実際の取得価額で除して得た割合に応ずる当該耐用年数に係る未償却残額割合に対応する経過年数のことをいいます。いずれの年数によるかは減価償却資産の種類の異なるごとに選択することができます。

期中取得資産の償却限度額

期中に資産を取得した場合の償却限度額は、月割計算によることとなっています。

（月割計算の計算式）　取得年度の償却限度額 ＝ 期首から使用した場合の償却限度額 × $\frac{\text{使用月数（1か月未満の端数は切上げ）}}{\text{事業年度の月数}}$

⑤通常より多額の償却費を計上できるとき

次の条件、手続を満たした場合には、特例として通常の償却より多額の償却費の損金算入が認められます。

償却方法の特例	条　件	手　続	効　果
耐用年数の短縮 （法令57、法規16、17、法基通7－3－18）	①　材質又は製作方法が他の資産と著しく異なること ②　その資産の存する地盤が隆起又は沈下したこと ③　陳腐化したこと ④　使用する場所の状況によって著しく腐蝕したこと ⑤　通常の修理又は手入れをしなかったことにより著しく損耗したこと などにより使用可能期間が法定耐用年数に比しておおむね10%以上短くなったこと	①　承認を受けようとする使用可能期間、未経過使用可能期間の算定明細書、直近の事業報告及び法人税確定申告書の別表十六、カタログ、写真、図面等を耐用年数の短縮承認申請書に添付します。 ②　申請書等は、決算期末の3か月前をメドに提出します。＊	条件に該当した時点で耐用年数を短縮。 しかし､実際には例えば、10年から7年に短縮しても償却期間は7年とはなりません。 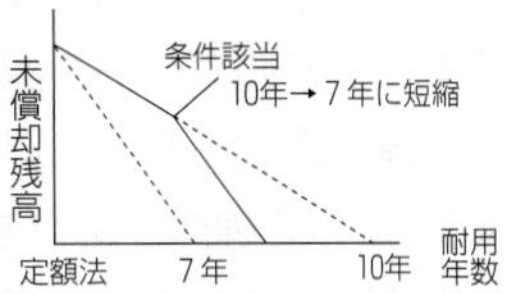
増加償却 （法令60、法規20、20の2）	①　償却方法として定額法又は定率法（旧定額法又は旧定率法）を採用している機械及び装置であること ②　通常の使用時間（8時間又は16時間）を超えて使用していること ③　増加償却割合が10%以上であること（増加償却割合＝35/1,000×1日当りの超過使用時間数）	①　増加償却の届出書を、確定申告書の提出期限までに提出します。 ②　届出書は適用しようとする事業年度ごとに提出します。 ③　超過使用したことを証する書類を保存します。	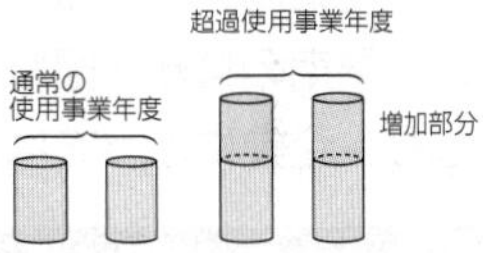 通常の使用時間を超えて使用しているときは、していないときより減価が著しいので、追加の償却費の計上が認められます。

＊　耐用年数の短縮の特例を受けた減価償却資産について、軽微な変更や同一の他の資産を取得した場合には、改めて申請をせずに変更等の届出により適用できます。

⑥中古資産の残存耐用年数

中古資産を取得した場合、その使用可能期間（残存耐用年数）は、新品の場合に比べ自ずと短くなります。

そこで､中古資産の耐用年数は、見積りによることとなりますが、通常は見積りが困難なため右の計算式により残存耐用年数を求めます。（耐令3①、耐通1－5－1～1－5－6）

●計算結果に、1年未満の端数が生じたときは切捨て、2年に満たない場合には2年とします。

取得状況	残存耐用年数決定の算式
①　法定耐用年数の全部を経過したもの	法定耐用年数×20%
②　法定耐用年数の一部を経過したもの	(法定耐用年数－経過年数)＋経過年数×20%
③　中古資産の取得価額の50%を超える改良を加えた場合（④の場合を除きます。）	改良費を含む取得価額 ／ （改良費を含まない取得価額 ／ ①又は②による中古資産の残存耐用年数 ＋ 改良費 ／ その資産の法定耐用年数）
④　改良費が再取得価額の50%を超える場合	法定耐用年数

アドバイス（中古車の取得と節税）

新車の普通車の耐用年数は6年（72か月）ですので、4年2か月（50か月）落ちの中古車を取得した場合の耐用年数は、
（6年（72月）－4年2か月（50月））＋4年2か月（50月）×20%＝32か月 ⇒ 2年（1年未満切捨て）
となります。期首取得で定率法を採用している場合、耐用年数2年の償却率は100%であるため、取得年度に100%減価償却可能となります。

4 特別償却と税額控除

——活用しよう！特別償却と税額控除——

特別償却制度は、その取得年度に普通償却限度額（通常の減価償却費＋減価償却の特例分）に加えて、一定の特別償却限度額を認める制度です。この特別償却には、取得価額の一定割合の特別償却限度額を認める制度（狭義の特別償却、以下「特別償却」といいます。）と普通償却限度額の一定割合の特別償却限度額を認める制度（以下「割増償却」といいます。）の２種類があります。

この制度は、損金の先取りであり、その資産について費用化できる総額に変わりはありませんが、早期の償却が図れるため、課税の繰延べになり、企業にとっては大変有効な制度です。

一方、税額控除制度は、取得価額の一定割合を法人税額から直接控除するという税金の免除制度であるため、特別償却とトータルで納税額を比較すると、税額控除の方が通常有利となります。

この両制度は、選択適用となっているため、企業の業績見込みをふまえて、有利な方を選択することになります。

なお、平成20年４月１日以後に取得したリース資産については売買処理することになったため、〝取得〟したものとして税額控除の適用を受けることができます。

① 特別償却と割増償却

特別償却は、その資産の取得を奨励するため、事業の用に供した事業年度に限り、取得価額の一定割合の額を減価償却費として認めるもので、他方、割増償却は、一定の行為の褒賞として要件を充足する期間にわたり普通償却限度額の一定割合を減価償却費として認めるものです。（措法42の６～48）

● 1　特別償却については、同一資産について他の特別償却との重複適用は認められません（異なる事業年度間でも不可）。また、租税特別措置法上の圧縮記帳に係る取得資産については特別償却の適用を受けることはできません。
2　青色申告法人でなければ、適用を受けることができません。
3　連続して青色申告書を提出している場合には、償却不足額を１年間繰り越すことができます。（措法52の２）

特別償却

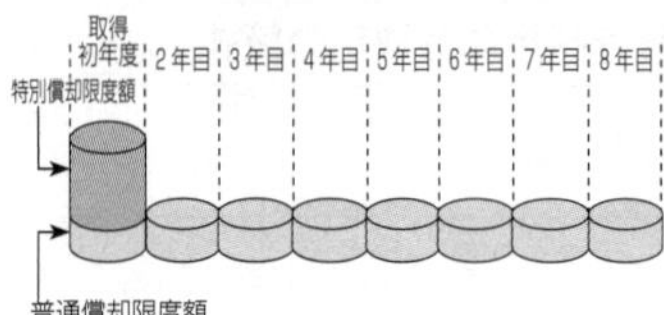

特別償却限度額 ＝ **取得価額** × **一定割合**

❶中小企業者等が機械等を取得した場合（措法42の６）
❷特定経営力向上設備等を取得した場合（措法42の12の４）
❸地方活力向上地域等内で建物等を取得した場合（措法42の11の３）
❹地域経済牽引事業施設等を取得した場合（措法42の11の２）
❺特定事業継続力強化設備等を取得した場合（措法44の２）
❻カーボンニュートラル促進設備を取得した場合（措法42の12の７③）
❼DX促進設備を取得した場合（措法42の12の７①）
❽生産方式革新事業活動用資産等を取得した場合（措法44の５）
❾特定高度情報通信技術活用設備を取得した場合（５G導入促進税制）（措法42の12の６）
❿特定船舶等を取得した場合（措法43）
⓫医療保健業を営むものが医療用機器等を取得した場合（措法45の２）
など

割増償却

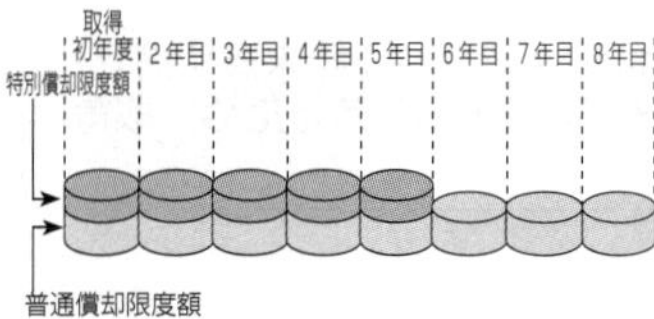

割増償却限度額 ＝ **普通償却限度額** × **一定割合**

①事業再編促進機械（旧措法46）
②輸出事業用資産（措法46）
③特定都市再生建築物等（措法47）
④倉庫用建物等（措法48）
など

❷税額控除と特別償却の選択

特別償却は、資産の早期の費用化を通して、課税を繰り延べる効果があるのに対し、税額控除は、取得価額の一定割合を調整前法人税額（6ページ参照）から直接控除するという効果があります。選択適用となっているため、両方の内容を十分検討した上で、有利な方を選択する必要があります。

税　額　控　除	特　別　償　却
取得年度に取得価額の一定割合を調整前法人税額から控除します。	取得年度に取得価額の一定割合の特別償却を認めています。

選択の目安

①償却を早期に多く行いたいときは、特別償却。
②長期の合計の税額を減少させたいときは、税額控除。
③多額の利益が出て、その期の税額のみを減少させたいときは、特別償却。
④取得年度が赤字で、翌年度も赤字が見込まれるような（税額控除は受けられない）ときでも、欠損金の繰越控除で欠損金がムダにならなければ、特別償却。

特別償却準備金の積立

特別償却及び割増償却の適用を受けることができる法人が、その適用を受けようとする事業年度において、特別償却及び割増償却に係る償却費を計上することに代えて、各特別償却対象資産別に特別償却限度額以下の金額を特別償却準備金として積み立てたときは(決算確定日までに剰余金の処分により特別償却準備金として積み立てた場合を含みます。)、その積み立てた金額は、損金の額に算入（別表四で減算調整）されます。(措法52の3①) なお、償却費として計上するか準備金として計上するかは、法人の選択によることができます。

特別償却準備金として積み立てた金額は、翌事業年度以降の各事業年度において以下の算式によって益金の額に算入します。(措法52の3⑤)

益金算入額＝

積立事業年度の積立額×$\frac{\text{その事業年度の月数}}{\text{戻入期間}}$

対象資産の耐用年数	戻入期間
10年未満	60か月と耐用年数×12か月のいずれか少ない月数
10年以上	84か月（7年）

❸リース資産の取扱い

平成20年4月1日以後に新たに契約した所有権移転外ファイナンスリース取引については原則売買処理することとされたのに伴い、取引開始時においてリース資産を取得したものとして扱われるため、税額控除の対象になります。（賃貸借処理の場合を含む。124ページ❺参照）なお、この場合のリース資産の取得価額は、原則リース料総額となります。

（注）所有権移転外リース取引により取得した資産については、特別償却及び割増償却の適用はできません。

また、中小企業者等が市町村の認定を受けた先端設備導入計画に基づいて取得する一定のリース資産について、令和6年3月31日までに取得したものは5年間、令和7年3月31日までに取得したものは4年間の間、固定資産税の課税標準を2分の1に軽減できます。また、計画において雇用者全体の給与の増加について表明する場合には、課税標準を3分の1まで軽減できます。（97ページ参照）この軽減分については、固定資産税を負担するリース会社が特例を利用し、リース料から減額することで中小企業者等に還元されます。

❹民間投資の活性化等を目的とした特別償却と税額控除制度

設備投資に対する優遇措置として、民間投資の活性化を視野に入れた特別償却と税額控除制度が取得価額の合計額で判断するものについては事業年度単位で行います。また、中小企業者等に該当業者等、適用除外事業者の定義については199ページを参照）

種　類	適　用　要　件	税額控除限度額	特別償却限度額
❶中小企業者等が機械等を取得した場合 （措法42の6）	（中小企業投資促進税制） 中小企業者等が「指定期間」内に下記に該当する新品の機械等を取得等し、「指定事業」の用に供した場合 ・機械装置＊2……………１台（組）160万円以上 ・ソフトウエア＊3………１つ70万円以上又は合計70万円以上 ・工具＊4…………………１台又は同一種類の複数設備合計120万円以上のもの ・一定の貨物自動車・船舶等	取得価額×７％＊1	取得価額×30％
❷特定経営力向上設備等を取得した場合 （措法42の12の4）	（中小企業経営強化税制） 中小企業者等が「指定期間」内に新品の特定経営力向上設備等＊5を取得等し、「指定事業」の用に供した場合 ＊5　特定経営力向上設備等とは、計画に係る事業の所轄省庁から認定を受けた「経営力向上計画」に記載された（A類型）、（B類型）、（C類型）、（D類型）に該当するもののうち、下記の<取得価額要件>を満たすものをいいます。なお、コインランドリー業又は暗号資産マイニング業（主要な事業であるものを除く）の用に供する資産で、その管理のおおむね全部を他の者に委託するものを除きます。 （A類型）生産性向上設備＊6 （B類型）収益力強化設備＊7 （C類型）デジタル化設備＊8 （D類型）経営資源集約化設備＊9 上記に共通して、対象設備の範囲に、働き方改革に資する設備（生産等活動の用に直接供される工場や店舗等の中に設置される休憩室等に係る建物附属設備（冷暖房設備等）や作業場等に設置されるテレワーク用PC等）が含まれます。 〈取得価額要件〉 ・機械装置………………………１台（組）160万円以上 ・ソフトウエア…………………１つ70万円以上 ・工具器具備品＊10………………単品30万円以上 ・建物附属設備＊11………………単品60万円以上 ＊10　情報通信業を行う法人が取得等した電子計算機のうち一定のもの及び医療保健業を行う事業者が取得等した医療機器を除きます。 ＊11　医療保健業を行う事業者が取得等した建物附属設備を除きます。 ●　貸付の用に供している全ての設備、本店の機能しかない建物、寄宿舎等、事務用器具備品、福利厚生施設等国内にない設備等は、経営力向上設備等に該当しないため、当該税制措置の対象となりません。	取得価額×７％ （資本金の額等が3,000万円以下の法人は10%）	〔即時償却〕 取得価額－普通償却限度額

減価償却資産の取得・事業供用時における特別償却等の比較

中小企業者等が機械装置、ソフトウエアなどを取得等した場合には、右表のようにその内容により「❶中小企業者等が機械等を取得した場合」、「❷特定経営力向上設備等を取得した場合」、など複数の適用要件の対象になることがあります。例えば、特別償却を適用する場合には「中小企業者等の少額減価償却資産の取得価額の損金算入特例」（115ページ参照）も含めてどれを選択するか検討が必要です。

拡充及び新設されています。以下の表はそれらの適用要件等をまとめたものです。なお、下記表中、
するかどうかについては、対象資産を取得等し事業の用に供した日において判定します。（中小企

適用対象資産などその他補足的説明事項

「指定期間」…平成10年６月１日から令和７年３月31日までの期間
「指定事業」…製造業、建設業、農業、卸売業、小売業、飲食店業、損害保険代理店業、不動産業等

＊１　税額控除は資本金の額等が3,000万円以下の法人に限ります。
＊２　コインランドリー業（主要な事業であるものを除く）の用に供する資産で、その管理のおおむね全部を他の者に委託するものを除きます。
＊３　複写して販売するための原本、開発研究用のもの又はサーバー用のオペレーティングシステムのうち一定のもの等は除きます。
＊４　製品の品質管理の向上等に資する測定工具及び検査工具（単品30万円未満は除く。）に限ります。

「指定期間」…平成29年４月１日から令和７年３月31日までの期間
「指定事業」…❶と同様

＊６「必要要件」…設備の種類ごとに定められた販売開始年度（以下表中※参照）に販売が開始されたもので、旧モデルと比較して年平均１％以上生産性を向上させるモデルであること（ソフトウエア以外）
「必要手続」…取得等した設備が生産性向上設備に該当する旨を証する証明書の発行を、当該設備を生産したメーカーに依頼して工業会等から取得すること。

証明書の発行対象となる設備	設備の種類	用途又は細目	販売開始年度（※）
	機械装置	全て	10年以内
	ソフトウエア	設備の稼働状況等に係る情報収集機能及び分析・指示機能を有するもの	5年以内
	工具	測定工具及び検査工具	5年以内
	器具備品	試験・測定機器、冷凍陳列棚など	6年以内
	建物附属設備	ボイラー、LED照明、空調など	14年以内

＊７「必要要件」…下記の算式による投資利益率が５％以上であること

$$投資利益率 = \frac{（営業利益＋減価償却費）の増加額（設備の取得等をする年度の翌年度以降３年度の平均額）}{設備投資額（設備の取得等をする年度における当該設備の取得価額の合計額）}$$

「必要手続」…公認会計士もしくは税理士に事前確認を受けた投資計画について、経済産業局から設備の取得等の前に確認書を取得すること(確認書は確定申告書に添付します。また、確認後は投資計画の実施状況を設備の取得等をする翌年度から３年にわたり、年に１度経済産業局に報告する必要があります。)

＊８「必要要件」…事業プロセスの遠隔操作、可視化、自動制御化のいずれかを可能とする設備であること
「必要手続」…認定経営革新等支援機関に事前確認を受けた投資計画について、経済産業局から設備の取得等の前に確認書を取得すること（確認書は確定申告書に添付します。）

＊９「必要要件」…計画終了年度に修正ROA又は有形固定資産回転率が一定以上上昇する計画を実施するために必要不可欠な設備であること
「必要手続」…B類型（＊７）と同様の手続き。(投資計画の実施状況の報告は最大５年間にわたり年に１度、計画に係る事業の所轄省庁に報告する必要があります。)

- 設備の取得は計画認定後が原則ですが、設備取得後に計画を申請する場合は、設備取得日から60日以内に計画が受理され、当該事業年度内に認定される必要があります。
- 工業会の証明書取得と同時並行で、計画認定に係る審査を行うことなどが可能となっており計画認定手続が柔軟化されています。
- 経営力向上計画は、「経営力向上計画申請プラットフォーム」から電子申請できます。

	機械装置	ソフトウエア	工具器具備品	建物	建物附属設備	構築物	貨物自動車等	繰延資産
中小企業者等（適用除外事業者を除く）	❶❷❹❺❻❼❽	❶❷❼	❶❷❹❺❻❼❽	❸❹❽	❷❸❹❺❻❽	❸❹❻❽	❶	❼
上記以外	❹❻❼❽	❼	❹❻❼❽		❸❹❻❽		－	❼

表内の❶～❽は、120～125ページにおける特別償却の一覧表の番号です。

❺主な特別償却と税額控除制度

以下の表は122～123ページ掲載の❹以外の特別償却と税額控除の主なものについて適用要件等を行います。また、適用対象年度、対象資産の種類・金額、特別償却割合、税額控除割合等はしばし

種　類	適　用　要　件	税額控除限度額	特別償却限度額
❸地方活力向上地域等内で建物等を取得した場合（措法42の11の3）	（地方拠点強化税制） 青色申告法人が「認定期間」の間に地方活力向上地域等特定業務施設整備計画について都道府県知事の認定を受け、その認定日から3年以内にその計画に記載された「対象資産」を取得等し、事業の用に供した場合	【移転型】 取得価額×7％ 【拡充型】 取得価額×4％	【移転型】 取得価額×25% 【拡充型】 取得価額×15%
❹地域経済牽引事業施設等を取得した場合（措法42の11の2）	（地域未来投資促進税制） 地域経済牽引事業計画について都道府県知事（官民連携型は計画に係る事業の所轄省庁）の承認を受けた青色申告法人が「指定期間」内に「対象資産」を取得等し、事業の用に供した場合	取得価額×4％ （上乗せ要件＊2を満たす場合5%、かつ中堅企業枠＊3に該当する場合は6%） （建物、建物附属設備及び構築物は2％）	取得価額×40% （上乗せ要件＊2を満たす場合50%） （建物、建物附属設備及び構築物は20%）
❺特定事業継続力強化設備等を取得した場合（措法44の2）	（中小企業防災・減災投資促進税制） 青色申告法人が「認定期間」の間に認定事業継続力強化計画等について経済産業庁の認定を受け、その認定日から1年以内にその計画に記載された「対象資産」を取得等し、事業の用に供した場合	－	取得価額×18%＊ ＊　令和7年4月1日以降に取得等したものは16%
❻カーボンニュートラル促進設備を取得した場合（措法42の12の7③⑥）	（カーボンニュートラル投資促進税制） 産業競争力強化法のエネルギー利用環境負荷低減事業適応計画について計画に係る事業の所轄省庁の認定を受けた青色申告法人が認定日から3年以内に「対象資産」を取得等し、事業の用に供した場合	＜中小企業者＞ 取得価額×10%又は14%＊4 ＜中小企業者以外＞ 取得価額×5%又は10%＊4	取得価額×50%
❼DX促進設備を取得した場合（措法42の12の7①④⑤）	（DX投資促進税制） 産業競争力強化法の事業適応計画について計画に係る事業の所轄省庁の認定を受けた青色申告法人が「指定期間」内に「対象資産」を取得等し、事業の用に供した場合	取得価額×3%又は5% 繰延資産×3%又は5%	取得価額×30% 繰延資産×30%
❽生産方式革新事業活動用資産等を取得した場合（措法44の5）	（スマート農業技術活用促進税制） 生産方式革新実施計画について農林水産庁の認定を受けた青色申告法人である農業者等（サービス事業者又は食品等事業者を含む）が、「対象資産」を取得等し、事業の用に供した場合	－	＜農業者等取得＞ 取得価額×32%又は16%（建物等） ＜上記以外＞ 取得価額×25%

＜参考＞その他の税額控除

⑨戦略分野国内生産促進税制

認定エネルギー利用環境負荷低減事業適応計画について経済産業庁の認定を受けた青色申告法人が、計画認定日以後10年以内の日を含む各事業年度において「対象資産」＊8により生産した商品を販売した場合に、生産・販売量に応じた税額控除＊9を受けることができます。

MEMO

- 税額控除は、調整前法人税額の20%が上限とされています。ただし、❶と❷は合計で20%、❻と❼と⑨は合計で20%（⑨については半導体生産用資産以外は40%）が上限となります。
- 適用事業年度において控除しきれなかった税額については、❶と❷は1年間、⑨は3年間（半導体生産用資産以外は4年間）に限り繰り越して控除することができます。
- 122ページ❶において取得価額の合計額で適用要件を判断できる設備について少額減価償却資産又は一括償却資産（115ページ参照）の適用を受けるものは、特別償却又は税額控除の適用対象から除かれるので注意が必要です。（措規20の3等）
- 平成20年4月1日以後に締結した所有権移転外ファイナンスリース取引により取得した資産については、特別償却、割増償却の適用を受けることはできませんが、税額控除の適用を受けることはできます。
- 一定の大企業については、平成30年4月1日から令和9年3月31日までの間に開始する事業年度において、❹、❻、❼等の税額控除が適用できません。（49ページ参照）

まとめたものです。なお、下記表中、取得価額の合計額で判断するものについては事業年度単位で
ば改正されるので、購入時には改めて確認ください。

適用対象資産などその他補足的説明事項
「認定期間」…平成27年８月10日から令和８年３月31日まで 「対象資産」…一の建物、建物附属設備、構築物の取得価額合計額が3,500万円以上（中小企業者等の場合は1,000万円以上）のもの、かつ、一の特定業務施設（本社機能）を構成する建物等の合計額の上限が80億円までのもの 【移転型】本社機能の一部又は全部を地域再生法の特定集中地域（東京23区）から他道府県の一定の区域＊1へ移転する場合 【拡充型】上記以外（本社機能の地方での拡充、又は東京23区以外から別地方の一定区域への移転） ＊1　近畿圏の中心部及び中部圏の中心部を含む。
「指定期間」…平成29年７月31日から令和７年３月31日まで 「対象資産」…機械装置、器具備品、建物、建物附属設備及び構築物の取得価額合計額が2,000万円以上かつ合計額が80億円までのもの ＊2　直近事業年度の付加価値額増加率が８％以上で投資収益率と労働生産性の伸びが一定水準以上の場合など ＊3　計画承認を受けた地域経済牽引事業が地域の事業者に対して著しい経済的効果を及ぼす場合
「認定期間」…令和元年７月16日から令和７年３月31日まで 「対象資産」…機械装置（１台（組）100万円以上）：自家発電機、排水ポンプ、耐震･制震･免震装置等 器具備品（単品30万円以上）：制震・免振ラック、衛星電話等 建物附属設備（単品60万円以上）：無停電電源装置、貯水タンク、サーモグラフィ装置等
「認定期間」…令和３年８月２日から令和８年３月31日まで 「対象資産」…計画認定を受けた、生産工程等の脱炭素化と付加価値向上を両立する生産工程効率化等設備（機械装置、器具備品、建物附属設備、構築物、一定の鉄道用車両）＊5 なお、投資額の上限は500億円とされています。 ＊4　エネルギー利用による環境への負荷の低減に著しく資するものは、高い方の控除率となります。 ＊5　令和６年度税制改正で、一部の資産が対象資産から除外されました。 除外された資産を対象に認定を受けている場合には、既存の認定計画の変更認定申請を令和６年４月１日以降に行い、変更の認定を受ける必要があります。
「指定期間」…令和３年８月２日から令和７年３月31日まで 「対象資産」…計画認定を受けた、DXの実現に必要なクラウド技術を活用した情報技術事業適応設備（機械装置＊6、ソフトウエア（開発研究用資産除く。）器具備品＊6、繰延資産＊7） なお、投資額の下限は売上高の0.1％相当額、上限は300億円とされています。 ＊6　ソフトウエア・繰延資産と連携して使用するものに限る ＊7　クラウドシステムへの移行に係る初期費用
「指定期間」…農業の生産性向上のためのスマート農業技術の活用の促進に関する法律の施行日から令和９年３月31日まで 「対象資産」…計画認定を受けた農業者等が導入する、生産方式革新事業活動の用に供する設備等を構成する機械装置、器具備品、建物等及び構築物 （サービス事業者又は食品等事業者の場合は、活動の促進に資する機械装置のみが対象）

＊8　計画認定を受けた、産業競争力基盤強化商品（電気自動車・半導体等）の生産をするための機械等

＊9　主な対象物資として、EV・FCV(控除額：40万円/台)、マイコン(控除額：0.7～1.6万円/枚)がある。

＜税額控除と特別償却の選択適用について＞

	法人の規模	特別償却	税額控除		適用	
❸地方活力地域内建物等取得	規模にかかわらず	○	○		選択可	
❹地域経済牽引事業施設等取得 ❻カーボンニュートラル促進設備取得 ❼DX促進設備取得	規模にかかわらず （一定の大企業を除く。49ページ参照）	○	○		選択可	
❽生産方式革新事業活動用資産等取得	規模にかかわらず	○	×		償却のみ	
❶機械等取得 ❷特定経営力向上設備等取得	資本金の額等が3,000万円以下の法人 （適用除外事業者を除く。199ページ参照）	○	❶ ○（７%）	❷ ○（10%）	選択可	
	上記以外の中小企業者等 （適用除外事業者を除く。199ページ参照）	○	❶ ×	❷ ○（７%）	❶ 償却のみ	❷ 選択可
	中小企業者等以外	×	×		いずれも不可	
❺特定事業継続力強化設備等取得	中小企業者等 （適用除外事業者を除く。199ページ参照）	○	×		償却のみ	
	中小企業者等以外	×	×		いずれも不可	

5 リース料の取扱い

――リース取引は原則売買処理に――

一般に企業では体質の強化や資金効率のメリットから、コンピュータなどの事務機器だけでなく、さまざまな資産をリースにより導入しています。リースの会計処理方法が、原則、賃貸借処理から売買処理に改正されたため、税務上の処理も同様に売買処理が原則になりました。

① リース取引

平成20年４月１日以後に新たに締結したリース取引については、オペレーティングリース取引を除き、原則売買処理することとされ、資産の引渡し時に「リース資産」として資産に計上するとともに、リース料総額を「リース債務」として負債に計上することになります。（法法64の２、法令48の２①六、131の２）

（注）リース契約の一連の取引が実質的に金銭の賃貸借と認められるものについては、金融取引として取り扱われる可能性があります。

リース取引の種類	会計処理		税務処理	
	改正前	改正後	改正前	改正後
所有権移転ファイナンスリース	売買処理		売買処理＊2	
所有権移転外ファイナンスリース	原則：売買処理 例外：賃貸借処理	売買処理 ＊1	賃貸借処理 （政令に定める一定のものは売買処理）	売買処理 ＊3
オペレーティングリース	賃貸借処理		賃貸借処理	

・**ファイナンスリース取引**
リース契約に基づく期間の中途において契約を解除することができないリース取引またはこれに準ずるリース取引で、借手が、リース物件からもたらされる経済的利益を実質的に享受することができ、かつ、当該リース物件の使用に伴って生じるコストを実質的に負担するリース取引
・**オペレーティングリース取引**
ファイナンスリース取引以外の取引

＊１　リース料総額が300万円以下の少額リース資産やリース期間が１年以内のものについては、賃貸借処理が認められています。（リース取引に関する会計基準の適用指針34、35）
＊２　賃借人は、通常の固定資産を取得した場合と同様にその資産の種類に応じて減価償却の方法を選択することになります。
＊３　賃借人のリース資産は、リース期間定額法（116ページ参照）により減価償却することになります。なお、賃借人がその賃借料を損金経理（賃貸借処理）した場合は、減価償却費として損金経理したものとみなされますので原則として申告調整は不要です。（法令131の２）また、少額減価償却資産（法令133）、一括償却資産（法令133の２）、圧縮記帳、特別償却、割増償却の適用はできませんが、税額控除については適用できます。

リース取引と地方税の取扱い

●固定資産税　…所有権移転ファイナンスリース取引　⇒　申告、納税義務者は賃借人
所有権移転外ファイナンスリース取引
オペレーティングリース取引　｝⇒　申告、納税義務者は賃貸人

●外形標準課税　…ファイナンスリース取引に係るリース料の額の合計額のうち利息相当額は、契約書等において賃貸人における取得価額と利息相当額とが明確にかつ合理的に区分されている場合（契約書等において区分されていない場合でも合理的に区分し会計上も利子としている場合も含む。）は、支払利子及び受取利子として取り扱うものとされています。

《リース取引の処理　フローチャート》

リース取引が税務上どのように取り扱われるかは、以下のフローチャートにより判定します。

①リース期間中の契約解除ができないもの、又はこれに準ずるもの＊1

＊1　契約違反又は解約時に未経過リース料合計額の原則として90%以上支払うもの、バージョンアップのための解約以外は未経過リース料合計額を解約金とするものなど

②リース資産からもたらされる経済的な利益を実質的に享受でき、かつ資産の使用に伴う費用を実質的に負担するもの＊2

＊2　リース料合計額がリース資産の取得価額（付随費用を含む。）の合計額の90%以上となっているもの、解約不能リース期間がリース物件の経済的耐用年数のおおむね75%以上であるもの

→ NO → **賃貸借処理**（オペレーティングリース）

↓ YES

③リース取引にかかる一連の取引が実質的に金銭の貸借と認められるか（法法64の2②）

→ YES → **金融取引処理**（セールアンドリースバック取引）（129ページ❷2.参照）

↓ NO（ファイナンスリース）

④リース期間終了時又は中途において資産が無償又は名目的な対価の額で賃借人に譲渡される（法令48の2⑤五イ）

↓ NO

⑤リース期間終了時又は中途において著しく有利な価額＊3で買い取る権利が与えられているものである（法令48の2⑤五ロ）

＊3　リース資産の法定耐用年数を基礎として定率法で計算した購入時の未償却残高相当額以上（権利行使時の公正な市場価額に比して著しく下回る場合を除く。）であれば「著しく有利な価額」に該当しません。（法基通7－6の2－2）

↓ NO

⑥リース資産がその使用可能期間中に賃借人にのみ使用されると見込まれる＊4又はリース資産の識別が困難である＊5（法令48の2⑤五ハ）

＊4　・建物、建物附属設備又は構築物（リース期間終了後賃貸人に返還されることが明らかなものは除く。）を対象とするもの（法基通7－6の2－3）

・賃借人に対する特別仕様となっている専用機械装置等（法基通7－6の2－3～5）

＊5　賃貸人及び賃借人においてそのリース資産の性質及び使用条件等に適合した合理的な管理方法によりリース資産が特定できるように管理されているかどうかにより判定します。（法基通7－6の2－6）

↓ NO

⑦リース期間がリース資産の法定耐用年数に比して相当短い＊6（賃借人の法人税の負担を著しく軽減することになると認められるものに限る。＊7）（法令48の2⑤五二）

＊6　リース期間がリース資産の耐用年数の70%（耐用年数が10年以上のものは60%）に相当する年数（1年未満の端数は切り捨てる。）を下回るもの。（法基通7－6の2－7）

＊7　賃借人の他の同一種類のリース資産のリース取引の状況、性質その他の状況からみてリース期間終了後に賃貸人に返還されることが明らかなリース取引については該当しない（法基通7－6の2－8）

④～⑦ → YES → **売買処理**（所有権移転ファイナンスリース）（128ページ❷1.(2)参照）

↓ NO（所有権移転外ファイナンスリース）

売買処理（所有権移転外ファイナンスリース）（128ページ❷1.(1)参照）

❷借手側のリース取引の処理

1．売買取引となる場合

⑴　所有権移転外ファイナンスリース取引

①　リース資産の取得価額（法基通7－6の2－9～10）

原則	リース期間中に支払うべきリース料総額	・再リース料の額は含まれません。（再リースすることが明らかな場合を除く。） ・事業の用に供するための付随費用は含まれます。 ・リース期間終了時における購入価額は、購入した時点において取得価額に加算します。
例外	リース料総額から利息相当額を控除した金額	・リース料総額のうち利息相当額を合理的に区分できる場合は、利息相当額を除いた金額とすることができます。利息相当額は、リース期間の経過に応じて利息法又は定額法により損金の額に算入します。

②　リース資産の減価償却（法令48の2①六）

売買処理されたリース資産は、減価償却資産として「リース期間定額法」により減価償却します。（116ページ参照）

$$\text{算式：(リース資産の取得価額－残価保証額}^{*1}) \times \frac{\text{その事業年度のリース期間の月数}^{*2}}{\text{リース資産のリース期間の月数}^{*2}}$$

＊1　残価保証額とは、リース期間終了時にリース資産の処分価額が契約において定められている保証額に満たない場合に、その満たない部分の金額を賃借人が賃貸人に支払うこととされている場合における保証額をいいます。（法令48の2⑤六）

＊2　月数は、1月未満の端数を生じたときには1月とします。（法令48の2⑥）

③　賃借料として経理した金額（法令131の2③）

売買処理すべきリース資産について、賃借人が賃借料として損金経理（賃貸借処理）した場合の金額は、償却費として損金経理した金額（法法31①）に含まれることとされました。その場合には、「リース期間定額法による償却額の計算に関する明細書（別表16⑷）」の添付が不要になり（法令63①）、リース期間定額法により計算した償却限度額と同額であれば、申告調整の必要はありません。

④　リース資産に行う資本的支出（法令55③）

平成20年4月1日以後に締結したリース資産に対して資本的支出を行った場合、その資本的支出は、その支出金額を取得価額としたリース資産を新たに取得したものとされます。この場合の、新たなリース資産のリース期間は、資本的支出をした日から既存のリース資産のリース期間終了の日までの期間として、リース期間定額法により償却限度額の計算を行うことになります。

⑵　所有権移転ファイナンスリース取引

所有権移転ファイナンスリース取引により取得したリース資産については、取得価額は所有権移転外ファイナンスリース取引の場合と同様となりますが、減価償却は、通常の固定資産を取得した場合と同様に処理することになるので、その資産の種類に応じて減価償却限度額を算定することになります。

MEMO

・リース取引と消費税等

売買処理することとされたリース取引については原則として、賃貸人から賃借人へのリース資産の引渡し時にそのリース資産の売買があったものとして、賃借人である事業者は課税仕入れを行ったこととされます。賃借人が、賃貸借処理した場合においても仕入税額控除の時期は、原則として引渡し時点になりますが（消基通5－1－9）、経理実務の簡便性の観点から、賃貸借処理している場合に限り、リース料支払の都度仕入税額控除しても差し支えありません。

なお、金融取引として処理されるリース取引については、支払リース料は借入金の返済と支払利息となるため課税仕入れにはなりません。

・リース資産の固定資産税

固定資産税（償却資産税）の納税義務者は、リース取引の処理にかかわらず、従来どおり、所有権移転外ファイナンスリース取引によるリース資産は賃貸人、所有権移転ファイナンスリース取引によるリース資産は賃借人となります。

・支払利息の取扱い

①　契約書等において元本部分と支払利息を明確かつ合理的に区分されている場合には、外形標準課税の支払利息に算入する必要があり、その結果付加価値割が増加することに留意してください。

②　取得価額から利息相当額を控除する処理をした場合には、受取配当金の益金不算入額を算定する際の負債利子に算入する必要があることに留意してください。

2.金融取引(セール・アンド・リースバック取引)となる場合(法法64の2②、法基通12の5－2－1～3)

リース取引にかかる一連の取引が実質的に金銭の貸借と認められる場合には、そのリース取引は金融取引とされ、その売買はなかったものとし、譲受人から譲渡人へ金銭の貸付があったものとされます。その場合の譲渡人側の税務上の取扱いは次のとおりです。

売買時にリース会社から受け入れた金額	借入金の額として取り扱う。
売買時に計上した売却損益	売却益、売却損ともそれぞれ益金、損金に算入しない。
リース料	リース料のうち借入金に相当する部分は借入金の元本返済額として取り扱い、それ以外の部分は支払利息として取り扱う。* 損金経理したリース料のうち、借入金の元本返済額に相当する部分の金額については、償却費として損金経理したものとして取り扱い、償却限度超過額の計算を行う。

＊　この区分は、通常の金融取引における元本と利息の区分計算の方法に準じて合理的に計算します。ただし、元本返済額が均等に含まれているものとして計算することができます。

実質的に金銭の貸借であると認められるかどうかの判定(法基通12の5－2－1)

リースバック取引が、取引当事者の意図、リース資産の内容等から、そのリース資産を担保とする金融取引を行うことを目的とするものであるかどうかにより判定します。

金銭の貸借に該当しないものの例

① 譲渡人が譲受人に代わり資産を購入することに以下のような相当な理由があり、かつ、当該資産につき、立替金、仮払金等の仮勘定で経理し、譲渡人の購入価額で譲受人に譲渡する場合
- 多種類の資産を導入する必要があるため、譲渡人において当該資産を購入した方が事務上効率的であること
- 輸入機器のように通関事務等に専門的知識が必要であること
- 既往の取引状況に照らし譲渡人の方が当該資産を安く購入できること

② 事業供用資産につき、当該資産の管理事務の省力化等のために行われるもの

③貸手側のリース取引の処理(法法63、64の2、法令124、125)

リース取引の貸手側の会計処理は、リース取引(オペレーティングリース取引を除く。)が売買処理が原則であるため、リース資産の引渡しの日の属する事業年度において、一括して収益及び費用を計上します。(法法64の2)

ただし、延払基準により、以下の算式によって算出した収益及び費用の額を計上することも認められています。(法法63・法令124)

なお、平成30年度税制改正により、リース取引を除く長期割賦販売等の延払基準は廃止されています。(58ページ参照)

$$\text{各事業年度の}\textbf{収益}\text{の額} = \text{元本相当額}^{*1} \times \frac{\text{その事業年度におけるリース期間の月数}}{\text{リース資産のリース期間の月数}} + \text{一定の利息相当額}^{*2}$$

$$\text{各事業年度の}\textbf{費用}\text{の額} = \text{原価の額} \times \frac{\text{その事業年度におけるリース期間の月数}}{\text{リース資産のリース期間の月数}}$$

＊1　対価の額から利息相当額を控除した金額

＊2　利息相当額がその元本相当額のうち支払期日が到来していないものの金額に応じて生じるものとした場合にその事業年度におけるリース期間に帰せられる利息相当額(利息法により算出した金額)をいいます。なお、利息相当額をリース利益額(リース料総額から原価を控除した金額)の20%相当額とする特例があります。(法法63②、法令124③)

消費税等の取扱い

借手側の処理と同様に、原則として、賃貸人から賃借人への資産の引渡し時にそのリース資産の売買があったものとして、賃貸人は資産の譲渡等を行ったこととされますが、リース譲渡等に係る譲渡等の時期の特例を受けている場合には、消費税においても資産の譲渡等の時期の特例が適用されます。(165ページ参照)

6 資本的支出と修繕費

――建物や機械の修繕費は損金にできないこともある?――

固定資産を修理・改良等した場合、常に修繕費としてその期の損金として処理できるわけではなく、その修理や改良の内容によっては、資本的支出として、固定資産に計上（固定資産の取得価額に加算）することになります。

この資本的支出か修繕費かの判定は、実務のうえでは非常に難しい面があります。

税務上では、法人税基本通達により定められた一定の形式基準（右ページのフローチャート参照）に則した区分をしていれば、その処理は認められます。

① 資本的支出と修繕費

資本的支出と修繕費の区分及び資本的支出となる金額の算定は次のようになります。（法令132）

区分	支出の内容	経理処理	資本的支出額の算定方法
資本的支出	固定資産の使用可能期間を延長させる支出	固定資産に計上する	支出金額 × (支出直後の使用可能年数 − 支出直前の使用可能年数) / 支出直後の使用可能年数
	固定資産の価値の増加をもたらす支出		支出後の時価 − 通常の管理又は修理をしていた場合の時価
修繕費	固定資産の通常の維持管理及び原状回復のため等の支出	損金に算入する	

いずれにも該当する場合には、いずれか多い金額を資本的支出とします。

明らかに資本的支出あるいは修繕費とされるもの

以下のような支出は通常、それぞれ資本的支出あるいは修繕費とされます。

資本的支出の例示（法基通7－8－1）

① 建物の避難階段等物理的に付加した部分に係る費用の額
② 用途変更のため模様替え等改造又は改装に直接要した費用の額
③ 部品取替時に特に品質又は性能の高いものに取り替えた場合の通常の取替え費用を超える額

アスベストや土壌汚染にかかる除去費用の税務上の取扱い

アスベストを含む建物等の所有者や土壌汚染のある土地の所有者が行う法的義務のある除去にかかる費用は、原則として維持管理や原状回復のため修繕費処理が認められます。

修繕費の例示（法基通7－8－2）

① 建物を解体移築等した場合の費用（ただし、旧資材の70%以上を使用し、従前の建物と同一規模及び構造の建物を再建築する場合）
② 機械装置の移設費用（集中生産のための移設を除きます。）
③ 地盤沈下した土地の地盛りに要した費用
④ 建物、機械装置等が地盤沈下で海水等の浸害を受けたため、床上げ、地上げ又は移設に要した費用
⑤ 土地の水はけを良くする等の砂利、砕石等の敷設費用
⑥ 自社の事務所の蛍光灯をLEDランプに取り替えた場合

ソフトウエアの場合（法基通7－8－6の2）

区分	支出の内容	経理処理
資本的支出	新たな機能の追加、機能の向上等に要する費用	固定資産に計上する
修繕費	プログラムの機能上の障害の除去、現状の効用の維持等に要する費用	損金に算入する

● 既存のソフトウエア、購入したパッケージソフトウエア等に大幅な仕様変更をした新たなソフトウエアの製作費用は取得価額となります。

アドバイス

修理·改良工事を行った年度の業績がいい場合などにはできるだけ修繕費にして節税を図りたいものです。例えば、
① ある程度周期的に修理が必要な場合は、少し早くても３年周期で修理を行う
② 一つの修理等の金額を60万円未満又は前期末取得価額の10%以下に抑える
③ 改良工事と補修工事を同時に行った場合などで、区分が困難な場合、継続して支出額の30%と前期末取得価額の10%のいずれか少ない額を修繕費として処理する
等の方法があります。

②資本的支出と修繕費の区分のフローチャート

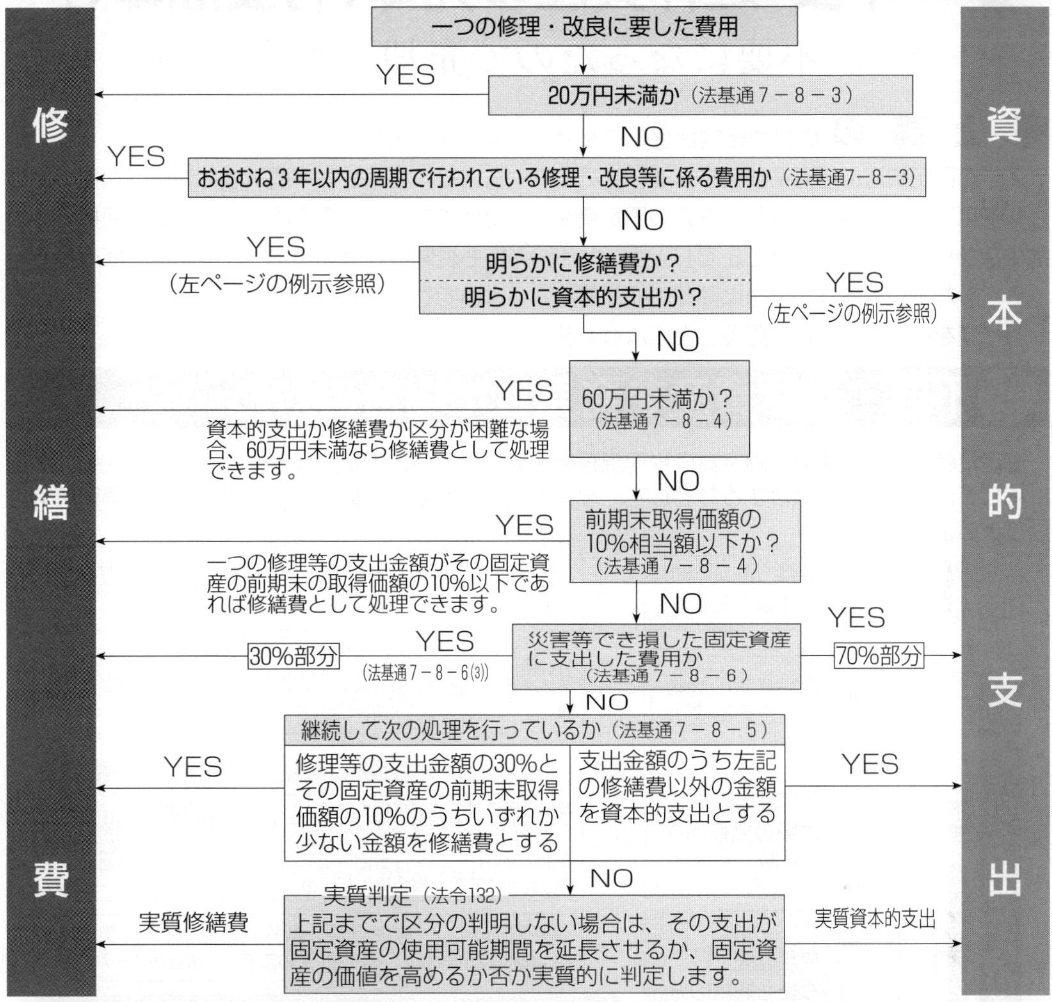

《資本的支出を行った場合の償却方法》

原則として、資本的支出は、母体資産とは別個にその支出の対象となった母体資産と種類及び耐用年数を同じくする減価償却資産を新たに取得したものとして償却します。ただし、母体資産の取得時期や償却方法によっては、母体資産と合算して償却することも可能です。（法令55）

<table>
<tr><th colspan="3">母体資産の事業供用日</th><th>平成19年3月31日以前</th><th>平成19年4月1日以後</th></tr>
<tr><td colspan="3">資本的支出の時期</td><td>平成19年4月1日以後</td><td>平成19年4月1日以後</td></tr>
<tr><td colspan="3">合算処理の可否</td><td>合算処理可(法令55②)＊1</td><td>原則個別処理
母体資産が定率法の場合のみ合算処理可
(法令55⑤)＊1</td></tr>
<tr><td rowspan="6">資本的支出部分の取扱い</td><td rowspan="3">個別処理</td><td>償却方法</td><td colspan="2">新償却方法（定額法、定率法等）</td></tr>
<tr><td>耐用年数</td><td colspan="2">母体資産と同じ</td></tr>
<tr><td>償却可能限度額</td><td colspan="2">備忘価額（1円）</td></tr>
<tr><td rowspan="3">合算処理</td><td>償却方法</td><td>旧償却方法（旧定額法、旧定率法等）</td><td>新償却方法（定率法のみ可）</td></tr>
<tr><td>耐用年数</td><td>母体資産と同じ</td><td>資本的支出を行った事業年度の翌事業年度の期首に取得したものとみなして母体資産の耐用年数で償却＊2</td></tr>
<tr><td>償却可能限度額</td><td>母体資産と合算した金額の95%</td><td>備忘価額（1円）まで可</td></tr>
</table>

＊1　合算処理後の分離は原則としてできません。（法基通7－3－15の4）

＊2　資本的支出を事業年度の途中で行っている場合には、資本的支出部分は既存資産と切り離して月数按分で償却費を計算し、翌事業年度の期首から合算処理します。

(注)　250%定率法を適用して償却している資産に対して平成24年4月1日以後に資本的支出を行った場合、その資本的支出は原則として200%定率法で償却することになります。この場合、それぞれ適用する償却率が異なるため、翌事業年度から合算して償却することはできません。

ただし、減価償却の250%定率法から200%定率法への改正に伴う特例措置（116ページ＊2参照）の適用を受けた場合には、既存資産と資本的支出に適用される償却率が同一になるため、翌事業年度から合算して償却することができます。

7 不要・遊休資産の売却、有姿除却等

――不要になったので売却します――

売上高の増加や経営合理化に役立ってきた固定資産にも寿命があります。老朽化し、使用できなくなった不要・遊休の固定資産は少なからず発生していることでしょう。

こうした不良資産は、早急に除却・売却処分や評価減を行い、流動化を図ることにより財務体質を強化したいものです。

また、こうした不要・遊休資産の把握のためだけでなく受贈資産の計上漏れ等の把握のためにも現物と帳簿のチェックを年に一度は行うとよいでしょう。

1 不要・遊休資産を発見した場合の対応

固定資産管理者を決め、固定資産管理規程を作成・運用し、固定資産台帳に正確に記入し、必要に応じて台帳と現物を照合するなどして、現物の消失や不要・遊休資産等の早期発見、早期解消を図りましょう。

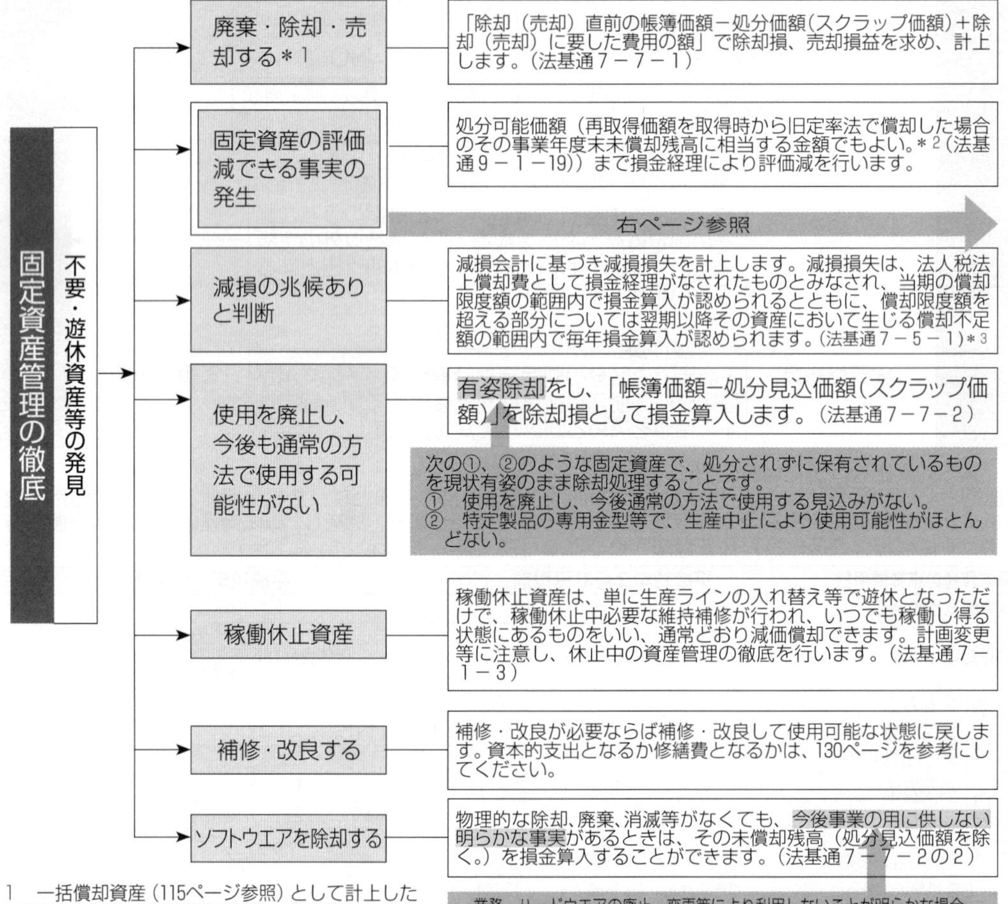

＊1　一括償却資産（115ページ参照）として計上した資産についてはその資産が滅失・廃棄等した場合でも除却損を計上することはできず3年一括償却を継続する必要があります。

＊2　定率法による未償却残高の方が適切に時価を反映する場合は定率法によっても差し支えありません。なお、210ページの＊2固定資産についても同様の取扱いとなります。

＊3　公認会計士又は監査法人の法定監査を受ける会社は減損会計が義務付けられています。また、中小企業の会計に関する指針では「固定資産としての機能を有していても将来使用の見込みが客観的にないこと又は固定資産の用途を転用したが採算が見込めないことのいずれかに該当し、かつ、時価が著しく下落している場合」には固定資産から減損額（減損損失として損益計算書の特別損失に計上）を控除（減損損失累計額は減価償却累計額に準じて表示）することとされています。

❷固定資産を評価減できる場合

法人の有する土地・建物等の固定資産について、評価損の損金算入が認められる場合と認められない場合を例示すると以下のようになります。

<table>
<tr><td rowspan="8">評価損の損金算入</td><td rowspan="7">認められる場合</td><td rowspan="3">A（法法33②、法令68）</td><td>(1)物損等の事実
①災害により著しく損傷したこと
②1年以上にわたり遊休状態にあること
③本来の用途に使用できないため、他の用途に使用されたこと
④所在する場所の状況が著しく変化したこと
⑤その他上記に準ずる特別な事実</td></tr>
<tr><td>(2)法的整理の事実
更生手続における評定が行われることに準ずる事実（法基通9－1－3の3）
（例）再生手続開始の決定により評価換えをする場合</td></tr>
<tr><td>〈ポイント〉
①損金経理すること…評価損の計上は、その損失を損金経理によって帳簿価額から減額した場合にのみ認められます。
②限度額まで…………損金の額に算入される額は、評価換え直前の帳簿価額と期末時価までとの差額までしか認められません。</td></tr>
<tr><td rowspan="2">B（法法33③）</td><td>更生計画認可決定があったことにより会社更生法等の規定による評価換えをしてその帳簿価額を減額した場合</td></tr>
<tr><td>〈ポイント〉
損金経理すること…評価損の計上は、その損失を損金経理によって帳簿価額から減額した場合にのみ認められます。</td></tr>
<tr><td rowspan="2">C（法法33④）</td><td>(1)再生計画認可の決定があり、その資産の価額につき所定の評定を行っていること
(2)その他上記に準ずる事実
一定の要件を満たす私的整理（中小企業活性化協議会中小企業再生支援スキーム等。210ページ参照）についても認められています。</td></tr>
<tr><td>〈ポイント〉
損金経理不要…損金経理は必要ありませんが、評価損を損金算入するためには、確定申告書に「評価損（益）明細」の記載及び「評価損関係書類」の添付が必要です。（法法33⑦）</td></tr>
<tr><td>認められない場合（法基通9-1-17）</td><td colspan="2">①　過度の使用又は修理の不十分等による著しい損耗
②　償却を実施しなかったために償却不足額があること
③　取得時の事情等により取得価額が同種の資産の価額に比して高いこと
④　機械及び装置が製造方法の急速な進歩等により旧式化していること</td></tr>
</table>

●土地の賃貸に際し賃借人から権利金等の一時金を収受するとともに、長期にわたりその土地を使用させることとしたため、土地の賃貸後の価額が簿価を下回った場合には、その下回る額を帳簿価額から減額することができます。（法基通9－1－18、法令138）

会社更生法等による債務免除等があった場合の欠損金の損金算入の特例（209ページ参照）

更生会社や再生会社、一定の要件を満たした私的整理会社等は、青色繰越欠損金の期限切れ欠損金を優先して損金算入することができます。

しかし、この特例を受けるためには、税務上、評価益と評価損をともに益金・損金に計上する必要があり（B及びCの場合）、固定資産についても、時価で評価することが必要となります。

MEMO

評価損が認められない場合は、耐用年数の短縮（法令57）、増加償却（法令60）等の制度の適用が認められる場合（119ページ参照）がありますので検討してみるとよいでしょう。

アドバイス

取得価額が少額（おおむね40万円未満）で個別管理が困難な工具、器具備品の除却処理については、種類等の区分ごとの計算が可能で除却数量が明らかな場合は、継続処理を条件に、種類等の区分が同じものを一括して償却計算するとともに取得時期の古いものから除却するものとして計算した未償却残額により除却価額を計算する方法が認められています。（法基通7－7－9）

8 繰延資産と権利金等の処理

——建物を借りた。その権利金は費用にできない?——

事務所を賃借したとき支払う権利金等は、支払時の費用として一括損金算入することはできません。税法では、支出の効果が1年以上にわたる費用（資産の取得に要した費用、前払費用は除きます。）については、所定の期間にわたって償却（費用配分）する必要があるからです。

こうした費用は法人税法上繰延資産とされ、任意償却が可能なものと所定の年数にわたって償却しなければならないものに区分されます。

法人税法上の繰延資産の償却費は、償却期間を基礎として❶の表の計算式によって求めた額（償却限度額）に達するまで損金経理により損金算入することができます。

なお、会社法では、「繰延資産として計上することが適当であるもの」が繰延資産とされています。

❶ 繰延資産とは

法人が支出する費用のうち、支出の効果がその支出の日以後1年以上に及ぶものを繰延資産といい、任意償却が可能かどうかで区分されます。（法令14、64）しかし、所定の年数で償却すべきものでも支出する金額が20万円未満であれば支出時に損金経理により一括損金算入できます。

区　分	内　　容	コメント
Ⓐ（任意償却）	創立費、開業費、開発費、株式交付費、社債等発行費	その期に損金経理（償却）した金額がそのまま損益の額に算入される（任意償却）ため、その期の損金状況に合わせた償却が可能です。
Ⓑ（上記以外）	公共的施設負担金、共同的施設負担金、建物賃借権利金、ノウハウ頭金、広告宣伝用資産贈与費用など	個々に定められた償却期間に応じた限度額までしか損金算入されません。 $\text{償却限度額} = \text{繰延資産の額} \times \dfrac{\text{その事業年度の（支出後）月数}}{\text{償却期間の月数}}$

●従来の社債発行差金（社債等の券面金額がその発行価額を超える場合のその超える金額）等の金銭債務に係る償還差損益は社債等金銭債務の償還期間にわたって月割で損金又は益金に算入しなければなりません。（法令136の2）

MEMO

右ページで見るように税法では、支出の効果が1年以上に及ぶ費用の多くが繰延資産に該当します。

しかし、企業会計上の「繰延資産」は財務諸表等規則や企業会計原則で規定されているものに限定され、それ以外は無形固定資産や長期前払費用（投資その他の資産）として処理されます。

また、中小企業の会計に関する指針及び中小企業の会計に関する基本要領では、「創立費、開業費、開発費、株式交付費、社債発行費、新株予約権発行費は、原則として費用処理する。なお、これらの項目については繰延資産として資産に計上することができる」、「費用として処理しなかった税法固有の繰延資産は、長期前払費用等として表示する」とされています。

「繰延資産の会計処理に関する当面の取扱い」実務対応報告第19号（企業会計基準委員会）においても同様に、「株式交付費、社債発行費等、創立費、開業費、開発費は、原則として費用処理する。ただし、繰延資産として計上することもできる。」とされています。

アドバイス

創立費や開業費が多額に発生し、設立後赤字が続くことが予想される場合には、繰延資産に計上し、欠損金の繰越控除（185ページ参照）の切捨て金額が小さくなるよう償却するとよいでしょう。

❷建物を賃借するための権利金の資産計上

建物を賃借するために支払う権利金や敷金・立退料などの費用については、返還される部分については返還されるまでそのまま資産に計上し、返還されない部分については、❶の表Ⓑの繰延資産に該当するため、それぞれに定められた償却期間に基づいて計算した償却限度額を、損金経理により償却していくことになります。（法基通８－２－３）なお、建物の賃借に際して不動産業者に支払う仲介手数料は、繰延資産に含めず支払時の損金とすることができます。（法基通８－１－５（注））

種類		償却期間
返還されるもの		繰延資産には該当せず、返還されるまでそのまま資産計上しておきます。
返還されないもの	①　建物の新築に際して支払った権利金等の額がその建物の賃借部分の建設費の大部分に相当し、かつ、建物の存続期間中賃借できる状況にあるもの	繰延資産に該当し、その建物の耐用年数の70％に相当する年数で償却します。
	②　建物の賃借に際して支払った①以外の権利金等で契約・慣習等により借家権として転売できるもの	繰延資産に該当し、賃借後の見積残存耐用年数の70％に相当する年数で償却します。
	③　①及び②以外のその他の権利金	繰延資産に該当し、５年（５年未満の賃借契約で更新時に権利金等を支払うものは、その賃借期間）で償却します。

●定期借地権設定契約時に賃料の一部又は全部を一時金として一括払いした場合の税務上の取扱いについては103ページ参照。

MEMO

建物（住宅を除きます。）の賃貸借契約の締結又は更改のために支払う権利金、敷金、更改料のうち返還されない部分については、権利設定の対価であるため消費税の課税取引となります。（消基通５－４－３）

❸その他の法人税法上の繰延資産

❷の建物を賃借するために支出する権利金や立退料などの費用の他に、次のようなものが❶の表Ⓑの繰延資産に該当します。（法令14①六）

種類	具体例	償却期間
公共的施設の負担金（法基通８－１－３）	自己の必要に基づいて行う道路、堤防等の設置又は改良のために要する費用又は負担金	①専ら負担者が使用するものは、その施設の耐用年数の70％に相当する年数 ②その他は、その耐用年数の40％に相当する年数
共同的施設の負担金（法基通８－１－４）	所属する協会、組合、商店街等の行う共同的施設の建設又は改良に要する費用の負担金	①原則としてその施設の耐用年数の70％に相当する年数 ②土地の取得に充てられる部分は45年 ③商店街のアーケード等一般公衆用にも使われるものは５年（耐用年数が５年未満のものはその耐用年数）
役務の提供を受けるための権利金等（法基通８－１－６）	ノウハウの設定契約に際して支出する一時金又は頭金の費用	ノウハウの設定契約の頭金は５年（５年未満の設定契約で更新時に頭金等を支払うものはその有効期間）
電子計算機等の賃借に伴って支出する費用（法基通８－１－５(2)）	電子計算機その他の機器の賃借に伴って支出する引取運賃、関税、据付費その他の費用	その機器の耐用年数の70％に相当する年数（その年数が契約による賃借期間を超えるときは、その賃借期間）
広告宣伝用資産を贈与した費用（法基通８－１－８）	特約店等に広告宣伝用の看板、ネオンサイン、どん帳、陳列棚、自動車等の資産を贈与した場合のその資産の取得価額に相当する費用	その資産の耐用年数の70％に相当する年数（その年数が５年を超えるときは、５年）
その他自己が便益を受けるための費用（法基通８－１－９～８－１－12）	同業者団体等（社交団体を除く。）に対して支出した加入金（譲渡性ある加入金を除く。）など	同業者団体等の加入金は５年

1 海外活動をめぐる税務

――日本の税制だけでは答えが出ない海外との取引――

今やわが国では、中小企業においても、海外との取引が何らかの形で行われるようになってきています。

海外活動をめぐる税務については、その取扱いがわが国の税制だけではおさまらない項目も多いため非常に複雑で、国内外の税制のほか、わが国との間に租税条約がある場合にはその内容も押さえておく必要があります。

一般的に、内国法人の現地国での課税は、恒久的施設（PE）を有するかどうかによって異なり、外国法人が日本国内にPEを有する場合は、そのPEに帰属する所得が国内源泉所得として位置づけられています。（帰属主義。140、141ページ参照）

恒久的施設（PE＝Permanent Establishment）とは

わが国の税法におけるPEの定義は次のとおりです。（所法２①八の四、法法２①十二の十九）

①号PE　事業を行う一定の場所(支店、事務所、工場、倉庫業者の倉庫、鉱山等天然資源採取場所等)
保管、展示、引渡し等の活動のみに使用する一定の場所は、準備的又は補助的な機能を有するものに限り、PEに含まれません。(②号PEも同様)

②号PE　建設、据付け、組立て等の作業のための役務の提供で、１年を超えて行う場所
PEに該当しないように契約を１年以下に分割した場合は期間を合算して判定します。

③号PE　国内に置く代理人等(事業に関し、反復して契約を締結する権限を有し、または契約締結のために反復して主要な役割を果たす代理人等)
代理人等が、その事業に係る業務を、非居住者に対し独立して行い、かつ、通常の方法により行う場合はPEに含まれません。

海外進出形態の比較

海外への進出の形態には駐在員事務所･現地子会社等いくつか選択肢があり、それぞれメリット･デメリットがあります。自社の戦略に合った形態を選択する必要があるでしょう。

進出形態	主たる目的及び課税関係	メリット	デメリット･リスク･留意点等
駐在員事務所	・現地国での情報収集や広報活動に限定、販売・製造等の営業行為を行わない。 ・上記の範囲で活動している限り通常はPEに当たらない。	・現地の経費を本国の損金にできる。 ・投資規模としては相対的に小さいため状況に応じて撤退は容易である。	・営業活動ができない。 ・国によっては非課税となる駐在員事務所の活動範囲を狭く定義し、課税されるケースがある。
支店	・海外に事務所や工場など一定の恒久的施設を有しそこを足場に営業行為を行う。 ・一般に国外PE帰属所得が生じた場合、現地国で課税される。	・自己の名義と責任で取引を行えるため輸出等と比べ迅速な対応が可能 ・支店の損失を本店の利益と通算できる。 ・国外PE帰属所得として現地国で課税された国外源泉所得に対する外国法人税は原則わが国で直接外国税額控除が適用される。 ・発展途上国等との租税条約によりみなし外国税額控除が認められる場合がある。	・本支店間の利子や経費の配賦等が適正な計算に基づくものであることが必要。利子が配当とみなされる可能性がある。 ・本支店間取引につき支店の税務調査が本国に及ぶことがある。 ・国により移転価格税制の適用が本支店間取引にも及ぶ可能性があり注意が必要。（本支店間取引も独立第三者間の取引価格で課税所得計算する必要あり。）
子会社(現地法人)	・支店を更に発展させて現地法人化したもの ・PEとして現地国で課税される。原則として配当が行われるまでは日本での課税関係は生じない。	・現地国で国内法人となることによりその国の法人と同様の待遇（入札資格等）を享受することができる。 ・原則として現地国で独立に課税されるため現地の税率が日本より低い場合には税負担が軽減される。 ・一定の要件のもと子会社からの配当については、その95%が益金不算入となる。	・海外子会社との取引価格の設定によっては日本又は現地国で移転価格税制又は国外関連者に対する寄附金の損金不算入の規定が適用される可能性がある。 ・税制改正の影響で過小資本税制、タックスヘイブン税制、グローバル・ミニマム課税等が適用され、設立時に見込んだ税負担軽減メリットを享受できなくなる可能性がある。

〈海外活動に関する税務のチェックポイント〉

海外の会社等と輸出入取引を行ったり、海外に進出したりする場合にも、いろいろな場面で税務の問題が発生してきます。国内での活動よりその取扱いに複雑な点もあるので十分検討のうえで取り組むようにしましょう。

こんなケースは？	税務上の取扱い	対策及び注意点	参照
海外出張旅費 同業者団体主催の海外視察旅行に参加することになりました。	同業者団体等が主催する海外視察等の機会に併せて観光が行われる場合には、旅行に通常要する費用のうち、視察等の日数と観光日数の合計に占める視察等の日数の割合（損金等算入割合）に対応する金額は旅費として損金算入できます。	観光日数が多く損金等算入割合が10%以下になる場合は旅費に計上した全額が給与とされます。（役員の場合は、損金に算入されない役員給与となります。）逆に、90%以上の場合は旅行に通常要する費用は全額旅費として損金算入できます。	139ページ
駐在員給料 会社から海外駐在を命ぜられました。	原則として、給与は日本では非課税となり、勤務地国のみで課税されます。	日本の会社の役員のまま海外勤務する場合、国内における勤務とみなされ、給与から所得税が源泉徴収されます。	138ページ
国内源泉所得の源泉徴収 外国法人にロイヤリティを支払うのですが…	原則として、国内における業務に係るロイヤリティを外国法人に支払った場合は、源泉徴収をする必要があります。	租税条約により、国内の業務に関係しないロイヤリティを支払った場合でも源泉徴収を要する場合があります。	140ページ
国外財産調書制度 国外に財産をたくさん保有しているのですが…	その年の12月31日において有する国外財産の合計額が5000万円超の居住者は、当該財産の種類・数量・価額等を記載した調書を翌年６月30日（令和４年分以前は翌年３月15日）までに税務署長へ提出する必要があります。	国外財産から生じる所得税・相続税等について申告漏れ・無申告があった場合、国外財産調書に記載があればその加算税等について５%軽減され、提出がないとき又は記載がないときは５%加重されます。	274ページ
外貨建資産・負債の換算 期末に外貨建ての資産・負債が残っていました。	外貨建資産負債の円換算方法は、債権債務、有価証券、外貨預金、外国通貨等の別に定められています。債権債務については外国通貨の種類ごとに、かつ、短期債権債務と長期債権債務の別にそれぞれ発生時換算法、期末時換算法のいずれかを選択します。	レートにもTTB（電信買相場）やTTS（電信売相場）だけでなく、TTM（TTBとTTSの仲値）があり、原則としてTTMで換算します。 また、計上日や期末日のレートだけではなく、継続適用すれば、他の日のレートや平均レートにより換算することもできます。	142ページ
外国税額控除 外国で課された税金は日本で控除できるの？	法人税額が発生し、かつ、国外所得がある場合に、一定額を法人税や住民税から控除することができます。	外国税額控除を選択すると、控除限度額が発生しない場合、外国税額の税額控除も損金算入もできません。	144ページ
海外子会社との取引 海外子会社の業績が芳しくなく、期末に値引きをしようと思うのですが…	国外関連者への寄附金は、その全額が損金不算入となります。	海外子会社への応援人件費や立替経費を海外子会社に請求しないと、国外関連者への寄附金と認定され、全額損金不算入となる可能性があります。	148ページ
移転価格税制 海外の税金の方が安いので海外子会社への売値を調整しようと思うのですが…	一般の取引価格とされる独立企業間価格と相違する価格で取引した場合、移転価格税制の適用を受けることがあります。	不合理な価格で海外と取引を行うと、日本の移転価格税制や外国の移転価格税制やダンピング課税の適用を受ける可能性もあるので注意が必要です。	147ページ
過少資本税制 海外子会社が新規投資をするため日本の親会社からの借入金を増やす予定です。	多くの国では、海外子会社の負債・資本比率が一定以上になると、本国の親会社等への借入金の利子が配当とみなされ損金不算入とされてしまいます。	国によって負債・資本比率の限度や対象とされる子会社への出資比率の規定が異なるため、進出国の制度を確認する必要があります。	148ページ

グローバル・ミニマム課税の導入

OECD/G20において国際的な法人税の引下げ競争に歯止めをかけるための枠組みが合意され、各国において所得合算ルール、軽課税所得ルール、国内ミニマム課税の３つの制度からなるグローバル・ミニマム課税等の導入が進められています。これに伴い、内国法人の令和６年４月１日以後に開始する事業年度からは、連結総収入額が7.5億ユーロ以上の多国籍企業グループを対象に、軽課税地国にある子会社等の税負担が国際的に合意された最低税率15%以上に至るまで、国内親会社の法人税・地方法人税に上乗せ課税する仕組み（所得合算ルール）が導入されます。新たな国際課税の枠組みについて留意が必要です。

2 駐在員給料・海外出張旅費

――海外活動に関わる人的コスト――

海外に拠点を設けると、駐在員を置いたり、海外出張の回数が増えてきます。

駐在員給与については、短期的な派遣の場合を除いて、基本的には勤務している国の居住者となりその国で課税されることになります。

また、出張のついでに周辺の観光地を訪れたりする場合に、会社の旅費として損金算入されるのは、業務遂行上必要なもので、かつ通常必要と認められる金額に限られますので、注意が必要です。

旅行目的や行程などの内容が明確になるよう、出張報告書や日程表、海外出張旅費規定などをきちんと作成・保存しておくようにしましょう。

① 居住者・非居住者と駐在員給与の取扱い

日本の所得税法における個人の納税義務者及び課税対象所得は次のとおりです。（所法２①三～五、所法７）

区分		定義	課税対象所得
居住者	下記以外の居住者	・国内に住所＊１を有する個人 ・現在まで引き続いて１年以上居所を有する個人	すべての所得（全世界所得）
	非永住者	居住者のうち、日本国籍を有しておらず、かつ、過去10年以内において国内に住所又は居所を有していた期間の合計が５年以下である個人	・国外源泉所得以外の所得 ・国外源泉所得のうち国内で支払われるか国外から送金されたもの＊２
非居住者		居住者以外の個人	国内源泉所得（140ページ参照）

＊１　「住所」とは各人の生活の本拠をいい、「居所」とは住所に該当しないものの、多少の期間継続して居住する場所をいいます。

＊２　非永住者になる前に取得した国外にある有価証券を外国金融商品市場等で譲渡したものについては、国内支払・国内送金が行われない限り、課税対象所得から除かれます。（所法７②、所令17）

また、海外で勤務する者についての税務上の取扱い（居住者か非居住者か）は、海外勤務の予定期間等により以下のようになります。（所令14、15、所基通２－１、２－３、３－３）

海外で勤務する者	１年未満の予定で出国	居住者	・海外の出向先などからの給与支給がある場合には、原則として日本でも課税される。 ・予定に反し１年以上滞在することが判明した場合には、判明した日の翌日から非居住者となる。
	１年以上の予定で出国	出国の日の翌日から非居住者	・国外業務に従事するため国外に居住する場合は、契約等で１年未満であることが明らかな場合を除き非居住者となる。 ・勤務の対価として生じる所得は国内源泉所得ではないため、日本では課税されない。（ただし、役員については下記参照） ・留守宅の不動産賃貸収入や不動産の譲渡所得は国内源泉所得に該当し、日本で課税される。 ・予定に反し１年未満で帰国した場合は、帰国の日から居住者となる。 ・海外の出向先に１年以上滞在し、一時的に帰国したが、やむを得ず一時帰国の期間が長引いた場合（１年未満）には、非居住者の取扱いが継続される。

役員の海外勤務（所法161、所令285、所基通161－42、161－43）

日本の会社の役員として海外勤務する場合の取扱いは、原則として以下のとおりです。

⑴　海外で使用人として常時勤務する場合：海外支店長等として常時勤務するようなときには国内勤務とはみなされないため日本では課税されません。

⑵　⑴以外の場合：国内における勤務とみなされ、国内源泉所得として所得税を源泉徴収する必要があります。

MEMO

勤務地国と、わが国との間で国際的な二重課税の回避等を目的とする租税条約が締結されている場合には、各国との租税条約により、所得税の源泉徴収に関する特例等が設けられている場合がありますので注意が必要です。

参考　勤務地国における課税が免除される要件（短期滞在者免除）（OECDモデル条約）

1.　勤務地国での滞在期間が課税期間を通じ、183日を超えないこと
2.　報酬を支払う雇用者が勤務地国の居住者でないこと
3.　雇用者が、勤務地国に恒久的施設を有していて、その報酬がこれらの施設により負担されないこと

国外転出時における注意点（所法60の２～60の４）

有価証券・未決済のデリバティブ取引等を合計１億円以上保有し、かつ、過去10年以内に国内に５年超住所等を有する居住者が、国外転出＊する場合や、国外居住親族へ贈与・相続により有価証券等を移転した場合には、その保有する有価証券等を転出・贈与・相続時に譲渡等したものとみなして、その含み益に対して課税されることとなります。

なお、国外転出後５年以内に帰国した場合は課税の取消しを受けることや、出国時に担保を提供することで納税猶予を受けることができるなどの調整措置が設けられています。

＊　国外転出とは、居住者が国内に住所及び居所を有さなくなることをいいます。

②海外渡航経費の取扱い

会社がその役員や従業員の海外渡航に際して支給する旅費（支度金も含みます。）の取扱いは、次のようになります。（法基通９－７－６、９－７－７）

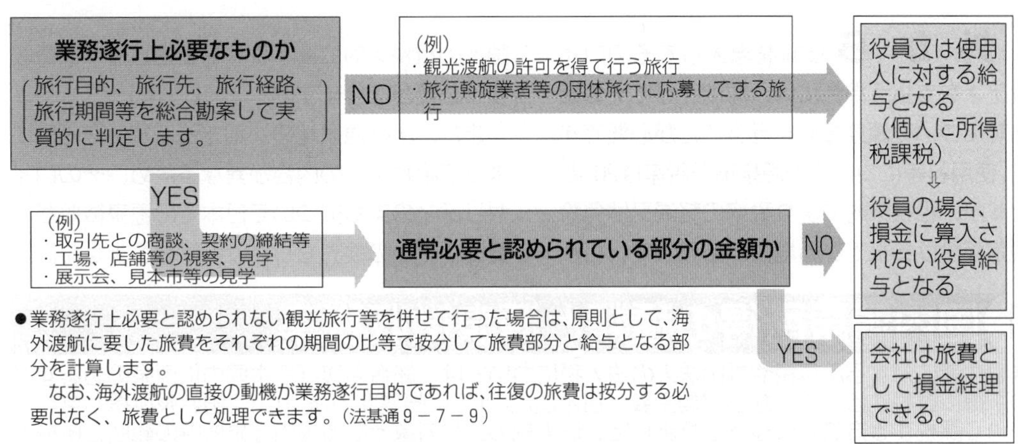

●業務遂行上必要と認められない観光旅行等を併せて行った場合は、原則として、海外渡航に要した旅費をそれぞれの期間の比等で按分して旅費部分と給与となる部分を計算します。

なお、海外渡航の直接の動機が業務遂行目的であれば、往復の旅費は按分する必要はなく、旅費として処理できます。（法基通９－７－９）

――同業者団体等が行う視察等のための団体海外渡航費用の取扱い――

同業者団体等が主催して実施する海外視察等の機会に併せて観光が行われる場合の海外渡航費の取扱いは以下のとおりです。（平12課法２－15）

(1)　**同業者団体海外渡航費の取扱い**

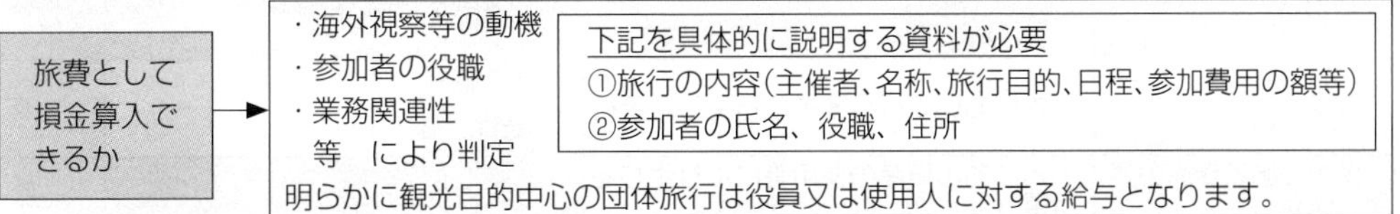

(2)　**損金算入額の計算方法**

旅行日程 ＝ （A）視察等の日数 ＋ （B）観光日数 ＋ （C）旅行（移動）日数 ＋ （D）その他日数　とすると

業務従事割合＝ $\frac{(A)}{(A)+(B)}$ ⇨（10%未満四捨五入）⇨ **損金等算入割合**（業務従事割合を10%単位で区分）

1．日数区分は８時間を1.0日とし、行動状況に応じておおむね0.25日を単位に算出します。

2．（A）視察等：①工場・店舗等の視察等、②展示会・見本市等への参加等、③市場・流通機構等の調査研究等、④国際会議への出席、⑤セミナーへの参加、⑥同業者団体・関係官庁等の訪問等の参加法人の業種業態、事業内容、事業計画等からみて業務上必要と認められる日数。

（B）観光：自由行動時間での私的な外出、観光に付随して行った簡易な見学、儀礼的な訪問、ロータリークラブ等の会議で私的地位に基づき出席したものを含む。

（C）旅行日：目的地までの往復及び移動日数。

（D）その他：土日等の休日（うち業務従事日は（A）に含める。）、（A）（B）（C）に入らない休養、帰国準備等その他の日数。

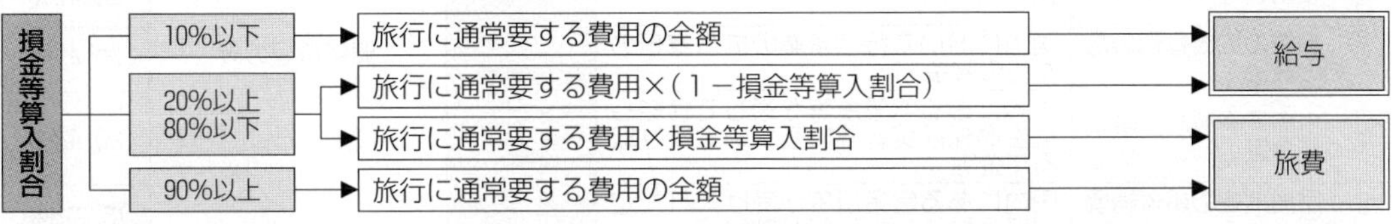

●その海外渡航が業務遂行上直接必要であって、業務従事割合が50%以上であれば往復旅費（業務を遂行する場所までのものに限ります。）は全額損金算入できます。

MEMO

同伴者を連れて海外渡航した場合の取扱い

役員が親族や使用人以外の同伴者を連れて旅行した場合、同伴者の旅費を会社が負担すると、その旅費は損金に算入されない役員給与となります。ただし、次のような場合の通常必要と認められる費用については、旅費として損金となります。（法基通９－７－８）

① 身体障害者であるため常時補佐人を必要とする場合
② 国際会議への出席等のために配偶者を同伴する必要がある場合
③ 外国語に堪能な者や高度な専門的知識を有する者を必要とする場合で社内に適任者がいない場合

3 国内源泉所得の源泉徴収

——技術輸入でロイヤリティの支払が…——

海外から 技術を導入してそのロイヤリティを支払う場合には、原則としてその使用料等について源泉徴収を行うことが必要です。通常、使用料等についての源泉徴収税率は20.42%ですが、租税条約により税率の軽減又は免除の規定が設けられている場合があるので、相手国との租税条約による税率を確認して源泉徴収する必要があります。

また、所得源泉地の決定方法についても国によって租税条約の内容が異なるため、そのロイヤリティの支払について日本での源泉徴収が必要かどうかの検討もしなければなりません。

① 国内源泉所得の種類と源泉徴収税率

非居住者に対する所得税や外国法人の法人税については、総合主義（日本国内に源泉のあるすべての所得に課税する方法）から帰属主義（日本国内のPEに帰属する所得(第三国源泉所得も含む。)について課税する方法）に移行されました。法人税の課税対象となる国内源泉所得の範囲と所得税の源泉徴収のみ行われる国内源泉所得の範囲と源泉徴収税率は以下のとおりです。

<table>
<tr><th rowspan="2">国内源泉所得の種類</th><th rowspan="2">内　　容</th><th colspan="2">PEを有する者</th><th rowspan="2">PEを有しない者</th><th rowspan="2">源泉徴収税率*</th></tr>
<tr><th>PE帰属所得</th><th>PE非帰属所得</th></tr>
<tr><td>① 事業所得</td><td>国内において行う事業から生じた所得</td><td rowspan="2">課税
(申告)</td><td>ー</td><td>ー</td><td>無</td></tr>
<tr><td>② 国内にある資産の運用・保有</td><td>国内にある資産の運用等により生じる所得（⑥～⑨、⑪～⑬を除く。）</td><td colspan="2" rowspan="4">課税
(申告+源泉徴収)</td><td>無</td></tr>
<tr><td>③ 土地等又は建物等の譲渡の対価</td><td>国内にある土地、建物等の譲渡による対価（❸A参照）</td><td rowspan="11">課税
(申告+源泉徴収)</td><td>10.21%</td></tr>
<tr><td>④ 人的役務の提供事業の対価</td><td>国内での俳優、スポーツ選手、弁護士など専門的知識や特別な技能に関する役務提供の対価</td><td>20.42%</td></tr>
<tr><td>⑤ 国内不動産の賃貸料等</td><td>国内にある不動産等の貸付による対価（自己又はその親族の居住用として個人が支払うものは除く。）</td><td>20.42%</td></tr>
<tr><td>⑥ 債券利子等</td><td>日本の国債等や国内の営業所に預けられた預貯金等の利子等</td><td colspan="2" rowspan="8">源泉徴収のみ</td><td>15.315%</td></tr>
<tr><td>⑦ 配当等</td><td>内国法人から受ける配当等</td><td>20.42%
(15.315%)</td></tr>
<tr><td>⑧ 貸付金利子</td><td>国内において業務を行う者に対する当該業務に係る貸付金利子</td><td>20.42%</td></tr>
<tr><td>⑨ 使用料等</td><td>❷参照</td><td>20.42%</td></tr>
<tr><td>⑩ 事業の広告宣伝のための賞金</td><td>国内において行う事業の広告宣伝のための賞金</td><td>20.42%</td></tr>
<tr><td>⑪ 生命保険契約に基づく年金等</td><td>国内にある営業所等を通じて締結した生命保険契約等に基づいて受け取る年金等</td><td>20.42%</td></tr>
<tr><td>⑫ 定期積金の給付補填金等</td><td>国内にある営業所等が受け入れた定期積金などに係る給付補填金等</td><td>15.315%</td></tr>
<tr><td>⑬ 匿名組合契約等に基づく利益の分配</td><td>国内で事業を行うものに対する出資につき、匿名組合契約等に基づいて受ける利益の分配</td><td>20.42%</td></tr>
</table>

・源泉徴収の対象となる所得の支払を国外において行う場合であっても、その支払者が国内に住所又は居所を有する場合や、国内に事務所又は事業所等を有する場合は、その支払は国内で行われたものとみなされるため、源泉徴収の必要があります。
・源泉徴収の対象となる国内源泉所得の範囲や税率は、租税条約により修正されたり、軽減・免除される場合があります。
・PE非帰属所得に係る欠損金は、PE帰属所得とは区分され、損益通算は認められません。
＊　平成25年1月1日から令和19年12月31日までの25年間については、復興特別所得税（所得税額×2.1%）が上乗せされています。ただし、租税条約締結国の場合は、限度税率の関係で上乗せされない場合があります。

PE帰属所得は、PEが本店等から分離・独立した企業であると擬制した場合に当該PEに帰属すべき所得です。その算定には、PEと本店等との間の内部取引を認識＊3するとともに、合理的な基準による共通経費の配賦等を行います。また、PE帰属所得を明確にするため、その取引の明細等を明らかにする書類の作成が必要となります。

外国法人の国内PE帰属所得は日本での申告対象となり＊4、内国法人の国外PE帰属所得は本店等が稼得した国外源泉所得とともに外国税額控除の計算上の国外所得となります＊5。

帰属主義

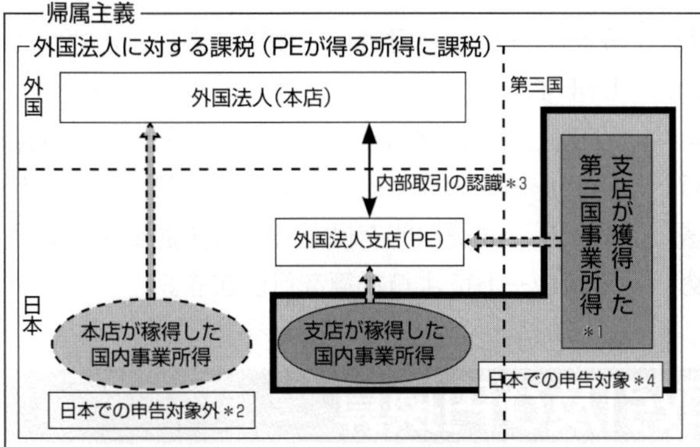

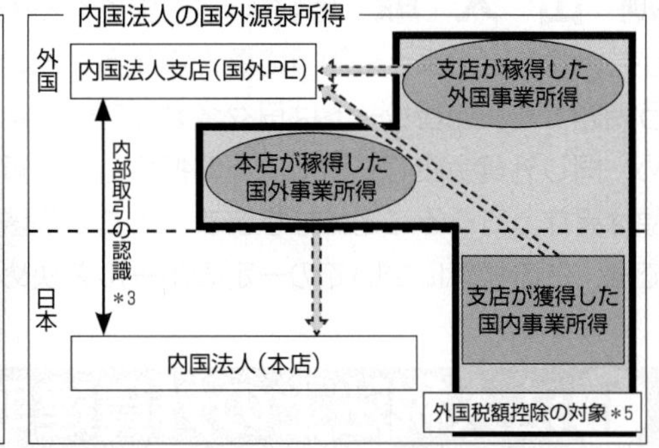

＊1　第三国でも課税される場合は外国税額控除を行うことになります。
＊2　本店が支店（PE）を介さずに行う直接投資等。原則として源泉徴収で課税関係は終了します。
＊3　移転価格税制と同様に、独立企業間価格に基づく損益を認識することとされています。
＊4　PE所在地が納税地となり、法人税の他に住民税、事業税も課税されます。
＊5　外国税額控除の適用を受けるには、確定申告書に別表6(2)外国税額の控除に関する明細書、外国税額を課されたことを証する書類の添付等が必要です。

②使用料等の支払に係る源泉徴収

①の⑨の使用料等（国内において業務を行う者が、非居住者や外国法人に支払う次表に掲げる使用料又は対価で、その支払者の国内における業務に係るもの）に該当する場合には、源泉徴収が必要となります。

①　工業所有権等の使用料又はその譲渡の対価（ロイヤリティ、イニシャルペイメント、権利金等）
②　著作権の使用料又はその譲渡の対価（著作物の複製権、上映権、演奏権、放送権等）
③　機械、装置、器具及び備品等の使用料（備品には絵画、彫刻等の美術工芸品、古代の遺物等が含まれます。）

ソフトウエアのライセンス料等、源泉徴収が必要か否か（著作複製物の購入の対価（源泉不要）か、著作複製物の貸与権の使用料（源泉必要）か）の判断が困難なものがあります。個々の契約内容や取引実態によって判断することになりますので、海外の会社と契約を結ぶ際には注意が必要です。

なお、租税条約により、税率が軽減又は免除されていたり、所得源泉地の決め方が債務者主義（使用料の支払者の居住地国を所得源泉地とする定め方）となっていたりするため、工業所有権等の使用が日本国内の業務に係るものでない場合でも日本で課税されることがあるので注意が必要です。

③非居住者に係る源泉徴収の例

A．非居住者が日本国内の不動産を譲渡した場合

原則	譲受者が法人・個人いずれでも支払対価の10.21%の所得税の源泉徴収が必要とされています。
例外	当該不動産の譲渡対価が1億円以下であり、かつ自己又は親族の居住用として個人が対価を支払うものは源泉徴収は不要です。（所令281の3）なお、日本国内にある不動産を譲渡した非居住者は、不動産の譲渡所得について所得税を申告・納税する必要があります。この際、先に源泉徴収された所得税額は控除されます。（過払いの場合は還付）

B．日本で働く非居住者に給与等が支払われた場合

原則として、20.42%の税率で源泉徴収を行い、これで課税関係は終了します。ただし、租税条約に関する届出書を提出することで所得税の軽減又は免除を受けられる場合があります。（短期滞在者免除。138ページ参照）

C．日本から出国後（非居住者となった後）賞与が支払われた場合

非居住者に対する賞与は、その計算期間のうち国内勤務に対応する部分に対する金額が国内源泉所得として源泉徴収の対象となります。（所基通161－41）したがって、日本から出国後に支払われた賞与でも日本国内における勤務に基づくものは国内源泉所得として課税され、その支払者が日本に事務所等を有する場合には、日本国内において支払うものとみなして源泉徴収する必要があります。

具体的には、出国後支給された賞与につきその支給対象期間のうち本人が居住者であった期間に対応する金額が国内源泉所得とされ、この20.42%が源泉徴収すべき額です。

4 外貨建取引及び資産・負債の換算

——輸出で儲けたつもりが実は大損…？——

輸出入取引を行うと出てくるのが、外貨をどのように円貨に置き換えるかという問題です。為替レートは日々変動しているため、同じ外貨金額でも日によって換算した円貨額は異なってくることになります。そこで税法では、この換算についての一定のルールを決め、その方法により継続して換算することとされています。

例えば外貨建債権・債務や外貨預金などは期末時レート・発生時レートのいずれによるかを選択し、売買目的有価証券や外国通貨などは期末時レートにより換算を行います。

①法人税法上の外貨建取引及び円換算（法法61の８）

法人税法上の外貨建取引及びその円換算方法は以下のように規定されています。

外貨建取引とは	外国通貨で支払が行われる資産の販売及び購入、役務の提供、金銭の貸付け及び借入れ、剰余金の配当その他の取引	円換算 →	当該外貨建取引日の為替レート*により換算

*　使用する為替レートは以下によります。（法基通13の２－１－２、13の２－１－４）

原　則	例　外　等
取引日のTTM（電信売相場と買相場の仲値）	・継続適用を条件に仕入れにはTTS（電信売相場）、売上げにはTTB（電信買相場）が適用可能です。 ・継続適用を条件に取引日のレートではなく、次のレートによる計上も認められます。 ①取引日の属する月又は週の前月又は前週の末日のレート ②取引日の属する月又は週の初日のレート ③取引日の属する月の前１か月以内の一定期間の平均値のレート ・先物外国為替契約等により円換算額が確定している場合（売買目的有価証券の取得及び譲渡を除きます。）で一定の帳簿記載要件を満たしているときは当該円換算額によります。（③参照）

②法人税法上の外貨建資産・負債の区分と円貨への換算方法

法人が有する期末外貨建資産・負債は、下表の区分に応じた換算方法でそれぞれ円換算することとされています。また、換算方法を選択できるものについて換算方法を届け出なかった場合には、表最右欄の法定換算方法によります。なお、期末時換算法による場合の換算差損益は損金又は益金の額に算入しますが、翌期に戻入れを行い、帳簿価額を洗い替えます。（法法61の９、法令122の４、122の７、122の８）

<table>
<tr><th colspan="3">資産・負債の区分</th><th>換算方法*1*3*4</th><th>法定換算方法
（法令122の７）</th></tr>
<tr><td rowspan="2">1.外貨建債権・債務</td><td colspan="2">短期*2</td><td rowspan="5">発生時換算法
又は
期末時換算法</td><td>期末時換算法</td></tr>
<tr><td colspan="2">長期</td><td>発生時換算法</td></tr>
<tr><td rowspan="2">2.外貨預金</td><td colspan="2">短期*2</td><td>期末時換算法</td></tr>
<tr><td colspan="2">長期</td><td>発生時換算法</td></tr>
<tr><td rowspan="3">3.外貨建有価証券</td><td rowspan="2">(1)売買目的外のもの</td><td>償還期限・償還金額の定めのあるもの</td><td>発生時換算法</td></tr>
<tr><td>その他のもの（上記以外のもの）</td><td>発生時換算法</td><td></td></tr>
<tr><td colspan="2">(2)売買目的のもの</td><td rowspan="2">期末時換算法</td><td></td></tr>
<tr><td colspan="3">4.外国通貨</td><td></td></tr>
</table>

＊1　発生時換算法とは、期末外貨建資産・負債を取得又は発生時の為替レートで換算する方法をいい、期末時換算法とは、事業年度末の為替レート（期末時レート）で換算する方法をいいます。

★期末日の資産・負債の換算レート（法令122の3、法基通13の2－2－5、法基通13の2－2－10）

換算法	原則	例外等
期末時換算法	決算日のTTM	・継続適用を条件に、資産にはTTB、負債にはTTSを適用できます。 ・継続適用を条件に、決算日前1か月以内の一定期間の平均値も認められます。
発生時換算法	換算なし	・発生時換算法を採用している場合でも、為替相場が著しく変動した場合には、期末日レートで換算することができます。為替相場の著しい変動に該当する場合とは、次の算式で計算した割合がおおむね15%以上の場合をいいます。 期末日レートによる換算額－発生時換算法による円貨額 ／ 期末日レートによる換算額 ●同一通貨の外貨建資産等のすべてに適用する必要があります。

＊2　短期外貨建債権債務とは、その受取・支払期限が当該事業年度終了の日の翌日から1年を経過した日の前日までに到来するものをいい、短期外貨預金とは、満期日が当該事業年度終了の日の翌日から1年を経過した日の前日までに到来するものをいいます。

＊3　新規取得外貨建資産・負債の換算方法の選択届出書は、取得事業年度の法人税の確定申告期限までに所轄税務署長に提出する必要があります。また、換算方法を変更する場合は❷の＊2と同じ取扱いです。（法令122の5、122の6）

＊4　選択した方法により換算しなかった場合は、選択した方法により換算したものとして、帳簿価額との差額を益金又は損金にすることとなります。

❸先物外国為替契約がある場合の換算方法

先物外国為替契約により円換算額が確定している外貨建資産・負債＊1は、その確定している円換算額をもって貸借対照表価額とします。その際、その外貨建資産・負債の取得又は発生時の為替相場による円換算額と先物外国為替契約による円換算額との差額（先物外国為替差額：下表のⒶ＋Ⓑ又はⒸ）は次のように処理します。（法法61の8②、61の10、法令122の9）

	原則	例外＊2
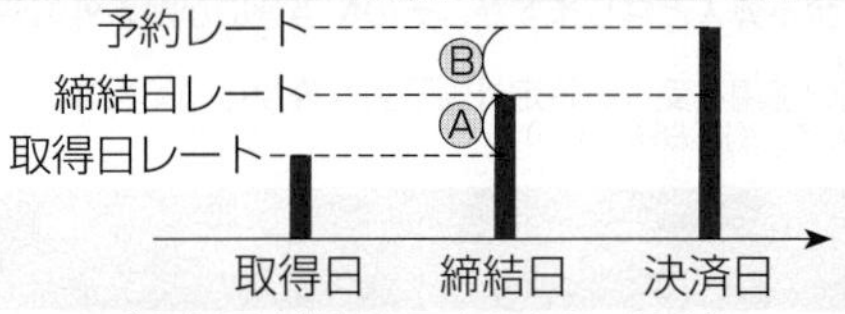 予約レート／締結日レート／取得日レート Ⓑ Ⓐ 取得日　締結日　決済日 （取得日が締結日より早い場合）	Ⓐ→締結日の属する事業年度の益金又は損金に算入 Ⓑ→締結日から決済日までの日数按分＊3で益金又は損金に算入	Ⓐ＋Ⓑ →締結日の属する事業年度の益金又は損金に算入
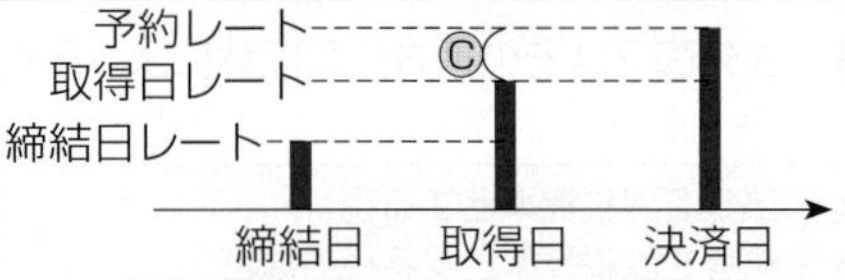 予約レート／取得日レート／締結日レート Ⓒ 締結日　取得日　決済日 （締結日が取得日より早い場合）	Ⓒ →取得日（発生日）から決済日までの日数按分＊3で益金又は損金に算入	Ⓒ →取得日の属する事業年度の益金又は損金に算入

＊1　いわゆる通貨スワップ取引によるもの、選択権（オプション）付為替予約に係る選択権の行使をしたもの及び外貨預金のうち、先物外国為替契約を締結したことにより円換算額が確定しているものも含まれます。（法規27の11①）

＊2　例外の方法は短期外貨建資産・負債のみ選定することができ、選定しようとする事業年度の法人税の確定申告書提出期限までに、納税地の所轄税務署長に書面で届け出る必要があります。（通貨の種類別に選定できます。）

また、例外の方法から他の方法に変更する場合には変更しようとする事業年度開始日の前日までに変更承認申請書を提出する必要があります。ただし、現在の方法を採用してから相当期間（3年）を経過していない場合等には原則として変更が認められません。（法令122の10、122の11、法基通13の2－2－15）

なお、当初に長期外貨建資産・負債として取得したものが、その後短期外貨建資産・負債に該当することとなった場合でも上表の例外の方法によることはできません。

＊3　日数按分は月数按分によることもできます。

海外子会社等の資産等の換算の特例（法基通13の2－1－8）

国外に支店等を有する法人が、当該支店等の外国通貨表示による財務諸表を本店の財務諸表に合算する場合については、特例として財務諸表項目の全てについて、当該事業年度終了時の期末時レートにより円換算を行うことができます。なお原則的な換算方法は、損益計算書は期中平均相場レート、貸借対照表は期末時レートを用いて円換算を行うなどとされています。

5 外国税額控除

――国際的な二重課税排除のために――

内 国 法 人は全世界所得に対して日本の法人税が課税されますが、外国で得た所得に対して外国の法律に基づき課税がなされる場合には、同一の所得に対し二重課税となります。これを排除しようというのが外国税額控除制度です。わが国の外国税額控除は、支払った（とみなされる）外国税額のうち一定金額を法人税や法人住民税の法人税割額から控除することになりますが（法法69）、適用を受けるためには作成すべき申告書別表が多く、かつ、計算過程も複雑で、外国の税制の把握や資料収集などの作業も必要となります。

また、海外子会社が獲得した資金をわが国に還流しやすくするために、一定の外国子会社から受け取る配当等の額を益金に算入しない制度により、二重課税を排除しています。

❶外国子会社配当等の益金不算入制度

この制度は、一定の外国子会社から受け取る配当等の金額（その外国子会社の所得の計算上損金の額に算入されたものを除きます。）の95%を法人税の所得の計算上、益金不算入とする制度です。（法法23の２）なお、外国子会社配当等の益金不算入制度の適用を受ける場合には、その配当等にかかる外国源泉税等の金額については外国税額控除の対象とはならず、損金にも算入されません。（法法39の２、法令142の２⑦三）また、一定の外国子会社から受け取る配当等の金額のうち益金不算入相当額を外国子会社株式の帳簿価額から減額しなければならない場合があります。（法令119の３⑩、79ページ参照）

対象となる外国子会社	発行済株式総数（出資総額）又は議決権株式等の25%＊1以上を、配当支払義務確定日以前６か月以上継続して、内国法人が直接保有している外国子会社

＊1　租税条約により異なる割合が定められている場合には、その出資比率（例えばアメリカは10%）により判定します。（法令22の４⑦）

2　タックスヘイブン税制（146ページ参照）の適用を受ける外国子会社からの配当等で一定の金額（147ページ参照）に達するまでの金額は、剰余金の配当等の全額が益金不算入になり、その配当等にかかる外国源泉税等は損金に算入されます。（措法66の８②）なお、令和３年４月１日以後開始事業年度より、この一定の金額を超える金額は、この制度の適用を受け（タックスヘイブン税制の適用を受けず）剰余金の配当等の金額の95%が益金不算入となりますが、その配当等にかかる外国源泉税等の金額は外国税額控除の対象とならず、損金にも算入されません。

3　対象となる外国子会社には該当しない場合でもタックスヘイブン税制の適用を受ける特定外国子会社等からの配当等で一定の金額（147ページ参照）に達するまでの金額は、益金不算入となります。（措法66の８①）

❷外国税額控除制度

1．対象となる外国法人税額

外国税額控除の対象となる外国法人税額とは、外国の法令に基づき外国又はその地方公共団体により所得課税される次の税金をいいます。

①法人の所得を課税標準とする税　②超過利潤税その他の所得の特定の部分を課税標準とする税 ③①又は②の税の付加税　④源泉税のように徴税上の便宜のため収入金額等を課税標準とする税　など

なお、日本の実効税率を超えて外国法人税額が課された場合には二重課税とならないことから、外国法人税のうち原則として課税標準金額の35%を超える部分の金額は、高率負担部分として外国税額控除の対象から除外されます。（高率負担部分を除外した後の金額を**控除対象外国法人税額**といいます。）

2．外国税額控除の適用形態

外国税額控除の適用を分類すると次のようになります。

直接税額控除＊1	海外支店等で直接納付した法人税や配当源泉税など内国法人が直接支払った税金を控除する制度
みなし税額控除（タックス・スペアリング・クレジット）	租税条約による源泉地国（開発途上国等）の特別減免措置を内国法人でも享受できるように、減免されていても本来の課税がなされたとみなして税額控除する制度
タックスヘイブン税制の適用を受ける場合＊2	特定外国関係会社等の留保所得を親会社である内国法人の所得に合算して課税する場合に（タックスヘイブン税制、146ページ参照）、特定外国関係会社等が納付した外国法人税のうち親会社持分を税額控除する制度

＊1　❶外国子会社配当等の益金不算入制度の適用を受ける場合には適用できません。

＊2　特定外国関係会社等が子会社（持株割合が25%以上等の要件を満たす法人）から受ける配当等のうち、外国法人税の課税標準に含まれないものは合算割合（タックスヘイブン税制の合算所得÷特定外国関係会社等の所得）の計算の分母から除外します。

3. 外国税額控除の適用時期と換算レート

(1)適用時期

原則　⇒　外国法人税を納付すべきことが確定した日を含む事業年度

①申告納税方式によるもの　⇒　納税申告書提出日（法定申告期限前である場合には法定申告期限）、更正又は決定の通知日

②賦課課税方式によるもの　⇒　賦課決定日

③源泉徴収方式によるもの　⇒　源泉徴収の対象となった配当等の支払日

例外　⇒　継続して外国法人税額を費用計上した日（外国法人税を納付した日等）の属する事業年度（法基通16－3－5）

(2)外国法人税の換算レート（法基通16－3－47）

①源泉徴収に係る外国法人税

・利子配当等の収益計上事業年度末までに納付確定する場合　⇒　利子配当等を計上した換算レート

・利子配当等の収益計上事業年度後に納付確定する場合　⇒　外国法人税を費用・仮払計上した換算レート

②国内から送金する外国法人税　⇒　納付確定日の属する事業年度に費用計上した換算レート

③海外支店等が納付する外国法人税額　⇒　海外支店等の財務諸表を換算したレート（事業年度末日のTTM等）

＊　租税条約によるみなし外国法人税額（タックス・スペアリング・クレジット）についても、その態様に応じ、(2)①～③と同様の方法により換算します。

❸控除限度額の計算と限度超過額・控除余裕枠の繰越し

(1)控除限度額

❷で計算された**控除対象外国法人税額**は、次の控除限度額までしか控除することができません。なお、控除限度額には法人税の控除限度額、道府県民税及び市町村民税の控除限度額があり、下図の①法人税→②道府県民税→③市町村民税の順に控除します。

〈控除限度額の計算〉

法人税の控除限度額①＝法人税額＊1×$\frac{\text{国外所得＊2}}{\text{全世界所得＊3}}$

道府県民税の控除限度額②＝①×5％＊4

市町村民税の控除限度額③＝①×12.3％＊4

＊1　特別控除の控除後で使途秘匿金課税や留保金課税は含まない。

＊2　国外所得の計算は下記参照

＊3　繰越欠損金を控除等しないで計算した法人税の所得金額

＊4　超過税率等の実際税率によることもできます。

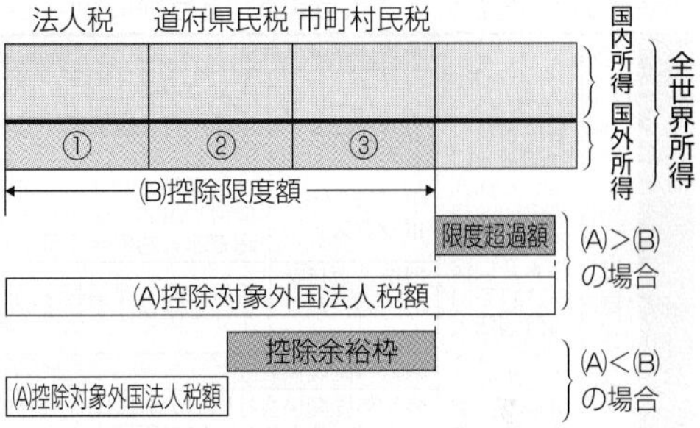

法人税　道府県民税　市町村民税

国内所得

国外所得

全世界所得

①　②　③

(B)控除限度額

限度超過額

(A)控除対象外国法人税額

(A)＞(B)の場合

控除余裕枠

(A)控除対象外国法人税額

(A)＜(B)の場合

国外所得の計算上の留意点

・国外所得の定義は、国外PE帰属所得とその他の国外源泉所得の合計額となる。
・国外所得は当期の帳簿上の金額を基準に計算する。（外国法人税額の確定時期とは異なる。）
・国外所得の計算においては、国外に源泉のある収益に直接対応する費用の他、全世界所得の共通費用を按分して控除する。
・国外所得の大部分が利子・配当・使用料であり、かつ国外所得のウェイトが低い場合には、国外業務に関連することが明らかな費用のみが共通費用であるものとして按分することができる。（法基通16－3－12）
・共通利子として、負債利子を「国外業務にかかる資産／会社総資産」の比率で按分する等の方法で計算し国外所得から控除する。
・一括評価貸倒引当金については、「国外事業所等に属する金銭債権／一括評価の対象となった金銭債権」の比率で計算したものを、国外所得に繰入・戻入して計算する。
・国外所得のうち非課税所得については、その全額を国外所得から控除する。

(2)限度超過額と控除余裕枠の繰越し

上記のとおり、控除限度額の計算は国外所得を基準に計算することになっていますが、外国税額控除の適用時期である外国法人税額の確定時期は国外所得の発生時期よりも遅れるのが一般的であり、国外所得の発生事業年度に控除対象外国法人税額がない場合や、逆に控除対象外国法人税がある事業年度に国外所得がない場合など、外国税額控除が受けられないケースが生じます。

このようなケースを回避するために、控除余裕枠と限度超過額をそれぞれ3年間繰り越す措置が講じられており、実質的には当期を含めて4年間で外国税額控除を計算することができるようになっています。

●控除余裕枠には国税部分、道府県民税部分、市町村民税部分がありますが（③→②→①の順）、限度超過額は一本です。
●当期に限度超過額が発生した場合には前3年以内の控除余裕枠を使用することができ（法法69②）、当期に控除余裕枠が発生した場合には前3年以内の限度超過額を控除することができます。（法法69③）

MEMO

上記のとおり外国税額控除は、適用時期に国外所得が発生し、かつ法人税の課税所得が発生（法人税額が発生）しない限り控除を受けることができません。限度超過額の繰越しは3年間ですが欠損金の繰越しは10年（平成30年3月31日以前に開始する事業年度分については9年）ですので、外国税額控除の適用を受けるか損金に算入するかどうかのタックスプランニングが重要です。

6 移転価格税制その他の国際課税

――海外との取引は税務の取扱いが難しい――

海外の会社等と取引をしたり、海外に進出したりする場合に、海外の会社等との取引を通じて租税回避が行われたり、外国の税制を利用して租税回避が行われたりする場合があります。これらに対する措置がタックスヘイブン税制、移転価格税制、過少資本税制、過大支払利子税制と言われるもので、ここではこれらの制度について概略を説明します。

①タックスヘイブン税制（外国子会社合算税制）

タックスヘイブンとは軽課税国のことをいい、軽課税国に外国法人を設立し、当該外国法人との取引等を利用して外国法人に利益を留保すれば、わが国の法人税負担を少なくすることができます。これに対し、税負担の公平性を確保するために、外国関係会社の留保利益を親会社である内国法人の所得に合算して課税する制度がタックスヘイブン税制（外国子会社合算税制）です。（措法40の４～40の６、66の６～66の９）

なお、合算課税が適用されるのは、下記１合算課税の対象となる外国法人の株式等を単独又は同族株主グループで10%以上保有している内国法人（又は居住者）で、外国関係会社の事業年度終了の日の翌日から２か月を経過する日を含む事業年度に益金算入されます。

1．合算課税の対象となる外国法人

タックスヘイブン税制により合算課税の対象となる外国法人は、次のとおりです。（措法66の６）近年、法人税率の国際的な引下げ競争が繰り広げられたことで、タックスヘイブンの対象となる国が多く存在しているため、外国に関係会社がある場合には、該当するかどうかについて検討が必要です。

<table>
<tr><td rowspan="11">外国法人</td><td rowspan="10">外国関係会社</td><td rowspan="9">居住者及び内国法人によって株式等の50%超を直接・間接＊２に保有されている外国法人（内国法人等との間に実質支配関係＊３がある外国法人も含まれます。）</td><td colspan="2">特定外国関係会社（下記のいずれかに該当）</td><td>適用除外</td></tr>
<tr><td rowspan="2">ペーパー・カンパニー＊１</td><td>主たる事業を行うに必要と認められる固定施設を有していない</td><td rowspan="4">外国関係会社の租税負担割合（所得金額に対する各事業年度の所得に対して課税される租税の額の割合）が27%＊以上
＊　令和６年３月31日以前に開始する内国法人の事業年度は30%以上。</td></tr>
<tr><td>本店所在地国において事業の管理・支配及び運営を自ら行っていない</td></tr>
<tr><td>キャッシュ・ボックス</td><td>総資産額に対する一定の受動的所得（配当・利子・有価証券の貸付や譲渡・デリバティブ取引損益等）の合計額の割合が30%超であるもの＊４等</td></tr>
<tr><td>ブラックリスト・カンパニー</td><td>租税に関する情報交換等への協力が不十分として財務大臣が指定する国等に本店等を有しているもの</td></tr>
<tr><td colspan="2">対象外国関係会社</td><td>適用除外</td></tr>
<tr><td colspan="2">特定外国関係会社以外の外国関係会社のうち、２の４つの「経済活動基準」のいずれかを満たさない外国法人</td><td>外国関係会社の租税負担割合が20%以上</td></tr>
<tr><td colspan="2">部分対象外国関係会社</td><td>適用除外</td></tr>
<tr><td colspan="2">特定外国関係会社以外の外国関係会社のうち、２の４つの「経済活動基準」のすべてを満たす外国法人（一定の受動的所得のみ合算課税されます）（次ページ３参照）</td><td>外国関係会社の租税負担割合が20%以上＊５</td></tr>
<tr><td colspan="3">その他の外国関係会社</td></tr>
<tr><td colspan="5">その他の外国法人</td></tr>
</table>

＊１　日本企業の海外展開に影響を及ぼさないよう、租税回避目的のない持株会社などの一定の外国関係会社や事業年度に係る収入等がない場合はペーパー・カンパニーの判定を不要とされます。
＊２　間接保有割合は、内国法人等が50%超の株式等を保有する外国法人の有する判定対象の外国法人に対する持株割合で判定します。（措法66の６②一）
＊３　実質支配関係とは内国法人等が外国法人の残余財産の概ね全部を請求する権利を有している等の関係をいいます。（措法66の６②五）
＊４　総資産額に対する有価証券・貸付金・無形固定資産等の合計額の割合が50%超である外国関係会社に限られます。（措法66の６②二）
＊５　少額免除基準として受動的所得の合計額が2,000万円以下もしくは所得金額に対する受動的所得の合計額の割合が５%以下の場合も合算課税の適用除外とされます。（措法66の６⑩）

2．経済活動基準

経済活動基準とは独立した外国法人としての事業実態を有しているか否かを確認するための４つの基準で、対象外国関係会社と部分対象外国関係会社とを判定するのに用いられます。（措法66の６②三）

<table>
<tr><td colspan="2">①事業基準</td><td>主たる事業が次のものでないこと
a）株式、債券の保有＊
b）工業所有権等及び特別の技術等に係る権利の提供
c）船舶若しくは航空機の貸付</td></tr>
<tr><td colspan="2">②実体基準</td><td>本店所在地国においてその主たる事業を行うに必要と認められる事務所、店舗、工場、その他の固定施設を有すること</td></tr>
<tr><td colspan="2">③管理支配基準</td><td>本店所在地国においてその事業の管理、支配及び運営を自ら行っていること</td></tr>
<tr><td rowspan="2">④右のいずれか</td><td>非関連者基準</td><td>卸売・銀行・信託・金融商品取引・保険・水運・航空運送及び航空機貸付業を主として親会社・子会社等の関連者以外の者と行っていること</td></tr>
<tr><td>所在地国基準</td><td>上記以外の事業を主として本店所在地国で行っていること</td></tr>
</table>

＊　なお、株式等の保有を主たる事業とする外国関係会社のうち銀行業・金融商品取引業・保険業などの株式を保有する金融持株会社については事業基準を満たすこととされます。

3．課税対象金額の計算

内国法人が合算課税の対象とするべき金額（課税対象金額）は、特定外国関係会社及び対象外国関係会社の留保所得（適用対象金額）のうち、内国法人の保有割合に対応する部分の金額とされます。（措法66の６）

課税対象金額 ＝ 適用対象金額 × 直接・間接保有割合

（適用対象金額）＝ 基準所得金額＊ － 前７年以内の欠損金額 － 当該事業年度中に納付確定した法人税額

＊　基準所得金額の計算は、特定外国関係会社等の決算に基づく各事業年度の所得金額を基礎として、所要の調整（日本の税法又は本店所在地国の税法に基づく調整方法のいずれかを継続適用）を加えて行います。

なお、部分対象外国関係会社については、11種類の特定所得の金額を基準に計算された一定の受動的所得（部分課税対象金額）に対して、合算課税の適用を受けることになります。（措法66の６⑥）

- 課税対象金額に対して外国法人税が課されている場合には外国税額控除の対象となります。（措法66の７）
- また、課税済金額を原資に配当を受け取った場合には、一定の金額に達するまでは全額が益金不算入となります。（措法66の８）

　一定の金額とは、当事業年度及び過去10年以内の事業年度で合算課税された金額の合計から、過去10年以内の各事業年度において益金不算入の対象とされた金額を除いた金額をいいます。

❷ 国外関連者との取引に係る課税の特例等

1．移転価格税制

わが国の法人が、海外の関連企業（国外関連者）との間で資産の販売、役務の提供等の取引を行った場合、その取引価格（移転価格）が特殊関係にない第三者（非関連者）との間で通常成立するであろう取引価格（独立企業間価格）と異なることにより、わが国の法人所得が減少することとなる場合に、その独立企業間価格で国外関連者との取引を行ったものとみなして各事業年度の所得を計算する制度です。（措法66の４）なお、実際の取引価格と独立企業間価格との差額（寄附金の額を除く。）は損金に算入されません。（措法66の４④）

⑴国外関連者とは

移転価格税制等の対象となる国外関連者とは、内国法人との間に次の関係のある外国法人をいいます。（措令39の12）

国外関連者となる関係
⑴いずれか一方の法人が他の法人の株式等の50%以上を直接・間接に保有している関係
⑵両方の法人が同一の者によってそれぞれの株式等の50%以上を直接・間接に保有されている関係
⑶一方の法人が、他の法人の事業方針の全部又は一部につき実質的に決定できる関係（実質支配関係）
⑷持株関係（株式等の50%以上）又は実質支配関係のいずれかで連鎖している関係

⑵独立企業間価格とは

独立企業間価格の算定方法は次の方法とされています。（措法66の４②）

基本	⑴独立価格比準法（CUP法）	第三者間で取引される価格
基本	⑵再販売価格基準法（RP法）	再販売価格－通常の利潤
基本	⑶原価基準法（CP法）	原価＋通常の利潤
その他＊	⑷利益分割法（PS法）	所得の発生に寄与した程度に応じて配分する方法
その他＊	⑸取引単位営業利益法（TNMM法）	営業利益をベースに計算する方法（①売上営業利益率を使用して計算する方法と②総原価に対するマークアップ率を使用して計算する方法があります。）

- 上記⑴～⑸の算定方法のうちから、独立事業者間で通常の取引条件に従って行われるとした場合に支払われるべき対価の額を算定するために最も適切な方法を国外関連取引の内容及び当事者が果たす機能その他の事情を勘案して選択することとされています。

＊　営業費用売上総利益率（ベリー比）を指標とする方法も選択することができます。

相互協議と事前確認制度（APA：Advance Pricing Agreement）

移転価格税制により課税がなされた場合、わが国と相手国とで二重課税となりますが、これを排除するために租税条約締結国と政府（課税当局）間で調整する制度が「相互協議」です。なお、納税者は直接協議には参加できません。また、移転価格税制による更正又は決定を受けた納税者からの申請により、相互協議で合意が得られるまで等の間、納税が猶予（猶予期間中の延滞税は免除）されます。（地方税も同様）

また、移転価格税制については、更正の期間制限が７年とされていること（措法66の４㉗）、追徴額が多額になる場合もあること等から、移転価格リスクを事前に排除するために、納税者と税務当局との間での事前確認制度が設けられています。

2．移転価格税制に係る文書化（措法66の４の４～66の４の５）

多国籍企業情報の報告等に係る制度が整備され、一定の多国籍グループ企業においては、①国別報告事項、②事業概況報告事項（マスターファイル）、③独立企業間価格を算定するために必要と認められる書類（ローカルファイル）のような報告書の提出が必要となります。（次ページ参照）

	報告内容	提出義務者
①	事業を行う国ごとの収入金額、税引前当期利益の額、納付税額その他必要な事項	特定多国籍企業グループ＊1を構成する内国法人である親会社＊2
②	グループの組織図、事業概要、財務状況その他必要な事項	特定多国籍企業グループ＊1を構成する内国法人又は国内にPEを有する外国法人
③	国外関連取引に係る独立企業間取引価格を算定するために必要な書類	一の国外関連者と前事業年度において50億円以上の国外関連取引又は3億円以上の無形資産取引を行った法人＊3

＊1　直前の親会社の会計年度の連結総収入金額1,000億円以上の多国籍企業グループをいいます。
＊2　親会社が外国法人でその所在地国の税務当局から情報提供されない等の場合には、グループを構成する内国法人又は国内にPEを有する外国法人。
＊3　提出義務がない場合でも、税務調査においてそれを必要と認められた場合には調査官が指定する60日以内の期日までにローカルファイルに相当する書類を提出する必要があります。

国別報告事項及びマスターファイルについては親会社の会計年度終了の日の翌日から1年以内にe－Taxにより税務署長に提出しなければなりません。また、ローカルファイルについては、確定申告書の提出期限までに作成し、原則として7年間保存しなければなりません。

3．国外関連者への寄附金の損金不算入

国内の子会社等への寄附金は一定額について損金算入が認められますが（71ページ参照）海外子会社などの国外関連者に対する寄附金の場合は、その全額が損金不算入となります。（措法66の4③）

国外関連者との取引が寄附金課税の対象となるかは、その取引が寄附金（70ページ参照）かどうか、実質的に資産や経済的利益の贈与か、対価性のない無償の供与か等を総合的に検討する他、移転価格税制の対象として取り扱うのが妥当かどうかも検討する必要があります。

寄附金課税の対象となるかどうかの事例は、以下のとおりです。（以下の海外子会社は国外関連者に該当）

	寄附金課税となる事例	左記に該当しない事例
①出向給与負担金	・出向した従業員が海外子会社でのみ労務提供しているにもかかわらず、日本親会社が給与を負担している場合	・日本親会社が海外子会社との給与差額を較差補てんとして合理的な金額を負担している場合
②無形資産の使用料	・海外子会社に技術やノウハウ等の無形資産を使用させているにもかかわらず、ロイヤリティ（使用料）を収受していない場合	・海外子会社の再建整理のためやむを得ず行われる場合など、相当の理由がある場合
③企業グループ内における役務の提供	・日本親会社が海外子会社へ経営・財務・業務・事務管理等に関する役務を提供したが、役務提供料を収受しない場合において、当該活動が海外子会社にとって経済的もしくは商業的価値を有するものである場合	・海外子会社と同様の状況にある非関連者が、他の非関連者から同じ役務を受けた場合に対価を支払うのが妥当でない場合や、日本親会社が役務提供を行わなかった場合に、海外子会社がこれと同じ役務提供を行う必要がない場合
④法人が取引の対価を国外関連者から収受していない場合	・契約等により資産の販売、役務の提供等について価格設定等を行っているにもかかわらず、相当の理由なく対価を収受しない場合	・契約等により取引の価格設定が行われていない場合に、取引の対価を収受していないことのみをもって有償性がないということができない場合（ただし、移転価格税制の対象になる可能性があります。）

③過少資本税制

海外子会社等が親会社から資金調達する方法として出資と借入れがあります。一般に各国の課税所得の計算上、出資に係るコストである配当は剰余金等の処分として損金算入されず、借入れの利子は損金算入されるため、企業は出資ではなく借入れを増やすことにより課税所得の圧縮を行いやすくなります。これを防ぐため負債の資本に対する比率が一定割合を超える場合にその超過分に係る支払利子の損金算入を認めないという制限が過少資本税制です。（措法66の5）

ちなみに日本に進出している外国企業に対する日本の制度の場合、この負債・資本比率が原則3倍を超えると過少資本税制の適用があるのに対し、日本企業が進出している米国では1.5倍とされています。なお、過少資本税制の適用を受ける場合には、負債の利子の範囲についても十分な検討が必要です。

④過大支払利子税制

所得金額に比して過大な利子を支払うことによる租税回避に対応するため、過大支払利子税制が導入されています。（措法66の5の2）これにより、法人が支払う純支払利子等＊1の額が調整所得金額＊2の20％を超える場合（一定の場合＊3を除く。）には、その超える部分の金額は超過利子額として当期の損金の額に算入されませんが、翌事業年度から7年間＊4繰り越されて、一定の金額を上限として損金に算入することができます。（措法66の5の3）

＊1　支払利子等（利子等の受領者が国内で課税されるもの等を除く。）の額から受取利子等の額を控除した金額
＊2　当期の所得金額＋関連者純支払利子等＋減価償却費±貸倒損失等の特別損益
＊3　関連者純支払利子等の額が2,000万円以下、または国内企業グループに対する純支払利子等が合算調整所得の20％以下
＊4　令和6年度税制改正により、令和4年4月1日から令和7年3月31日までの間に開始した事業年度に係る超過利子額は繰越期間が10年間とされます。

会社の税金編

決算対策と会社の税金
経営戦略と会社の税金

1 消費税の仕組み

――消費税は負担しないけど納付手続が大きな負担――

消　費　税はほとんどすべての取引に対して広く薄く課税されています。(以下、特別に断りのない限り便宜上、消費税と地方消費税を合せて消費税と表現しています。)

事業者についても、物品の仕入代金とともに消費税を支払いますが、最終的な納付税額の計算では、売上げとともに受け取る消費税から仕入れとともに支払う消費税を控除するため、消費税は累積することなく転嫁され、最終的に消費者が負担することになります。

このように、事業者は原則として消費税を負担しませんが、消費税を納付する義務があるため、その納付手続を負担します。

なお、インボイス制度の導入により、免税事業者との取引に関しての確認が必要ですが、インボイスの記載に従って消費税の経理事務を行うことで単純化されました。

また、新収益認識会計基準に合わせて法人税の改正が行われたため、会計・法人税と消費税との間で調整が必要となる場合があります。

① 消費税の基本的な仕組み

消費税は、消費に広く、薄く、公平に負担を求める間接税と表現できます。下図をみてわかるように、消費税（10,000）を最終的に負担するのは、一般の消費者ということになります。

ただし、消費者に納税事務の負担まで求めることはできないため、課税資産の譲渡及び貸付け並びに役務の提供を行った事業者が、納税義務者として課税売上げに対する消費税から課税仕入れに含まれる消費税を控除した金額を納付することになります。

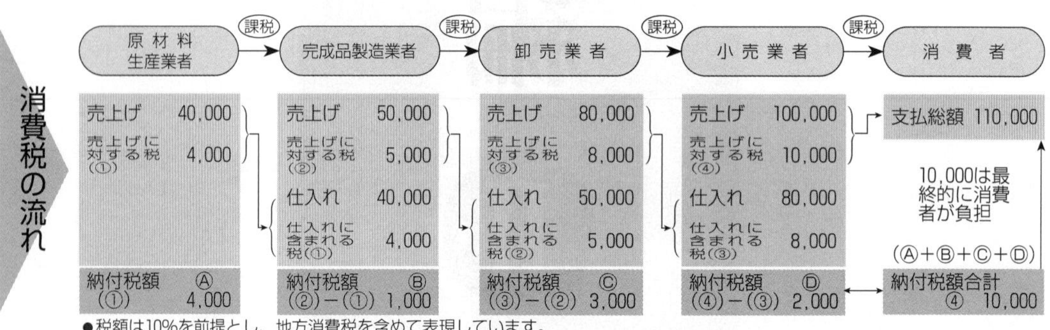

●税額は10%を前提とし、地方消費税を含めて表現しています。

インボイス制度の導入

令和５年10月１日より始まったインボイス制度とは、令和５年10月１日以後に仕入税額控除を行うために適格請求書（インボイス）が必要となる制度のことです。

インボイスを発行するためには、事前に所轄の税務署長に適格請求書発行事業者としての登録を申請し、登録番号を入手する必要があります。

登録は任意ですが、登録後は課税事業者となるため、免税事業者が登録をする際にはその影響についての検討が必要です。（161ページ）

インボイス制度では、課税売上げに係る消費税額・課税仕入れに係る消費税額の計算は、適格請求書等に記載された消費税額を積み上げる「積上げ方式」と、適用税率ごとの取引総額に110分の10等の率を乗じて売上げ（仕入れ）に係る消費税額を計算する「割戻し方式」のいずれかの方法によることができます。ただし、売上げを積上計算によった場合は、仕入れの割戻計算は選択できません。（消法30①、45、消令46、62）

また、課税標準額に対する消費税額の計算特例（対消費者取引の税抜価格を前提とした端数処理の特例）（旧消規22①）について、下記の場合には令和５年９月30日までの取引に限り、経過措置として引き続きその適用が認められています。

・対消費者取引でやむ得ない事情により税抜計算を基礎としたレジシステムを使用している場合等
・総額表示義務の対象とならない事業者間取引等で、本体価格と消費税額を区分して明示している場合
・課税資産の譲渡等について、税込計算を前提とした代金決済を行う場合で、税率毎に本体価格と消費税額を領収書等において区分して明示している場合

なお、翌課税期間の初日から適格請求書発行事業者の登録の効力を失わせるためには、翌課税期間の初日から起算して15日前の日までに届出書の提出が必要です。

②消費税を理解するためのポイント

消費税を理解するに当たっての基本的な項目は次のような点です。

項　目	内　容	留意事項
税率は？	令和元年９月30日まで　８％（単一税率） 令和元年10月１日以後　10％と８％（軽減税率対象項目）の複数税率（158ページ参照）	経過措置の適用を受けているものについては、旧税率（３％・５％・８％）の場合もあります。（159ページ参照）
消費税を納める者は？ （納税義務者）	国内取引…課税資産の譲渡及び貸付け並びに役務の提供を行った事業者 輸入取引…保税地域より外国貨物を引き取る者 ●国外事業者から電気通信回線を介して行われる役務の提供を受けた国内事業者及び国内の消費者へ電気通信回線を介して役務の提供を行った国外事業者は納税義務者となります。（163ページ参照）	基準期間（152ページ参照）の課税売上高＊１が1,000万円以下の事業者や基準期間のない事業者は原則として国内取引に係る消費税の納税義務が免除されます。＊２ただし、新設法人や特定新規設立法人及び適格請求書発行事業者を除きます。（153ページ参照）
税率を掛ける相手は？ （課税標準）	国内取引…資産の譲渡等の対価の額（他の個別消費税を含みます。） 輸入取引…輸入の際の引取価格＋関税＋他の個別消費税	酒税、たばこ税、揮発油税、石油ガス税等の個別消費税は含まれますが、軽油引取税、ゴルフ場利用税及び入湯税が明確に区分されている場合は、対価の額に含まれません。（消基通10－１－11）
納付税額の計算は？ （原則課税の場合）	基本式＊３は　課税売上高（税込）$\times\frac{7.8^{*4}}{110}-$課税仕入高（税込）$\times\frac{7.8}{110}$ ＝納付税額（国税の消費税） なお、地方消費税は 納付税額（国税の消費税）$\times\frac{22}{78}$ ＝納付税額 （注）軽減税率は158ページ参照。控除対象仕入税額とみなされる特別控除税額は161ページ参照	基準期間の課税売上高＊１が5,000万円以下の事業者は簡易課税制度（課税売上高だけから納付税額を求める制度）を採用できます。 （注）複数税率導入に伴う経過措置は159ページ❺、小規模事業者における税額計算特例は161ページ❽４参照
消費税がかかる取引は？ （課税対象取引）	課税対象取引は下記の要件を全て満たすものです。 国内取引｛①　国内取引であること　②　事業者が事業として行うこと　③　対価を得て行うこと 輸入取引｛①　保税地域からの引取りであること　②　外国貨物であること	この要件を満たさない取引が不課税取引となります。 課税対象取引には課税取引と非課税取引とがあります。
非課税取引にはどんなものがあるの？	土地の譲渡・貸付けや利子、保険料、郵便切手や商品券などの譲渡のように税の性格から消費という概念になじまないものと社会保険医療や学校の授業料、住宅の貸付けのように社会政策的な配慮に基づくものがあります。	非課税取引を課税仕入れとしていないか、課税売上げを非課税売上げとしていないか、課税売上割合の分母に含める金額の範囲及び計算は正しいか等がポイントとなります。
控除できない消費税とは？	事業者は、原則として仕入れに係る消費税の全額を控除することができます。しかし、課税売上割合が95％未満となるか、又は課税売上高＊１が５億円を超える課税期間については、課税売上割合に基づき控除仕入税額を計算します。	控除できない消費税がある場合の控除税額の計算方法には、個別対応方式と一括比例配分方式とがあり、一括比例配分方式を採用した場合、２年間継続適用しなければなりません。
帳簿の記帳と保存	課税事業者は、帳簿を備えつけて、資産の譲渡等又は課税仕入れもしくは課税貨物の保税地域からの引取りに関する事項等を記載して、７年間保存しなければなりません。（194ページ参照）	仕入税額控除を受けるためには、原則として一定の事項を記載した帳簿及び請求書(令和５年10月１日以後はインボイス)等を保存します。（160ページ参照）
申告・納付	確定申告書は、原則として課税期間の末日の翌日から２か月以内に提出します。(ただし、個人事業者の各年の12月31日の属する課税期間については、翌年の３月末日が期限となります。)	申告期限の１か月延長の特例があります。（172ページ参照）

＊１　輸出取引などの免税売上金額も含まれます。以下、税率を乗ずる場合を除き、便宜上、輸出免税売上金額を含めたものを課税売上高と表現しています。
＊２　基準期間の課税売上高が1,000万円以下であっても、基準期間の翌期の上半期（特定期間）の課税売上高や支払給与等の額が1,000万円超の場合等は、単純に免税事業者になるわけではないので注意が必要です。（153ページ参照）
＊３　令和５年10月１日以後における税額計算の基本式です。（課税仕入高に係る消費税は帳簿積上げ計算（仮払消費税額等を課税仕入れの都度算出して積み上げる計算）によっています。
＊４　消費税率10％のうち国税部分

2 免税事業者・簡易課税業者

―― まだ売上げが少ないので消費税は関係ない？ ――

消　費　税は、消費者に対して広く薄く公平に負担を求める間接税です。しかし、小規模の事業者には過剰な納税事務負担をかけない等の目的で、納税義務免除の制度（免税制度）が設けられています。また、納税義務がある場合でも、簡易な方法により消費税を計算する制度（簡易課税制度）を選択することもできます。

適格請求書発行事業者の登録を選択しない場合に免税となるのかと、簡易課税制度を選択できるかどうかは、原則として基準期間における課税売上高の大小によって決まりますが、免税となるかについては基準期間の課税売上高だけではなく、基準期間の翌期の上半期（特定期間）の課税売上高や支払給与等の額によって判定することも必要となります。（複数税率導入に伴う経過措置は159ページ参照）

① 基準期間と課税売上高

基準期間	前々事業年度（個人事業者は前々暦年）
課税売上高＊	課税資産の譲渡等の対価の額（税抜） － 売上げに係る対価の返還等の金額（税抜）

＊　基準期間が免税事業者の場合の課税売上高は、税込金額により計算します。

基準期間の課税売上高	
1,000万円以下	免税事業者（153ページ参照）
5,000万円以下	簡易課税選択可能業者
5,000万円超	原　則　課　税　業　者

〈法人の基準期間の判定フローチャート〉（YES ――→　NO - - - -→）

当該課税期間の前々事業年度は１年か ――→（YES）前々事業年度がそのまま基準期間となります。 ⇒ 基準期間における課税売上高により納税義務の有無等を判定します。

↓（NO）

当該課税期間の開始の日の２年前の前日から、その日以後１年を経過する日までの間に開始した各事業年度を合わせた期間が基準期間となります。 ⇒ 基準期間が１年か ――→（YES）基準期間における課税売上高により納税義務の有無等を判定します。

基準期間が１年か - - - -→（NO）基準期間が１年でない場合には、その１年でない基準期間の課税売上高を１年分に換算して、納税義務の有無等を判定します。

$$\text{基準期間の課税売上高} = \text{1年でない基準期間の課税売上高} \times \frac{12}{\text{1年でない基準期間の月数（1か月未満の端数切上げ）}}$$

〈前々事業年度が１年にならないケース〉

決算期の変更等を行った場合には、１年未満の事業年度が発生します。例えば、従来の10月20日決算をX２事業年度より３月決算に変更した場合、X４事業年度の前々事業年度はX２事業年度（５か月と10日）となり、前々事業年度が１年未満となります。

そしてX４事業年度開始の日（X４．４．１）の２年前の前日（X２．４．１）から１年を経過する日（X３．３．31）までの間に開始する事業年度はX２事業年度のみのため、１年未満であるX２事業年度がX４事業年度の基準期間となります。

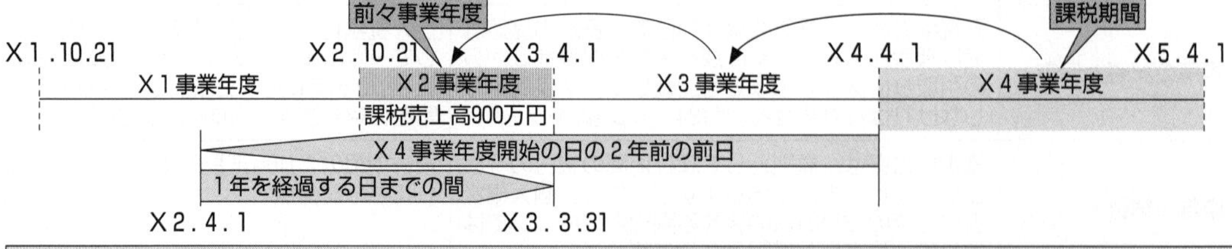

$$\text{X２事業年度の課税売上高　900万円} \times \frac{12}{\text{X２事業年度の月数　6か月（1か月未満の端数切上げ）}} = \text{1,800万円（基準期間の課税売上）}$$

個人事業者の基準期間の課税売上高

基準期間が１年でない法人については、上記のように１年でない基準期間の課税売上高を１年分に換算しますが、個人事業者の基準期間については、事業者である期間が１年でない場合であっても、課税売上高を１年分に換算する必要はありません。（消法９②）

❷免税制度

基準期間の課税売上高が1,000万円以下の事業者は、適格請求書発行事業者として登録していなければ原則として免税事業者となり、消費税を納める義務が免除されます（消法9）が、以下の場合には、単純に免税事業者になるわけではないので注意が必要です。

(1) 設立１期目及び２期目において免税事業者でなくなる要件

設立から２事業年度を経過していない法人は、基準期間がないため、原則として免税事業者となりますが（消基通１－４－６）、新設法人等については、以下のような取扱いとなります。（適格請求書発行事業者を除く）

基準期間がない事業年度の開始の日＊1における資本金の額等が1,000万円以上の法人である

- YES（新設法人）→ 課税事業者となる（消法12の2、12の3）
- NO（新規設立法人：資本金の額等が1,000万円未満で設立された法人）→ 基準期間相当期間＊2の課税売上高が５億円超の事業者又は国外分を含む総収入金額が50億円超である事業者（令和６年10月１日以後に開始する課税期間から適用）が、50%超出資等（特定要件）して新規に設立した法人（特定新規設立法人）である＊3
  - YES → 課税事業者となる（消法12の2、12の3）
  - NO → 免税事業者となる＊4（消基通1－4－6）

＊１　外国法人については、国内で課税資産の譲渡等に係る事業を開始した日とされます。なお、基準期間がある外国法人が、当該基準期間の末日の翌日以後に、国内で課税資産の譲渡等に係る事業を開始した場合には、その事業年度は基準期間がないものとみなします。（令和６年10月１日以後に開始する課税期間から適用）

＊２　①新規設立法人の基準期間がない事業年度開始の日（新設開始日）の２年前の日の前日から同日以後１年を経過する日までの間に終了した判定対象者の各事業年度、②新設開始日の１年前の日の前日から新設開始日の前日までの間に終了した判定対象者の各事業年度、③新設開始日の１年前の日の前日から新設開始日の前日までの間にその判定対象者の事業年度開始の日から６か月間の末日が到来する場合のその６か月間をいいます。（消令25の４②）
判定対象者とは、特定要件に該当するかどうかの判定の基礎となった者（新規設立法人の直接株主等に限る。）及びその者の特殊関係法人（完全支配関係にある法人）のうちいずれかの者をいいます。

＊３　特定新規設立法人に該当するかどうかは、その基準期間がない事業年度の開始の日（新設開始日）の資本金の額等で判定します。（消基通１－５－15の２）

＊４　設立事業年度（当該最初の課税期間）の末日までに課税事業者選択届出書を提出することにより、課税事業者を選択することも可能です。

〈新設法人等についての留意事項〉

簡易課税制度の選択は？	原則として簡易課税制度を選択することは可能です。（例外は157ページ１＊3参照）			
「簡易課税制度選択届出書」の提出期限は？	１期目の事業年度で簡易課税制度を選択する場合			ともに、１期目の事業年度の終了の日が提出期限となります。
	２期目の事業年度で簡易課税制度を選択する場合			
３期目の事業年度は？ （２期目の事業年度終了の日までに156ページのフローチャートによる検討を忘れずに）	原則として基準期間（１期目の事業年度）の課税売上高の金額で納税義務等の判定をします。	基準期間の課税売上高が	1,000万円超	速やかに、「課税事業者届出書」の提出が必要です。
			1,000万円以下	「納税義務者でなくなった旨の届出書」の提出は不要です。
				納税義務免除の特例の適用を受けない場合には、「課税事業者選択届出書」を２期目の事業年度終了の日までに提出しなければなりません。

(2) 特定期間の翌期において免税事業者でなくなる要件

基準期間の翌期の上半期（特定期間）の課税売上高が1,000万円超の場合には、原則として特定期間の翌期の消費税の納税義務は免除されません。なお、課税売上高に代えて支払給与等の額で判定することもでき、その選択は納税者の任意となっています。したがって、特定期間の課税売上高と支払給与等の額を集計した結果に応じてそれぞれ以下の取扱いとなります。

課税売上高と支払給与等の額の両方が1,000万円超の場合	課税事業者となります。速やかに「課税事業者届出書（特定期間用）」の提出が必要です。 また、簡易課税制度を選択することも可能です。当該課税期間とその翌年の２年間合わせても、みなし仕入率の方が実際予定される仕入率より低い場合（ただし追加的な事務コストを考慮する）には、簡易課税制度を選択した方が有利となります。その場合、その適用をしようとする課税期間の開始の日の前日までに「簡易課税制度選択届出書」の提出が必要です。
課税売上高と支払給与等の額のいずれか＊が1,000万円超の場合	課税事業者と免税事業者のいずれかを選択できます。還付を受ける予定の場合（ただし追加的な事務コスト等を考慮する。）には課税事業者を選択し、還付を受けた方が有利となります。その場合、速やかに「課税事業者届出書（特定期間用）」の提出が必要です。なお、「簡易課税制度選択届出書」を既に提出している場合には、「簡易課税制度選択不適用届出書」を提出する必要があります。
課税売上高と支払給与等の額の両方が1,000万円以下の場合	免税事業者となります。ただし、還付を受ける予定の場合（ただし追加的な事務コスト等を考慮する。）には、「課税事業者選択届出書」を提出し、原則課税を選択することができます。なお、「簡易課税制度選択届出書」を既に提出している場合には、「簡易課税制度選択不適用届出書」を提出する必要があります。

＊　国外事業者については、特定期間の課税売上高が1,000万円超かどうかだけの判定になります（令和６年10月１日以後に開始する課税期間から適用）。

●課税事業者の選択については〈課税事業者を選択する際の留意事項〉（157ページ）を参照

❸簡易課税制度

基準期間における課税売上高が5,000万円以下の事業者は、簡易課税制度を選択することができます。(消法37) 簡易課税制度とは、実際の仕入れに係る消費税額を集計することなく、課税売上高を集計するだけで納付税額を求めることができる制度で、仕入税額の集計という消費税の経理上最も煩雑な事務手続から解放されますが、事業区分の判定という別の事務手続が必要となってきます。

税率毎の納付税額（含む地方消費税）＝課税売上げに対する消費税額－課税売上げに対する消費税額×みなし仕入率
(40%、50%、60%、70%、80%、90%)
（注）事業区分ごとに決められています。

＝課税売上高×（6%、5%、4%、3%、2%、1%）
（注）税率10%を前提としています。

〈簡易課税制度を選択する際の留意事項〉

制度選択の届出	原則として簡易課税制度を適用しようとする課税期間の開始の日の前日までに納税地の所轄税務署長に「簡易課税制度選択届出書」を提出しなければなりません。
不適用の届出	簡易課税制度を選択した事業者が、その適用をやめる場合には、適用をやめようとする課税期間の開始の日の前日までに、納税地の所轄税務署長に「簡易課税制度選択不適用届出書」を提出しなければなりません。
最低適用期間	簡易課税制度の適用を受けた場合には、その適用を受けることとなった最初の課税期間の初日から2年を経過する日の属する課税期間の初日以後でなければ、「簡易課税制度選択不適用届出書」を提出することができません。
届出の効力	簡易課税制度は、「簡易課税制度選択不適用届出書」を提出するまでは、その効力を有していますので、例えば、簡易課税選択事業者が、免税事業者になった場合でも、同届出書を提出していなければ、その後再び課税事業者となった場合には、基準期間の課税売上高が5,000万円を超えている場合を除き、引き続き簡易課税制度を適用しなければなりません。
多額の設備投資を行う場合	原則課税を適用している場合に多額の設備投資を行うと、消費税の還付を受けることができる場合がありますが、簡易課税制度を選択している場合には消費税の還付を受けることができません。
売上返品等や貸倒れがあった場合	課税売上げに係る対価の返還等（売上返品等）や売掛債権等の貸倒れがあった場合には、上記の式から別途これらに係る消費税額を控除して納付税額を求めます。
国外事業者の場合	課税期間の初日において、国内に恒久的施設（136ページ参照）を有しない国外事業者は簡易課税制度を適用できません。（令和6年10月1日以後に開始する課税期間から適用）

〈複数の事業を行っている場合の簡易課税のみなし仕入率の決定のフローチャート（消令57)〉

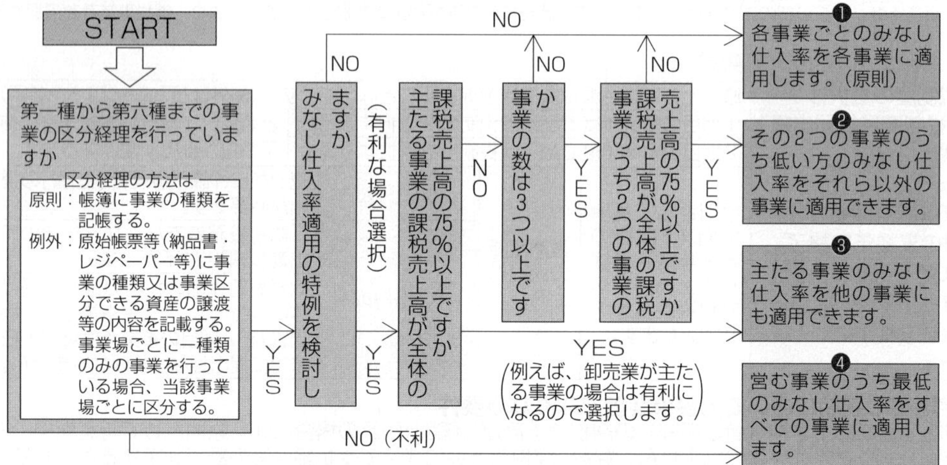

❶のケースのみなし仕入率の計算

原則的な計算方法による平均みなし仕入率の計算は次のとおりです。

みなし仕入率（端数処理なし。ただし任意の位での切捨てOK）＝

$$\frac{\text{第一種事業の消費税額}\times 90\% + \text{第二種事業の消費税額}\times 80\% + \text{第三種事業の消費税額}\times 70\% + \text{第四種事業の消費税額}\times 60\% + \text{第五種事業の消費税額}\times 50\% + \text{第六種事業の消費税額}\times 40\%}{\text{第一種事業の消費税額} + \text{第二種事業の消費税額} + \text{第三種事業の消費税額} + \text{第四種事業の消費税額} + \text{第五種事業の消費税額} + \text{第六種事業の消費税額}}$$

❷のケースのみなし仕入率の適用

75%以上となる2つの事業の組み合わせにより、この特例計算によることが有利かどうかが決まります。

❸のケースのみなし仕入率の適用

75%以上となる事業のみなし仕入率がその他の事業のみなし仕入率より高い場合は、この特例計算によることが有利となります。

❹のケースのみなし仕入率の適用

2種以上の事業を行っているが事業の区分経理を行っていない場合は、最低のみなし仕入率をすべての事業に適用することとなるため不利な扱いとなります。

簡易課税を選択した場合の『事業区分の判定』と複数事業を行っている場合の『みなし仕入率の決定』の事務手続は、以下のフローチャートに従って行います。

〈簡易課税の事業区分判定のフローチャート（消令57）〉

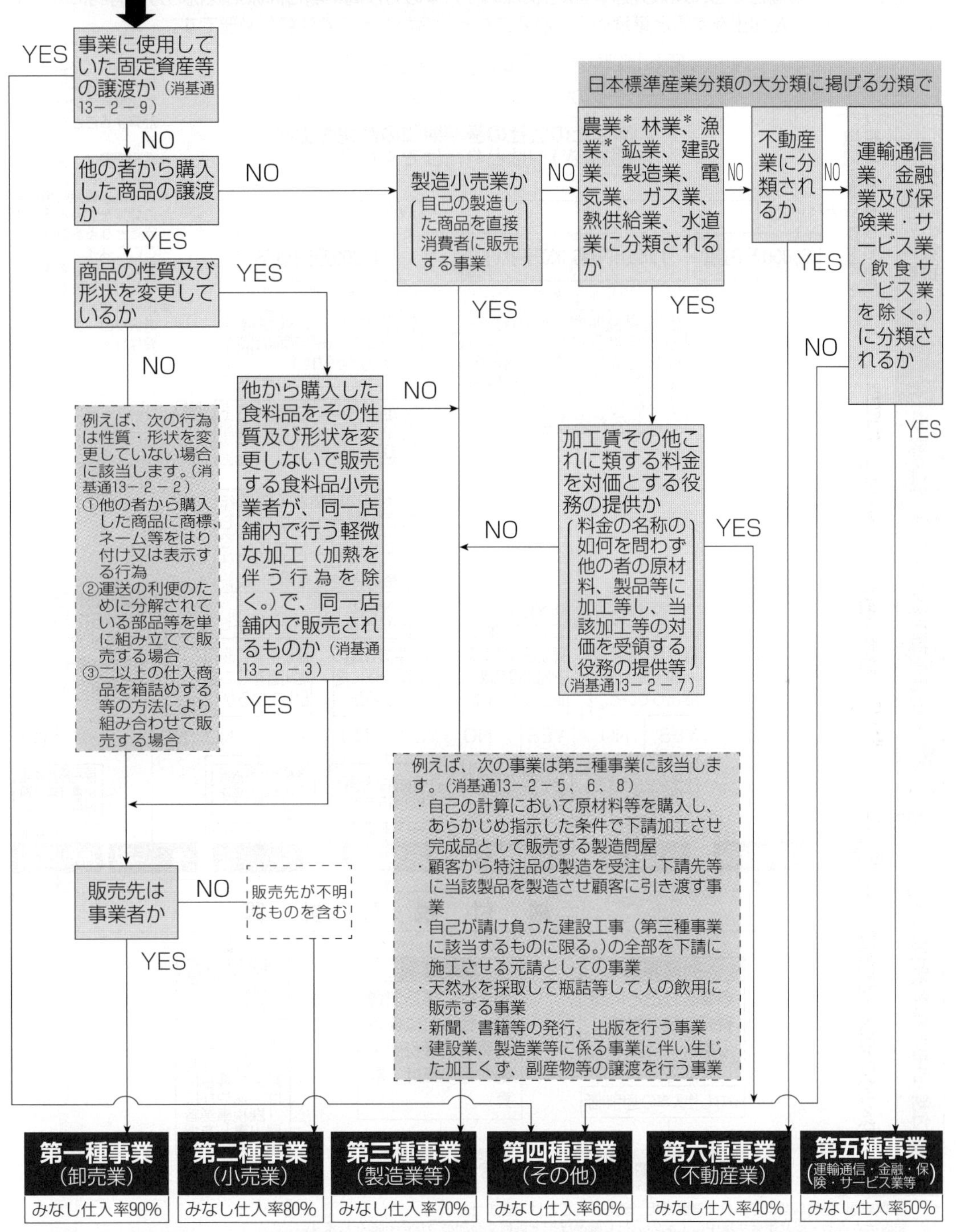

＊　農業、林業、漁業のうち、飲食料品の譲渡を行う事業は第二種事業（令和元年10月１日以後）

④原則課税と特例どちらが有利

中小事業者の特例措置を適用できる課税売上高の会社だからといって、必ずしも特例を適用することが会社にとって有利になるとは限りません。

免税制度が適用できる場合でも、還付を受けられる場合には原則課税の方が有利になります。また、簡易課税が適用できる場合でも、みなし仕入率より実際の仕入率の方が高い場合は原則課税の方が有利になります。ただ、いったん届出をすると継続適用が必要になる場合があるので注意が必要です。

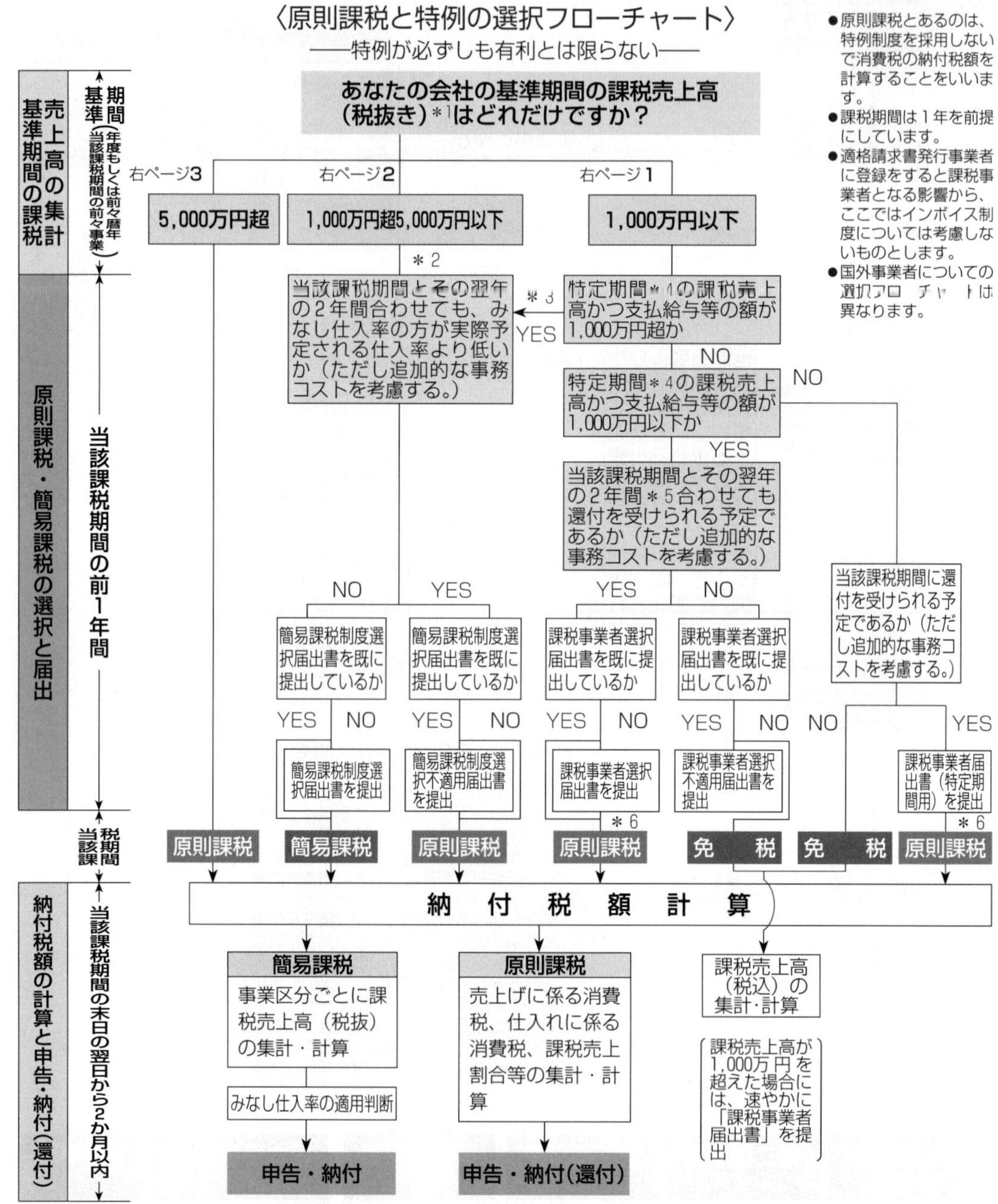

＊1　基準期間に免税事業者であれば消費税相当額を除くことはできません。
＊2　新設法人等も、設立事業年度中に上記の流れで簡易課税を選択するかどうかの判断をします。
＊3　課税事業者になるため、速やかに課税事業者届出書（特定期間用）の提出が必要です。
＊4　特定期間は通常は基準期間の翌期の上半期となりますが、決算期変更を行った場合などには特定期間が異なる場合があります。
＊5　課税事業者を選択した後もしくは新設法人等の設立後、2年の間に調整対象固定資産を取得した場合や、課税事業者が高額特定資産を取得した場合には、その課税期間を含んで3期間は強制的に課税事業者となるため、その場合には3年間での検討が必要になります。（右ページ1参照）
＊6　簡易課税制度選択届出書を既に提出している場合には、簡易課税制度選択不適用届出書を提出する必要があります。

1．基準期間の課税売上高が1,000万円以下のとき

――免税か原則課税か――

基準期間となる１年間が終了した段階でその基準期間の課税売上高を計算し、1,000万円以下の場合は、その基準期間の翌１年間の間に免税の放棄をすべきかどうかの検討を行います。

なお、基準期間の課税売上高が1,000万円以下の場合でも、基準期間の翌期の上半期（特定期間）の課税売上高もしくは支払給与等の額が1,000万円超の場合には153ページ❷(2)記載の対応が必要になります。

基準期間の課税売上高が1,000万円以下

- 簡易課税 ×……選択できますが、簡易課税は課税売上高がある限り必ず納付消費税額が出るので選択するとより不利となります。
- 免税 / 原則課税（いずれか選択）……大きな設備投資を行う場合や輸出割合が高い場合で、消費税の還付が受けられると予想される場合に、免税放棄の届出を行い原則課税を選択します。その場合、簡易課税制度選択届出書を既に提出していないかの確認が必要です。

〈課税事業者を選択する際の留意事項〉

制度選択の届出（消法９④）	原則として課税事業者となる課税期間の開始の日の前日＊1までに納税地の所轄税務署長に「課税事業者選択届出書」を提出しなければなりません。
不適用の届出（消法９⑤）	課税事業者選択事業者が、その適用をやめる場合は、やめようとする課税期間の開始の日の前日までに、所轄税務署長に「課税事業者選択不適用届出書」を提出しなければなりません。＊2
最低適用期間（消法９⑥）	課税事業者を選択（免税放棄）した場合は、課税事業者となった課税期間の初日から２年＊3を経過する日の属する課税期間の初日以後でしか「課税事業者選択不適用届出書」を提出できません。
届出の効力	課税事業者を選択した場合は、「課税事業者選択不適用届出書」を提出するまでは、基準期間の課税売上高にかかわらず、継続的に課税事業者となります。「課税事業者選択不適用届出書」を提出した後、基準期間の課税売上高が1,000万円以下となった場合に免税事業者となることができます。

＊１　設立事業年度から課税事業者を選択する場合は、設立事業年度の末日までに提出しなければなりません。

＊２　課税売上高が1,000万円超であった事業者で課税事業者選択届出書を提出していない事業者は、基準期間の課税売上高が1,000万円以下となった場合には、速やかに、「納税義務者ではなくなった旨の届出書」を提出します。

＊３　下記の場合は、３期間は課税事業者（免税制度及び簡易課税制度の選択不可）となります。（消法９⑦）
　(1)「課税事業者選択届出書」を提出し、課税事業者となった後、２年の間に調整対象固定資産を取得した場合（171ページ参照）
　(2) 課税事業者（免税制度及び簡易課税制度の適用を受ける課税期間を除く。）が課税期間中に高額特定資産＊4を取得した場合、または、自己建設高額特定資産の仕入れを行った場合＊5

＊４　1,000万円以上の棚卸資産及び調整対象固定資産（171ページ参照）、金又は白金の地金（200万円以上）

＊５　建設等に要した原材料及び経費（免税制度及び簡易課税制度の適用を受ける課税期間分を除く。）の税抜価額の累計額が1,000万円以上となった場合

●一度原則課税を選択（免税を放棄）すると最低２年間は継続して適用しなければならないため、２年単位で、還付を受けられるであろう予定金額と原則課税を採用することによる事務コストを比較して意思決定してください。

2．基準期間の課税売上高が1,000万円超5,000万円以下のとき

――簡易課税か原則課税か――

基準期間となる１年間が終了した段階でその基準期間の課税売上高を計算し、1,000万円超5,000万円以下の場合は、その基準期間の翌々期の課税期間は簡易課税を選択することができます。＊

基準期間の課税売上高が1,000万円超5,000万円以下

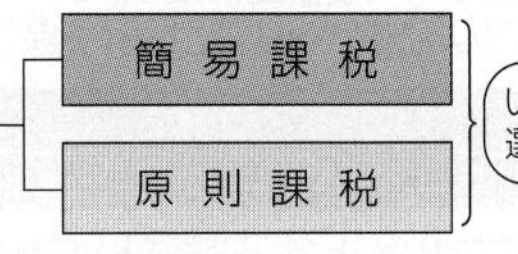

いずれか選択……課税売上高に対する課税仕入高の割合がみなし仕入率を上回る会社（常にこの状態にある会社だけでなく、設備投資などにより課税仕入高が増加する予定の会社など）は、簡易課税を選択すると不利になります。

簡易課税制度の選択については<簡易課税制度を選択する際の留意事項>（154ページ）を参照

●一度簡易課税を選択すると最低２年間は継続して適用しなければならないため、２年単位で、原則課税の方が事務コストをかけてでも有利にならないか検討のうえ意思決定してください。

＊　特定期間の課税売上高もしくは支払給与等の額が1,000万円超で課税事業者となる場合も簡易課税を選択することができます。

3．基準期間の課税売上高が5,000万円超のとき

――原則課税――

基準期間となる１年間が終了した段階で、その基準期間の課税売上高を計算し、5,000万円超である場合は、選択の余地なく、その基準期間の翌々期の課税期間は、原則課税で消費税額を計算しなければなりません。

3 消費税法改正への対応

——複数税率及びインボイス制度導入に伴う経過措置や特例に注意——

消　費　税の税率が令和元年10月１日から10%に引き上げられ、飲食料品等を対象に軽減税率（８%）制度が導入されました。10%と８%の複数の税率が混在することから、区分記載請求書等保存方式が導入され、また令和５年10月１日からは適格請求書等保存方式（インボイス制度）が導入されました。事務手続上の配慮等から、経過措置や特例措置も設けられているため、いつまでに何をするかを見極めて対応していくことが必要です。

①消費税の改正スケジュール

消費税率の引上げと同時に設けられる、経過措置や特例措置のスケジュールの概要は次のとおりです。

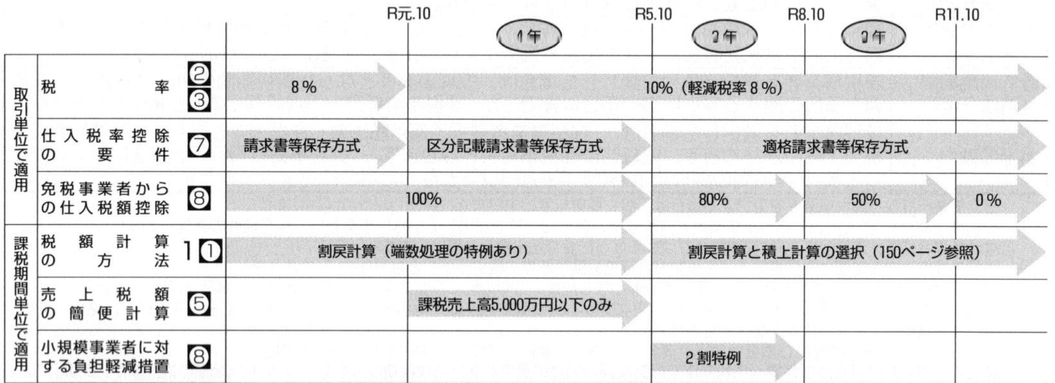

②消費税の税率

消費税と地方消費税の税率の推移は、それぞれ以下のとおりです。

適用開始日	平成26年４月１日 ～令和元年９月30日	令和元年10月１日以後(引上げ後)	
		標準税率	軽減税率
消費税率	6.3%	7.8%	6.24%
地方消費税率	1.7%	2.2%	1.76%
合　計	8.0%	10.0%	8.00%

なお、下記③軽減税率制度と、改正前の税率が適用される④経過措置では、合計税率は同じ８%ですが消費税と地方消費税の区分が異なるため、日々の記帳や税額計算の際に注意が必要です。

③軽減税率制度

令和元年10月１日から､軽減税率対象品目の譲渡の税率を８%とする軽減税率制度が導入されています。

なお、簡易課税制度において、飲食料品を事業者以外に譲渡する農業、林業、漁業は第二種事業（小売業）になることに留意が必要です。（155ページ参照）

軽減税率対象品目

⑴　飲食料品＊1の譲渡（外食＊2やケータリング＊3等は軽減税率の対象には含まれません。）

＊１　食品表示法に規定する食品（酒類を除く。）をいいます。

＊２　飲食設備（テーブル、椅子、カウンター等）のある場所において飲食店業者等が行う食事の提供をいいます。なお、容器等に入れて持ち帰るいわゆるテイクアウトの飲食料品は軽減税率の対象となります。

＊３　顧客が指定した場所で加熱・調理等をして、顧客に飲食させる飲食料品の提供をいいます。なお、有料老人ホームや小中学校等で提供される給食等は軽減税率の対象となります。また、加熱・調理等を伴わない出前や宅配も軽減税率の対象となります。

⑵　定期購読契約が締結された週２回以上発行される新聞＊の譲渡

＊　一定の題号を用い、政治、経済、社会、文化等に関する一般社会的事実を掲載するものに限られ、定期購読により配達されるものであれば、スポーツ紙や外国語新聞も含まれます。

❹税率引上げに伴う経過措置（適用税率）

（注）以下、特に断りのない限り、税率10%への引上げに伴う経過措置を記載しています。

消費税の税率は、令和元年10月１日から10%に引き上げられましたが、一定の取引については、税率引上げ後においても改正前の税率が適用される経過措置が設けられています。その主なものは次のとおりです。

１.工事の請負に係る契約（税制抜本改革法附則５③⑧、平成26年改正消令附４⑤）

事業者が、平成25年10月１日から平成31年４月１日（指定日）の前日までに工事又は製造の請負に係る契約（一定の要件に該当する測量、設計及びソフトウエアの開発等に係る請負契約を含む。）を締結し、その目的物の引渡しが令和元年10月１日（施行日）以後になるものについては、契約締結時の税率が適用されます。

２.資産の貸付け（税制抜本改革法附則５④⑧、平成26年改正消令附４⑥）

事業者が、平成25年10月１日から平成31年４月１日（指定日）の前日までに締結した資産の貸付けに係る契約に基づき、令和元年10月１日（施行日）以後も引き続きその契約に係る資産の貸付けを行っている場合（一定の要件に該当するものに限る。）には、契約締結時の税率が適用されます。

【例】平成31年３月20日に資産の賃貸借契約を締結し、平成31年４月５日から賃貸する

締結日（H31.3.20）　指定日（H31.4.1）　貸付開始（H31.4.5）　施行日（R元.10.1）　貸付期間終了日

指定日の前日までに消費税率８%で契約締結　施行日前から引き続き貸付け　消費税率８%が適用

MEMO

法人税法上、売買があったものとみなされる所有権移転外ファイナンス・リース取引は、「資産の譲渡」として消費税が課税されますので、上記2の資産の貸付けに関する経過措置の対象にはなりません。

３.貸倒れに係る消費税額の控除（税制抜本改革法附則12）

課税事業者の令和元年９月30日以前の国内における課税売上げについて、令和元年10月１日（施行日）以後に貸倒れとなった場合における消費税額の控除は、課税売上げ時の税率が適用されます。

【例】令和元年９月20日に行った課税売上げについて、令和３年４月20日に貸倒れとなった

売上日（R元.9.20）　施行日（R元.10.1）　貸倒発生日（R3.4.20）

施行日前に行った課税売上　施行日以後に貸倒発生　消費税率８%が適用

●上記１～３以外に、仕入れ又は売上に係る対価の返還等が生じた場合、納税義務の免除を受けなくなった場合等の棚卸資産に係る消費税額の調整、電気料金等、特定新聞等、通信販売等、家電リサイクル料金についても経過措置が設けられています。

❺複数税率導入に伴う経過措置（中小事業者の売上税額の簡便計算）

複数の税率が適用されると、軽減税率適用対象の区別のためのPOSレジの入れ替えや区分処理等の事務負担が増加したり会計システムの改修が必要になってくるため、基準期間における課税売上高5,000万円以下の事業者への配慮として、売上税額の簡便計算が認められていました。

売上税額の簡便計算

令和元年10月１日から令和５年９月30日までの期間について、課税資産の譲渡等を税率の異なるごとに区分することにつき困難な事情があるときは、下記の算式により、それぞれの課税売上高を算定して各税率を乗ずることにより売上税額を簡便に計算することができます。（平成28年改正消法附38）

(イ)（課税資産の譲渡等の額（税込）×軽減税率売上割合）×100/108＝軽減税率対象課税売上高（税抜）
(ロ)（課税資産の譲渡等の額（税込）－(イ)）×100/110＝標準税率対象課税売上高（税抜）

軽減税率売上割合		
	① 卸売業及び小売業	分母のうち軽減税率対象品目の譲渡等にのみ要する課税仕入れ等の額(税込) / 卸売業・小売業に係る課税仕入れ等の額(税込) ＊ 又は 通常の連続する10営業日の軽減税率対象品目の譲渡等の額(税込) / 通常の連続する10営業日の課税資産の譲渡等の額(税込)
	② ①以外の事業	通常の連続する10営業日の軽減税率対象品目の譲渡等の額(税込) / 通常の連続する10営業日の課税資産の譲渡等の額(税込)
	③ 特例	①②の計算が困難かつ軽減税率品目の売上げがおおむね50%以上ある事業者 50%

＊　簡易課税の適用を受けない課税期間に限ります。

❻ 消費税法上の仕入税額控除の要件

消費税法上、仕入税額控除を行うためには、下記の帳簿及び請求書等の両方を保存する必要があり、その保存期間は7年間となっています。

帳簿の記載要件（消法30⑧）

記載要件		注意点
課税仕入れの相手方の氏名又は名称	原則	相手方の正式名称を記載する。例えば個人事業主であれば「鈴木太郎」と、法人であれば「株式会社田中商店」と記載する。
	簡便	相手方の正式名称が取引先名簿等に記入・備え付けられていれば、帳簿への記載は略称名・通称名（屋号）でもかまわない。小売店等の場合は、電話番号が明らかである等、相手方が特定できれば屋号等の記載でもかまわない。
課税仕入れを行った仕入年月日	原則	帳簿に実際に仕入れた年月日（帳簿記入日でも支払日でもない。）を記載する。
	簡便	一定期間分の請求書等に1回ごとの取引の明細が記載又は添付されている場合には、一定期間分の取引をまとめて、例えば「○○月分」という記載でもかまわない。
課税仕入れに係る資産又は役務の内容	原則	帳簿にその資産又は役務の内容を記載する。
	簡便	1回の取引に2種類以上の商品や経費となるものを購入した場合には、一般的な総称（「野菜」・「果物」、「文房具ほか」など）の記載でかまわない。ただし、課税商品と非課税商品がある場合、区分して記載する必要がある。
課税仕入れに係る対価の額	原則	税込金額
	例外	税抜経理でも、消費税等に相当する金額について「仮払消費税等」等の勘定科目により処理していれば法定の要件を満たしている。

● 仕入れに関し、買掛金集計表を作成し、帳簿には合計記載している場合でも、集計表に相手先名、令和○年○月分、摘要に資産又は役務の内容の総称を記入し、通常の「帳簿」といえる程度に整理集計・保存している場合には、上記のすべての要件を満たしているものと取り扱われます。（適格請求書については下記❼参照）

❼ 複数税率への対応（仕入税額控除の方式と仕入税額の計算方法）

仕入税額控除を受けるためには、一定の事項を記載した帳簿及び請求書の保存が要件となっていますが（上記❻参照）、複数の税率が存在すると、どの税率が適用されているかが判別できなければ、税額計算や税務調査の際に問題が生じます。また、現状は経過措置により免税事業者からの仕入れでも一部仕入税額控除ができますが、免税事業者は消費税の納税義務がないため、受け取った消費税が納税されません。このような問題から、請求書等の保存方式が改正されています。

令和元年9月30日以前	令和元年10月1日以後	令和5年10月1日以後
請求書等保存方式	区分記載請求書等保存方式	適格請求書等保存方式（インボイス制度）
仕入税額控除の要件について、帳簿の保存に加え、取引の相手方（第三者）が発行した請求書等という客観的な証拠書類を保存する請求書等保存方式が採用されていました。（158ページ参照）	左記の請求書等保存方式が維持されていますが、軽減税率対象品目が含まれる場合、請求書等に(イ)軽減税率対象項目である旨及び(ロ)税率の異なるごとに合計した対価の額（税込）を追記＊1する必要があります。	適格請求書発行事業者＊2から交付を受けた適格請求書＊3等の保存が仕入税額控除の要件となります。なお、他の事業者（免税事業者を除きます。）から適格請求書の交付を求められたときは、必ず交付しなければなりません。（電子インボイスについては194ページ参照）

＊1　交付を受けた事業者が事実に基づき追記することが認められます。（平成28年改正消法附34③）
＊2　所轄税務署長に申請書を提出し、適格請求書を交付することのできる事業者として登録を受けた事業者をいい、登録を受けた事業者には、登録番号等が書面で通知されます。なお、免税事業者が適格請求書発行事業者に登録すると、課税事業者となり、登録申請を取り下げるまで免税事業者に戻れません。
＊3　適格請求書の記載事項は次のとおりです。
①発行事業者の名称及び登録番号（150ページ）、②課税資産の譲渡等を行った年月日、③課税資産の譲渡等に係る資産（軽減税率対象資産である場合はその旨）又は役務の内容、④税抜価額又は税込価額を税率の異なるごとに区分し合計した金額及び適用税率、⑤税率ごとの消費税額、⑥書類の交付を受ける事業者の名称
4　適格請求書の消費税額の計算における1円未満の端数処理は、切捨て、切上げ、四捨五入いずれの処理も認められますが、一の適格請求書につき、税率の異なるごとに区分して計算した合計額にそれぞれ1回しか端数処理できません。

▶中小企業者等に対する適格請求書保存に係る軽減措置

令和5年10月1日から令和11年9月30日に行われる取引のうち、基準期間における課税売上高が1億円以下もしくは特定期間（153ページ）における課税売上高が5,000万円以下である事業者が税込支払額1万円未満の課税仕入れを行う場合は、一定の事項が記載された帳簿のみの保存でも仕入税額控除が適用でき、適格請求書の保存が不要です。

▶少額な適格返還請求書の交付義務免除

適格請求書発行事業者はインボイスの交付義務とともに、値引きを行った際に値引き等の金額や消費税額等を記載した適格返還請求書（返還インボイス）の交付義務が課されますが、売手が負担する振込手数料など売上げに係る対価の返還等で税込価額が1万円未満の場合は、返還インボイスの交付は不要です。

⑧免税事業者の適格請求書発行事業者登録

適格請求書（インボイス）を発行するためには、所轄の税務署長に適格請求書発行事業者としての登録を申請し、登録番号を入手する必要があります。適格請求書発行事業者は課税事業者となるため、免税事業者は登録をして課税事業者となって消費税の申告や納税を行うのか、登録をせずにそのままいくのかの意思決定が必要になります。

1．免税事業者における意思決定

免税事業者が令和11年９月30日までの日の属する課税期間中に適格請求書発行事業者登録申請書を納税地を所轄する税務署長に提出すれば、事業年度の途中であっても登録日から課税事業者になります。この場合には、課税事業者選択届出書の提出は必要ありません。

令和11年９月30日までの日の属する課税期間より後に提出した場合は、事業年度の途中で登録を受けることはできません。また、課税事業者選択届出書の提出も必要となります。

2．課税事業者における意思決定

原則課税制度もしくは簡易課税制度を採用している課税事業者においても、適格請求書を発行するためには、適格請求書発行事業者としての登録が必要となります。

登録申請をしないと、消費税の課税事業者でありながら適格請求書を発行できず、取引先の仕入税額控除額が減ってしまうなどの不利益を与えるため注意が必要です。

3．免税事業者等から行った課税仕入れの経過措置

上述のとおり、原則課税制度を採用している課税事業者は、令和５年10月１日からは適格請求書の保存がないと、原則として仕入税額控除ができません。免税事業者等（適格請求書発行事業者以外の者）である仕入先が適格請求書発行事業者として登録するかしないかの選択が仕入税額控除に影響を与えることから、令和５年10月１日から令和11年９月30日までの間に国内において免税事業者等から行った課税仕入れについては、当該課税仕入れに係る支払対価の額に係る消費税相当額に、下記の割合を乗じた額を控除対象仕入税額とみなして特別控除できる経過措置が設けられています。＊1、2

対象期間	R5.10.1 ～ R8.9.30	R8.10.1 ～ R11.9.30	R11.10.1以降
控除割合	80%	50%	0%

＊1　一定の事項が記載された区分記載請求書等保存方式の帳簿及び請求書等の保存が必要です。

＊2　一の免税事業者等からの年間の仕入額が10億円を超える場合、その超えた部分については本経過措置の適用はありません。（令和６年10月１日以後に開始する課税期間から適用）

4．小規模事業者における税額計算の特例

適格請求書発行事業者として登録した小規模事業者の事務負担の軽減のため、基準期間の課税売上高が1,000万円以下の場合には、納付税額を課税売上高の２割で計算する特例が設けられています。（平成28年改正消法附51の2）

なお簡易課税制度と異なり、本特例は業種ごとの売上げの集計は不要で、売上げの合計だけで消費税の申告・納税ができます。＊1

また本特例を受けるか否かの選択は事前の手続きは不要で申告時に選択ができます。＊2

対象者	適格請求書発行事業者に登録した者のうち、登録しなければ免税事業者である者
対象期間	令和５年10月１日から令和８年９月30日までの日の属する各課税期間＊3
対象とならない場合	①適格請求書発行事業者の登録に関わらず課税事業者となる場合＊4
	②課税期間の短縮を選択している場合
国外事業者の場合	課税期間の初日において、国内に恒久的施設（136ページ参照）を有しない国外事業者は本特例を受けることができません。（令和６年10月１日以後に開始する課税期間から適用）

＊１　主たる事業が第一種事業（卸売業）である場合は簡易課税制度を選択する方が税負担は軽減されます。

＊２　簡易課税を選択している適格請求書発行事業者が、還付を受ける可能性等を考え税額計算を本特例か原則課税かより選択したい場合は、例外的な取扱いとして、適格請求書発行事業者の登録日を含む課税期間中に簡易課税制度選択届出書の取下書を提出すれば可能です。

同じく例外的に、本特例を受けた翌課税期間中に簡易課税制度選択届出書を提出した場合には、提出日の属する課税期間から簡易課税制度の適用を受けることができます。

＊３　課税事業者選択届出書を提出して課税事業者になっている会社でも、基準期間の課税売上高が1,000万円以下なら本特例を適用できますが、令和５年10月１日の属する課税期間だけは、同課税期間中に課税事業者選択不適用届出書を提出する必要があるので要注意です。

＊４　基準期間の課税売上高が1,000万円超（157ページ）、資本金の額等が1,000万円以上の新設法人（153ページ❷(1)）、特定期間の課税売上高等が1,000万円超（153ページ❷(2)）、調整対象固定資産等を取得して課税事業者を選択した後に強制的に課税事業者となる場合（171ページ）などが該当します。

4 消費税法上の取引の分類
――この経費にも消費税はかかっている――

消費税法上、課税対象となる取引は、国内において事業者が行った資産の譲渡等と、保税地域から引き取られる外国貨物です。この課税対象取引のうち、消費という概念になじみにくいもの及び政策的配慮によるものが、非課税取引として限定列挙されています。

以上から、取引を消費税法上の観点から分類すると次のようになります。

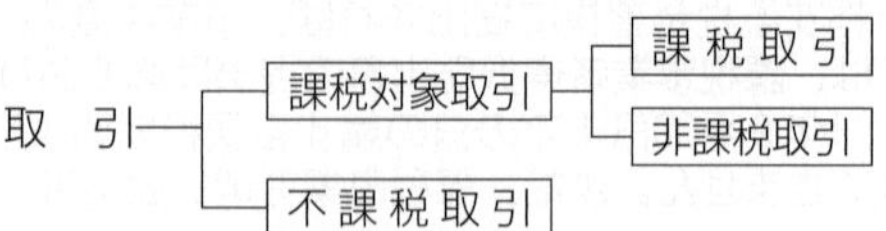

なお課税取引のうち、輸出取引は免税とされています。

① 消費税の取引区分フローチャート

課税取引か非課税取引かあるいは不課税取引かは次のフローチャートに従って判断することができます。なお、売上げについては、課税取引か非課税取引か不課税取引かの判断が必要ですが、仕入れについては、課税取引かそうでないかの判断さえしておけば問題ありません。

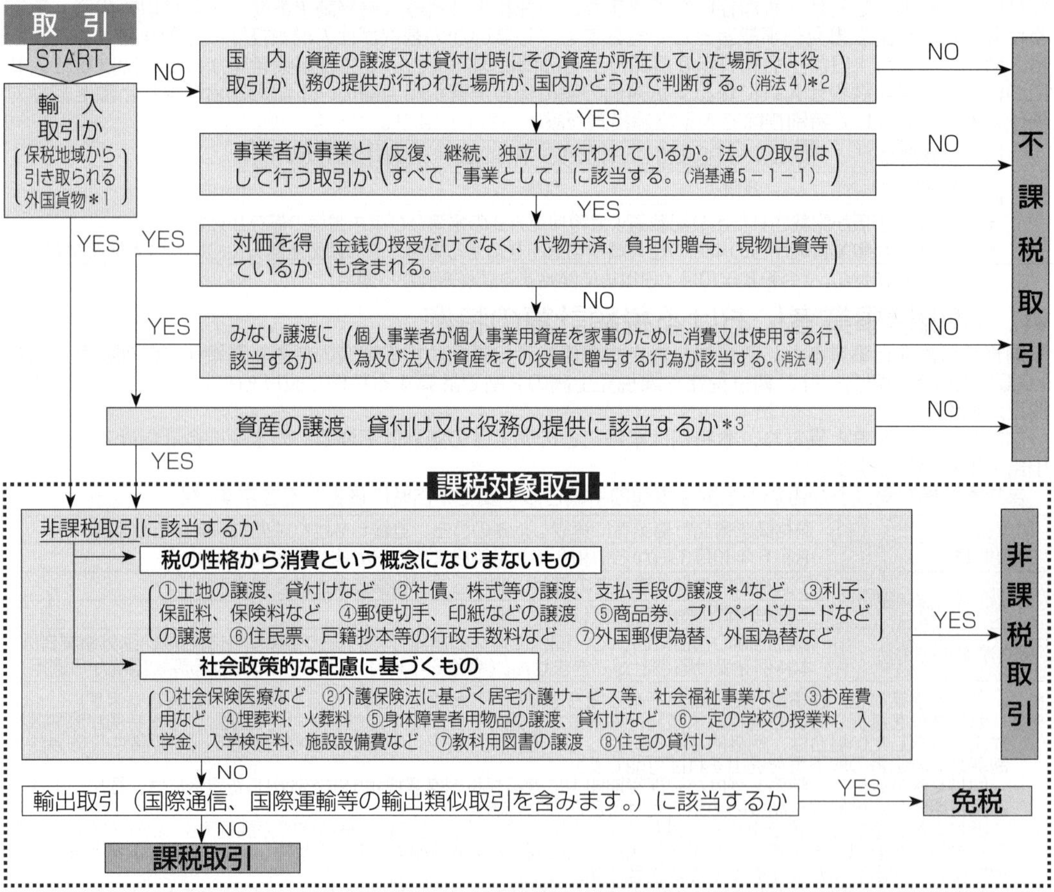

取　引

START

- 輸入取引か（保税地域から引き取られる外国貨物＊1）
  - YES → 課税対象取引へ
  - NO → 国内取引か（資産の譲渡又は貸付け時にその資産が所在していた場所又は役務の提供が行われた場所が、国内かどうかで判断する。（消法4）＊2）
    - NO → 不課税取引
    - YES → 事業者が事業として行う取引か（反復、継続、独立して行われているか。法人の取引はすべて「事業として」に該当する。（消基通5－1－1））
      - NO → 不課税取引
      - YES → 対価を得ているか（金銭の授受だけでなく、代物弁済、負担付贈与、現物出資等も含まれる。）
        - YES → 資産の譲渡、貸付け又は役務の提供に該当するか
        - NO → みなし譲渡に該当するか（個人事業者が個人事業用資産を家事のために消費又は使用する行為及び法人が資産をその役員に贈与する行為が該当する。（消法4））
          - NO → 不課税取引
          - YES → 資産の譲渡、貸付け又は役務の提供に該当するか

資産の譲渡、貸付け又は役務の提供に該当するか＊3
- NO → 不課税取引
- YES → 課税対象取引へ

課税対象取引

非課税取引に該当するか

- **税の性格から消費という概念になじまないもの**
  （①土地の譲渡、貸付けなど　②社債、株式等の譲渡、支払手段の譲渡＊4など　③利子、保証料、保険料など　④郵便切手、印紙などの譲渡　⑤商品券、プリペイドカードなどの譲渡　⑥住民票、戸籍抄本等の行政手数料など　⑦外国郵便為替、外国為替など）
- **社会政策的な配慮に基づくもの**
  （①社会保険医療など　②介護保険法に基づく居宅介護サービス等、社会福祉事業など　③お産費用など　④埋葬料、火葬料　⑤身体障害者用物品の譲渡、貸付けなど　⑥一定の学校の授業料、入学金、入学検定料、施設設備費など　⑦教科用図書の譲渡　⑧住宅の貸付け）

- YES → 非課税取引
- NO → 輸出取引（国際通信、国際運輸等の輸出類似取引を含みます。）に該当するか
  - YES → 免税
  - NO → 課税取引

＊1　外国貨物に係る消費税が納付されておらず、これを知っていた場合を除きます。（消法30⑫）
＊2　国内の者が受ける電子書籍・音楽の配信等で、電気通信回線を介して行われる役務の提供については、国外事業者が提供する場合であっても消費税が課されます。（右ページ3参照）
　国境を越えた役務の提供に対しては、従来の制度では役務提供者の所在地により内外判定を行うこととされていましたが、内外判定の基準を、役務提供を受ける者の所在地とされました。
＊3　金又は白金の地金である場合、仕入れた相手の本人確認書類の保存が必要です。（消法30⑪）
＊4　平成29年7月1日以後はビットコイン等のインターネット上で流通している暗号資産の譲渡についても、紙幣や硬貨、小切手の譲渡と同様に支払手段の譲渡であるとして非課税取引とされています。

❷消費税の取引区分に当たってのポイント

1．輸出免税となる取引（消基通7－2－1）

輸出免税取引については、売上げに係る消費税は免除されますが、対応する仕入れ等に係る消費税は控除することができます。また、課税売上割合（168ページ）の計算に当たっては、分母及び分子に算入しますのできちんと金額を把握しておく必要があります。なお、輸出許可書等の証明書類等の保存が必要です。

輸出免税の対象	(1)本邦からの輸出として行われる資産の譲渡又は貸付け (2)外国貨物の譲渡又は貸付け (3)国内及び国外にわたって行われる旅客又は貨物の輸送、通信	(4)その他（輸出類似取引）……国内と国外との間の郵便若しくは信書便、非居住者に対する特許権、著作権等の無形固定資産等の譲渡又は貸付け、非居住者に対する役務の提供＊（ただし、一定のものを除く。）など

＊非居住者に対する役務の提供

輸出免税の対象となるものから除かれる非居住者に対する役務の提供の例（消基通7－2－16）

(1) 国内に所在する資産に係る運送や保管
(2) 国内に所在する不動産の管理や修理
(3) 建物の建築請負
(4) 電車、バス、タクシー等による旅客の輸送
(5) 国内における飲食又は宿泊
(6) 理容又は美容
(7) 医療又は療養
(8) 劇場、映画館等の興行場における観劇等の役務の提供
(9) 国内間の電話、郵便又は信書便
(10) 日本語学校等における語学教育等に係る役務の提供

2．不課税取引

不課税取引の具体例		
	対価性がない	(1) 保険事故の発生に伴い受ける保険金又は共済金等（消基通5－2－4） (2) 心身又は資産につき加えられた損害の発生に伴い受ける損害賠償金（消基通5－2－5） (3) 株式又は出資に係る剰余金の配当又は出資に係る剰余金の分配（消基通5－2－8） (4) 寄附金、祝金、見舞金、補助金、助成金等（消基通5－2－14、5－2－15） (5) 予約の取消し、変更等に伴って受け取るキャンセル料、解約損害金＊（解約等の請求に応じて行う役務の提供の対価を除く。）（消基通5－5－2）
	資産の譲渡ではない	(6) 資産の廃棄、盗難、滅失（消基通5－2－13）

＊ 平成20年4月1日以後に契約したファイナンスリース取引については、売買取引が原則であるため、賃貸借処理で消費税を分割控除していた場合には、解約時に解約損害金として支払った未払リース料は課税取引として処理することになります。

3．電気通信利用役務＊1の提供（消法2①、4①③三）

国内の者が受ける、電気通信回線を介して行われる役務の提供については、役務提供者が国外事業者であっても、消費税が課されます。ただし、役務の提供を受ける者が事業者か消費者かによって納務義務者や課税方式が異なるため注意が必要です。

役務の提供を受ける者	納税義務者	課税方式
国内事業者	国内事業者（役務提供を受けた者）	リバースチャージ方式＊2
消費者	国外事業者（役務提供を行った者）	申告納税方式＊3

＊1 電気通信回線を介して行われる著作物の提供等（電子書籍・音楽・広告の配信など）をいいます。なお、平成28年4月1日より、国外事業者が国内において行う芸能・スポーツ等の役務の提供も含まれます。（消基通5－8－3）
＊2 納税義務を役務の提供を受けた者に転換する仕組みをいいます。国外事業者から電気通信利用役務の提供を受けた国内事業者は、当該役務提供に係る支払対価の額を「特定課税仕入れ」とし、当該支払対価の額を、課税標準額及び課税仕入額に両建てして、消費税の申告及び納税を行うこととなります。
なお、課税売上割合が95%以上の事業者および簡易課税制度の適用を受ける事業者については、事業者の事務負担に配慮して、当分の間、リバースチャージ対象取引は申告対象から除外されます。また、役務提供を受けた事業者が免税事業者の場合は、リバースチャージ方式による消費税の納税義務も免除されます。
＊3 登録国外事業者（国税庁の登録を受けた消費者向け電気通信利用役務の提供を行う課税事業者）から受ける役務提供以外は、課税仕入れの対象となりません。

会費・入会金の取扱い

同業者団体・組合等に対する会費、組合費、入会金（返還されないものに限る。）等については当該同業者団体・組合等がその構成員に対して行う役務の提供等との間に明白な対価関係があるかどうかによって課税取引か不課税取引か判断します。（消基通5－5－3、5－5－4）

同業者団体・組合等 ←
構成員の事業者 ←
両者ともに判定が困難なものを不課税取引として処理することは可

条件
・継続して処理すること
・同業者団体・組合等は構成員にその旨を通知すること

●通常会費（同業者団体・組合等がその団体としての通常の業務運営のために経常的に要する費用をその構成員に分担させ、その団体の存立を図るというような会費）については、不課税取引として差し支えありません。
●会費等の名目で、実質的に出版物の購読料、映画、演劇等の入場料、職員研修の受講料又は施設の利用料等と認められる会費を徴収している場合については課税取引となります。

4.土地・建物関連取引

土地等の譲渡及び貸付けについては原則として非課税取引となりますが、建物については住宅の貸付けを除き課税取引となります。

土地・建物に関連する取引については消費税の課税区分等に十分注意しなければなりません。

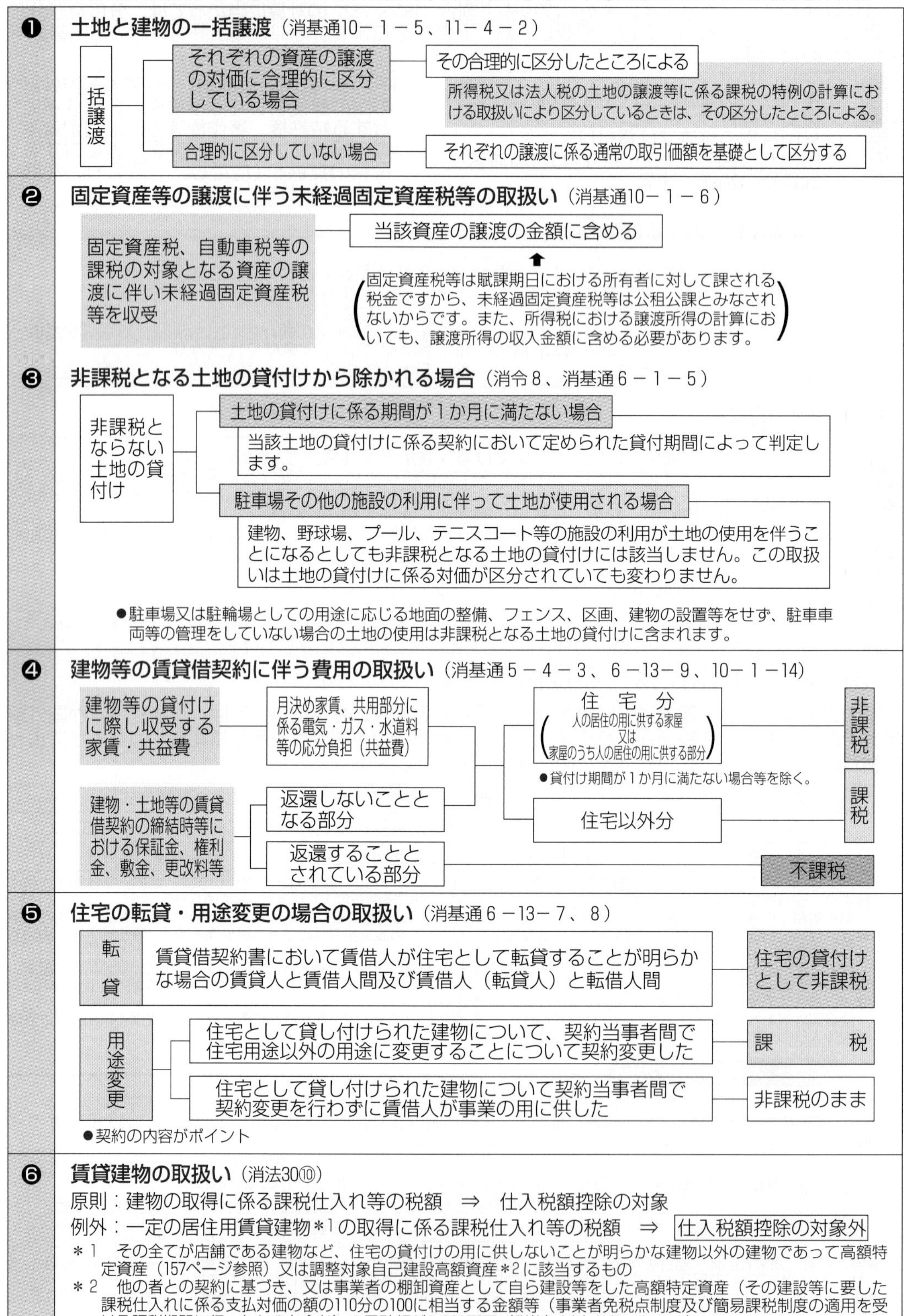

《課税仕入れ等の時期》

「課税仕入れを行った日」は、原則として課税仕入れに係る資産を譲受け、借受け、又は役務の提供を受けた日となりますが、会計処理における費用計上等のタイミングと異なる場合等があるため注意が必要です。（消基通11－３－１～11－３－８）

	ケース	課税仕入れを行った日
割賦購入	割賦購入の方法による課税資産の譲受けが課税仕入れに該当する場合	賦払金の支払時ではなく、当該資産の引渡し等を受けた日
減価償却資産	課税仕入れ等に係る資産が減価償却資産に該当する場合	減価償却費の計上時ではなく、当該資産の引渡し等を受けた日
繰延資産	創立費、開業費、開発費、権利金等の繰延資産に係る課税仕入れ等	繰延資産の償却費の計上時ではなく、当該資産の引渡し等を受けた日
未成工事支出金・建設仮勘定	建設工事等に係る目的物の完成前に行った課税仕入れ等を未成工事支出金（建設仮勘定）として経理した場合	原則：課税仕入れ等をした日 例外：継続適用を条件に当該目的物の引渡し（完成）をした日の属する課税期間の課税仕入れ等とすることができる。 （課税仕入れ等の時期が遅くなります。）
	出来高検収書（元請業者が作成する）：建設工事等の元請業者が下請業者の行った工事等の出来高について検収を行い、当該検収の内容及び出来高に応じた金額等を記載した書類（出来高検収書）を作成し、それに基づき請負代金を支払っているとき（消基通11－６－７）	→元請業者は出来高検収書を作成し下請業者に記載事項の確認を受けることにより、当該出来高検収書に記載された課税仕入れを行ったことになるため、課税仕入れ等の時期が早くなります。（下請業者の課税売上げの計上時期の影響は受けません。）
前払費用	前払費用（一定の契約に基づき継続的に役務の提供を受けるために支出した課税仕入れに係る支払対価のうち当該課税期間末日においていまだ提供を受けていない役務に対応するもの）に係る課税仕入れ等	原則：役務の提供を受けた日 例外：短期前払費用（支払った日から１年以内に提供を受ける役務に係るもの）を継続して支払った日の属する事業年度の損金としている場合は、支払った日
仕入割戻し	(1)　算定基準が購入価額又は購入数量によっており、かつその算定基準が契約その他の方法により明示されている場合	計算の根拠となる資産の譲渡等を受けた日
	(2)　(1)に該当しない仕入割戻し	仕入割戻しの金額の通知を受けた日
	(3)　相手方との契約等により契約の解除、災害の発生等特別の事実が生ずるときまで又は５年を超える一定の期間が経過するまで保証金等として預けることとしているため、利益の全部又は一部を実質的に享受することができないと認められる場合	現実に支払を受けた日 （現実に支払を受ける日の前に実質的にその利益を享受することとなったと認められる場合は、その享受することとなった日）
リース取引	取引の実質から、賃貸借取引、売買取引又は金融取引のいずれに該当するか判断され、課税仕入れの時期も異なってきます。（なお、平成20年４月１日以後締結されるファイナンスリース契約は、原則売買取引となります。）	①賃貸借取引…リース料の発生時 ②売買取引…リース物件の引渡し時（ただし、平成20年４月１日以後に契約を締結する所有権移転外ファイナンスリースで、経理処理として賃貸借処理を行っている場合には、①と同様の分割控除が認められます。） ③金融取引…課税仕入れに該当しない

5 消費税の経理処理方法

――経理処理の方法が法人税に影響する――

消費税の会計処理には、①消費税を課税売上高と課税仕入高に含めて処理する方法（税込経理方式）と、②消費税を課税売上高と課税仕入高に含めないで処理する方法（税抜経理方式）があります。いずれの経理処理方法を採用するかは企業の任意であり、いずれの方法を採用しても納付する消費税額は同額です。

しかし、税込経理方式を採用している場合には、例えば、建物の取得価額も消費税を含めた金額となるため、その消費税分だけ取得価額が多く計上され、税抜経理方式と比較して取得した年度の所得が多く計上されるなど、課税所得の計算上不利な結果となります。

ただし、免税事業者は税抜経理方式は採用できませんし、税抜経理方式は処理が煩雑となります。

また、輸入取引に係る消費税については、税抜経理方式であったとしても申告書作成上区分把握が必要です。

① 税込経理方式と税抜経理方式

消費税の経理処理方法である税込経理方式と税抜経理方式についてまとめると、次のようになります。なお、原則としていずれの方式によるかは事業者の任意ですが、選択した方式については、併用方式が認められる場合を除き、すべての取引について適用しなければなりません。（平元直法2－1、令3課法2－6）

1．税込経理方式（消費税額と本体価額とを区分しないで経理処理する方式）

経理方法	留意点
①　課税売上げに係る消費税を売上金額に含め、課税仕入れに係る消費税を仕入金額、資産の取得価額、経費科目等に含めて計上します。 売掛金110,000／売上　110,000 仕入　88,000／買掛金 88,000 ②　納付税額は租税公課、還付税額は雑収入等で処理します。 租税公課2,000／未払消費税2,000 ③　原則は、当該納税申告書が提出される翌事業年度の損金又は益金となりますが、②のように未払金等を計上すれば、その事業年度の損金又は益金とすることができます。	①　税抜きする必要がないので処理が簡単です。 ②　固定資産や棚卸資産等に消費税が含まれるため、決算数値、課税所得に影響が出ます。 ③　法人税等における金額基準の判定（少額減価償却資産の判定や交際費等）は税込みで行うため、税抜経理方式より消費税分だけ不利になります。 ④　免税事業者は、取引を税抜経理方式で経理していても、法人税計算においては税込経理方式を適用して課税所得金額を計算しなければなりません。 ⑤　売上げ等につき税抜経理している場合に限り併用方式が認められています。

●消費税率10%を前提としています。

〈併用方式〉

売上げ等の収益取引について税抜経理方式を採用している場合に限り、次の税込経理方式との組み合わせが認められています。

区分	売上げ等収益取引	棚卸資産	固定資産及び繰延資産	経費等の支出に係る取引
①	税抜き	税抜き		税込み
②		税込み		税抜き
③		税抜き	税込み	税込み
④				税抜き
⑤		税込み	税抜き	税込み
⑥				税抜き

●個々の固定資産等ごと又は個々の経費支払取引ごとに税込み、税抜きを選択することはできません。
棚卸資産について、固定資産及び繰延資産と異なる方式を選択適用する場合は継続適用が条件となります。

2.税抜経理方式（消費税額と本体価額を区分して経理処理する方式）

経　理　方　法	留　　意　　点
①　課税売上げに係る消費税を仮受消費税に、課税仕入れに係る消費税を仮払消費税に計上します。＊1、2 売掛金　110,000 ／売上　100,000 　　　　　　　　　　仮受消費税　10,000 仕入　80,000 ／買掛金　88,000 仮払消費税　8,000／ ②　仮受消費税から仮払消費税を控除した金額が、原則として納付税額である未払消費税（マイナスのとき還付税額である未収消費税）となります。 仮受消費税　10,000 ／仮払消費税　8,000 　　　　　　　　　　未払消費税　2,000 ③　②において差額が発生する場合（簡易課税制度、小規模事業者における税額計算の特例消費税の端数処理等）は、その差額は、発生した事業年度の損金又は益金となります。 ④　控除対象外消費税がある場合の処理については169ページを参照してください。	①　税抜きする必要があるので処理が煩雑です。 ②　原則として、固定資産や棚卸資産等に消費税を含めないため、決算数値、課税所得が影響を受けることはありません。 ③　法人税等における金額基準の判定は、原則として税抜きで行います。 ④　期中は税込処理しておき、期末に一括税抜経理することも認められます。 ⑤　適格請求書等保存方式導入後は、免税事業者等からの課税仕入れについては、経過措置（161ページ参照）が適用される部分を除き、仕入税額控除を受けることができないので、仕入税額控除を受ける部分は仮払消費税に計上、それ以外の部分は、取引の対価又は固定資産の取得価額に計上することになります。

＊1　消費税率10%を前提としています。
＊2　簡易課税制度（154ページ参照）及び小規模事業者における税額計算の特例（161ページ参照）を適用する事業者が、令和５年10月１日以後に国内において行う課税仕入れについて、税抜経理方式を適用した場合には、継続適用を条件として、課税仕入れに係る支払対価の額に110分の10（軽減税率の場合は110分の８）を乗じて算出した金額を仮払消費税等とすることができます。

❷消費税の経理処理と法人税への影響

1.税込経理方式による課税所得への影響

税込経理方式を採用した場合、課税仕入れに係る消費税額を固定資産や棚卸資産の取得価額に含めるため、会計処理上費用処理されるタイミングがずれ、課税所得に影響が出ます。税抜経理方式で控除対象外消費税が発生し、個々の資産の取得価額に算入したときも同様です。

設　例　（消費税率10%、令和５年10月１日以後を前提）

第１年度期首に耐用年数３年の減価償却資産33,000（税込）を購入、売上高は毎期55,000（税込）で一定、費用は定額法による上記資産の減価償却費のみとします。

税込経理方式	第１年度	第２年度	第３年度	合　計
売上高	55,000	55,000	55,000	165,000
減価償却費	11,000	11,000	11,000	33,000
＊消費税	2,000	5,000	5,000	12,000
利益	42,000	39,000	39,000	120,000

税抜経理方式	第１年度	第２年度	第３年度	合　計
売上高	50,000	50,000	50,000	150,000
減価償却費	10,000	10,000	10,000	30,000
利益	40,000	40,000	40,000	120,000
＊消費税	2,000	5,000	5,000	12,000

＊消費税の計算（地方消費税を含め、基本式（151ページ）に従って計算しています。）

	課税売上	課税仕入
第１年度	55,000×10/110－	33,000×10/110=2,000
第２年度	55,000×10/110－	0×10/110=5,000
第３年度	55,000×10/110－	0×10/110=5,000

この設例のように、各期の納付消費税額は、税込経理方式と税抜経理方式とで変わりませんが、利益（課税所得）が異なってきます。

このように、税抜経理方式の方が、処理は面倒ですが、多額の設備投資を行う場合などには、資金計画上有利になります。

2.その他の法人税への影響

少額減価償却資産の取得価額の判定＊ ▶少額減価償却資産や一括償却資産の取得価額の10万円（30万円）未満や20万円未満の判定、繰延資産の支出金額の20万円未満かどうかの判定については、税抜経理方式なら税抜金額、税込経理方式なら税込金額で判定します。

資産の評価損や寄附金に係る時価 ▶これらの適用を受ける場合の時価についても、適用している経理方式に応じてその価額を計算します。

交際費等の損金不算入＊ ▶原則として交際費等に係る消費税については、交際費等の額に含まれます。ただし、税抜経理方式を採用している場合の控除対象消費税額は含めなくても可。

＊　令和５年10月１日以後に免税事業者等から行う課税仕入れでは、消費税のうち仕入税額控除ができない額が生じますが（161ページ❸3）、その額は資産の取得価額及び交際費等の額に含まれますのでご留意ください。

6 課税売上割合と控除対象外消費税

――控除できなかった消費税はどうなるの？――

課税事業者は、原則として課税売上に係る消費税から課税仕入れに係る消費税を控除して納付（還付）税額を計算します。

当期の課税売上高が５億円超となる場合は、仕入れに係る消費税の全額を控除することができず、個別対応方式か一括比例配分方式により控除対象となる消費税額を計算することになっています。

この取扱いは、課税売上高が５億円超となるその事業年度から適用されるので、課税売上高が５億円超となる可能性のある事業者は日頃から課税仕入れの用途区分（170ページ参照）を帳簿や会計ソフト上で客観的に判断できるようにしておくことが求められます。

また、土地の売却、有価証券の売却や一部の金銭債権の譲渡を行う場合は、課税売上割合の計算において、土地の譲渡対価や有価証券・金銭債権の譲渡対価の５％が非課税売上として集計されるため、控除できる消費税額に影響がでる場合がありますので、その影響について考慮するようにしましょう。

①課税売上割合の計算

課税仕入れに係る消費税を全額控除できる（課税売上割合95%以上）か、また、税抜経理方式を採用している場合に控除対象外消費税をどう処理するか（繰延消費税として資産計上する［課税売上割合80%未満］か、一時の損金として経理する［課税売上割合80%以上］か）について、この課税売上割合がその判定基準となります。したがって、この課税売上割合を計算するために、事業者（免税及び簡易課税制度を適用している事業者を除きます。）は課税売上げと非課税売上げの金額を計算できるようにしておかなければなりません。（消令48）

$$\text{課税売上割合} = \frac{\text{課税期間の課税売上高（消費税を除く）}}{\text{課税期間の総売上高等（消費税を除く）}} = \frac{\text{課税売上高＋免税売上高}}{\text{課税売上高＋免税売上高＋非課税売上高}}$$

MEMO

課税売上割合の算出、ココに注意！

①輸出免税等を分母・分子に含めます。
②分母・分子とも消費税を含めません。また、売上げに係る対価の返還等の金額を控除します。
③有価証券や一部の金銭債権の譲渡対価の額については、その５％を分母に含めます。（下記参照）
④支払手段（通貨、小切手、手形、暗号資産等）の譲渡対価の額は分母に含めません。
⑤資産の譲渡等の対価として取得した金銭債権の譲渡については分母に含めません。（下記参照）
⑥売現先取引用債券等の譲渡については、分母に含めません。
⑦課税売上割合の計算を事業所単位・事業部単位で行うことはできません。（消基通11－５－１）
⑧原則として端数処理は行いませんが、任意の位で端数を切り捨てることは認められます。（消基通11－５－６）

金銭債権の譲渡と課税売上割合

事業譲渡等に伴って売掛金や貸付金といった金銭債権を譲渡することがありますが、金銭債権の譲渡については、その発生原因によって課税売上割合の計算上の取扱いが異なりますので注意が必要です。

①売掛金の譲渡…課税売上割合の計算の分母に含めません。（消令48②）
　⇒資産の譲渡等の対価として取得した売掛金の譲渡を、再度資産の譲渡等の対価に含めた場合には、譲渡の二重カウントになるので、課税売上割合の計算上、分母に含めないこととしています。
②貸付金の譲渡…課税売上割合の計算の分母に含めます。なお、平成26年４月１日以後に行われた金銭債権（資産の譲渡等の対価として取得したものを除く）の譲渡においては、譲渡対価の５％を分母に含めます。（消令48⑤）

❷課税売上割合と控除対象外消費税

課税売上割合の大きさにより、仕入税額控除できる金額が異なり、税抜経理方式を採用している場合の控除対象外消費税の処理方法が異なってきます。なお、ここでは最も法人税の損金計上が早くなる方法を前提としたフローチャートにしています。（法令139の４）

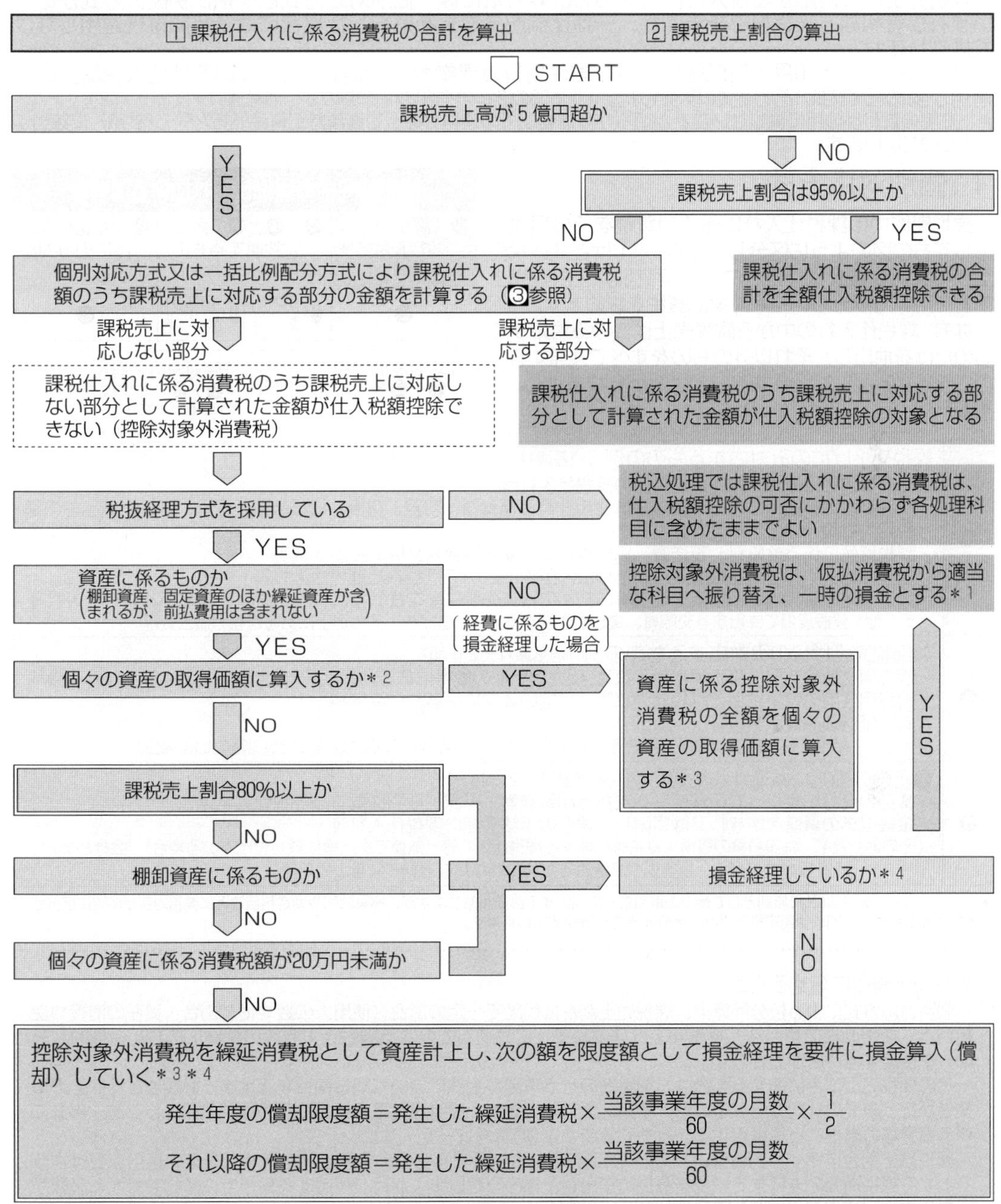

＊１　交際費等に係る消費税のうちで、控除対象外消費税となった金額は、交際費等としての損金不算入の計算の対象となります。なお、簡易課税制度を選択している場合は、「控除対象外消費税×$\frac{\text{交際費に係る消費税}}{\text{課税仕入れに係る消費税}}$」で計算した金額と、「交際費に係る消費税×（１－課税売上割合）」で計算した金額とのいずれか有利な方を選択することができます。

＊２　ただし、個々の資産ごとに取得価額に算入するかどうかを選択することはできません。

＊３　簡易課税制度を選択している場合の資産に係る控除対象外消費税についても、「控除対象外消費税×$\frac{\text{取得資産に係る消費税}}{\text{課税仕入れに係る消費税}}$」で計算した金額と、「取得資産に係る消費税×（１－課税売上割合）」で計算した金額とのいずれか有利な方を選択することができます。

＊４　法人税申告書別表十六（十）の添付が必要です。

③課税仕入れに係る消費税の全額を仕入税額控除できない場合

税抜経理方式を採用している事業者で、課税売上高が５億円超の事業者や課税売上割合が95%未満の事業者については、課税仕入れに係る消費税の全額を仕入税額控除することができません。その場合には、課税売上げに対応する仕入税額のみを控除することになります。

課税売上げに対応する仕入税額を求める計算方法には、個別対応方式と一括比例配分方式があり、いずれか有利な方を選択できますが、一括比例配分方式を選択した場合には２年間継続適用しなければなりません。

なお、令和２年10月１日以後に行った居住用賃貸建物＊の課税仕入れについては仕入税額控除の適用が認められないこととなりました。（消法35の２、消令50の２、53の２、消基通11－７－１、２）

＊　住宅の貸付けの用に供しないことが明らかな建物以外の建物であって高額特定資産（157ページ参照）に該当するものをいいます。

１.個別対応方式

課税期間中の課税仕入れに係る消費税をその用途に応じて右の図のように区分し、「課税売上げと非課税売上げに共通する課税仕入れに係る消費税」を課税売上割合を用いて按分し、控除対象消費税を求めます。

なお、課税仕入れの中から課税売上げにのみ対応するものだけを抽出し、それ以外のものをすべて共通するものに該当するとして区分することは認められません。（消基通11－２－18）

課税期間中の課税仕入れに係る消費税			
❶　課税売上げにのみ対応するもの	❸　❶と❷の両方に共通するもの（課税売上割合で按分）		❷　非課税売上げにのみ対応するもの
❶	❸×課税売上割合	❸×非課税売上割合	❷

控除対象消費税
＝❶＋❸×課税売上割合

控除対象外消費税
＝❷＋❸×非課税売上割合＊
＊非課税売上割合
＝（１－課税売上割合）

❶	課税売上げにのみ対応するものの例（消基通11－２－10、11、14） ・そのまま他に譲渡される課税資産の課税仕入れ等 ・課税資産の製造用にのみ消費し又は使用される原材料、容器、包紙、機械装置、工具、器具、備品等の課税仕入れ等 ・課税資産に係る倉庫料、運送費、広告宣伝費、支払手数料又は支払加工賃等 ・国外において行う資産の譲渡等のために、国内において行われた課税仕入れ等 ・課税資産の譲渡等に係る販売促進等のために得意先等に配布される試供品、試作品等に係る課税仕入れ等 （その他）建設現場で支出する交際費、貸ビル建設する土地の造成費・その地上にある建物の撤去費用
❷	非課税売上げにのみ対応するものの例（消基通11－２－15） ・販売用土地の造成に係る課税仕入れ等、販売用土地の取得に係る仲介手数料、土地の譲渡に係る仲介手数料 ・賃貸用住宅の建築に係る課税仕入れ等、住宅の賃貸に係る仲介手数料 ・有価証券の売買手数料等 （その他）社宅・従業員寮の取得・維持等に要する課税仕入れ等（有償で従業員に貸し付けている場合）
❸	❶と❷の両方に共通するものの例（消基通11－２－16～17） ・株券の発行に当たって印刷業者へ支払う印刷費等、不課税取引に要する課税仕入れ等 ・金銭以外の資産を贈与し又は寄附した場合の当該資産の課税仕入れ等 （その他）社宅・従業員寮の取得・維持等に要する課税仕入れ等（無償で従業員に貸し付けている場合）、会社が負担する社員の食事代金、損害賠償金を得るために要した交通費・弁護士費用等

● ３つの区分に分けるには、原則として個々の取引ごとに判定する必要がありますが、事業部門や勘定科目ごとに業務内容が明確に区分されている場合には、部門別や勘定科目ごとに区分する方法等が認められます。

MEMO

課税売上割合に準ずる割合

個別対応方式による按分計算上、課税売上割合に代えて一定の割合（使用人の数や従事割合・資産の消費や使用割合・使用面積の割合など課税売上と非課税売上に共通して要する課税仕入れ等の性質に応じた合理的なもの）を使用することができます。

この課税売上割合に準ずる割合は、事業者の行う事業の全部について同じ割合を適用する必要はなく、その事業者が行う事業の種類の異なるごと、事業に係る販売費・一般管理費その他の費用の種類の異なるごと、事業に係る事業場の単位ごとに適用することもできます。（消基通11－５－８）

・課税売上割合に準ずる割合は、「消費税課税売上割合に準ずる割合の適用承認申請書」をその適用を受けようとする課税期間の末日までに税務署長に提出し、その翌日以後１か月を経過する日までに承認を受ける必要があります。（消法30③、消令47）
・課税売上割合に準ずる割合の承認を受けている場合、課税売上割合に準ずる割合が95%以上でも、課税売上割合が95%未満なら課税仕入れに係る消費税の全額控除は適用できません。全額控除の判定基準となる95%以上の判定は、準ずる割合ではなく課税売上割合によって行います。
・たまたま土地を譲渡して課税売上割合が95%未満となった場合、前課税期間の課税売上割合と前３年の通算課税売上割合を比較して、低い方を課税売上割合に準ずる割合として用いることができます。
　この場合、翌課税期間に適用廃止届出書の提出が必要です。

2．一括比例配分方式

課税期間中の課税仕入れに係る消費税に課税売上割合を乗じて、控除対象消費税を求めます。

①課税期間中の課税仕入れに係る消費税	
（課税売上割合で按分）	
①×課税売上割合	①×非課税売上割合
控除対象消費税	控除対象外消費税

●一括比例配分方式を選択すると２年間継続適用しなければなりません。

アドバイス

個別対応方式と一括比例配分方式のどちらを選択するかは、個別対応方式を採用した場合の事務コスト等（170ページ参照）や翌期以降に多額の設備投資を行う場合など多くの点に考慮して行ってください。

❹控除対象仕入税額の調整

⑴課税売上割合が著しく変動した場合、⑵課税用と非課税用との間で固定資産の用途変更を行った場合、⑶免税事業者から課税事業者となった場合等には、控除対象仕入税額の調整が必要です。

⑴　課税売上割合が著しく変動した場合

長期にわたって使用する固定資産について仕入時の課税売上割合のみで仕入税額控除の金額を決めてしまうのは問題があるため、取得後３年間の通算課税売上割合が著しく変動した場合には、控除対象仕入税額を加減算して調整します。（消法33）

なお、賃貸住宅建設時の消費税の過大還付手続防止のため、本来免税事業者であった者が課税事業者選択届出書を提出し課税事業者になった後もしくは新設法人等（153ページ参照）の設立の後、２年の間に調整対象固定資産を取得した場合には、取得した課税期間を含んで３期間は強制的に課税事業者（免税及び簡易課税制度選択不可）となり、この規定の適用を受けます。（消法９⑦、12の２②、12の３③、37③）

調整対象固定資産とは

次に掲げる棚卸資産以外の資産で一の取引の単位につき100万円（税抜）以上のもの（資本的支出を含みます。）

建物及びその附属設備、構築物、機械及び装置、船舶、航空機、車両及び運搬具、工具、器具及び備品、鉱業権等の無形固定資産、ゴルフ場利用株式等、生物　など（消令５）

●当該調整対象固定資産について除却、廃棄、滅失又は譲渡があったため第三年度の課税期間の末日に有していない場合には課税売上割合が著しく変動していても適用はありません。（消基通12－３－３）

課税売上割合が著しく変動した場合の調整

Ⓐ仕入れ等の課税期間における課税売上割合
Ⓑ仕入れ等の課税期間以後３年間の通算課税売上割合 とすると

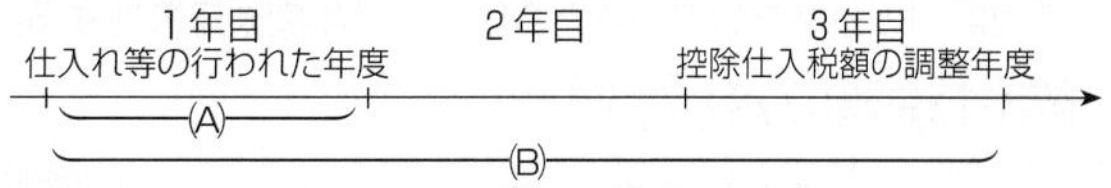

１年目　仕入れ等の行われた年度（Ⓐ）　２年目　３年目　控除仕入税額の調整年度（Ⓑ：１年目～３年目）

①課税売上割合が著しく増加したとき

$$\frac{Ⓑ-Ⓐ}{Ⓐ}\geqq 50\%\ かつ\ Ⓑ-Ⓐ\geqq 5\%\ の場合$$

（調整対象固定資産に係る消費税額×Ⓑ）－（調整対象固定資産に係る消費税額×Ⓐ）の金額を控除仕入税額に加算

②課税売上割合が著しく減少したとき

$$\frac{Ⓐ-Ⓑ}{Ⓐ}\geqq 50\%\ かつ\ Ⓐ-Ⓑ\geqq 5\%\ の場合$$

（調整対象固定資産に係る消費税額×Ⓐ）－（調整対象固定資産に係る消費税額×Ⓑ）の金額を控除仕入税額から減算

⑵　固定資産の用途変更を行った場合

個別対応方式を採用している場合に調整対象固定資産の用途を課税業務用、非課税業務用相互間で転用した場合、転用までの経過期間に応じて仕入れに係る消費税額を調整します。（消法34、35）

課税業務用 →（控除仕入税額から減算）→ **非課税業務用**
非課税業務用 →（控除仕入税額に加算）→ **課税業務用**

●令和２年10月１日以降に取得した非課税業務用の調整対象固定資産を課税業務用に転用した場合又は譲渡した場合には、控除対象仕入税額に一定の割合を乗じた金額が加算されます。

加減算する税額の計算

①取得後１年以内に転用した場合 ──→ 調整対象税額の全額
②取得後１年を経過した日の翌日から１年以内に転用した場合 ──→ 調整対象税額の２／３
③取得後２年を経過した日の翌日から１年以内に転用した場合 ──→ 調整対象税額の１／３

⑶　棚卸資産に係る仕入税額の調整

①　免税事業者が課税事業者になった場合（消法36①）

免税事業者であった期間中に課税仕入れ等を行い、課税事業者になった日の前日に棚卸資産として有している場合に、その資産に係る仕入税額を課税事業者になった日の属する課税期間の控除仕入税額に加算します。

②　課税事業者が免税事業者になった場合（消法36⑤）

課税事業者であった期間中に課税仕入れ等を行い、免税事業者になった日の前日に棚卸資産として有している場合に、その資産に係る仕入税額を免税事業者になった日の属する課税期間の直前課税期間の控除仕入税額から減算します。

7 消費税の申告と納付

――消費税の申告は、法人税と同時でよい？――

法人の場合、消費税の確定申告は、法人税と同様、事業年度終了後２か月以内に行うこととなっています。法人税の場合、会計監査人の監査を受けなければならない等の理由により、確定申告書の提出期限を延長できる特例制度がありますが、消費税についても、令和２年度税制改正により、確定申告書の申告期限が１か月延長される特例が創設されました。

また、消費税の場合、確定申告のほかに前事業年度の消費税の納税額（地方消費税を除く。）に応じて年１回、年３回又は年11回の中間申告が必要となりますので、納税の準備等に気を付けておく必要があります。

①消費税の確定申告

会社の場合、事業年度（課税期間）終了後２か月以内に消費税の確定申告書を提出し、その申告に係る消費税額を納付しなければなりません。（個人事業者の場合は３月31日が申告期限です。）（消法45、45の２）

なお、令和３年３月31日以後に終了する事業年度末日の属する課税期間から、法人税の確定申告書の提出期限の延長の特例を受けている法人が、「消費税申告期限延長届出書」を提出した場合には、届出書を提出した事業年度末日の属する課税期間以後の課税期間の申告期限が１か月延長される特例が創設されました。

(注)　課税期間の短縮をしている場合は、事業年度末日の属する課税期間のみ延長できます。

１.納付税額の会計処理

税抜経理方式	税込経理方式
仮受消費税から仮払消費税を控除した金額と当該課税期間に係る納付（還付）消費税との間に生じた差額は、当該課税期間を含む事業年度において益金の額又は損金の額に算入します。	原則：当該納税申告書が提出された日の属する事業年度の損金の額又は益金の額に算入します。 例外：申告期限未到来の当該納税申告書に記載すべき消費税の額を損金経理により未払金に計上もしくは収益の額として未収入金に計上したときは、その事業年度の損金又は益金の額に算入します。

２.課税期間の短縮

輸出を主に行っており、常に還付を受けることとなるような会社などについては、課税期間特例選択届出書を提出すれば、事業年度開始の日から１か月ごと又は３か月ごとに区分した各期間を課税期間とすることで還付金を早期に受け取ることができます。ただし、２年間は継続しなければならないので注意してください。（消法19）

【設例】事業年度が１月１日～12月31日の法人が８月20日に「課税期間特例選択届出書」を提出した場合の課税期間

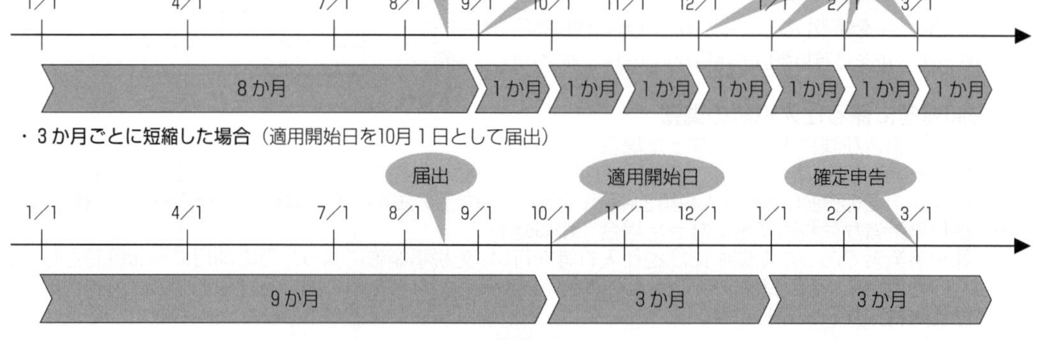

❷中間申告

前事業年度の消費税納税額（直前課税期間の確定税額で地方消費税は含みません。）の金額により、中間申告の時期（回数）と金額が異なります。（消法42）ただし、仮決算による場合、控除不足額（還付額）が生じた場合でも還付を受けることはできません。（消基通15－1－5）

(1)　前事業年度の消費税納税額が48万円以下の会社

●中間申告の必要はありません。

（注）平成26年4月1日以後開始する課税期間から、中間申告義務のない事業者が、中間申告書を提出する旨の届出書を提出した場合には、年1回中間申告書を提出することができることとされています。（消法42⑧）なお、その場合でも仮決算を行って中間申告を行うことができます。

(2)　前事業年度の消費税納税額が48万円超400万円以下の1年決算の会社

●年1回中間申告する必要があります。

納付額　原則：前事業年度の納税額の6／12、仮決算による場合：（Ⅰ）の期間を一課税期間とみなして計算した納付額

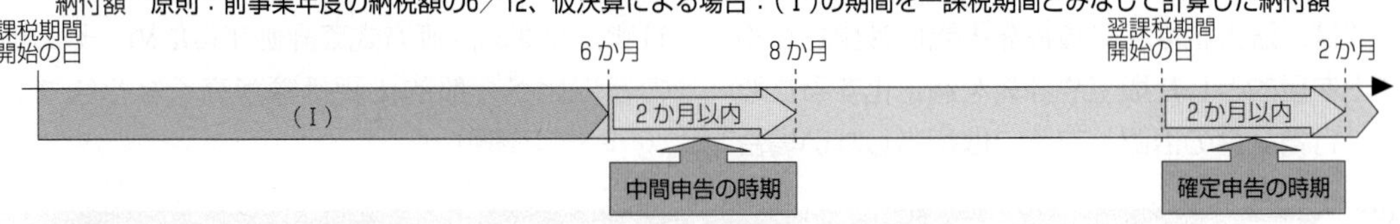

(3)　前事業年度の消費税納税額が400万円超4,800万円以下の1年決算の会社

●年3回中間申告する必要があります。

納付額　原則：前事業年度の納税額の3/12、仮決算による場合：（Ⅰ）（Ⅱ）（Ⅲ）の期間をそれぞれ一課税期間とみなして計算した納付額

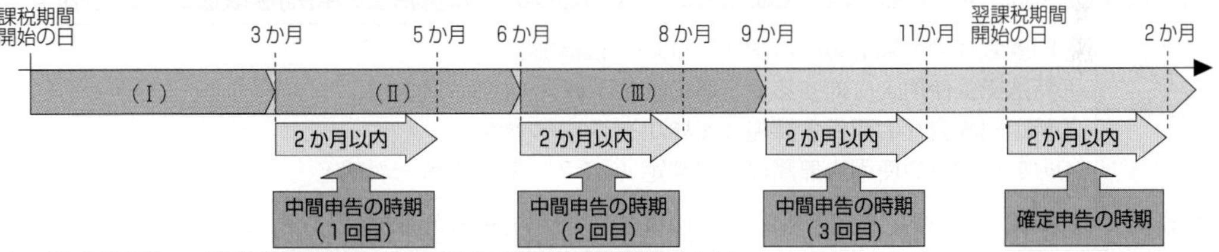

(4)　前事業年度の消費税納税額が4,800万円超の1年決算の会社

●年11回中間申告する必要があります。

納付額　原則：前事業年度の納税額の1/12、仮決算による場合：（Ⅰ）～（Ⅺ）の期間を一課税期間とみなして計算した納付額

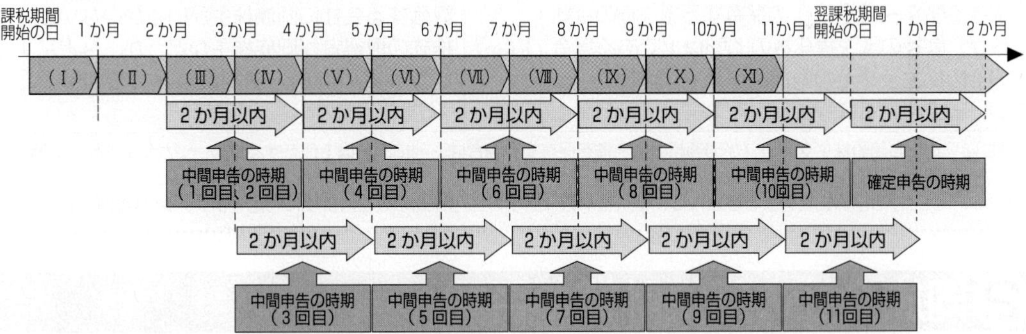

●中間申告の時期については、（Ⅰ）の課税期間は、当該課税期間の開始の日から2か月を経過した日から2か月以内、（Ⅱ）～（Ⅺ）の課税期間は、当該課税期間の末日の翌日から2か月以内となります。なお、消費税の申告期限の延長特例の適用を受けている場合（172ページ❶参照）は、当該課税期間開始後の2月分（（Ⅰ）～（Ⅱ）の課税期間）は、当該課税期間の開始の日から3か月を経過した日から2か月以内となります。

●11回目の中間申告は事業年度終了後に行われるので、消費税申告書作成時の中間納付税額の集計や、決算書の未払消費税等の計上の際には、11回目の中間申告額の取扱いに留意が必要です。

❸輸入取引の申告、納付

課税対象となる外国貨物を保税地域から引き取る者（事業者か否かを問いません。）は、原則としてその引取りの時までに、引取りの都度、輸入申告書を提出し消費税を納付します。（消法47）

この課税貨物に係る消費税額は、原則として1品目ごとにCIF価格等を基に計算され、また、納付時に100円未満が切り捨てられているため、事務的に支払対価の額×7.8/110（軽減税率対象品目の場合は6.24/108）で国内取引と同様に仕入税額控除の計算をすることはできません。申告書付表の作成上も課税貨物に係る消費税（7.8%部分。軽減税率対象品目は6.24%）を区分把握できるようにしておく必要があります。

1 同族会社の判定と行為計算の否認

――税法は同族会社に厳しい…？――

一　般　に 同族会社と呼ばれるような会社では、株主と経営者が同一であり、会社の取引と個人的な取引とを混同してしまう傾向があるため、税務上の問題が生じることもあります。

そこで、法人税法などにおける同族会社については、法人税などの負担を不当に減少させることを目的とした取引や計算を適正化するための「行為計算の否認」、あるいは配当しない場合などに内部に留保された金額に課税する「留保金課税」などの特別な規定が設けられています。

また、相続時、取引相場のない株式を評価する際には、会社の経営に支配力を持つ同族株主等の株式の評価については、配当還元方式はとれず、原則的評価方式で評価するため、その他の者に比べ一般的に評価額が高くなります。（278ページ参照）

❶ 同族会社や同族株主の特別な取扱い

同族会社（法人税）及び同族株主（相続税）について次のような税務上の特別な取扱いがあります。

法人税	①同族会社の行為計算の否認（法法132）（下記参照） ②特殊関係使用人に対する給与等の損金不算入（右ページ❹参照） ③特定同族会社の留保金課税（法法67）（176ページ参照） ④みなし役員や使用人兼務役員の判定（法令7、71）（258ページ参照）
相続税	同族株主が取得した取引相場のない株式の評価方法→原則的評価方式（278ページ参照）

同族株主とは？

会社の株主のうち、株主の1人及びその同族関係者（右ページ❸＊1）の保有する議決権の合計数が、会社の議決権総数の30%以上である場合のその株主及びその同族関係者を同族株主といいます。（評基通188）（注1、2）

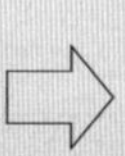

MEMO

取引相場のない株式の評価にあたり、その評価する会社に同族株主がいるかいないか、株式の取得者が同族株主かどうか、などにより株式の評価方法が異なってきます。（279ページ参照）

（注1） ただし筆頭株主グループが50%超の議決権を保有する場合は、他に30%以上保有するグループがいても50%超保有するグループだけが同族株主となります。

（注2） 会社が自己株式を有する場合には、議決権総数にはその自己株式の数を含まずに判定します。（評基通188-3）

❷ 同族会社の行為計算の否認（法法132）

同族関係者（右ページ❸＊1）で株式のほとんどを保有し、経営支配権を握っているような同族会社においては、法人税などの負担を不当に減少させる目的で、非同族会社では容易に行えないような取引をする恐れがあるとみられます。

このような同族会社の租税回避行為を牽制する目的から、同族会社等の取引で「これを認めた場合には、法人税などの負担を不当に減少させる結果になる」ものがある場合に、税務署長はその法人の行った取引や計算にかかわらず、適正な取引が行われたものとして法人税などの課税所得や法人税額などを計算することができるという同族会社の行為計算の否認規定が設けられています。

同族会社の行為計算の否認を受ける可能性のある取引の例

高校に就学している長男に、役員としての職務を遂行していないにも係わらず、役員報酬を支給している場合

他の取引先に対する販売価額等と比較してあまりにも低い価額で関係会社と取引を行った場合

（注） 同族会社の行為計算の否認規定は、非同族会社である親法人とその法人に50%超所有されている子法人（同族会社と判定される）との間の取引など、取引の一方が同族会社である場合にも適用されます。

❸同族会社の判定（法法２十、法令４、法基通１-３-１）

同族会社に該当するかどうかの判定は、期末の現況に基づいて行われます。
以下のいずれかの判定を満たす場合は同族会社と判定されます。

判定	内容
A持株割合による判定	会社の株主等の３人以下及びこれらの同族関係者＊１が、その会社の発行済株式又は出資の総数又は総額の50%超を有するか？
B議決権割合による判定	会社の株主等の３人以下及びこれらの同族関係者＊１が、その会社の一定の議決権＊２総数の50%超を有するか？＊３、４
C社員数割合による判定（持株会社の場合）	社員の３人以下及びこれらの同族関係者＊１がその会社の社員数（出資者数）の過半数を占めるか？

（注）会社が自己株式等を有する場合には、「株主等」「発行済株式又は出資」からその自己株式等を除きます。

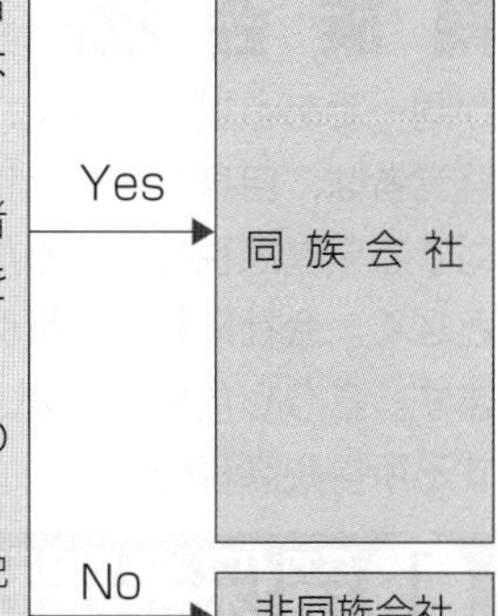

Yes → 同族会社
No → 非同族会社

＊１　同族関係者とは次の個人又は法人をいいます。

同族関係者となる	個人	その株主等の親族、使用人、その株主等から受ける金銭により生計を維持している者など
	法人	その株主等が、持株割合、議決権割合、社員数割合で過半数を占めている他の会社

＊２　議決権の行使において異なる種類の株式を発行している場合、そのうち議決権割合の判定の対象となる「一定の議決権」は、以下のいずれかの決議に係る議決権になります。

イ．事業の全部若しくは重要な部分の譲渡、解散、組織再編等
ロ．役員の選任及び解任
ハ．役員の報酬、賞与その他職務執行の対価として会社が供与する財産上の利益に関する事項
ニ．剰余金の配当又は利益の配当

＊３　議決権を行使できない株主等が有する議決権がある（子会社の有する親会社株式など、その株式の設定としては議決権があるものの、その株主等が有することを理由に会社法その他の法令等の制限により議決権がない）場合は、その議決権の数を除きます。（法基通１-３-６）

＊４　議決権割合の計算においてのみ、ある株主の意思と同一の内容の議決権を行使することに同意している者の議決権を、その株主の議決権に含めて判定します。なお、「同一の内容の議決権を行使することに同意している者」に当たるかどうかは、契約、合意等により当該個人又は法人の意思と同一の内容の議決権を行使することに同意している事実があるかどうかにより判定します。（法基通１-３-７）

各同族会社の判定時期

行為計算の否認……行為又は計算の事実のあったとき（法法132）
留保金課税……事業年度終了の時（法法67）

❹特殊関係使用人に対する給与等の損金不算入

役員の親族等で役員にならず、その会社の経営に従事していない場合には「みなし役員」（258ページ参照）に該当しないため、その給与は通常、損金算入されます。しかし、役員の親族等である使用人（特殊関係使用人）に対する給与等が不相当に高額な場合は、その高額とされる部分は損金に算入されません。（法法36、法令72、72の２、法基通９－２－40、９－２－41）

１．過大な使用人給与（通常の給与のほか、債務免除等の経済的利益を含む。）

①当該使用人の職務の内容
②法人の収益・他の使用人の給与支給状況
③同種規模類似法人の使用人の給与支給状況

２．過大な使用人退職給与

①当該使用人の業務従事期間
②退職の事情
③同種規模類似法人の使用人の退職給与支給状況

これらに照らして相当と認められる額を超える部分の金額 ⇨ 損金不算入

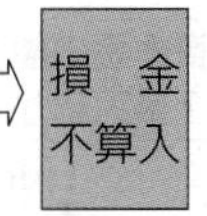

特殊関係使用人とは

Ａ．役員の親族
Ｂ．役員と事実上婚姻関係と同様の関係にある者
Ｃ．Ａ．Ｂ以外で役員から生計の支援を受けている者
Ｄ．Ｂ．Ｃの者と生計を一にするＢ．Ｃの親族

2 特定同族会社の留保金課税

――社長の配当に対する税金と留保金課税どっちが得？――

同　族　会　社においては、株主と経営者が同一である場合が多く、会社に利益が出ても、経営者は、自身が株主として受け取る配当金に対する累進課税を避けるため、特に配当することなく、会社に利益を留保しておくことがあります。こうした場合には、株主の配当所得に対する所得税課税のタイミングが遅れるため、会社に一定金額以上の留保金額が生じたときには、通常の法人税及び地方法人税とは別に課税が発生します。これが特定同族会社の留保金課税の制度です。現在は、資本金１億円以下の中小企業が特定同族会社の留保金課税制度の対象から除外され、内部留保充実促進が図られています。

① 留保金課税が適用される会社の判定

１.特定同族会社とは

同族会社（175ページ参照）のうち、留保金課税の適用を受ける特定同族会社とは、被支配会社＊について、その判定の基礎となった株主等のうちに被支配会社でない法人がある場合には、その法人を判定の基礎となる株主等から除外して判定しても被支配会社となる会社（中小同族会社を除く。）をいいます。

＊　被支配会社とは、以下のいずれかに該当する会社をいいます。（法令139の７）

①その会社の発行済株式又は出資の総数又は総額の50%超を有する（持株割合）上位１順位株主グループがいる場合のその会社
②その会社の一定の議決権につきいずれかの議決権総数の50%超を有する（議決権割合）上位１順位株主グループがいる場合のその会社
③持分会社の場合には、その会社の社員数の過半数を占める（社員数割合）上位１順位株主グループがいる場合のその会社

● 被支配会社でない法人には、当該被支配会社でない法人の子会社、孫会社、ひ孫会社等を含むものとされます。該当する法人がある場合、法人税申告書別表２の「被支配会社でない法人株主等」の欄に持株数を記載します。（法基通16-1-1）

判定例　以下の株式保有関係において、「①A社の上位１順位株主グループ」が保有するA社株式の持株割合と「②A社」「③a（個人）」が保有するX社株式の持株割合がケース１ ～ ３の場合、X社は特定同族会社に該当するか？
なお、A社とa（個人）は同一株主グループ（258ページ参照）である。

①A社の上位１順位株主グループ ？%
↓
②A社 ？%　③a（個人） ？%
Aグループで X社株式を70%保有
↓
X社（被支配会社）

（%は持株割合）

	ケース１	ケース２	ケース３
①が保有するA社株式	60%	40%	40%
A社は被支配会社か（持株を判定に含めるか）	はい	いいえ	いいえ
②が保有するX社株式	40%	10%	60%
③が保有するX社株式	30%	60%	10%
特定同族会社に該当するか	はい	はい	いいえ

ケース１：A社は被支配会社であり、X社の支配判定にA社の持株を含めることになる。
②A社と③a（個人）で70%保有するため、X社は特定同族会社に該当する。
ケース２：A社は被支配会社でなく、X社の支配判定にA社の持株は含めない。
③a（個人）で60%保有しているため、X社は特定同族会社に該当する。
ケース３：A社は被支配会社でなく、X社の支配判定にA社の持株は含めない。
③a（個人）は10%しか保有していないため、X社は特定同族会社に該当しない。

【判定例の解説】
X社はX社の同一株主グループがX社株式を50%超保有しているため、被支配会社になります。
X社が特定同族会社に該当するかどうかの判定にあたっては、A社が被支配会社かどうかが判定のポイントになります。
被支配会社でない場合、A社が保有するX社株式は特定同族会社の判定に含めないことになります。

２.留保金課税が適用される会社

事業年度末における資本金の額等が１億円以下の同族会社（中小同族会社という。ただし資本金の額等が５億円以上である法人等の100%子法人を除く。）は、留保金課税の適用対象から除外されています。（法法67）

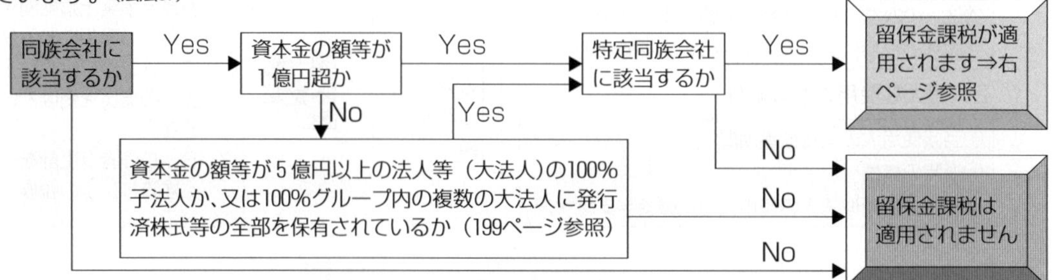

❷配当所得に対する課税と留保金課税

1.配当課税と留保金課税

留保金課税が適用される特定同族会社では、配当すると、その分留保所得金額が減り税額（留保金課税）は減少しますが、配当を受けた個人においては、配当所得に対する所得税や住民税が課されるので、法人の留保金課税と個人の配当課税でどちらが有利になるか十分に検討する必要があります。なお、通常、オーナー株主の場合の配当金に対する課税の方法は、20.42%の源泉徴収後に確定申告による総合課税（配当控除あり）となります。（254ページ参照）

なお、中小同族会社については、留保金課税が適用されないため、配当を控えるなどにより会社の資本充実を図ることができます。

2.留保金課税の計算（法法67）

留保金課税制度は、株主に対する配当原資となる金額（当期留保金額）から留保控除額を差し引いた金額が課税の対象となります。以下では、留保金課税の計算の流れをみてみることにします。（法人税申告書の計算例は369ページ参照）

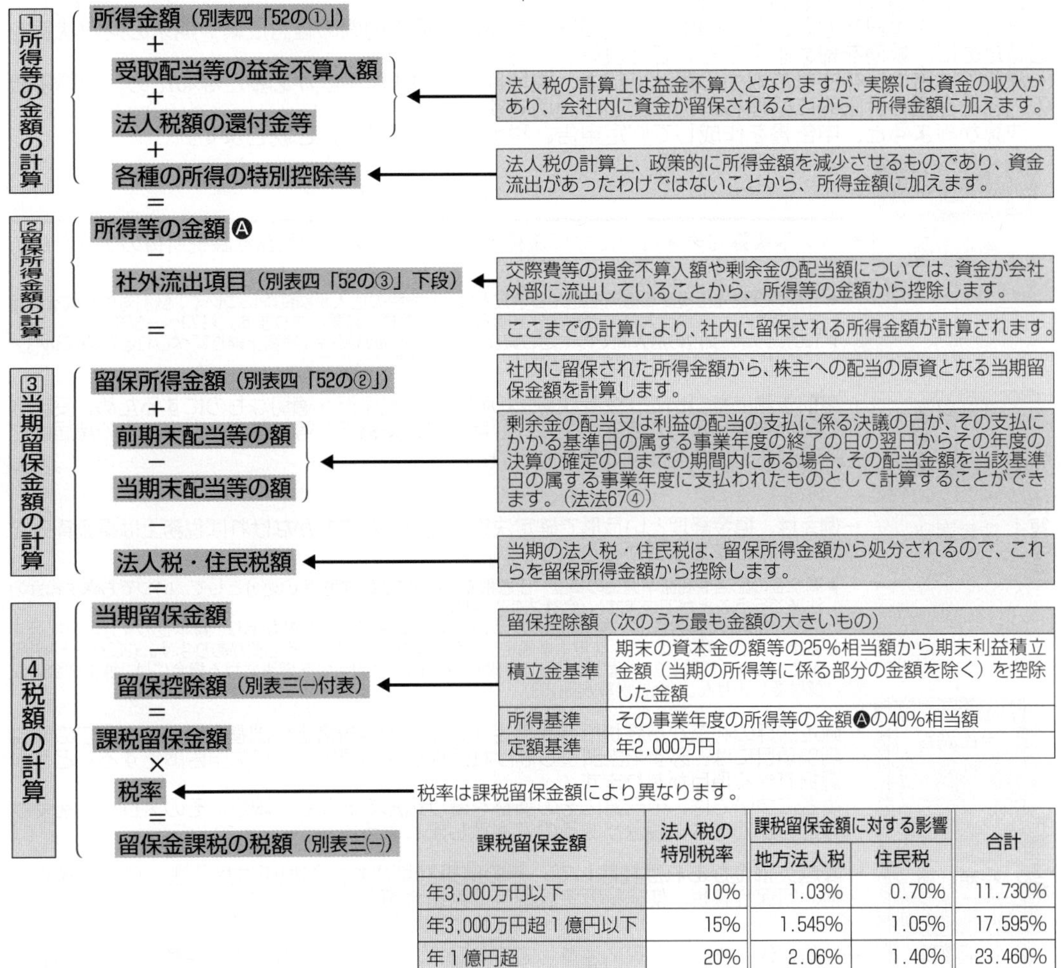

課税留保金額	法人税の特別税率	課税留保金額に対する影響		合計
		地方法人税	住民税	
年3,000万円以下	10%	1.03%	0.70%	11.730%
年3,000万円超1億円以下	15%	1.545%	1.05%	17.595%
年1億円超	20%	2.06%	1.40%	23.460%

アドバイス

課税留保金額は、繰越欠損金等控除前の所得金額総計を基準に計算されるので、繰越欠損金等の控除により所得金額がゼロとなる場合であっても、課税留保金額が生じ、納付すべき税額（留保金課税）が発生する場合があるので注意が必要です。

1 決算対策と決算・申告手続

――決算対策は決算日までが勝負――

経営者にとって決算対策は大きな関心事ですが、一口に決算対策といっても、例えば、自社の業績をできるだけよく見せたいという側面、納税額をできるだけ低くしたいという側面、当期だけでなく来期以降のことまで考慮しておかなければならないという側面などさまざまな側面を持っています。

いずれの側面を重視するかによって、以下に説明する各種の決算対策をうまく組み合わせて実行する必要があります。

① 決算から申告・納付までの流れ

決算対策を行うにも、決算日が過ぎてしまってからでは選択可能な対策は限られたものになってしまいます。少なくとも決算の数か月前には決算数値を予測して、決算日までに行える対策をきちんと実行しておくことを心がけましょう。

そして、決算日を迎え、会社の事業年度が終了すると、その期間の経営成績や期末の財政状態を知るために、帳簿を締める手続として「決算」を行います。

決算では日々記帳された取引の集計に加え、実地棚卸等の決算手続が必要となるため、決算手続の内容を把握し計画的に処理していくことが大切です。

決算が締まると、申告書を作成して確定申告、税金の納付（還付）と続きます。

決算から申告・納付までの流れ	ポイント
事前予測	←適切な決算対策を行うために決算前に会社の決算上の利益と課税所得の予測をします。 ●当期の課税売上高が５億円を超える事業者は、消費税の仕入税額控除について、個別対応方式を適用するために、課税仕入れの用途区分を明らかにしておく必要があります。(170ページ参照) ●100%グループ内の法人間での一定の資産移転による譲渡損益は税務上繰り延べられるため(214ページ参照)、決算対策としての資産譲渡については留意が必要です。
決算対策	←事前予測に基づいて、会社決算上の利益と課税所得を適切なものにするため、妥当な対策を検討し実行します。更に、翌期以降の損益予測等に基づき、税務上の諸届けも決算日までに提出しておきましょう。
決算日	
決算手続：決算調整	←例えば、損金経理という形で確定決算に織り込んでおかなければ税務上は損金算入を認めないとする項目があります。 ●剰余金の配当や利益準備金の積立、任意積立金の積立は、剰余金の処分として、いつでも株主総会の決議で行うことができます。(会社法452、453) なお、剰余金の配当には、純資産額及び分配可能額による財源規制があり、資本金の４分の１に達するまで、配当額の10分の１を資本準備金又は利益準備金へ積立てる必要があります。(202ページ参照) また、法令（税法上の準備金等）又は定款の定めにより剰余金を増減させる場合には、株主総会の決議は要しません。(会社計算規則153)
税務手続：申告調整	←確定決算の利益から課税所得を算定するための申告書上の調整をいいます。この申告調整項目には、必ず申告調整しなければならない項目と任意に申告調整するかどうか選択できる項目があります。 後者については、申告書にその調整を織り込んでおかない限り、そのメリットを受けることができない場合があるので注意しましょう。
税務手続：税額計算	←繰越欠損金があれば控除して、その結果計算された課税所得から法人税額を求める他、留保金課税、使途秘匿金課税等に係る税額を計算します。
税務手続：税額控除	←控除要件、控除対象等に注意して控除漏れ、控除誤りがないよう注意しましょう。
確定申告	←申告期限内に提出しなければ、一定の場合を除き（193ページ参照）無申告加算税がかかるなどのペナルティが課されます。
納付（還付）	←納税額がある場合は期限内に納付しなければ延滞税がかかってきます。

❷今期の決算予測に基づいた決算対策あれこれ

事前予測によって、予想以上に利益が出ているときは、節税対策が経営者にとって大きな関心事となってくることでしょう。特に最近は引当金が廃止されるなど急な決算対策が困難となっているため、事前の対策が重要なポイントとなってきます。課税所得の大きさや資金繰り、その他会社の事情を考慮し、会社にとって実行可能で、かつ有効な方法を選択してください。

決算対策の方法	税務上の取扱い	対策及び注意点	参照
不要在庫の処分	不要な在庫等を期末日までに実際に廃棄すれば損金算入できます。	帳簿上の処理だけでは損金と認められず、実際に廃棄したことの証拠書類等の保存が必要です。	45ページ
設備投資	減価償却費が損金算入できますが、期中取得分については、損金に算入できる金額は、月割分だけです。	耐用年数が短い資産の方が効果が大きくなります。中古資産の取得の場合は、新品よりも短い耐用年数が適用できます。	116ページ
備品等の購入	取得価額が10万円未満であれば、損金に算入できますが、10万円以上であれば資産計上が必要です。また、取得価額が20万円未満であれば、一括償却資産として3年均等償却できます。	一定の中小企業者等が平成18年4月1日～令和8年3月31日までの間に、取得価額が30万円未満の資産を取得し事業供用した場合は、年間300万円まで即時償却が認められています。	115ページ
特別償却	特定の企業又は特定の事由がある場合、通常の減価償却費以上に償却できる特例措置があります。	特例を受けるための要件を検討し、該当する資産を購入することが必要です。	122ページ
修繕の実施	固定資産の通常の維持管理及び原状回復のため等の支出は修繕費として損金算入できます。	固定資産の価値を増加させたり、使用可能期間を延長させる支出は資本的支出とされます。	130ページ
保険の利用	生命保険、損害保険のうち支払保険料の全額又は一部を損金算入できるケースがあります。	いろいろな保険があるので、福利厚生等本来の目的を考慮して選択しましょう。	268ページ
消耗品の購入	一定数量を取得し、かつ、経常的に消費するものについては、その取得時に損金算入できます。	継続適用が必要で、期末時に一時的に大量に購入したものなどは、損金算入できません。	40ページ
短期前払費用の支払	支払日より1年以内に役務の提供を受けるものについては支払時に損金算入できます。	継続適用が必要です。収益の計上と対応させる必要があるものを除きます。（法基通2－2－14）	
決算賞与	損金経理すれば、一定の使用人賞与は損金算入できます。	期末までに支払うか支給を受けるすべての使用人に支給額を通知した上で決算日から1か月以内に支払う必要があります。	38ページ
未払金、未払費用の計上	決算期間に対応する費用は実際に支払っていなくても損金算入できます。	債務が確定していることを立証できるよう、請求書や契約書等の資料を整理しておきましょう。	
貸倒損失・貸倒引当金の計上	一定の事実があった時に貸倒損失に計上したり、貸倒引当金に繰り入れたりして損金算入できます。	回収不能と認められる状況等の把握とその状況を示す証拠資料の整備が必要です。	66ページ
消費税の個別対応方式の適用	一括比例配分方式より、個別対応方式の方が一般的には有利となります。	課税売上高が5億円を超えそうな事業者は、課税仕入れをその用途に応じて3つに区分し、個別対応方式を適用できるように準備する必要があります。	170ページ

③翌期の予測に基づいた主な申請・届出等

今期利益が出たからといって棚卸資産の評価方法を原価法から低価法に変更しようとしても、事業年度開始の日の前日までに変更の届けを出しておかなければ、評価損の計上は認められません。そこで、翌期の予測に基づいて必要な申請・諸届けを当期中に行っておくことも、翌期の決算対策の一つとして忘れてはなりません。

具体的には以下の提出書類を、提出期限までに、納税地の所轄税務署長に提出します。

届出等の内容	提出書類等	提出期限
棚卸資産・有価証券の評価方法の変更（法令30、119の６）	棚卸資産の評価方法の変更承認申請書 有価証券の１単位当たりの帳簿価額の算出方法の変更承認申請書	新たな方法を採用しようとする事業年度開始の日の前日まで
減価償却方法の変更（法令52）	減価償却資産の償却方法の変更承認申請書	〃
消費税の計算方法の変更（消法９、37）	簡易課税制度選択届出書＊ 簡易課税制度選択不適用届出書 消費税課税事業者選択届出書＊ 消費税課税事業者選択不適用届出書 適格請求書発行事業者の登録申請書＊	〃

＊　提出期限の特例については、161ページ参照

●消費税の簡易課税・課税事業者選択届出書を提出した事業者は、原則として、簡易課税業者・課税事業者となった課税期間の初日から２年を経過する日の属する課税期間の初日以後でなければ不適用届出書を提出することはできません。

MEMO

事業年度開始の日の前日が日曜祝日等であっても、届出書等の提出期限は事業年度開始の日の前日であるその日までとなります。

④決算手続で実施する主な項目

決算日を過ぎてまず取り組むのが、次の決算手続です。

決算手続の項目	内容	留意点
現金・受取手形有価証券等の実査	期末時点での手持ち残高のチェック及び銀行等の外部に保管されている残高を確認します。	保護預り、担保差入の有価証券や取立依頼又は割引中の受取手形等については残高証明書等の代替書類で残高を確認します。
預金・借入金	銀行等の預金・借入金残高を通帳、銀行残高証明書等により確認します。	残高に差異があった場合には残高調整表を作成し、理由を明らかにし、決算に織り込むべきものは適切に処理しておきます。
実地棚卸	期末に残っている棚卸資産の数量・重量をカウントします。	売れる見込みがないものなどを決算日までに廃棄すれば損金となります。
棚卸資産の評価	最終仕入原価法又は先入先出法等届け出た評価方法で棚卸資産を評価します。	物価下落時には先入先出法は評価が低くなるため税務上有利となります。
売掛金・買掛金の調整	会社の売掛金・買掛金残高と相手先の残高を照合し、差異がある場合は必要な調整をします。	債権・債務について残高確認状を送付すれば効果的です。
未収・前受・前払・未払の計上	収益又は費用が期間対応するように経過・未経過勘定を計上します。	未払費用を計上したり短期前払費用（法基通２－２－14）を損金経理したりすれば節税が図れます。

⑤決算調整項目と対策上の留意点

課税所得は、株主総会での決議など、最終の決定機関で確定した決算に基づいて計算しなければなりません。そのため、決算で所定の経理処理をしておかなければ税務上認められないものがあります。そのための経理処理を決算調整といいます。なお、決算調整項目としてはⒶ損金経理をした場合に限って損金算入されるものとⒷ損金経理のほか剰余金の処分によっても損金算入されるものがあります。うっかり、損金経理を忘れてしまったなどとならないように十分注意しましょう。

	決算調整の項目	内　　容	留　意　点
Ⓐ損金経理を要する項目	減価償却費の計算	定額法、定率法等届け出た償却方法により償却費を計算します。	定率法は早期に多くの償却費を計上できます。
	引当金の計上	貸倒引当金、返品調整引当金＊2等を計上します。	引当金の設定要件に注意が必要です。
	繰延資産の償却	法人税法上の繰延資産には任意償却できるものと所定の年数にわたって償却しなければならないものとがあります。	任意償却ができる繰延資産は、費用が発生した期に全額損金経理することができます。
	評価損の計上	棚卸資産、有価証券、固定資産などで評価損を計上できる場合があります。	評価損が計上できる要件に注意が必要です。
	圧縮記帳	交換、換地処分等の圧縮記帳	圧縮記帳が認められるための要件に注意が必要です。
Ⓑ損金経理のほか剰余金の処分によることができる項目＊1	準備金の積立て	海外投資等損失準備金など	申告書に明細書の添付が必要です。
	圧縮記帳・特別勘定の設定	Ⓐに属する圧縮記帳以外の圧縮記帳等（特定資産の買換えの場合など）	圧縮記帳が認められるための要件に注意が必要です。

＊1　決算日までに剰余金の処分により準備金や積立金に計上（株主資本等変動計算書に表現）するか、決算日後決算の確定の日までに剰余金の処分により準備金や積立金に計上（協同組合等や医療法人などの場合）する必要があります。

＊2　返品調整引当金は廃止されましたが、適用要件を満たす法人については経過措置が設けられています。

⑥税務手続と対策上の留意点

申告調整は確定申告書上で行いますが、受取配当等の益金不算入のように申告書上で記載のない限り益金不算入の特典が受けられない項目や試験研究費の税額控除や賃上げ促進税制の税額控除のように確定申告書等の提出後において新たに制度を適用することが認められない項目がありますので、調整漏れがないように注意しましょう。

電子申告

「国税電子申告・電子納税システム（e-Tax）」及び「地方税ポータルシステム（eLTAX）」がそれぞれ導入され、書面に代えて国税及び地方税に関する申告や納税、申請等の手続がインターネットを通じて行うことができます。なお、大法人（内国法人のうち事業年度開始時に資本金の額等が１億円超の法人等）及び通算法人は電子申告が義務化されています。

電子申告の特長

(1)電子署名の省略

「税理士の電子署名」だけで電子申告を行うことができます。電子申告には納税者の住基カード等は不要です。

(2)還付金処理状況の確認

e-Taxを利用して還付申告を行った場合には、支払予定日等、還付金の処理状況について、税務署に問い合わせることなく、e-Taxにログインすることにより確認することができます。

(3)還付がスピーディー

e-Taxで申告された還付申告は、書面申告に比べて早期に処理が行われますので、還付金の受取が早くなります。

(4)イメージデータによる提出

法人税等をe-Taxで申告する場合、出資関係図、収用証明書等の添付書類の提出において、書面提出に代えて、PDF形式によるイメージデータでの提出が可能です。なお、財務諸表、勘定科目内訳書等電子データにより提出が可能な添付書類はイメージデータによる提出はできません。

【書面による税務関係書類の押印義務】

以下の書類を除き税務関係書類の押印が不要となりました。

①　担保提供関係書類・物納手続関係書類のうち実印の押印や印鑑証明書の添付を求めている書類

②　相続税・贈与税の特例における添付書類のうち遺産分割協議に関する書類

2 申告と納付

――確定申告も税金の納付も"２か月以内"が基本――

会 社 は通常、会計期間を１年を超えない範囲で定めており、この場合には、その会計期間を税務上も１事業年度として税務計算を行うことになります。もし、１年を超える会計期間が定款等に定められている場合には、税務上は、１年ごとに区分した各期間を事業年度として税務計算を行います。

そして会社は、原則として事業年度終了後２か月以内に法人税、地方法人税、法人住民税、法人事業税の確定申告をし、納税額があれば、税金を納付しなければなりません。また、事業年度が６か月を超える法人は、期首から６か月を経過した日から２か月以内に中間申告をする必要があります。

① 申告

原則として、事業年度終了の日の翌日から２か月以内に確定申告をして、税金を納付しなければなりません。ただし、次の場合、事業年度終了の日までに申請書を提出すれば、申告期限を延長することができます。

申告期限を延長できるケース		延長期間
①	定款等の定め又は特別な事情があることにより、２か月以内に定時株主総会が招集されない常況にあると認められる場合	１か月
②	会計監査人設置会社で、かつ、定款の定めにより３か月以内に定時株主総会が招集されない常況にあると認められる場合	４か月を超えない範囲内で税務署長が指定する月数
③	特別な事情があることにより、３か月以内に定時株主総会が招集されない常況にあると認められる場合	税務署長が指定する月数

また、事業年度が６か月を超える普通法人（設立後最初の事業年度等（適格合併による新設法人を除く。）や清算中の法人は除く。）については、下表のとおり中間申告をする必要があります。予定申告の場合で法人税の中間申告税額が10万円以下であれば、法人税、地方法人税、法人住民税及び法人事業税の中間申告は不要です。ただし、外形標準課税適用法人については、法人事業税の予定申告もしくは中間申告が必ず必要となります。

種　類	方　法	期　限	納付税額・方法
確定申告	原　則 （法法74）	事業年度終了後２か月以内	当事業年度の税額から中間納付額等を控除した金額を納付します。
	申告期限の延長の申請をした場合 （法法75の２）	事業年度終了後３か月（又は税務署長の指定する月数）以内	●本来の申告期限内に見込納付します。 ●見込納付しない場合又は見込納付額が不足する場合には延長された期間について利子税等（右ページ参照）がかかります。
中間申告	前年実績による予定申告 （法法71）	事業年度開始の日から６か月経過時点より２か月以内	原則として（１年決算の会社の場合） 法人税　前事業年度の法人税額*の½ 地方法人税　前事業年度の地方法人税額*の½ 法人住民税　前事業年度の法人税割額*の½+均等割額*の½ 法人事業税　前事業年度の法人事業税額*の½
	仮決算による中間申告（法法72）		事業年度開始から６か月分を１事業年度とみなして計算する仮決算により中間申告することもできます。

＊　３月決算の場合、９月30日までに前事業年度の修正申告をした場合は修正後の税額をもとに納付税額を計算します。

●消費税については、172、173ページ参照。なお、法人税の申告期限の延長の適用を受ける法人が、消費税の延長の適用を受けようとする事業年度の末日までに申告期限延長の届出をした場合、消費税の確定申告期限を１か月延長できます。
申告書は申告期限までに所轄税務署へ提出しなければなりませんが、提出のどの時点で税務上の提出があったものと認められるのかについては、税法上特に規定はなく、原則的には申告書が申告期限内に所轄税務署へ到達しておかなければなりません（民法97①）なお、郵送等で提出する場合、一部の税務署では郵送先が業務センターになります。

アドバイス

上半期の所得が前年の所得の半分より少ない場合には、申告の手間等を考慮したうえで、仮決算による中間申告を選択すればよいでしょう。ただし、仮決算による中間申告税額が予定申告税額を超える場合には、仮決算による中間申告書を提出することができません。

●法人事業税の申告書を複数の都道府県に提出している法人で、法人全体では仮決算による中間申告税額が予定申告税額を下回っている場合でも、分割基準の関係で、仮決算による中間申告税額が予定申告税額を超える都道府県については、仮決算による中間申告書の提出ができませんので留意して下さい。

申告期限・提出日の取扱い

申告期限、提出日については、それぞれ以下のような取扱いがあります。

申告期限が日曜日、国民の祝日その他一般の休日又は土曜日、12月29日～31日に当たるとき

その翌日が申告期限になります。（通法10②、通令２②）

申告期限が元旦及び年始の特別休暇（１月２日及び１月３日）中に到来するとき

１月４日（１月４日が土曜日の場合は１月６日、日曜日の場合は１月５日）が申告期限になります。（通基通10－４）

●申告期限の延長の起算日は上記の取扱いがなく、当初の期限が延長の起算日となります。

郵送等（郵便又は信書便）で提出された納税申告書等の提出日

その郵便物又は信書便物の通信日付印に表示された日が提出日とみなされます。日付の表示が確認できないときは、通常要する送付日数を基準とした場合にその日に相当するものと認められる日が提出日とみなされます。（通法22、地法20の５の３）

●１　原則として郵便ポストへの投函時点に上記の提出があったとみなされるものではありません。
　２　信書便扱い以外の宅配便や小包郵便物等は、上記の郵送等に当たらないため原則どおり税務署又は業務センターに到達した日が提出日とされます。レターパックは信書便であるため通信日付印の日が提出日とみなされますが、ゆうパックや宅配便は信書便ではないため、送付先に到達した日が提出日とされます。
　３　税務署の執務時間終了後その日のうちに税務署の文書受付箱に投函した場合には、その日に提出されたことになります。
　４　減価償却方法の届出書等のように提出期限の定めがある書類や消費税課税事業者選択届出書等のように一定の期間又は期日に提出することにより国税に関する法律の適用関係が定まる書類も発信主義が適用されます。

MEMO

期限内に確定申告書の提出がない場合については192ページ参照。更に、確定申告書が２事業年度連続して期限内に提出されなかった場合、所轄税務署長は当該２事業年度目以後の申告書から青色申告の承認を取り消すことができます。（法法127）

延滞や申告期限の延長をしたときには利息がかかる

法定納期限までに税金を納付しなかった場合には、延滞税（地方税は延滞金）がかかり、これは法人税の計算上損金不算入となります。申告期限の延長期間中にも利子税（地方税は延滞金）がかかりますが、これはその内容が単なる遅延利息であるため損金に算入されます。（192ページ参照）

【申告書控えへの収受日付印の押なつの見直し】

今後もe-Taxの利用拡大が見込まれること等の見通しを踏まえ、令和７年１月以降所轄税務署等に提出された申告書等の控えへの収受日付印の押なつが行われなくなります。当面の対応として希望者には税務署等の窓口や郵送等により日付や税務署名を記載したリーフレットが交付されます。

②納付

法人税、地方法人税の納付先は本店所在地を所轄する税務署、法人住民税と法人事業税の納付先はその事業所等が所在する都道府県及び市町村です。納付方法は以下のいずれかを選択します。

⑴現金支払い　金融機関や所轄税務署の窓口、コンビニ等で納付する方法
⑵電子的方法　インターネットやスマートフォンを利用して遠隔で納付する方法＊1

納付方法	内容	留意点
クレジットカード納付	インターネット上で手続きを行い納付する方法	納税額が1,000万円未満に限定され、利用手数料は納税者負担になります。
スマホアプリ納付	国税スマートフォン決済専用サイトから「Pay払い」を利用して納付する方法	納税額が30万円以下に限定されます。また、利用できないPayサービスがあります。
ダイレクト納付（e-Tax、eLTAXによる口座振替）	事前に税務署へ届出を行い、届出を行った預貯金口座からの引落しにより即時又は期日を指定して納付する方法＊2	土・日・祝日には即時納付を利用できない可能性があります。
インターネットバンキング等による納付	インターネットバンキングやATM等を利用して即時納付する方法	

＊1　電子的方法を利用している個人・法人については、令和６年５月分以降税務署からの納付書の送付が取りやめになりました。この場合に現金支払いによって納付する場合は、所轄税務署で用意された納付書を取りに行く必要があります。

＊2　令和６年４月１日以降に法定納期限が到来する申告手続きについて、e-Taxで申告等データを送信する際に、必要事項にチェックを入れるだけで法定納期限に自動で預貯金口座から引落し納付される「自動ダイレクト機能」が追加されました。なお、法定納期限に自動ダイレクトの手続きをした場合は、その翌取引日に引落しされます。

3 欠損金の繰越控除と繰戻し還付

――決算で欠損が出てしまった。さて…？――

法人税などは基本的に事業年度を基準にして税金の計算が行われるため、事業年度によって赤字になったり黒字になったりするような会社について、単年度ごとの計算だけで税金の計算を行ってしまうと税負担が不合理な結果となってしまいます。

そこで、所得金額がマイナスになった場合には、前年度の黒字と通算して税金を計算した結果、納めすぎとなった税額を還付する制度（欠損金の繰戻し還付制度）と、将来の黒字から、当該欠損金を控除することができる制度（欠損金の繰越控除制度）によって、税負担の調整が図られています。

なお、欠損金の繰戻し還付制度は原則として適用が停止されていますが、中小法人等の平成21年２月１日以後に終了する各事業年度に生じた欠損金額については適用できます。

① 欠損金の繰戻し還付制度（法法80、措法66の12）

制度の内容	要　件
当期に欠損が生じた場合、当期前１年以内に開始したいずれかの事業年度の所得金額と通算して法人税額を求めた結果、前年度に納めすぎとなった税金を還付してもらう	還付の対象となる事業年度から欠損事業年度まで連続して青色申告書を提出し、かつ欠損事業年度に期限内確定申告書を提出していること（災害の場合は下記＊１参照）

$$\text{還付される法人税額＊} = \text{還付所得事業年度の法人税額} \times \frac{\text{欠損事業年度の欠損金額（分母を限度）}}{\text{還付所得事業年度の所得金額}}$$

＊　地方法人税についても、欠損金の繰戻し還付制度があります。（地方法人税法23）

▶欠損金の繰戻し還付が受けられる法人等

令和８年３月31日までの間に終了する事業年度において生じた欠損金額については、繰戻還付制度の適用が停止されていますが、以下の法人等については、繰戻し還付の適用が認められています。

対象法人等	対象欠損事業年度	還付請求書提出期限
①中小法人等 ・普通法人のうち事業年度終了時の資本金の額等が１億円以下のもの（資本金の額等が５億円以上である法人等の100％子法人を除く。）、又は資本等を有しないもの ・公益法人等・協同組合等 ・人格のない社団等	当該欠損金額に係る事業年度（欠損事業年度）	欠損事業年度の申告書の提出と同時
②解散等の事実があった法人（法法80④） 解散（適格合併による解散を除く。）・事業の全部譲渡・更生手続開始・再生手続開始・事業の全部の相当期間の休止又は重要部分の譲渡等の事実があった内国法人	当該事実が生じた日前１年以内に終了したいずれかの事業年度、又は、同日の属する事業年度	当該事実が生じた日以後１年以内
③災害にあった法人＊１（法法80⑤） 災害＊２にあい、災害欠損事業年度において生じた欠損金額のうち、災害損失金額＊２に達するまでの金額（災害損失欠損金額）がある法人 ・上記還付される法人税額の計算式の分子は災害損失欠損金額になります。 ・繰戻しの対象となる還付所得事業年度は、青色申告法人の場合は前２年以内に開始した複数の事業年度が対象となります。	災害のあった日から１年を経過する日までに終了する事業年度又は６月を経過する日までに終了する中間期間（災害欠損事業年度）	災害欠損事業年度の確定申告書の提出と同時（仮決算による中間申告書の場合はその提出期限まで） ・仮決算による中間申告でも、所得税額の還付を受けることができます。

＊１　還付の対象となる事業年度から欠損事業年度の前事業年度まで連続した確定申告書を提出し、かつ欠損事業年度の確定申告書又は仮決算による中間申告書を提出していることが適用要件となります。

＊２　災害及び災害損失金額の内容は右ページ③参照。

- 上記以外の法人についても、清算中に終了する事業年度（平成22年10月１日以後の解散に限る。）や設備廃棄等欠損金を有する法人については、繰戻し還付の適用を受けることができます。（213ページ参照）
- 法人税について、欠損金の繰戻し還付を受けた場合、地方税については同様の還付制度がないため、還付法人税額（控除対象還付法人税額）を10年間（平成30年３月31日以前は９年間）に限って法人税割の課税標準となる法人税額から控除することができます。ただし、欠損事業年度以後連続して道府県民税（市町村民税）の確定申告書を提出している場合に限ります。（地法53⑬⑯）

❷欠損金の繰越控除制度（法法57）

法人の各事業年度開始の日前10年＊以内に開始した事業年度において生じた欠損金額がある場合に、控除限度額(欠損金控除前所得金額×控除割合(下表参照))を限度として、当該欠損金額を当該各事業年度の所得金額の計算上、損金の額に算入するのが欠損金の繰越控除制度です。

＊　平成20年４月１日以後終了事業年度から平成30年３月31日以前開始事業年度までに生じた欠損金額は９年。

制度の内容	当事業年度の所得金額から、過年度において生じた欠損金額を、最も古い事業年度において生じた欠損金から順に控除する制度			
	欠損金控除前所得金額に対する控除割合	中小法人等	100%	中小法人等の定義については184ページ参照。
		中小法人等以外	50%	新設法人（資本金等の額が５億円以上である法人等の100%子会社等を除く。）の設立の日から７年を経過する日までの各事業年度については100%の控除割合となります。
適用要件	欠損金の生じた事業年度において青色申告書を提出し、かつ、その後も連続して確定申告書を提出しており、欠損金の生じた事業年度に係る帳簿書類及び電子取引の取引情報を保存していること。			

【中小法人等と中小法人等以外の欠損金控除額の違い】

繰越欠損金600	中小法人	中小法人等以外	備考（令和７年３月期を前提としています）
欠損金控除前所得金額	200	200	欠損金控除前所得金額200＜繰越欠損金600
欠損金控除額	△ 200	△ 100	中小法人等以外は、欠損金控除前所得金額の50%しか控除できません。
欠損金控除後の所得金額	0	100	中小法人等以外は、当期の欠損金控除前所得が繰越欠損金の合計額以内であっても、課税所得が発生します。
翌期繰越欠損金	400	500	控除できなかった繰越欠損金は翌事業年度に繰り越されます。

●再建を目指す法人支援のための欠損金の損金算入の特例（控除割合制限、期限切れ欠損金の特例）は209、210ページ参照
●解散した法人の欠損金の損金算入の特例（期限切れ欠損金の特例）は213ページ参照
●買収した欠損等法人による租税回避の防止については231ページ参照

繰越欠損金の100%控除の特例

産業競争力の強化に係る措置として、コロナ禍で欠損金の生じた会社が抜本的な企業変革に取り組めるよう、２事業年度（令和２年４月１日から令和３年４月１日までの期間内の日を含む事業年度）＊1において生じた青色欠損金について、産業競争力強化法の事業適応計画の認定を受けた場合には、翌期以降、最大で５年間、適格投資＊2の範囲内で繰越欠損金の50%限度を超える部分（最大100%）の繰越控除が可能となります。

＊1　一定の要件を満たす場合には、令和２年２月１日から同年３月31日までの間に終了する事業年度も対象となります。（ただし、最大２事業年度）

＊2　認定された事業計画に基づく投資で事業所管大臣の確認がなされた投資。

❸青色申告書を提出しなかった事業年度の災害による損失金の特例

災害により生じた一定の欠損金については、青色申告書を提出しなかった法人であっても10年間＊の繰越しが認められています。（法法58）

＊　平成20年４月１日以後終了事業年度から平成30年３月31日以前開始事業年度までに生じた欠損金額は９年。

災害の範囲（法法58①、法令115）	自然現象の異変による災害（震災、風水害、火災、冷害、雪害、干害等） 人為による異常な災害（鉱害、火薬類の爆発等）、生物による異常な災害（害虫、害獣等）
対象資産の範囲（法法58①、法令114）	棚卸資産、固定資産（長期貸付金、投資有価証券等は含まない。） 繰延資産（他の者の有する固定資産を利用するために支出されたものに限る。）
災害損失金額（法令116）	上記の資産に生じた損失 － 保険金、損害賠償金等により補填された金額 ●取壊し・除却その他の付随費用を含む。 ●災害損失金額は、災害の発生した日、又はやんだ日の属する事業年度において損金経理した金額に限られます。ただし、災害のやんだ日の翌日から１年を経過した日の前日までに支出した取壊費等を当該支出の日の属する事業年度に損金経理したときは、この額も災害損失金額として認められます。（法基通12－２－１）
適用要件（法法58②③④、法規26の3③）	以下の要件をいずれも満たす場合に認められます。 ①当該欠損金額の計算に関する明細書（別表七）を添付した確定申告書を提出していること ②その後、連続して確定申告書を提出していること ③当該欠損金額の生じた事業年度に係る帳簿書類及び電子取引の取引情報を保存していること

1 税務調査の流れ

――税務調査の流れがわかれば少しは安心？――

税務調査とは、申告納税制度の下にあって納税者によって計算された課税標準や税額などが、適法に算出されたものであるかどうかを調査するものです。具体的には、税務調査は、その課税標準や税額などを計算した会社の担当者に質問したり、帳簿書類その他の物件を検査する他、この会社と取引関係にあると認められる第三者に対しても、同じように質問し、検査することにより行われます。

このような税務調査は、申告納税制度の基盤となる課税の公平を維持する役割も負っています。

納税者の方も、税務調査を受身的に考えるだけではなく、日常業務や社内管理体制を充実させるためのチェックとして利用するという態度も必要でしょう。

1 国税の組織

法人税・消費税等の国税を取り扱う組織は次のようになっています。

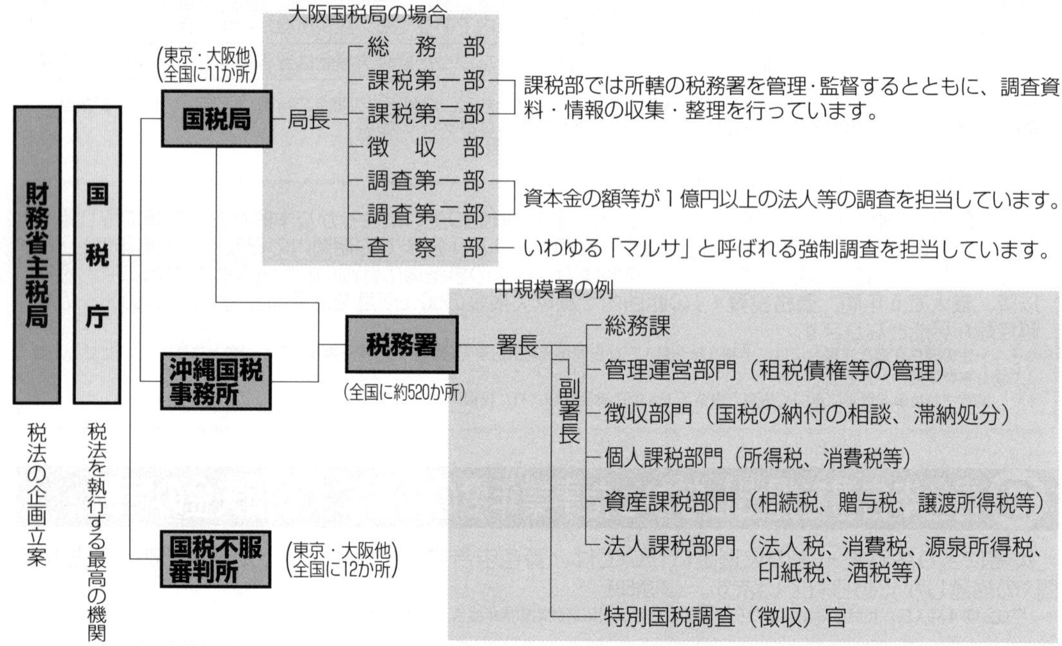

最近では、国税局等において、課税処理の統一性や透明性を確保するため審理機能の充実が図られたり、経済取引の国際化・高度情報化、情報公開への対応強化、企業再編税制やグループ通算制度への対応、内部事務の合理化などを目的として、新たな部署の設置や体制の整備、内部事務のセンター化＊が行われています。

また、滞納者の財産調査等のために官公署や政府関係機関に資料提供等を求めることができるといった法整備が行われていたり（徴法146の2）、多様化・国際化する投資や海外取引などについて、国外財産調書（137、274、303ページ参照）・国外送金等調書をはじめとする資料や海外当局との納税者情報（銀行口座情報を含む。）の交換等を通じて得た情報を活用した調査が行われています。

＊　内部事務のセンター化により、書面による申告書等の提出は、所轄税務署の窓口等にも可能ですが、業務センターへの郵送が推奨されています。

MEMO

資本金の額等が１億円以上の法人は、原則として国税局の調査部が法人税の税務調査を担当することになります。

❷税務調査の流れ

税務調査は通常次のように行われています。

事前調査

…国税局・税務署内で行う比較・分析

調査対象の選択は、概ね次のような観点で行っているといわれています。
①業績の推移　②同業他社との比較　③事業規模の推移　④調査重点業種
⑤内部告発などにより、不正行為の疑いがあるとき　⑥長期間実地調査が行われていないとき　⑦申告書の記載が誤っているとき

↓

事前通知前の意見聴取

…申告書に、申告書の作成に関する計算事項等記載書面（税理士又は税理士法人が計算、整理し、又は相談に応じた事項を記載した書類）が添付され、税務代理権限証書が提出されている場合には、原則として実地調査の事前通知（通法74の9）前に税理士に対して意見聴取が行われ、その結果、実地調査が省略されることもあります。この場合、意見聴取後、調査通知（事前通知項目のうち①実地調査開始日時②調査対象期間③調査対象税目の3項目。通法65⑥）がある前に修正申告した場合には加算税は賦課されません。

↓

事前通知

…あらかじめ会社および税務代理人に対し、実地調査開始日時や調査の目的等が通知＊されます。ただし事前通知をすることによって、違法又は不当な行為を容易にし、正確な課税標準・税額等の把握を困難にするなど調査の適正な遂行に支障を及ぼすおそれがあると判断された場合には、事前通知が行われないこともあります。（通法74の9、10）なお、平成29年1月1日以後に法定申告期限の到来する国税から、調査通知があった後の修正申告について加算税が課されることになりました。（192ページ参照）

＊　事前通知については、税務代理権限証書に、納税者の同意が記載されている場合には、税務代理人のみに対して行われます。（通法74の9⑤）

↓

実地調査

- 一般調査…帳簿・書類等の検証や現場・事務所等への立入調査
  国税庁等の職員から帳簿の提示又は提出を求められた場合で、これを提示又は提出しなかった場合等には、加算税が加算されるようになります。（192ページ参照）
- 反面調査…銀行・取引先等の調査

国税局及び税務署などの職員には、法律によって会社に対し質問したり、帳簿書類その他の物件を検査できる質問検査権が認められています。（通法74の2～6）なお、調査通知後に納税地の異動があった場合には、新納税地のみならず、旧納税地の所轄国税局又は所轄税務署の職員が調査通知に係る調査に限り、質問検査権を行使できます。（通法74の2⑤）

任意調査…国税通則法を根拠とした上記の調査
強制調査…裁判官の許可を条件として、捜索などができる調査

こんなものが調査される！　帳簿書類、領収証、請求書、契約書などの証憑類だけでなく、会社の現金や預金通帳、受取手形、有価証券、棚卸資産などの現物も調査の対象となります。

↓

調査の収拾

…税務調査による指摘については、次のような点に注意しながら、税務当局と解決に向けて交渉します。

①　事実関係の確認
②　税務当局と会社との主張点を整理
③　税理士に対して、重要ポイントへの支援を要請

↓

調査終了の手続

…調査終了の際には、次のような手続が行われます。（通法74の11）

①　調査の結果、更正（税務当局が調査により申告額や追加納税額などを決め、会社に通知すること）や決定（申告義務があるのに申告書の提出がない場合、税務当局が申告額や納税額を決めること）すべき点がない場合、その旨が書面（更正決定等をすべきと認められない旨の通知書）により通知されます。

②　調査の結果、更正や決定すべき点がある場合には、会社（会社の同意があれば、税務代理人）に対して調査結果の内容（更正決定等をすべきと認めた額やその理由も含まれます。）が説明され、修正申告（会社が申告内容の誤りを認めて、税額等を修正すること）等が勧奨されます。この場合、修正申告等を提出した場合には不服申立をすることができませんが、更正の請求をすることはできる旨が説明され、その旨を記載した書面が交付されます。（190ページ参照）

↓

修正申告又は更正・決定

…修正申告書を提出するか、更正や決定の通知を受けます。なお、本税を納める場合には別途、加算税や延滞税などの負担が生じる場合があります。（192ページ参照）

税務調査のための勘定科目別注意点

――税務調査があっても、あわてないこと――

税務調査については、社内の受入体制を確立しておくことが大切です。

この場合の受入体制とは、

① 税務調査ごとの指摘事項を受けて、必要な業務改善をしておく

② 決算業務において、銀行・得意先・仕入先などとの取引残高を取引先ごとに照会する

③ 帳簿・伝票その他の証憑を整理・点検する

④ 倉庫などの整理整頓をする

などの体制をいいます。

また、実地調査時において、質問を受けたときには、質問の内容、意図を正確につかみ、的確な回答をするようにしましょう。

なお、税務調査のスムーズな進行という点で、質問を受けても事実関係や状況等がはっきりしない場合は、必ず事実関係等を確かめてから回答することが重要です。

〈科目ごとの税務調査時のチェックポイント〉

実際の税務調査は、取引内容を確認したうえで、申告内容の妥当性をチェックするのが目的ですが、ここでは、いくつかの具体的な科目を基に、税務調査時に問題となりやすい点を掲げています。したがって、逆にいえばこれらの勘定科目について、日常業務のうえで常に問題が生じないように適正に処理をしておくことが大切です。

なお、隠ぺい仮装行為に要する費用（脱税費用）や隠ぺい仮装行為で生じた損失については損金不算入扱いとなっており、会計・税務の適正な処理が求められています。（法法55）

項目	チェックポイント	注意点	参照
現金	現金有高と帳簿残高	現金の有高と帳簿残高に差異がある場合には、売上計上洩れ、仕入計上過大等、税務調査で大きな問題に発展する可能性があります。日頃から現金実査を行い記帳誤りがないように心がけましょう。	
売掛債権	貸倒償却	売掛債権が貸倒れと認められるには税務上いくつかの要件があります。事前に税務当局に説明できる書類等を揃えておく必要があります。	66ページ
棚卸資産	在庫洩れ	在庫洩れについては、事業年度末において実地棚卸を実施したり、外注先保管品、外部倉庫預け品などを確認したり、期末日直前の入荷・出荷などに注意しましょう。	42ページ
	評価減	評価減を実施するための根拠を文書によって、ていねいに記録したり、必要に応じて写真を用意したり、新聞やカタログを用意するなど、説明できるような資料を準備しましょう。	45ページ
仮払金	貸付金との区分	仮払金が実質的に貸付金で、受取利息の計上がなされていない場合には、受取利息の認定課税がなされます。貸付金的なものが含まれていないかをチェックし適切に処理しておく必要があります。	266ページ
	使途秘匿金	使途秘匿金を仮払金計上した場合でも、使途秘匿金の重課は支出時に行われるので注意が必要です。	61ページ

項目	チェックポイント	注意点	参照
固定資産	事業供用日	減価償却資産については、事業の用に供してはじめて減価償却できます。また、期中取得資産については減価償却費の月割計算が必要ですので、購入した資産をいつ事業の用に供したか確認することが大切です。	112ページ
	簿外資産	受贈資産の計上洩れなどによって簿外資産が生じた場合には、それを帳簿などに計上するまでは、減価償却できません。 したがって、資産の所在や使用の有無を確認しながら、資産の種類ごとに一連番号を付すなどの管理を実施することが必要です。	
	有姿除却	現在遊休資産で、今後も再使用の可能性がないものについては、一定の要件の下に除却処理が認められます。 その場合には、再使用の可能性のないことなどを立証する書類を作成しておく必要があります。	132ページ
	資本的支出と修繕費	減価償却資産について、修理、改良等のため支出した金額が資本的支出となるか、修繕費となるかの根拠について説明できるよう、写真、新旧図面、見積書、工事内容説明書などの資料を収集したり、作成しておく必要があります。	130ページ
売上げ・仕入れ	収益計上時期	「収益認識に関する会計基準」等が公表されたことに伴い、収益認識に関する税務上の取扱いも整備されています。（中小企業については同基準の適用が強制されないため、従来の方法を変更する必要はありません）自社の収益計上時期が適正か否か確認するとともに、収益計上時期の基準の継続適用が求められます。	52～59ページ
	業績の推移	自社の過去数年の業績の推移を分析したり、同業他社の業績との比較分析をし、特異な傾向があれば、その内容等を確認しておくことも、スムーズな税務調査の進行を促すことになるでしょう。	
交際費	・隣接費用との区分 ・人数・内容等の記録 ・支出先等の明示	税務上交際費となるのか、隣接費用となるのか判断し、その判断の材料となった資料を整理・保存しておくことが必要です。 また、1人当たり10,000円以下の飲食費については、人数や相手先の氏名等を記録した書類の保存が必要です。 支出先等を明確に帳簿書類に記載しなければ、使途秘匿金として重課税が課されることもあるため注意しましょう。	60～65ページ
その他の経費	・業績の推移 ・特別項目 ・異常項目	前年度あるいは最近2～3年の数値と比較して、大きく増加又は減少している経費科目等については税務当局も注目します。大きく変動した理由を確認しておくことも重要です。	
役員との取引	・役員給与 ・役員との売買取引 ・役員に関する経費	法人税法上、役員給与の損金算入には一定の制限が設けられているため、左のような項目に関し、損金に算入されない役員給与と認定されないように取引時から注意しておく必要があります。	260～271ページ
親子会社間取引	・出向、転籍者の給与などの子会社負担金 ・営業取引	親会社と子会社との取引は、とかく力関係がはっきりしているだけに、不合理な取引が生じるのではないかと思われがちです。 そこで、左のような取引については、特に第三者からみても客観的な取引と認められるように根拠資料を作成しておきましょう。 100%グループ内の法人間での一定の資産移転による譲渡損益は繰り延べられるため（216ページ参照）決算対策としての資産譲渡については留意が必要です。	238ページ
消費税	帳簿と請求書の保存	仕入税額控除の要件として、原則として帳簿と適格請求書等の両方を保存しておかなければなりません。帳簿記入は正しいか、請求書等に洩れがないかを確認しておく必要があります。	194ページ
	・課税取引 ・非課税取引 ・不課税取引	課税取引かどうかの判断は個々の取引ごとに行いますが、決算時に再度、課税売上高・非課税売上高は正しく集計されているか、非課税仕入れとなるものを課税仕入れとして仕入税額控除の対象にしていないか等、全体的に見直しておくことが必要です。	162ページ

3 修正申告と更正

――当初申告した内容に誤りがあった場合の取扱い――

税務調査の最終結果を受けて、申告内容に誤りなどがあれば、納税者が修正申告書を提出するか、税務当局が、更正（追加納税額を決め、納税者に通知をすること）をすることになります。

更正を受けた場合に、納税者は、その結果に対して不服があるならば所轄税務署長などに対して再調査の請求をしたり、国税不服審判所長に対して審査請求をすることができます。

なお、税務調査の前に、申告内容に誤りなどがあることに気付いたら、一定の期間内に納税者は申告額に不足がある場合などは修正申告書の提出、申告額が過大である場合などは更正の請求を行うことができます。

❶申告、修正申告、更正など

申告納税制度の下では、すべての納税者が正しい申告を期限内にできるとは限りません。そこで国税通則法では種々の制度を設けています。（通法19、23～27）

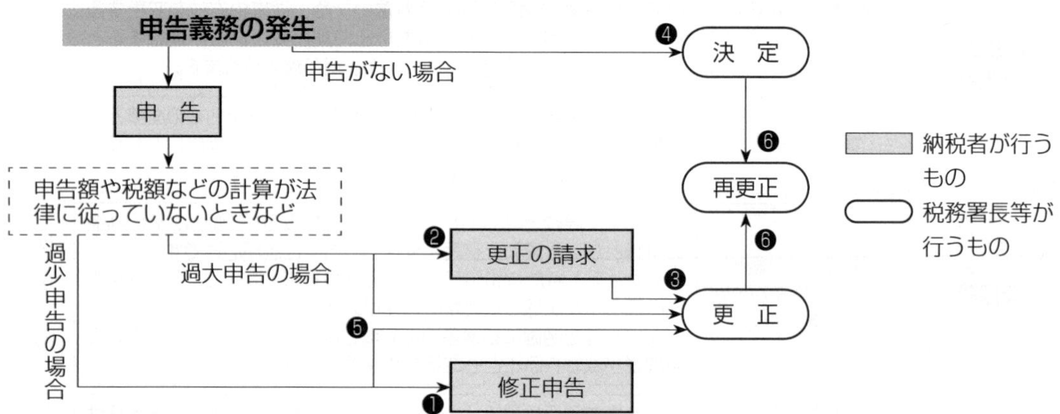

納税申告書を提出した者は、

❶申告書に記載した納税額が過少である場合などで、更正があるまでは、修正申告書＊を提出してその税額等を修正することができます。修正申告書＊は、自ら誤りを見つけて提出する場合もあれば、税務調査を受けて提出する場合もあります。ただし税務調査の結果を受けた場合でも、原則として修正申告書を提出した限りは、更正とは異なり不服申立てはできないので注意が必要です。（不服申立てについては③を参照してください。）

❷申告書に記載した納税額が過大である場合などで、更正があるまでは、更正の請求書＊を提出して税額等の減額の更正を請求することができます。（更正の請求の期限については②を参照してください。）

＊　令和４年度税制改正で、修正申告前及び更正の請求前の課税標準額等一定の記載（税務当局が当初申告等で既に保有している情報）が不要となり、修正申告書・更正の請求書の様式が変更されました。

税務署長等は、

❸更正の請求があった場合、その内容を調査して誤りがなければ更正を行います。

❹申告義務があるのに申告書の提出がない場合は決定を行います。＊

❺提出された申告書に誤りがあれば更正を行います。＊

❻一度決定又は更正を行った後に、再度その内容に誤りがあった場合には、再更正を行います。

＊　更正又は決定の期間制限は、法定申告期限から５年を経過した日までとなります。なお、偽りその他不正行為がある場合の更正又は決定の場合には７年、純損失等の金額（欠損金額）の増減更正の場合には10年（平成30年３月31日以前に開始する事業年度分については９年）を経過した日までとなります。（通法70）
移転価格税制に係る法人税の更正又は決定の場合は７年を経過した日までとなります。（措法66の４㉖）また、税務調査において納税者が指定された期限までに資料の提示等をせず、外国税務当局に対して情報交換要請が行われた場合の更正又は決定の期間期限（令和２年４月１日以後に法定申告期限等が到来するもの）は、情報交換要請に係る書面が発せられた日から３年間となります。なお、期間制限の到来する日前６か月以内にされた更正の請求に係る更正等については、更正の請求があった日から６か月を経過する日までとなります。（通法70③）

❷更正の請求の期限

更正の請求は、次の事項に該当する場合に、原則として法定申告期限から5年以内＊1に限り更正の請求書を提出することにより行うことができます。（通法23①）

更正の請求ができる場合	①	申告書に記載した納付税額が過大であるとき
	②	申告書に記載した欠損金額が過少であるとき
	③	申告書に記載した還付金の額が過少であるとき

ただし、次のような後発的事由による場合は、上記にかかわらず次の期間内であれば更正の請求を行うことができます。（通法23②）

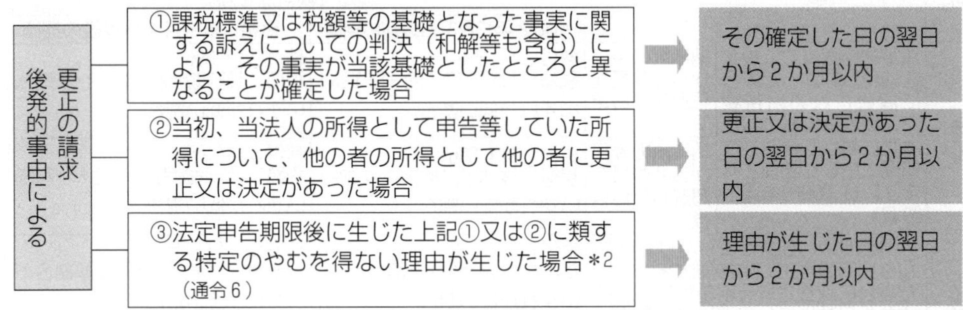

＊1　贈与税の更正の請求の期限は6年（相法32②）、移転価格税制に係る法人税の更正の請求の期限は7年（措法66の4㉖）、法人税の純損失等の金額（欠損金額）の更正の請求の期限は10年（平成30年3月31日以前に開始する事業年度分については9年）となります。

＊2　法令解釈が遡って変更され、異なる取扱いを受けることとなった場合も、やむを得ない理由の1つに含まれます。

当初申告要件と更正の請求

受取配当等の益金不算入制度や所得税額控除制度などについて、当初申告要件が廃止され、当初申告でその適用を受けていないものであっても、更正の請求（又は修正申告書の提出）によって新たに適用を受けることや、当初申告で記載した金額を本来の正当額に変更することができるようになりました。なお更正の請求等に際しては、事実を証明する書類の添付が必要です。

❸更正の内容に不服があるとき

税務署長等がした更正の内容に不服があるときは、次のような救済制度が設けられています。（通法75、77、114、115、行政事件訴訟法14）

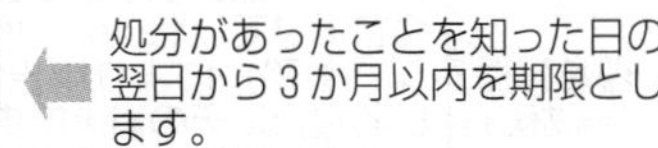

STEP1	税務署長等に再調査の請求＊	税務調査の結果、税務署長等がした更正処分に不服がある場合には、一定の場合を除きその納税者は、その処分をした税務署長等に再調査の請求ができます。	処分があったことを知った日の翌日から3か月以内を期限とします。
STEP2	国税不服審判所長に審査請求＊	次に、その再調査の請求の結果としての決定に、なお不服がある場合などは、一定の場合を除き国税不服審判所長に審査請求ができます。 なお、納税者の選択により、税務署長等に再調査の請求を経ないで、国税不服審判所長に直接審査請求をすることもできます。	再調査決定書謄本の送達があった日の翌日から1か月以内を期限とします。 （再調査の請求を経ない場合は、処分があったことを知った日の翌日から3か月以内）
STEP3	裁判所に訴訟の提起	また、審査請求の裁決に不服がある場合には、裁判所に対し、その処分の取消しを求める訴えを提起することができます。	裁決があったことを知った日から6か月以内を期限とします。

＊　再調査の請求及び審査請求をした後、3か月以内に再調査の請求に係る決定や審査請求による裁決がない場合には、それぞれ決定・裁決を経ないで、審査請求・訴訟をすることができます。

4 延滞税・加算税等

―修正申告の場合、追加支払するのは法人税だけではない―

期限内に確定申告書を提出しなかった場合や修正申告書の提出、更正があった場合などには、追加の本税とともに加算税や延滞税などの附帯税を納付しなければなりません。

附帯税は、罰金的な意味合いと利息的な意味合いがあり、原則として損金には算入されませんが、申告期限の延長期間にかかる利子税及び延滞金については損金の額に算入されます。

【附帯税一覧】

附帯税の種類	内容		税額（割合は年利）	
			令和２年12月31日以前の期間	令和３年１月１日以後の期間
延滞税 （通法60）	法定納期限までに税金を納付しなかった場合に課税される附帯税で、期限後に納付した本税に対して延滞した期間に応じて課税されます。（1,000円未満不徴収）	納期限の翌日から２か月を経過する日まで	納付税額×{7.3%／特例基準割合*1＋１％} いずれか低い割合	納付税額×{7.3%／延滞税特例基準割合*2＋１％} いずれか低い割合
		納期限の翌日から２か月を超過した日以後	納付税額×{14.6%／特例基準割合*1＋7.3%} いずれか低い割合	納付税額×{14.6%／延滞税特例基準割合*2＋7.3%} いずれか低い割合
利子税 （通法64）	会計監査人の監査を受けなければならない等の理由で申告期限を延長した場合に課税される附帯税で、延長された日数に応じて課税されます。附帯税のうち利子税のみ損金に算入されます。（1,000円未満不徴収）		延長した本税×{7.3%／特例基準割合*1} いずれか低い割合	延長した本税×{7.3%／利子税特例基準割合*2} いずれか低い割合
過少申告加算税 （通法65）	期限内に確定申告書を提出した後、修正申告書の提出又は更正によって追加税額が生じた場合に課税される附帯税（5,000円未満不徴収）		追加税額×10%*3（追加税額のうち期限内申告税額又は50万円のいずれか多い金額を超える部分は15%） ・調査の事前通知がある前に修正申告した場合は課されません。 ・調査通知から更正予知（調査があることにより更正又は決定があることを予知すること）までの間に修正申告した場合は５％（追加税額のうち期限内申告税額又は50万円のいずれか多い金額を超える部分については10%） ・優良な電子帳簿保存に係る過少申告加算税の5%軽減措置については、195ページ❷1参照	
無申告加算税 （通法66）	期限内に確定申告書の提出がない場合で、納付すべき税額があった場合に課税される附帯税（5,000円未満不徴収）		納付税額×15%（納付税額の50万円を超える部分は20%、令和6年1月1日以後法定申告期限分より納付税額の300万円を超える部分は30%）*3～*5。なお、調査通知から更正予知までの間に申告した場合はそれぞれ5%軽減されます。 ・調査通知前の申告で更正予知されたものでない場合は5% ・不適用の特例については右ページ②参照	
不納付加算税 （通法67）	源泉徴収等による国税が法定期限内に完納されなかった場合に課税される附帯税（5,000円未満不徴収）		その納付税額×10% ・納税の告知を予知する前に納付すれば５％ ・不適用の特例については右ページ②参照	
重加算税 （通法68）	過少申告加算税などが課税される場合において、隠ぺい・仮装（右ページ③参照）により申告など*6している場合にその過少申告加算税などに代えて課税される附帯税(5,000円未満不徴収)		納付税額×35%（40%）*4*5 ・過少申告加算税に代えては、その追加本税×35% ・無申告加算税に代えては、その納付本税×40% ・不納付加算税に代えては、その納付本税×35% ・電子データ保存又はスキャナ保存された記録内容に仮装・隠蔽等がある場合には、その追加本税×45%	

＊１　特例基準割合…各年の前々年の10月から前年の９月までの各月における銀行の新規の短期貸出約定平均金利の合計を12で除して得た割合として各年の前年の12月15日までに財務大臣が告示する割合に１％を加算した割合

＊２　延滞税（利子税）特例基準割合…各年の前々年の９月から前年の８月までの各月における銀行の新規の短期貸出約定平均金利の合計を12で除して得た割合として各年の前年の11月30日までに財務大臣が告示する割合に１％（納税猶予等の場合の延滞税及び利子税については0.5%）を加算した割合

特例基準割合	H30	R元	R２	R３	R４	R５	R６
延滞税（納税猶予等の場合除く）	1.6%	1.6%	1.6%	1.5%	1.4%	1.4%	1.4%
利子税、納税猶予の場合の延滞税				1.0%	0.9%	0.9%	0.9%

＊３　令和６年１月１日以後、国税庁等から帳簿の提示又は提出を求められた場合に提示等をしなかった場合もしくは、提示等された帳簿の売上金額の記載が著しく不十分である場合は、10%（一定の場合は５％）が加算されます。（通法65④、66⑤）

＊４　過去５年以内に同一の税目について、無申告加算税（更正決定前の期限後申告分を除く）や重加算税が課されている場合には、それぞれ10%が加算されます。（通法66⑥一、68④一）

＊５　令和６年１月１日以後法定申告期限分より、前年度及び前々年度において無申告加算税又は重加算税を課される者が更に無申告行為を起こした場合、その課される無申告加算税又は重加算税の割合が10%加算されます。（通法66⑥二、68④二）

＊６　令和７年１月１日以後法定申告期限分より、申告後に税額の減額を求めて隠ぺい・仮装された事実に基づき更正の請求書を提出した場合も、過少申告加算税などに代えて重加算税が課税され、延滞税の除算期間（右ページ①参照）も適用されません。

７　附帯税については、地方税にも延滞金、過少申告加算金、不申告加算金、重加算金といった同様の制度があります。

①延滞税等の計算方法

法定納期限までに本税を完納しなかった場合等には、延滞税等を納める必要があります。
　└→ 確定申告書提出期限をいいます。

延滞税等の額 ＝ 本税の額 × 期間（日数） ×

令和６年１月～令和６年12月の期間の年利率	
納期限から２か月＊以内	2.4％
２か月＊を超える期間	8.7％

（1,000円未満は納付不要、100円未満の端数切捨て）　（10,000円未満は計算不要、10,000円未満の端数切捨て）　（法定納期限の翌日から完納までの日数）　（修正申告又は期限後申告の場合は提出した日が納期限となります。）

＊　地方税については１か月になります。

延滞税の計算期間と割合（以下の図では、令和６年１月から令和６年12月に適用される年利率＊1が、全ての期間について適用されるものとして記載しています。）

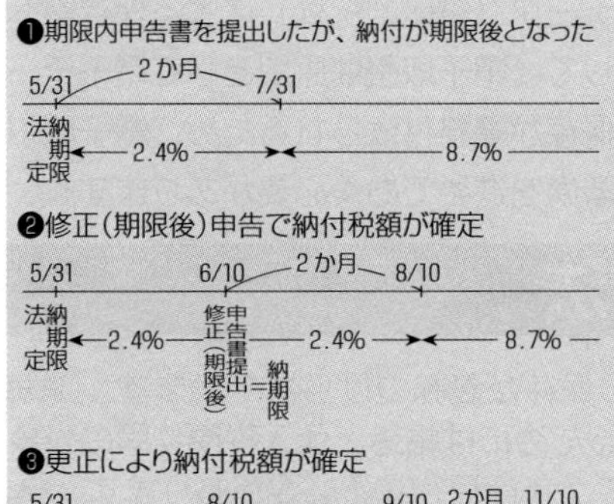

❸更正により納付税額が確定

5/31　8/10　9/10　2か月　11/10
法納期定限 ←2.4％→ 更正通知書発付 ←2.4％→ 更正に よる納期限 ←2.4％→←8.7％

❹１年経過後に修正申告で納付税額が確定（過少申告加算税対象）

5/31　1年　翌年5/31　8/10　2か月　10/10
法納期定限 ←2.4％→　除算期間＊2　修正申告書提出＝納期限 ←2.4％→←8.7％

❺１年経過後に修正申告で納付税額が確定（重加算税対象）

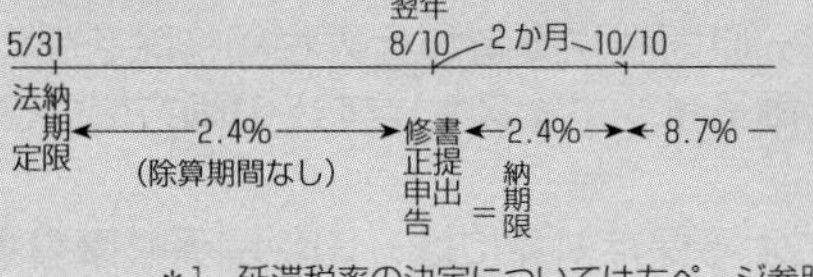

＊1　延滞税率の決定については左ページ参照。

＊2**除算期間**

修正申告書等が法定納期限（期限後申告の場合はその提出日）の翌日から１年を経過する日後に提出された場合には、１年を経過する日の翌日から修正申告書等が提出された日までは計算期間から除かれます。ただし、重加算税対象税額については適用がありません。（通法61）

②無申告加算税・不納付加算税の不適用の特例

更正又は決定があることを予知する前に自主的に申告した場合で、申告書が法定申告期限から１か月以内に提出され、かつその申告書に係る納付すべき税額の全額が法定納期限までに納付されている等の期限内申告書を提出する意思があったと認められる一定の場合には無申告加算税は課されません。（通法66⑨）

同様に、源泉徴収による国税に係る不納付加算税についても、調査による納税の告知を予知する前に自主的に納付した場合で、法定納期限までに納付する意思があったと認められる一定の場合で、かつ法定納期限から１か月以内に納付されたものである場合、不納付加算税は課されません。（通法67③）

③法人税の重加算税の取扱い

法人税の重加算税の取扱いは以下のとおりです。（平12課法２－８）他の税目（消費税、所得税、相続税等）についても同様の基準が公表されています。

「隠ぺい・仮装とされる場合」の例示 （重加算税の対象となる）	「隠ぺい・仮装とされない場合」の例示 （重加算税の対象とならない）
・いわゆる二重帳簿の作成　・帳簿書類の破棄又は隠匿 ・帳簿書類の改ざん・虚偽記載、相手方との通謀による虚偽の証憑書類の作成、帳簿書類の意図的な集計違算等の方法による仮装経理 ・帳簿書類の未作成・未記録で売上等の収入を脱ろう又は棚卸資産を除外 ・損金算入や税額控除の要件である証明書等の改ざん、又は虚偽申請に基づく証明書等の入手 ・簿外資産にかかる利息収入、賃貸料収入等の果実の未計上 ・簿外資金による役員賞与等の費用の支出 ・株主等の所有株式等を架空の者又は単なる名義人に分割等して同族会社を非同族会社と偽ること	相手方との通謀、帳簿書類の改ざん等が行われていないことを前提にして ・売上等の収入計上を繰り延べているが、翌年度の収益に計上されていることが確認された場合 ・経費の繰上計上をしているが、翌年度に支出されたことが確認された場合 ・棚卸資産の評価換えにより過少評価をしている場合 ・交際費や寄附金を他の費用科目に計上している場合

④延滞税・利子税・過少申告加算税の取扱い

減額更正後に増額更正もしくは修正申告があった場合、当初申告税額までについては延滞税及び過少申告加算税を課さないこととされています。（通法61②、65⑤）また、申告期限の延長等による利子税についても同様の措置が講じられています。

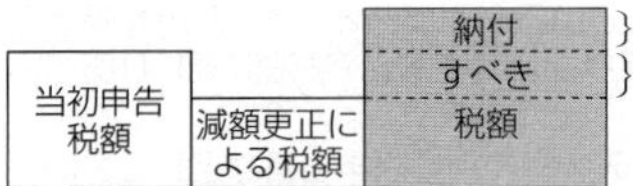

｝延滞税・利子税・加算税が課される
｝延滞税・利子税・加算税を課さない＊

＊　延滞税は平成29年１月１日以後の期間、過少申告加算税は平成29年１月１日以後法定申告期限分、利子税は平成29年１月１日以後法定納期限分が対象です。

なお、延滞税が課されない期間は、当初申告日から納付すべき税額の納付日までが対象です。ただし、納税者からの更正の請求による減額更正の場合は、減額更正から１年を経過する日までは延滞税の対象となります。

5 帳簿書類の保存

――帳簿をしっかりしていれば調査も恐くない！――

会　社が、作成し又は受け取る証憑書類や帳簿類は、税務調査を受けたり後から調べるためにもきちんと整理しておく必要があります。

特に青色申告法人は、一切の取引を複式簿記の原則に従って整然かつ明瞭に記録し、その記録に基づいて決算を行うため、基礎資料となる一定の書類を申告書提出期限の翌日から７年間保存しておかなければなりません。

なお、経済社会のデジタル化を踏まえ、経理の電子化による生産性の向上や国税関係帳簿書類の電子データ（電磁的記録）による保存等への対応として、電子取引は原則として電子データによる保存が義務付けられるため、電子取引への対応準備を進めておく必要があります。

❶ 帳簿書類の保存期限と保存方法

法人税法上、青色申告法人は７年間の国税関係帳簿書類の保存が義務づけられています。（法規59）また、消費税法上も、原則課税業者が仕入税額控除を受けるためには帳簿と仕入税額控除の対象となる適格請求書等（電子インボイス＊1含む）の両方について７年間保存する必要があります。（消令50）

また、電子データによる保存対象には、国税関係帳簿書類と電子取引の取引情報があり、その保存方法の概要は以下のとおりです。

区分		例示	作成方法	保存方法（○：当該方法で保存可能）			保存期間	
				紙	電子データ	COM	税法上	会社法上
(イ)国税関係帳簿書類	帳簿	仕訳帳、総勘定元帳（売掛・買掛元帳含む。）、現金出納帳、固定資産台帳、売上帳、仕入帳など	自己が最初から一貫してコンピュータで作成	○（出力）	○（オリジナル）	○	7年	10年
			その他（手書きで作成等）	○（オリジナル） A	－	－		
	決算書類	棚卸表、貸借対照表、損益計算書など	自己が最初から一貫してコンピュータで作成	○（出力）	○（オリジナル）	○		
	証憑書類	注文書、契約書、納品書、（適格）請求書、小切手、領収書、預金通帳、有価証券売買計算書、棚卸資産関係＊2など	その他（取引先から受領、手書きで作成等）	○（オリジナル） B	○（スキャン）	－		10年＊3
(ロ)電子取引＊4の取引情報		取引に関して受領又は交付する注文書や領収書などに通常記載される事項	EDI取引、電子メール、電子インボイス＊1、インターネット上のサイトを通じた授受等	△＊5（出力） C	○（オリジナル）	－		10年

上表Aは❷1(1)、Bは同(2)、Cは同2(2)を参照ください。

＊1　消費税の適用税率や消費税額が記載された適格請求書が電子データ化されたもの。
＊2　送り状、受領書、検収書、見積書、入出荷報告書など。
＊3　事業に関する重要なものに限ります。
＊4　EDI取引、電子メール、インターネットサービスなどで取引情報や一定書類の授受を電子データで行う取引等。
＊5　令和５年12月31日までは紙のみでの保存が可能ですが、令和６年１月１日以後はデータ保存が必要になります。

- 保存期限の起算日は、原則として事業年度終了の日の翌日から２か月を経過した日です。
- 帳簿や決算書類、電子取引に該当しない証憑書類については、紙による保存が原則ですが、一定の場合には、電子データによる保存やマイクロフィルムにて保存することができます。一方、電子取引の取引情報については、電子データで保存しなければならなくなります。なお、電子計算機出力マイクロフィルム（電子計算機を用いて電磁的記録を出力することにより作成するマイクロフィルム（COM））は、電子データの取扱いに含まれますが、紙記録を撮影したマイクロフィルムによる保存については、起算日から５年（保存期間が７年のもの）を経過した日または３年（国税庁長官が定める一定のもの）を経過した日以後についてのみ認められます。
- 消費税法上、６年目及び７年目については帳簿又は適格請求書等のいずれかの保存でかまいません。（消基通11－６－９）
- 欠損金の繰越控除が適用されるには、その欠損金が生じた事業年度の帳簿書類を保存している必要があるため、適用を受ける法人は最長10年間（平成30年３月31日以前に開始する事業年度分については９年間）の保存が必要です。（法法57⑩）（185ページ参照）
- 給与関係資料（賃金台帳、扶養控除等申告書、退職所得の受給に関する申告書、住宅借入金等特別控除申告書など）についても、税法上は７年間保存する必要があります。保存方法は任意（紙またはデータのいずれでも可）となります。

❷電子帳簿等保存制度

電子帳簿保存法は、①国税関係帳簿書類、②電子取引の取引情報（左ページ❶表内参照）を紙ではなく、電子データによる保存を可能とする制度です。

1．国税関係帳簿書類の電子データによる保存とその要件

国税関係帳簿書類の電子データによる保存（左ページ❶表内参照）は、下記の２種類です。

(1)　国税関係帳簿書類の電磁的記録等による保存を行う場合（左ページ❶表内(イ)Aの場合）

電子データ（オリジナル）をそのまま保存する場合の主な要件は以下のとおりです。なお、COM（左ページ参照）保存による優良帳簿の場合には、COMの作成及び保存に関する事務手続を明らかにした書類や索引簿等を備え付けること、リーダプリンタ及び操作説明書を備え付けること等の要件が追加されます。（電特規３①）

要件概要（○：満たす必要がある要件　－：満たす必要がない要件　△：要件により変わるもの）	国税関係帳簿		国税関係書類
	優良	一般	
利用開始準備（帳簿の備付け・書類の保存・システムの対応確認）、パソコン等で電子データがいつでも閲覧可能な状態であること（電特法4①②、5①②③、電特規2②二）	○ ＊1	－	－
・訂正・削除を行った場合の事実内容、業務処理期間を経過した後の入力履歴を確認できること（電特規５⑤一(イ)） ・電子化した帳簿の記録事項と他の帳簿の記録事項との間において、相互にその関連性を確認できること（電特規５⑤一(ロ)）	○	－	－
システム関係書類、操作マニュアル等を備え付けること（電特規２②一二）	○	○	○
取引年月日、勘定科目、取引金額、取引先その他のその帳簿の種類に応じた主要な記録項目により検索できること（電特規５⑤一ハ(1)）	○	－	－
日付又は金額の範囲指定、二つ以上の任意の記録項目を組み合わせて検索できること（電特規５⑤一ハ(2)(3)）	△ ＊2	－	△ ＊2
国税庁等の職員の質問検査権に基づく電磁的記録のダウンロードの求めがある場合には、これに応じること（電特規２②三）	○ ＊3	○	△ ＊4

＊1　優良な電子帳簿としての保存要件を満たし、かつ、必要事項を記載した特例適用届出書を法定申告期限までに提出した場合、過少申告加算税が5%に軽減される「優良電子帳簿に係る過少申告加算税の軽減措置の適用」を受けることができます。（電特法8④）

＊2　保存義務者が国税庁等の職員の質問審査権に基づく電磁的記録のダウンロードの求めに応じる場合は不要です。

＊3　優良帳簿の要件を全て満たす場合、「電磁的記録のダウンロードの求めに応じること」の要件は不要です。

＊4　検索機能の確保に相当する要件を満たす場合、「電磁的記録のダウンロードの求めに応じること」の要件は不要です。

(2)　国税関係書類のスキャンによる保存を行う場合（左ページ❶表内(イ)Bの場合）

書類を紙に代えてスマホやスキャナで読み取った電子データとして保存する場合、主な要件として①入力期間の制限②カラー画像での読取り③タイムスタンプ付与④ヴァージョン管理（訂正・削除履歴確保）⑤入力者情報の確認⑥読取情報（解像度・階調・大きさ）の保存⑦検索機能の確保⑧帳簿との相互関連性を満たして保存することが求められます。なお、令和６年１月１日以後は、⑤入力者情報の確認及び⑥読取情報の保存は不要となり、⑧の帳簿との間の相互関連確認に必要な書類は、契約書・請求書・領収書などの重要書類に限定されます。（電特規２⑥）

2．電子取引の取引情報の電子データによる保存とその要件

(1)　電子取引データ保存

令和４年１月１日以後に行われる電子取引の取引情報は、電子データによる保存が義務付けられました。しかし、令和５年12月31日までは電子取引があったとしても、書面に出力してその出力書面を保存することが認められています（下記表①参照）。令和６年１月１日以後の電子取引の取引情報は電子データでの保存が必要ですが、下記の適用要件を満たせば、改ざん防止や検索機能など保存時に必要であった要件に沿った対応は不要です。（下記表②参照）

位置づけ	適用要件	保存方法	具体的な適用場面
①令和５年12月31日まで 改正前：宥恕措置	・税務署長が、やむを得ない事情があると認める場合 ・出力画面を適切に保存し、税務調査の際にはその書面の提示又は提出ができること	紙のみでの保存が可能	システム対応が間に合わなかった事業者等に適用
②令和６年１月１日以後 改正後：猶予措置	・税務署長が、相当の理由があると認める場合 ・出力画面を適切に保存し、税務調査の際にはその画面の提示又は提出ができること ・税務調査に支障が生じないよう電子取引データのダウンロード等の求めに応じることができること	データ保存が必要（紙のみでの保存は不可）	システム対応や社内でのワークフロー整備が間に合わない等の相当の理由がある事業者に適用

(2)　電子取引の取引情報に係る保存を行う場合（左ページ❶表内(ロ)Cの場合）

電子取引に係るデータ保存については、改ざん防止措置（タイムスタンプ付与や履歴が残るシステム保存）の備付け、検索機能（日付・金額・取引先）の確保、ディスプレイ・プリンタ等の備付けなどが必要となります。なお、判定期間における売上高が1,000万円（令和６年１月１日以後は5,000万円）以下であり、国税庁等の職員の質問審査権による電子取引データのダウンロードの求めに応じることが可能な場合、検索機能の確保は不要となります。（電特規４①）

1 会社の設立と税務

――会社の設立は簡単？――

会社の設立自体は、商号(会社名)を自由に定めることができ、また、資本金に制約もないため、非常に簡単な手続で進めることができます。しかし、設立後は、期限内にさまざまな届出等が必要になるため、十分な注意が必要です。税務面では、資本金の大きさにより納税額に影響がでる項目があるので、特に資本金1,000万円と１億円のラインに気をつけましょう。

公　開　会　社	発行する全部又は一部の株式について株式譲渡制限の定めを設けていない株式会社（会社法２五）
株式譲渡制限会社	公開会社ではない会社（全ての株式について株式譲渡制限の定めを設けている株式会社）

①会社設立の手続

株式会社の設立方法には発起設立と募集設立があります。

株式会社の設立
- **発起設立**　設立に際して発行する株式の全部を発起人が引き受けて設立する方法（会社法25①一）
- **募集設立**　発起人が株式の一部を引き受け、残りを一般の株主を募集して設立する方法（会社法25①二）

〈発起設立と募集設立の相違点〉

募集設立の場合、発起人以外の株式引受人を募集することから株式引受人の保護に配慮する必要があります。

	発起設立	募集設立
払込保管証明（会社法64）	残高証明等でも可	必要
現物出資等の関係者の財産価額填補責任（会社法52、103）	過失責任	無過失責任

株式会社の発起設立の場合の設立手続の基本的流れは次のようになります。

発起人の決定
▼
定款の作成

定款で必ず定める事項は次のとおりです。
①目的、②商号、③本店の所在地、④設立に際して出資される財産の価額またはその最低額、⑤発起人の氏名または名称および住所
- 類似商号の調査の手続については、不正目的さえなければ同一市町村内に同一の商号で登記ができるため不要です。
- 発行可能株式総数は定款で定めない場合は、会社の設立までに決定する必要があります。
- 公告の方法は、絶対的記載事項ではなく、定款で定めない場合は官報とされます。

▼
定款の認証

定款を作成しても公証役場で公証人の認証を受けなければその効力は生じません。その際、４万円の印紙税と５万円程度の認証手数料等が必要です。
- 電子認証による場合は、電子証明発行手数料はかかりますが、印紙代４万円は不要になります。

▼
発行株式に関する事項の決定

下記の事項の決定は発起人全員の同意が必要です。
①発起人が割当てを受ける株式数、②その払込金額、③成立後の資本金及び資本準備金に関する事項
- 発起人の報酬や会社の設立費用は創立費として、費用又は繰延資産に計上します。

▼
株式引受・出資の履行
▼
取締役等の選任

従来、株式会社は取締役３名以上、監査役１名以上選任する必要がありましたが、大会社を除く株式譲渡制限会社の場合、取締役１名でも設立できます。

▼
設立手続に関する調査
▼
代表取締役の選定
▼
設立登記申請（会社設立）
▼
各種届出書の提出

この手続の中で、税務上注意しておくべき点は次のような項目です。

①	資本金をいくらにするのか	資本金の大きさが納税額に影響します。（198ページ参照）
②	会計年度をいつにするのか	会計年度は通常１年で、２か月以内の申告が困難でない時期を決算日にします。
③	法人成りの場合、財産の引継ぎをどうするのか	含み益のある財産の現物出資は、個人所得税の譲渡益課税に注意が必要です。
④	誰を役員とするのか	従業員と役員では、給与について税務上の取扱いが異なります。（260ページ参照）
⑤	設立・開業までの費用はどう処理するのか	創立費や開業費の処理については資産計上するか費用処理するか選択可能です。（134ページ参照）
⑥	届出は漏れなく行ったか	届出を忘れることにより税務上不利な取扱いを受けることもあります。（右ページ参照）

（注）　法人設立ワンストップサービスを利用し、右ページの設立登記、国税、地方税に係る設立届、雇用に関する届出など法人設立に必要な一連の手続きをオンライン申請で１つの窓口（マイナポータル）から行えます。

〈会社設立時の届出関係一覧表〉

届出先	届出書類名・添付書類	提出期限	備　考
各行政官公署	許可申請書等 （添付）個々に確認してください。	事業開始前	許認可を必要とする事業の場合に提出します。
税務署	法人設立届出書 （添付）定款等の写し （設立時における貸借対照表などの書類は不要となりました。）	・設立後２か月以内 ・収益事業開始の日以後２か月以内（公益法人等※が新たに収益事業を開始する場合）	※公益法人等については収益事業開始等届出書がこれに代わります。 消費税の新設法人に該当する旨の届出を含みます。 （消基通１－５－20）
	青色申告の承認申請書 （令和９年１月１日以後に開始する事業年度に係る申請書より記載内容が簡素化されます。）	設立の日以後３か月を経過した日と設立事業年度終了の日のうちいずれか早い日の前日まで	青色欠損金の繰越控除など税務上の各種特典が活用できます。（198ページ参照）
	給与支払事務所等の開設届出書	給与支払事務所等を設けた日から１か月以内	
	源泉所得税の納期の特例の承認に関する届出書	特例を受けようとする前月末まで	給与等の支払を受ける者が常時10人未満であれば年２回の納付が可能です。
	棚卸資産の評価方法の届出書	設立事業年度の確定申告書の提出期限まで	届け出なければ最終仕入原価法による原価法で評価します。
	有価証券の帳簿価額の算出方法の届出書	有価証券を取得した日の属する事業年度の確定申告書の提出期限まで	届け出なければ、移動平均法により算出します。
	減価償却資産の償却方法の届出書	設立事業年度の確定申告書の提出期限まで	届け出なければ建物・附属設備、構築物は定額法、それ以外は定率法で償却します。
	申告期限の延長の特例の申請書 消費税申告期限延長届出書	設立事業年度末まで	決算が確定しない等の理由により確定申告書の提出期限を延長する場合に提出します。
	課税事業者選択届出書	設立事業年度末まで	資本金1,000万円未満の法人等が設立１期目から消費税の課税事業者を選択する場合に提出します。
	適格請求書発行事業者に係る登録申請書 （161ページ参照）	設立事業年度末まで	設立１期目から適格請求書発行事業者の登録を受ける場合に提出し、課税事業者となります。
	消費税簡易課税制度選択届出書	設立事業年度末まで	設立１期目から消費税の簡易課税制度の適用を受ける場合に提出します。
都道府県税事務所	法人設立届出書 （添付）①定款等の写し、②設立登記の登記事項証明書	設立後１か月以内	法人税の申告期限を延長した場合、住民税の申告期限も延長されますが、届出が必要です。なお、事業税等の申告期限を延長する場合は、別途申請書の提出が必要です。
市町村役場	法人設立届出書 （添付）①定款等の写し、②設立登記の登記事項証明書	設立後１か月以内	法人税の申告期限を延長した場合は住民税の申告期限も延長されますが、届出が必要です。
労働基準監督署	労働保険保険関係成立届 （添付）労働保険概算保険料申告書	労働者を使用するようになった日の翌日から起算して10日以内	給与見込額を計算しておきます。
	適用事業報告	速やかに	
	就業規則届 （添付）①就業規則、②従業員の意見書	速やかに	従業員10人以上の会社
	時間外労働及び休日労働に関する協定届 （添付）代表者との書面による協定書の写し	速やかに	時間外又は休日労働をさせる場合
公共職業安定所 （ハローワーク）	雇用保険適用事業所設置届 （添付）登記事項証明書、賃貸借契約書、営業許可書、賃金台帳、労働者名簿、出勤簿など	事業所を設置した日の翌日から起算して10日以内	労働保険保険関係成立届の事業主控の提出も必要です。
	雇用保険被保険者資格取得届 （添付）賃金台帳、労働者名簿、出勤簿、雇用契約書など	雇用保険の被保険者となった日の属する月の翌月10日まで	
年金事務所 （日本年金機構）	健康保険、厚生年金保険新規適用届 （添付）登記事項証明書、事業所付近の略図など	原則設立後５日以内	
	被保険者資格取得届 （添付）年金手帳など	原則設立後５日以内	被扶養者届を提出する場合は、別途の証明書が必要です。

（注）税務署では、令和７年１月から申告書や届出書等の控えへの収受日付印の押なつが行われなくなります。
1　自治体により書類名、添付書類、提出期限が幾分異なります。
2　行政手続のオンライン化によって、申請・届出等手続が、e-Tax（国税）、eLTAX（地方税）、e-Gov（労働保険・社会保険関係）等により電子化されています。

❷青色申告法人の特典

会社を設立して、税務署に法人設立届出書を提出する際には、青色申告の承認申請書も提出しておきましょう。青色申告法人に適用される税務上の特典が活用できます。

〈青色申告法人に与えられる主な特典〉

特典	内容
青色欠損金の繰越控除	青色申告書を提出した事業年度に生じた欠損金額を翌期以降に繰り越し、各事業年度で損金算入できる制度（185ページ参照）
青色欠損金の繰戻し還付	青色申告書を提出した事業年度に生じた欠損金額がある場合、前年度に納付した法人税の還付が受けられる制度（184ページ参照）
減価償却の特例	①普通償却額のほかに、一定の特別償却額を損金算入できる制度（122、124ページ参照）
	②中小企業者等の少額減価償却資産の取得価額の損金算入の特例（115ページ参照）
法人税額の特別控除	一定の金額を法人税の額から控除することができる制度（122、124ページ参照）
更正時の取扱い	帳簿書類の調査なしに推計での更正がされることはありません。（法法130、131）

❸青色申告の要件

青色申告書を提出できるのは、次の２つの要件を満たした法人に限られます。（法法122、126）

❶　納税地の所轄税務署長の承認を受けておくこと

承認申請書の提出期限

原則：青色申告の承認を受けようとする事業年度の開始の日の前日
設立年度：設立の日以後３か月を経過した日と設立事業年度終了の日とのうちいずれか早い日の前日

❷　帳簿書類の備付け、取引記録の保存をしておくこと

帳簿の具体的要件

①　一切の取引を複式簿記の原則に従い、整然かつ明瞭に記録し、その記録に基づき決算を行うこと
②　仕訳帳、総勘定元帳その他必要な帳簿を備え、それぞれに必要な取引に関する事項を記載すること
③　棚卸資産について棚卸しその他決算に必要な整理を行い、その事績を棚卸表に明瞭に記録すること
④　貸借対照表及び損益計算書を作成すること
⑤　以上の帳簿類の他、注文書、送り状などの書類を７年間（欠損金が生じた事業年度においては10年間＊）保存すること

＊　平成20年４月１日以後終了事業年度から平成30年３月31日以前に開始する事業年度までは９年。

MEMO

次の場合には青色申告の承認を取り消されるので注意してください。
①　帳簿書類の備付け、記録又は保存がきちんと行われていない（単に物理的に帳簿書類が存在することだけでなく、これを税務職員に提示することが必要です。）
②　帳簿書類についての税務署長の指示に従わなかった
③　取引を隠蔽、仮装して記録するなど帳簿の記載事項の全体についてその真実性を疑うに足りる相当の理由がある
④　確定申告書を２事業年度連続して提出期限までに提出しなかった

❹中小の法人に認められる税の特典

資本金の額等（７ページ参照）が１億円以下の法人にはさまざまな税の特典が設けられており、事業税の外形標準課税制度の適用も原則ありません。これらのメリットを享受するためには、資本金の額等は１億円以下にする必要があります。さらに資金や許認可の関係で多額の資本金の額にする必要がない場合には、法人住民税の均等割税額や消費税の負担等を考慮して、1,000万円未満にするとよいでしょう。

〈法人住民税の均等割税額〉

期末資本金等の額＊	道府県民税の標準均等割税額	市町村民税の標準均等割税額	
		従業者数50人以下	従業者数50人超
1,000万円以下	年額２万円	年額５万円	年額12万円
1,000万円超１億円以下	年額５万円	年額13万円	年額15万円
１億円超10億円以下	年額13万円	年額16万円	年額40万円
≀	≀	≀	≀

＊　道府県民税、市町村民税の標準均等割税額の判定基礎となる期末資本金等の額は、事業年度終了日の「法人税法上の資本金等の額に無償増減資等の額を加減算した額」と「資本金の額及び資本準備金の額の合計額」のいずれか大きい金額とされています。（７ページ参照）

●表中は標準税率で大阪府のように超過税率を課している自治体もあります。

アドバイス

・会社の設立初年度及び２年度は消費税の基準期間がないため、原則、消費税の免税業者となります。資本金の額等を1,000万円以上にすると、設立初年度及び２年度とも消費税の納税義務者となる（新設法人）ため注意が必要です。（153ページ参照）
・資本金の額等が１億円以上になると、原則として法人税の税務調査は国税局の調査部が担当することになります。

MEMO

他に資本金の大小で納税額に影響の出る項目は次のとおりです。
①特定同族会社の留保金課税………留保控除額の積立金基準（177ページ参照）
②寄附金の損金算入限度額……一般の寄附金・特定公益増進法人等に対する限度額の計算（71ページ参照）
③設立登記の登録免許税………原則として資本金の7/1000（ただし、株式会社は最低15万円）

⑤中小法人等と中小企業者等の判定

税の特典には、法人税法の規定と租税特別措置法の規定があり、それぞれ特典が受けられる法人の範囲や、その内容が異なります。以下では、法人税法や租税特別措置法の適用が受けられるかどうかをフローチャートにして示しています。

〈法人税法上の「中小法人等」と租税特別措置法上の「中小企業者等」の判定フローチャート〉

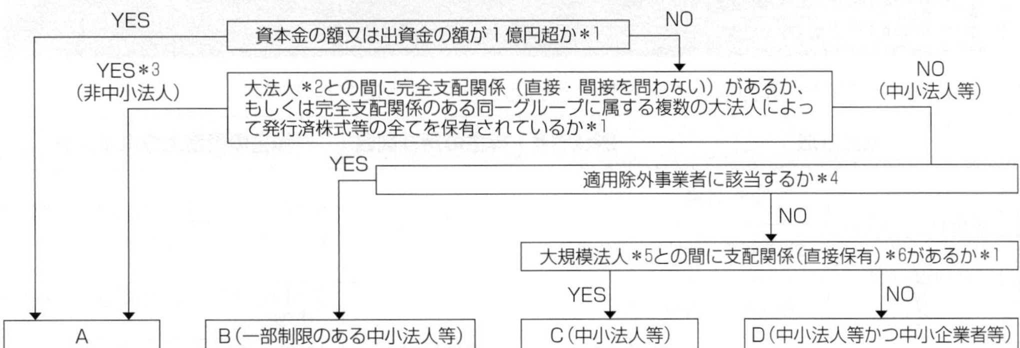

〈中小法人等や中小企業者等に認められる特典〉

	A	B	C	D	参照ページ
法人税率の軽減税率＊7	×	○ （19%）	○ （15%）	○ （15%）	2ページ
外形標準課税制度の適用除外	×＊8△	△	△	△	8ページ
賃上げ促進税制＊9	○	○	○	◎	20ページ
研究開発税制	○＊10	○	○	◎	48、49ページ
交際費の損金算入限度額	×＊11	○	○	○	61ページ
貸倒引当金の損金算入（法定繰入率）	×	×	○	○	67ページ
貸倒引当金の損金算入（上記以外）		○			
少額減価償却資産の取得価額の損金算入の特例＊12	×	×	×	○	115ページ
民間投資の活性化等を支援する制度	×	×	×	○	122ページ
地方活性化への投資を支援する制度、DX投資促進税制など	○	○	○	◎	124ページ
留保金課税制度の適用除外	×	○	○	○	176ページ
欠損金の繰越控除と繰戻し還付制度	×	○	○	○	184、185ページ

○…適用されるもの　×…適用されないもの　◎…中小企業者等に対し有利な適用があるもの
△…資本金の額又は出資金の額が１億円以下の法人であっても、外形標準課税制度が適用される場合があります。（８ページ参照）
＊１　資本金の額又は出資金の額を有しない法人は、NOへ進みます。（法法66②、措令27の４⑰）
＊２　資本金の額又は出資金の額が５億円以上である法人（その他一定の法人を含みます。法法66⑤）
＊３　非中小法人で普通法人の場合は法人税別表一の「非中小法人」に「○」を付けます。
＊４　適用除外事業者とは、その事業年度開始の日前３年以内に終了した事業年度の12か月あたりの所得平均が15億円を超える法人をいいます。（措法42の４⑲ハ）なお、事業年度開始時点で設立後３年を経過していない法人（合併等による設立を除く。）は所得０として、NOへ進みます。
＊５　中小企業投資育成㈱を除く以下のいずれかに該当する法人（措令27の４⑰）なお、事業承継ファンドを通じた中小企業基盤整備機構の出資についても、大規模法人の有する株式等から除かれる場合があります。
　イ　資本金の額又は出資金の額が１億円超である法人
　ロ　資本金の額又は出資金の額を有しない法人のうち、常時使用する従業員の数が1,000人を超える法人
　ハ　大法人との間に当該大法人による完全支配関係のある法人
　ニ　完全支配関係のある同一グループに属する複数の大法人によって発行済株式等の全てを保有される法人
＊６　２以上の大規模法人に保有されている割合が２/３以上の場合も含みます。
＊７　年800万円以下の所得に対して（　）書きの軽減税率が適用されます。
＊８　外形標準課税制度は、原則として資本金の額又は出資金の額が１億円超の法人に適用されます。
＊９　上記Ａ～Ｄに該当する法人のうち、常時使用する従業員の数が2,000人以下である法人（一定の法人を除く）については、新たに創設された中堅企業向け賃上げ促進税制(大企業向けの制度のうち一部要件が緩和)を選択により適用することができます。（20ページ参照）
＊10　大企業は、一定の場合、研究開発税制が適用できません。（49ページ参照）
＊11　資本金の額等が100億円超の法人については、交際費の全額（１人当たり10,000円以下の飲食費を除く。）が損金不算入となります。（61ページ参照）
＊12　常時使用する従業員の数が500人（出資金の額が１億円超の農業協同組合等については300人）を超える法人及び通算法人は除かれます。（措令39の28）

増資の税務

──有利な発行価額には問題が──

設立時の払込みについては、資金の出所以外に税務上特に気を付ける点はありませんが、設立後の増資については、税務上の問題がいろいろと発生します。ここでは増資の方法をまとめるとともに、税務上の問題点を説明します。なお増資する法人については資本等取引に該当するため原則として課税問題は生じません。

① 増資の方法

増資の方法と株主の税務上のポイントをまとめると次のようになります。

増資方法			会社の財産	株主の持株割合	株主の税務上のポイント
有償増資	募集株式の発行（金銭による出資及び現物出資）	公募増資	増加する	変動する	時価＞払込金額となる有利発行の場合に注意（❷参照）
		第三者割当増資			
		株主割当増資		変動しない	失権株が発生した場合に注意（❷参照）
無償増資	準備金の資本組入れ（会社法448） 剰余金の資本組入れ（会社法450）		増加しない		無償増資の場合は、資産の交付がないためみなし配当課税の問題は生じません。
その他	新株予約権の行使		増加する	変動する	新株予約権が株主割当以外で発行されている場合に注意（❸参照）

- 募集株式の発行には、新株式の発行を行う場合と自己株式（金庫株）の処分を行う方法があります。
- 新株式の発行（設立時を含む。）によって払い込まれた財産の½以上を資本金とし、残額は資本準備金に計上しなければなりません。（会社法445）
- 株主割当以外の方法による有償増資の決定機関は、株式譲渡制限会社の場合は株主総会（特別決議）、公開会社の場合は取締役会です。ただし、公開会社の場合でも有利発行の場合は、株主総会の特別決議が必要です。また、株式譲渡制限会社における第三者割当増資の株主総会の特別決議は、発行決議において払込金額の下限を定めることで有利発行手続と一体化されています。（会社法199～201、309②五）
- 増資に際して株主となる日は、払込期日を定めている場合には「払込期日」に、払込期間を定めている場合には「払込日」になります。（会社法209）
- 資本金の増加の日は、払込期日を定めたときは「払込期日」、払込期間を定めたときは「払込日」、準備金若しくは剰余金の資本組入れによる場合は「効力発生日」、新株予約権の行使による場合は「行使日」となります。（法基通1－5－1）
- すべての準備金及び剰余金の資本組入れが可能となっています。（会社計算規則25①）

種類株式

株式会社は、下記の９種類の事項について異なる定めをした内容の株式を発行することができます。増資において新株を発行する場合にもこのような種類株式を発行することができます。なお、種類株式を発行するためには、その種類株式の内容および発行可能種類株式総数を定款で定めなければなりません。（会社法108）

①剰余金の配当に関する優先株式・劣後株式、②残余財産の分配に関する優先株式・劣後株式、③議決権制限株式、④譲渡制限株式、⑤取得請求権付株式、⑥取得条項付株式、⑦全部取得条項付株式、⑧拒否権付株式、⑨役員選任権付株式（指名委員会等設置会社および公開会社は除く。）

種類株式は、事業承継（③議決権制限株式、⑧拒否権付株式等）、株式公開における資本政策（①剰余金の配当に関する優先株式・劣後株式、⑤取得請求権付株式、⑥取得条項付株式等）、100％減資（⑦全部取得条項付株式等）、敵対買収に対する防衛策（⑧拒否権付株式等）、スクイーズアウト（⑦全部取得条項付株式等）等さまざまな状況で活用できます。税務上は、特に種類株式の評価については一定の種類株式（281ページ参照）を除いて未整備であり、その利用については注意が必要です。

❷有償増資の課税問題

有償増資の場合、株式を時価で発行する場合や株主に平等に割当てがなされる場合には、特に税務上問題となることはありませんが、次のように有利な価額で増資が行われ、株主間で価値の移転があった場合には、課税問題が生じますので注意が必要です。

有償増資の方法		発行の態様		株式を引き受けた個人		株式を引き受けた法人
				同族会社の既存株主の親族	その他	
新株引受権が発生する	株主割当増資	有利発行	新株の引受けをしない株主がいてその失権株分を誰にも割り当てなかった	Ⓐ 贈与税	－	－
	第三者割当増資	有利発行		Ⓑ 贈与税（所得税）＊	所得税＊	法人税受贈益課税

＊　一時所得や給与所得又は退職所得として所得税の課税対象となります。

［解説］（相基通９－４、９－７）

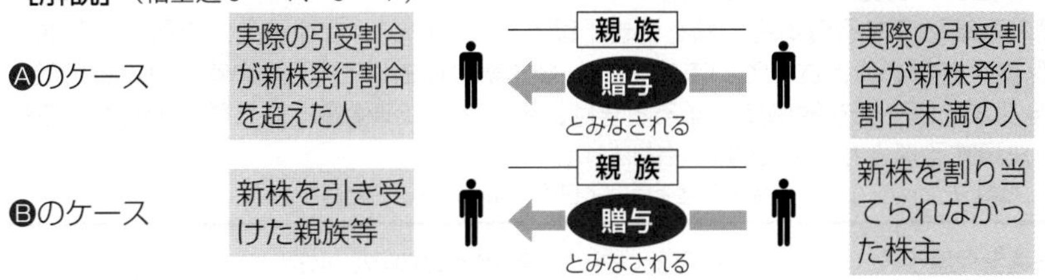

Ⓐのケース　実際の引受割合が新株発行割合を超えた人 ← 親族 贈与とみなされる ← 実際の引受割合が新株発行割合未満の人

Ⓑのケース　新株を引き受けた親族等 ← 親族 贈与とみなされる ← 新株を割り当てられなかった株主

●親族等とは、親族及び内縁者、使用人など（これらの者の親族で生計を一にするものを含みます。）をいいます。

アドバイス

有利な発行価額により新株が発行される場合、特に同族会社において親族間で価値の移転がある場合には贈与税の問題が生じるので注意してください。

❸新株予約権の税務の取扱い

新株予約権とは、株式会社に対して行使することにより当該株式会社の株式の交付を受けることができる権利で、定められた行使期間内に、定められた行使価格を払い込むことによって株式を取得することになります。新株予約権が株主に対して平等に割当てされた場合には特に税務上問題となることはありませんが、株主割当て以外の場合には課税上の問題が発生するため注意が必要です。

１.取得者が法人の場合の税務

法人が新株予約権を取得した場合、およびその後権利行使により株式を取得した場合の税務の取扱いは以下のようになります。

新株予約権発行時	新株予約権を無償又は時価＊1より低い価額で取得した場合には、新株予約権発行時に時価で新株予約権を取得したものとして課税がなされます。
新株予約権行使時	権利行使時には課税関係は生じません。 （株式の取得価額＝行使価額＋新株予約権の直前の帳簿価額（時価＊1）＋取得費用）

＊１　新株予約権の時価の算定には、ブラックショールズモデルや二項モデルなどのオプションの評価方法を使用します。

２.取得者が個人の場合の税務

新株予約権を個人が取得した場合は、上記法人と同様に新株予約権を無償又は時価より低い価額で取得した場合に、原則として新株予約権発行時に時価で新株予約権を取得したものとして課税されますが、役務等の対価として発行されるストック・オプションの場合には、新株予約権取得時には課税されず、以下のように新株予約権行使時又は株式売却時まで課税を繰り延べる措置が講じられています。

特　　例	課税時期と所得区分
新株予約権の譲渡禁止の制限等が付されているストック・オプション（所令84②）	新株予約権の行使時に雑所得課税（給与所得課税）＊2 所得金額＝権利行使時の時価－新株予約権の取得価額－行使価額
税制適格ストック・オプション（措法29の２、25ページ参照）	株式売却時に譲渡所得課税 所得金額＝株式売却価額－新株予約権の取得価額－行使価額

＊２　所得が給与所得又は一定の雑所得に該当する場合、個人より所得税を源泉徴収し納付しなければなりません。

3 資本金等の減少と自己株式取得の税務
――自己株式の取扱いには、要注意！――

会社法 では、資本金･準備金の減少については一定の手続は必要ですが、株主に払戻しをしない限り減少額に制限はなく、株主に払い戻す場合（自己株式の取得も含む。）には、剰余金の分配としての財源規制がかかります。

なお、自己株式の取得は、原則として株主総会の承認が必要ですが、株主総会の授権により、取締役会決議で機動的な取得が可能となっています。

① 減資（資本金の額の減少）の手続

1.減資（資本金の額の減少）の手続

「減資」とは、会社財産の基準額である資本金の額を引き下げることをいい、会社法上、原則として株主総会の特別決議と債権者保護手続が必要とされています。なお、株主総会において「①減少する資本金の額、②減少する資本金の額の全部または一部を準備金とするときは、その旨及び準備金とする額、③資本金の額の減少の効力発生日」＊1を決議することが必要です。（会社法447、449）

＊1　効力発生日は株主総会で決議した効力発生日と債権者保護手続完了日のいずれか遅い日となります。（会社法449⑥）

原則	株主総会特別決議＋債権者保護手続	下記以外の減資（会社法309②九、449）
例外	定時株主総会普通決議＋債権者保護手続で可能な場合	減少する資本金の額の全額を欠損の填補に充てる場合＊2（会社法309②九括弧書、449）
	取締役会決議(取締役の決定)＋債権者保護手続で可能な場合	新株発行と同時に行う減資であって、減資後の資本金の額が減資前の資本金の額を下回らない場合（会社法447③、449）

＊2　「無償減資による欠損填補※」を行った場合には、法人住民税均等割の税額や外形標準課税の資本割の税額が軽減される場合があります。（7ページ参照）
　※　資本金の額又は資本準備金の額を減少し、その他資本剰余金として計上してから、1年以内に損失の填補に充てる必要があります。

会社法においては、減資と払戻し、減資と株式消却とは完全に切り離されており、次のようになります。

有償減資	減資とともに払戻しを行う場合（有償減資）は、「減資による資本剰余金の増加＋資本剰余金の配当」という2つの手続からなり、株主総会で減資と剰余金の配当の決議が同時に必要です。また、剰余金の分配可能額の範囲でしか配当ができない点に注意が必要です。
株式消却	株式の消却（株式数の減少）と減資は無関係で、株式を消却するためには、減資の手続とは別に株式併合もしくは自己株式の取得とその消却をする必要があります。（204ページ参照）
100%減資	100%減資は、発行済株式の全部取得とその消却という2つの手続からなります。具体的には、①2種類以上の株式を発行する定款変更決議、②発行済株式を全部取得条項付株式にする定款変更決議、③全部取得条項付株式を取得する決議を、同じ株主総会（特別決議）で行うことで、迅速な手続ができます。

〈会社法における分配可能額〉

会社法上、分配可能額を超える剰余金の配当＊3や純資産額が300万円を下回る剰余金の配当はできません。（会社法458、461）

会社法および会社計算規則での「分配可能額」の定義は、基本的に右のようになります。

なお、配当の効力発生時を基準に算定するため、期中に効力発生する場合には、期中の利益や自己株式の処分価額等の調整が必要です。

分配可能額 ＝
　①その他資本剰余金
＋②その他利益剰余金
－③自己株式の帳簿価額
－④その他有価証券評価差額金がマイナスの場合の絶対値
－⑤土地再評価差額金がマイナスの場合の絶対値
－⑥のれん等調整額＊4の一定の調整額

＊3　剰余金の配当を行う場合、配当額の10分の1を資本金の4分の1に達するまで、資本準備金又は利益準備金へ積み立てる必要があります。この積立てを考慮すると分配可能な金額は分配可能額の11分の10になります。（会社法445④、会社計算規則22①一）

＊4　のれん等調整額とは「のれん」の2分の1と繰延資産の合計額となります。

2.減資と払戻し・自己株式取得の税務上の取扱い

減資とともに払戻しや自己株式取得を行った場合の税務上の取扱いは、次のとおりです。

減資の態様		減資法人の取扱い		株主の取扱い
		資本金等の額の取扱い	利益積立金額の取扱い	
減資	資本の払戻しを伴う減資	減資資本金額*1の減少（法令8①十八）	（交付金銭等－減資資本金額*1）の減少（みなし配当）（法令9①十二）	株式譲渡益＋みなし配当
減資	自己株式の取得	取得資本金額*2の減少（法令8①二十一）	（交付金銭等－取得資本金額*2）の減少（みなし配当）（法令9①十四）	株式譲渡益＋みなし配当*3
減資	上記を伴わない減資	変動なし（減少資本金額は資本金等の額の増加項目）（法令8①十二）	－	－

＊1　減資資本金額＝減資直前の資本金等の額×$\frac{資本の払戻しにより減少した資本剰余金の額}{前事業年度終了時の簿価純資産価額}$（小数点以下3位未満切上げ）
なお、減資資本金額は、減少した資本剰余金の額が上限となります。

＊2　取得資本金額＝取得直前の資本金等の額×$\frac{取得した自己株式の数}{直前の発行済株式の総数－既に有している自己株式}$
なお、数種類の株式を発行している場合には、その種類毎に区分して計算します。

＊3　一定の場合、みなし配当課税はありません。（205ページ参照）

②準備金の減少手続と税務上の取扱い

1.準備金を減少させる手続

会社法上、準備金の減少は原則として株主総会の普通決議と債権者保護手続が必要です。なお、株主総会において「①減少する準備金の額、②減少する準備金の額の全部または一部を資本金とするときは、その旨及び資本金とする額、③準備金の額の減少の効力発生日」を決議することが必要です。（会社法448、449）

原則	株主総会普通決議＋債権者保護手続	準備金の取り崩しは所定の手続により、いつでも可能となります。（会社法448①、449）
例外	株主総会普通決議のみで可能な場合	**資本組入れ（会社法448①二、449①括弧書）** 資本金の額を増加させることは会社債権者の利益になるので債権者保護手続は不要です。また、株主にとっては配当可能利益が減少する不利益を受けることになることから株主総会決議が要件とされています。
例外	定時株主総会普通決議のみで可能な場合	**資本の欠損の填補（会社法448、449①）** 資本の欠損が生じている場合に、その欠損を填補するために準備金を取り崩す場合は、定時株主総会において決議します。準備金の取り崩しが欠損金額の範囲内であれば、分配可能な剰余金は生じないため債権者保護手続は不要とされています。また、会計監査人設置会社の場合、定款の定めにより取締役会決議とすることができます。（会社法459①二）
例外	取締役会決議（取締役の決定）＋債権者保護手続	**株式の発行を伴う準備金の減少（会社法448③、449）** 株式発行と同時に準備金の額を減少させる場合において準備金減少の効力発生日の翌日における準備金の額が、その前日の準備金の額を下回らないとき。

2.準備金取崩しの税務上の取扱い

項　目	税 務 上 の 取 扱 い
(1)資本組入れ	**準備金の資本組入れ** 税務上、資本準備金の資本組入れの場合は、調整は不要ですが、利益準備金の資本組入れの場合には、別表五(一)において調整が必要です。
(2)資本の欠損の填補	**資本準備金による欠損の填補** 会計上、資本剰余金が減少し利益剰余金が増加することになりますが、税務上の資本金等の額及び利益積立金額には変動がありません。したがって、別表五(一)において利益積立金額を減少させ資本金等の額を増加させる調整が必要です。 **利益準備金による欠損の填補** 会計上と税務上が一致しており調整は不要です。
(3)その他の取り崩し 〔取り崩した資本準備金（その他資本剰余金）から配当した場合〕	**取り崩した資本準備金（その他資本剰余金）から配当した場合の支払法人の取扱い** その他資本剰余金から配当した場合、税務上は資本の払戻しとされるため、①2の資本の払戻しを伴う減資と同様の処理になります。したがって、みなし配当分だけ会計上と差異が生じることになり、別表五(一)において利益積立金額を減少させ資本金等の額を増加させる調整が必要です。 **取り崩した資本準備金（その他資本剰余金）から配当した場合の受取法人の取扱い** 会計上は、受け取った法人株主は、資本と利益を明確に区別するものとされるため、売買目的有価証券の場合を除き、その他資本剰余金部分からの配当は有価証券の帳簿価額を減額することとされています。税務上は資本の払戻しとされるため①2に記載の資本の払戻しを伴う減資と同様、みなし配当課税がなされます。

③自己株式の取得

会社法では、自己株式の買取りは、剰余金の分配可能額の範囲内での株主総会決議による取得の他、下記のとおり一定の自己株式の取得を認めています。

1．自己株式の取得

(1)　自己株式取得の態様

取得の方法		決定機関と決議方法＊1	会社法条文	内　容	財源規制
株主との合意による有償取得	原則	株主総会普通決議	156条	株主総会の授権に基づき取得する場合。ただし、市場取引・公開買付による場合には定款の定めにより取締役会決議でも可（会社法165②）	分配可能額内
	子会社からの取得	株主総会普通決議（取締役会設置会社は取締役会決議）	163条	子会社が所有する親会社株式＊2を親会社が取得する場合	
	相続人等からの取得	株主総会特別決議	160、162条	株式譲渡制限会社で相続人等から取得する場合	
	その他の特定の株主からの取得	株主総会特別決議	160条	上記以外の特定株主からの取得による場合。定款に別段の定めがある場合等を除き売主以外の株主は自己を売主として追加することを請求できる	
株主の意思によらない取得	取得条項付株式の取得	株主総会普通決議（取締役会設置会社は取締役会決議）	168条	定款に一定の事由が生じたことを条件に株式を取得することができる旨の定めを設けている株式を強制取得する場合	
	全部取得条項付株式の取得	株主総会特別決議	171条	定款に株主総会の特別決議によりその種類の株式の全部を取得することができる旨の定めを設けている株式を強制取得する場合	
	相続人等に対する売渡請求による取得	株主総会特別決議	175条	定款に相続等より譲渡制限株式を取得した者に対してその株式を売り渡すことを請求できる旨を定めている場合で、相続開始等から１年以内に取得者に対して売渡請求して強制取得する場合	
事業全部の譲受、吸収合併・吸収分割による取得		不要	155条十〜十二	組織再編成に伴い取得する場合。組織再編成行為自体に株主総会特別決議を要するため自己株式の取得について個別の決議は不要	無し
買取請求による取得	譲渡不承認の場合の買取	株主総会特別決議	140条	株式譲渡制限会社において、会社が株主からの譲渡承認請求を承認しなかった時に取得する場合	分配可能額内
	単元未満株式の買取請求 組織再編行為等の反対株主買取請求	不要	192条 785条	単元未満株主や組織再編成に反対した株主からの請求に基づき取得する場合	無し

＊1　株主総会は定時・臨時のどちらでもよいこととされています。
＊2　子会社の親会社株式の取得については、原則として認められていません。（会社法135）
　3　自己株式の無償取得は条件なしで可能です。（会社法施行規則27一）

(2)　自己株式取得の方法（株主総会の決議を要する場合）

株主総会の決議 —（授権）→ **取　締　役　会** ←（通知又は公告）→ **株　主**（株主→取締役会：（買取請求））

- 株主総会の決議：取得する株式の種類・数・対価・取得期間を決議
- 取締役会：取得する株式の種類・数・一株当たりの取得価額または算定方法・取得価額の総額・申込期間の決定＊

＊　取締役会非設置会社は、その都度、株主総会の決議を要すると解されています。

2．自己株式の保有・消却・処分

	手続	会　計　処　理	
保有	取得した自己株式の保有は原則として自由とされています。	自己株式は、取得価額をもって純資産の部の株主資本から控除する形で表示します。	
処分＊	自己株式を処分（売却）する場合には、新株発行の手続が必要とされ、公開会社は取締役会決議、非公開会社は株主割当で定款に定めがある場合を除き株主総会特別決議が必要です。	自己株式処分差益は「その他資本剰余金」に計上し、自己株式処分差損は「その他資本剰余金」から減額します。	左記の処理の結果、「その他資本剰余金」の残高がマイナスとなった場合には、会計期間末において、「その他資本剰余金」をゼロとし、当該マイナスを「その他利益剰余金」から減額します。
消却	会社はいつでも取締役会（取締役）決議で保有している自己株式を消却することができます。その際、消却する自己株式の数（種類株式発行会社は自己株式の種類および種類ごとの数）を決議しなければなりません。（会社法178）	自己株式の帳簿価額を「その他資本剰余金」から減額します。	

＊　令和３年３月１日以後は、新設された株式交付制度（会社法774の２）を活用することで、自社株を対価として他の会社を子会社化することがより円滑にできます。

- 自己株式の取得、処分、消却に関する付随費用は損益計算書の営業外費用として処理します。
- 株式消却については、自己株式の取得と自己株式の消却の２つの手続に分けて考えることになります。

❹ 自己株式の税務上の取扱い

自己株式を取得・消却・処分した場合の税務上の取扱いは次のようになります。なお、自己株式の保有については税務上の問題は発生しません。

【設例】Ａ社の株主資本（発行済株式数　２株）　　Ａ社の株主甲　１株所有　取得価額　1,600
資本金　2,000
資本準備金　1,000
利益剰余金　2,000

・Ａ社は株主甲より１株2,000で自己株式の取得を実施
・その後Ａ社は所有する自己株式を１株2,200で処分

１.自己株式を取得した場合

一定の場合＊1を除き次のように取り扱われます。（法法24①五、法令８①二十、９①十四）なお、自己株式を会社に売却しなかった株主については課税関係は生じません。

自己株式取得法人A社の税務上の取扱い	株主甲の税務上の取扱い
・株主に交付した金銭等の額が、取得資本金額＊2を超える場合には、その超える金額は利益積立金額＊3から減額されます。 ・自己株式を取得した時に、資本金等の額を取得資本金額だけ減少させます。	・交付を受けた金銭等の額のうち、取得資本金額を超える場合には、その超える金額はみなし配当＊4とされます。 ・株式の帳簿価額と取得資本金額との差は株式譲渡損益とされます。＊5
（税務上） 資本金等の額　1,500　　現金　2,000 利益積立金　500	（税務上） 現金　2,000　　有価証券　1,600 株式売却損　100　　みなし配当　500
（参考：会計上） 自己株式　2,000　　現金　2,000	（参考：会計上） 現金　2,000　　有価証券　1,600 株式売却益　400

＊１　①市場買付や端株・単元未満株式等の場合（法令23③、所令61①）
　この場合みなし配当課税はなく、税務上、自己株式取得法人は取得価額の全額を資本金等の額から減額し、自己株式売却株主は売却価額と帳簿価額の差額を株式売却損益として取り扱います。
　②非上場株式における相続税額が発生する相続人からの買取りのうち一定の要件を満たす場合（257ページ参照）
　①と同様相続人に対してみなし配当課税はありませんが、自己株式取得法人はみなし配当課税がなされる場合と同様に、資本金等の額及び利益積立金額を減少させます。
＊２　203ページ参照。
＊３　利益積立金額の減少は株主に対するみなし配当になり、源泉所得税を徴収する必要があります。仕訳例ではみなし配当の源泉徴収は無視しています。
＊４　法人株主の場合は受取配当等の益金不算入制度（自己株式として取得されることを予定して取得した株式（＊５の場合を除く。）に係る配当等を除く。）、個人株主の場合は配当控除の対象となります。
＊５　完全支配関係にある内国法人間での自己株式取得の場合には、原則として帳簿価額での譲渡とされ、譲渡損益は計上されず、譲渡損益相当額を譲渡法人の資本金等の額に加減算することになります。（法法61の２⑰、法令８①二十二）

MEMO

発行法人に株式を売却した株主の留意点

個人株主が発行法人に株式を譲渡した場合には、配当所得と資本金等の額と対価の額との関係で、総合課税の「配当所得(みなし配当)」と分離課税の「譲渡所得」の２種類の所得が発生する場合があり、税率の差が生じるので注意が必要です。

（注）法人株主も、配当(みなし配当)と株式譲渡損益が発生しますが、個人株主のような税率の差はありません。

２.自己株式を消却又は処分した場合

自己株式を消却又は処分した場合の税務上の取扱いは次のようになります。

	消　却	処　分
自己株式取得法人Ａ社の取扱い	自己株式を取得した時に資本金等の額の減少として処理するため、消却段階での税務上の処理は不要です。	自己株式の処分は資本等取引とされ、払込金額の全額が資本金等の額の増加とされます。（法令８①一）
	（税務上） 不　要	（税務上） 現金　2,200　　資本金等の額　2,200
	（会計上） その他資本剰余金＊ 2,000　　自己株式　2,000	（会計上） 現金　2,200　　自己株式　2,000 その他資本剰余金　200

＊　会計処理は左ページ参照。

4 子会社等の救済
——利息棚上げ、無利息貸付け等——

子会社等の業績が悪化してきた場合、事業規模を縮小し、人員整理（出向も含む。）を行ったり、親会社が増資を引き受けたりするなどの再建策の検討が必要となってきます。

再建過程での、親会社の援助に対しても税務上様々な取扱いが定められているため、具体的な行動に移す前に十分な検討を加えておく必要があります。

ここでは、子会社等の業績悪化の程度に応じた援助方法と、リストラの過程で会社の営業の一部を事業譲渡する場合の税務上の問題点について説明します。

①利息の棚上げ

例えば子会社等に対して貸付金がある場合、貸付金の利息は原則としてその利息の計算期間の経過に応じて益金に算入しなければなりません。しかし、貸付先である子会社等が次のような状況にある場合は、貸付金利息の計上（益金算入）を見送り、実際に支払を受けた日の事業年度の益金とすることができます。（法基通２－１－25）

条件	
条件	①債務者が債務超過に陥っているなどの理由により、支払督促したにもかかわらず、事業年度末以前６か月（６か月以内に支払期日がないものは１年）以内に支払期日が到来した利子全額が未収で、かつ、事業年度末以前６か月（６か月以内に支払期日がないものは１年）以内にそれ以外の利子もまったくかほとんど受け取っていない場合 ②債務者が更生手続等の法律上の手続に入った場合 ③債務者が相当期間債務超過の状態にあり、事業好転の見通しがない、天災事故や経済事情の急変等により多大の損失を蒙った等の事由により、貸付金の回収が危ぶまれるに至った場合 ④更生計画認可の決定、債権者集会の協議決定等により貸付金が相当期間（おおむね２年以上）棚上げされることになった場合

②子会社等を整理・再建する場合の損失負担等

子会社等に対する貸付金の利息を免除した場合や債権放棄した場合には、基本的には、子会社等に対して経済的利益を供与したものとして寄附金として取り扱われますが、下記のような場合には、その取引に経済合理性があると判断され寄附金に該当しないものとして取り扱われます。

なお、グループ法人税制では、完全支配関係のある法人間の寄附金は寄附した側で全額損金不算入、寄附を受けた側で全額益金不算入とされますが、債権放棄等に経済合理性があると判断されれば完全支配関係間の債権放棄であっても寄附金には該当しません。

(1)　寄附金として取り扱われない場合

子会社等を再建する場合（法基通９－４－２）　子会社等に対する無利息貸付け・債権放棄等で、業績不振の子会社等の倒産を防止するための合理的な再建計画＊に基づくもの等相当な理由がある場合。

＊　利害の対立する複数の支援者の合意によって策定されたと認められる再建計画は、原則として合理的な再建計画として取り扱われます。

債務の株式化（デット・エクイティ・スワップ＝DES）

DESを行い子会社等の負担を軽減する場合も、合理的な再建計画等に基づくものであれば、取得した株式等は時価で取得したものとされ、債権の帳簿価額との差額は損金に算入されます。（法基通2−3−14）

子会社等を整理する場合（法基通９－４－１）　子会社等の解散や経営権の譲渡等に伴う債務の引受けなどの損失負担＊・債権放棄等で、負担又は放棄しなければ今後より大きな損失を蒙ることになることが社会通念上明らかである等相当な理由がある場合。

＊「債務の引受けなどの損失負担」とは、例えば子会社等を解散する際の従業員の退職金を親会社が負担することや、社会的信用を維持するために一般債権者の債務を肩代わりすること等をいいます。

(2) 具体的な取扱い

上記の損失負担等が経済合理性を有しているかは、次の観点から総合的に検討することになります。（国税庁質疑応答事例「子会社等を整理・再建する場合の損失負担等」参照）

	項目		ポイント
①	子会社等の範囲		その会社と資本関係、取引関係、人的関係、資金関係等の事業関連性を有するか。
②	子会社等は経営危機に陥っているか（倒産の危機にあるか）	再建	・債務超過等倒産の危機に瀕しているか。 ・支援がなければ自力再建は不可能か。
		整理	・実質債務超過か。 ・支援がなければ整理できないか。
③	損失負担等を行う理由の相当性（支援者にとって相当な理由はあるか）	再建	・倒産した場合に比べて損失が軽減されるか。 ・支援者の信用が維持されるか。
		整理	支援することにより将来の大きな損失を回避することができるか。
④	損失負担額等の合理性（過剰支援になっていないか）		・損失負担額等は必要最低限の金額となっているか。 ・支援により子会社等に課税所得は発生しないか。 ・子会社等は遊休資産の売却等自己努力を行っているか。
⑤	整理・再建管理等の有無		支援者による再建管理、又は整理管理が行われるか。（子会社等の立ち直り状況に応じて支援額を見直すこととされているか等）
⑥	支援者等の範囲の相当性		・事業関連性の強弱、支援規模、支援能力等から、当事者間の合意で決定されているか。 ・事業関連性を有するものが支援していない場合、合理的な理由があるか。
⑦	損失負担等の割合の合理性		事業関連性の強弱、支援規模、支援能力等から、当事者間の合意で決定されているか。

アドバイス

再建支援等が寄附金に該当しないかどうかについては、各国税局等に事前相談するとよいでしょう。ただし、支援を受ける側からのみの事前相談は受け付けられません。

③事業譲渡

(1) 譲渡価額

子会社等を救済する過程で、子会社等の事業の一部を売却（事業譲渡）し損失を少しでも少なくする方法がとられる場合があります。

事業譲渡は会社の人的組織や物的設備を一体として譲渡するものですから、事業全体の譲渡時の時価で譲渡することが必要で、時価よりも低額又は高額で譲渡すると寄附金の認定課税、受贈益の計上等の課税問題が発生することもあるので注意が必要です。

また、事業譲渡の直前において営む事業及びその事業に係る主要な資産等のおおむね全部を事業譲渡する場合には、次の方法により算定した時価純資産価額と譲渡価額（時価）との差額について、229ページの「2.非適格合併等による移転資産等に係る調整勘定の取扱い」の適用があるので留意してください。

時価純資産価額 ＝ 譲渡資産の評価額 － 譲渡負債の評価額 ＋ 営業権の評価額

個々の資産・負債ごとに個別に時価評価します。（譲渡資産の評価額・譲渡負債の評価額）

法人税法上、許可漁業の出漁権、タクシー業のナンバー権などのように法令の規定、行政官庁の指導等による規制に基づく登録、認可、割当て等の権利を例示していますが（法基通7－1－5）、これらに限らず、会社の社会的信用、立地条件、技術力、得意先、仕入先関係、社員等の諸条件を加味して算定した会社の超過収益の額＊により評価します。（営業権の評価額）

＊　超過収益の額とは、上記の諸条件により、会社が同業他社の平均的な収益力よりも高い収益力を保有している場合のその収益力の差をいいます。

MEMO

税務上、資産調整勘定及び負債調整勘定は5年で月割償却することとされています。負ののれんは、会計上（企業結合に関する会計基準）、発生時に一括して特別利益（負ののれん発生益）に計上することとされています。上場会社等は会計上と税務上とで差異が生じるため、税務調整が必要となります。

(2) 事業譲渡するための親会社等の損失負担等

債務超過の会社は通常そのままでは事業譲渡できませんので、経営破綻した子会社等を他の法人に事業譲渡するためには、親会社等が債権放棄等の損失負担を行わなければなりません。この損失負担等が寄附金として取り扱われないためには、次の観点から損失負担等をすることについて相当な理由があるかどうかの検討を行う必要があります。

①支援者にとって破綻した子会社等の事業を継続する必要があること
②子会社等の事業を継続するためには事業譲渡によらざるを得ないこと
③事業譲渡を選択したことにつき経済合理性が認められること

なお、会社法において、承継する資産の簿価が負債の簿価を下回る場合や合併交付金等が承継純資産を上回る場合の合併等が可能である旨定められています。（会社法795）したがって、親会社等が経営破綻した子会社等を吸収合併することも可能です。

5 会社倒産・再建と債務免除益等

——再建の道にたちはだかる税金、その救済措置は？——

リ ス ト ラに取り組んだ結果、利益体質になったとしても、売上が伸びなかったり、金融機関からの融資が受けられずに資金破綻を来し、倒産にいたるケースがあります。会社が倒産した場合に、そのまま清算に至る場合と債権者から債務の免除を受けたり、役員や株主から私財の提供を受けることによって会社を再建する場合があります。しかし、債務免除等によって生ずる益金にも税務上の原則どおり課税してしまうと会社再建の妨げとなるおそれがあるため、税務上も未払役員給与の免除益の益金不算入、期限切れ欠損金の損金算入や優先使用、資産の評価損益の計上等の制度を設け、会社の再建が円滑かつ迅速に進むような配慮がされています。

① 倒産会社の類型

一般的に倒産といわれているものをその手続の内容で分類してみると次のようになります。

区分		特徴
再建型	会社更生手続（会社更生法）	対象は相当規模の株式会社。株主は原則として変動する。管財人により手続が進められ、手続終結まで裁判所の監督下に置かれる。
	再生手続（民事再生法）	対象に限定なし。従来の経営者が継続するのが原則。（ＤＩＰ型）短期手続、過半数可決、再生計画履行確保（監督委員による監督）が特徴。
	自主再建手続	法的拘束力がないため、利害関係者の大多数の全面的協力がなければ不可能。
清算型	破産手続（破産法）	対象に限定なし。裁判所の管理下で、管財人により処理が進められるため手続が厳格で公平だが、処理に時間がかかる。
	特別清算手続（会社法）	対象は、清算中の株式会社で債務超過の疑い等の事由がある場合。破産手続ほど厳格ではないため、子会社等の整理に税務対策として利用される。
	自主清算手続	処理は早いが、不良債権者や不正行為の介在の余地がある。

② 倒産会社の事業年度

倒産会社の事業年度の取扱いについて、通常の決算が３月末の会社を例にとって検討してみます。

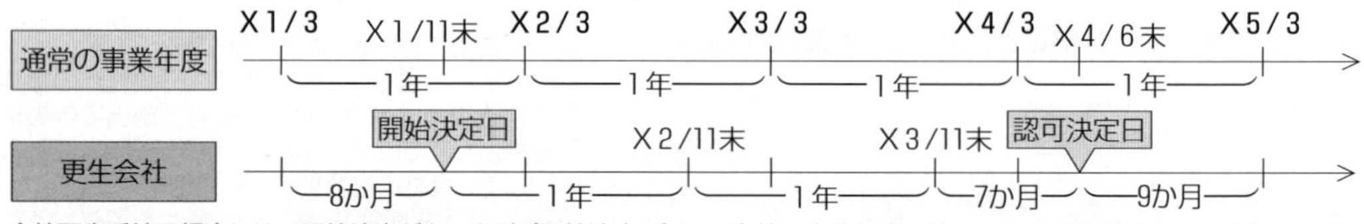

・会社更生手続の場合には、開始決定があった時（開始決定日）に、会社の事業年度は終了し、これに続く事業年度は、計画認可の時（認可決定日）又は更生手続終了の日に終了しますが(会社更生法232②)、この期間が１年を超えるときには、税務上、更生手続開始決定日の翌日から１年間ごとに１事業年度となります。(法法13)
・再生手続の場合には、事業年度について特別の規定はなく、通常事業年度のままです。

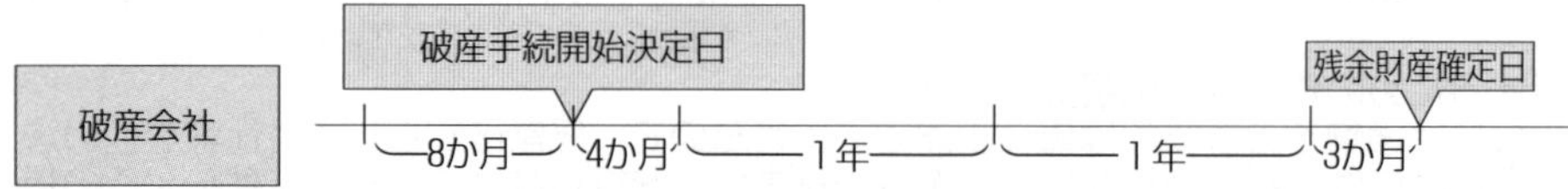

・会社法第475条の適用のない破産手続開始の決定により解散した場合や会社法の適用のない医療法人等が解散した場合には、解散の日に事業年度は終了しますが、次の事業年度は解散の日の翌日から従前の定款等記載の会計期間の末日までとなります。

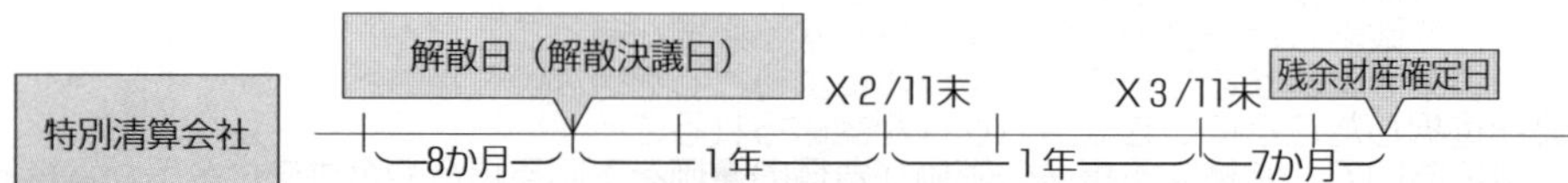

・事業年度の中途において解散した場合には、その事業年度開始の日から解散の日までの期間が１事業年度、解散の日の翌日から１年間ごとに１事業年度となります。（会社法494、法法14①一、法基通１－２－９）（平成18年５月１日以後の解散より適用）
・清算中の法人の残余財産が事業年度の中途において確定した場合には、その事業年度開始の日から残余財産の確定の日までの期間が１事業年度となります。(法法14①五)

③倒産会社の税務（再生税制）

再建計画は債権者の同意が得られる計画でなければなりませんし、債務免除益や私財提供益に対する税金の問題に対して、十分な検討が加えられたものでなければなりません。再建計画におけるタックスプランニングは非常に重要であり、税務上の特例を十分に理解して、その活用を図らなければ確実な会社再建が図られないともいえます。

1.期限切れ欠損金（特例欠損金）の損金算入

通常、青色申告法人では、当期の所得金額から控除できる繰越欠損金は、当期前10年＊以内の事業年度に生じた欠損金だけですが、一定の事実に基づく債務免除等があった場合には、当期前10年＊超の事業年度に生じた欠損金（期限切れ欠損金）であっても損金に算入することができ（法法59）、債務免除益等による課税を回避又は軽減することが可能となります。

＊　平成20年４月１日以後終了事業年度から平成30年３月31日以前開始事業年度までに生じた欠損金は９年。

(1)　制度の概要

区分		優先控除される欠損金	期限切れ欠損金の損金算入限度額（下記のうちいずれか少ない金額）
会社更生手続［ケース１］		期限切れ欠損金	・税務上の欠損金累計額＊ ・債務免除益等
民事再生手続等（一定の私的整理を含む。）	資産の評価損益を計上する場合［ケース２］	期限切れ欠損金	・税務上の欠損金累計額＊ ・欠損金控除前課税所得 ・債務免除益等
	資産の評価損益を計上しない場合［ケース３］	青色欠損金	・税務上の欠損金累計額＊－　青色欠損金当期控除額 ・債務免除益等 ・青色欠損金控除後課税所得

＊　税務上の欠損金累計については、厳密に過去の欠損金の累計を計算することは困難であるため、また税務上の欠損金であることから、特例の適用事業年度の法人税確定申告書別表五（一）［利益積立金額及び資本金等の額の計算に関する明細書」の『期首利益積立金の合計額』のマイナスの金額で算出することになっています。（法基通12－３－２）

(2)　適用対象となる事実（法法59、法令117の3）

①更生手続開始の決定があったこと
②再生手続開始の決定があったこと
③特別清算開始の命令があったこと
④破産手続開始の決定があったこと
⑤②から④までに掲げる事実に準ずる事実があったこと（注）

（注）　債務免除等が多数の債権者によって協議の上決められる等、その決定について恣意性がなく、かつ、その内容に合理性があると認められる資産の整理があったことが要件とされます。（法基通12-3-1⑶）具体的には、㈱整理回収機構や中小企業活性化協議会、㈱地域経済活性化支援機構が関与する私的整理及び私的整理ガイドライン、事業再生ADR、中小企業の事業再生等に関するガイドラインの他に特定調停スキーム等の私的整理が該当します。

(3)　債務免除益等

債務免除益：会社の更生、再生、破産手続などの事実によって債権者から免除を受けた金額。ただし、原因債権（各事実が生じる前の原因に基づいた債権）に限ります。＊１

＋

私財提供益：法人の役員若しくは株主等から金銭その他資産の贈与を受けることによって会社が得た利益をいい、使用人や取引先等からの贈与は含まれません。

＋

資産の評価損益：会社の更生、再生手続などの規定によって評価換えした場合の評価益＊２をいい、評価損がある場合には評価益の金額から評価損の金額を控除した金額（純評価益）となります。

［ケース１］会社更生の場合
純評価益がマイナスの場合はゼロとなり、債務免除益・私財提供益への食い込みが発生せず、期限切れ欠損金を最有効活用できます。

債務免除益・私財提供益｜資産の評価益｜資産の評価損
資産の評価益―資産の評価損＜０の場合でも評価益の額までしか控除しません。

［ケース２］民事再生・一定の要件を満たす私的整理で評価益を計上する場合＊３
純評価益がマイナスの場合は債務免除益・私財提供益への食い込みが発生します。

債務免除益・私財提供益｜資産の評価益｜資産の評価損
資産の評価益―資産の評価損＜０の場合、債務免除益・私財提供益からも控除します。

［ケース３］上記以外の場合
MEMO記載の評価損の計上を除き、評価損益を計上しません。

MEMO
通常の会社においては、資産の評価益については益金不算入、資産の評価損については一定の場合（棚卸資産、有価証券、固定資産、繰延資産で一定の事実に基づき計上された評価損）を除き損金不算入とされています。

対象は？

対象となる事実	対象資産	
更生計画認可の決定 再生計画認可の決定 一定の要件を満たす私的整理の計画合意	資産の評価益（法法25） 資産の評価損（法法33）	金銭債権を含むすべての資産 ただし、再生計画認可の決定があった場合における評価換え等の場合には、認可前５年以内に一定の圧縮記帳の対象となった減価償却資産、売買目的有価証券、償還有価証券等は除きます。（法令24の２④、68の２③）

＊１　ＤＥＳによる債権の受入価額（増加資本金等の額）が時価によるとされたことにより、時価と簿価の差額（債務消滅益）が発生しますが、このＤＥＳに伴う債務消滅益も期限切れ欠損金との相殺対象とされました。（法基通12－３－６）

＊２　資産の評価益を計上する場合の時価は、対象となる事実が生じた時の当該資産が使用収益されるものとしてその時において譲渡される場合に通常付される価額です。具体的には以下のとおりです。（法基通４－１－３～４－１－９）

有価証券	市場有価証券等	最終の売買価格等（81ページ参照）
	市場有価証券以外	①売買実例のあるもの⇒当該事実が生じた日前６月間において売買の行われたもののうち適正と認められるものの価額 ②公開途上にある株式⇒金融商品取引所の内規によって行われる入札により決定される入札後の公募等の価格等を参酌して通常取引されると認められる価額 ③売買実例がないもので類似の法人の株式価額のあるもの⇒当該価額に比準して推定した価額 ④それ以外⇒１株当たり純資産価額等を参酌して通常取引されると認められる価額
	企業支配株式等	通常の価額に企業支配に係る対価の額を加算した価額
固定資産		再調達価額を基礎として旧定率法により償却を行ったものとして計算される未償却残額相当額（旧定率法よりも定率法による未償却残額の方が適切に時価を反映している場合は定率法未償却残高相当額）なお、少額減価償却資産、一括償却資産の損金算入（115ページ参照）の適用を受けたものは評価益計上の対象外とされています。（法令24の２④五）

＊３　［ケース２］が適用される要件

民事再生	再生計画の認可決定等があったことにより、資産の評価損と評価益の両方を損金又は益金に算入している場合（申告調整での損金又は益金算入も可）
一定の要件を満たす私的整理等	次の要件を満たす一定の私的整理（整理回収機構企業再生スキーム、中小企業活性化協議会中小企業再生支援スキーム、地域経済活性化支援機構事業再生支援業務、私的整理ガイドライン、事業再生ＡＤＲ）で、資産の評価損と評価益の両方を損金又は益金に算入している場合（申告調整での損金又は益金算入も可） ①　一般に公表された債務処理の準則に従って計画が策定されていること ②　適正な資産評価が行われ、その評価に基づく貸借対照表が作成されていること ③　②で作成した貸借対照表に基づき債務免除額が決定されていること ④　２以上の金融機関等又は１以上の金融機関等と地方公共団体により債権放棄が行われていること（整理回収機構や地域経済活性化支援機構等は単独放棄でも可）

⑷　欠損金の控除制限（法法57⑪）

中小法人等を除く法人については、欠損金控除割合が50％（平成30年４月１日以後に開始する事業年度）となっています（185ページ参照）が、会社更生や民事再生手続開始の決定等があった場合は、計画認可の決定等の日から７年後の日の属する事業年度まで＊は、欠損金の控除制限を受けないこととされる措置が設けられています。

＊　下記の事実等が生じた日以後に終了する事業年度は除かれます。
・その法人の株式等が上場された場合
・更生債権（再生債権）の全てが債務の免除、弁済等により消滅した場合（手続の終結）
・更生（再生）手続開始の決定を取り消す決定が確定した場合

⑸　期限切れ欠損金と青色欠損金の控除順序（税務上の欠損金累計＞青色繰越欠損金の場合）

青色欠損金と期限切れ欠損金のどちらを先に控除するかは、再建期間中の税負担に大きな影響を与えます。［ケース１］［ケース２］の場合は、期限切れ欠損金を優先的に使用するため、青色欠損金の未使用部分が発生した場合は、翌期以降に繰り越すことができますが、［ケース３］の場合は、青色欠損金から使用するため、期限切れ欠損金の未使用部分が発生しても、翌期以降に欠損金を繰り越すことはできません。

●具体例

Ａ：税務上の欠損金累計1,500（うち、Ｂ：青色欠損金1,000、Ｃ：期限切れ欠損金500）
Ｄ：欠損金控除前課税所得1,200（うち、Ｅ：債務免除益等900、Ｆ：通常の利益300）

［ケース１］［ケース２］の場合（上記具体例の場合、ケース１とケース２では期限切れ欠損金控除額が同じになるため区別していません。）

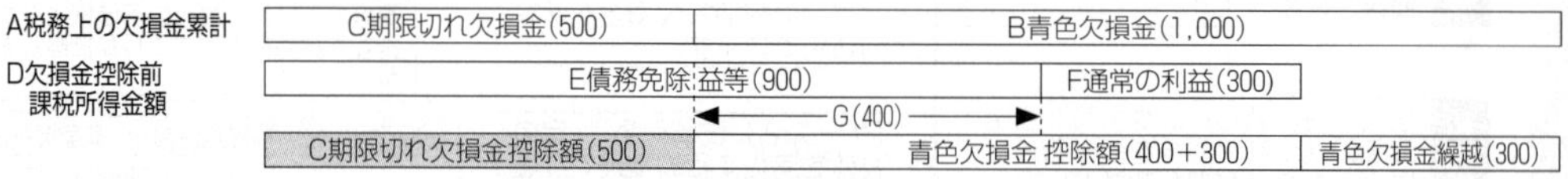

A税務上の欠損金累計	C期限切れ欠損金(500)	B青色欠損金(1,000)	
D欠損金控除前課税所得金額	E債務免除益等(900)		F通常の利益(300)
		←G(400)→	
	C期限切れ欠損金控除額(500)	青色欠損金控除額(400＋300)	青色欠損金繰越(300)

Ａ1,500とＥ900のいずれか少ないＥ900について、Ｃ500を優先して損金算入した上で、残りのＧ400は青色欠損金から損金算入します。Ｆ300については、⑷のとおり繰越欠損金の控除制限がないため、同額の青色欠損金が損金算入できます。これらの結果、課税所得は０となり、翌期に繰り越す青色欠損金は300となります。

結　果　Ｃ期限切れ欠損金500が全額使用可能（青色欠損金300を繰り越し）

［ケース３］の場合

A税務上の欠損金累計	B青色欠損金(1,000)	C期限切れ欠損金(500)
D欠損金控除前課税所得金額	E債務免除益等(900)	F通常の利益(300)
	B青色欠損金控除額(1,000)	H期限切れ欠損金控除(200)

Ｂ1,000を優先して損金算入することとなるため、Ｅ900とＦ300の合計Ｄ1,200からＢ1,000を損金算入した残額のＨ200に対して、Ｃ500のうちの200を損金算入します。その結果、課税所得が０となる点は［ケース１］と同じですが、青色欠損金は全額使用しているので、翌期に繰り越す青色欠損金は０となります。

結　果　Ｃ期限切れ欠損金500のうちＨ200のみが使用可能（青色欠損金の繰り越しは0）

令和５年度税制改正において、再生計画認可の決定があったことに準ずる事実が生じた場合で、ケース3（資産の評価損益を計上しない）を適用するときは、青色欠損金等の控除後に期限切れ欠損金を損金算入できる制度適用が法令上明確化されました。

ポイント

期限切れ欠損金の控除額の計算においては、欠損金や債務免除益等の大小によって翌期に繰り越すことができる青色欠損金額が変わることに留意しましょう。また、再建期間中に含み益のある資産を売却する場合は、期限切れ欠損金を利用して資産の評価益を計上した方がその後の再建期間での納税資金を抑えることが可能になる場合があるので、翌期以降の再建計画を十分に検討し評価益を計上するかどうか判断する必要があります。

(6)期限切れ欠損金（特例欠損金）の損金算入の適用を受けるための手続（法法59⑥、法規26の6）

法人税申告書別表七(三)(四)、十四(一)＊にその明細を記載し税務署長に提出	要添付書類	①適用対象となる債務免除益等の明細 ②免除を受けた債務が更生債権、再生債権等であることがわかる書類とその明細 ③債務免除、私財提供を行った者の名称及び住所を示す書類、株主名簿等 ④その他参考となる書類

＊　1.(1)の［ケース２］の場合のみ。

倒産会社と留保金課税

特定同族会社の留保金課税においては、留保所得金額の計算上、繰越欠損金は控除されないこととされています。したがって、免除益課税等を受けて法人税の課税所得の計算上繰越欠損金（期限切れ欠損金も含む。）を損金に算入し課税を回避できたとしても、留保金課税を受けてしまい再建計画の弊害になることがあります。なお、平成19年４月１日以後開始事業年度より、資本金の額等が１億円以下の中小特定同族会社には留保金課税が適用されません。

２.その他の特例

(1)　**欠損金の繰戻し還付**　更生手続の開始申立日および再生手続の開始決定日の前１年以内に終了したいずれかの事業年度又は同日の属する事業年度に欠損金額がある場合については、原則として当該事実が生じた日以後１年以内に繰戻し還付の請求をすることができます。（法法80④、法令156、法基通17－２－５）

(2)　**中間申告**　更生会社は開始決定日から認可決定日までの事業年度については法人税、道府県民税・事業税、市町村民税の中間申告は不要となっています。（会社更生法232③）

破産会社と税金

清算所得課税の廃止により、平成22年10月１日以後に破産手続開始決定を受けた破産会社や解散をした清算会社も、通常の法人税の所得課税が適用されます。破産管財人に選任された場合には、仮装経理の過大申告の還付や欠損金の繰戻し還付といった還付についての検討だけでなく、破産開始決定日の決算･申告作業において、その後の各事業年度の譲渡損益等の予測を踏まえ、納税の発生の可能性についても留意をした対応を行う必要があります。

なお、解散等の場合、残余財産がないと見込まれる場合には、欠損金の損金算入の特例の適用を受けることができますが、計算方法は前ページの［ケース３］と同様となります。また、実在性のない資産が把握された場合、それが更正の請求期限内に生じたものである場合は更正手続により発生年度の繰越欠損金額とし、一方、更正期限前に生じたものである場合や発生原因が不明の場合については、修正経理した事業年度の期首利益積立金額を減算することにより特例欠損金額とします。

❹経営者の会社再建における対応の税務

会社の再建等のために、経営者自らがその会社に対して有する債権を放棄したり、経営者個人の私財を提供する場合があります。そのような場合、原則として、会社は債務免除益や私財提供益を計上することになり、経営者には資産の譲渡益課税が生じることとなりますが、会社再建をスムーズに進められるように税務上、一定の措置がなされています。

１.未払役員給与の免除益（損金算入されないものに限る）

会社の整理、事業の再建及び業況不振のために、法人が損金算入されない未払役員給与について取締役会の決議により、その全部又は大部分の金額を支払わないことにした場合、その金額が一定の基準によって決定されたものであれば、その金額（源泉された所得税額＊があるときは税額控除後）は、支払わないことが確定した日の事業年度の益金の額に算入しないことができます。（法基通４－２－３）なお、法人が未払配当金について債務免除を受け、これを支払わないことにしても、この場合の債務免除益については上記の取扱いは適用されず、原則どおり益金に算入されることになります。

＊　未払役員賞与等に係る所得税源泉徴収については、未払い期間が１年経過した日に源泉徴収することとされていますが、１年未満であってもその受領を辞退した場合には、破産手続開始決定等一定の場合を除き、辞退した日に源泉徴収する必要があります。（所法183②、所基通181～223共－2、3）

２.経営者の私財提供に係る譲渡所得の非課税措置

中小企業者等＊１に該当する会社の取締役等でその会社の債務の保証人であるものが、会社の事業の用に供されている個人の資産（有価証券は除く。）を一般に公表された債務処理を行うための手続に従って策定された計画（債務処理計画）に基づき、平成25年４月１日から令和７年３月31日までの間にその会社に贈与した場合で一定の要件＊２を満たしている場合に限り、その贈与によるみなし譲渡課税が適用されません。（措法40の３の２①）

＊１　中小企業者等の判定については199ページ参照

＊２　①その個人が、債務処理計画に基づき、その会社の保証債務の一部を履行していること。
②債務処理計画に基づいて行われた資産の贈与及び保証債務の一部の履行後においても、その個人が会社の保証債務を有していることが、債務処理計画において見込まれていること。
③会社が、その資産の贈与を受けた後に、その資産を事業の用に供することが債務処理計画において定められていること。

6 解散・清算の税務

――最後の最後まで税金を取られる？――

会　社　で事業を行っていても、どうしても利益が計上できなかったり、事業を他の会社に譲渡してしまい会社の継続を断念せざるを得なくなる場合があります。そういった場合には、通常会社を清算することになり、会社を任意に清算するには株主総会の特別決議により解散決議を行う必要があります。

ここでは、株式会社を解散し清算する場合の手続と税務の取扱いを説明します。

①会社の解散・清算の手続

株式会社の解散には任意解散と強制解散があります。（会社法471）

株式会社の解散		
	任意解散	株主総会の決議による解散、合併による解散
	強制解散	破産、裁判所の命令による解散等

株主総会の決議による解散の場合の清算結了までの基本的な流れは次のようになります。

手続	説明
・株主総会の解散決議 ・清算人選任決議	株主総会特別決議によりいつでも解散できます。解散により清算株式会社となり、その執行機関としての清算人の選任決議が必要となります。清算人については、任期の定めはなく、清算結了までが任期となります。 ●解散時点で公開会社又は大会社である場合を除き、監査役を設置する義務はありません。
▼ 解散・清算人の登記	解散の日から２週間以内に解散及び清算人の登記を行う必要があります。＊
▼ 財産目録・貸借対照表の作成	債務超過の疑いがある場合には、清算人は裁判所に特別清算開始の申立てをしなければならず、また、清算の遂行に著しい支障を来たすべき事情がある場合にも、清算人等は特別清算開始の申立てができます。（会社法510、511）
▼ 株主総会の承認	
▼ 債権者への催告・公告	清算人は解散後遅滞なく１回以上債権者に対して債権申出の公告及び個別の催告をする必要があります。なお、債権申出期間は２か月以上必要です。
▼ 解散事業年度の確定申告	解散の日の翌日から２か月以内に、解散の日に終了したとみなされる事業年度の確定申告書を提出する必要があります。
▼ ・債権の取立 ・債権者への弁済	債権届出期間経過後に債権者に対し債務の弁済を行います。期限未到来の債務の弁済におけるいわゆる中間利息の控除は認められません。
▼ 残余財産の確定	清算所得に対する法人税等を除くすべての債務の弁済が終了すると残余財産が確定したことになります。なお、解散の日の翌日から残余財産が確定するまでに１年以上に及ぶときは通常の決算期とは関係なく清算開始から１年毎に確定申告書を提出する必要があります。（破産の場合は異なります。208ページ参照）
▼ 確定申告	残余財産が確定した日の翌日から１か月以内（１か月以内に残余財産の最終分配を行う場合はその日の前日まで）に確定申告書を提出し納税する必要があります。＊
▼ 残余財産の分配	株主に残余財産を分配します。会社法では、株主に対して現物配当を認めた上で金銭での分配を請求できるものとされました。（会社法505）
▼ 清算結了報告総会	残余財産の分配が終了した場合には遅滞なく決算報告書を作成し株主総会で承認を得る必要があります。
▼ 清算結了登記	清算結了報告総会から２週間以内に清算結了の登記を行う必要があります。＊会社の帳簿、事業及び清算に関する重要な書類は清算結了登記後10年間保存する必要があります。

＊　それぞれの状況に応じて、税務署、都道府県及び市町村に、異動事項を記載した異動届出書等を提出しなければなりません。

❷解散会社に関する税務

1.解散事業年度に係る税務

すべての内国法人（通算子法人を除く。）について、事業年度の途中で解散した場合には、その事業年度の開始から解散の日までを一事業年度とみなして、通常所得課税が行われます。

- 平成22年10月1日以後、普通法人又は協同組合等に限らず、すべての内国法人（通算子法人を除く。）がこの規定の適用を受けることになります。
- 解散等の事実があった法人は、解散等の事実が生じた日前一年以内に終了したいずれかの事業年度又は同日の属する事業年度の欠損金額について、中小法人等に限定されることなく欠損金の繰戻し還付が受けられます。（184ページ参照、法法80④）

2.清算中の各事業年度に係る税務（会社法494、法法14、法基通1－2－9）

清算中の各事業年度は、解散の日の翌日から1年間毎の期間となり、事業年度終了日の翌日から原則2か月以内に確定申告＊します。

＊　残余財産がないと見込まれる場合に限って、特例欠損金の損金算入が認められます。（法法59④、法令117の5）
　なお、損金算入の方法は、210ページの［ケース3］と同様の順番になります。
　また、清算中に終了する事業年度の欠損金額については、中小法人等に限定されることなく欠損金の繰戻し還付が受けられます。（措法66の12）

残余財産がないと見込まれる場合とは

解散した法人が事業年度終了時に債務超過の状態にある時は、残余財産がないと見込まれる場合に該当します。(法基通12-3-8)　特例欠損金を損金算入する場合には、残余財産がないと見込まれることを説明する書類を確定申告書に添付する必要があり(法規26の6三)、当該説明書類には、例えば各事業年度終了時の「実態貸借対照表」が該当します。(法基通12-3-9)

また残余財産がないと見込まれるかは、清算中の各事業年度末の現況により判定されます。(法基通12-3-7)

なお、法人の清算が破産、特別清算、民事再生、会社更生等の法的手続により行われている場合には、残余財産がないと見込まれるときに該当し、各手続の開始決定書の写し等が「残余財産がないと見込まれることを説明する書類」に該当するものとして取り扱われます。

3.残余財産確定時に係る税務

清算中の事業年度は、残余財産が確定した時に終了し、残余財産確定の日の翌日から1か月以内（その期間内に残余財産の最終分配が行われる場合はその分配の日の前日まで）に最後事業年度の確定申告を行います。

	平成22年9月30日以前に解散	平成22年10月1日以後に解散
申告書	清算確定申告書	確定申告書＊2
所得の計算	清算所得＝残余財産の価額－解散時の資本金等の額・利益積立金額等の合計額＊1	通常の所得計算（残余財産を現物で分配する場合には、残余財産確定時の時価で譲渡したものとして損益計上＊3)
最後事業年度の事業税の扱い	損金に算入されない	損金に算入される
法人税の税率	27.1%（最後事業年度の事業税の損金算入の機会がないため、本則税率の30%に比べ低くなっています。）	各事業年度で適用される通常の法人税率（中小法人等は軽減税率の適用あり。）

＊1　資本金等の額と利益積立金額等の合計額がマイナスの場合はゼロとします。
＊2　**2**の＊参照。
＊3　残余財産を適格現物分配（221ページ、227ページ参照）する場合には、譲渡損益は計上しません。

清算中の法人の事業税の外形標準課税

清算中の法人であっても、解散の日において資本金の額等が1億円を超える法人は事業税の外形標準課税の対象法人となります。ただし、資本金等の額はないものとみなされるため原則として資本割の納付義務はありません。また、付加価値割については残余財産確定時の確定申告においては納付義務はありません。(地法72の21①、72の29①③)

❸株主に対する税務

残余財産の分配を受ける場合において、残余財産の分配額が解散法人の資本金等の額を超えるときは、剰余金の配当とみなされ所得税が源泉徴収されます。（みなし配当課税）ただし、法人株主は受取配当等の益金不算入制度、個人株主は配当控除が適用できます。

- 残余財産の分配を受けないことが確定した場合に、株式消滅損の損金算入が認められます。
- 完全支配関係のある子会社が解散した場合の親会社株主における取扱いについては217ページ参照。

1 グループ法人に関する税制の概要

――グループ法人も税務においては他人？――

法　人　税　は、法人ごとに課税がなされることが原則とされています。しかし、会社経営や企業会計が、法人格にとらわれず、グループ全体として実態把握が行われている現状に対処するため、法人税法においても、組織再編税制、グループ通算制度、さらにはグループ法人単体課税制度といった、グループ法人が一体であることを前提とした制度が導入されています。

グループ通算制度は、納税者の選択により、親法人と完全支配関係にある複数の子法人が個別に法人税の計算及び申告を行い、その中で損益通算等の調整を行う制度です。他方、グループ法人単体課税制度は、各法人が単体で納税する枠組みの中で完全支配関係にあるグループ法人間で行われる一定の取引から発生する損益等についてのみ課税しないこととする制度で、一定の取引について、グループ通算制度と同様の制度になっています。

なお、令和４年４月１日以後に開始する事業年度から、連結納税制度が廃止されグループ通算制度へ移行されました。

① グループ法人税制の概要

会社に対する税金については、法人格ごとに課税関係が生じることを原則としているため、会社間の取引や組織再編成の場合には、原則として移転資産について時価で譲渡があったものとして課税がなされます。しかし、グループ法人に関する税制の適用を受ける場合には、グループ法人間で行われる取引等については、損益が繰り延べられる等の取扱いがなされます。

以下では、グループ法人に関する税制について比較します。

		グループ法人 単体課税制度 （216ページ参照）	グループ通算制度 （232ページ参照）	組織再編税制 （224ページ参照）
納税主体		それぞれの法人	それぞれの法人 連帯納付責任あり	それぞれの法人
強制適用／選択適用		強制適用	選択適用	強制適用
適用法人		完全支配関係がある内国法人（普通法人又は協同組合等）	一定の完全支配関係がある内国法人グループ（通算親法人は普通法人又は協同組合等、通算子法人は普通法人）	内国法人　＊1
適用手続		なし	グループ通算事業年度開始の３か月前までに届出が必要	なし
事業年度		それぞれの法人の事業年度	グループ通算親法人の事業年度	―
取引の税務上の取扱い	完全支配関係	一定の取引（資産譲渡・配当等）には課税されません。	一定の取引（資産譲渡・配当等）には課税されません。	一定の場合、組織再編において課税関係が発生しません。 （224～229ページ参照）
	支配関係	時価課税	時価課税	
	その他の関係	時価課税	時価課税	
グループ法人間の損益通算		なし	あり	なし
繰越欠損金		―	親法人、子法人ともに、完全支配関係の継続が見込まれ、支配関係が５年超か、支配関係が５年以内であっても共同事業要件を満たせば、特定欠損金＊2として持込可能	一定の場合、繰越欠損金の引継ぎが可能 （230ページ参照）

＊1　完全支配関係あるいは支配関係にあるかどうかで求められる要件が異なります。
＊2　その法人の所得の金額のみから控除ができる欠損金

❷グループ法人の範囲

グループ法人に関する税制の対象となる、グループ法人の範囲は以下のとおりです。（法法２十二の七の五、十二の七の六、法令４の２）

区分			内容	図
完全支配関係＊１＊２	当事者間の完全支配関係	直接保有	一の者が他の法人の発行済株式等の総数の100％を有する関係（「直接完全支配関係」といいます。）	一の者 →（完全支配関係 100％）→ 法人
		間接保有	２以上の法人又は個人の間に直接完全支配関係があり、その２以上の法人又は個人が合わせて他の法人の発行済株式等の総数の100％を有する関係（「みなし直接完全支配関係」といいます。）	一の者 →（完全支配関係 100％）→ 法人A；一の者 → 30％、法人A → 70％ → 法人B（みなし完全支配関係）；法人B →（完全支配関係 100％）→ 法人C 一の者 →（完全支配関係 100％）→ 法人 →（完全支配関係 100％）→ 法人B →（完全支配関係 100％）→ 法人C（みなし完全支配関係）
	兄弟関係		一の者との間に当事者間の完全支配関係がある相互関係	一の者 → 100％ 法人A、100％ 法人B（完全支配関係）；法人A ⇔ 法人B（兄弟関係）
	持合関係		発行済株式のすべてがグループ内法人によって保有され、その資本関係がグループ内で完結している関係、いわゆる100％持株関係がある場合	親法人A → 80％ 子法人B、80％ 子法人C（完全支配関係）；子法人B ⇔ 子法人C 20％、20％
支配関係	当事者間の支配関係	直接保有	一の者が他の法人の発行済株式等の総数の50％超100％未満を有する関係（「直接支配関係」といいます。）	一の者 →（支配関係 80％）→ 法人
		間接保有	２以上の法人又は個人の間に直接支配関係があり、その２以上の法人又は個人が合わせて他の法人の発行済株式等の総数の50％超100％未満を有する関係	一の者 →（支配関係 80％）→ 法人A；一の者 → 40％、法人A → 30％ → 法人B
	兄弟関係		一の者との間に当事者間の支配関係がある相互関係	一の者 → 80％ 法人A、70％ 法人B（支配関係）；法人A ⇔ 法人B（兄弟関係）

＊１　完全支配関係がある法人を有する会社は、確定申告書に完全支配関係がある法人との関係を系統的に示した図（306ページ参照）を添付することが必要です。（法規35五）
＊２　株主の中に、従業員の持株会（証券会社方式）及びストックオプションにより株式を取得した役員等がいる場合、それらの株式数の合計が５％未満であり、かつ、残りの株式を一の者が保有していれば、完全支配関係があると判定されることになります。
３　「一の者」が個人の場合には、175ページの同族関係者を含みます。
４　発行済株式等には、無議決権株式等を含み、自己株式を除きます。
５　グループ通算制度における通算法人（232ページ）は内国法人に限られますが、グループ法人単体課税制度におけるグループ法人は、外国法人が介在する完全支配関係・支配関係も含みます。

③グループ法人単体課税制度

完全支配関係がある法人間の取引等から生じる損益に関する主な取扱いは以下のとおりであり、この取扱いは大法人・中小法人の区別なく、すべての内国法人に適用があります。

(1) 完全支配関係がある法人間の取引の損益の調整（法法61の11、法令122の12）

完全支配関係がある内国法人（普通法人又は協同組合等に限る。）間の取引については、以下のとおり、譲受法人が譲渡等を行うまで譲渡損益を繰り延べる調整計算を行います。また、譲渡法人と譲受法人が、この調整計算を適切に行うために必要な事項を相手に通知することが義務付けられています。

<table>
<tr><th colspan="2"></th><th>必要な処理</th><th colspan="2">通知事項
（上段：通知相手・時期、下段：通知内容）</th></tr>
<tr><td colspan="2" rowspan="4">1
譲渡時の損益の繰延</td><td rowspan="4">次の資産（「譲渡損益調整資産」といいます。）を譲渡した法人において、計上した譲渡利益を申告上損金に算入し、譲渡損失を申告上益金に算入します。
①固定資産　②固定資産以外（棚卸資産）の土地等　③有価証券＊1
④金銭債権　⑤繰延資産
＊1　譲渡法人もしくは譲受法人で、売買目的有価証券とされる場合を除きます。
2　譲渡直前の帳簿価額が原則として下記の単位に区分した後、それぞれの資産が、1,000万円未満の譲渡は除きます。
金銭債権：　一の債務者ごと
固定資産：　建物一棟ごと
機械装置その他一の生産設備又は一台・一基ごと
土地等　：　一筆ごと
有価証券：　銘柄の異なるごと
その他　：　通常の取引単位を基準に区分
3　棚卸資産（土地等を除きます。）は対象外です。
4　譲渡には、非適格合併、事後設立による資産の移転・譲渡等を含みます。</td><td rowspan="2">譲渡法人</td><td>譲受法人に対し、譲渡後遅滞なく</td></tr>
<tr><td>①譲渡損益調整資産に該当する資産である旨
②2(2)の簡便法を適用する場合その旨</td></tr>
<tr><td rowspan="2">譲受法人</td><td>譲渡法人に対し、譲渡法人通知の受領後遅滞なく</td></tr>
<tr><td>①売買目的有価証券に区分する場合はその旨
②譲渡法人が2(2)の簡便法を適用する場合は、譲受法人で適用する耐用年数等</td></tr>
<tr><td rowspan="4">2
譲渡損益の実現</td><td rowspan="2">(1)
譲渡等</td><td rowspan="2">譲受法人が、譲渡損益調整資産について、譲渡、評価換え、貸倒れ、除却等を行った場合、原則として完全支配関係がなくなった場合又はグループ通算制度を開始又は加入する場合で時価評価対象法人に該当する場合は、譲渡法人において、繰り延べた譲渡利益の全額を申告上益金に算入し、譲渡損失の全額を申告上損金に算入します。（完全支配関係がある他のグループ法人へ譲渡した場合を含みます。）
【実現の時期】
譲受法人が譲渡損益調整資産について上記の事由により譲渡等を行った日の属する譲受法人の事業年度終了の日の属する譲渡法人の事業年度。</td><td rowspan="2">譲受法人</td><td>譲渡法人に対し、事業年度終了後遅滞なく</td></tr>
<tr><td>譲渡、評価換え、貸倒れ、除却等を行った旨及び発生年月日</td></tr>
<tr><td rowspan="2">(2)
償却</td><td rowspan="2">譲渡資産が譲受法人において減価償却資産又は繰延資産とされる場合には、譲渡法人において、原則法もしくは簡便法＊5により計算した金額を、益金もしくは損金に算入します。
【実現の時期】
原則法：譲受法人の各事業年度終了の日の属する譲渡法人の各事業年度
簡便法：譲渡法人の各事業年度
＊5　（原則法）　譲渡利益の額もしくは譲渡損失の額×譲受法人の償却費／譲受法人の取得費
（簡便法）　譲渡利益の額もしくは譲渡損失の額×譲渡法人の当期の月数＊／（譲受法人の耐用年数×12）
＊　譲渡した年度は、譲渡日から期末までの月数となります。</td><td rowspan="2">譲受法人</td><td>譲渡法人に対し、事業年度終了後遅滞なく</td></tr>
<tr><td>譲渡法人において、原則法を採用している場合、毎期の損金に算入した償却費の額</td></tr>
</table>

(2) 完全子法人株式等の受取配当等の益金不算入（法法23⑤、法令22の2）

完全子法人株式等（配当等の計算期間を通じて完全支配関係がある内国法人（公益法人等を除く。）の株式等）に係る受取配当等については、負債利子等を控除せずその全額が益金不算入とされます。（85ページ参照）

(3) 寄附金の損金不算入、受贈益の益金不算入（法法25の2、37）

法人による完全支配関係がある内国法人間で支出した寄附金については、寄附をした内国法人では全額が損金不算入となり（71ページ参照）、寄附を受けた内国法人の受贈益について全額が益金不算入（別表四「16」欄で社外流出として減算します。）となります。

子法人間で寄附が行われる等一定の場合、完全支配関係を有する親法人が保有する子法人の株式等の価値が変動するため、次表のとおり税務上子法人株式等の帳簿価額（79ページ参照）及び利益積立金額の修正が必要になります。（法令9七、119の3⑨）

修正法人	修正額	利益積立金	子法人株式等帳簿価額
寄附金を受贈した子法人株式等を有している法人	受贈益の額×持分割合	加　算	増　加
寄附金を支出した子法人株式を有している法人	寄附金の額×持分割合	減　算	減　少

〔100%法人間のグループ法人単体課税制度の要約〕

制　度	適用対象法人	取引相手の制限	完全支配関係に関する制限
(1)　資産の譲渡取引等 （譲渡損益の繰延） （法法61の11）	【資産譲渡法人】 内国法人 （普通法人又は協同組合等に限る。）	【資産譲受法人】 完全支配関係のある内国法人（普通法人又は協同組合等に限る。）	制限なし
(2)　受取配当等の益金不算入 （法法23）	【配当を受ける法人】 内国法人 外国法人＊	【配当を行う法人】 配当等の計算期間を通じて完全支配関係のあった内国法人（公益法人等及び人格のない社団等は除く。）	制限なし
(3)　寄附金の損金不算入 （法法37②） 受贈益の益金不算入 （法法25の２）	【寄附を行う法人】 完全支配関係のある内国法人 【寄附を受ける法人】 完全支配関係のある内国法人		法人による完全支配関係に限る

＊　法人税の納税義務を有する外国法人に限られます。

(4)　完全支配関係がある法人の残余財産の確定と欠損金の引継ぎ（法法57②）

内国法人による完全支配関係がある子法人（内国法人に限る。）の残余財産が確定した場合において、原則としてその子法人の未処理欠損金(残余財産確定の日の翌日前10年＊1以内に開始した事業年度において生じた繰越欠損金）を引き継ぐことができます。

この場合、親法人が有する子会社株式は帳簿価額で譲渡したものとして、譲渡損益は生じないこととされるとともに、子会社株式の帳簿価額を親法人の資本金等の額に加算又は減算します。

＊１　平成20年４月１日以後終了事業年度から平成30年３月31日以前開始事業年度までは９年。
　２　支配関係が５年未満の場合は引継制限があります。（法法57③、法令112）
　３　親法人は、確定申告書に別表七（一）、別表七（一）付表及び子法人の清算最終事業年度の別表七（一）を添付する必要があります。

(5)　完全支配関係がある法人の株式等の評価損（法法33⑤、法令68の３）

内国法人が、完全支配関係がある他の内国法人の株式等を保有している場合で、当該他の内国法人が下記の場合においては、その株式等の評価損は損金算入できません。

①清算中の内国法人
②解散（合併による解散を除く。）をすることが見込まれる内国法人
③適格合併を行うことが見込まれる内国法人

④中小法人向け特例措置の不適用

大法人（資本金の額等が５億円以上の法人等）により完全支配されている法人（完全支配関係がある複数の大法人に発行済株式等の全部を保有されている法人を含む。非中小法人。）は、その法人が中小法人等に該当する場合でも、中小法人等に認められる以下の特例が適用されませんので注意が必要です。

	適用されない中小法人等の特例
①	法人税の軽減税率（法法66、措法42の３の２、２ページ参照）
②	特定同族会社の留保金課税の不適用（法法67、176ページ参照）
③	貸倒引当金の適用（法法52、67ページ参照）
④	交際費等の損金不算入における800万円の定額控除（措法61の４、61ページ参照）
⑤	欠損金の繰戻還付（措法66の12、184ページ参照）
⑥	欠損金の繰越控除の制限なし（法法57、185ページ参照）

● 中小法人等の判定については199ページ参照。

2 企業組織再編成の形態別分類
――種類別のメリット・デメリット――

現在の会社法においては、企業の業界内のM＆A等の増加に対応するため、合併・会社分割等の様々な組織再編を可能とするとともに、対価の柔軟化（組織再編に際して交付される対価を存続会社の株式以外にも認める。）により、三角合併等の特殊な組織再編も可能となっています。

また、グループ企業の一体的経営といった実態を踏まえ、簡易組織再編・略式組織再編等の簡易な手続を定め（228ページ参照）、機動的な組織再編を可能としています。

法人税法においては、組織再編を後押しする規定が整備されており、組織再編を実施するにあたっては、これらの制度の十分な理解が必要といえます。

ここでは、合併・会社分割等の基本的な仕組みとそのメリット・デメリットをまとめています。

① 合併（A社とB社が合併する）

	前	後
形態図	株主甲 → A社（合併会社） 株主乙 → B社（被合併会社）	株主甲・株主乙 → A社

コメント	●合併には新設合併と吸収合併とがあり、上記の例は吸収合併です。 ●B社の法人格は消滅し、B社の株主乙はA社の株主となります。 ●株主乙がA社の株式を何株所有できるかは合併比率によって決まります。 ●A社B社ともに一定の場合を除き株主総会で合併契約承認特別決議が必要です。（会社法783①、795①） ●債権者保護手続が必要です。（会社法789①、799①） ●特例有限会社は存続会社になれません。 ●独占禁止法により公正取引委員会に届出が必要な場合があります。

メリット・デメリット	●被合併会社のすべての資産・負債や契約上の地位等を包括的に引き継ぐことになります。（簿外債務も不要資産も引き継ぐことになります。） ●会社法上要求されている合併の手続は複雑（222ページ参照）で、手続に最低でも1か月半は必要です。 ●合併後は1社になるため税金が増える場合があります。（中小法人の法人税率の軽減枠の減少、交際費の定額控除限度額の減少、事業税の軽減税率適用枠の減少等の可能性があります。） ●A・B2社の損益が通算できるため、税金が減少する場合もあります。 ●被合併会社が不動産を所有している場合には、所有権移転登記のための登録免許税（税率0.4%）がかかります。 ●被合併会社の株主に、株式のみを交付した場合には、A・B2社の資金が社外に流出しません。 ●被合併会社の株主に、存続会社の株式以外の資産（金銭や親会社の株式）を交付することが可能です。（会社法749①二他） ●一定の場合、帳簿価額で資産・負債を引き継いだり、移転資産の譲渡損益の計上を繰り延べることができます。 ●一定の場合、株主乙の株式譲渡益課税の繰延措置があります。 ●一定の場合、被合併法人の繰越欠損金を引き継ぐことができます。

❷株式買取（A社がB社株式を買い取る）

	前	後
形態図	株主甲 株主乙 A社 B社	株主甲 株主A社 A社 B社
コメント	●B社の株主乙からその所有するB社株式をA社が買い取る等して、A社の株主甲は間接的にB社を所有することになります。 ●合併と異なりB社は消滅しません。 ●株式買取後A社とB社を合併することも可能です。 ●B社に株式譲渡制限がある場合は、B社で株主総会等における承認が必要です。（会社法139） ●A社では独占禁止法により公正取引委員会に届出が必要な場合があります。	

メリット・デメリット

- B社は消滅しないため、B社のすべての資産･負債はそのまま残ります。（簿外債務も不要資産も残ります。）
- 会社法上、合併のような株主総会決議・債権者保護手続等の複雑な手続は要求されていません。
- A・B2社の損益は通算できません。（ただし、グループ通算制度を適用する場合を除きます。）
- B社が不動産を所有していても所有権移転登記の必要がないため登録免許税は不要です。
- 株式を譲渡した個人株主乙は、原則として譲渡所得に対し20.315%（所得税（復興税含む。）及び地方税）の分離課税を受けます。（土地類似株式の譲渡の場合は税率が高くなる場合があります。）
- A社の資金が株主乙に流出します。
- 例えば、B社の経営は安定しているが株主乙の後継者がいない場合、会社を解散するよりも株式を売却する方が、株主乙は税金面で有利な場合があります。（含み益のある資産を有している場合など）
- 株式買取時にB社に青色繰越欠損金や含み損をもった資産等がある場合に、その後の事業年度でB社において繰越欠損金や資産の譲渡損の損金算入に制限がかかる場合があります。（231ページ参照）

❸事業譲渡（B社の事業の一部をA社が譲り受ける）

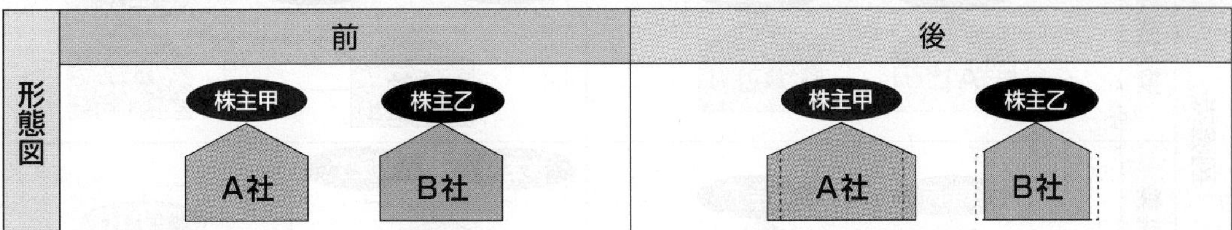

コメント

- 事業譲渡（受）とは有機的一体となった事業上の財産（物的資産のみならず、従業員や営業権も含まれます。）を譲渡（受）することです。
- A社からみると事業譲受、B社からみると事業譲渡になります。
- A社では、一定の場合を除きB社の事業の全部を譲り受ける場合株主総会の特別決議が必要です。（会社法467①三）
- B社では、一定の場合を除きB社の事業の全部又は重要な事業の一部を譲渡する*場合株主総会の特別決議が必要です。（会社法467①一、二）
- A社では独占禁止法により公正取引委員会に届出が必要な場合があります。
- 消費税の課税取引になる項目とならない項目の区分等の検討が必要です。

＊ 譲渡される資産の帳簿価額が譲渡会社の総資産額の5分の1以下の場合は除かれます。

メリット・デメリット

- A社では、B社の必要な資産のみ買い取ることができます。
- A社では、B社の簿外債務を引き継ぐ必要はありません。
- 株主総会の特別決議や、公正取引委員会への届出等、合併ほど複雑ではありませんが、株式買取より手続が複雑です。
- 契約上の地位、財産・債務、従業員等の移転に関して、個別に相手方の承認を得る必要があります。
- 譲受資産に不動産がある場合、不動産取得税や所有権移転登記のための登録免許税がかかります。
- 事業譲渡した会社は、事業譲渡収入から譲渡原価と譲渡費用を控除した事業譲渡損益が所得に算入されます。（完全支配関係がある会社間で行われる事業譲渡については、グループ法人単体課税制度の適用を受け、一定の資産の譲渡損益が繰り延べられます。（216ページ参照）なお、グループ通算制度においても同様に、通算法人間の一定の資産の譲渡損益が繰り延べられます。）

④現物出資（事後設立）（A社がB社を現物出資により設立する）

	前	後
形態図	株主甲 A社	株主甲 A社 株主A社 B社
コメント	●現物出資とは、A社が事業の全部又は一部を別法人で行うため（会社を分割するため）、子会社B社の設立に際し金銭による払込みに代えて、土地・建物等の現物を含んだ事業上の財産を出資することです。 ●金銭出資により会社を設立し、その後事業上の財産を譲渡する方法（事後設立）もあります。 ●増資の場合も金銭の払込に代えて事業上の財産で出資することができます。 ●事業の全部又は重要な一部を譲渡等する場合にはA社で株主総会の特別決議が必要です。（会社法467①一、二） ●事後設立に該当する場合には、一定の場合を除きB社で株主総会の特別決議が必要です。（会社法467①五） ●一定の場合裁判所が選任した検査役の調査が必要です。（会社法33）＊	

＊　①財産の価額の総額が500万円以下の場合、②市場価格のある有価証券で市場価格を超えない場合、③弁護士（法人）、公認会計士（監査法人）、税理士（法人）により財産の価額等の相当性の証明を受けた場合には、検査役の調査は不要です。（会社法33⑩）

＊　事後設立については検査役の調査が不要ですが、財産引受（会社法28二）については現物出資の潜脱防止として上記①～③に該当する場合を除き検査役の調査が必要です。

メリット・デメリット

●検査役の調査には時間とコストがかかります。また、事後設立の場合には設立資金が必要です。
●不動産を現物出資する場合、一定の要件のもと不動産取得税は非課税となります。
●新設子会社が債務引受けをする場合、債権者の個別同意が必要です。
●一定の現物出資については、帳簿価額で事業上の財産を引き継ぐことができます。
●完全支配関係がある会社間で行われる事後設立から生じる譲渡損益は、繰り延べられます。（216ページ参照）
●新設子会社には利益準備金その他の留保利益を引き継げません。

⑤株式交換（A社株式とB社株式を交換する）株式移転

形態図

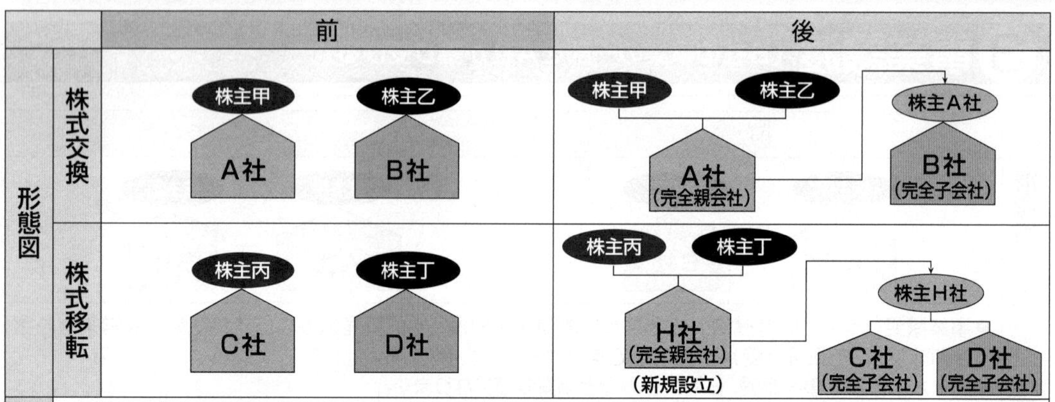

コメント

●A社はB社を完全子会社とするため、株主乙が所有するB社株式をA社に移転し、株主乙は代わりに株式交換により発行するA社の新株の割当てを受けてA社の株主になります。（A社の増資に際し株主乙がB社株式を現物出資したのと同様になります。）
●株主乙はB社株式とA社株式を交換したことになります。
●B社株式１株に対しA社株式が何株割り当てられるかが株式交換比率です。
●B社はA社の100%子会社となり、A社を完全親会社、B社を完全子会社といいます。
●新株の発行に代えA社が保有している自己株式を株主乙に交付することも可能です。
●株式交換契約書を作成し、一定の場合を除き両社で株主総会の特別決議を得ることが必要です。（会社法783①、795①、804①）
●完全親会社（純粋持株会社）を設立するために、新会社（H社）を設立し株主丙及び株主丁が所有するC社株式及びD社株式をH社に移転し、代わりにH社の新株の割当てを受けるケースを株式移転といいます。
●一定の場合、債権者保護手続が必要です。（会社法789①、799①）
●特例有限会社は株式交換（移転）はできません。

メリット・デメリット

●原則として検査役の調査や債権者保護手続は不要です。
●組織再編成を行うに当たって資金は不要です。
●一定の場合、完全子会社B社、C社又はD社の一定の資産について時価評価し、評価損益を計上する必要があります。
●一定の場合、株主乙、丙又は丁の譲渡益課税の繰延措置があります。（231、242ページ参照）

⑥会社分割（A社の事業を分割しB社に移転させる）

形態図

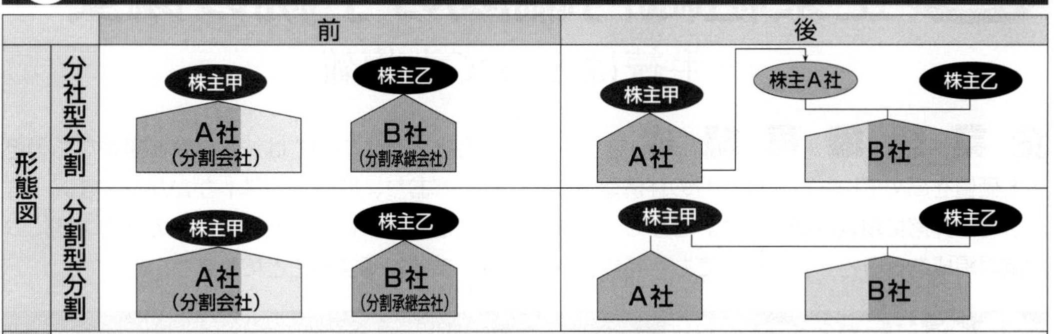

コメント

- 会社分割とは、会社の事業に関して有する権利・義務の全部又は一部を他の会社に包括的に移転させる会社法上の制度をいいます。
- 権利・義務を承継する会社を分割承継会社、分割する会社を分割会社といいます。
- 会社分割には新設分割と吸収分割があり、上記の例は吸収分割です。
- 分割に際し、他の会社の株式等分割対価資産の全てが、分割会社に交付される場合を分社型分割といいます。（無対価分割は228ページ参照。）
- 分割に際し、他の会社の株式等分割対価資産の全てが、分割会社の株主に交付される場合を分割型分割といいます。（会社法上は、いったん分社型分割を行い効力発生日に剰余金の配当（7現物分配参照。）として分割会社の株主に分割承継会社の株式を交付するものとされています。（無対価分割は228ページ参照。））
- 分割計画書（又は分割契約書）を作成し、一定の場合を除き株主総会の特別決議を得ることが必要です。（会社法783①、795①）
- 原則として、債権者保護手続が必要です。（会社法789①、799①）なお、債務が移転しない場合や重畳的債務引受等により分割会社が債務を負担する場合の分社型新設分割においては、分割会社・分割承継会社ともに省略が可能です。同様の場合の分社型吸収分割においては、分割会社では省略可能ですが、分割承継会社では省略できません。
- 特例有限会社は分割承継会社になれません。
- 従業員を転籍させることになった場合には、労働者との事前協議等が必要です。（労働契約承継法）
- 独占禁止法により公正取引委員会に届出が必要な場合があります。

メリット・デメリット

- 検査役の調査や債権者の個別同意は不要で、事業を停止することなく事業を承継することができます。
- 必要な部門のみ移転（分割）することが可能です。
- 不動産が移転する場合、一定の要件のもと不動産取得税は非課税となります。
- 組織再編成を行うに当たって資金は不要です。
- 分割型分割の場合には分割承継会社に利益準備金その他の留保利益を引き継ぐことが可能です。（分社型分割の場合には引き継げません。）
- 一定の場合、帳簿価額で資産・負債を引き継ぎ、移転資産の譲渡損益計上を繰り延べることができます。

⑦現物分配（B社が所有するC社の株式を配当によりA社に移転させる）

形態図

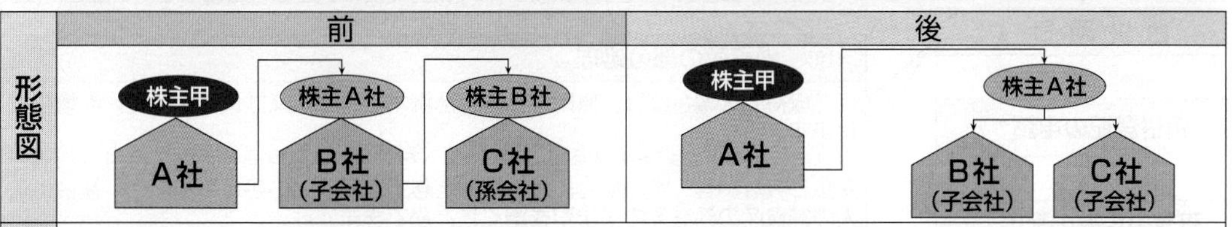

コメント

- 現物分配とは、剰余金の配当等により、金銭以外の資産を株主に交付することをいいます。（会社法454④）株式分配については227ページ参照。
- 株主に対し金銭分配請求権を与える場合を除き、株主総会の特別決議が必要です。（会社法309②十）
- 現物分配は、所有株式の移転だけではなく、清算会社の残余財産分配にも利用できます。（現物分配は、会社法上の剰余金の分配規制（202ページ参照）が適用されますが、残余財産確定後の残余財産分配として現物分配を行う場合は、当該規制の適用を受けません。）

メリット・デメリット

- 一定の場合、帳簿価額で資産を引き継ぐことができます。
- 支払配当に係る源泉徴収が不要とされています。
- 清算会社は、現物分配を行えばすべての資産を換金しなくても清算結了することができます。

3 企業組織再編成の手続の概要

──手続はとっても複雑──

企業組織再編成を行い企業価値を高めていくことは昨今の経済環境にあっては非常に重要な問題です。しかし、企業組織再編成を行うと一言でいっても、特に合併や会社分割については法的手続が複雑なものとなっており、時間とコストがかかります。

ここでは、合併と会社分割等の法的手続についてまず説明することにします。

① 合併手続の概要

1.合併の種類 (218ページ参照)

会社の合併とは、２つ以上の会社が合体して１つの会社になることをいい、次の２種類に分類されます。実務上は、吸収合併が多いので、以下については吸収合併を前提にして話を進めます。

吸収合併…１つの会社が存続して他の会社の権利義務の一切を引き継ぎ、他の会社はこれによって解散する。なお、吸収合併の場合、合併により存続する会社を合併法人、解散する会社を被合併法人といいます。

新設合併…合併に参加する会社のすべてが解散し新会社を設立する。

2.合併の手続

合併に際しては、会社法及び独占禁止法において多数の手続が要求されていますが、ここではその主要な手続と会計に関するポイントを説明します。

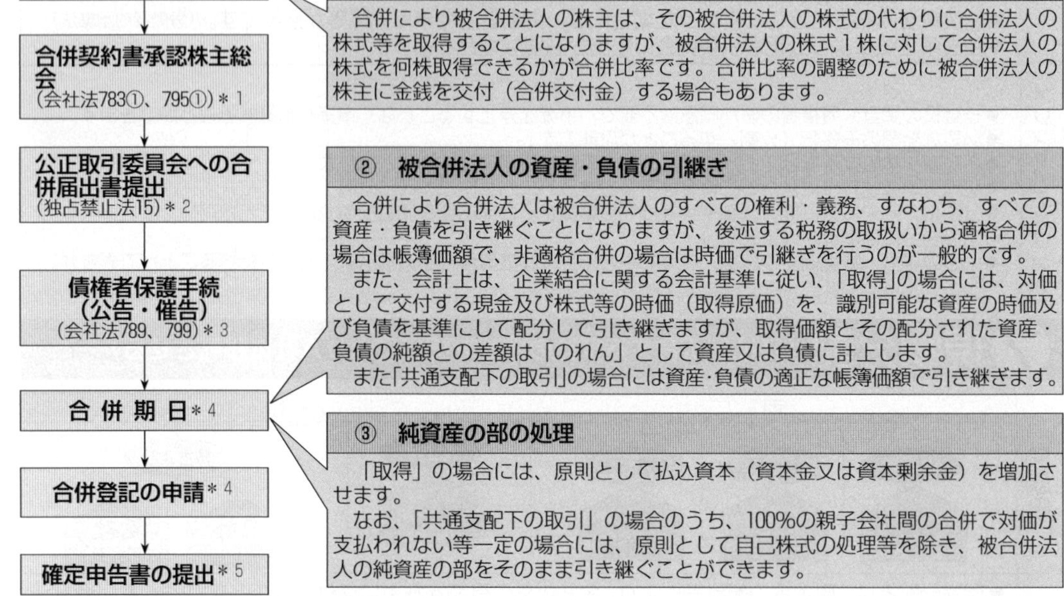

＊１　簡易組織再編又は略式組織再編は228ページ参照。

＊２　売上高200億円超の会社と売上高50億円超の会社が合併する場合に必要となり、原則として届出受理の日から30日を経過するまで合併することができません。ただし、親子会社間又は子会社同士の合併は除きます。

＊３　合併法人、被合併法人ともに必要です。ただし、債権者異議申述公告を官報及び公告方法として定款で定めた日刊新聞紙又は電子公告で行った場合は、債権者に対する個別の催告は不要です。(会社法789③、799③)
　公告及び催告は、合併契約承認株主総会の前に実施することが可能です。またこの公告等には、合併法人及び被合併法人の最終事業年度の計算書類に関する事項を記載する必要があるため、決算公告を行っていない株式会社は、決算公告の手配も必要となります。

＊４　吸収合併の場合は当事者間で定めた一定の日（契約による合併期日等）に効力が発生します。ただし、第三者への対抗要件としては登記が必要です。（新設合併の場合は設立登記の日をもって効力が発生します。）

＊５　合併法人は、合併期日から２か月以内（被合併法人が申告期限の延長を受けている場合は、延長された期間内）に被合併法人の最終事業年度の確定申告書を提出する必要があります。なお、この申告書は、合併法人の名称で被合併法人の名称も併記のうえ合併法人の納税地を所轄する税務署長へ提出することになりますので注意が必要です。

②会社分割の手続の概要

1.会社分割の種類（221ページ参照）

会社分割とは、会社の事業に関して有する権利・義務の全部又は一部を他の会社に承継させる会社法上の制度をいい、会社分割を分類すると次のようになります。なお、権利・義務を承継する会社を分割承継会社といい、分割する会社を分割会社といいます。

分類	種類	内容
分類①	新設分割	権利・義務を新設会社が承継する場合
	吸収分割	権利・義務を既存会社が承継する場合
分類②	分社型分割	分割承継会社の株式を分割会社に割り当てる場合（物的分割）
	分割型分割	分割承継会社の株式を分割会社の株主に割り当てる場合（人的分割）＊
分類③	按分型分割	分割型分割で分割会社の株主の所有割合に応じて株式を割り当てる場合
	非按分型分割	分割型分割で分割会社の任意の株主に割り当てる場合

＊　会社法上は、いったん分社型分割を行い、効力発生日に剰余金の配当（現物分配）として分割会社の株主に分割承継会社の株式を交付するものとされています。（会社法758⑧ロ）

2.会社分割の手続

会社分割に際しては、会社法上は新設分割と吸収分割とに分けて多数の手続を規定しています。ここでは吸収分割で分社型分割の主要な手続と会計に関するポイントを説明します。

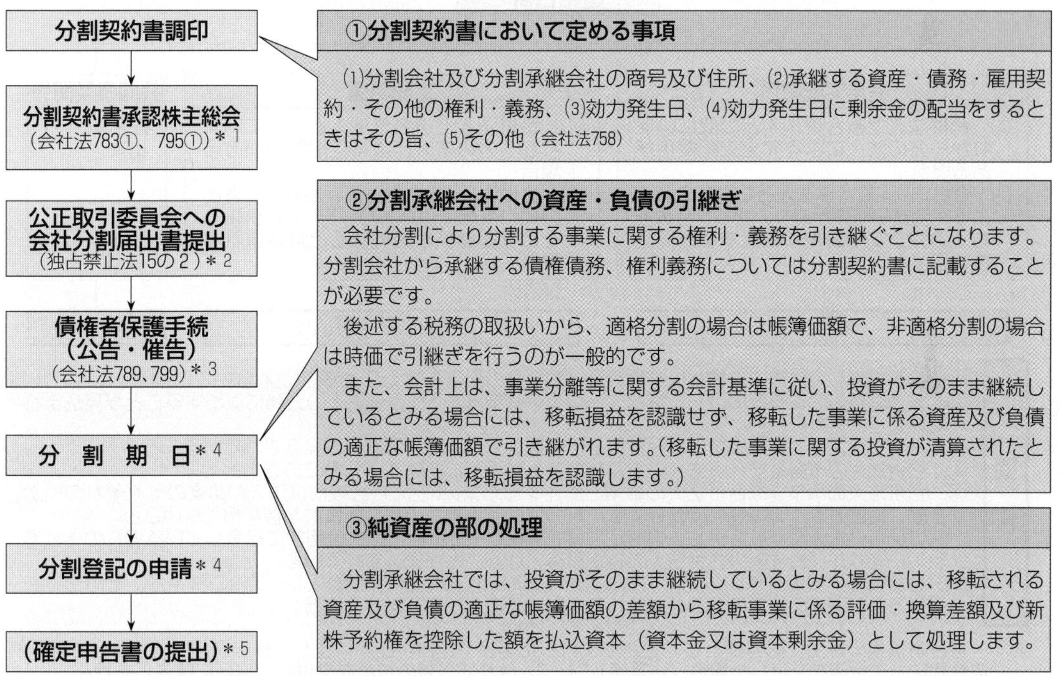

＊1　簡易組織再編又は略式組織再編については228ページ参照。

＊2　分割会社の売上高200億円を超える事業を、売上高50億円超の会社に移転させる場合など、一定の場合に必要となり、原則として届出受理の日から30日を経過するまで、会社分割することができません。

＊3　原則として分割会社、分割承継会社ともに必要です。（省略できる場合は221ページ参照）また、債権者に対して債権者異議申述公告を、官報及び公告方法として定款で定めた日刊新聞紙又は電子公告で行った場合には、個別の債権者に対する催告は不要です。（会社法789③、799③）

公告及び催告は、分割契約書承認株主総会の前に実施することが可能です。またこの公告等には、分割会社及び分割承継会社の最終事業年度の計算書類に関する事項を記載する必要があるため、決算公告を行っていない株式会社は、決算公告の手配も必要となります。

＊4　吸収分割の場合は当事者間で定めた一定の日（契約による分割期日等）に効力が発生します。ただし、第三者への対抗要件としては登記が必要です。（新設分割の場合は設立登記の日をもって効力が発生します。）

＊5　平成22年10月１日以後に行われる会社分割については、分割型分割を行った際のみなし事業年度の規定が廃止されており、分割期日での確定申告は不要です。

4 企業組織再編成の税務

――適格と非適格で大違い――

企業組織再編成のうち、合併、会社分割、現物出資、現物分配、株式分配、株式交換･移転について法人税法上「適格組織再編成」に該当するものの要件を定め、適格組織再編成に該当する場合には移転資産の譲渡損益の繰延べを認め、非適格組織再編成（完全支配関係がある場合を除きます。）の場合には時価で移転損益を認識することになります。

ここでは、適格組織再編成の要件を説明するとともに適格組織再編成及び非適格組織再編成の税務上の取扱いを説明します。

なお、完全支配関係・支配関係の定義については、215ページを参照してください。

また、平成29年度税制改正により、スピンオフや、スクイーズアウトなど企業の機動的な組織再編成を促進するための適格要件が整備されています。

① 適格組織再編成の要件

1．適格合併の要件

適格合併とされる要件は、吸収合併を前提にすると次のようになります。（法法２十二の八、法令４の３）

適格合併

完全支配関係	支配関係	共同事業関係
⑴　合併法人と被合併法人との間にいずれか一方の法人による完全支配関係がある場合 ⑵　合併法人、被合併法人とも同一の者による完全支配関係があり、かつ、合併後もその完全支配関係が継続すると見込まれる場合	⑴　合併法人と被合併法人との間にいずれか一方の法人による支配関係がある場合 ⑵　合併法人、被合併法人とも同一の者との間に支配関係があり、かつ、合併後もその支配関係が継続すると見込まれる場合	左記以外の場合
要件①	要件①～③	要件①～⑥

要件

①　合併に際し合併法人の株式以外の資産（剰余金の配当を除く。）が交付されないこと＊１
②　被合併法人の従業者のうち、概ね80％以上の従業者＊２が合併法人の業務に従事することが見込まれていること＊３＊４
③　被合併法人の主要な事業が、合併後も合併法人で継続されることが見込まれていること＊４
④　合併法人の事業と被合併法人の主要な事業とが相互に関連するものであること
⑤　合併法人の事業（被合併法人の事業と関連する事業に限る。）と被合併法人の事業のそれぞれの売上金額、従業者数、資本金の額若しくはこれらに準ずる規模の割合が概ね５倍を超えないこと
又は、合併法人及び被合併法人の特定役員（常務以上の役員で法人の経営に従事している者）のそれぞれのいずれかが合併後の合併法人の特定役員になることが見込まれていること
⑥　合併後も、被合併法人の発行済株式総数の50％超を保有する企業グループ内の株主が、その交付を受ける合併法人の株式の全部を継続して保有することが見込まれること

＊１　被合併法人の株主に配当金として金銭を交付した場合や、合併比率により１株未満の株式が生じ１株未満の株式につき金銭を交付した場合（法基通1－4－2）は株式以外の資産を交付した場合に該当しません。
また、合併直前において合併法人が被合併法人の発行済株式総数の2/3以上の株式を有する場合は、その合併法人以外の被合併法人の株主に金銭を交付したとしても①の要件の株式以外の資産を交付した場合に該当せず、他の適格要件を満たした場合には適格となります。（227ページ参照）
＊２　「従業者」とは、役員、使用人その他の者で、会社の事業に現に従事する者をいい、日々雇用する者を含めないことができます。したがって、出向により受け入れている者等は含まれますが、下請先の従業員は含まれません。（法基通1－4－4）
＊３　従事する業務は、合併により移転した事業に限りません。（法基通1－4－9）
＊４　平成30年４月１日以後に行われる組織再編成では適格要件が緩和され、組織再編成後に従業者又は事業を移転することが見込まれている場合でも、完全支配関係がある法人間での移転であれば、当初の組織再編成において従業者従事要件（②）及び事業継続要件（③）を満たすこととされます。
５　合併法人が被合併法人の発行済株式等の全部を保有している等、一定の場合には、被合併法人の株主等に合併法人の株式等が交付されない合併（無対価合併）であっても適格合併となります。（228ページ参照）
６　グループ通算制度（232ページ参照）において適用開始又は加入時に時価評価の対象とならない法人は、組織再編成の適格要件に該当する場合とされています。

２.適格分割及び適格現物出資の要件

適格分割とされる要件は、吸収分割を前提にすると次のようになります。（現物出資の場合には分割法人を現物出資法人に、分割承継法人を被現物出資法人に、分割事業を現物出資事業に、分割承継事業を被現物出資事業と読み替えて判定します。）（法法２十二の十一、十二の十四、法令４の３）

適格分割（適格現物出資）

完全支配関係	支配関係	左記以外（支配関係のないもの）	
		共同事業関係	単独新設分割（スピンオフ）
(1) 分割前に分割法人と分割承継法人との間にいずれか一方の法人による完全支配関係（当事者間の完全支配関係）があり、かつ、分割後も完全支配関係が継続すると見込まれる場合＊1＊2 (2) 分割前に分割法人、分割承継法人とも同一の者による完全支配関係があり、かつ、分割後も完全支配関係が継続すると見込まれる場合＊3	(1) 分割前に分割法人と分割承継法人との間にいずれか一方の法人による支配関係（当事者間の支配関係）があり、かつ、分割後も支配関係が継続すると見込まれる場合＊2 (2) 分割前に分割法人、分割承継法人とも同一の者による支配関係があり、かつ、分割後もその支配関係が継続すると見込まれる場合＊3	共同事業要件を満たすもの	一の法人のみが分割法人となる分割型分割で、単独新設する分割承継法人において分割法人の分割前に行う事業を行うもの
要件①～②	要件①～⑤	要件①～⑤かつ⑥～⑧	要件①～⑤かつ⑨～⑩

要件

① 分割に際し分割法人又は分割法人の株主に対して株式以外の資産（剰余金の配当を除く。）が交付されないこと＊4
② 分割型分割にあっては按分型分割であること
③ 分割法人の分割事業の主要な資産及び負債が移転していること
④ 分割法人の分割事業の従業者のうち、概ね80％以上の従業者＊5が分割承継法人の業務に従事することが見込まれていること＊6＊7
⑤ 分割法人の分割事業が分割後も分割承継法人で継続されると見込まれていること＊7
⑥ 分割承継法人に引き継がれる分割事業と、分割承継法人が分割前に営む事業のいずれかが相互に関連するものであること
⑦ 分割法人の分割事業と分割承継法人の分割承継事業（分割事業と関連する事業に限る。）の売上金額、従業者数若しくはこれらに準ずるものの規模の割合が概ね５倍を超えないこと
又は、分割法人の役員等と分割承継法人の特定役員（常務以上の役員で法人の経営に従事している者）のそれぞれのいずれかが分割承継法人の特定役員になることが見込まれていること
⑧ (イ) 分社型分割の場合
分割後も、分割法人が、交付を受ける分割承継法人の株式の全部を継続して保有することが見込まれること。
(ロ) 分割型分割の場合
分割後も、分割法人の発行済株式総数の50％超を保有する企業グループ内の株主が、その交付を受ける分割承継法人の株式の全部を継続して保有することが見込まれること
⑨ 分割法人が分割前に他の者による支配関係がなく、分割承継法人が分割後に継続して他の者による支配関係があることとなることが見込まれていないこと
⑩ 分割法人の役員等又は重要な使用人（支店長、執行役員など）が分割承継法人の特定役員（常務以上の役員で法人の経営に従事している者）となることが見込まれていること

＊１　単独新設分社型分割の後に、分割法人が交付を受けた分割承継法人株式を４．の適格要件を満たす株式分配を行うことが見込まれている場合（スピンオフ）には、その株式分割の直前の時までの関係により判定することとなります。
＊２　分割型分割については、分割後の分割法人と分割承継法人との完全支配関係の継続は不要とされています。
＊３　分割型分割については、同一の者と分割承継法人の二者間の関係が継続する見込みでよいこととされています。
＊４　分割法人の株主に配当金として金銭を交付した場合や、分割比率により１株未満の株式が生じ１株未満の株式につき金銭を交付した場合（法基通1－4－2）は株式以外の資産を交付した場合に該当しません。
＊５～＊７　前ページの合併＊２～＊４と同じ内容につき同様です。
８　分割承継法人が分割法人の発行済株式等の全部を保有している等、一定の場合には、分割法人の株主等に対して株式等が交付されない分割（無対価分割）であっても適格分割となります。（228ページ参照）
９　外国法人の内国法人に対する国外資産等の移転を行う現物出資及び内国法人の外国法人の本店等に対する一定の無形資産等の移転を行う現物出資（令和６年10月１日以降）については、適格現物出資に該当しないこととされています。
10　分割型分割の場合は、国税通則法の規定により、分割承継法人に対して、分割法人の租税債務について承継した財産を限度に連帯納付責任が課せられるという点に留意が必要です。（通法９の3、地法10の4）一方、分社型分割の場合には、分割法人と分割承継法人は特殊関係者となりますので、分割承継法人に対して、分割法人の租税債務について承継した財産を限度に第二次納税義務（分割法人と一定の関係があるものに対しても納税義務を課す制度）が課せられるという点に留意が必要です。（徴法38）

MEMO

企業組織再編成においては、少数株主排除（スクイーズアウト・227ページ参照）を除き、株式以外の資産の交付がないことを大前提に、完全支配関係がある場合には要件を課さず適格とし、支配関係がある場合には実質的な事業の移転を要求し、50％以下若しくは資本関係のない場合は共同事業要件（上記２⑥⑦）及び株式継続保有要件（上記２⑧）を満たす場合に適格組織再編成とされます。

なお、複数の組織再編成が連続して行われることが予定されている場合で、後で行われる再編により前に行われる再編の当事者が消滅してしまう場合であっても、後で行われる再編が適格組織再編成である場合には、前に行われる再編における株式継続保有要件は満たすこととされます。

また、平成29年度税制改正により、支配関係のある株主がいない会社の事業の一部を分離して別会社とするスピンオフ税制（227ページ参照）が整備され、一定の要件を満たす場合は適格組織再編成とされています。

3.適格株式交換等（株式移転）の要件

適格株式交換等(株式移転)とされる要件は次のようになります。(法法２十二の十六、十七、十八、法令４の３)

適格株式交換等

完全支配関係	支配関係	共同事業関係
(1) 株式交換等前に株式交換等完全子法人と株式交換等完全親法人との間に完全支配関係があり、かつ、株式交換等後も継続すると見込まれる場合 (2) 株式交換等前に株式交換等完全親法人、株式交換等完全子法人とも同一の者による完全支配関係があり、かつ、株式交換等後もその完全支配関係が継続すると見込まれる場合	(1) 株式交換等前に株式交換等完全親法人と株式交換等完全子法人との間にいずれか一方の法人による支配関係があり、かつ、株式交換等後も継続すると見込まれる場合 (2) 株式交換等前に株式交換等完全親法人、株式交換等完全子法人とも同一の者による支配関係があり、かつ、株式交換等後もその支配関係が継続すると見込まれる場合	左記以外の場合で、株式交換後の完全支配関係が継続すると見込まれる場合
要件①	要件①～③	要件①～⑥

適格株式移転

単独株式移転	完全支配関係	支配関係	共同事業関係
一つの法人のみが株式移転完全子法人となり、かつ株式移転後の完全支配関係が継続すると見込まれる場合	株式移転前に株式移転完全子法人と他の株式移転完全子法人とも同一の者による完全支配関係があり、かつ、株式移転後もその完全支配関係が継続すると見込まれる場合	(1) 株式移転前に株式移転完全子法人と他の株式移転完全子法人との間にいずれか一方の法人による支配関係があり、かつ株式移転後も継続すると見込まれる場合 (2) 株式移転前に株式移転完全子法人と他の株式移転完全子法人との間に同一の者による支配関係があり、かつ株式移転後もその支配関係が継続すると見込まれる場合	左記以外の場合で、株式移転後の完全支配関係が継続すると見込まれる場合
要件①		要件①～③	要件①～⑥

要件

① 株式交換等（移転）に際し株式交換等（移転）完全親法人の株式以外の資産（剰余金の配当を除く。）が交付されないこと＊1

② 株式交換等（移転）完全子法人の従業者のうち、概ね80%以上の従業者＊2が引き続き株式交換等（移転）完全子法人の業務に従事することが見込まれていること＊3＊4

③ 株式交換等（移転）完全子法人の主要な事業が、株式交換等（移転）後も株式交換等（移転）完全子法人で継続されることが見込まれていること＊4

④ 株式交換（移転）完全子法人の主要な事業と株式交換完全親法人（他の株式移転完全子法人）の事業とが相互に関連するものであること

⑤ 株式交換（移転）完全子法人の事業と株式交換完全親法人（他の株式移転完全子法人）の事業（当該完全子法人の事業と関連する事業に限る。）のそれぞれの売上金額、従業者数若しくはこれらに準ずる規模の割合が概ね５倍を超えないこと

又は、株式交換（移転）完全子法人若しくは他の株式移転完全子法人の特定役員（常務以上の役員で法人の経営に従事している者）の全てが当該株式交換（移転）に伴って退任（株式交換（移転）完全親法人への就任に伴う退任を除く。）をするものでないこと

⑥ 株式交換（移転）後も、株式交換（移転）完全子法人及び他の株式移転完全子法人の発行済株式総数の50%超を保有する企業グループ内の株主についてその交付を受ける株式交換（移転）完全親法人の株式の全部を継続して保有することが見込まれていること

＊１～＊４については224ページの合併と同様です。

５　一の者が発行済株式等の全部を保有している兄弟会社が行う株式交換等一定の場合には、株式交換完全子法人の株主に株式交換完全親法人の株式等が交付されない株式交換（無対価株式交換）であっても適格株式交換となります。(228ページ参照)

スクイーズアウト税制

最大株主（自己株式を除き保有株式数が最も多い株主）が少数株主を排除する目的で強制的に株式を取得することをスクイーズアウトといいます。

下表のスクイーズアウト手法を使って最大株主が少数株主を排除して完全子会社化等をする行為について、左ページ**3**の適格株式交換等の適格要件（共同事業関係の要件を除きます。）を満たした場合は、適格組織再編成となります。

なお、これらの行為については対価として金銭を交付することとなるため、合併及び株式交換等の適格要件（株式以外の資産の交付要件）も下記のとおり緩和されています。

<table>
<tr><th colspan="2">スクイーズアウト手法</th><th>概　要</th><th>株式以外の資産（金銭等）の交付要件</th></tr>
<tr><td colspan="2">合　併</td><td>合併の対価として買収会社が買収対象会社の株主に金銭を交付し、少数株主を退出させる。</td><td rowspan="5">合併法人＊1が被合併法人＊2の発行済株式総数の2/3以上の株式を有する場合におけるその合併法人＊1以外の被合併法人＊2の株主に金銭等を交付した場合
→適格の判定上、株式以外の資産の交付要件以外の要件を満たした場合には適格組織再編成となります。</td></tr>
<tr><td rowspan="4">株式交換等</td><td>株式交換</td><td>株式交換の対価として買収会社が買収対象会社の株主に金銭を交付し、少数株主を退出させる。</td></tr>
<tr><td>全部取得条項付種類株式</td><td>買収対象会社の既存の普通株式を全部取得条項付の種類株式に変更。それを１株未満の端数になる株式を買収対象会社が取得する決議をし、少数株主に対価として端数相当の金銭を交付して退出させる。</td></tr>
<tr><td>株式併合</td><td>買収対象会社の少数株主の全員が１株未満となる株式併合を行い、少数株主に端数相当の金銭を交付して退出させる。</td></tr>
<tr><td>株式売渡請求</td><td>買収対象会社の９割以上の議決権を有する株主（買収会社）が、対価の額等を定めて買収対象会社に通知し、取締役会承認等の手続を経て買収対象会社の株主から金銭を対価に買収対象会社の株式を取得する。</td></tr>
</table>

＊1　株式交換等の場合は、株式交換等完全親法人
＊2　株式交換等の場合は、株式交換等完全子法人

4．適格現物分配及び適格株式分配の要件

(1)　適格現物分配

適格現物分配とされる要件は次のとおりです。（法法２十二の十五）

要件　現物分配の直前において、完全支配関係がある内国法人間で行われるものであること

(2)　適格株式分配の要件（スピンオフ税制）

機動的な事業再編を可能とするため、平成29年度税制改正により株式分配が適格組織再編成の一つに加えられました。税務上の株式分配とは、現物分配のうち、その直前において保有する完全子法人（発行済株式総数の全部を保有）の株式の全部を移転するものをいい、現物分配法人の株主と完全支配関係がある場合を除きます。（法法２十二の十五の二）

上記のうち、適格株式分配とされる要件は次のとおりです。（法法２十二の十五の三）

要件

①　現物分配法人の株式数の割合に応じて交付されるものであること
②　完全子法人の従業者のうち、概ね80％以上の従業者が完全子法人の業務に引き続き従事することが見込まれていること＊1
③　完全子法人の主要な事業が、株式分配後も完全子法人において継続されることが見込まれていること＊1
④　現物分配法人が株式分配前に他の者による支配関係がなく、完全子法人が株式分配後に継続して他の者による支配関係があることとなることが見込まれていないこと
⑤　完全子法人の特定役員（常務以上の役員で法人の経営に従事している者）の全てがその株式分配に伴って退任をするものでないこと

＊1　224ページの合併＊4と同様です。
　2　平成30年４月１日以後において、完全支配関係がある法人間で行われる組織再編成後に適格株式分配を行うことが見込まれている場合、当初の組織再編成における完全支配関係の継続要件については、当該適格株式分配の直前の関係で判定することとされます。

なお、令和５年度税制改正により、令和10年３月31日までの間に産業競争力強化法の事業再編計画の認定を受けた法人が、その有する完全子会社株式の一部（発行済株式の総数の20％未満）を現物分配法人に残して現物分配を行った場合にも、一定の要件を満たせば適格株式分配に該当することとされました。

5. 無対価組織再編成について

無対価組織再編成とは、組織再編成の対価として交付されるべき株式ないし金銭等が交付されずに行われる合併、分割、株式交換をいい、原則として非適格組織再編成に該当します。

ただし、無対価組織再編成のうち、親法人が100%子法人を吸収合併するように合併後の株主構成や資本関係が変わらず、単に合併の対価の交付を省略したものと認められるものは適格組織再編成に該当します。（法法２十二のハイ、法令４の３②二、⑥）

【適格組織再編成に該当する無対価合併・無対価分割】

合併	①	合併法人が被合併法人の発行済株式の全部を直接保有する関係
	②	被合併法人及び合併法人の株主等（その被合併法人及び合併法人を除きます。）の全てについて、次の等式が成立する場合におけるその被合併法人と合併法人の関係 $\frac{\text{その者が保有するその被合併法人の株式の数}}{\text{その被合併法人の発行済株式等の総数}*1} = \frac{\text{その者が保有するその合併法人の株式の数}}{\text{その合併法人の発行済株式等の総数}*2}$ ＊1　その合併法人が保有するその被合併法人の株式を除きます。 ＊2　その被合併法人が保有するその合併法人の株式を除きます。
分割型分割（注）	①	分割承継法人が分割法人の発行済株式の全部を直接保有する関係
	②	分割法人の株主等（その分割法人及び分割承継法人を除きます。）及び分割承継法人の株主等（その分割承継法人を除きます。）の全てについて、次の等式が成立する場合におけるその分割法人と分割承継法人との間の関係 $\frac{\text{その者が保有するその分割法人の株式の数}}{\text{その分割法人の発行済株式等の総数}*3} = \frac{\text{その者が保有するその分割承継法人の株式の数}}{\text{その分割承継法人の発行済株式等の総数}}$ ＊3　その分割承継法人が保有するその分割法人の株式を除きます。
分社型分割（注）		分割法人が分割承継法人の発行済株式等の全部を直接保有する関係

（注）　無対価分割の直前において分割承継法人が分割法人の発行済株式等の全部を保有している場合又は分割法人が分割承継法人の株式を保有していない場合には「分割型分割」に、無対価分割の直前において分割法人が分割承継法人の株式等を保有している場合（分割承継法人が分割法人の発行済株式等の全部を保有している場合を除く。）には「分社型分割」にそれぞれ該当します。（法法２十二の九、十）

簡易又は略式組織再編

組織再編行為には原則株主総会決議が必要ですが、簡易組織再編、略式組織再編に該当する場合は株主総会決議を省略することができます。

〈簡易組織再編〉（会社法784②、796②、805）

株主総会決議が不要な場合	吸収合併の存続会社、吸収分割の分割承継会社、株式交換完全親会社（以下、存続会社等）において、 →交付する株式数×１株当たりの存続会社等の純資産額＋株式以外で交付する財産の帳簿価額≦存続会社等の純資産額×20%の場合
	吸収分割及び新設分割の分割会社において、 →承継させる資産の帳簿価額≦分割会社の総資産額×20%の場合

●組織再編行為に際して存続会社等において差損が発生する場合や存続会社等が株式譲渡制限会社である場合には株主総会の決議が必要です。
●一定の存続会社等の株主が吸収合併等に反対する旨を会社に通知した場合には株主総会決議が必要で、反対株主は存続会社等に公正な価格による自己株式買取りを請求することができます。

〈略式組織再編〉（会社法468①、784①、796①）

株主総会決議が不要な場合	組織再編行為において特別支配会社＊に支配されている存続会社等又は消滅会社等
	事業の全部又は重要な一部の譲渡及び事業の全部の譲受けの場合で、契約の相手方が特別支配会社＊の場合

＊　会社及びその会社の完全子会社等が総株主の議決権の90%以上を有している場合の支配している会社をいいます。
●存続会社等が株式譲渡制限会社で譲渡制限株式を交付する場合など一定の場合は株主総会決議が必要です。

MEMO

行為計算の包括的否認の規定（法法132の２）

企業組織再編成の形態や方法は複雑で、租税回避の手段として濫用されるおそれがあるため、法人税等の負担を不当に減少させる結果となると認められる組織再編成については、税務署長が認めるところにより、通常の資産の譲渡等（時価で譲渡）として課税できる包括的否認規定がおかれています。なお、この規定は同族会社に限らず適用されます。

❷組織再編成における税務上の取扱い

1．移転資産等の取扱い（法法62～62の９、法令123～123の11）

企業組織再編成による移転資産等は、税務上組織再編成の日（合併の場合は合併の日の前日＊）に、移転法人から承継法人に移転します。移転した資産等の各社での取扱いは次のとおりです。

＊　被合併法人は合併により消滅することから、合併の日の前日までをみなし事業年度として決算を行う必要があります。（法法14）なお、「合併の日」とは「合併の効力を生じる日（新設合併の場合は設立登記の日）」をいいます。

		移転法人の取扱い	承継法人の取扱い
適格組織再編成	原則	帳簿価額により資産及び負債が移転したとして所得計算します。	移転法人の帳簿価額により資産及び負債を受け入れます。
	留意事項	適格合併の場合	
		事業年度の中途で合併した場合、減価償却費等期間計算が必要になる項目があります。	帳簿価額で引き継ぐことから、減価償却超過額等の利益積立金額も引き継ぎます。
		適格現物分配の場合	
		現物分配の際、源泉徴収は不要です。（所法24①）	収益計上した利益は益金不算入（別表四「17」欄で社外流出として減算します。）となります。（法法62の５④）
		適格株式分配の場合	
		株式分配の際、源泉徴収は不要です。（所法24①）	完全子法人株式の取得価額は現物分配法人株式の帳簿価額（株式分配対応分）を引き継ぐこととなるため、課税関係は生じません。（完全子法人株式以外の資産が交付されないものに限ります。）
非適格組織再編成	原則	時価により資産及び負債が移転したとして所得計算します。	時価により資産及び負債を受け入れます。
	留意事項	完全支配関係をする当事者間で行われる非適格合併（又は非適格分割）の場合	
		資産を時価で移転することに伴う損益のうち、一定のものを繰り延べます。（216ページ参照）	時価により資産及び負債を受け入れますが、被合併法人（又は分割法人）が繰り延べる一定の譲渡損益も引き継ぐため、一定の資産については、帳簿価額で受け入れるのと同様になります。（法法61の11⑦）
		非適格株式交換等・移転の場合（法法62の９）	
		完全支配関係を有する法人間で行われるものを除き、組織再編成の日を含む事業年度において株式交換（移転）完全子法人の一定の時価評価対象資産（233ページ参照）の評価損益を計上する必要があります。	

2．非適格合併等による移転資産等に係る調整勘定の取扱い

非適格合併、非適格分割、非適格現物出資及び事業譲渡において、資産・負債の移転を受けた法人では、原則として時価により資産負債を引き継ぎますが、対価として交付した金銭の額及び金銭以外の資産の価額（時価）が必ずしも税務上の時価純資産価額（資産－負債）と一致しない場合があります。ここでは支払対価と時価純資産価額との差額についての税務上の取扱いを説明します。

(1)　支払対価＞時価純資産価額の場合

資産（個別時価評価）｜資産調整勘定（正ののれん）

←時価純資産→

負債｜負債調整勘定Ａ｜←支払対価→

(2)　支払対価＜時価純資産価額

資産（個別時価評価）

←時価純資産→

負債｜負債調整勘定Ａ｜差額負債調整勘定（負ののれん）｜←支払対価→

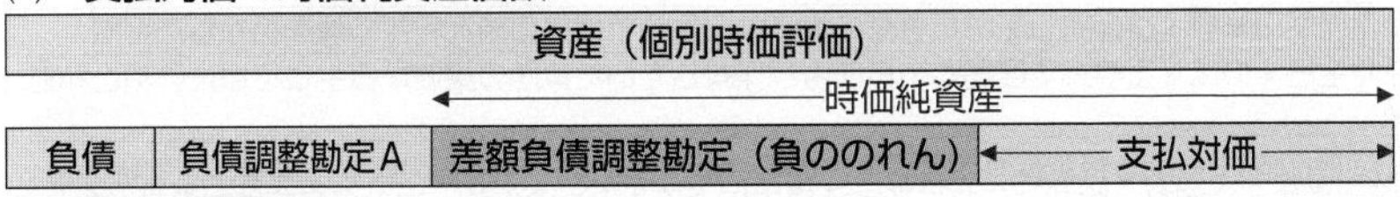

対象となる組織再編等

・非適格合併

・移転法人の事業及びその主要な資産・負債の概ね全部が移転する非適格分割・非適格現物出資・事業の譲受け

【税務上の取扱い】（法法62の８、法令123の10）

項目		税務上の留意点
負債調整勘定Ａ	退職給与債務引受額	被合併法人等から引継ぎを受けた従業員に関する退職給与の額（被合併法人等の在職期間等を勘案して算定され、債務引受されたものに限る。） ⇒従業員が退職等した場合には、単純平均額又は個別対応額を取り崩して益金に算入します。
	短期重要債務見込額	移転事業に係る将来の債務で３年以内に履行が見込まれるもの（移転資産の取得価額の20%を超えるもので債務引受けされたものに限る。） ⇒３年以内に損失が生じた場合はその損失額、３年が経過した場合には残額を取り崩して益金に算入します。
資産調整勘定（正ののれん）		差額で計算され、独立した資産として取引される営業権は個別時価評価する資産に含まれ、この調整勘定には含まれません。また、一定の被合併法人等の欠損金相当額等は資産等超過差額として資産調整勘定には含まれません。 ⇒５年間（発生年度での月数按分が必要）で取り崩して損金に算入します。
差額負債調整勘定（負ののれん）		差額で計算され、負債調整勘定Ａは含まれません。 ⇒５年間（発生年度での月数按分が必要）で取り崩して益金に算入します。

③組織再編税制等における欠損金等の取扱い

組織再編成が行われた場合の青色繰越欠損金等については、以下のとおり、繰越欠損金や含み損を抱えた資産の利用による租税回避行為を防止するため、一定の制限が設けられています。

(1) 適格合併の場合の繰越欠損金の引継ぎ

適格合併の場合には、原則として被合併法人の未処理欠損金額（適格合併の日前10年以内＊1に開始した被合併法人の各事業年度の繰越欠損金）は、合併法人に引き継ぐことができ、被合併法人のそれぞれ未処理欠損金額の生じた事業年度開始の日の属する合併法人の各事業年度で生じた欠損金とされます。

しかし、支配関係が適格合併の日の属する事業年度開始の日の５年前の日以後に生じている場合（合併法人又は被合併法人の設立時から継続して支配関係がある場合等を除きます。）で、みなし共同事業要件＊2を満たさない場合に、以下の制限があります。（法法57③、62の７、法令112、123の8）

支配関係事業年度＊3前に生じた未処理欠損金額	合併法人に引き継げません。＊4
支配関係事業年度＊3以後に生じた未処理欠損金額	未処理欠損金額のうち、特定資産譲渡等損失額＊5に相当する額は、合併法人に引き継げません。＊4

（具体例）支配関係が適格合併の日の属する事業年度開始の日の５年前の日以後に生じている場合

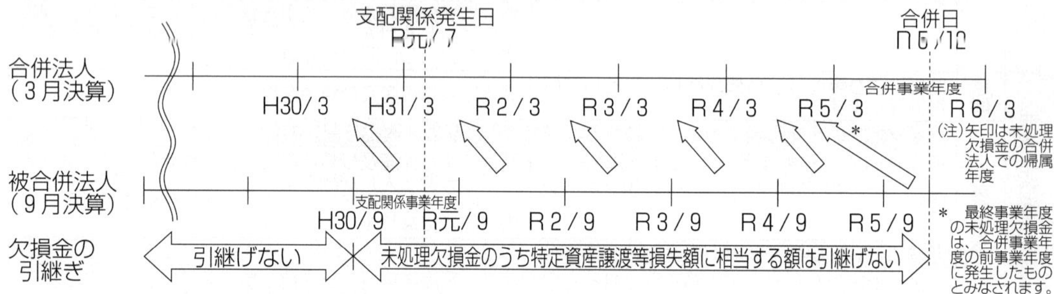

＊1　平成20年４月１日以後終了事業年度から平成30年３月31日以前開始事業年度までは９年。

＊2　みなし共同事業要件とは、次の①から④のすべてを満たす場合、又は①及び⑤の要件を満たす場合をいいます。

①	事業が相互に関連するものであること
②	売上金額等の規模の割合※が５倍を超えないこと
③	支配関係発生時と適格合併の時の被合併事業の規模の割合※が概ね２倍を超えないこと
④	支配関係発生時と適格合併の時の合併事業の規模の割合※が概ね２倍を超えないこと
⑤	被合併法人の特定役員（常務以上の役員で法人の経営に従事している者）のいずれかと合併法人の特定役員のいずれかが合併後の特定役員になることが見込まれていること（いずれも支配関係発生時に役員又はこれらに準ずる者であった者に限ります。）

※合併法人の事業（被合併法人の事業と関連する事業）と被合併法人の事業のそれぞれの売上金額、従業者数、資本金の額若しくはこれらに準ずるものの規模の割合。

＊3　被合併法人と合併法人との間に最後に支配関係があることとなった日の属する事業年度

＊4　被合併法人の支配関係事業年度の前事業年度末の時価純資産価額が簿価純資産価額以上である等の場合には、一定の未処理欠損金額を引き継ぐことができます。（法令113①）

＊5　繰越欠損金の引継ぎにおける特定資産譲渡等損失額とは、下記①が対象となります。下記(2)の繰越欠損金等の利用制限の特定資産譲渡等損失額は①及び②が対象となります。

①	被合併法人が支配関係発生日＊前より保有していた資産の譲渡から生じる損失の額と利益の額を相殺した金額
②	合併法人が支配関係発生日＊の属する事業年度開始の日前より保有していた資産の譲渡から生じる損失の額と利益の額を相殺した金額

＊　欠損金の引継制限及び利用制限における特定資産譲渡等損失の場合は、支配関係発生日の属する事業年度開始の日

(注)　資産の譲渡には、評価換え、貸倒れ、除却他これに類する事由によるものも含まれ、次の資産等は対象外となります。１．棚卸資産(土地等を除きます。)、２．短期売買商品、３．売買目的有価証券、４．適格合併の日の帳簿価額が1,000万円未満の資産、５．支配関係発生日の属する事業年度開始の日に含み損が発生していない資産及び同日以後取得した資産

(2) 適格組織再編成等の繰越欠損金等の利用制限

支配関係が適格組織再編成等＊1の日の属する事業年度開始の日の５年前の日以後に生じている場合（移転法人又は承継法人の設立時から継続して支配関係がある場合等を除きます。）で、みなし共同事業要件＊2を満たさない場合（「特定適格組織再編成等」といいます。）には、承継法人において、以下の制限があります。（法法57④、62の7、法令112、113、123の8）

支配関係事業年度前に生じた欠損金	欠損金を使用できません。＊4
支配関係事業年度以後に生じた欠損金	欠損金のうち、特定資産譲渡等損失額＊3に相当する額は使用できません。＊4
特定適格組織再編成等以後一定期間の特定資産譲渡等損失額＊3＊5	損金に算入できません。＊4

＊1　適格合併、完全支配関係がある法人間で行われる非適格合併、適格分割、適格現物出資又は適格現物分配をいいます。
＊2　左記⑴＊2と同様です。（「適格合併」は「適格組織再編成等」と、「被合併事業」は「移転事業」と、「合併事業」は「承継法人の営む事業（移転事業と関連するものに限ります。）」と、それぞれ読み替えます。）
＊3　左記⑴＊5と同様です。（「被合併法人」は「支配関係法人」と、「合併法人」は「承継法人」とそれぞれ読み替えます。）
＊4　承継法人の支配関係事業年度の前事業年度末の時価純資産価額が簿価純資産価額以上である等の場合には、一定の欠損金や特定資産譲渡等損失額を使用することができます。（法令113④、123の9①）
＊5　特定適格組織再編成等以後の譲渡等における損金算入制限の特定資産譲渡等損失額は、⑴＊5の①（特定引継資産譲渡等損失額）及び②（特定保有資産譲渡等損失額）が対象となります。
6　適格分割、適格現物出資又は適格現物分配において、事業を移転せず、資産のみを移転する場合で、移転する資産に含み損がある等の場合に、一定の欠損金や特定資産譲渡等損失額を使用することができます。（法令113⑤、123の9⑩）
7　適格現物分配の場合、事業を対象とする組織再編成でないため、みなし共同事業要件の適用はありません。

⑶　買収した欠損等法人の欠損金等の利用制限

株式の取得等によって、特定支配関係（支配関係のうち、特定の株主等の直接又は間接の株式保有割合が50%超の場合であって、同一者支配関係（兄弟関係）の場合を除く。）になった法人が、特定支配日（特定支配関係が生じた日）以後５年以内に下記事由に該当することとなった場合には、次の税務上の制限があります。（法法57の２、60の３、法令113の３、118の３）

- 下記事由に該当することとなった日の属する事業年度前の各事業年度に生じた欠損金は繰越控除できません。
- 下記事由に該当することとなった日の属する事業年度開始の日から３年を経過する日までに生じた特定資産の譲渡損失等については損金に算入されません。

①　事業を営んでいない場合に、特定支配日以後に事業を開始すること ②　特定支配日の直前事業のすべてを特定支配日以後に廃止し又は廃止することが見込まれている場合に、特定支配日前の事業規模の概ね５倍を超える資金の借入れ又は出資による金銭その他の資産の受入れ（５倍超資金借入等）を行うこと ③　特定の株主等によって欠損等法人に対する特定債権（額面金額の50%未満で買い取り、かつ債務総額の50%を超える主要債権者になること）が取得されている場合に、５倍超資金借入等を行うこと ④　上記①②③の各場合において、自己を被合併法人とする適格合併を行い又は残余財産が確定（完全支配関係がある場合に限る。）すること ⑤　特定支配日の直前の役員の全てが退任し、使用人の20%以上が退職等した場合で、特定支配日前の従業員が従事しない事業の規模が直前事業規模の５倍を超えること　等

●更生計画等により特定支配関係が生じた場合等には適用はありません。

④組織再編成における株主の税務

１.合併、分割型分割等の場合

被合併法人の株主や分割型分割における分割法人の株主は、新たに合併法人や分割承継法人の株式等の交付を受けることになります。この場合の株主の税務の取扱いは次のようになります。

⑴　みなし配当課税（法法24①）

適格合併等の場合	適格合併等の場合には、被合併法人等の利益積立金額はすべて合併法人等へ引き継がれることになるため、株主に対して交付された株式等に利益積立金額を原資とする部分はなく、みなし配当課税はなされません。
非適格合併等の場合	非適格合併や非適格分割型分割の場合には、移転資産については時価で譲渡されたものとして取り扱われ、また、譲渡後の利益積立金額が合併法人に引き継がれないことから、その譲渡後の利益積立金額が被合併法人等の株主に移転したとみなされ、みなし配当課税がなされます。

⑵　株式譲渡損益の取扱い（法法61の２）

株式以外の資産の交付を受けなかった場合（非按分型分割を除く。）	株主の投資が継続していると考えられることから、従前の株式の帳簿価額が新株に引き継がれ株式譲渡損益は発生しません。
株式以外の資産の交付を受けた場合	時価により譲渡を行ったものとして譲渡損益を計上しなければなりません。（みなし配当部分を除きます。）

２.自社株式を対価とした株式取得の場合（措法37の13の４、措令25の12の４）

適格株式交換の場合を除き、従来は他社を買収する際に自社株式を他社株式取得の対価とした場合、買収に応じた会社の株主は株式譲渡益に課税がなされていました。

令和３年度税制改正により、令和３年４月１日以後に買収会社＊1から自社株式等＊2の交付を受けた場合には、譲渡した株式（買収に応じた会社の株式）の譲渡損益を繰り延べることとされます。

＊1　令和５年10月１日以後は、株式交付後に同族会社に該当する場合を除きます。
＊2　対価として交付を受けた資産の価額のうち買収会社の株式の価額が80%以上である場合に限ります。買収会社の株式以外の資産の交付を受けた場合には買収会社の株式の価額に対応する部分の譲渡損益を繰り延べます。

株式交付

他社を買収により子会社化（議決権50%超）する際に、対価として自社の株式を交付する会社法上の手続きです。必ずしも、100%完全子会社化としなくてもよい等の点で株式交換（220ページ参照）と違いがあります。

5 グループ通算制度の概要

——連結納税制度とどう違う？——

連結納税制度では、税務調査後の修正・更正等における税額計算の煩雑さ等の事情から、企業グループ間の損益通算のメリットがあるにもかかわらず連結納税制度を利用しない企業が多くありました。一方では、企業の組織再編を促し、国際的な競争力を持ったグループ経営が行えるような制度が求められていることから、これまでの連結納税制度を抜本的に見直し、令和４年４月１日以後に開始する事業年度から効率的で一体感のあるグループ通算制度に移行しました。

① グループ通算制度とは

グループ通算制度とは、法人税法上の企業グループ内の各法人それぞれを納税単位としながら、グループ間での損益通算等の調整を行い課税する制度です。

従来の連結納税制度ではグループ内の一社に後発的に修正・更正等の事由が生じた場合、グループ全体に修正・更正等の影響が及ぶため事務負担が大きかったのですが、グループ通算制度では原則として、損益通算等に用いる他の法人の所得もしくは欠損金額等を当初申告額で固定し、修正・更正等による他法人への影響が遮断される仕組みが導入されています。

納税主体	通算法人ごと。ただし、連帯納付の責任を負います。（237ページ参照）
申告方式	各法人が申告。ただし、通算親法人が一括して電子申告を行うこともできます。
税　率	各法人の税率を適用（237ページ参照）
修正・更正	原則として他法人への影響を遮断（236ページ参照）

② グループ通算制度の適用

１.対象法人（法法64の９①）

通算法人		・青色申告法人である内国法人
	通算親法人	・普通法人又は協同組合等に限る。（清算中の法人など一定の法人を除く。） ・他の内国法人による完全支配関係（215ページ参照）がある会社は通算親法人になれない。
	通算子法人	・普通法人に限る。 ・通算親法人と完全支配関係（215ページ参照）のある法人

＊　適用法人のすべてが青色申告法人を前提とする点以外は基本的に連結納税制度と同様になっています。

２. グループ通算制度適用の承認申請

グループ通算制度を採用しようとする場合には、親法人及びすべての子法人の連名で、適用しようとする事業年度開始の日の３か月前の日までに親法人の所轄税務署長を経由して国税庁長官に承認申請書を提出し、適用しようとする事業年度開始の日の前日までに承認を受ける必要があります。（法法64の９②）

③ 事業年度

グループ通算制度を適用する場合、通算子法人の事業年度は通算親法人の事業年度となります。このため、通算子法人の会計期間が通算親法人の会計期間と異なる場合でも、通算親法人の会計期間を通算子法人の税務上の事業年度として通算申告を行うことになります。（法法14③⑦、地法72の13⑦⑪）また、子法人の通算グループへの加入・離脱の場合の事業年度の取扱いは次のとおりです。

（1）　子法人が通算事業年度の途中で加入する場合の事業年度の特例と加入時期の特例

通算グループへの加入の場合は、原則として加入日（完全支配関係発生日＝通算親法人との間で完全支配関係を有することとなった日）から通算グループに属することとなり、加入日の前日までが単体申告事業年度となります。しかし、加入日が月末日でない等の場合、事業年度を区切ることが実務上煩雑であることが予想されるため、通算親法人が加入時期の特例の適用を受ける旨の届出を行うことにより、子法人（新設法人を除く）の加入時期を当該法人の翌月次決算期間又は翌会計期間の開始日とすることが認められています。この届出の期限は、加入子法人の完全支配関係発生日の前日の属する事業年度に係る確定申告書の提出期限となる日です。（法法14⑧一）

翌月次決算期間	事業年度の末日が月末である会社は加入日の前日の属する月末日の翌日が加入日（例：完全支配関係発生日が9/15の場合10/1が加入日）
翌会計期間	加入子法人の会計期間の末日の翌日が加入日（例：完全支配関係発生日が9/15で加入子法人が12月決算の場合、翌期首である1/1が加入日）

（2）　通算子法人が通算グループから離脱する場合

通算グループから離脱する場合、離脱日の前日まで通算グループに属することとなり、離脱日以降は単体申告となります。

④適用開始、加入時及び離脱時の取扱い

グループ通算制度の適用開始又は加入時の時価評価課税及び繰越欠損金の持ち込み等の取扱いについては、組織再編税制と整合性の取れた制度とされています。

1．開始・加入時の時価評価課税

グループ通算制度の適用開始時又は加入時に時価評価の対象とならない法人の範囲が、組織再編成の適格要件（224ページ参照）に該当する場合へと拡大されたため、資産の時価評価を行い評価損益を認識することとなる法人は、完全支配関係の継続が見込まれない法人等に限られています。

(1)　時価評価対象外法人（法64の11①、法64の12①）

時価評価の対象外とされる法人は次のとおりです。

時価評価の対象とならない法人

開始時
① いずれかの通算子法人との間に完全支配関係の継続が見込まれる通算親法人
② 通算親法人との間に完全支配関係の継続が見込まれる通算子法人
加入時（加入法人＝通算子法人となる法人）
① 適格株式交換等により加入した株式交換完全子法人
② 通算グループ内の新設法人
③ 完全支配関係を有することとなった時の直前に通算親法人との間に支配関係がある場合で、次の要件のすべてに該当する法人
（ア）通算親法人との間で完全支配関係が継続することが見込まれていること
（イ）加入法人の従業者のうち、おおむね80％以上に相当する数の者が法人の業務（その法人との間に完全支配関係がある法人の業務を含む）に引き続き従事することが見込まれていること
（ウ）加入法人の主要な事業が加入法人において引き続き行われることが見込まれていること
④ 完全支配関係を有することとなった時の直前に通算親法人との間に支配関係がない場合で、上記③の要件に加えて次の要件のすべてに該当する法人
（エ）加入法人の事業と通算グループ内のいずれかの法人の事業とが相互に関連するものであること
（オ）加入法人の事業と通算親法人の事業のそれぞれの売上金額、従業者数若しくはこれらに準ずる規模の割合がおおむね５倍を超えないこと又は、完全支配関係発生日の前日の子法人の特定役員（常務以上の役員で法人の経営に従事している者）のすべてが、通算親法人による完全支配関係を有することとなったことに伴って退任するものでないこと

(2)　時価評価対象資産（法法64の11①、法法64の12①、法令131の13、131の15、131の16）

グループ通算制度開始時または加入時に時価評価の対象となる資産は以下のとおりです。

時価評価の対象となる資産

開始時・加入時共通＊1
① 固定資産　② 固定資産以外の土地等　③ 金銭債権　④ 有価証券　⑤ 繰延資産

除かれるもの

開始時・加入時共通
・グループ通算制度を開始した最初の通算親法人事業年度開始の日＊2の５年前の日以後に終了する各事業年度において圧縮記帳の対象となっている減価償却資産（国庫補助金等・保険金等による圧縮記帳を除く）
・売買目的有価証券、償還期限及び償還金額の定めのある一定の売買目的外有価証券
・含み損益が資本金等の額の２分の１に相当する金額又は1,000万円のいずれか少ない金額に満たない資産
開始時
・通算親法人となる法人との間に完全支配関係がある内国法人のうち清算中の法人等一定の法人の株式又は出資で、その価額（時価）がその帳簿価額に満たないもの
・通算親法人となる法人又は通算子法人となる法人が他の通算グループに属していた場合において、株式移転等により新たなグループ通算制度を開始する時における他の通算子法人の株式又は出資
・初年度離脱開始子法人（最初通算事業年度開始の日以後２か月以内に離脱する通算子法人）が保有する資産
加入時
・他の通算グループから加入する場合における他の通算子法人の株式又は出資
・初年度離脱加入子法人（完全支配関係を有することとなった日以後２か月以内に離脱する通算子法人）が保有する資産

＊1　譲渡損益調整資産の譲渡損益、リース取引に係る延払損益で繰り延べているもの及び特定資産の買い換え等に係る特別勘定の金額（1,000万円未満のものを除く）については、その繰り延べている損益の計上及びその特別勘定の金額の取り崩しを行うことになります。
＊2　グループ通算制度開始後に通算グループに加入した通算子法人の場合は、加入後最初の通算事業年度開始の日

2．欠損金の取扱い（法法57⑥⑧）

(1)　特定欠損金と非特定欠損金

グループ通算制度における欠損金は、通算グループ全体で使用可能な非特定欠損金と、自社の所得の範囲内でのみ控除できる特定欠損金とがあります。欠損金を使用する場合の課税所得・税額計算は、236ページの計算例を参照してください。

非特定欠損金	①通算制度適用後に通算グループ内で生じた繰越欠損金 ②非特定連結欠損金個別帰属額（連結納税からグループ通算制度に移行した場合）
特定欠損金	①通算親法人（時価評価対象外法人）の開始前の繰越欠損金 ②通算子法人（時価評価対象外法人）の開始・加入前の一定の繰越欠損金＊1 ③特定連結欠損金個別帰属額（連結納税からグループ通算制度に移行した場合） ④その他一定の欠損金

＊1　支配継続期間等により欠損金の引継ぎに制限があり、判定フローは (2) のとおりです。

(2)　欠損金の引継ぎ判定

上記1．開始・加入時の時価評価の対象法人の欠損金は原則として切り捨てられ、引き継がれず、時価評価対象外法人の欠損金は、一定の場合に引継ぎ制限等があります。欠損金の引継ぎの判定フローは以下のとおりです。なお、令和４年度税制改正で一部見直しが行われています。

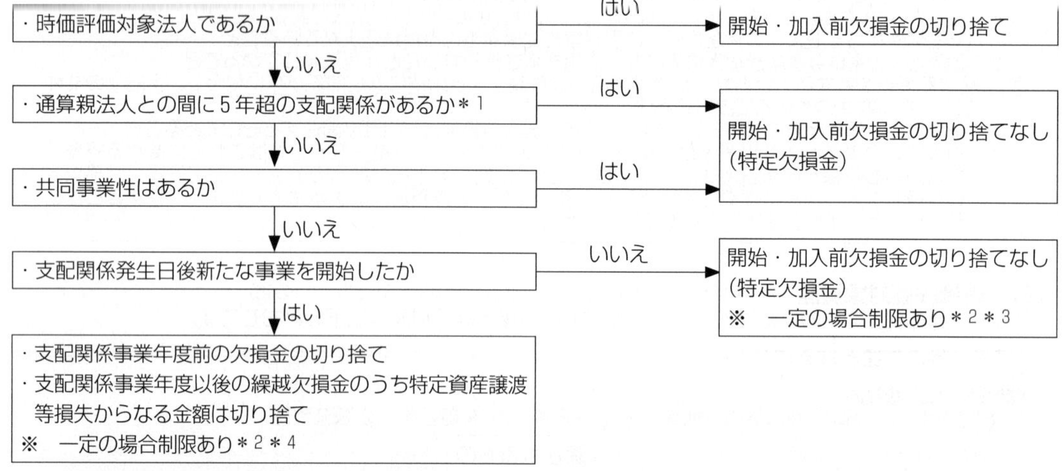

＊1　通算承認日の５年前の日後に設立された通算親法人における判定
　通算親法人と他の通算法人のうち最後に支配関係を有することとなった日の最も早い法人との間に通算親法人の設立日と他の通算法人の設立の日のうち最も早い日のいずれか遅い日から継続して支配関係がある場合には、支配関係５年継続要件を満たすこととされます。また、通算法人等が通算承認日の５年前の日後に設立された場合にも、一定の組織再編が行われていた等の場合を除き５年継続要件を満たすことになります。

＊2　確定決算において計上した原価及び経費の合計額のうち損金経理した減価償却費の額の割合が30%を超える場合は、一定期間内に発生した通算前の欠損金額について控除制限があります。

＊3　＊2に該当しない場合、一定の損失（特定資産譲渡等損失額）からなる通算前欠損金額について、控除制限があります。

＊4　＊2に該当しない場合、特定資産譲渡等損失額は制限期間（新たな事業の開始日の属する事業年度開始日からグループ通算制度開始日以後３年経過日と、支配関係発生日以後５年経過日のいずれか早い方までの期間）について損金不算入となります。

3．離脱時の取扱い

一般に、利益（損失）を上げた子法人の株価は高く（低く）なります。グループ通算制度において、通算子法人が上げた利益は、グループ内で通算されて課税済みであるにもかかわらず、当該通算子法人の株式を外部に売却する際、その課税済みの利益の影響によって株価が上昇したとすると、通算親法人における通算子法人株式の帳簿価額が据え置かれたままであれば、過年度の通算子法人の利益と通算親法人の株式売却益とで二重に課税が生じることとなります。反対に、含み損のある法人が離脱する場合、通算親法人は含み損を抱えた通算子法人の株式売却により譲渡損を発生させ、当該通算子法人は含み損のある資産を売却することで含み損を実現させる方法により、二重で所得を圧縮することが可能となります。このような不都合を排除するため、グループ通算制度では、通算グループ離脱時の (1) 通算子法人における資産の時価評価と (2) 通算親法人等における投資簿価修正が定められています。

(1)　通算子法人における資産の時価評価

通算グループから離脱した法人が主要な事業を継続することが見込まれていない場合や、通算法人の株式を保有する他の通算法人においてその通算法人の離脱等の後にその株式の譲渡等による損失の計上が見込まれている場合には、その離脱直前の時に有する一定の資産については、離脱直前の事業年度において、時価評価により評価損益の計上が行われます。(法法64の13①、法令131の17①)

時価評価の対象資産は、上記1．開始時・加入時の時価評価と同様ですが、営業権が時価評価の対象となる等一部取り扱いが異なる点に留意が必要です。

(2)　通算親法人等における投資簿価修正 (法令119の3⑤⑥⑦)

投資簿価修正は連結納税においても定めがあり、連結子法人株式の譲渡損益の計算上、連結納税の適用期間中損益通算の対象となった利益積立金額の増減額を調整することとされていました。一方、グループ通算制度では、利益・損失の二重計上の防止強化のため、通算子法人株式の帳簿価額を通算子法人の簿価純資産に置き換えることで調整することとされました。(原則法)

なお、令和４年度税制改正では、M&Aにより簿価純資産価額を超える価額で取得した通算子法人株式を第三者に譲渡する場合に、通算親法人において、買収プレミアム部分を損金（譲渡原価）に算入することができるようになり、一定の場合には、離脱時に子法人株式の帳簿価額とされるその通算子法人の簿価純資産価額に、資産調整勘定等対応金額*を加算することができるようになりました。

*　通算子法人の通算開始・加入前に通算グループ内の法人が時価取得した子法人株式の取得価額のうち、その取得価額を合併対価としてその取得時にその通算子法人を被合併法人とする非適格合併を行うとした場合に資産調整勘定又は負債調整勘定として計算される金額に相当する金額をいいます。(通算子法人を被合併法人等とする非適格合併等が行われた場合には、資産調整勘定等対応金額は零となります。) 資産調整勘定等対応金額は、通算子法人の取得時に遡って計算する点に留意が必要です。

MEMO

この投資簿価修正は、連結納税制度の場合は、開始（又は加入）から離脱時までの利益積立金の増減額で調整することとなっていましたが、グループ通算制度の場合は、離脱時の税務上の簿価純資産価額に置き換えるだけで、開始（又は加入）をいつしたかは考慮しないことになっています。すなわち、グループ通算開始（又は加入）前の利益積立金の増減も投資簿価修正されることになるので、連結納税制度よりグループ通算制度の方が有利になる場合（利益積立金が増加している場合）と不利になる場合（利益積立金が減少している場合）があることに留意する必要があります。

⑤所得金額と法人税額の計算

通算グループ内の各通算法人が個別に計算した所得金額は、次のような損益通算を経て、各通算法人の種類に応じた税率を使用して各通算法人の税額計算を行います。損益通算及び欠損金の通算税効果の計算イメージは次ページ計算例を参照してください。

1．損益通算

通算前所得金額が生じる通算法人において、他の通算法人に通算前欠損金額が生じる場合には、通算前欠損金額の合計額を、所得法人の各通算前所得金額の比で配分（各通算前所得金額が限度）し、損金の額に算入されます。(法法64の５①②) 通算前欠損金額が生じる通算法人においては、損金算入された金額の合計額と同額の所得金額が、欠損法人の各通算前欠損金額の比で配分され、益金の額に算入されます。(法法64の５③)

2．税率

グループ通算制度の通算法人の各事業年度の所得の金額に対する法人税の税率は、各通算法人の適用税率によります。(法法66) したがって、通算法人の全てが中小法人等（199ページ参照）に該当する場合は、法人税の軽減税率が適用されることとなります（239ページ⑧参照）

3．通算税効果額

通算税効果額とは、損益通算の規定や欠損金の通算の規定等を適用することにより減少する法人税及び地方法人税の額に相当する金額として、通算法人と他の通算法人との間で授受する金額をいいます。(法法26④)

グループ通算制度では、通算税効果額を通算法人間で精算金として授受することが想定されます。この場合、グループ内で授受が行われた通算税効果額は、益金の額又は損金の額に算入されません*。なお、この通算税効果額の精算は任意ですが、企業会計上は単体の決算を正しくするために収受されることと思われます。

国税庁が公表している「グループ通算制度に関するＱ＆Ａ」では、通算税効果の例として次の３つが示されています。

損益通算の通算税効果額
欠損金の通算による通算税効果額
研究開発税制による通算税効果額（238ページ①参照）

*　法人税及び地方法人税の附帯税である利子税は損金算入されるものであることから、通算税効果額から除外されています。

損益通算計算例

計算条件
・通算法人は中小法人に該当しない（大通算法人として計算）
・損益通算制限なし
・税率は30%と仮定

	親法人	子会社A	子会社B	合計	備考
1 期首特定欠損金額		500		500	
2 期首非特定欠損金額	2,000		300	2,300	
3 通算前所得金額又は通算前欠損金額	3,000	2,000	△1,000	4,000	
4 損益通算	△600	△400	1,000	0	子会社Bの欠損を所得の比で按分＊1
5 所得金額（欠損金控除前）	2,400	1,600	0	4,000	3+4
6 欠損金損金算入限度額（50%）	1,200	800	0	2,000	5×50%
7 特定欠損金控除額		500		500	6>1なので全額控除
8 損金算入される特定欠損金額控除後の損金算入限度額	1,200	300	0	1,500	6-7（6<7の場合は6）
9 非特定欠損金配賦額	1,840	460		2,300	2の合計を８の比率で配分＊2
10 被配賦欠損金額		460		460	2<9の場合
11 配賦欠損金額	160		300	460	2>9の場合
12 非特定欠損金額	1,840	460	0	2,300	2+10（または2-11）
13 非特定欠損金損金算入割合	1500／2300				8/12
14 非特定欠損金損金算入額	1,200	300		1,500	12×13
15 欠損金の損金算入額	1,200	800	0	2,000	7+14
16 所得金額（欠損金控除後）	1,200	800	0	2,000	5-15
17 申告納税額（税率30%）	360	240	0	600	16×30%
18 翌期繰越特定欠損金額		0		0	1-7
19 非特定欠損金損金算入額	1,304	0	196	1,500	2×13
20 翌期繰越非特定欠損金額	696	0	104	800	2-19
21 損益通算に係る通算税効果額＊3	△180	△120	300	0	4×30%
22 欠損金の通算に係る通算税効果額＊3	31	△90	59	0	10（または11）×13×30%

＊1　親法人　：欠損金額合計△1,000　×　$\frac{\text{所得金額3,000}}{\text{所得金額合計5,000}}$　＝　△600

子法人A：欠損金額合計△1,000　×　$\frac{\text{所得金額2,000}}{\text{所得金額合計5,000}}$　＝　△400

＊2　親法人　：非特定欠損金額合計2,300　×　$\frac{\text{損金算入される特定欠損金控除後の損金算入限度額1,200}}{\text{分子の各通算法人合計1,500}}$　＝　1,840

子法人A：非特定欠損金額合計2,300　×　$\frac{\text{損金算入される特定欠損金控除後の損金算入限度額300}}{\text{分子の各通算法人合計1,500}}$　＝　460

＊3　通算税効果額の支払いをマイナス、受け取りをプラスとして表記しています。

会計処理

個別財務諸表の損益計算書において、通算税効果額は当該事業年度の所得に対する法人税及び地方法人税に準ずるものとして取り扱います。（実務対応報告第42号「グループ通算制度を適用する場合の会計処理及び開示に関する取扱い」7）

通算税効果額を損益に計上する場合には、法人税及び地方法人税を示す科目（法人税、住民税及び事業税）に含めて損益計算書に表示します。また、通算税効果額に係る債権及び債務は、未収入金や未払金などに含めて貸借対照表に表示します。（実務対応報告第42号「グループ通算制度を適用する場合の会計処理及び開示に関する取扱い」25）

4．修正又は更正における遮断措置

連結納税制度では、連結グループに属する法人において修正又は更正があった場合に、連結グループ全体で再計算を行うため、グループ内の他の法人に影響を及ぼすこととなり、事務手続きが煩雑になる問題がありました。グループ通算制度では、通算法人に修正又は更正があった場合でも、原則として当初申告における損益通算の金額が固定されるため、他の通算法人に影響を及ぼしません。（一定の場合には遮断措置不適用）(法64の5⑤) また、損益通算同様に、繰越欠損金の通算、外国税額控除、試験研究費の税額控除においても遮断措置が設けられています。

右ページでは、修正申告が行われた場合の損益通算の遮断イメージを示しています。

遮断措置（損益通算）計算例

前提条件
・当初申告において欠損金（通算）はない
・子会社Bにおいて、当初申告で欠損（△1,000）であったところ修正申告が発生し、通算前課税所得が500になった
・遮断措置の不適用はない

		親法人	子会社A	子会社B	合計
1	通算前所得金額又は通算前欠損金額	3,000	2,000	△ 1,000	4,000
2	損益通算	△ 600	△ 400	1,000	0
3	所得金額（欠損金控除前）	2,400	1,600	0	4,000
4	申告納税額（税率30%）	720	480	0	1,200

固定

修正申告により子会社Bの通算前所得金額が500になった

		親法人	子会社A	子会社B	合計
1	通算前所得金額	3,000	2,000	500	5,500
2	損益通算	△ 600	△ 400	1,000	0
3	所得金額（欠損金控除前）	2,400	1,600	1,500	5,500
4	申告納税額（税率30%）	720	480	450	1,650

上記のとおり、子会社Bの所得金額に変更があった場合でも、通算グループ全体への影響が遮断されるため損益通算の再計算を行う必要はなく、他の通算法人の申告税額は変わりません。

5. 地方税の取り扱い

地方税（法人住民税、法人事業税）にはグループ通算制度がないため、地方税の申告に当たっては、一定の調整を行う必要があります。

(1) 住民税（法人税割）

住民税は課税標準が法人税額とされているため、法人税の計算において通算グループ内の損益通算や繰越欠損金の通算等を行った場合は、これらの影響を除く調整を行います。

(2) 事業税（所得割）

事業税（所得割）の課税標準は当該事業年度の所得金額（法人税の所得金額に一定の調整を加えたもの）が課税標準とされているため、法人税の計算において通算グループ内の損益通算や繰越欠損金の通算等を適用しない所得金額とされています。

(3) 外形標準課税

事業税の外形標準課税の適用（資本金１億円超）の判定は、通算グループ内の法人ごとに行います。

⑥確定申告と納付

グループ通算制度においては、各通算法人を納税単位として各通算法人が個別に法人税額の計算及び申告義務を負う個別申告方式となります。（法法74）しかし、通算子法人が多くある場合等は事務手続きが煩雑になることから、親法人による一括電子申告及び一括電子納税が可能となっています。

(1) 電子申告（e-Tax）による申告とダイレクト納付

グループ通算制度を適用した通算法人は、事業年度開始の時における資本金の額等が１億円超であるか否かにかかわらず、e-Taxによる申告書等の提出が義務化されており（法法75の４①②）（181ページ参照）、連結納税制度で法人税の申告をしてこなかった各子法人は、事業年度開始の日から１か月以内に「e-Taxによる申告の特例に係る届出書」の提出が必要となります。なお、通算親法人が、その親法人の代表者や関与税理士の電子署名をして子法人の申告書等をe-Taxにより提出した場合には、その子法人もe-Taxにより申告書等を提出したとみなされます。（法法151①②）また、通算親法人が通算グループの法人税及び地方法人税を一括してe-Taxを利用した納付（ダイレクト納付）ができる仕組みとなっています（183ページ参照）。ダイレクト納付各通算子法人の納付額も通算親法人の口座からまとめて納付されますが、自動ダイレクトの手続きをした場合は各通算子法人の納付額は各通算子法人の口座から引き落とされます。

(2) 連帯納付の責任（法152①）

グループ通算制度の通算法人は、他の通算法人の各事業年度の法人税について、連帯納付の責任を負います。

6 グループ通算制度における個別制度

――グループ全体で適用されるものがある？――

グループ通算制度では、従来の連結納税制度と異なり企業グループ内の各法人をそれぞれ納税単位とするため、基本的に各法人で税務調整を行いますが、外国税額控除や試験研究費の税額控除など、グループ全体で適用される制度もあります。

そのため、グループ全体で適用される制度と、通算法人ごとに適用される制度を区分して整理するようにしましょう。

① 研究開発税制（単体納税制度48ページ参照）

試験研究費の税額控除について、連結納税においては、連結納税グループ全体で税額控除額を計算し、各連結法人への個別帰属額は、各連結法人が支出した試験研究費の額を基に配分されていましたが、グループ通算制度では、通算グループ一体で計算した税額控除限度額と控除上限額のいずれか少ない金額を、各通算法人の調整前法人税額の比で配分した金額を各法人の税額控除限度額とします。従って、実際に試験研究費を支出した通算法人と税額控除を受ける通算法人とが異なる場合があるため、税額控除額は通算税効果額の対象となります。

② 特定税額控除の不適用措置（単体納税制度49ページ参照）

グループ通算制度においても、単体申告と同様に特定税額控除の不適用措置が定められています。不適用の判定は、原則として通算グループ内の法人ごとに行いますが、研究開発税制における一般試験研究費及び特別試験研究費の税額控除は通算グループ一体として判定を行うこととなります。(措法42の13⑦)

③ 外国税額控除（単体納税制度145ページ参照）

外国税額控除については、通算グループ全体の計算要素（法人税額、所得金額、国外所得金額等の合計）を用いて、通算法人毎に控除限度額を算出することで、結果として通算グループ一体で税額控除限度額計算を行い、これを配分することとなります。算出された各通算法人の控除限度額を超過する場合や反対に余裕がある場合は、当該控除限度超過額または控除余裕額について３年間の繰越が可能です。

なお、通算法人のいずれかが控除対象外国法人税の額の全部または一部について外国税額控除を適用した場合、全ての通算法人の控除対象外外国法人税の額の全部が損金不算入となります。従って、外国税額控除又は損金算入方式のいずれを採用するかは通算グループ全体で統一する必要があります。

④ 受取配当等の益金不算入（単体納税制度85ページ参照）

グループ通算制度においては、原則として通算法人毎に、受取配当等の益金不算入額を計算します。

なお、関連法人配当等の額から控除する負債利子の計算において、支払利子等の額の10%相当額が、関連法人配当等の額の合計額の４%相当額以下である場合に、支払利子等の額の合計額の10%相当額とすることができます。(85ページ参照）この場合における、控除負債利子の計算は以下のとおりです。

$$\text{控除負債利子} = \text{通算グループ全体の支払利子の合計額}^{*} \times \frac{\text{その通算法人の関連法人配当等の額の合計額}}{\text{通算グループ全体の関連法人配当等の額の合計額}}$$

＊　支払利子等の額から通算完全支配関係がある他の通算法人に対するものは除きます。

⑤交際費の損金不算入（単体納税制度60ページ参照）

通算法人が中小通算法人（⑧参照）に該当する場合、交際費の損金不算入については、定額控除限度額（800万円）の特例が適用できます。各通算法人における控除額（通算定額控除限度分配額）は、以下の算式に基づき算出します。なお、連結納税同様グループ全体で800万円の限度となるため、単体納税であれば各社で定額控除限度額の適用を受けることができることと比べると不利になると言えます。また、通算グループ内のいずれかの法人の資本金の額等が100億円を超える場合、単体納税と同様、接待飲食費の合計額の50%損金算入は適用されません。

$$\text{年800万円} \times \frac{\text{その通算法人が支出する交際費等の額}}{\text{各通算法人が支出する交際費等の額の合計額}}$$

⑥貸倒引当金の損金算入（単体納税制度67ページ参照）

中小通算法人（⑧参照）等の場合、貸倒引当金の損金算入については、通算グループ内の法人に対して有する金銭債権が貸倒引当金の設定対象外となっており、これは、単体納税において完全支配関係がある法人に対して有する金銭債権が除かれることと同様の取扱いになっています。（法法52⑨）なお、経過措置が設けられており、一括評価金銭債権に係る貸倒実績率の算定において令和４年４月１日前開始事業年度が含まれる場合は、当該事業年度における完全支配関係法人に対する金銭債権を一括評価金銭債権及び貸倒実績・個別貸倒引当金繰入額に含めて計算することとなります。（令和２年改正法令附則14）

⑦寄附金の損金不算入（単体納税制度70ページ、216ページ❸(3)参照）

寄附金の損金不算入制度については、単体納税と同様の計算を各通算法人で行うこととなり、各通算法人で損金不算入額を計算します。なお、一般寄附金の損金算入限度額の計算の基礎となる資本金及び資本準備金の合計額については、各通算法人の金額を用いることとなります。なお、グループ通算制度においては、通算終了時に行う投資簿価修正に、寄附修正の効果が含まれるためグループ法人単体課税制度と異なり寄附修正を行う必要はありません。

⑧中小法人の判定と中小法人の特例措置の適用（単体納税制度199ページ参照）

1．中小法人の判定

通算グループ内の通算法人のいずれかが、以下に該当する法人を大通算法人といい、中小法人の特例措置が適用されません。つまり、中小法人の判定については、全ての通算法人が中小法人に該当する場合のみ中小法人の特例措置が適用される中小通算法人に該当することとされ、通算グループ内のいずれかの通算法人が中小法人に該当しない場合には、通算グループ内の全ての法人が大通算法人として扱われます。

資本金の額または出資金の額が１億円を超える法人
相互会社
大法人の100%子法人
100%グループ内の複数の大法人に発行済み株式又は出資の全部を保有されている法人
受託法人

なお、中小企業者の特例においても、全ての通算法人が該当する場合のみ特例措置が適用されることとなります。

2．中小通算法人が適用可能な特例措置

中小通算法人が適用可能な特例措置は以下のとおりです。

交際費の損金不算入定額控除限度額（800万円）の特例
貸倒引当金の損金算入制度、法定繰入率の選択
軽減税率（所得800万円までの部分について、普通法人であれば15%）の適用
欠損金等の控除限度額拡大（50%→100%）、欠損金の繰戻し還付制度
特定同族会社の留保金課税不適用

＊　通算法人は、中小企業者等であっても少額減価償却資産の特例（115ページ参照）は適用できません。

7 出向・転籍の税務
――出向者の給与・退職金の取扱い――

多角化戦略の中で分社経営を行っていくと、人事の交流が必要となってきます。人事交流には、一般に出向と転籍があります。

出向…雇用関係は消滅せず、身分ないしは籍も残ったまま、他の企業に勤務する。

転籍…雇用関係は消滅し、他の企業に身分ないしは籍を移して勤務する。

出向と転籍は別のもので、税務上の取扱いも異なってくるわけですが、原則として「労務の対価は労務の提供を受けている法人で負担する」があることに注意しなくてはなりません。

なお、完全支配法人間で負担した給与等が寄附金（受贈益）として取り扱われた場合は、損金（益金）不算入となるので注意が必要です。（216ページ参照）

① 出向者の給与と賞与

出向元法人が出向者に給与を支払い、出向先法人が出向元法人に負担金を支払う場合を前提にして、税務上の問題を考えてみます。

出向元法人　Ⓐ 給与支払 →　出向者　勤務 →　出向先法人
← 負担金 Ⓑ

(1) Ⓐ＞Ⓑのケース

出向元法人が出向者に支払う金額（Ⓐ）	出向先法人が出向元法人に支払う金額（Ⓑ）

給与較差を補てんする等出向元法人が負担することに合理的な理由がある場合は、問題ありませんが、合理的な理由がない場合には出向元法人において贈与（寄附金）として取り扱われます。

出向先法人が出向元法人に支払った金額は、経営指導料等の名義で支出されても、実質的に負担すべき給与相当額であれば、出向先法人において出向者に対する給与として取り扱われます。（法基通９－２－45）

- 消費税法上は不課税取引とされます。
- 事業税の外形標準課税制度上の『報酬給与額』に含まれる額は出向元法人ではⒶ－Ⓑ、出向先法人ではⒷの金額となります。

MEMO

次のものは、給与較差を補てんする合理的な理由のある負担に該当します。（法基通９－２－47）

1　出向先法人が経営不振等で出向者に賞与を支給できず、出向元法人が負担した場合
2　出向先法人が海外にあるため、出向元法人が留守宅手当を支給した場合

(2) Ⓐ＜Ⓑのケース

出向元法人が出向者に支払う金額（Ⓐ）	出向先法人が出向元法人に支払う金額（Ⓑ）

出向者の特殊能力に対して技術指導料を含めて支払う場合等出向先法人が負担することに合理的な理由がある場合は、その理由に応じて出向先法人において損金算入されますが、合理的な理由がない場合は、出向先法人において贈与（寄附金）として取り扱われます。

(1)のケースと同様、経営指導料等の名義で支出されても、実質的に負担すべき給与相当額であれば、出向先法人において出向者に対する給与として取り扱われます。

- 消費税法上は不課税取引とされます。
- 事業税の外形標準課税制度上の『報酬給与額』に含まれる額は出向元法人ではゼロ、出向先法人ではⒶの金額となります。

(3) 出向者が出向先法人で役員となっているケース

出向者が出向元法人では使用人で、出向先法人で役員となっている場合の給与負担金は次のように取り扱われます。（法基通９－２－46）

役員に係る給与負担金につき
①当該役員に係る給与負担金の額につき出向先の株主総会、社員総会又はこれらに準ずるもので決議がされており、
かつ
②出向契約等において出向期間及び給与負担金の額があらかじめ定められている

No ➡ 給与負担金は原則として損金不算入とされます。

261ページの❷損金に算入される役員給与の取扱いに従い、損金算入又は不算入の判定を行います。

- 出向元での使用人としてのベースアップが決まらないと出向先での役員としての給与が改定できない場合などは、会計期間３月経過後の改定であっても毎年所定の時期に改定されている限り、定期同額給与とされます。（法基通９－２－12の２）

❷出向者の退職給与

(1) 退職給与の負担

出向者は出向元法人を退職した時に退職金を受け取りますが、その退職金については、出向先法人が出向期間中の退職給与相当額を負担するのが通常のスタイルです。

したがって、出向先法人が退職給与相当額を負担しないことにつき相当な理由がない場合には、出向元法人から出向先法人への贈与（寄附金）として取り扱われます。（法基通９－２－50）

アドバイス

退職給与相当額を負担しないことにつき相当な理由がある場合とは、例えば次のようなものが考えられます。

①親会社が、経営危機に瀕している関係会社等に強制的に使用人を出向させている場合
②出向期間が比較的短期間である場合

(2) 退職給与負担金の支出時期

出向先法人が負担する退職給与相当額について、その支出時期と税務上の取扱いについてまとめると次のようになります。（法基通９－２－48）

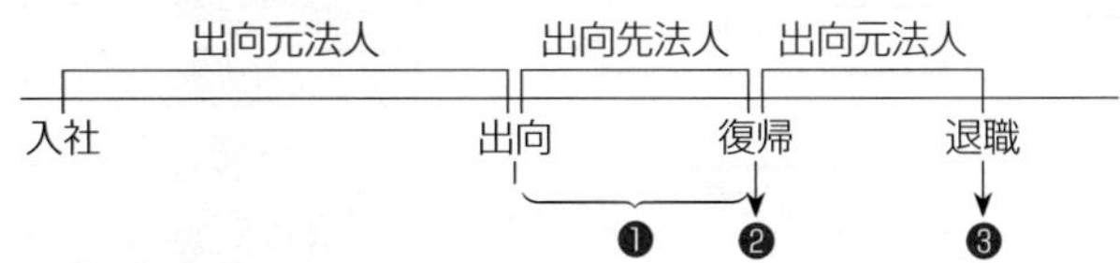

❶	出向期間中に支出する場合	次の条件を満たしている場合には、支出の日の属する事業年度に損金算入できます。（出向先法人で役員となっているときであっても同様です。） (イ) あらかじめ定められた負担区分に基づいている。 (ロ) 出向者の出向期間に対応する退職給与の額として、合理的に計算された金額である。 (ハ) 定期的に出向元法人に対して支出している。
❷	出向期間終了時にまとめて支出する場合	出向者の出向期間に対応する退職給与の額として合理的に計算された金額は、その支出の日の属する事業年度に損金算入できます。
❸	出向元法人を退職した時に支出する場合	

●出向者が出向期間中に出向元法人を退職した場合は、引き続き出向先法人において役員又は使用人として勤務していたとしても、出向元法人に支払った退職給与負担金は支出時の損金に算入されます。（法基通９－２－49）

❸転籍者の退職給与

転籍の場合の転籍前の法人が負担する退職給与については、次の３通りの支出形態があり、それぞれ転籍前の法人で支出時の損金に算入されます。

① 転籍時に転籍前の法人が本人に直接支給する
② 転籍時に転籍前の法人が転籍後の法人に退職給与負担金として支出する
③ 転籍者が転籍後の法人を実際に退職する時に、本人に直接又は転籍後の法人を通じて支給する

②及び③については、転籍前の法人が負担する金額として合理的に計算されていなければ、贈与（寄附金）の問題が発生しますので注意してください。（法基通９－２－52）

また、③の場合は、退職給与負担金の受入れと退職金の支払いが同一事業年度になるため過度に法人税負担が発生することはありませんが、②の場合は転籍後の法人が受け入れた退職給与負担金はその事業年度に全額益金に算入されるため、退職給与引当金の計上が税務上認められていない現状では法人税負担に注意が必要です。

アドバイス

事業税の外形標準課税制度上は、出向先法人が出向元法人に対して退職給与負担金を支払ったときや転籍時に転籍前法人が転籍後の法人に退職給与負担金を支払ったときには「報酬給与額」に含めず、退職者に退職金を支払った法人のその支払時の「報酬給与額」とされます。

経営者の事業の「終活」

中小企業の経営者は、高齢化と後継者問題に頭を痛め、育ててきた事業の行く末が大きな課題となっています。このような状況下、自ら育てた**事業の終活**を人生の集大成とし、また、関係者への影響を最小化するために、適時に的確な意思決定を行うことが求められます。その現状把握のポイントと行動指針となるフローチャートを参考までに整理しました。

1　終活の方向性を決めるためのポイント

1．会社の現状把握と事業の将来性の判断（①財務状況、②現在の収益性、③事業の将来性）
2．後継者の有無
3．決断の時期と正しい選択

2　終活の方向性を決めるフローチャート

「中小企業経営者のための事業「終活」実践セミナー」（清文社刊）参照

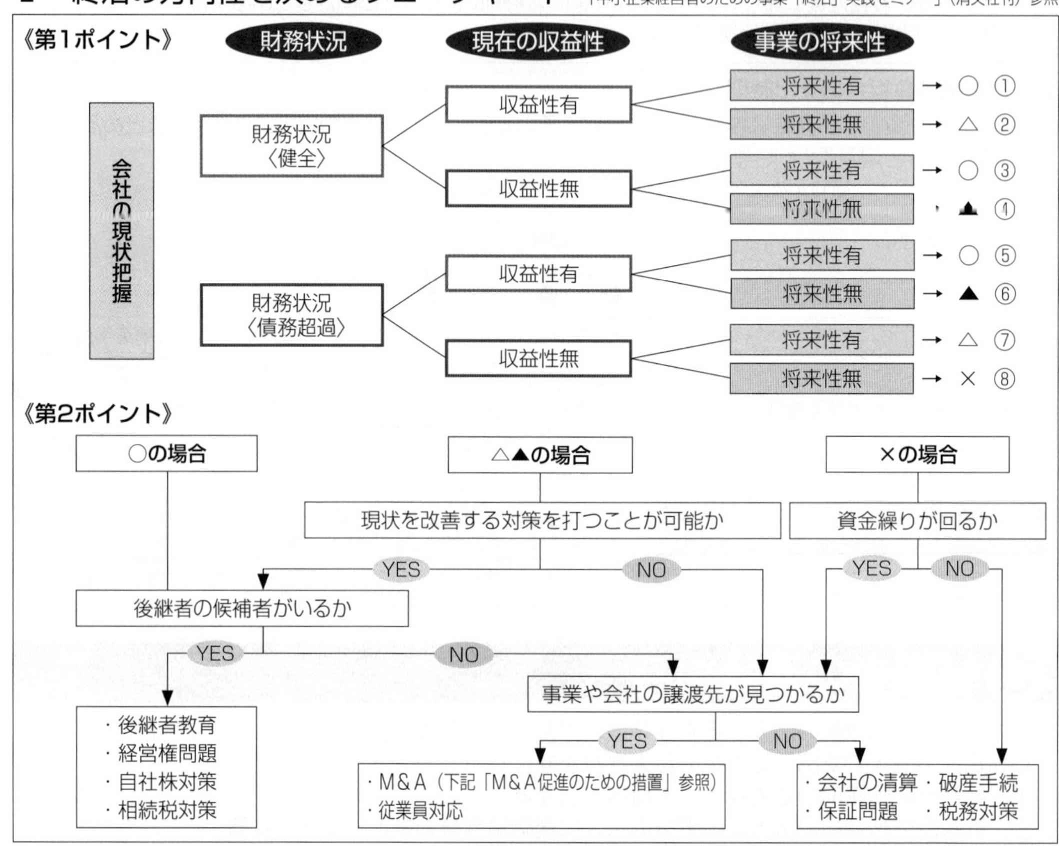

第１ポイントの判定で○の会社は、財務状況が健全で収益性がある場合（①）はもちろんのこと、現在の収益性が悪くても、財務状況が健全で将来性がある（③）のであれば、後継者への事業承継を十分検討できます。また、たとえ債務超過であったとしても、収益性があり、将来の債務超過の解消が見通せる（⑤）ということであれば、財務状況は健全化していくので、後継者への承継を検討できるでしょう。

次に、第１ポイントの判定で△（②⑦）▲（④⑥）の会社は、何らかの経営上の課題を抱えています。まずは、自助努力での課題解決を検討し、自助努力だけでは課題解決が困難な場合には、事業承継が単に問題の先送りになってしまわないよう、M＆A（218ページ参照）や、借入金返済のリスケジュール、債務の圧縮などの債務処理等、次の世代に残る負担も十分考慮した上で、最終的に目指す方向を決定しましょう。

最後に、第１ポイントの判定で×（⑧）のケースでは、残念ながら自力再建は難しいと考えられます。しかしそういった場合でも、直ちに廃業するのではなく、M＆Aで残せる事業がないかどうかなど、従業員や取引先等への影響を最小限に留めるため早期に行動することが求められます。（212ページ参照）

M&A促進のための措置

- 買い手の中小企業者等のM&A後の簿外債務や偶発債務等のリスクを税制面から支えるため、令和９年３月31日までの間に中小企業等経営強化法の経営力向上計画の認定を受けM&Aを実施した場合、その株式等の取得価額の70%まで中小企業事業再編投資損失準備金に計上することにより損金算入できます。また、令和６年度税制改正により、産業競争力強化法の一定の事業再編計画の認定を受けた場合には、最大で株式等の取得価額の100%を損金算入できることとなります。なお、その後５年間で益金算入することになります。（措法56）
- 令和３年４月１日以後、株式交付制度を使い、買収会社の自社株式等（金銭等が20%以下等であるものに限る。）を対価として買収に応じた被買収会社の株主について、その譲渡した株式の譲渡損益を繰り延べることができます。（措法37の13の４、66の２）（231ページ参照）
- 上記のほか、オープンイノベーション促進税制（86ページ参照）や、個人投資家に向けたエンジェル税制（257ページ参照）もあり、M&Aやスタートアップへの投資の促進のための措置がとられています。

社長の税金編

1 個人の所得にかかる所得税の仕組み

――所得の分類から税額の計算まで――

社長個人の税金を考えていくに当たってここでは、まず個人の所得にかかる所得税がどのように計算されていくかについて見ていくことにします。

所得税では、1年間（暦年）に生じた所得をその内容によりまず10種類に区分します。これは、所得の種類によって計算方法が異なり、また、その所得から生じた赤字を他の所得の黒字と損益通算できるかできないかなど、その取扱いに差があるからです。

それぞれの所得がどの所得の分類に属するか、また、その所得が有利な取扱いを受けるのか、それとも不利な取扱いを受けるのかなどを把握しておくことが個人の所得に対する税金対策を考える上での第一歩です。

❶ 所得の分類

所得税では、税負担等を調整するため所得を10種類に区分し、それぞれの所得の内容に応じてその取扱いを定めています。

区　分		内　容	各種所得の金額の計算方法	損失を他の所得と通算できるか
総合課税（分離課税分の譲渡所得等は❷参照）	利子所得	公社債や預貯金の利子など（貸付金の利息などは含みません。）*1	収入金額	－
	配当所得	法人から受ける剰余金の配当や投資信託（公社債投資信託を除きます。）の収益の分配など	収入金額－その元本の取得に要した負債利子	不可
	不動産所得	不動産等の貸付けによって受け取る賃貸料など	総収入金額－必要経費	原則可*2･3
	事業所得	農業や製造業などあらゆる事業から生じる所得	総収入金額－必要経費	可
	給与所得	給料や賞与などの給与に係る所得	収入金額－給与所得控除額*4 ▶（特定支出控除の選択可。右ページ参照）	不可
	譲渡所得	資産の譲渡による所得（5年を基準に短期と長期とに区分されます。）	総収入金額－(取得費*5＋譲渡費用)－特別控除額（最高50万円）	原則可*6
	一時所得	一時の所得で、役務又は資産の譲渡の対価としての性質を有しないもの	総収入金額－収入を得るために支出した金額－特別控除額（最高50万円）	不可
	雑所得	他の9つの所得に属さない所得	総収入金額－必要経費 公的年金等の場合▶（右ページ参照）	不可
分離課税	山林所得	山林の伐採又は譲渡による所得（取得して5年以内のものは事業所得又は雑所得になります。）	総収入金額－必要経費－特別控除額（最高50万円）	可
	退職所得	退職により一時に受ける退職手当等の所得	（収入金額－退職所得控除額）×½ （右ページ参照）	－

＊1　同族会社が発行した社債の利子等で、その同族会社の役員等が支払いを受けるものは総合課税（雑所得）の対象となります。
＊2　不動産所得から生じた損失金額のうち土地等の取得に係る借入金等の利子に対応する部分の金額については損益通算の対象となりません。（措法41の4）
＊3　令和3年以後に国外不動産所得の金額の計算上損失額があり、損失額に国外に所在する中古建物の耐用年数を簡便法等で計算した償却費に相当する部分がある場合は、その損失額のうち償却費相当額はなかったものとみなされ、損益通算の対象となりません。
＊4　給与所得控除額の上限は、令和2年分以後は210万円（給与収入金額1,000万円超の子育て・介護世帯）、又は、195万円（給与収入金額850万円超の子育て・介護世帯以外の世帯）です。（34ページ参照）
＊5　取得費は実額か概算（譲渡価額の5％）の選択ができます。
＊6　別荘等のように生活に通常必要でない資産の譲渡（ゴルフ会員権の譲渡を含む。）について生じた損失は、他の所得と損益通算できません。（所法69②）

公的年金や退職年金の雑所得の計算

公的年金や退職年金については、公的年金等控除により税負担が軽減されています。（所法35④）

公的年金等の収入金額（所得税等控除前）**－公的年金等控除額＝公的年金等の雑所得の金額**

公的年金等の範囲は

- 国民年金法に基づく老齢基礎年金
- 厚生年金保険法に基づく老齢厚生年金
- 国家公務員共済組合法などに基づく退職共済年金
- 特定退職金共済制度に基づく退職年金
- 適格退職年金契約に基づく退職年金（自己負担掛金対応部分を除きます。）

年金収入が330万円超になると、年齢による控除額の差はなくなります。

（年齢はその年の12月31日により判定）

<table>
<tr><th rowspan="2">年金収入</th><th colspan="2">公的年金控除額＊</th></tr>
<tr><th>年齢65歳未満</th><th>年齢65歳以上</th></tr>
<tr><td>130万円以下</td><td>60万円</td><td rowspan="2">110万円</td></tr>
<tr><td>130万円超330万円以下</td><td rowspan="2">年金収入×25％＋27.5万円</td></tr>
<tr><td>330万円超410万円以下</td><td></td></tr>
<tr><td>410万円超770万円以下</td><td colspan="2">年金収入×15％＋68.5万円</td></tr>
<tr><td>770万円超1,000万円以下</td><td colspan="2">年金収入×５％＋145.5万円</td></tr>
<tr><td>1,000万円超</td><td colspan="2">195.5万円</td></tr>
</table>

＊　公的年金等の雑所得以外の所得金額の合計が1,000万円を超える場合は10万円、2,000万円を超える場合は20万円、それぞれ上記の金額より減額されます。

その年中の公的年金等の収入金額が400万円以下であり、かつ公的年金等に係る雑所得以外の所得金額が20万円以下である場合には、還付を受ける場合等を除き確定申告書の提出は不要です。

暗号資産に関する雑所得の計算

暗号資産を売却又は使用することにより生ずる利益については、事業所得等の各種所得の基因となる行為に付随して生じる場合を除き、原則として雑所得に区分されます。売却価額、使用時点の商品価額あるいは交換時点の時価等から取得価額の差額を差し引いた所得金額とされます。なお、取得価額は移動平均法あるいは総平均法により算定されます。（所法２十六、48の２）

給与所得の特定支出控除（所法57の２）

給与所得者が、各年において下図の①～⑦に掲げる支出（以下「特定支出」という。）をした場合に、特定支出の額の合計額が、給与所得控除額の２分の１を超えるときには、その超える部分について、確定申告を通じて控除することができる制度です。

特に④と⑥については、弁護士・公認会計士・税理士などの資格取得のために通学されている方や、個人負担の交際費を多額に使っている方などは、この制度を利用できる可能性があります。この適用を受けるには、確定申告書等に給与等の支払者又はキャリアコンサルタントの証明書を添付する必要があります。

特定支出の額の合計額		
①通勤費	⑤帰宅旅費＊1	
②転居費	⑥勤務必要経費＊2	
③研修費	⑦職務上の旅費	
④資格取得費		

＞　給与所得控除額の１/２（給与所得控除額）

超える部分の金額 → 給与等の収入金額から控除される金額

＊１　単身赴任者の赴任先から自宅への旅費です。
＊２　図書費、衣服費、交際費等で職務上必要なものに限り年間65万円まで認められます。

退職所得の計算

退職所得については、（収入金額－退職所得控除額（21ページ参照））×１/２で計算されますが、特定役員退職手当等に該当する場合と短期退職手当等に該当する場合には、別途の計算方法となりますので、注意が必要です。

種類	内容	１/２課税不適用となる額
特定役員退職手当等	役員等としての勤続年数が５年以下である者がその勤続年数に対応する退職手当等として支払いを受けるもの	全額
短期退職手当等	勤続年数が５年以下である者が退職手当等として支払いを受ける特定役員退職手当等以外のもの	短期退職手当等から退職所得控除額を控除した金額のうち300万円を超える部分

●特定役員退職手当等と短期退職手当等とそれ以外の退職手当等（一般退職手当等）がある場合の計算例

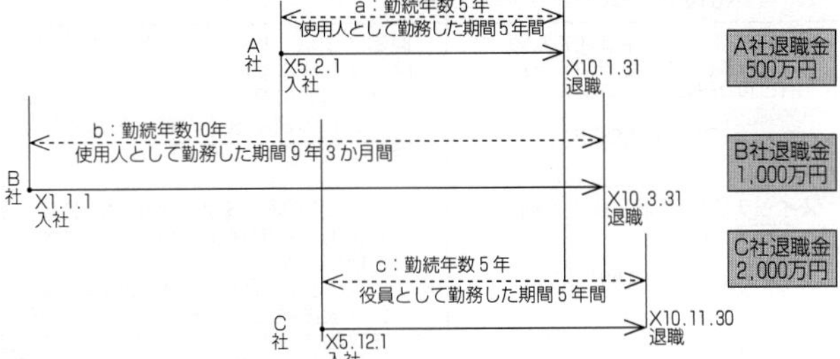

①特定役員等退職所得控除額の計算（C社）
40万円×{c－(e+d)}＊＋20万円×e＋14万円×d＝90万円
②短期退職所得控除額の計算（A社）
40万円×{a－(e+d)}＊＋20万円×f＋13万円×d＝85万円
＊　マイナスの場合は０として計算
③一般退職所得控除額の計算（B社）
40万円×b－(①＋②)＝225万円
④特定役員退職手当等に係る退職所得金額の計算（C社）
2,000万円－①＝1,910万円
⑤短期退職手当等に係る退職所得金額の計算（A社）
500万円－②＝415万円
300万円×１/２＋(415万円－300万円)＝265万円
⑥一般退職手当等に係る退職所得金額の計算（B社）
(1,000万円－③)×１/２＝387.5万円
⑦退職所得金額の計算　④＋⑤＋⑥=2,562.5万円

a：短期勤続年数５年、b：一般勤続年数10年、c：特定役員等勤続年数５年
d：全重複期間＝５年（X5.12.1～X10.1.31）
e：一般勤続期間と特定役員等勤続期間の重複期間１年（X10.2.1～X10.3.31）
f：一般勤続期間と短期勤続期間の重複期間１年（X5.2.1～X5.11.30）

②分離課税となる譲渡所得等

次の所得については、分離課税による譲渡所得等として、他の譲渡所得等とは区分して税金が計算されます。

区分	内容	課税の対象となる金額	留意点
長期譲渡所得	土地・建物等の譲渡による所得で、譲渡をした年の1月1日において所有期間が5年を超えるもの	総収入金額－(取得費＋譲渡費用)－特別控除額	●居住用財産の3,000万円の特別控除や特定の居住用財産の買換え等の特例があります。(251ページ以降参照)
短期譲渡所得	土地・建物等の譲渡による所得で、譲渡をした年の1月1日において所有期間が5年以下のもの		
株式等に係る譲渡所得等	株式・新株予約権付社債などの有価証券の譲渡による所得	〈譲渡所得の場合〉 総収入金額－(取得費＋譲渡費用＋借入金利子)	●株式等の売却益は申告分離課税となり、確定申告により税金を納めます。(254ページ参照)

1　土地・建物等の短期譲渡所得の金額又は長期譲渡所得の金額の計算上生じた損失の金額は、他の所得と損益通算できません。
2　株式等に係る譲渡所得等の金額の計算上生じた損失は、原則として他の所得と損益通算できません。(255ページ参照)

③損失の繰越し又は繰戻し

損益通算後の各種の所得金額の合計額が赤字となった場合、損失申告用の確定申告書を提出することで、その損失を3年間繰り越して翌年以後の所得から控除できます。(ただし、損失を生じた年からの確定申告書の継続提出が必要です。) なお、繰越控除できる損失は以下のとおりです。

①	雑損失の金額(雑損控除の金額が、総所得金額等の合計額から分離課税の譲渡所得に係る特別控除額を差し引いた残額を超える場合)
②	純損失の金額＊(白色申告者については、変動所得の損失の金額と被災事業用資産の損失の金額に限ります。)
③	居住用財産の買換え等の場合の譲渡損失(251ページ参照)
④	特定居住用財産の譲渡損失(251ページ参照)
⑤	特定投資株式の譲渡損失(エンジェル税制。257ページ参照)
⑥	上場株式等の譲渡損失(255ページ参照)

＊　青色申告者の純損失については、前年分も青色申告書を提出している場合、「純損失の金額の繰戻しによる所得税の還付請求書」を提出することにより、前年分の納付税額の還付を受けることもできます。

④所得控除の種類

各所得金額の合計額から控除できる所得控除は15種類あり、そのうち年末調整で受けられる控除(33ページ参照)と、以下の3つの控除とがあります。

	区分	要件	控除金額	留意点
確定申告でのみ控除	雑損控除(所法72)	災害、盗難又は横領によって損失を受けた場合 〔災害減免法が適用される場合は、どちらが有利か比較検討します。〕	・損失金額－保険金等補てん額－総所得金額等の合計額×10% ・災害関連支出の金額－5万円 〈いずれか多い方〉	・自然災害だけでなく、虫害等も含みますが、詐欺や強迫による損害は含みません。 ・宝石等生活に通常必要でない資産に受けた損失は含みません。
	〔原則〕医療費控除(所法73) ↑ いずれか選択 ↓	本人又は生計を一にする配偶者やその他の親族が、医師や歯科医師にかかり医療費を支払った場合	・医療費総額－保険金等補てん額－{総所得金額等の合計額×5%と10万円のいずれか少ない方} 〈200万円が限度〉	・現実に支払ったものに限ります。(未払分は対象となりません。) ・医師の処方に基づく一定のフィットネスクラブでの運動療法の費用も医師の証明書があれば対象となります。
	〔特例〕セルフメディケーション税制(措法41の17)	一定の検診等＊1を受けた本人又は生計を一にする配偶者やその他の親族が、平成29年1月1日から令和8年12月31日までの間にスイッチOTC医薬品等＊2の購入の対価を支払った場合	・スイッチOTC医薬品購入対価－1万2千円 〈8万8千円が限度〉	＊1　一定の検診等は、特定健康診査、予防接種、定期健康診断、健康診査、がん検診です。 ＊2　スイッチOTC医薬品は要指導医薬品及び一般医薬品のうち、医療用から転用されたものです。令和4年分以降は対象となる医薬品の範囲が拡大されました。
	寄附金控除(所法78)	国や地方公共団体、社会福祉法人などの特定の団体に支出した寄附金や特定の政治献金などがある場合	・総所得金額等の合計額×40%－2千円 ・特定寄附金の額－2千円 〈いずれか少ない方〉	・学校への入学に関して行う寄附金は含みません。 ・一定の寄附金については税額控除と選択適用です。

⑤税額控除の種類

1．住宅借入金等特別控除（サラリーマンなどは２年目から年末調整での控除が可能）

住宅を新築・購入、増改築して６か月以内に居住し、各年の年末まで引き続き居住している場合で、住宅の取得（敷地含む）等に係る借入金等を有する場合、その住宅を居住の用に供した日（下表を参照）によって、10年又は13年間にわたって税額控除を受けることができます。（措法41）

控除税額の計算　住宅借入金等の年末残高＊1の合計額をＡとし、特定のバリアフリー改修、住宅省エネ改修、多世帯同居改修工事、省エネ改修工事と併せて行う耐久性向上改修工事に係る工事費用相当部分をＢとします。（　）内の金額は１年あたりの控除限度額。

居住供用年	借入残高	1年目～5年目	6年目～10年目	11年目～13年目
H21～R３年→①、②のいずれかを選択	1,000万まで＊２	①B×２％＋（A－B）×１％（最高H26年３月まで12万円、H26年４月～R３年12月まで12.5万円）	⇦ バリアフリー改修はH19.4.1、住宅省エネ改修はH20.4.1、多世帯同居改修はH28.4.1、省エネ改修工事と併せて行う耐久性向上改修工事はH29.4.1以後の居住供用分が対象となります。	
R４年＊１→②	＊３	②A×１％（最高H24年30万円、H25～26年３月20万円、H26年４月～R４年12月40万円＊４）		＊５
R４～R５年＊６	＊３	A×0.7（最高長期優良住宅・低炭素住宅35万円、ZEH水準省エネ住宅31.5万円、省エネ基準適合住宅28万円、その他の住宅21万円）		
R６～R７年＊６	＊３	A×0.7（最高長期優良住宅・低炭素住宅31.5万円、ZEH水準省エネ住宅24.5万円、省エネ基準適合住宅21万円、その他の住宅14万円＊７）		

＊１　消費税10%が適用される令和４年居住供用の住宅で、新築は令和２年10月１日から令和３年９月30日、建売・中古・増改築等は令和２年12月１日から令和３年11月30日までに契約が締結されたものに限ります。

＊２　借入金等残高の限度額1,000万円のうち、Bの対象となる金額の限度は、250万円（増改築等に係る費用の額に含まれる消費税等の税率が10%以外である場合は200万円）です。

＊３　借入金等残高の限度額は、居住供用年と住宅の区分によって下記のようになります。

（単位：万円）

	H24年	H25～H26年3月	H26～R4年12月	R4～5年	R6～7年
長期優良住宅・低炭素住宅	4,000	3,000	5,000	5,000	4,500＊8
ZEH水準省エネ住宅				4,500	3,500＊8
省エネ基準適合住宅				4,000	3,000＊8
その他の住宅	3,000	2,000	4,000	3,000	2,000

●認定長期優良住宅等を取得して居住供用した場合の控除限度額は、それぞれの金額の１％相当額となります。

＊４　平成26年４月以降に居住供用した場合で、住宅の対価の額に含まれる消費税等の額が５％の場合は、平成25年から平成26年３月までと同様の控除限度額（20万円）となります。

＊５　消費税10%が適用される住宅を令和元年10月１日から令和４年12月31日までの間に居住供用した場合は、消費税増税分の負担軽減措置として控除期間が13年に延長され、11年目～13年目までの各年の控除限度額は、次の算式によります。なお、この適用を受けるためには、新築は令和３年９月30日、建売・中古・増改築等は令和３年11月30日までに契約締結が必要です。

11年目～13年目	①年末借入金残高（上限4,000万円＊）×１％ ②建物購入価格【税抜】（上限4,000万円＊）×２％÷３	いずれか少ない額

＊　認定長期優良住宅の場合の上限はそれぞれ5,000万円となります。

＊６　既存住宅（その他の住宅）の取得又は住宅の増改築等の場合は、借入金等残高の限度額は2,000万円（その他の住宅以外の既存の取得は3,000万円）・控除率0.7%・控除期間は10年となります。

＊７　その他の住宅については、令和６年６月30日以前に建築された一定の建物の取得の場合に限られ、控除期間は10年となります。

＊８　子育て世帯（令和６年12月31日時点で19歳未満の扶養親族を有する世帯）又は若者夫婦世帯（令和６年12月31日時点で夫婦であり、夫婦いずれかが40歳未満の世帯）が令和６年中に入居する場合には、借入金等残高の限度額は令和４～５年の各欄の水準が維持されます。
住宅取得等資金の贈与があった場合の取扱いについては、293ページ参照。

適用要件　下記の共通要件のすべてと該当する制度の個別要件を満たした場合に税額控除が適用できます。

共通要件	
	・控除を受ける年の合計所得金額が2,000万円以下であること＊９
	・生計を一にする親族等からの取得でないこと
	・借入金等は、償還期間10年以上の割賦償還であること（改修工事の場合は５年以上）
	・居住年とその前後２年間に251ページの３、252ページの４、５等の特例を受けない（受けていない）こと

＊９　合計所得金額が1000万円以下の者が、令和６年12月31日以前に建築確認を受けた新築住宅等を取得等した場合は、床面積が40㎡以上50㎡未満も住宅借入金等特別控除の対象となります。（措法41⑱、措令26㉚）

購入・増改築		
	住宅の購入（建築）の場合の要件	・新築・取得した家屋の床面積が50㎡（又は40㎡＊７）以上で、床面積の２分の１以上が居住用であること ・中古住宅の購入の場合、新耐震基準に適合している住宅であること又は登記簿上の建築日付が昭和57年１月１日以降であること （注）１　令和６年以降に建築確認を受けた新築住宅等については、省エネ基準への適合が要件として追加されます。 （注）２　令和４年１月１日以後に購入する中古住宅から、築年数要件（耐火建築は25年以内、耐火建築以外は20年以内）が廃止されました。
	増改築の場合の要件	・工事費が100万円を超え、その２分の１以上が居住部分に係るものであること ・増改築した後の家屋の床面積が50㎡（又は40㎡＊７）以上で、床面積の２分の１以上が居住用であること ・工事内容については、大規模の修繕・模様替（地震に対する安全基準に適合する一定の修繕又は模様替も対象となる。）である等の一定の要件を満たすもの。なお、一定のバリアフリー改修、住宅省エネ改修、多世帯同居改修工事も対象となります。

<table>
<tr><td rowspan="3">特定の改修工事</td><td>特定のバリアフリー改修工事の要件</td><td>・工事費（補助金は控除）が50万円を超え、廊下の拡幅、階段の勾配の緩和、浴室・便所改良、手すりの設置等のバリアフリー改修工事であること（令和３年12月31日までに居住の用に供したものに限る。）
・居住者が次のいずれかに該当する者であること
ⓐ50歳以上の者、ⓑ介護保険法の要介護又は要支援の認定者、ⓒ障害者、ⓓ居住者の親族のうちⓑ若しくはⓒ又は65歳以上の者のいずれかとの同居者</td></tr>
<tr><td>特定の住宅省エネ改修工事の要件</td><td>・工事費が50万円を超え、特定断熱改修工事等（居室の全ての窓の改修工事や太陽光発電装置設置工事など）で住宅全体の省エネ性能が平成11年基準以上となるもの等。（令和３年12月31日までに居住の用に供したものに限る。）なお、一定の耐久性向上改修工事＊を併せて行う場合は、当該工事も対象となります。（平成29年４月１日から令和３年12月31日までの間に居住の用に供したものに限る。）</td></tr>
<tr><td>特定の多世帯同居改修工事の要件</td><td>・工事費が50万円を超え、調理室、浴室、便所、玄関を増設して、そのうちいずれか２つ以上の設備が複数になる工事であること（平成28年４月１日から令和３年12月31日までの間に居住の用に供したものに限る。）</td></tr>
</table>

＊　耐久性向上改修工事とは、①小屋裏、②外壁、③浴室、脱衣所、④土台、軸組等、⑤床下、⑥基礎若しくは⑦地盤に関する劣化対策工事又は⑧給排水管若しくは給湯管に関する維持管理若しくは更新を容易にするための工事で以下の要件を満たすものをいいます。
・工事費（補助金は控除）が50万円を超え、増築、改築、大規模の修繕若しくは大規模の模様替又は一室の床若しくは壁の全部について行う修繕若しくは模様替等であること
・認定を受けた長期優良住宅建築等計画に基づくものであり、改修部位の劣化対策並びに維持管理及び更新の容易性が、いずれも増改築による長期優良住宅の認定基準に新たに適合することとなること

適用を受けるための必要書類

- 借入先から交付された住宅取得資金に係る借入金の年末残高証明書
- 家屋（敷地）の登記事項証明書、売買契約書、建築工事請負契約書、建築確認済証（検査済証）、増改築等工事証明書、補助金がある場合は補助金等の額を証する書類
- 耐震基準等を満たす中古住宅の場合、耐震基準適合証明書、登録住宅性能評価機関の建設住宅性能評価書、既存住宅売買瑕疵担保責任保険契約に係る付保証明書　　等

（注）　令和５年１月１日以後に居住の用に供する家屋について住宅ローン控除の適用を受ける場合は、必要書類が見直されており、一部の書類について添付不要となります。

2．その他の税額控除

区　　分	要　　　件	控除金額	留　意　点
配当控除 （所法92）	国内に本店等を有する法人から受け取った配当があり、確定申告で総合課税を選択した場合	課税総所得金額等が1,000万円以下 （配当所得の金額）×10％ 課税総所得金額等が1,000万円超 （配当所得の金額）×５％（10％） （率は配当所得以外の所得金額の大きさにより変わります。）	上場株式等の配当所得は、総合課税、申告分離課税、または申告不要制度のいずれを選択するか検討をされるとよいでしょう。
政党等寄附金特別控除 （措法41の18）	一定の要件を満たす寄附金を政党及び政治資金団体に対する政治活動に関して行った場合	（その年中に支出した政治献金の合計額＊ －２千円）×30％ ↑ （その年分の総所得金額等の40％が限度）	・その年分の所得税額の25％を限度とします。 ・総務大臣又は選挙管理委員会の確認印のある寄附金控除のための書類の添付が必要です。 ・寄附金控除との選択適用です。
認定ＮＰＯ法人等寄附金特別控除 （措法41の18の２）	認定ＮＰＯ法人等が行う特定非営利活動に係る事業に対して寄附金を支出した場合	（その年中に支出した認定ＮＰＯ法人等・公益社団法人等に対する寄附金の合計額＊ －２千円）×40％ ↑ （その年分の総所得金額等の40％が限度）	・その年分の所得税額の25％を限度とします。（この限度額は公益社団法人等寄附金特別控除の額と合わせて判定しますが、政党等寄附金特別控除とは別枠です。） ・寄附金の額、受領年月日を証する書類等の添付が必要です。 ・寄附金控除との選択適用です。
公益社団法人等寄附金特別控除 （措法41の18の３）	公益社団・財団法人、学校法人、社会福祉法人等に対して一定の要件を満たす寄附金を支出した場合	（同上）	（同上）
住宅耐震改修特別控除 （措法41の19の２）	令和７年12月31日までに、居住用家屋（昭和56年５月31日以前に建築）に対して耐震基準に適合させるための耐震改修工事を行った場合	（耐震改修工事に係る標準的な費用の額（250万円が限度） － 補助金等の額）×10％（25万円が限度）	確定申告書に、当該控除に関する明細書のほか、地方公共団体の長による①耐震改修をした家屋である旨、②耐震改修費用の額　を証明した書類（住宅耐震改修証明申請書）の添付が必要です。

＊　控除対象寄附金額（総所得金額等の40％）及び控除適用下限額（２千円）については、寄附金控除（所得控除）、政党等寄附金特別控除、認定NPO法人等寄附金特別控除及び公益社団法人等寄附金特別控除の対象額を合計して判定します。

この他に、外国税額控除、試験研究費の特別控除、中小企業者が機械等を取得した場合の特別控除、給与等支給額が増加した場合の特別控除（賃上げ促進税制）、住宅特定改修特別控除（住宅に特定の省エネ改修工事他バリアフリー改修工事、多世帯同居改修工事等を行った場合に借入なしで適用可能）、認定住宅新築等特別控除等があります。

所得の分類から税額算出までの仕組み

１年間（暦年）に生じた収入金額は、その内容に応じて10種類に区分され、その区分ごとに所得の金額を計算します。次に、損益通算、純損失又は雑損失の繰越控除、そして、所得控除を経て、総合課税による課税総所得金額と分離課税によるその他の所得金額を求めます。最後に、それぞれの所得金額に応じた税率を掛けて税額を求め、税額控除を行うと、納めるべき所得税額となります。

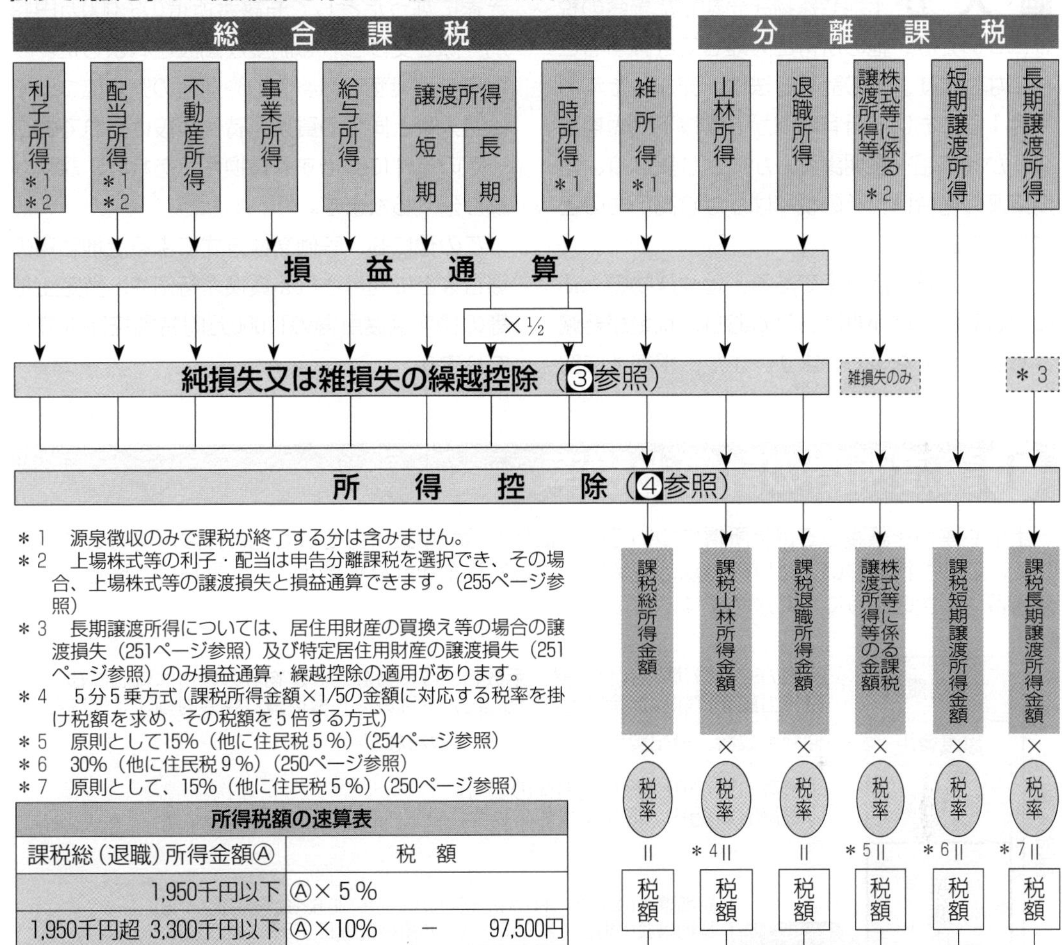

＊１　源泉徴収のみで課税が終了する分は含みません。
＊２　上場株式等の利子・配当は申告分離課税を選択でき、その場合、上場株式等の譲渡損失と損益通算できます。（255ページ参照）
＊３　長期譲渡所得については、居住用財産の買換え等の場合の譲渡損失（251ページ参照）及び特定居住用財産の譲渡損失（251ページ参照）のみ損益通算・繰越控除の適用があります。
＊４　５分５乗方式（課税所得金額×1/5の金額に対応する税率を掛け税額を求め、その税額を５倍する方式）
＊５　原則として15%（他に住民税５%）（254ページ参照）
＊６　30%（他に住民税９%）（250ページ参照）
＊７　原則として、15%（他に住民税５%）（250ページ参照）

所得税額の速算表

課税総（退職）所得金額Ⓐ	税　額
1,950千円以下	Ⓐ×５%
1,950千円超 3,300千円以下	Ⓐ×10%　－　97,500円
3,300千円超 6,950千円以下	Ⓐ×20%　－　427,500円
6,950千円超 9,000千円以下	Ⓐ×23%　－　636,000円
9,000千円超18,000千円以下	Ⓐ×33%　－　1,536,000円
18,000千円超40,000千円以下	Ⓐ×40%　－　2,796,000円
40,000千円超	Ⓐ×45%　－　4,796,000円

極めて高い水準の所得に対する負担の適正化措置として、令和７年分の所得から、下記①と②を比較して①が大きい場合に、その差額分（①－②）の申告納税が義務化されました。
①（合計所得金額－3.3億円）×22.5%　②通常の所得税額

非課税所得

例えば、次の所得は、非課税所得として所得税は課されません。

- 宝くじの当せん金
- 生活用動産（宝石や貴金属、書画、骨とうなどで１個又は１組の値段が30万円を超えるものを除く。）の譲渡による所得
- 心身に加えられた損害について支払を受ける慰謝料その他の損害賠償金
- 健康保険や厚生年金保険の保険給付、雇用保険の失業給付や職業転換給付金等
- 児童手当（中学校修了までの子どもに支給）や高校無償化にともなう就学支援金等
- 労働基準法に基づく休業補償（「休業手当」は給与所得となります。）

2 個人の土地建物の譲渡にかかる税金

――会社に貸している土地を売ろうと思うんだが――

個　人　が土地や建物を売却した場合の税金については、他の所得と分離して計算することになります。その計算方法は、売却した年の1月1日において所有期間が5年以下（短期譲渡）か5年超（長期譲渡）かにより異なり、短期譲渡の場合は、その税率はかなり高いものとなります。

しかし、居住用財産である土地や建物の売却に対しては特例が設けられており、税金が軽減されるようになっています。また、相続後に空き家になったとしても譲渡所得の3,000万円特別控除を受けられる制度が創設されました。

事業用資産である土地や建物の売却については法人税と同様の買換え特例が設けられており、一定の条件に該当する買換えであれば、課税が繰り延べられます。

この他にも、等価交換方式による土地活用の場合などに利用される買換え特例や、特定土地等の長期譲渡所得の1,000万円特別控除制度があります。

❶ 譲渡所得の計算と税率

土地や建物を譲渡して得た所得については、給与所得や事業所得そして他の譲渡所得等とも分離して、この所得についてだけの特別の税率を適用して税金を計算します。この計算の基礎となる譲渡所得は、次のようにして求めます。（措法31、32）

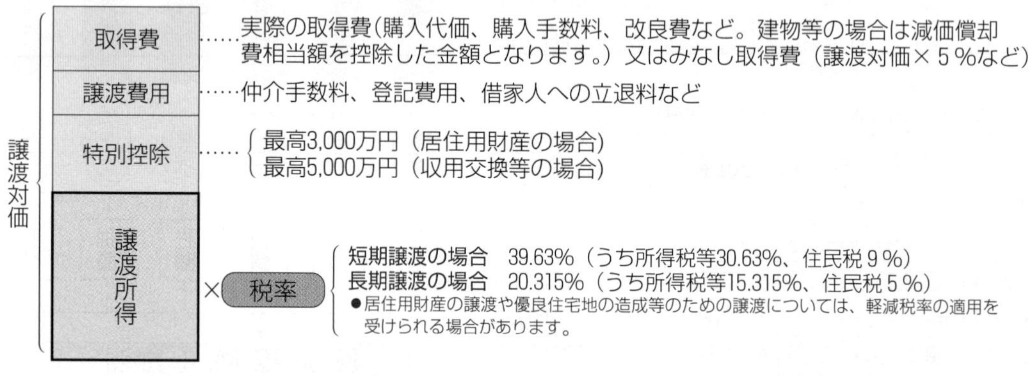

●なお、居住用財産の買換え等の場合の譲渡損失（右ページ❷1）及び特定居住用財産の譲渡損失（右ページ❷2）に該当しない土地と建物の譲渡損失については、他の所得との損益通算及び翌年以降への繰越しはできません。

所有期間が５年以下か５年超かの判定

短期譲渡に該当すると、税率が長期譲渡と比べて高くなり、税負担も増えることから、買ってから５年ぐらいで売ろうという場合には、実際の所有期間と税務上の所有期間の違いを十分理解して、短期譲渡にならないよう売却日を決定しましょう。

実際の所有期間
取得日
売却日
取得日の翌日
売却した日の属する年の１月１日
税務上の所有期間
この期間が｛５年以下なら**短期譲渡**／５年超なら**長期譲渡**

❷居住用財産の譲渡の特例制度

居住用財産を譲渡した場合には、主に次の５つの課税の特例制度により、譲渡損に対する救済措置（１、２）及び譲渡益に対する税額の軽減措置（３、４、５）が講じられています。

1. 居住用財産の買換え等の場合の譲渡損失の損益通算及び繰越控除

令和７年12月31日までに生じた居住用財産の譲渡損について、一定の居住用財産に買い換えることを条件に、他の所得との損益通算及び譲渡の翌年以後３年間の繰越控除ができます。（措法41の５）

要件1	要件2	要件3	要件4
所有期間が５年超の国内にある居住用財産で現に居住している家屋（とともにその敷地）を譲渡した場合であること（居住しなくなって３年経過した日の属する年末までに譲渡した場合には認められます。）	買換資産については、家屋の居住の用に供する部分の床面積が50㎡以上であること	適用を受ける年の年末に居住用財産に係る住宅借入金等（償還期間が10年以上の割賦償還であるもの）を有すること	譲渡の年の前年又は前々年に下記3、252ページの4、5の特例を受けていないこと

ポイント

①譲渡損失の計算に当たって、譲渡資産である家屋の敷地面積が500㎡を超える場合には、その超える部分に相当する損失の額は、繰越控除の対象とはならない。
②適用を受ける年の合計所得金額が3,000万円以下であること。
③252ページの5の「ポイント」の①～④の要件を満たしていること。（ただし、④の添付書類については、248ページの適用を受けるための必要書類を参照）
④この制度と247ページの住宅借入金等特別控除とは併用が可能。
　例えば、令和６年に居住用財産を売却し譲渡損失が生じ、かつ借入れをして居住用財産を買い換えた場合は、令和６年から３年間は譲渡損失を繰り越して課税所得をゼロにして、その後所得税が算出されるようになった年から住宅借入金等特別控除を受けることができます。ただし、住宅借入金等特別控除を受けることができるのは、控除を受けない年があってもあくまで令和６年から10年（もしくは13年・15年）間ですので注意が必要です。

2. 特定居住用財産の譲渡損失の損益通算及び繰越控除

令和７年12月31日までに生じた居住用財産の譲渡損のうち、居住用財産を譲渡した場合の借入金残高が譲渡価額を超える部分について、他の所得との損益通算及び３年間の繰越控除ができます。（賃貸住宅等に住み替える場合にも適用があります。）（措法41の５の２）

ポイント

①１と異なり新たな居住用財産の買換えが要件とされていない。
②譲渡契約の前日に譲渡資産に係る住宅借入金等の残高を有していること。
③１の**要件１**及び**要件４**を満たしていること。
④適用を受ける年の合計所得金額が3,000万円以下であること。
⑤配偶者や直系血族など譲渡の相手方が特別の関係にある者でないこと。
⑥この制度と247ページの住宅借入金等特別控除制度とは併用が可能。（１の「ポイント」の④参照）

3. 居住用財産の3,000万円の特別控除

次の要件に該当する場合には、特別控除として最高3,000万円を譲渡対価から控除して譲渡所得を計算することができます。（措法35）

要件1	要件2	要件3
現に居住している家屋（とともにその敷地）を譲渡した場合であること（居住しなくなって３年経過した日の属する年末までに譲渡した場合には認められます。）＊	配偶者や直系血族など譲渡の相手方が特別の関係にある者でないこと	前年又は前々年にこの3,000万円の特別控除や上記1、2及び252ページの5の特例等を受けていないこと（買換えの特例等については、同時に適用することもできません。）

＊　令和２年４月１日以後の譲渡が新規住宅居住年の３年後の年に該当して本特例を受ける場合は、247ページの住宅借入金等特別控除を併用することはできないため、控除を受けていた場合は遡って修正申告をする必要があります。（252ページ４、５の特例も同様です。）

MEMO

●この特別控除の適用により譲渡所得がゼロになる場合でも譲渡所得計算明細書を添付し、確定申告しなければなりません。

4. 所有期間が10年超の長期譲渡所得の軽減税率の特例

次の要件に該当する場合には、長期譲渡所得の税率が右のように通常の長期譲渡と比べ軽減されます。（措法31の３）

よって、居住用財産の譲渡については、所有期間によって税率の適用が３つに区分されます。

課税譲渡所得金額	軽減税率の適用を受ける場合の税率
6,000万円以下の部分	14.21%（所得税等10.21%　住民税４％）
6,000万円超の部分	20.315%（所得税等15.315%　住民税５％）

居住用財産の譲渡
- 短期譲渡：５年以下
- 通常の長期譲渡：５年超10年以下
- 軽減税率の適用（6,000万円以下の部分のみ）：10年超

要件1	要件2	要件3
所有期間が10年超の国内にある居住用財産で現に居住している家屋（とともにその敷地）を譲渡した場合であること（居住しなくなって３年経過した日の属する年末までに譲渡した場合には認められる。）	配偶者や直系血族など譲渡の相手方が特別の関係にある者でないこと	前年又は前々年にこの軽減税率の適用を受けていないこと（居住用財産の買換えの特例等については同時に適用することができない。）

MEMO
- この軽減税率の特例と3,000万円特別控除については、同時に適用を受けることができます。
- 譲渡所得計算明細書、譲渡資産の登記事項証明書を添付し、確定申告しなければなりません。

5. 買換え（交換）の場合の長期譲渡所得の課税の特例

令和７年12月31日までに居住用財産を買換え（交換）した場合、次の要件に該当する場合には、譲渡収入金額のうち買換資産の取得価額相当部分は譲渡がなかったものとして課税が繰り延べられます。

特定の居住用財産の買換え（交換）の場合（措法36の２、36の５、措令24の２）

要件1	要件2	要件3	要件4
所有期間が10年超の国内にある居住用財産で現に居住している家屋（とともにその敷地）を譲渡した場合であること（居住しなくなって３年経過した日の属する年末までに譲渡した場合には認められる。）かつ、譲渡資産の譲渡に係る対価の額が１億円以下であること	買換資産については、家屋が床面積50㎡以上、中古建築物なら25年以内に建築されたもの、又は一定の耐震基準に適合したものに限り、土地等は、面積500㎡以下のものに限る。	譲渡者がその家屋の存する場所に10年以上居住していたものであること	譲渡の年、前年又は前々年に251ページの１～３、上記４の特例を受けていないこと

ポイント

①配偶者や直系血族など譲渡の相手方が特別の関係にある者でないこと。
②買換資産は、国内にある資産で、原則として譲渡の日の属する年の前年１月１日から譲渡の日の属する年の12月31日までの間に取得（特定非常災害の場合は、２年の範囲内で延長可能）し、かつ、譲渡の年の翌年12月31日までの間にその居住の用に供する（見込みの）ものであること。
③建替え等があった場合の建替え後の家屋等の所有期間は、その実際に取得した日を基に計算します。
④譲渡資産及び買換資産の登記事項証明書等、戸籍の附票等を添付し、確定申告しなければなりません。（買換資産が耐震基準等を満たす住宅の場合、住宅の取得の前に証明された耐震基準適合証明書が必要です。）
⑤譲渡資産の対価の額を１億円以下とする譲渡価額要件については、一体として居住の用に供していた前後２年間の譲渡や贈与を含めて判定します。

その他の特例

以上の居住用財産の譲渡の特例制度以外にも法人の場合と同様の特例（99ページ、108ページ参照）があります。

❶ 特定土地等の長期譲渡所得の特別控除

次の要件に該当する場合には、その年中のすべての土地等の譲渡に係る長期譲渡所得の金額から最高1,000万円を控除することができます。（措法35の２）

要件1	要件2	要件3	要件4
平成21年１月１日から平成22年12月31日までの間に取得した国内にある土地等であること	配偶者や直系血族など特別の関係にある者からの取得でないこと	譲渡年の１月１日において所有期間が５年超の土地等を譲渡した場合であること	251ページ３、上記５の特例や特定の事業用資産の買換え（交換）の場合の課税の特例等については、同時に適用することはできない

❷	特定の事業用資産の買換え（交換）の場合の課税の特例 この制度は、個人が事業の用に供している土地等や建物など（一定の地域内にあるもの）を譲渡し、一定の期間内に土地等や建物など（一定の地域内にあるもの）を買換取得し、1年以内に事業の用に供した場合、下記のいずれかの金額の課税が繰り延べられる制度です。（措法37、37の４） Ⓐ譲渡資産の譲渡収入≦買換資産の取得価額の場合　譲渡利益の80%＊分 Ⓑ譲渡資産の譲渡収入＞買換資産の取得価額の場合　譲渡利益のうち買換資産の取得価格に対応する部分の80%＊分 譲渡資産と買換資産の地域条件については、法人の場合と同様で109ページのとおりです。 MEMO ●譲渡資産が、所有期間５年以下の土地等の場合については、原則として適用を受けることができません。 ●たまたま駐車場等として一時的に貸し付けていた空閑地などは事業の用に供した資産に該当せず、適用を受けることができません。
❸	特定民間再開発事業の施行地区内における中高層耐火建築物への買換えの特例（措法37の５）
❹	既成市街地等内における中高層耐火共同住宅の買換えの特例（措法37の５）など

＊　一定の地域の場合は90%～60%。

❸求償権の行使不能による譲渡所得計算の特例

頼まれて借金の保証人になり、もしその人が返済できなくなれば、保証人であるあなたが代わりに返済しなくてはなりません。借金が多額であれば、あなたの土地等の財産を手放さなければならないこともあるでしょう。土地などを売却し所得が出れば、当然税金がかかってきます。しかし、他人の借金の返済のために土地を手放し、税金まで納めることになれば、あまりにもかわいそうです。

そこで、保証債務を履行するため資産を譲渡した場合、その履行に伴う求償権の全部又は一部を行使することができないこととなったときは、その金額は、譲渡所得の金額の計算上なかったものとして計算できます。（所法64）ただし、債務の保証をする時において、既に主たる債務者が債務を弁済する資力を喪失しているときには、認められないケースも生じますので注意が必要です。

〔算式〕

借金肩代わりのために売却した資産の売却益	－	求償権の行使不能金額＊	＝	課税される所得金額

＊　他の所得金額による制限があります。

求償権が行使できないこととなったときとは？

① 会社更生法や民事再生法の規定により、求償権も含めて債権の切捨てが行われた場合
② 債権者集会（求償権者を含む。）等の協議決定で、求償権も含めて債権の切捨てが行われた場合
③ 求償権を放棄することによっても、土地や上場株式等を時価ベースで評価してなお債務超過の状況にある場合
④ 保証債務履行後１年以上経過しても弁済がない場合
⑤ 経営不振の法人に対し、その法人の代表者等が求償権を放棄せざるを得ない状況で、かつ、放棄後も債務超過の状態にある場合

MEMO

●保証債務の履行をまず借入金で行い、その借入金を返済するために資産の譲渡を行った場合についても、その譲渡が実質的に保証債務を履行するためのものであると認められるとき（例えば１年以内に譲渡を行った場合）には、この特例の適用を受けることができます。（所基通64－５）
●確定申告の時点で求償権行使不能と判定されない場合であっても、その後に求償権行使不能の状態になったときは、更正の請求（所法152）をすることができます。
●この特例を受けて譲渡所得がゼロになる場合でも必ず確定申告する必要があります。

●合理的な債務処理計画に基づき、会社の再建を目指す企業等の保証人となっている経営者がその企業に対して私財を現物で提供した場合の譲渡所得の非課税措置については211ページ参照。
●個人事業者に係る事業再生税制が創設され、一定の合理的な再建計画により金融機関等から債務の免除を受ける場合の評価損の必要経費算入（措法28の２の２）や、破産や民事再生による債務免除益を各種所得の計算上総収入金額に算入しない旨（所法44の２）の規定があります。

アドバイス

譲渡所得は、その年限りの問題です。適用を受けるためには、債務者の資産状況等の十分な検討が必要です。

3 個人の有価証券の譲渡による税金

――有価証券の譲渡で損失が出たらどうする？――

個人の株式等の譲渡所得については、原則として申告分離課税により、20.315%（所得税等15.315%、住民税５%）の税金を納めます。

納税手続面では、上場株式等については証券会社等の特定口座利用による簡易申告・申告不要制度により、納税者の申告・納税負担が軽減されています。

平成26年から上場株式等の譲渡の際の軽減税率が廃止されたのに合わせ、非課税口座内の少額上場株式等に係る配当所得および譲渡所得等の非課税措置(NISA）が拡充され、その後NISA利用の促進のための改正が図られています。

令和６年以降は、新しい制度に見直され、さらに利用しやすい制度になります。

1 株式等における申告分離課税制度

株式等についての課税方式は、他の所得と分離して、株式等の年間譲渡損益を通算して得られた譲渡所得に、原則20.315%（所得税等15.315%・住民税５%）の税率を乗じて申告納付する申告分離課税となります＊。ただし、上場株式等の譲渡については、原則として確定申告が必要ですが、特定口座の利用により申告不要とすることもできます。

＊　投資信託の解約・償還（運用会社との信託契約解除による換金）や買取請求（証券会社等への受益証券の譲渡による換金）に係る損益も含まれます。

〈課税区分及び課税方式〉（所法33、措法37の10、11）

課税区分		課税方式
株式等の譲渡益	**上場株式等** …上場株式、上場株式投資信託（ETF)、上場不動産投資信託(J-REIT)、特定の公社債（国債、地方債、上場公社債等)、公募公社債投資信託の受益権等	**申告分離課税** (20.315%)
	一般株式等（上場株式等以外） …非上場株式等、特定公社債以外の公社債、私募公社債投資信託の受益権等	**申告分離課税** (20.315%)

〈配当課税制度〉（措法8の4、8の5、9の3、9の8、9の9）

課税区分		課税方式
株式等の配当	上場株式等 (大口株主＊１以外) ＊２＊３＊４	①源泉20.315%（所得税等15.315%、住民税５%）で確定申告不要 ②総合課税＊５ ③申告分離課税＊６ 20.315%（所得税等15.315%、住民税５%） のいずれかを選択
	上場株式等 (大口株主＊１) 一般株式等＊４	源泉20.42%（所得税等20.42%）で総合課税＊５ ただし、少額配当＊７は確定申告不要選択可

＊１　配当基準日において、発行済株式総数の３%以上を所有している株主をいいます。（令和５年10月１日以後、その配当を受ける者の同族会社の保有株式を含んで判定します。）

＊２　源泉徴収口座に受け入れた配当の源泉所得税計算については右ページ２(2)の特例が適用されます。

＊３　NISA口座及びジュニアNISA口座内の少額上場株式等にかかる配当所得は非課税となります。

＊４　投資信託の収益分配金のうち、特別分配金は元本の一部払戻しとみなされるため非課税となります。

＊５　配当控除が適用できます。（248ページ参照）

＊６　上場株式等の譲渡損失と損益通算が可能です。（右ページ２参照）なお、申告する上場株式等の配当所得の総額について総合課税か申告分離課税かの選択をします。

＊７　１銘柄につき、１回の支払金額が次の計算金額以下のものをいいます。

$$10万円 \times \frac{配当計算期間の月数（1月未満の端数は1月とし、12月を限度）}{12}$$

●上場株式等に係る配当所得について、令和６年分以後の個人住民税（令和５年分の所得税）から課税方式が統一され、納税者が所得税と住民税で異なる課税方式を選択することができなくなりました。

❷上場株式等の譲渡に関する特例

1. 特定口座制度

頻繁に上場株式の売買をする場合や確定申告の納税事務負担を軽減する場合には、証券会社に特定口座を開設することで、その特定口座内の上場株式等の譲渡所得について簡易申告制度と申告不要制度が選べます。その選択の基準は下表のとおりです。

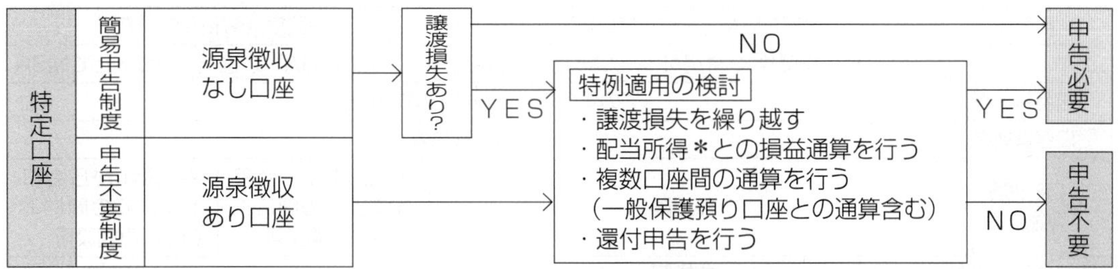

＊　源泉徴収口座以外の配当

①簡易申告制度（源泉徴収なし）　証券会社が売買損益を計算して「年間取引報告書」を投資家に配布し、それを確定申告書に転記することで確定申告が行えます。年間を通して譲渡損があれば申告不要ですが、申告をしなければ３年間の繰越控除や配当所得との損益通算が使えないことに注意を要します。
②申告不要制度（源泉徴収あり）　証券会社が、売却の都度、年初からの損益を計算し、源泉徴収（税率は所得税等15.315%と住民税５%の合計20.315%、申告不要の場合は源泉徴収のみで課税終了）又は源泉の還付を行い、翌年１月10日までに、証券会社が一括して税金を納付します。なお、複数の特定口座間や一般保護預り口座間等の通算を行う場合には、確定申告が必要となります。

2. 上場株式等に係る譲渡損失の損益通算の特例

(1)　上場株式等の譲渡損失と上場株式等の利子・配当所得との間の損益通算の特例（措法37の12の２①）
各年分の上場株式等に係る譲渡損失の金額、又はその年の前年以前３年内の各年に生じた上場株式等の譲渡損失の額（前年以前に譲渡益及び利子・配当所得から控除したものを除きます。）があるときは、これらの損失の金額を上場株式等の利子・配当所得の金額（申告分離課税を選択したものに限ります。）から控除することができます。

MEMO
一般株式等の譲渡損失と一般株式等の利子・配当所得との間の損益通算はできません。
また、上場株式等の譲渡損益と一般株式等の譲渡損益との間の損益通算はできません。

(2)　特定口座に受け入れる上場株式等の利子・配当等に対する源泉徴収税額の計算の特例（措法37の11の６）
特定口座（源泉徴収あり）に受け入れる上場株式等の利子・配当等に対する源泉徴収税額を計算する場合に、その特定口座内における上場株式等の譲渡損失があるときは、利子・配当等の額から譲渡損失を控除した金額に税率を乗じて源泉徴収税額を計算します。

3. 上場株式等における譲渡損失の３年間の繰越控除

上場株式等を証券会社を通じて売却したことにより生じた譲渡損失のうち、譲渡損失がその年の上場株式等の譲渡益及び利子・配当所得と相殺しきれない場合については、その損失を翌年以降３年間にわたって将来の上場株式等の譲渡益及び利子・配当所得と通算することができます。（措法37の12の２⑤）

	令和６年		令和７年		令和８年		令和９年		令和10年
上場株式等の譲渡損益	△270万円		80万円		△100万円		40万円		40万円
上場株式等の利子・配当所得	20万円		20万円		20万円		20万円		20万円
譲渡損失の損益通算後の譲渡損益	△250万円		—		△80万円		—		—
控除対象譲渡益及び利子・配当所得	—	相殺	100万円		—	相殺	60万円	相殺	60万円
			繰越				繰越終了		繰越
上場株式等の繰越損失	△250万円		△150万円		△150万円		0万円		
					△80万円		△80万円		△20万円
課税対象所得（上場株式等）	0万円		0万円		0万円		0万円		0万円

＊　上場株式等の利子・配当所得については、申告分離課税によるものとしています。
（注）１　通算できるのは古い年からの損失からとなります。また、原則、証券会社を通じて売却されたものに限ります。
２　繰越控除を受けるには、最低、損失が出た年から継続して確定申告する必要があります。

4. 少額上場株式にかかる配当所得及び譲渡所得等の非課税措置（NISA）

NISAは、上場株式等に係る譲渡益や配当のうち一定のものについて非課税となる制度です。現行制度では、非課税となる保有期間に期限が設けられていましたが、令和５年度税制改正において、家計の資産を貯蓄から投資へと積極的に振り向けるため、令和６年１月１日以降は非課税となる保有期間が無期限となるほか、投資総額の増枠等が図られています。（措法37の14）なお、本書においては、令和６年以降のNISAを新NISA、令和５年までを旧NISA及び旧つみたてNISAと表現しています。

	新NISA（令和６年以後）		旧制度（令和５年まで）	
	成長投資枠 〈併用可〉	つみたて投資枠	旧NISA 〈選択〉	旧つみたてNISA
適用対象者	その年の１月１日において18歳以上			
口座管理者	口座の開設者本人			
口座開設可能期間	**無期限**		平成26年から令和５年までの間に１口座のみ開設可	平成30年から令和５年までの間に１口座のみ開設可
非課税保有期間	**無期限**		５年間	20年間
非課税対象（NISA口座内）	上場株式等の配当・譲渡益。ただし、①整理・監理銘柄②信託期間20年未満や高レバレッジ型及び毎月分配型の投資信託等を除外。（現行のNISA対象商品から一部除外）	長期の積み立て・分散投資に適した一定の公募等株式投信の配当・譲渡益＊1（現行のつみたてNISA対象商品と同様）	上場株式等の配当・譲渡益	長期の積み立て分散投資に適した一定の公募等株式投信の配当・譲渡益＊1
年間投資上限額	**240万円**	**120万円**	120万円	40万円
	（上限額に達しない場合、翌年以降に繰り越し不可）			
非課税となる投資総額	**1,800万円**＊2		600万円	800万円
	1,200万円（総額1,800万円の内数）			
その他	・払出しの制限はありません。 ・譲渡損失はないものとみなされます。			

＊1　累積投資に適した商品性を有するものとして、次に掲げる事項等が投資信託約款に記載されているものに限ります。

1．契約期間の定めがないこと又は20年以上の信託契約期間が定められていること
2．収益の分配は原則として信託の計算期間ごとに行うこととされており、かつ、月ごとに行うこととされていないこと
3．信託財産は、複数の銘柄の有価証券又は、複数の種類の特定資産に対して分散投資をして運用を行い、かつ、一定の場合を除いてデリバティブ取引への投資による運用を行わないこと

＊2　売却等して残高が減少した場合は、限度額まで再利用可能（簿価残高方式）

●NISAの非課税口座を開設する者が海外勤務等で一時的に出国する場合は、口座開設業者に出国理由などを記載した「継続適用届出書」を提出すれば最大で提出日から５年を経過する日の属する年の12月末までの間非課税口座を利用できます。

旧制度（旧NISA及び旧つみたてNISA）の扱い

令和６年以降新制度に見直されることに伴い、旧NISA及び旧つみたてNISAについては、新規の口座開設及び投資はできません。なお、令和５年以前に旧NISA及び旧つみたてNISAで投資した商品は、新制度の枠外で、旧制度における非課税措置（旧NISAは５年間、旧つみたてNISAは20年間）が適用されます。

ジュニアNISA

ジュニアNISA（口座開設者が18歳未満の場合）については、令和５年末をもって非課税となる未成年者口座が開設できなくなったため、令和６年以降は追加投資はできなくなりました。令和６年以後に非課税期間（口座開設から５年間）の終了を迎える場合、継続管理勘定に移管され、口座開設者が18歳になるまでは同口座内での取引については非課税で取引が可能となっています。令和５年までのジュニアNISAの内容は、令和４年版の本書等を参照ください。

③株式譲渡に関するその他の特例措置

1．特定口座内の上場株式等が価値を失った場合の譲渡所得等の課税の特例

特定口座内の上場株式等が清算等の理由で無価値になり、特定管理株式として保管口座へ移管された場合、清算結了等の事実の発生時にその株式が譲渡されたとみなして、そのみなし譲渡による譲渡損失は上場株式等に係る譲渡所得等の課税の特例（損益通算及び繰越控除）を適用することができます。（措法37の11の2）

なお、NISA口座内上場株式等（②4参照）のうち整理銘柄又は監理銘柄で、その銘柄指定されている期間内に非課税口座から特定口座へ移管された場合は、上記のみなし譲渡による譲渡損失に特例の適用は認められません。（措法37の11の２、措令25の９の2）

2．エンジェル税制（措法37の13、37の13の２、37の13の３、41の19）

スタートアップへの投資を促進するため、個人投資家（同族株主等一定の者は除きます。）が、経済産業大臣の確認を受けるなど一定の要件（企業要件及び個人要件）を満たす企業に投資した場合に、投資時点と売却時点において、それぞれ税制面での優遇措置が設けられています。さらに、令和５年度税制改正において、スタートアップへの積極的な投資を促進するため、従来の課税の繰り延べ措置ではなく、非課税（20億円を上限）となる措置が設けられました。

（1）スタートアップ企業への投資

<table>
<tr><th>時期</th><th colspan="2">措置の種類</th><th>対象企業の設立年数</th><th>対象企業の外部資本比率</th><th>措置の内容</th><th>控除上限</th></tr>
<tr><td rowspan="4">投資時</td><td rowspan="4">選択適用＊1</td><td>優遇措置A（所得控除）</td><td>設立５年未満</td><td>１/６以上</td><td rowspan="2">対象企業への投資額全額-2,000円を所得金額から控除できます。（寄附金控除）</td><td rowspan="2">総所得金額×40%と800万円のいずれか低い方</td></tr>
<tr><td>優遇措置A-２＊2（所得控除）</td><td>設立５年未満</td><td>１/20以上</td></tr>
<tr><td>優遇措置B（課税繰延）</td><td>設立10年未満</td><td>１/６以上</td><td>対象企業への投資額全額をその年の他の株式譲渡益から控除できます。控除した株式譲渡益は対象企業の株式取得価額から控除されることで取得価額が圧縮されるため、株式譲渡の時点まで繰延べられることになります。</td><td>上限なし</td></tr>
<tr><td>プレシード・シード特例（所得控除）</td><td>設立５年未満</td><td>１/20以上</td><td>一定の中小企業者(プレシード・シード期の企業)への投資額全額をその年の他の株式譲渡益から控除し、非課税とします。</td><td>20億円（超過する部分は課税繰延）</td></tr>
<tr><td>売却時</td><td colspan="2">損失の繰越し</td><td colspan="4">取得日から上場等の前日までに譲渡して生じた損失＊3（上場しないまま清算等により無価値になった場合を含む）をその年中の他の株式等の譲渡益から控除してもなお控除しきれない金額について、翌年以降３年間繰越し、各年分の株式等に係る譲渡所得等の金額から控除できます。</td></tr>
</table>

＊1　同一年における同一銘柄に対する投資については、いずれか一つしか選択できません。
＊2　優遇措置Aを適用するための要件に加えて、プレシード・シード特例を適用するための要件を満たす場合に適用することができます。優遇措置Aとプレシード・シード特例はどちらも所得控除にあたりますが、プレシード・シード特例は他の株式譲渡益から控除する点に特徴があります。
＊3　投資時点で優遇措置Bを受けた場合は、投資した年に控除した株式譲渡益を株式取得価額から差し引いて譲渡損失を計算します。

（2）起業特例

個人投資家が保有する株式を売却し、その利益を原資に発起人としてスタートアップを設立する場合に、金銭での払込みを行う等一定の要件を満たせば、出資額について設立年の他の株式譲渡益から控除し、20億円を上限として非課税とする優遇措置があります。また、設立した株式会社の株式を売却する時には、⑴と同様に損失の繰越しを行うことができます。

●エンジェル税制の適用を受けるには、各措置毎に定められた一定の要件を個人投資家による資金の払込時点で満たす必要があります。また、起業特例における各要件を満たしている場合、そのスタートアップが設立してから設立年の12月31日時点までに発起人である個人投資家が行った投資に対しては、優遇措置Bを適用することができます。
●投資時の優遇措置は、その年中に払込みにより取得し、その年の12月31日において保有する株式に限られていましたが、令和６年度以降は、指定金銭信託（単独運用）を通じた投資も対象に加わります。また、一定の新株予約権を行使したことにより株式を取得した際に要件を満たせば、当該新株予約権の取得金額も対象になります。

3．相続自社株の金庫株譲渡のみなし配当課税の特例（措法９の７）

株主が株式をその発行会社に譲渡した場合には、原則として、譲渡対価のうちその株式（金庫株）に対応する資本金等の金額を超える部分については、みなし配当として課税されます。（205ページ参照）

しかし、金庫株をその発行会社に次の条件を満たして譲渡したときは、みなし配当課税が行われず、株式の譲渡益課税の対象とされています。

①相続又は遺贈により財産を取得した個人＊で、その相続又は遺贈について相続税が課されていること
②相続開始の日の翌日から、その相続税の申告書の提出期限の翌日以後３年を経過する日までの間（現行制度では相続開始の日から３年10か月以内）に譲渡すること
③当該相続又は遺贈についての課税価格の計算の基礎に算入された株式であること

＊　次の個人にも適用されます。（平成27年１月１日以後に開始する相続又は遺贈により）
　①相続又は遺贈で財産の取得をせず、その被相続人から相続時精算課税により非上場株式の贈与を受けていた者
　②贈与税の納税猶予で非上場株式の贈与を受け、贈与者の死亡に伴い、その株式を相続又は贈与により取得したとみなされた者

●相続開始から３年10か月以内にこの金庫株を譲渡すれば、相続税の取得費加算特例との併用が可能です。（299ページ参照）
●この特例を受けるには、譲渡人は譲渡日までにみなし配当課税の特例に関する届出書を発行会社に提出し、提出を受けた発行会社はその年の翌１月31日までに所轄税務署に提出する必要があります。

1 会社役員と税務
――役員の給与が損金にならないことも――

役員といえば通常、取締役や監査役などを指しますが、こういった会社法上の役員の範囲よりも税務上の役員の範囲は広く、使用人以外で経営に従事している者や、同族会社の使用人のうち一定の持株要件を満たす者で会社の経営に従事している者も役員とみなされます。役員となれば、給与の一部が損金不算入になるなど税務上不利な取扱いを受けることがありますので、法人税法の役員の範囲についてしっかり理解しておきましょう。

法人税法上の役員の範囲

法人税法上の役員は次のように定められています。（法法２十五、法令７、法基通９－２－１）

法人税法上の役員	＝	法人の役員	取締役、監査役、執行役、会計参与、理事、監事、清算人
		＋	
		みなし役員	使用人以外の者（相談役、顧問等）で経営に従事している者＊1 〔法人内における地位、その行う職務等からみて、他の役員と同様に実質的に経営に従事している者が該当します。〕
			同族会社の使用人で一定の要件を満たす者＊2で経営に従事している者＊1

＊１　経営に従事しているかどうかは、販売・仕入の計画、従業員の採用・給与、借入れや増資の決定など会社の主要な業務についての決定権を有し、その結果に対して責任を有することとなるかなどを総合的に判断します。

＊２　同族会社（175ページ参照）の使用人で一定の要件をすべて満たす者とは、次の①～③のすべての要件を満たす者をいいます。

	要　件
①	会社の株主グループにつき、その所有割合が最も大きいものから順番をつけ、上位３株主グループ（所有割合の大きい順にＡ株主グループ、Ｂ株主グループ、Ｃ株主グループとします。）の所有割合を算定し、その使用人が下記の(イ)～(ハ)のいずれかの株主グループに属していること (イ)Ａ株主グループの所有割合だけで50%超である場合のＡ株主グループ (ロ)ＡとＢの２株主グループの所有割合を合計してはじめてその所有割合が50%超となる場合のＡ、Ｂ株主グループ (ハ)Ａ、Ｂ、Ｃの３株主グループの所有割合を合計してはじめてその所有割合が50%超となる場合のＡ、Ｂ、Ｃ株主グループ
②	その使用人の属する株主グループの所有割合が10%を超えていること
③	その使用人の所有割合が５%を超えていること（配偶者等を含めて判定します。）

MEMO

株主グループとは、その会社の株主等並びにその株主等と特殊関係にある個人及び法人（同族関係者。175ページ参照）をいいます。
また、所有割合は自己株式を除いて判定します。

税理士法人の社員の取扱い

税理士法人の社員は、「職制上使用人としての地位のみを有する者」とはなり得ず、かつ、税理士法人の社員の全てが、経営に関する法律行為を含む業務執行を行う者であり、法人の経営に従事していると認められるので、法人税法上の役員に該当します。

なお、「法人の使用人としての職制上の地位を有し、かつ、常時使用人としての職務に従事するもの」に該当せず、使用人兼務役員になることはできません。

〈役員に関する税務のチェック・ポイント〉

役員昇格を決める際や、会社と役員との間で取引を行う場合などには次のような取引内容に該当し税務上不利な取扱いを受けることがないか、事前に検討しておくとよいでしょう。

こんなケースは…	税務上の取扱い	対策及び注意点	参照
使用人兼務役員 総務部長を役員に選任しようと思っている	使用人兼務役員に該当すれば、使用人部分に対する給与は、役員給与の損金不算入の規定の適用は受けません。	専務、常務等の肩書きは付けず取締役総務部長などとし、その者は常時使用人としての職務に従事します。	263ページ
借地権課税 会社が役員から土地を借りて建物を立てる予定である	会社が借地権の認定課税を受ける場合があります。役員は受け取った権利金・地代について課税されます。	会社は、通常の権利金を支払うか、相当の地代を支払うか若しくは、「無償返還に関する届出書」を税務署長に提出します。	264ページ
会社・役員間の金銭貸借 役員が会社からお金を借りる予定である	役員に対して金銭を無償又は通常の利率よりも低い利率で貸付けをした場合には、通常取得すべき利率により計算した利息の額と実際徴収した利息の額との差額は原則として役員給与となります。	会社は過大役員給与となれば損金不算入となるので注意します。 また、役員にとっては、給与所得課税を受けることとなります。	266ページ
会社から役員への低額譲渡 会社が役員に不動産を時価より安く売ろうと思うのだが	会社が時価より安い価額で譲渡した場合、時価で譲渡したものとされ、時価と実際の譲渡価額との差額が損金に算入されない役員給与となります。	役員は給与所得課税、会社は損金不算入と、両者とも不利な扱いを受けるため時価で譲渡します。	267ページ
役員から会社への高額譲渡 役員が会社に不動産を時価より高く売ろうと思うのだが	会社は時価で取得したものとされ、実際の購入価額と時価との差額は損金に算入されない役員給与となります。	役員は給与所得課税、会社は損金不算入と、両者とも不利な扱いを受けるため時価で譲渡します。	267ページ
役員から会社への低額譲渡 役員が会社に不動産を時価より安く売ろうと思うのだが	会社は、時価と実際の購入価額との差額を受贈益として益金に算入します。また、役員は時価の½未満の低い価額での譲渡であれば、時価による譲渡とされ、みなし譲渡課税を受けます。	時価若しくは最低時価の½以上の価額で売買します。(同族会社であれば注意が必要です。)	267ページ
会社が掛ける保険金 会社契約の保険を勧められているのだが	保険の種類によっては、保険料の全部又は一部が損金となり、福利厚生の一環や退職金の原資にもなるなどのメリットがあります。	保険の種類や契約内容によって取扱いが異なってくるので、自社の目的にあった保険を上手に活用します。	268ページ
役員に関する経費 役員が亡くなったのだが	社葬を行う場合、社葬を行うことが社会通念上相当と認められる場合には、社葬のために通常要すると認められる金額であれば会社が負担しても問題ありません。また死亡退職金や弔慰金は適正額であれば会社の損金として認められます。	弔慰金や香典等は社会通念上相当と認められるものについては課税されなかったり、死亡退職金と弔慰金とでは相続税の取扱いが異なるので、会社の処理だけでなく遺族のことも考えて対応します。	271ページ

2 役員給与の損金算入・不算入

——役員給与の支給形態に十分注意！——

持続的な成長に向けた健全なインセンティブの一つとして、経営陣の給与支給形態の多様化が図られています。特に株式報酬や業績連動報酬等の導入によりインセンティブ付けが行われています。

法人税法では、役員報酬や賞与等がまとめて役員給与とされ、損金算入になるか、損金不算入になるかを判断しますので、各取扱いには注意が必要です。

❶役員給与等の区分

役員給与は以下のように分類され、内容に応じて損金算入・損金不算入の扱いを受けます。

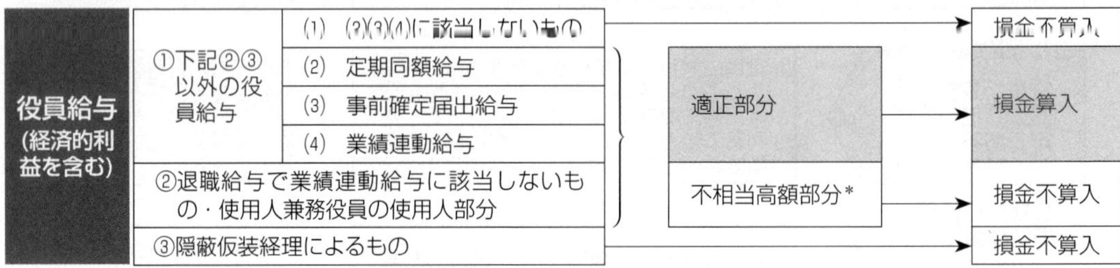

＊　損金不算入となる過大な役員給与（不相当高額部分）は次の(イ)から(ハ)の合計額となります。（法令70）

(イ)　下記の実質基準と形式基準により計算した適正な給与（(ロ)(ハ)を除く。）の額を、実際に支給した給与の額が超える場合の超える部分の金額のうちいずれか多い方

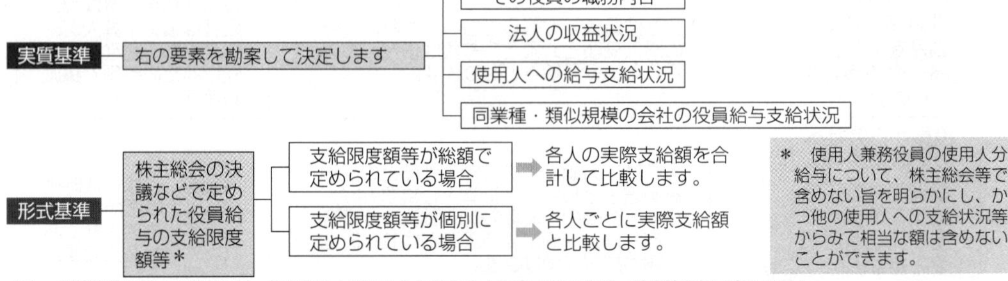

(注)　実質基準における役員には、法人税法上役員とみなされる人も含まれますが、形式基準には含みません。

(ロ)　業績連動給与に該当しない役員退職給与のうち次の基準により計算した適正な退職給与の額を超える部分

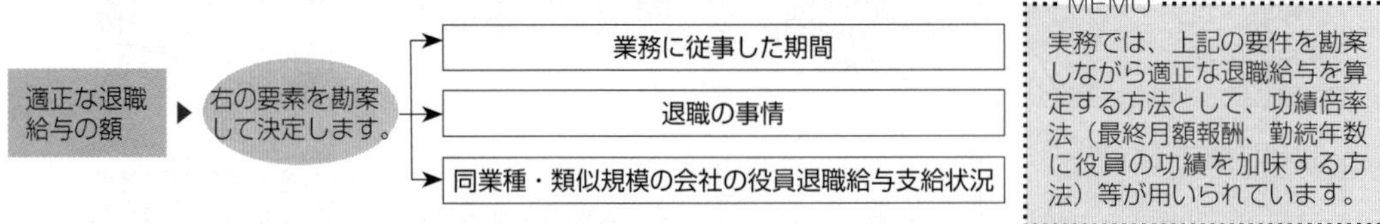

MEMO
実務では、上記の要件を勘案しながら適正な退職給与を算定する方法として、功績倍率法（最終月額報酬、勤続年数に役員の功績を加味する方法）等が用いられています。

役員退職給与の損金算入時期（法基通9－2－28）

役員に対して支給する退職金の損金算入時期は、下記のように定められています。

損金算入時期	原則	株主総会等の決議により、その支給額が具体的に確定した事業年度＊
	特例	損金経理により役員退職給与の額を実際に支払った事業年度

＊　原則（確定日基準）では、損金経理を必要としないため、役員退職給与引当金を取り崩すだけで別表四で減算処理をすることができます。

(ハ)　使用人兼務役員の使用人の職務に対する賞与であるが、他の使用人に対する賞与の支給時期と異なる時期に支給したもの

❷損金に算入される役員給与

以下の内容に該当する役員給与（過大分、不正分は除く。）については損金に算入されます。

(1)　定期同額給与

支給時期が１か月以下の一定期間ごとである給与でその事業年度内の各支給時期における支給額が同額であるものその他これに準ずるものをいい、以下のように分類されます。また、税及び社会保険料の源泉徴収等の後の手取金額が同額の場合も支給額が同額のものとみなされます。

①同一事業年度内定期同額給与（法法34①一）

同一事業年度内で、一定期間ごとにすべて同額の支給の場合、当然定期同額給与に該当します。

②３か月以内等改定の場合の改定前後定期同額給与（法令69①一イ）

それぞれが定期同額給与になる

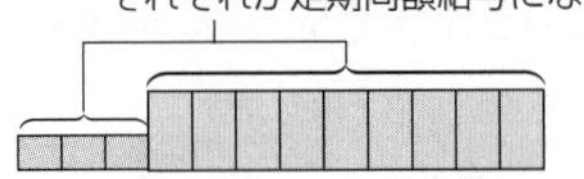

役員給与の改定が、定時株主総会で行われる等、当該事業年度開始の日から３か月（確定申告書の提出期限延長の特例に係る税務署長指定月数＋２か月、もしくは一定の通算法人は４か月）経過日までに行われている場合には、改定前は前で同額、改定後は後で同額であれば、定期同額給与に該当します。

③臨時改定事由[*1]による改定の場合の改定前後同額給与（法令69①一ロ）

それぞれが定期同額給与になる

役員給与の改定が、臨時改定事由による場合には、改定前は前で同額、改定後は後で同額であれば、定期同額給与に該当します。

④業績悪化改定事由[*2]による改定の場合の改定前後同額給与（改定後は減額のみ）（法令69①一ハ）

それぞれが定期同額給与になる

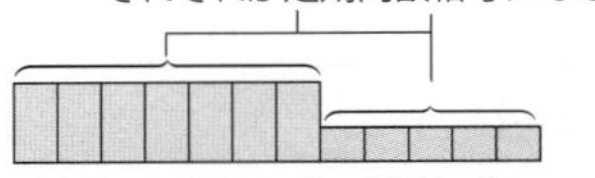

役員給与の改定が、業績悪化改定事由によって減額改定され、改定前は前で同額、改定後は後で同額であれば、定期同額給与に該当します。

⑤おおむね同額の経済的利益（法令69①二）

社宅などの無償又は低額の賃貸や、金銭の無償又は低利の貸付けなどにより、毎月おおむね一定で供与される経済的利益をいいます。

〈定期同額給与に該当するかどうかの判断が困難な事例〉

	該当する事例	該当しない事例
①同一事業年度内定期同額給与	・役員給与を未払計上した場合（ただし、合理的な理由があり、短期間のうちに支給されている場合に限る。）	・役員給与の支給を３か月に一度行う場合 ・役員に対して歩合給や能力給を支給した場合
②３か月以内改定の場合	３月決算の会社が、５/25の株主総会において役員給与を増額することを決議	
	・６月支給分より増額した場合	・９月支給分より増額した場合 ・４、５月分を６月支給分に上乗せした場合（増額部分が役員賞与とされる。）
③臨時改定事由による改定の場合	・不祥事発生に伴う一時的な減額で、一定の条件＊３を満たす場合 ・単身赴任に伴い、毎月同額の単身赴任手当を上乗せした場合	・不祥事発生に伴う一時的な減額で、一定の条件＊３を満たさない場合
④業績悪化改定事由による改定の場合	・銀行との借入返済リスケジュールの合意に伴い減額を行った場合	・会社の利益確保のために減額した場合 ・減額改定後に業績が回復したので増額改定した場合

＊1　役員の職制上の地位変更、職務内容の重大な変更、病気療養や不祥事を起こした役員の給与を一定期間減額する場合等をいい、経営体制の見直しによる人事刷新は含まれません。

＊2　経営状況の著しい悪化や第三者である利害関係者との関係上、減額せざるを得ない状態などをいい、単なる物価高騰等に伴なう業績悪化、一時的な資金繰りの都合や業績目標値に達しなかったことなどは含まれません。また、現状では業績が悪化していなくても、役員給与の減額等の経営改善策を講じなければ、客観的な状況から今後著しく業績が悪化することが不可避と認められるような場合も含まれます。

＊3　企業秩序を維持して円滑な企業運営を図るため、あるいは法人の社会的評価への悪影響を避けるため、かつ、処分の内容が社会通念上相当であると認められる場合等

定期同額給与と認められない場合の取扱い

会計期間３月経過日後に行う下記のような役員給与の改定については、定期同額給与と認められないために増額部分あるいは減額部分の金額は損金不算入となります。

●期末間際の臨時株主総会による役員給与の期中改定の場合

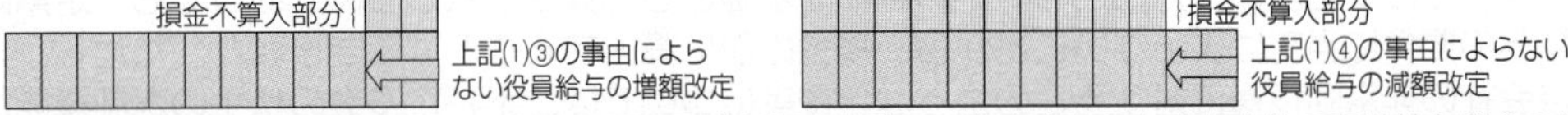

(注)子会社の役員給与額のように、親会社の役員給与額を参酌して決定されるため親会社の定時株主総会の終了後でなければ役員給与額の改定に係る決議ができない等の特別の事情がある場合には、会計期間3月経過日後に行う役員給与の改定であっても定期同額給与に該当します。（法基通9－2－12の2）

(2) 事前確定届出給与（法法34①二、法令69③～⑧、法基通9－2－14）

事前確定届出給与とは所定の時期に以下の①から④に定めるものを支給する給与で、定期同額給与及び業績連動給与のいずれにも該当しない給与をいいます。また、下記の届出期限までに、税務署長に給与の定めの内容に関して届出をする必要があります。＊1

① 確定した額の金銭
② 確定した数の株式＊2
③ 確定した数の新株予約権＊2
④ 確定した額の金銭債権に係る特定譲渡制限付株式又は新株予約権＊2

なお、届出額と実際の支給額が異なる場合、原則として支給額全額が損金不算入となります。

＊1 特定譲渡制限付株式（リストリクテッド・ストック 25ページ参照）、特定新株予約権及び非同族会社の非常勤役員に支給する給与で金銭によるもの（下記参照）については、事前の届出なしに損金算入が認められます。
ただし、特定譲渡制限付株式等が事前確定届出給与に該当するためには、その役員の職務につき所定の時期に確定した額の金銭債権又は確定した数の株式等に係る特定譲渡制限付株式等を交付する旨の定めに基づいて特定譲渡制限付株式等による給与が支給されるよう制度設計する必要があります。
なお、損金算入時期は、原則として、給与等課税額が生ずることが確定した日の属する事業年度となります。

＊2 株式及び新株予約権は、市場価格のある株式又は市場価格のある株式の取得の基因となるもので、役務の提供を受ける法人又はその法人の発行済株式の50%超を直接若しくは間接に保有する法人が発行したものに限られます。

手続		届出期限
通常の届出の場合（右のいずれか早い日）		① 事前確定届出給与に係る株主総会等の決議をした日（決議日が職務を開始する日後である場合は、職務を開始する日＊）から1か月を経過する日 ② 会計期間開始の日から4か月（確定申告書の提出期限延長の特例に係る税務署長指定月数＋3か月、もしくは一定の通算法人は4か月）を経過する日
届出変更の場合	①臨時改定事由	臨時改定事由が生じた日から1か月を経過する日
	②業績悪化改定事由（右のいずれか早い日）	(イ) 業績悪化改定事由による株主総会等の決議日から1か月を経過する日 (ロ) 決議後最初に訪れる直前の届出による給与支給日の前日

＊ 定時株主総会において役員に選任されその日に就任した者及び定時株主総会の開催日に現に役員である者（同日に退任する者を除きます。）は、定時株主総会の開催日が、職務の執行を開始する日となります。（法基通9－2－16）

事前確定届出給与の損金不算入の取扱い

支給額が事前確定届出給与の届出どおりかどうかは職務執行期間＊を一つの単位として判定しますが、例えば、3月決算の会社が定期同額給与以外に11月、5月に賞与の事前届出をしている状況で賞与支給額のどちらかが届出額と異なる場合、どの事業年度の課税所得に影響を与えるかによって損金不算入の取扱いが異なります。

（前提）
・事前届出額を11月、5月ともに200万円としている。
・職務執行期間はx1年6月25日からx2年6月24日までとする。

① 11月の支給額が100万円、5月の支給額が200万円の場合
一つの職務執行期間に係る支給の全てが届出どおりに行われたといえないため、支給額は事前確定届出給与に該当せず、全額が損金不算入となります。

(損金不算入額)
x1年度 100万円
x2年度 200万円

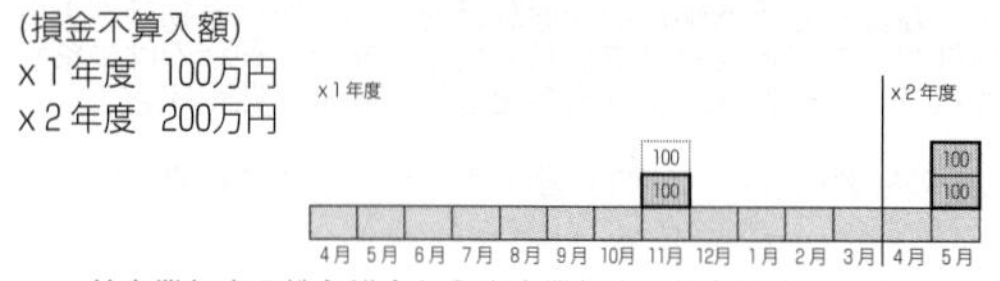

② 11月の支給額が200万円、5月の支給額が100万円の場合
x1年度の課税所得を遡って修正するまでもないことから、x2年度の支給額分のみを損金不算入として取り扱うことができます。

(損金不算入額)
x1年度 －
x2年度 100万円

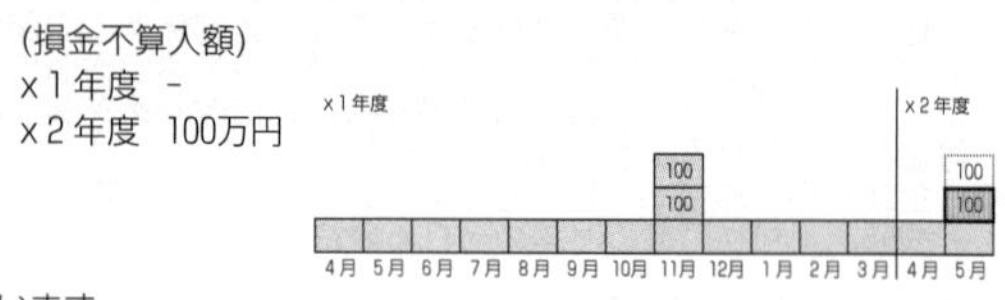

＊ 前事業年度の株主総会から当事業年度の株主総会までの期間をいいます。

非常勤役員に対して支給する年俸等

非常勤役員に対し年俸又は事業年度の期間俸を年一回又は二回所定の時期に支給するような場合は、その支給額が各月ごとの一定の金額を基礎として算定されるものであっても、定期同額給与の要件に当てはまらないことから、損金の額に算入することはできません。ただし、非同族会社の非常勤役員に対するこのような年俸等については、不特定多数の株主の牽制機能が働いていることから、損金の額に算入することができることとされています。

(注) 同族会社が非常勤役員等に対して支給するこのような年俸等を損金算入するためには、事前確定届出給与として(2)の事前確定届出給与の手続を行う必要があります。

(3)　業績連動給与（法法34①三、法令69⑨～㉑）

同族会社（175ページ参照）に該当しない法人（非同族会社）が業務を執行する役員＊1に対して支給する業績連動指標＊2を基礎として算定される給与をいい、以下の要件を満たす必要があります。

①非同族会社又は同族会社のうち非同族会社との間に完全支配関係のある法人であること
②確定額を限度として＊3客観的な計算方法により算定されていること
③報酬委員会による決定、監査等委員会設置会社における取締役会決議等適正な手続を経ていること＊4
④有価証券報告書等で開示されていること
⑤業務を執行する他の役員の給与について②から④までと同様の要件を満たすこと
⑥損金経理していること（損金経理要件はこの給与形態のみとなっています。）

＊１　取締役会設置会社の代表取締役や執行役以外で業務を執行する取締役として選定されていない取締役や社外取締役、監査役及び会計参与は業務を執行する役員に該当しません。（法基通９－２－17）

＊２

業績連動指標※			業績連動指標の例
利益の状況を示す指標	①	利益の額	営業利益、経常利益、税引前当期純利益、当期純利益等
	②	利益の額に減価償却費の額、支払利息等の額を加算し、又は受取利息等の額を減算して得た額	EBITDA（利払・税引・減価償却前当期利益）
	③	①又は②の指標の数値が次の金額に占める割合 ・売上高等の収益の額または支払利息等の費用の額 ・総資産の帳簿価額 ・総資産の帳簿価額から総負債（新株予約権に係る義務を含む。）の帳簿価額を控除した金額 又は ①又は②の指標の数値を発行済株式（自己株式を除く。）の総数で除して得た額	EPS（１株当たり当期純利益）、売上高営業利益率、ROA（総資産利益率）、ROE（自己資本利益率）等
	④	①～③の指標の数値の確定値に対する増加額又は比率	当期利益（前期比）、当期利益率（計画比）、営業利益率（前期他社比）、営業利益率（当期他社比）等
	⑤	①～④の指標に準ずる指標	EBIT（利払・税引前当期利益）、ROCE（使用資本利益率）、ROIC（投下資本利益率）、部門別営業利益
株式の市場価格の状況を示す指標			株価
売上高の状況を示す指標（利益の状況を示す指標又は株式の市場価格の状況を示す指標と同時に用いられるものに限る。）			売上高営業利益率、売上高経常利益率、売上高税引前当期純利益率、売上高当期純利益率 PSR（株価売上高倍率）

※業績連動指標は、当該事業年度に限らず、当該事業年度後の事業年度又は将来の所定の時点若しくは期間の指標を用いることが可能となっています。また、業績連動指標を基礎として算定される数の市場価格のある株式を交付する給与（パフォーマンス・シェア（PS））、その他に特定譲渡制限付株式（リストリクテッド・ストック（RS）、25ページ参照）、株式交付信託、ファントム・ストック（会社の株式を付与した想定で配当・売却益を金銭で付与）、新株予約権（市場価格のある株式が交付されるもの）等によるインセンティブ報酬が業績連動給与に追加されました。

＊３　「確定額を限度としている」とは、支給額の上限が具体的な金額をもって定められていることをいいますので、「経常利益の○○％を限度とする」といった支給額の上限が金額によらないものは該当しません。（法基通９－２－18）

＊４　支給に係る決議が令和２年４月１日以後となる給与については、報酬委員会等に所属する委員の過半数が独立社外役員であること及び独立社外役員全員が業績連動給与に賛成をしていること、業務執行役員が自己の業績連動給与の決定等に係る決議に参加しないことなどが要件とされました。

５　令和２年３月31日以後に終了する事業年度に係る定時株主総会の日以後については、独立社外役員の範囲から過去10年以内に親会社等に所属していた役員等を除くこととされています。

③使用人兼務役員の給与

使用人兼務役員の使用人としての職務に関する給与は、他の使用人に対する賞与の支給時期と異なる時期に支給したものを除き、原則として損金に算入されます。

使用人兼務役員となるには、次の要件のすべてに該当することが必要です。（法令71）

要件１　役員のうち次に掲げる役員でないこと

①　代表取締役、代表執行役、代表理事、清算人、副社長、専務、常務、委員会設置会社の取締役、会計参与、監査役、監事など

②　合名会社、合資会社、合同会社の業務執行社員

③　同族会社の役員のうち一定の出資要件＊を満たしている人

＊　一定の出資要件とは258ページの要件①～③のすべてを満たす場合をいいます。（258ページの使用人を役員と読み替えて判定します。）

要件２　部長など法人の使用人としての職制上の地位を有していること

要件３　常時使用人としての職務に従事していること

3 借地権課税（その２）

――社長の土地を会社が借りるとき――

同族会社では、経営者が会社に土地を貸して、会社が建物を建てることはよくあることですが、権利金を支払う慣行のある地域において、権利金を収受しなかった場合や収受した金額が少ない場合は、相当の地代を収受している場合などを除き、会社は借地権の贈与を受けたものとして法人税が課税（権利金の認定課税）されますので注意が必要です。（100ページ参照）

また、経営者が受け取った権利金については、譲渡所得又は不動産所得が課税されます。

一方、賃貸に供されている土地は、一定の場合を除き相続税評価額が下がるため、個人の相続税、贈与税の負担が減少するといったメリットがあります。

会社が役員の土地を賃借した場合

会社が個人の土地を賃借した場合、権利金や地代を受け取る個人は、原則として実際に収受した金額についてのみ課税されるだけですが、借主の会社は、支払った権利金や地代の水準によっては権利金（借地権）の認定課税を受ける場合があります。（101ページ参照）

通常収受すべき権利金を収受しておらず、相当の地代の収受もない場合の課税関係について、貸主が会社の場合と個人の場合を比較すると、次のようになります。

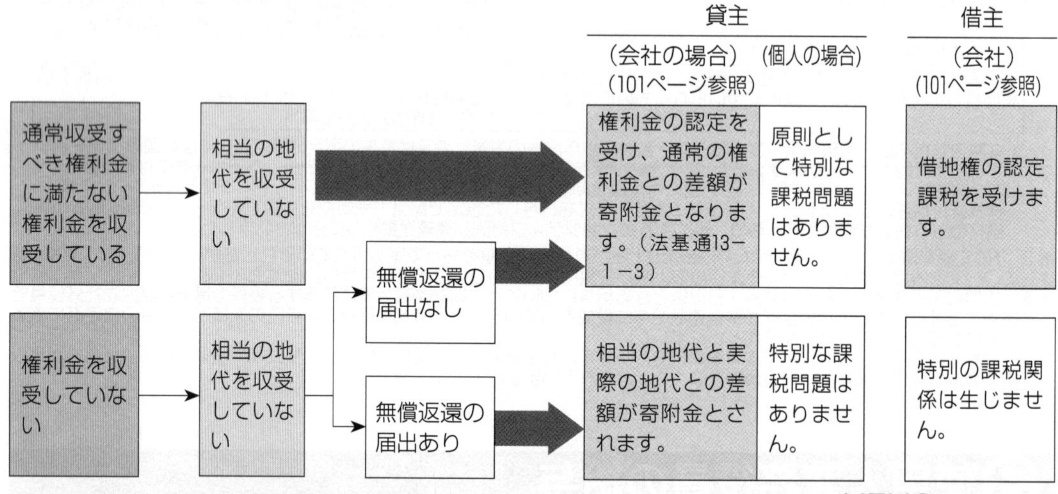

MEMO

逆に、会社が役員に地代や権利金を通常の価額より多く支払った場合は、その差額部分は役員給与となり、その役員について地代であれば原則損金算入、権利金であれば損金不算入となります。

法人による借地権の譲渡又は返還

法人が借地の上に存する建物等を借地権の価額の全部又は一部を含めない価額で譲渡した場合又は借地の返還に当たって、立退料等を授受する慣行があるにもかかわらず、その全部又は一部相当額を収受しなかった場合には、次の場合を除いて、その収受すべきとされる借地権の対価又は立退料等の金額は相手方に贈与したものとされますので注意が必要です。（法基通13－１－14）

1．借地権設定契約書で無償返還の旨が規定されている、又は使用貸借契約の場合でかつ所轄税務署長に届け出ている場合
2．土地の使用目的が物品置場、駐車場等の更地のままの使用又は仮店舗等簡易な建物の敷地として使用されている場合
3．借地上の建物の著しい老朽化等により借地権が消滅又は存続困難な事情が生じた場合

役員が受け取った権利金の課税

権利金を受け取った役員には、受け取った権利金に対して所得税が課税されますが、権利金の金額が土地の価額の½を超えるか否かで所得の種類が異なってきます。

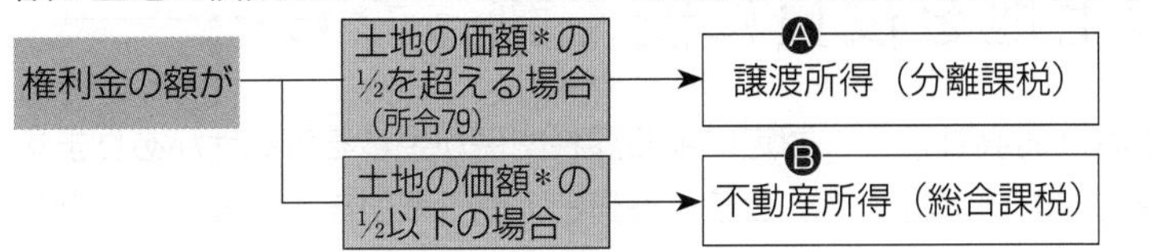

＊　権利金が、建物又は構築物の一部の所有を目的として支払われた場合には、床面積の割合を乗じた価額となります。

新たな借地権の設定は267ページのみなし譲渡課税の対象となる資産の移転には含まれない（所基通59－5）ため、権利金を全く受け取らなかった場合には、所得税の課税はありません。

MEMO

1．特別の経済的利益がある場合の½の判定

借地権等の設定をしたことに伴い通常の場合の金銭の貸付けの条件よりも特に有利な条件で金銭の貸付けを受けるなど特別の経済的な利益を受ける場合には、その受ける利益の額を権利金等の金額に加算したうえで½を超えるかどうかの判断をします。（所令80）

2．土地の時価が明らかでない場合の所得の種類の判定

土地の時価が明らかでなく権利金の額がその土地の価額の½を超えるかどうか判定できない場合には、権利金の額が受取地代年額の20倍相当額以下であれば、原則として譲渡所得の適用を受けないとされます。（所令79③）

3．譲渡所得となる場合の取得費の計算

上記Ⓐの場合において、その土地に初めて借地権等を設定する場合の譲渡所得の金額の計算上その収入金額から控除する取得費の計算は、以下のとおりです。（所令174、所基通38－４）

$$\text{借地権等を設定した土地の取得費} \times \frac{\text{権利金の額 (a)＋経済的利益 (b)}}{\text{(a)＋(b)＋底地価額}^{*}}$$

＊　底地価額が明らかでない場合は、その土地の地代の年額の20倍に相当する金額とされます。

なお、上記による取得費が、収入金額の５％に満たない場合には、収入金額の５％を取得費とすることができます。（措法31の４、措通31の４－１）

4．不動産所得となる場合の平均課税の適用

上記Ⓑの場合において、権利金収入が多額となるときは、所得税率の累進構造により当該年度の税負担が過重になるため、変動所得·臨時所得の平均課税の申告を行うことにより、いわゆる５分５乗方式により税負担の軽減をはかることができる場合があります。（所法90）

なお、平均課税の選択ができるのは、権利金を含む臨時所得がその年の総所得金額の２割以上である場合で、確定申告書（明細を含む。）への記載が必要です。

会社へ賃貸した場合の土地の評価

会社へ土地を賃貸した場合の土地の相続税評価は次のようになります。（昭60直評９、直資２-58改正平３）

<table>
<tr><th colspan="3">ケース</th><th>土地の評価</th></tr>
<tr><td colspan="3">無償返還の届出書を提出している場合</td><td>自用地価額の80%相当額 ＊1</td></tr>
<tr><td rowspan="3">無償返還の届出書を提出していない場合</td><td colspan="2">通常収受すべき権利金を収受している場合</td><td>自用地価額×（１－借地権割合）</td></tr>
<tr><td rowspan="2">通常収受すべき権利金を収受していない場合</td><td>相当の地代を収受していない場合</td><td>＊2 自用地価額×{１－借地権割合×(１－(実際支払地代－通常地代)/(相当地代－通常地代))}</td></tr>
<tr><td>相当の地代を収受している場合</td><td>自用地価額の80%相当額</td></tr>
</table>

＊1　当該土地の借主が貸主の同族関係にある会社の場合には、自用地価額の20%を借地権の価額としてその同族会社の株式の評価上会社の純資産価額に算入します。

＊2　ただし、この借地権価額により計算した賃貸後の土地の相続税評価額が自用地価額の80%相当額を超える場合は、その80%相当額を評価額とします。

3　使用貸借契約に係る土地については自用地価額によります。

4 会社・役員間の金銭貸借、資産売買

——会社の土地を役員に安く譲ったら…——

同族会社などにおける会社と役員の間の資金の融通や資産売買に当たっては取引条件等を比較的自由に決められることから、収受する利率や売買価額が、通常の取引の場合と乖離した設定となるケースが多いと考えられます。このように取引条件が第三者との通常の取引とかけ離れた場合には役員給与や受贈益の認定による課税関係が生じる可能性があります。

会社と役員との間で取引をする場合は通常の取引と同様、常に時価や取引条件を考慮し、後で思わぬ課税関係が生じないよう注意しましょう。なお、会社法上、会社と役員が取引を行う場合には取締役会（又は株主総会）の決議が必要とされています。（会社法356、365）

1 会社・役員間の金銭貸借

会社と役員の間でお金を貸し借りした場合、授受する利息について会社、役員それぞれの税務上の取扱いはその利率に応じて次のようになります。

事例については、貸付金1,000万円、通常取得すべき利率2.5%として計算しています。

	実際の利率	会　社　側	役　員　側
会社 貸付 ↓ 役員	無利息	通常取得すべき利率により計算した利息の額が役員給与＊3となります。 役員給与　年25万円／受取利息　年25万円	通常取得すべき利率により計算した利息の額が給与所得となります。＊1 給与所得　年25万円 利息支払額　0
	通常取得すべき利率より低い利率（例えば1%とすると）	通常取得すべき利率により計算した利息の額と実際徴収した利息との差額が役員給与＊3となります。 現金　年10万円 役員給与　年15万円 ／受取利息　年25万円	通常取得すべき利率により計算した利息の額と実際徴収した利息との差額が給与所得となります。＊1 給与所得　年15万円 利息支払額　年10万円
	通常取得すべき利率以上の利率	実際徴収した利息を受取利息に計上するだけです。	特に課税関係はありません。
役員 貸付 ↓ 会社	無利息	特に課税関係はありません。＊2	特に課税関係はありません。＊2
	通常取得すべき利率以下の利率	実際支払った利息を支払利息に計上するだけです。	実際受け取った利息を雑所得とするだけです。
	通常取得すべき利率より高い利率（例えば7%とすると）	通常取得すべき利率により計算した利息の額と実際支払った利息との差額が役員給与となります。 支払利息　年70万円／現金　年70万円 （うち45万円は役員給与）	通常取得すべき利率により計算した利息の額が雑所得、これを超える部分が給与所得となります。 雑所得　年25万円 給与所得　年45万円

＊1　以下のいずれかに該当すれば給与課税されません。（所基通36－28）

(1)　災害、疾病等により臨時に多額な生活資金を要する者に、返済に要する合理的な期間貸し付けた場合

(2)　会社における借入金の平均調達金利など合理的な貸付利率により利息を徴収している場合

(3)　事業年度（1年間）の利息相当額が5,000円以下の場合

＊2　同族会社との資金の貸し借りの場合、「同族会社の行為計算の否認」の規定の適用事例に該当しないか注意してください。役員の所得税を不当に減少させている意図等があれば、通常取得すべき利率により貸し借りが行われたものとされることがあります。

★通常取得すべき利率とは…（所基通36－49）

①　他から借り入れて貸し付けたものであることが明らかな場合　……その借入金の利率

②　①以外の場合　……利子税特例基準割合（192ページ＊2参照）

＊3　利息のように継続的に供与される経済的な利益の額が毎月おおむね一定であれば、定期同額の役員給与として損金に算入されます。

❷会社・役員間の資産売買

会社と役員との間で土地（時価2,000万円）を売買した場合、実際の売買価額によって会社、役員それぞれの税務上の取扱いは原則として次のようになります。

	実際の売買価額	会社側		役員側
役員→売却→会社	時価の1/2未満（例えば800万円とすると）	売買価額と時価との差額は、受贈益（益金算入）となります。＊1（役員以外との取引についても同じです。）	土地2,000万円／現金 800万円 受贈益 1,200万円（益金算入）	時価（2,000万円）による譲渡とみなされ、譲渡所得が計算されます。（みなし譲渡課税）
	時価の1/2以上時価未満（例えば1,300万円とすると）		土地2,000万円／現金 1,300万円 受贈益 700万円（益金算入）	実際の売買価額（1,300万円）により譲渡所得が計算されます。＊2
	時価（2,000万円）	特に問題なし 土地 2,000万円／現金2,000万円		実際の売買価額（＝時価2,000万円）により譲渡所得が計算されます。
	時価より高い金額（例えば3,000万円とすると）	売買価額と時価との差額は損金不算入の役員給与となります。 土地 2,000万円 役員給与1,000万円（損金不算入）／現金3,000万円		時価（2,000万円）により譲渡所得が計算され、時価を超える部分（1,000万円）は給与課税を受けます。
会社→売却→役員	時価未満（例えば売買価額1,500万円、会社の簿価300万円とすると）	時価で売買したものとされ、時価と実際の売買価額との差額は損金不算入の役員給与となります。 現金 1,500万円 役員給与 500万円（損金不算入）／土地 300万円 売却益1,700万円		時価と実際の売買価額との差（500万円）は給与課税を受けます。
	時価以上（例えば売買価額2,500万円、会社の簿価300万円とすると）	実際の売買価額で売却益が計算されます。 現金 2,500万円／土地 300万円 売却益2,200万円		特に課税関係なし

＊1　同族会社に対し時価より著しく低い価額で財産の譲渡が行われ、同族会社の株式の価額が増加した場合、株主に贈与税がかかることがあるので注意が必要です。

＊2　同族会社に対する売買の場合、「同族会社の行為計算の否認」の規定の適用事例に該当しないか注意してください。役員の所得税を不当に減少させている意図があれば、役員は時価により譲渡したものとされることがあります。

みなし譲渡課税とは

所得税法上、個人と個人の売買に係る譲渡所得については実際の譲渡価額により計算することになっていますが、買主が法人の場合で著しく低い価額（時価の2分の1未満）で譲渡した場合や法人に贈与した場合には時価で譲渡があったとみなして譲渡所得を計算することになっています。（所法59、所令169）

ただし、中小企業者等＊に該当する会社の取締役等でその会社の保証人であるものが、会社の事業の用に供されている個人の資産（有価証券を除く。）を一定の債務処理計画に基づき贈与した場合については、金融機関に直接私財提供を行う場合と同様に、譲渡所得は非課税とされます。（211ページ参照）
（平成25年4月1日から令和7年3月31日までの間の贈与に適用されます。）

＊　中小企業者等の定義については9ページ、199ページ参照

アドバイス

役員から会社に資産を譲渡する場合は、その売買価額が最低でも時価の2分の1未満にならないように、会社から役員に資産を譲渡する場合は、その売買価額が時価未満にならないように気をつけましょう。

5 生命保険の税務
――会社が掛ける生命保険――

保険の種類によっては、保険料の全部又は一部が損金となり、また福利厚生の一環としても活用できることから、会社で役員や従業員に対する保険を掛けるケースがあります。

生命保険については、保険の種類や契約者、被保険者及び保険金受取人を誰にするかにより、保険料あるいは受取保険金の税務上の取扱いが異なってきます。

1．生命保険に関する税務上の取扱い

会社が役員又は従業員を被保険者とする保険の契約者となり保険料を支払っている場合の主な取扱いは次のようになります。（法基通9－3－4～7の2）

＊1		保険金受取人	主契約保険料	契約者配当金	受取保険金	
					会社	従業員等、従業員等の遺族
定期保険 第三分野保険	保険金・給付金	法人	原則として期間の経過に応じて損金算入 ＊2＊3 （例外は右ページ2参照）	益金算入	益金算入 資産計上額は全額損金算入	－
	生存保険金・給付金	従業員・役員			－	一時所得
	死亡保険金・給付金	従業員等の遺族				みなし相続財産
終身保険	死亡保険金	法人	資産計上	益金算入（資産計上額から控除可）	益金算入 資産計上額は全額損金算入	－
	死亡保険金	従業員等の遺族	給与	益金算入	－	みなし相続財産
養老保険	生存保険金	法人	資産計上	益金算入（資産計上額から控除可）	益金算入 資産計上額は全額損金算入	－
	死亡保険金	法人				
	生存保険金	従業員、役員	給与	益金算入	－	一時所得
	死亡保険金	従業員等の遺族				みなし相続財産
	生存保険金	法人	1／2資産計上 1／2期間の経過に応じて損金算入＊2		益金算入 資産計上額は全額損金算入	－
	死亡保険金	従業員等の遺族			資産計上額は全額損金算入	みなし相続財産
個人年金保険	年金	法人	資産計上	法人が受取人の場合は益金算入	益金算入 資産計上額は損金算入＊4	－
	死亡保険金	法人			益金算入 資産計上額は全額損金算入	
	年金	従業員、役員	給与		－	雑所得
	死亡保険金	従業員等の遺族				みなし相続財産
	年金	法人	9/10資産計上 1／10期間の経過に応じて損金算入＊2		益金算入 資産計上額は損金算入＊4	－
	死亡保険金	従業員等の遺族			資産計上額は全額損金算入	みなし相続財産

＊1　各保険の主な内容は以下のとおりです。

定期保険	保険期間は一定で満期金のない掛け捨ての保険です。死亡時や高度障害時に保険金が支払われます。
第三分野保険	医療保険（入院・傷病に対する保険）・がん保険・介護保険などをいいます。
終身保険	保障が一生涯続くもので死亡時には死亡保険金が支払われます。
養老保険	保険期間は一定で保険期間中に死亡した場合は死亡保険金が支払われ満期時には満期保険金が支払われます。
個人年金保険	老後に生活資金を準備する保険で保険金は年金形式で支払われます。

＊2　役員その他特定の使用人（これらの者の親族を含みます。）のみを被保険者としている場合には、その役員又は使用人に対する給与として取り扱われます。

＊3　解約返戻金相当額のない短期払の定期保険又は第三分野保険に加入した場合において、当該事業年度に支払った保険料が30万円（被保険者一人につきその全ての保険料の合計額）以下の場合には、その事業年度の損金算入が認められます。

＊4　損金の額に算入されるのは、年金積立保険料の額×$\frac{\text{支払を受ける年金額}}{\text{年金支払総額}}$の金額です。

5　定期付養老保険等（養老保険に定期保険又は第三分野保険を付したもの）で、保険料が定期保険又は第三分野保険に係る保険料と養老保険に係る保険料とに区分されている場合には、それぞれの区分に応じて処理しますが、区分されていない場合には、その全額を養老保険に係る保険料として処理します。（法基通9－3－6）

6　特約を付した定期保険、第三分野保険、養老保険、定期付養老保険等に加入した場合の特約保険料の税務上の取扱いは、その特約の内容によって上記の各保険の主契約保険料の税務上の取扱いに準じます。（法基通9－3－6の2）

2．定期保険又は第三分野保険の保険料の取扱い＊1

会社が役員又は従業員を被保険者とする保険期間が３年以上で最高解約返戻率＊2 50%超の定期保険又は第三分野保険の保険に加入した場合には、最高解約返戻率に応じて一定期間は支払保険料の一定割合を資産計上する必要があります。（法基通９－３－５の２）

最高解約返戻率	資産計上期間	資産計上額	資産計上額の取崩期間
50%超70%以下	保険期間開始の日から当該保険期間の40%に相当する期間を経過する日まで	当期分支払保険料の40%（60%は損金算入）＊3	保険期間の75%経過後から保険期間終了の日までの期間において均等取崩
70%超85%以下		当期分支払保険料の60%（40%は損金算入）	
85%超	保険期間開始の日から最高解約返戻率となる期間の終了の日まで＊4＊5	当期分支払保険料 ×（最高解約返戻率の90%＊）（残額は損金算入） ＊保険期間開始の日から10年経過後の期間については70%	解約返戻金が最も高い金額となる期間経過後から保険期間終了の日までの期間において均等取崩

＊1　この取扱いは令和元年７月８日以後の契約に係る保険料について適用されます。なお同日前の契約に係る保険料については改正前の取扱いとなり定期保険については原則損金算入、終身保障タイプのがん保険や医療保険については一部資産計上とされていました。（改正前の詳しい取扱いは本著平成30年版を参照）

＊2　最高解約返戻率とは、保険契約時において契約者に示された解約返戻金相当額について、それを受けることとなるまでの間に支払うこととなる保険料の額の合計額で除した割合のうち最も高くなる割合をいいます。

＊3　当期分支払保険料とは、支払保険料のうち当該事業年度に対応する部分の金額をいいます。最高解約返戻率が50%超70%以下の保険のうち被保険者一人あたりの年換算保険料相当額（保険料総額÷保険期間）が30万円以下の保険に係る保険料は期間の経過に応じて損金算入されます。

＊4　最高解約返戻率となる期間経過後の各期間において、その期間の解約返戻金からその直前の期間の解約返戻金を控除した金額を年換算保険料相当額で除した割合が70%を超える期間がある場合には、その超えることとなる期間の終了の日まで（70%を超える期間が複数ある場合には、その最も遅い期間の終了の日まで）となります。

＊5　資産計上期間が５年未満となる場合には、保険期間の開始から５年を経過するまでの期間とし、保険期間が10年未満となる場合には、保険期間の開始から保険期間の50%に相当する期間までとなります。

3．生命保険を契約転換又は払済保険にした場合の取扱い

契約転換

法人が既に加入している生命保険（終身保険、年金保険を除く。）をいわゆる契約転換制度により他の生命保険（終身保険、年金保険を除く。）に転換した場合

資産に計上している保険料の額のうち転換後契約の責任準備金に充当されている部分の金額を超える部分の金額を当該転換日の属する事業年度の損金に算入します。

●充当されている部分の金額については当該転換日に保険料の一時払いをしたものとして、左記の各保険の主契約保険料の税務上の取扱いに準じます。（法基通９－３－７）

払済保険

法人が既に加入している生命保険をいわゆる払済保険に変更した場合

↓

原則として，変更時の解約返戻金相当額とその保険契約により資産計上した保険料額との差額を、当該変更日の属する事業年度の益金又は損金に算入します。

●契約している生命保険（特約が付加されていないものに限ります。）から同種の払済保険に変更した場合は、保険契約終了までそのまま資産計上しておくことも認められます。（法基通９－３－７の２）

●払済保険料を復旧した場合は、復旧日の属する事業年度において、払済保険への変更時に益金又は損金に算入した額を損金又は益金に、払済保険変更後に損金に算入した額を益金に算入します。

MEMO

課税逃れを防止する観点から、特約が付加されている生命保険について、払済保険へ変更する直前に特約部分を解除した場合には、保険契約終了まで資産計上しておく上記取扱いは認められない可能性があります。

低解約返戻金保険の名義変更時の評価方法見直しについて

低解約返戻金保険（名義変更時の解約返戻金の額＜資産計上額×70%のもの）や復旧可能な払済保険について、法人から役員等に名義変更した場合、変更時の解約返戻金の額で評価するため、法人税・所得税の節税目的に利用されることがありましたが、令和元年７月８日以後に締結した保険を令和３年７月１日以後に名義変更した場合は、資産計上額等が評価額となり従来のような節税メリットがなくなりました。（所基通36－37）なお、相続税評価においては、相続時の解約返戻金の額のまま見直しは行われていません。

6 役員に関する経費
——社長といえども業務外の経費では——

役員として対外的な活動を行っていると、いろいろな費用が発生してきます。

これらの役員に関して支出した金額のうち、業務に関連しないものは、役員給与として処理されることになります。毎月定額で支給される渡切交際費は原則として損金算入されますが、それ以外は、損金不算入となります。

役員が亡くなった時に、社葬をとり行うことがありますが、基本的には会社の損金として処理できます。また、死亡退職金や弔慰金を支払う場合には、遺族の相続税の負担等を考慮して、弔慰金は死亡退職金とは別に弔慰金として、適当な金額を支払ってあげるとよいでしょう。

また、役員の賠償責任保険（D＆O保険）については、取締役会の承認に加え、社外取締役全員の同意を得るなど会社法上適法に負担した場合に限り、株主代表訴訟敗訴時の損害賠償責任に係る保険料も含めて、給与課税の対象から除外されています。

① 役員に関する業務上の経費

1．ゴルフクラブ等の入会金等

会社でゴルフ会員権等を取得した場合の税務上の取扱いは次のようになります。（法基通9－7－11、13）

	法人会員として入会した場合	個人会員として入会した場合
入会金	資産に計上	給　与
年会費等	交際費	給　与

● 1　無記名式の法人会員制度がなく、やむを得ず個人会員として入会した場合は、法人会員として入会した場合に含まれます。
2　資産計上した入会金の償却は認められませんが、脱退しても返還されない入会金相当額及び会員権の譲渡により生じた入会金に係る譲渡損相当額は脱退又は譲渡事業年度の損金となります。（法基通9－7－12）
3　レジャークラブの入会金はゴルフクラブ等の入会金に準じて取扱われますが、会員としての有効期限が定められており、かつ、その脱退に際して入会金相当額の返還が受けられないときは、法人税法上繰延資産として償却することができます。また、年会費等については交際費又は福利厚生費もしくは給与となります。（法基通9－7－13の2）

2．社交団体等の入会金等

会社で社交団体等に入会した場合の税務上の取扱いは次のようになります。（法基通9－7－14、15）

	法人会員として入会した場合	個人会員として入会した場合
入会金	交際費	給　与
経常会費	交際費	給　与

● 1　法人会員制度がなく、やむを得ず個人会員として入会した場合は、法人会員として入会した場合に含まれます。
2　経常会費以外の費用については、法人の業務の遂行上必要なものは交際費、それ以外は給与として取り扱われます。

3．ロータリークラブ、ライオンズクラブの入会金等

ロータリークラブやライオンズクラブの入会金等について法人が負担した場合の税務上の取扱いは次のようになります。（法基通9－7－15の2）なお、その費用が法人の業務遂行上必要かどうかについて、慎重に判断する必要があります。

入会金・経常会費……支出をした日の交際費
上記以外の負担金……支出の目的に応じて寄附金又は交際費（個人的に負担すべきものについては給与となります。）

4. 渡切交際費

会社の業務のために支給され、そのために使用したことが領収書等により明らかなものについては、会社の経費（ただし、交際費となるものについては損金に算入されない金額があります。）となり、役員については特に課税問題は発生しません。

しかし、法人の業務のために使用したことが明らかでないものについては、会社は、役員給与として、役員は給与所得として処理しなければなりません。（法基通９－２－９）

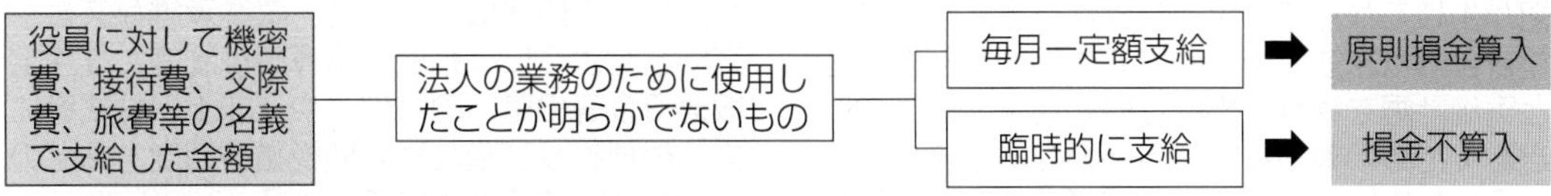

5. 同業団体等の会費

法人の所属する協会、連盟その他の同業団体等に対して支出した会費の税務上の取扱いは次のようになります。（法基通９－７－15の３）

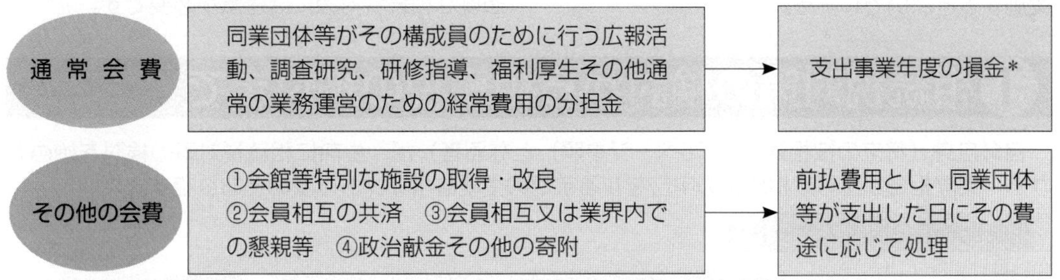

＊　同業団体等で通常会費につき不相当に多額の剰余金が生じている間は、剰余金発生時以後支出した会費は前払費用とされます。

❷役員の死亡に関する経費

1. 社葬費用

役員等が亡くなった際に社葬を行い、会社がその費用を負担した場合の取扱いは、次のようになります。（法基通９－７－19）

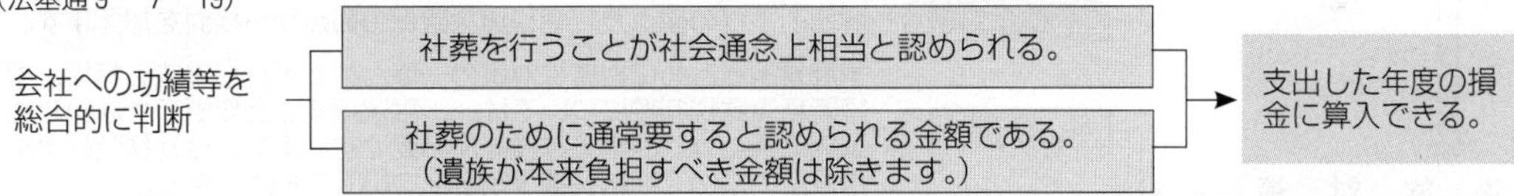

（注）社葬の際に受け取った香典等は遺族の収入とすることができます。（香典は、原則として相続税の対象とはなりません。）

2. 死亡退職金・弔慰金

死亡退職金と弔慰金について会社と遺族の課税関係は、次のようになります。（相法３、所基通９－17、34－２、相基通３－20）

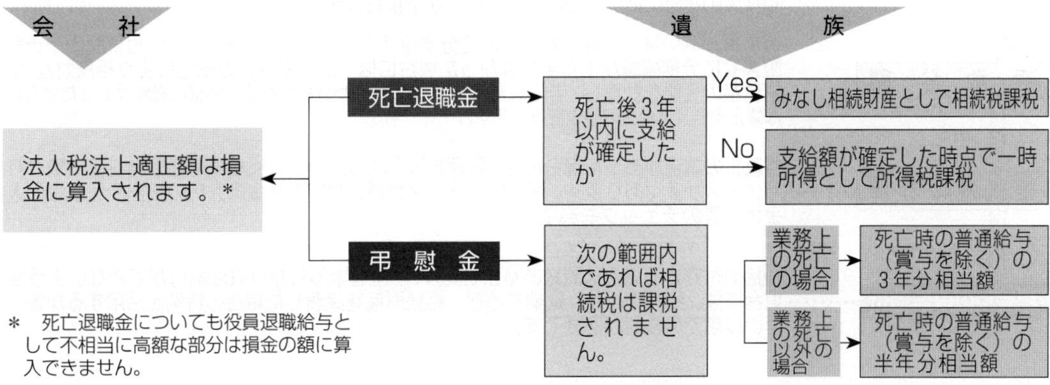

＊　死亡退職金についても役員退職給与として不相当に高額な部分は損金の額に算入できません。

1　相続税対策の概要

——早いうちに始めるのが最善の手段——

事業承継の対策は、万が一の事態が生じてからでは手遅れとなってしまうことがままあります。早い段階で長期的な展望のもと実施計画を練り、事業と財産をスムーズに引き継ぐための対策をたてる必要があります。

そのためには、まず、後継者を決定し後継者教育を実施するとともに、現在、相続財産はどれくらいあるのか、そして、相続税はいくらぐらいになるのかを試算し、適切な相続税対策を実施するとよいでしょう。

相続税対策としては、高齢者の保有する資産を次世代に円滑に移転させ、事業承継がスムーズに進むように「相続時精算課税制度」、「住宅取得資金等の贈与の特例」や「非上場株式等に係る相続税及び贈与税の納税猶予制度」などの活用も検討するとよいでしょう。

なお、最近ではタワーマンションをめぐって、評価通達による評価が著しく不適当と認められる（評価通６）とする判断が下された事例もあり、過度な相続税対策には注意が必要です。

1 相続税対策の検討から相続税の納付まで

自分自身（将来の被相続人（276ページ参照）となる者）が、生前に相続税対策の検討を始めてから、実際相続が生じて相続税の申告をするまでの主要なポイントは次のとおりです。

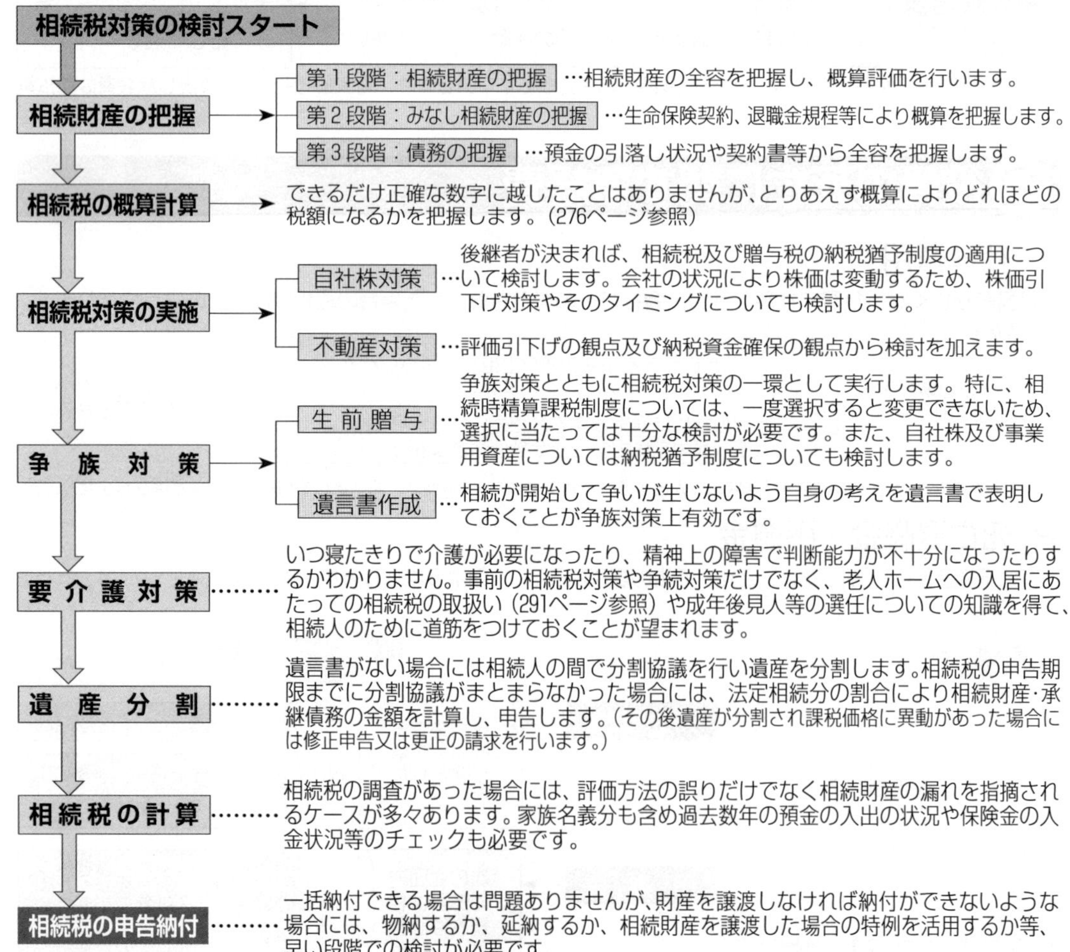

②第１段階：相続財産の把握

相続税対策を行うに当たっては、まず名義預金の有無等の確認もしながら相続財産の全容を把握し、相続財産が総額で大体いくらぐらいになるか評価してみることが必要です。主な相続財産と評価の方法は、以下の表のとおりです。

財産の種類	評価方法	評価の目安
宅地＊1 （評基通11）	①市街地 ……………………………路線価方式 ②市街地以外 …………………………倍率方式 ●相続又は遺贈により取得した宅地は、一定の場合に評価の減額ができます。（291ページの小規模宅地の特例参照）	時価の７～９割程度
地積規模の大きな宅地＊2 （評基通20-2）	路線価×地積×各種補正率（形状（不整形・奥行）を考慮）×規模格差補正率（面積を考慮） ●規模格差補正率は、宅地の所在地及び地積に基づく一定の算式で算定します。	時価の５～７割程度
借地権 （評基通27）	宅地の価額×借地権割合	宅地価額の５～７割程度
貸宅地 （評基通25）	宅地の価額×（１－借地権割合） （貸宅地割合が定められている地域は、宅地の価額×貸宅地割合）	宅地価額の３～５割程度
貸家建付地 （評基通26）	宅地の価額×（１－借地権割合×借家権割合×賃貸割合）	宅地価額の７～９割程度
家屋＊1 （評基通89、91、93）	固定資産税評価額 ●建築中の家屋の評価は、その家屋の費用現価の70％ ●貸家の評価は、固定資産税評価額×（１－借家権割合(現在30％)×賃貸割合）	時価の３～４割程度
上場株式 （評基通169～177-2）	次の①～④のうち最も低い価格 ①　課税時期(相続・贈与のあった日)の最終価格(終値) ②　課税時期の属する月の毎日の最終価格の平均額 ③　課税時期の属する月の前月の毎日の最終価格の平均額 ④　課税時期の属する月の前々月の毎日の最終価格の平均額	売却時の手取額程度
取引相場のない株式 （評基通178～180、188、188-2）	①　原則的評価 会社の規模に応じて類似業種比準価額方式と純資産価額方式のいずれかもしくは折衷で評価(ただし、一定の会社については必ず純資産価額方式で評価) ②　例外的評価 ………………………配当還元方式	①は、業績や財産の状況によります。 ②は、配当率によります。
ゴルフ会員権 （評基通211）	①　取引相場のある会員権 取引価格×70％ （取引価格に含まれない預託金等は別途評価） ②　取引相場のない会員権 株式部分…取引相場のない株式等として評価 預託金等部分…課税時期から返還を受けることができる日までの期間に応ずる基準年利率による複利現価の額	①は時価の７割
書画骨とう品 （評基通135）	売買実例価額、精通者意見価格等	－
預貯金 （評基通203）	預入残高＋既経過利子（源泉税控除後の金額）	解約時手取額
生命保険契約に関する権利＊3 （評基通214）	相続開始時において契約を解約した場合に支払われることになる解約返戻金の金額	－

＊1　居住用の区分所有財産（マンション）については、一定の方法で算定された区分所有補正率を乗じて算出します。
＊2　三大都市圏においては500㎡以上、それ以外の地域においては1,000㎡以上の地積で、路線価地域においては普通商業・併用住宅地区及び普通住宅地区として定められた地域に所在する宅地
　なお、以下のいずれかの地域に所在する宅地は対象外となります。
①市街化調整地域
②都市計画法の用途地域が工業専用地域に指定されている地域
③指定容積率が400％（東京都の特別区においては300％）以上の地域
④地積が５万㎡以上の大規模工場用地で、路線価地域においては大工場地区として定められた地域
＊3　相続開始時においてまだ保険事故が発生していない生命保険契約で被相続人が保険料を負担していたものは、生命保険契約に関する権利として相続税の課税対象となります。
4　社会政策的見地等から、墓所、霊びょう等や相続人が取得した生命保険や退職金（みなし相続財産）のうちの一定の金額等については、非課税財産として相続税の課税対象から除かれます。

三大都市圏

①東京都及びこれと連接する枢要な都市を含む区域、②大阪市、神戸市及び京都市の区域並びにこれらと連接する都市の区域、③愛知県、三重県等の区域を一体とした広域のうち、政令で定める既成市街地等、及び、国土交通大臣が指定する近郊整備地帯等（首都圏整備法第２条第３項、第４項、近畿圏整備法第２条第３項、第４項、中部圏開発整備法第２条第３項）

〈国外財産について〉

相続人と被相続人が財産の取得時に日本国内に住所を有しない場合で、①相続人が日本国籍を有せず被相続人が相続の開始前10年以内に日本国内に住所を有しないとき、②相続人が日本国籍を有し相続人と被相続人のいずれも相続の開始前10年以内に日本国内に住所を有しないときは、相続等により取得した国外財産に対して相続税は課税されません。（表中の制限納税義務者を指します。）（相法1の3、2の2）

＊　表中の「住所」とは日本国内の住所のことをいいます。

被相続人＼相続人		財産の取得時に住所あり		財産の取得時に住所なし		
		一時居住者＊3		財産の取得時に日本国籍あり		財産の取得時に日本国籍なし
		でない	である	過去10年以内に住所あり	過去10年以内に住所なし	
財産の取得時に住所あり（外国人被相続人＊1に該当する場合を除く）		無制限納税義務者（全世界財産に課税）	無制限納税義務者（全世界財産に課税）	無制限納税義務者（全世界財産に課税）	無制限納税義務者（全世界財産に課税）	無制限納税義務者（全世界財産に課税）
財産の取得時に住所なし	過去10年以内に住所あり（非居住被相続人＊2に該当する場合を除く）	無制限納税義務者（全世界財産に課税）	無制限納税義務者（全世界財産に課税）	無制限納税義務者（全世界財産に課税）	無制限納税義務者（全世界財産に課税）	＊4
	過去10年以内に住所なし	無制限納税義務者（全世界財産に課税）	制限納税義務者（国内財産のみ課税）	無制限納税義務者（全世界財産に課税）	制限納税義務者（国内財産のみ課税）	制限納税義務者（国内財産のみ課税）
外国人被相続人＊1及び非居住被相続人＊2		無制限納税義務者（全世界財産に課税）	制限納税義務者（国内財産のみ課税）	無制限納税義務者（全世界財産に課税）	制限納税義務者（国内財産のみ課税）	制限納税義務者（国内財産のみ課税）

＊1　相続開始時に在留資格を有し、国内に住所を有していた被相続人

＊2　相続開始前10年以内の住所を有していた時に日本国籍を有していない被相続人、または、相続開始前10年以内に住所を有していたことがない被相続人

＊3　相続開始時に在留資格を有し、相続開始前15年以内において住所ありの期間の合計が10年以下の相続人

＊4　被相続人が、平成29年4月1日から相続開始時まで住所なしで、かつ、日本国籍なし（非居住外国人）である場合は、制限納税義務者となります。

なお、その年の12月31日において国外財産の合計額が5,000万円を超える居住者は、国外財産の種類等を記載した国外財産調書を、翌年の6月30日までに税務署長に提出しなければなりません。国外財産調書を提出しなかった場合（記載漏れを含む。）には、その国外財産に係る所得税・相続税の申告漏れに対して過少申告加算税等が5％加重され、提出があった場合には、その国外財産に係る所得税・相続税の申告漏れに対して過少申告加算税等が5％減額されます。さらに、国外財産調書を正当な理由がなく提出期限内に提出しなかったり偽りの記載等をした場合には、罰則を科されることがあります。（提出期限内に提出しなかった場合には、情状により、罰則が科されないことがあります。）

③第２段階：みなし相続財産の把握

本来の相続財産の概算計算ができれば、次に個人で契約している生命保険契約の内容を把握し、また会社の規程等に基づいて退職金の概算計算を行い、みなし相続財産としてどれだけの財産が加えられるか検討します。

みなし相続財産

- ㋑生命保険金等
- ㋺退職手当金等
- ㋩生命保険契約に関する権利
- ㊁定期金に関する権利＊
- ㋭保証期間付定期金に関する権利
- ㋬契約に基づかない定期金に関する権利　など

相続税法上の相続財産には、相続や遺贈によって取得した「本来の相続財産（民法上の相続財産）」と被相続人の死亡に基因して取得したという経済的実体を考え、課税の公平の見地から相続財産とみなす「みなし相続財産」があります。

＊　給付事由の発生している定期金に関する評価については、1．解約返戻金相当額　2．定期金に代えて一時金の給付を受けることができる場合には当該一時金相当額　3．予定利率等を基に算出した額のいずれか多い額によって評価します。（相法24）
給付事由が発生していない定期金に関する権利については、原則として、解約返戻金相当額によって評価します。（相法25）

1．生命保険金

個人で契約している生命保険契約については、保険料の支払者が誰で保険金受取人が誰でといった保険契約の態様で、かかってくる税金が異なります。

例えば…保険金を一時金で受け取ったとすると、みなし相続財産（相法3①一）となるのは…

●一時払養老保険などの金融類似商品については、源泉分離課税の対象になる場合があります。

保険契約の態様			給付事由	税金の負担者	保険金受取時にかかってくる税金の種類	
保険料支払者	被保険者	受取人				
本人（夫）	本人（夫）	本人（夫）	満期	本人（夫）	所得税（一時所得）	◀50万円控除後の½が課税所得
			死亡	（夫）の遺族	相続税	◀みなし相続財産
本人（夫）	本人（夫）	妻・子供	満期	妻・子供	贈与税	◀税負担重い
			死亡		相続税	◀みなし相続財産
本人（夫）	妻	本人（夫）	満期	本人（夫）	所得税（一時所得）	◀50万円控除後の½が課税所得
			死亡			
本人（夫）	妻	妻	満期	妻	贈与税	◀税負担重い
			死亡	妻の遺族	所得税（一時所得） 贈与税	◀50万円控除後の½が課税所得（本人分） ◀税負担重い（その他の人の分）
本人（夫）	妻	子供	満期	子供	贈与税	◀税負担重い
			死亡			

＊　網かけ部分は、本人（夫）死亡時に解約返戻金がある場合は生命保険契約に関する権利として本人（夫）の相続税の課税対象となります。

相続税の課税対象となる生命保険金

相続財産となる死亡保険金 ← 受取保険金額＊×（被相続人が負担した保険料又は掛金の額／被相続人の死亡時までの払込保険料又は掛金の額）

保険料の払込みを被相続人以外の者と被相続人が共同で行っている場合はこの割合で按分します。

－（マイナス）

非課税金額 ← 500万円 × 法定相続人の数

この金額は相続人が取得した生命保険金等についてのみ控除できる限度額です。

相続放棄をした人も含まれますが、養子の数には制限があります。（302ページ参照）

＝

課税対象となる死亡保険金

＊　生命保険金、簡易生命保険金、特定の生命共済金、偶発事故による死亡損害保険金、保険金とともに支払われる剰余金や前納保険料など

2. 死亡退職金

会社から受け取る退職金については、その支給原因により受け取る側にかかってくる税金も違ってきます。例えば、退職金を一時金で受け取ったとすると…

本人が受け取る退職金……所得税（退職所得）◀退職所得控除額の控除後の½が課税所得（21ページ参照）
（特定役員退職手当等については½は適用されません。）

相続人が受け取る死亡退職金……相続税 ◀みなし相続財産

弔慰金

被相続人の死亡により受け取る弔慰金等のうち次の金額までの部分は、相続税が課税されません。その金額を超える部分は、上記の死亡退職金に含まれます。
- 被相続人の死亡が業務上の死亡であるとき▶死亡当時の月々の給与の3年分まで
- 被相続人の死亡が業務上の死亡でないとき▶死亡当時の月々の給与の半年分まで

被相続人が亡くなって、被相続人に支給されるべき退職手当金、功労金、その他これらに準ずる給与が入ってきた場合、次の金額が退職手当金等として相続税の課税対象となります。(相法3①二)

相続税の課税対象となる退職金

相続財産となる死亡退職金など ⬅
- 生前退職による退職手当金等であっても、死亡前に支給金額が確定しなかったもので、死亡後3年以内に確定したものは上記の死亡退職金等に含まれます。(相基通3－31)
- 死亡後3年経過後に支給が確定した退職手当金等は、上記の死亡退職金等に含まれず、取得者の一時所得として課税されます。

－（マイナス）

非課税金額 ⬅ 500万円 × 法定相続人の数

この金額は相続人が取得した退職手当金等についてのみ控除できる限度額です。

相続放棄をした人も含まれますが、養子の数には制限があります。(302ページ参照)

＝

課税対象となる死亡退職金

④第3段階：債務の把握

相続税の計算上、無制限納税義務者（日本に住所を有する者等）で相続又は遺贈（包括遺贈及び被相続人からの相続人に対する遺贈に限ります。）により財産を取得した者については、被相続人の債務、葬式費用のうち、その者が実際に負担する部分の金額については、相続財産の価額から控除することができます。(相法13) 一方、制限納税義務者等については、課税される財産に対応する債務しか控除できず、また、葬式費用も控除できません。

そこで、現状の債務がどれくらいあるかを把握します。例えば…

借入金	住宅ローン＊1、カードローン、事業上の借入金等
未払金	クレジットカード、公共料金、通信費、医療費、老人ホーム・介護施設使用料、割賦購入代金等
公租公課	固定資産税、住民税、社会保険料等の公租公課、準確定申告による所得税、消費税等
その他債務	賃貸物件の保証金＊2、前受家賃、買掛金等の事業上の債務、(保証債務と連帯債務)

＊1　団体信用生命保険により保険金で返済された場合は債務控除の対象となりません。
＊2　定期借地権の設定時に受け取った預り保証金については、定期借地権の残存期間に応ずる基準年利率による複利現価率を掛けた金額が債務控除の金額となります。なお、基準年利率は、期間が短期（3年未満）、中期（3年以上7年未満）、長期（7年以上）の区分に応じ、各月ごとに定められています。

保証債務と連帯債務

控除できる債務は確実と認められるものに限られるため、①保証債務は、主たる債務者が弁済不能の状態にあるためその債務を履行せざるを得ず、かつ、主たる債務者に求償して返還を受ける見込みがない場合に限り控除でき、②連帯債務は、負担すべき金額が明らかになっているか、連帯債務者のうちに弁済不能者がいて、その弁済不能者に求償して弁済を受ける見込みがないため弁済不能者の負担部分をも負担しなければならないと認められる場合に限り控除できます。(相基通14－3)

⑤相続税の概算計算

相続財産の総額が計算できると、あとは法定相続人（法定相続分）が決まれば概ねの相続税を計算することができます。

1.法定相続人とは

民法第5編第2章の規定による相続人をいいます。（次ページ参照）なお、法定相続人のうち相続を放棄した者及び相続権を失った者を除いた者が相続人となります。（相法3）

配偶者がいる場合の法定相続人と法定相続分（民法900）

区　　分	法定相続人	法定相続分
被相続人に子供がいるとき	配偶者	2分の1
	子　供＊1	2分の1＊2
被相続人に子供がなく、父母など直系尊属がいるとき	配偶者	3分の2
	直系尊属	3分の1＊2
被相続人に子供も直系尊属もなく、兄弟姉妹がいるとき	配偶者	4分の3
	兄弟姉妹	4分の1＊2
被相続人に子供も直系尊属も、兄弟姉妹もいないとき	配偶者のみ	1（全部）

＊1　平成25年9月5日以後に新たに相続税が確定する場合には、非嫡出子と嫡出子の法定相続分は同等になりました。
＊2　2人以上いるときは均等分します。

MEMO
1　被相続人とは、相続の対象となっている死亡者をいいます。
2　被相続人の配偶者は、常に法定相続人となります。

2.相続税の概算計算

子供がいる場合に、各相続人が法定相続分どおりに相続するものとして、相続財産（課税価格の合計額）に応じて相続税の額がどれほどになるのかをみてみることとします。（計算方法については、302ページの計算例を参照）なお、配偶者がいる場合の配偶者の相続分については、配偶者の税額軽減の規定（法定相続分まで非課税。303ページ参照）を適用して計算しているため、配偶者の相続税は発生していません。（単位：千円）

相続人／相続財産	配偶者と			子1人	子2人	子3人
	子1人	子2人	子3人			
70,000	(子1,600) 合計1,600	(子1人562) 合計1,125	(子1人266) 合計799	(子1人4,800) 合計4,800	(子1人1,600) 合計3,200	(子1人733) 合計2,199
100,000	(子3,850) 合計3,850	(子1人1,575) 合計3,150	(子1人874) 合計2,624	(子1人12,200) 合計12,200	(子1人3,850) 合計7,700	(子1人2,099) 合計6,299
200,000	(子16,700) 合計16,700	(子1人6,750) 合計13,500	(子1人4,058) 合計12,174	(子1人48,600) 合計48,600	(子1人16,700) 合計33,400	(子1人8,199) 合計24,599
500,000	(子76,050) 合計76,050	(子1人32,775) 合計65,550	(子1人19,874) 合計59,624	(子1人190,000) 合計190,000	(子1人76,050) 合計152,100	(子1人43,266) 合計129,799
1,000,000	(子197,500) 合計197,500	(子1人89,050) 合計178,100	(子1人55,449) 合計166,349	(子1人458,200) 合計458,200	(子1人197,500) 合計395,000	(子1人116,666) 合計349,999
2,000,000	(子466,450) 合計466,450	(子1人217,200) 合計434,400	(子1人137,274) 合計411,824	(子1人1,008,200) 合計1,008,200	(子1人466,450) 合計932,900	(子1人285,866) 合計857,598

3.第2次相続についての試算

相続税の概算計算ができれば、遺産分割協議の前に第2次相続について試算しておくことも重要です。

第1次相続では配偶者の税額軽減（303ページ参照）や小規模宅地等の評価の特例（291ページ参照）の適用等により相続税が少なかったけれども、第2次相続では基礎控除が減少し、配偶者の固有財産等も加算される結果、第1次相続よりも高い税率が適用され思わぬ相続税の負担が生じる場合があるためです。

【設例の前提条件】配偶者と子2人の場合
〈第1次相続〉
相続財産100,000千円（基礎控除48,000千円）
〈第2次相続〉
配偶者固有の財産20,000千円（基礎控除42,000千円）

（単位：千円）

配偶者の取得割合(%)	配偶者の取得財産	第1次相続納付税額			配偶者固有財産	第2次相続納付税額	納付税額合計
		配偶者	子	計			
100	100,000	0	0	0	20,000	11,600	11,600
80	80,000	0	1,260	1,260	20,000	7,700	8,960
60	60,000	0	2,520	2,520	20,000	4,700	7,220
50(法定相続分)	50,000	0	3,150	3,150	20,000	3,200	6,350
40	40,000	0	3,780	3,780	20,000	1,800	5,580
30	30,000	0	4,410	4,410	20,000	800	5,210
20	20,000	0	5,040	5,040	20,000	0	5,040
10	10,000	0	5,670	5,670	20,000	0	5,670
0	0	0	6,300	6,300	20,000	0	6,300

● 設例では第1次相続での配偶者の取得割合が20%の場合が第2次相続までの相続税の総額が一番低くなりますが、配偶者の固有財産等の金額次第で結果は異なってきます。

〈親　族　表〉

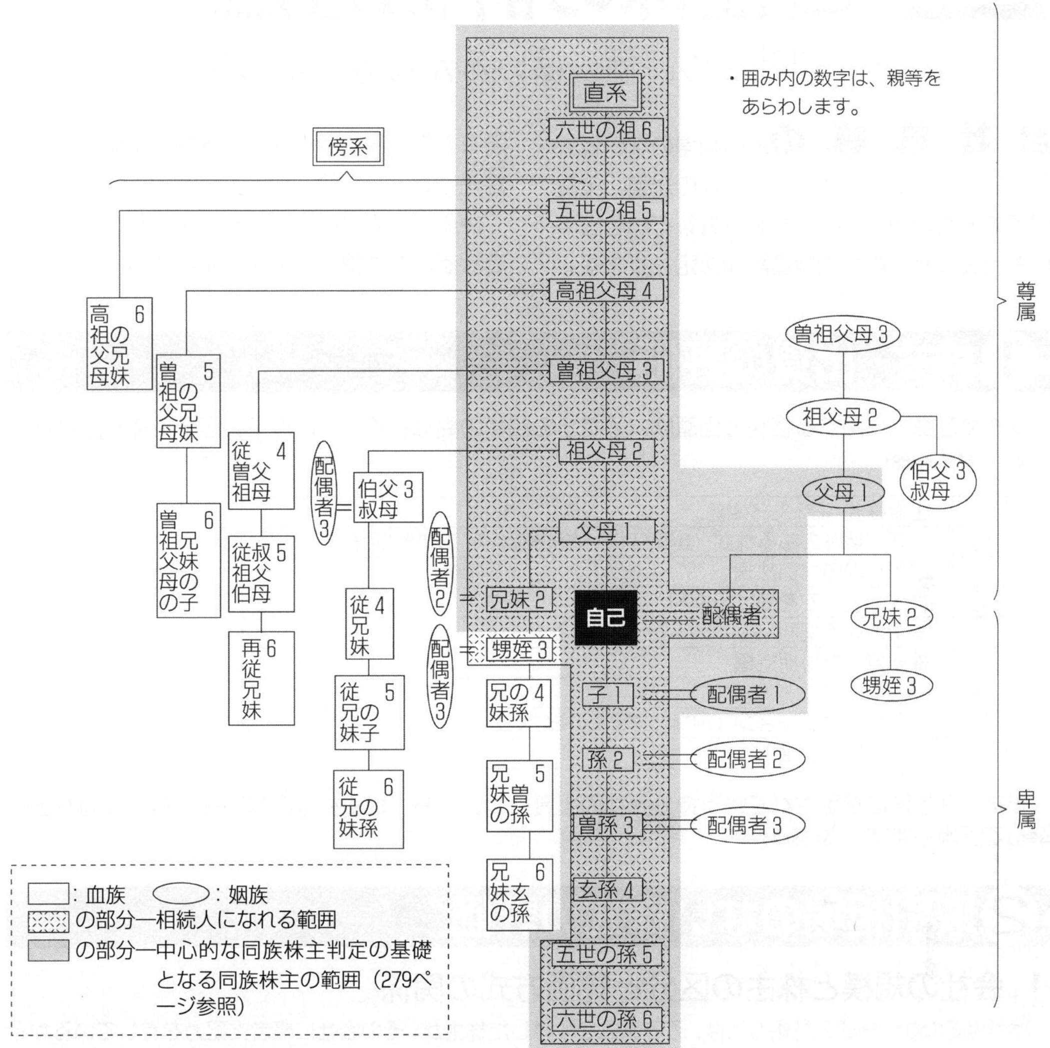

相続人の範囲と相続人となる順位は次のとおりです。

①配偶者（常に相続人となります。）（民法890）
②第１順位：子及びその代襲者（民法887）
③第２順位：直系尊属（子及びその代襲者がいないとき）（民法889）
④第３順位：兄弟姉妹及びその代襲者（子及びその代襲者、直系尊属がともにいないとき）（民法889）

相続欠格事由

以下のようなことをしてしまうと、相続人となることはできません。（民法891）

1．故意に被相続人や先・同順位の相続人を殺害するなどしたため刑に処せられた。
2．被相続人の殺害されたことを知って、これを告発せず又は告訴しなかった。
3．詐欺又は強迫によって、被相続人が相続に関する遺言をすること等を妨げた。
4．詐欺又は強迫によって、被相続人に相続に関する遺言をさせる等した。
5．相続に関する被相続人の遺言書を偽造し、変造し、破棄し、又は隠匿した。

代襲相続（代襲者）とは

本来相続人となる者（被代襲者）が相続開始前に死亡するなどしたときにその者に代わって相続人となることをいい、被代襲者は被相続人の子（民法887）と兄弟姉妹（民法889）でなければなりません。ただし、兄弟姉妹については再代襲が認められていません。また、被代襲者の相続放棄は代襲相続の原因にはなりません。

2 自社株の評価方法

――自社株の評価にはいろんな方法があります――

自社株等の取引相場のない株式については、その株式の発行会社の規模、業種、業績や所有財産、その株式を所有している者の所有状況などに応じて評価額が決定されます。所有財産の評価額や利益水準が高いほど株式の評価は高くなる傾向にあります。

評価には３つの方法がありますが、早い段階で評価額を試算してみるとよいでしょう。

❶株式・出資の評価

株式及び株式に関する権利の価額は、それらの銘柄の異なるごとに、以下の区分に従って評価します。（評基通168）

㋑	上場株式（273ページ参照）
㋺	気配相場等のある株式（登録銘柄及び店頭管理銘柄、公開途上にある株式）
㋩	取引相場のない株式
㋥	株式の割当てを受ける権利
㋭	株主となる権利
㋬	株式無償交付期待権
㋣	配当期待権
㋠	ストックオプション（㋷に該当するものを除く。）
㋷	上場新株予約権

また、会社法に規定されている持分会社の出資についても、取引相場のない株式等の評価方法に準じて評価します。（評基通194）

❷取引相場のない株式の評価

1．会社の規模と株主の区分と評価方式の関係

取引相場のない株式の評価方法は、その株式を取得した株主が、その会社に経営支配力を有しているかどうか、その会社の規模がどの程度か、あるいは、特定の評価会社に該当するか否かにより異なります。（評基通179、185、188－２、189）

会社の規模＼株主の区分		支配株主（原則的評価方式）	少数株主（特例的評価方式）
大会社		●類似業種比準価額 ●純資産価額 } どちらか低い方	配当還元価額＊3
中会社	大	●類似業種比準価額＊1×0.90＋純資産価額＊2×0.10	
	中	●類似業種比準価額＊1×0.75＋純資産価額＊2×0.25	
	小	●類似業種比準価額＊1×0.60＋純資産価額＊2×0.40	
小会社		●純資産価額＊2 ●類似業種比準価額×0.50＋純資産価額＊2×0.50 } どちらか低い方	

＊1　類似業種比準価額よりも純資産価額が低い場合は、純資産価額によります。
＊2　株主の１人（判定者）とその同族関係者の有する議決権の合計数が議決権総数の50％以下であるときは、純資産価額の80％で計算します。（評基通185）
＊3　配当還元価額方式による評価額よりも原則的評価方式による評価額の方が低い場合は、原則的評価方式によります。
（注）土地保有特定会社や株式保有特定会社などの株式を所有している支配株主については、上記によらず純資産価額を考慮した計算式により評価します。（評基通189）

2. 会社の規模の判定

従業員数、業種、総資産価額、取引金額によって会社を分類し、評価方式を決定します。従業員数70人以上の会社は、即「大会社」と判定されますが、従業員数70人未満の会社は、総資産価額及び従業員数と取引金額それぞれがどの規模に属するかを調べ、どちらか大きい方のランクに分類されます。(評基通178)

(卸売業)

従業員数と総資産価額 ＼ 取引金額		2億円未満	2億円以上3.5億円未満	3.5億円以上7億円未満	7億円以上30億円未満	30億円以上
5人以下	(総資産価額は関係なし)					
5人超20人以下	7,000万円未満					
	7,000万円以上					
20人超35人以下	7,000万円未満					
	7,000万円以上2億円未満					
	2億円以上					
35人超70人未満	7,000万円未満					
	7,000万円以上2億円未満					
	2億円以上4億円未満					
	4億円以上20億円未満					
	20億円以上					
70人以上	(総資産価額は関係なし)					

(小売・サービス業)

従業員数と総資産価額 ＼ 取引金額		6,000万円未満	6,000万円以上2.5億円未満	2.5億円以上5億円未満	5億円以上20億円未満	20億円以上
5人以下	(総資産価額は関係なし)					
5人超20人以下	4,000万円未満					
	4,000万円以上					
20人超35人以下	4,000万円未満					
	4,000万円以上2.5億円未満					
	2.5億円以上					
35人超70人未満	4,000万円未満					
	4,000万円以上2.5億円未満					
	2.5億円以上5億円未満					
	5億円以上15億円未満					
	15億円以上					
70人以上	(総資産価額は関係なし)					

(その他)

従業員数と総資産価額 ＼ 取引金額		8,000万円未満	8,000万円以上2億円未満	2億円以上4億円未満	4億円以上15億円未満	15億円以上
5人以下	(総資産価額は関係なし)					
5人超20人以下	5,000万円未満					
	5,000万円以上					
20人超35人以下	5,000万円未満					
	5,000万円以上2.5億円未満					
	2.5億円以上					
35人超70人未満	5,000万円未満					
	5,000万円以上2.5億円未満					
	2.5億円以上5億円未満					
	5億円以上15億円未満					
	15億円以上					
70人以上	(総資産価額は関係なし)					

■：小会社　■：中会社の小　□：中会社の中　■：中会社の大　■：大会社

●従業員数とは…直前期末以前1年間継続して勤務していた従業員数(Ⓐ)(就業規則等で定められた1週間当たりの労働時間が30時間未満である従業員を除く。)

$$+\frac{\text{Ⓐ以外の従業員の直前期末以前1年間における労働時間の合計時間数}}{\text{1,800時間}}$$

●総資産価額とは…直前期末における各資産の帳簿価額の合計額(固定資産の減価償却を間接法により行っている場合は減価償却累計額を控除しますが、貸倒引当金は控除しません。なお、繰延税金資産は含めます。)

●取引金額とは…直前期末以前1年間の会社の目的とする事業に係る収入金額

3. 株主の区分の判定

株主の区分は、その評価する会社に同族株主がいるかいないか、株式の取得者が取得後の状態において同族株主かどうか、また、その持株割合がどれくらいかで決まります。(評基通188)(同族株主については、174ページ参照)

	株主の態様				株主の区分
同族株主のいる会社	同族株主	保有議決権割合が5%以上の株主			支配株主
		保有議決権割合が5%未満の株主	中心的な同族株主がいない場合		支配株主
			中心的な同族株主がいる場合	中心的な同族株主	支配株主
				役員*である株主又は役員となる株主	支配株主
				その他の株主	少数株主
	同族株主以外の株主				少数株主
同族株主のいない会社	保有議決権割合の合計が15%以上の株主グループに属する株主	保有議決権割合5%以上の株主			支配株主
		保有議決権割合が5%未満の株主	中心的な株主がいない場合		支配株主
			中心的な株主がいる場合	役員*である株主又は役員となる株主	支配株主
				その他の株主	少数株主
	保有議決権割合の合計が15%未満の株主グループに属する株主				少数株主

* ここでいう役員とは、社長、代表執行役、専務、常務、会計参与、監査役などをいい、使用人兼務役員となれる肩書のない取締役は含まれません。(法令71①一～五)

中心的な同族株主 同族株主の1人並びにその株主の配偶者、直系血族、兄弟姉妹及び1親等の姻族(これらの者の同族関係者である会社のうち、これらの者が有する議決権の合計数がその会社の議決権総数の25%以上である会社を含む。)の有する議決権の合計数がその会社の議決権総数の25%以上である場合におけるその株主をいいます。(277ページ参照)

中心的な株主 株主の1人及びその同族関係者の有する議決権の合計数がその会社の議決権総数の15%以上である株主グループのうち、いずれかのグループに単独でその会社の議決権総数の10%以上の議決権を有している株主がいる場合におけるその株主をいいます。

(注)議決権総数について、評価会社が自己株式を有しているときは、その自己株式に係る議決権の数は0として取り扱います。(評基通188—3)

③取引相場のない株式―３つの評価方法―

１. 類似業種比準価額方式

評価する会社の事業内容（業種）と類似する上場会社の株式１株当たりの配当金額・利益金額・純資産価額とを比準してその比準価額の一定割合を１株当たりの評価額とする方法です。(評基通180) なお、１株当たりを計算するのに必要となる発行済株式数からは自己株式数を控除します。

$$\text{(1株当たり)類似業種比準価額} = \text{業種の類似する上場会社の株価}^{*1} \times \frac{\frac{\text{配当}}{\text{配当}} + \frac{\text{利益}}{\text{利益}} + \frac{\text{純資産}}{\text{純資産}}}{3} \times \begin{Bmatrix} \text{大会社}0.7 \\ \text{中会社}0.6 \\ \text{小会社}0.5 \end{Bmatrix} \times \frac{\text{その株式1株当たりの資本金等の額}^{*2}}{50\text{円}}$$

上記算式中の□、▲は次の内容を示しています。

□…国税庁が公表している類似業種の１株当たりの株価、配当、利益、純資産価額

▲配当…評価会社の直前期末以前２年間における１株当たりの配当金額の平均額

▲利益…評価会社の直前期末以前１年間又は２年間の年平均額のどちらか低い方の１株当たり利益金額

▲純資産…評価会社の直前期末における１株当たりの純資産価額（ただし、帳簿価額を基準に計算します。）

＊１　課税時期の属する月以前３か月間の各月の類似業種の株価のうち最も低いものとします。ただし、選択により類似業種の前年平均株価又は課税時期の属する月以前２年間の平均株価によることができます。

＊２　資本金等の額については７ページ参照。

MEMO

評価会社の１株当たりの配当、利益、純資産の額がそれぞれ高ければ高いほど評価額が高くなります。

国税庁が公表している株価等は、業種によってバラツキがあるため、どの業種に属するかによって評価額が大きく変わります。

●完全支配関係にある法人の評価の注意事項

①「利益金額」の計算では、譲渡損益調整資産の譲渡等の際に繰り延べた譲渡益は調整不要、その戻入益は控除が必要です。

②寄附に伴う税務調整により利益積立金額が変動する場合でも「純資産価額」の計算上調整は必要ありません。

２. 純資産価額方式

その会社の１株当たりの純資産価額をもってその評価額とする方法です。(評基通185)

$$\text{(1株当たり)純資産価額} = \left\{ \text{相続税評価額による純資産価額}^{*1} - \text{評価差額} \times 37\%^{*2} \right\} \div \text{発行済株式数(自己株式数は控除)}$$

評価差額＝相続税評価額による純資産価額－帳簿価額による純資産価額

＊１　超過利益金額を基に算定した営業権も財産として評価します。(相基通11の２－１、評基通165) また、課税時期前３年以内に取得等した土地・家屋等は、課税時期における通常の取引価額により評価します。(評基通185) なお、被相続人の死亡により会社が受け取った死亡保険金は財産として評価する一方で、支給が確定した死亡退職金等は負債に計上します。ただし、貸倒引当金、退職給与引当金等は負債に含まれません。(評基通186)

＊２　法人税（地方法人税を含む。)、事業税、道府県民税及び市町村民税の税率の合計に相当する割合(評基通186－２)

MEMO

評価差額に対する法人税額等に相当する金額の控除があるため、含み益の約半分は、株価の評価から除かれますが、留保利益や含み資産の多い会社は、当然評価額が高くなります。

なお、相続税評価額による純資産価額を計算するに当たって、評価する資産の内に、取引相場のない株式があるときのその株式の評価については、評価差額に対する法人税額等に相当する金額の控除を行うことができません。(評基通186－３)

３. 配当還元価額方式

その会社の配当率によって評価額を決める方法です。(評基通188－２)

$$\text{(1株当たり)配当還元価額} = \frac{\text{その株式に係る年配当金額}}{10\%} \times \frac{\text{その株式1株当たりの資本金等の額}^{*}}{50\text{円}}$$

＊　資本金等の額については７ページ参照。

年配当金額は、評価会社の直前期末以前２年間の各事業年度における年配当金額の平均額を直前期末の50円換算発行済株式数（自己株式数は控除）で除した金額で、その年配当金額が２円50銭未満か無配の場合は、２円50銭とします。

また、特別配当や記念配当等などの臨時的なものは除かれます。

MEMO

会社の配当金額だけで評価額が決まるため、配当金額を引き下げれば、評価額も下がります。

通常は、配当還元価額方式の方が、原則的評価方式より評価額は低くなります。

（原則的評価方式の方が低い場合には、原則的評価方式を採用できます。）

❹類似業種比準価額方式で評価できない特殊なケース

類似業種比準価額方式で評価される会社については、比準要素（配当、利益、純資産）の額を低くして株式の評価額を下げることが可能です。しかし、次のケースに該当するとすべてを類似業種比準価額方式で評価することができないので、注意が必要です。（ただし、株式保有特定会社には別に会社が所有する株式等とその他の資産を分離して計算する簡易評価方式が認められています。）（評基通189～189－6）

区分	内容
①比準要素数1の会社 ↑ 純資産価額方式（注）と類似業種比準価額方式の併用も可＊1	●比準要素（配当、利益、純資産）のうち、直前期末を基準に計算した場合2要素がゼロで、かつ、直前々期末を基準に計算した場合2要素以上がゼロの場合（配当及び利益については直前期末以前3年間の実績を反映して判定） ＊1　会社の規模にかかわらず類似業種比準価額方式の併用割合は、25%です。
②株式保有特定会社 ↑ 100%純資産価額方式(注)で評価する＊2	**資産のうち株式の保有割合が高い会社** ●総資産に占める株式等の保有割合が50%以上の会社が該当します。 ＊2　簡易評価方式を適用できます。ただし、③、④などの会社は、株式保有特定会社に該当せず、簡易評価方式は採用できません。 ●平成30年1月1日以後の相続・贈与については新株予約権付社債も株式に含めて判定を行います。
③土地保有特定会社 ↑ 100%純資産価額方式（注）で評価する	**資産のほとんどが土地である会社** ●総資産に占める土地等の保有割合が、「大会社」（一部の「小会社」を含む。）の場合は70%以上、「中会社」（一部の「小会社」を含む。）の場合は90%以上の会社が該当します。「小会社」は原則として土地保有特定会社になりません。
④開業後3年未満の会社等 ↑ 100%純資産価額方式(注）で評価する	**①会社の規模に関係なく、すべての新設会社** ●開業後3年未満かどうかの判定は、課税時期（相続・贈与のあった日）現在によります。 **②比準要素ゼロの会社** ●直前期末を基準に計算した場合、比準要素（配当、利益、純資産）のいずれもがゼロである場合（配当及び利益については直前期末以前2年間の実績を反映して判定）

(注) 278ページ❷1の＊2の適用があります。

この他、開業前又は休業中の会社は100%純資産価額方式、清算中の会社は清算による分配見込額の現在価値で評価します。（いずれも（注）の適用はありません。）

❺事業承継での活用が期待できる種類株式の相続税法上の評価

会社法上の種類株式を中小企業の円滑な事業承継に活用することもできます。同族株主（174ページ参照）が下記の種類株式を取得した場合の相続税法上の評価は以下のとおりです。

種類株式の類型	評価方法
無議決権株式＊1	下記①か②のどちらかを選択することができます。 ①　普通株式、無議決権株式ともに前ページ❸1あるいは2又はその併用方式による評価（ただし、❸1に定める1株当たり配当金額は株式の種類ごとに計算します。） ②　無議決権株式は①×95%で評価、ただし、普通株式には①による評価に無議決権株式の減額評価部分（①×5%）を加算します。 （②を選択する場合の条件） ・申告期限までに株式の遺産分割協議が確定していること ・相続等により無議決権株式を発行している会社の株式を取得した全同族株主は「無議決権株式の評価の取扱いに係る選択届出書」を所轄税務署長に提出すること ・「取引相場のない株式（出資）の評価明細書」に評価額の算定根拠を記載すること
社債類似株式＊2	発行価額（既経過利息に相当する配当金は加算しません。） なお、当該株式の発行会社が他の株式を評価する場合、当該株式は社債として計算します。
拒否権付株式＊3	普通株式と同様の評価

＊1　無議決権株式の活用として、当該無議決権株式を事業後継者以外に、議決権のある普通株式を事業後継者に相続させることで会社の経営権を分散させることなく円滑な事業承継が期待できます。その際、事業後継者の相続税額が増加する可能性がありますが、事業承継税制を活用すれば納税猶予を受けることができます。（282ページ参照）
＊2　社債類似株式とは、①配当優先（累積非参加型）　②残余財産の分配は発行価額を限度　③発行会社は株式の全部を発行価額で償還　④議決権を有しない　⑤他の株式を対価とする取得請求権を有しないという要件を満たす株式のことをいいます。
＊3　息子に株式の大部分を承継した後でも、先代が拒否権付株式を1株保有することで重要な経営判断に参加することができます。

3 自社株の相続税対策

――事業承継税制を使って自社株対策――

非上場株式等に係る相続税及び贈与税の納税猶予制度は、都道府県知事への手続などを要件に、中小企業が発行する株式を事業承継する際の相続税及び贈与税の納税を猶予し、さらに一定の要件を満たす場合には納税を免除するというもので、「事業承継税制」と呼ばれています。

また、日本経済の基盤である中小企業の円滑な世代交代を進めるため、各種要件の緩和を含む抜本的な拡充が行われています。これにより、相続税及び贈与税が猶予又は免除され、事業の承継と継続に必要な資金の負担が軽減されます。

〈事業承継税制の流れ〉

事業承継税制について、これまでの一般の事業承継税制（適用期限なし）に加え、10年間の特例（平成30年１月１日から令和９年12月31日までの贈与・相続等が対象）として、非上場株式等の贈与税及び相続税の納税猶予・免除について抜本的な拡充が行われました。この特例事業承継税制（以下「特例」といいます。）の方が有利でかつ利用しやすいため、以下は特例の適用を前提として記載します。

なお、特例を適用するには「特例承継計画」を令和８年３月31日までに都道府県知事に提出する必要があるため、注意が必要です。

贈与税の納税猶予・免除制度	後継者が先代経営者から自社株式等の贈与を受けた際に、贈与税について全額納税猶予、さらに一定の場合免除するという制度
相続税の納税猶予・免除制度	後継者が先代経営者から自社株式等を相続した際に、相続税について全額納税猶予、さらに一定の場合免除するという制度

後継者が決まり事業承継をどのように進めていくかを判断する際に、先代経営者の生前に後継者が会社の代表者となる場合は事前に株式を贈与し贈与税の納税猶予を受けるA、先代経営者の死後に後継者が会社の代表者となる場合は相続税の納税猶予しか受けないBを選択するとよいでしょう。なお、下表❶～❾は右ページ①の❶～❾に対応しています。

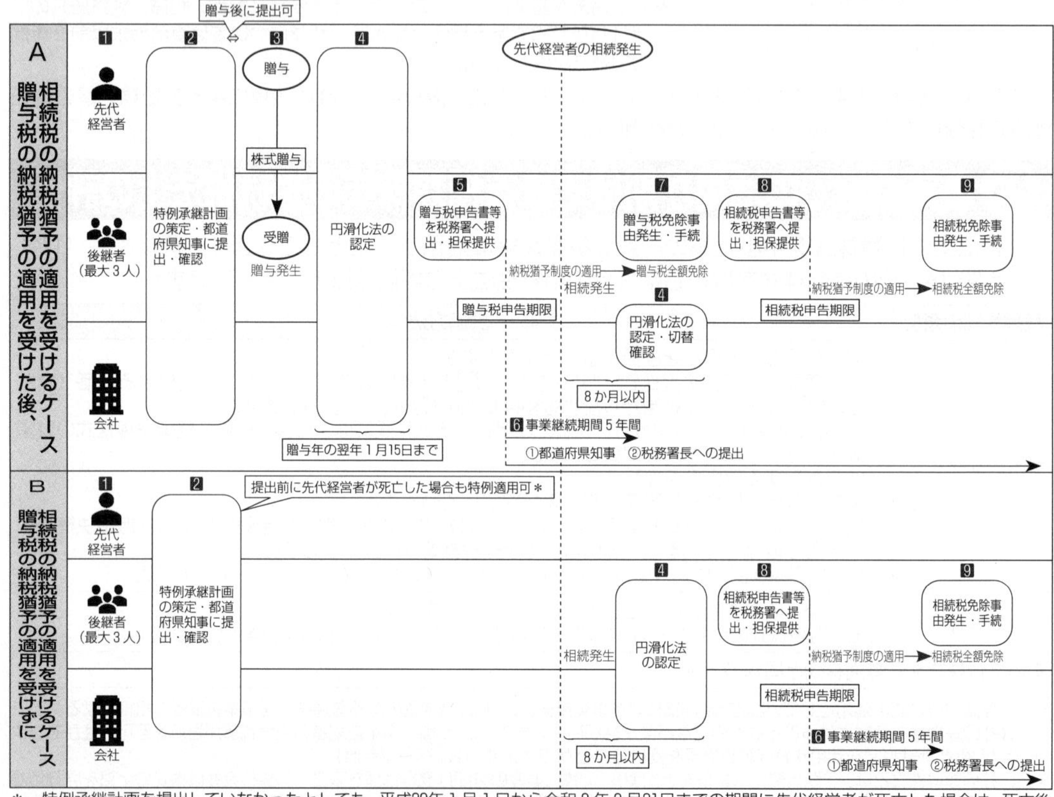

＊　特例承継計画を提出していなかったとしても、平成30年１月１日から令和８年３月31日までの期間に先代経営者が死亡した場合は、死亡後に一定の手続をすることによって特例の適用を受けることができます。

①特例の要件と手続の流れ

1 特例の要件

贈与税及び相続税の納税猶予制度の適用を受けるための、先代経営者、後継者及び会社の要件は以下のとおりです。

	贈与税の納税猶予制度（措法70の７の５）	相続税の納税猶予制度（措法70の７の６）
先代経営者の要件	①会社の代表権を有していたこと ②先代経営者と同族関係者で総議決権数の50%超を保有し、かつ同族内で後継者を除き筆頭株主であったこと ③贈与の時に会社の代表権を有していないこと（有給役員として留任可能）	①同左 ②同左 ③－
後継者の要件	①会社の代表権を有していること ②後継者と同族関係者で総議決権数の50%超の議決権数を保有することとなること ③18歳以上であること ④役員就任から３年以上経過していること ⑤後継者の有する議決権が、次のイ又はロに該当すること イ　後継者が１人の場合＊1 後継者と同族関係者で最も多くの議決権数を保有することになること ロ　後継者が２人又は３人の場合＊1 各後継者が総議決権数の10%以上の議決権を保有し、かつ、後継者と同族関係者（他の後継者を除きます。）の中で、最も多くの議決権数を保有することとなること ⑥－	①会社の役員であること（被相続人が70歳未満で死亡した場合及び特例承認計画に特例後継者として記載されている者である場合を除く。） ②同左 ③－ ④－ ⑤同左 ⑥相続開始日翌日から５か月を経過する日において会社の代表権を有していること
会社の要件	①中小企業者（会社）であること＊2 ②上場会社等又は風俗営業会社でないこと ③資産管理会社でないこと＊3 ④拒否権付株式を発行している場合、その株式を後継者以外が保有していないこと ⑤総収入金額（営業外収益及び特別利益は含まない。）がゼロを超え、常時使用する従業員の数が１人以上であること ⑥特定特別関係会社＊4が上場会社等又は風俗営業会社でないこと	

＊１　後継者は、イとロの区分に応じた一定数以上の自社株式等を取得する必要があります。
イ　次の①又は②の区分に応じた株数
① A≧B×２/３－Cの場合　⇒　B×２/３－C以上の株数
② A<B×２/３－Cの場合　⇒　Aの全ての株数
ロ　次の全てを満たす株数
① D≧B×１/10
② D>贈与後における先代経営者等の有する自社株式等の数

> A：贈与直前において先代経営者等が有していた自社株式等の数
> B：贈与直前の発行済株式等の総数（議決権に制限のないものに限る。）
> C：後継者が贈与直前において有していた自社株式等の数
> D：贈与後における後継者の有する自社株式等の数

＊2　ここでいう中小企業者とは、中小企業基本法における中小企業をベースとし、政令により拡大された次のものです。色付きの部分が政令による拡大部分です。（円滑化法施行令１）

業種		資本金　又は	従業員数
製造業、建設業、運輸業その他（下記以外）		３億円以下	300人以下
	ゴム製品製造業（自動車又は航空機用タイヤ及びチューブ製造業並びに工業用ベルト製造業を除く。）		900人以下
卸売業		１億円以下	100人以下
小売業		５千万円以下	50人以下
サービス業（下記以外）			100人以下
	ソフトウエア業・情報処理サービス業	３億円以下	300人以下
	旅館業	５千万円以下	200人以下

＊3　資産管理会社とは、①特定資産の額と過去５年間に後継者と同族関係者に支払われた配当等の合計額が総資産の70%以上を占める資産保有型会社又は②特定資産の運用収入の合計額が総収入金額の75%以上を占める資産運用型会社をいいます。ただし、次の３要件をすべて満たす会社は資産管理会社には該当しません。

資産管理会社に該当しない事業実態要件
・３年以上継続して事業を行っていること（同族関係者等に対する貸付事業を除く。） ・常時使用する従業員（後継者と生計を一にする親族を除く。）が５人以上いること ・常時使用する従業員（後継者と生計を一にする親族を除く。）が勤務している事務所、店舗、工場等を所有又は賃借していること

特定資産とは	・国債、地方債、株式などの有価証券等 ・自ら使用していない不動産 ・ゴルフ会員権、絵画、彫刻、貴金属等 ・現預金（代表者やその同族関係者に対する貸付金及び未収入金を含む。）、保険積立金

＊4　特定特別関係会社とは、会社並びにその代表者及びその生計を一にする親族等が、合わせて総株主等議決権数の50%超を保有している会社をいいます。

❷ 特例承継計画の策定・提出・確認

会社の後継者や承継時までの経営見通し等を記載した確認申請書（「特例承継計画」）を策定し、認定経営革新等支援機関（税理士、商工会、商工会議所等）の所見を記載の上、令和８年３月31日までに都道府県知事に提出し、その確認を受ける必要があります。

なお、「特例承継計画」は、会社が認定経営革新等支援機関の指導及び助言を受けて作成する必要があります。

確認の内容	会社の後継者や承継時までの経営見通し等を記載した特例承継計画
確認者・提出先	都道府県知事
申請書類	確認申請書、定款の写し、株主名簿の写し、登記事項証明書、戸籍謄本（先代経営者及びその親族）、事業承継計画　等
申請期限	令和８年３月31日まで（贈与・相続後の提出も可）

❸ 後継者への自社株式の贈与

後継者は、先代経営者から、全部又は一定数以上の特例適用株式等の贈与を受けます。また、先代経営者から贈与等されたことを条件に、先代経営者以外のその会社の代表権を有したことがない複数の株主からの贈与等も適用対象となります。（先代経営者の配偶者や兄弟姉妹等の親族や創業メンバーである第三者等が考えられます。）

なお、相続時精算課税（292ページ参照）について、もともとの適用対象者は推定相続人と孫のみですが、特例では、贈与税額の計算において、推定相続人と孫以外の親族や第三者にも適用されます。

❹ 円滑化法の認定の申請

贈与等を受けた後に、先代経営者の要件、後継者の要件、会社の要件を満たしていることについての都道府県知事の「円滑化法の認定」を受ける必要があります。

認定の内容	経営者、後継者及び会社について❶の要件を満たしているか否か
認定者・提出先	都道府県知事
申請書類	認定申請書、定款の写し、株主名簿の写し、登記事項証明書、相続税もしくは贈与税の見込み額を記載した書類、従業員数証明書、決算関係資料　等
申請期限	贈与税：贈与年の翌年１月15日まで 相続税：被相続人の死亡の日の翌日から８か月以内

贈与税の特例適用株式等について相続税の納税猶予の適用を受ける場合には、相続税の納税猶予の適用要件を満たすか否かの都道府県知事の円滑化法の切替確認が必要です。（上表の認定の要件を満たすか否かの確認が主な内容です。）確認の申請の場合も、被相続人の死亡の日の翌日から８か月以内に行う必要があります。

❺ 贈与税の納税猶予の適用（贈与税申告書等の提出・担保提供）

贈与税の申告期限までに、この特例の適用を受ける旨を記載した贈与税の申告書などを税務署に提出し、納税が猶予される贈与税及び利子税の額に見合う担保を提供する必要があります。（この特例の適用を受ける特例適用株式等の全てを担保として提供すれば上記担保提供があったものとみなされます。）

❻ 事業継続のチェック

① 都道府県知事への報告

事業継続期間中（５年間）は、都道府県知事へ毎年１回事業継続の報告をする必要があります。

報告の内容	以下の事業継続要件を満たしているか否か ・後継者が代表権を有していること ・５年間平均で雇用の８割以上を維持していること＊1 ・贈与されたもしくは相続した対象株式等を継続保有していること　等
提出書類	年次報告書、定款の写し、登記事項証明書、株主名簿、従業員数証明書　等
提出先	都道府県知事
提出期限	贈与税及び相続税申告期限の翌日から起算して１年を経過するごとの日の翌日から３か月を経過する日まで

＊１　５年間平均８割の雇用確保要件を満たせない場合は、その満たせない理由を記載した書類（認定経営革新等支援機関の意見の記載必要）を提出すれば納税猶予は継続されます。

報告に際して以下に該当した場合には、都道府県知事は❹で受けた認定を取り消すことができ、取消しとなった場合は、猶予税額を納付する必要があります。（右ページ❷参照）

- 特例適用株式等を譲渡した場合（一定の場合は取消しとなりません。）
- 後継者が代表者でなくなった場合（一定の場合は取消しとなりません。）
- 後継者と同族関係者を合わせた持株割合が過半数を下回った場合
- 後継者が筆頭株主でなくなった場合
- 資産管理会社等に該当した場合＊2
- 会社が解散した場合
- 合併があった場合。ただし、吸収合併存続会社等が合併効力発生日等において一定の要件に該当することについて都道府県知事の確認を受けたときは認定の効力は継続します。その場合、吸収合併契約書などの提出が必要です。
- 株式交換等があった場合。ただし、認定を受けた中小企業者が完全子会社となった場合で、株式交換効力発生日等において一定の要件に該当することについて都道府県知事の確認を受けたときは認定の効力は継続します。その場合、株式交換契約書などの提出が必要です。
- その他毎年１回の報告をしなかった場合や虚偽の報告をした場合、不正な手段で認定を受けた場合　等

＊２　平成31年４月１日以後に特例を適用した場合は、一定のやむを得ない事情により資産管理会社等に該当した場合でも、該当日から６か月以内に資産管理会社等に該当しなくなった場合は、猶予税額の納付の義務は生じません。

② 税務署長への届出

税務署長に対しては、贈与税申告期限の翌日から起算して、1年を経過するごとの日の翌日から5か月を経過する日までに「継続届出書」の提出が毎年必要です。また、都道府県知事への報告とは異なり、5年経過後も、3年ごとに同書類の提出が必要です。

7 贈与税の免除（免除事由発生・手続）

贈与税の猶予税額の全部又は一部についてその納付が免除される場合は以下のとおりです。

免除される場合	(イ) 先代経営者（贈与者）が死亡した場合 (ロ) 先代経営者（贈与者）が死亡する以前に後継者（受贈者）が死亡した場合 (ハ) 贈与税の申告期限から5年経過後（5年経過内に後継者（二代目）が身体障害等のやむを得ない理由により代表者でなくなった場合を含みます。）に猶予対象者である後継者（二代目）が、その後継者（三代目）へ特例適用株式等を贈与した場合において、その後継者（三代目）が贈与税の納税猶予制度の適用を受ける場合 (ニ) 贈与税の申告期限から5年経過後に会社について、破産手続開始の決定又は特別清算開始の命令があった場合（一定の調整あり） (ホ) 贈与税の申告期限から5年経過後に、事業の継続が困難な一定の事由が生じた場合において、会社について譲渡・解散した場合（一定の調整あり）（下記❷の猶予税額を納付する場合②参照）

(イ)の免除を受ける場合、該当日以後10か月を経過する日までに「免除届出書」を税務署長へ提出する必要があります。
(ロ)(ハ)の免除を受ける場合、該当日以後6か月を経過する日までに「免除届出書」を税務署長へ提出する必要があります。
(ニ)(ホ)の免除を受ける場合、該当日以後2か月を経過する日までに「免除申請書」を税務署長へ提出する必要があります。

8 相続税の納税猶予の適用（相続税申告書等の提出・担保提供）

株式等を相続した後継者が納付すべき相続税のうち、事業承継税制の対象となる特例適用株式等に係る相続税の納税猶予を受けます。

なお、贈与税の納税猶予の適用を受けている場合には、後継者が特例適用株式等を相続により取得したものとみなして、贈与時の時価により、他の相続財産と合算して相続税額を計算します。(措法70の7の7)

また、平成31年4月1日以後に贈与税の特例を適用した場合は、相続税の特例への切替え手続が簡素化されています。

9 相続税の免除（免除事由の発生・手続）

相続税の猶予税額の全部又は一部についてその納付が免除される場合は以下のとおりです。

免除の要件	(イ) 経営者（後継者）が特例適用株式等を保有したまま死亡した場合 (ロ) 相続税の申告期限から5年経過後（5年経過内に後継者（二代目）が身体障害等のやむを得ない理由により代表者でなくなった場合を含みます。）に猶予対象者である後継者（二代目）が、その後継者（三代目）へ特例適用株式等を贈与した場合において、その後継者（三代目）が贈与税の納税猶予制度の適用を受ける場合 (ハ) 相続税の申告期限から5年経過後に会社について、破産手続開始の決定又は特別清算開始の命令があった場合 (ニ) 相続税の申告期限から5年経過後に、事業の継続が困難な一定の事由が生じた場合において、会社について譲渡・解散した場合（一定の調整あり）（下記❷の猶予税額を納付する場合②参照）

(イ)(ロ)の免除を受ける場合、該当日以後6か月を経過する日までに「免除届出書」を税務署長へ提出する必要があります。
(ハ)(ニ)の免除を受ける場合、該当日以後2か月を経過する日までに「免除申請書」を税務署長へ提出する必要があります。

❷ 猶予税額を納付する場合

① 都道府県知事の認定の有効期間（5年）内に、特例適用株式等を譲渡、後継者が代表者でなくなる、資産管理会社に該当したなど認定の取消事由に該当する事実が生じた場合には、猶予税額の全額を納付しなければなりません。

② 認定の有効期間（5年）経過後において、納税猶予の対象となった特例適用株式等を譲渡した場合等にはその割合に応じた猶予税額（資産管理会社に該当した場合には猶予税額の全額）を納付しなければなりません。

ただし、7贈与税の免除の(ホ)又は9相続税の免除の(ニ)に該当する場合等は、以下のとおり一定の調整後、猶予税額を納付することとなります。

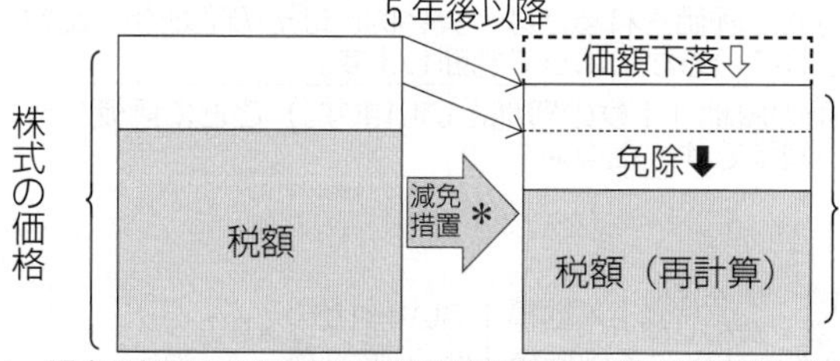

＊ 過去3年間のうち2年以上経常損益が赤字、売上高減少などの事業継続が困難な一定の事由に該当し、譲渡・合併・解散等をした場合

●民事再生等による事業再生の際にその時点での評価額で納税猶予額を再計算し、その評価額に応じた部分について猶予を継続し、当初の評価額から下がった部分の猶予税額は免除を受けることができます。

③ 上記により、猶予税額の全部又は一部を納付する場合には、相続税の法定申告期限の翌日からの利子税（年3.6%）を併せて納付します。利子税の税率は、令和6年1月1日から令和6年12月31日は、利子税特例基準割合が0.9%（305ページ参照）であるため年0.4%に軽減されます。（措法93）なお、経営承継期間の開始の日から5年経過後に一定の事由により納税猶予が打ち切られた場合には、その経営承継期間中の利子税が免除されます。

4 不動産の相続税対策

——土地の評価と相続税——

相続税の概算が計算できると、そのあまりに多額となる税額に驚いてしまうことが多々あります。特に相続財産の主なものが不動産で、不動産を処分しないと相続税を納めることができないようなケースでは、売却する不動産の譲渡所得税の試算や物納（305ページ参照）についても検討する必要があります。

ここでは、不動産に係る相続税の計算基礎となる評価の方法の他、各種の相続税対策についてみていきます。

また、「所有者不明土地」問題の対策として、令和５年４月27日から「相続土地国庫帰属制度」が、令和６年４月１日から「相続登記の申請義務化」が開始されています。

❶ 土地等の評価の方法

1. 土地の評価上の区分と評価の方法

土地の価額は、評価時点の現況による次の９種類の地目の別に評価します。ただし、２以上の地目からなる一団の土地が一体として利用されている場合には、その一団の土地ごとに評価します。

地　目	用　　途
宅　地	建物の敷地及びその維持もしくは効用を果たすために必要な土地
田	農耕地で用水を利用して耕作する土地
畑	農耕地で用水を利用しないで耕作する土地
山　林	耕作の方法によらないで竹木の生育する土地
原　野	耕作の方法によらないで雑草、灌木類の生育する土地
牧　場	家畜を放牧する土地
池　沼	灌漑用水でない水の貯留池
鉱泉地	鉱泉（温泉を含みます。）の湧出口及びその維持に必要な土地
雑種地	上記のいずれにも該当しない土地

これら土地の上には、さまざまな権利が設定されていることがあります。このような土地の上に存する権利の価額も次に掲げる権利の別に評価します。

①地上権　⑤借地権
②区分地上権　⑥定期借地権等
③永小作権　⑦耕作権
④区分地上権に準ずる地役権　⑧温泉権
⑨賃借権
⑩占用権

●地目や地積については、登記簿などに関係なく、課税時期の現況によって判断します。（評基通７、８）

これら地目ごとにその評価の方法も異なります。ここでは、そのうち宅地（居住用マンションの区分所有権等を除く）と農地（田、畑）について評価の方法をみてみることにします。

宅地

利用の単位となっている１区画の宅地（１画地の宅地といいます。）ごとに評価します。＊
宅地の上に存する権利の価額についても同様です。（評基通７－２）

評価の方式

① 市街地的形態を形成する地域にある宅地 ➡ 路線価方式（右ページの計算例参照）
② ①以外の宅地 ➡ 倍率方式

評価の対象となっている宅地がどちらの方式で評価されるかは、具体的にはその宅地が「路線価図」と「評価倍率表」とのいずれに記載されているかによって判断します。

農地

田及び畑は、耕作の単位となっている１区画の農地（１枚の農地といいます。）ごとに評価します。農地の上に存する権利の価額についても同様です。（評基通７－２）

評価の方式

① 純農地、中間農地 ➡ 倍率方式
② 市街地周辺農地 ➡ {（宅地であるとした場合の１㎡当たりの価額 － 宅地造成費相当額）×地積}、{倍率方式による評価額} のいずれかの評価額 ×0.8
③ 市街地農地 ➡ {（宅地であるとした場合の１㎡当たりの価額 － 宅地造成費相当額）×地積}、{倍率方式による評価額} のいずれかの評価額
④ 生産緑地 ➡生産緑地でないものとして評価した価額×（１－一定割合）

評価の対象となっている農地がいずれの種類に該当するかは、「評価倍率表」で調べるか税務署に尋ねてください。

＊　地積規模の大きな宅地については273ページ参照。

2.宅地の具体的評価方法

自用地の評価

他の人がその土地の上にある権利などを持っていない自用地については、次のように評価します。（評価の具体例については、378ページ参照）

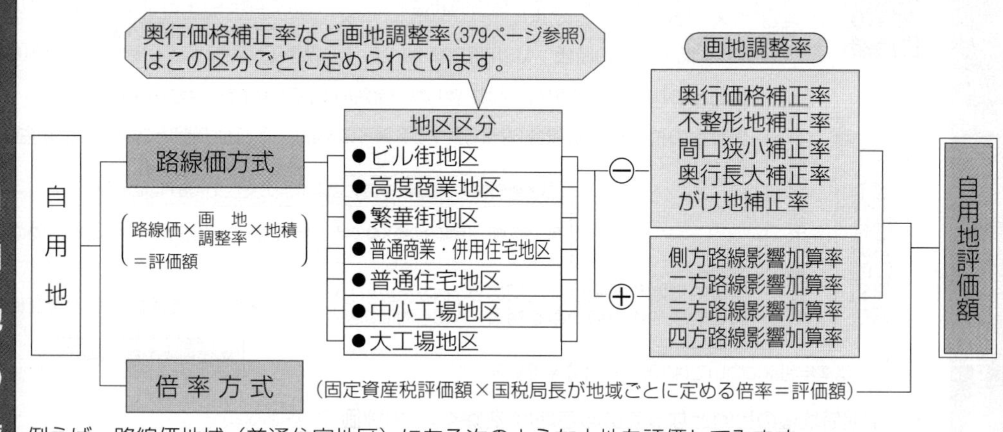

例えば…路線価地域（普通住宅地区）にある次のような土地を評価してみます。

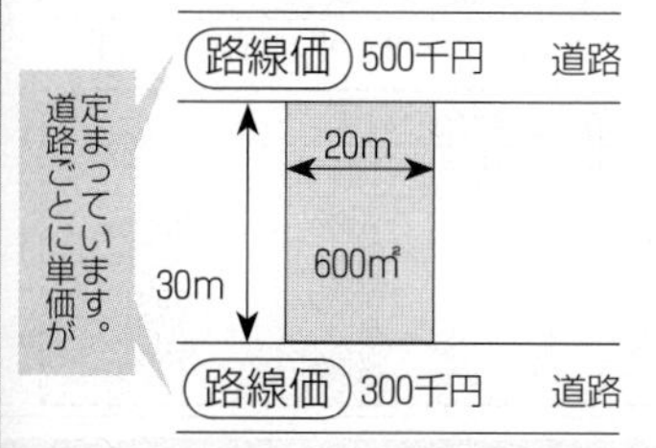

《具体的な評価額》

① 500,000円×0.95＝475,000円（正面路線部分）

奥行きが長い土地なので奥行価格補正率（30mの場合0.95）を乗じます。

② 475,000円＋300,000円×0.95×0.02＝480,700円

二方が道路に面している土地なので二方路線影響加算率（0.02）を乗じます。

③ 480,700円×600㎡＝288,420,000円◀これがこの土地の評価額となります。

正面路線とは

路線価に奥行価格補正を考慮した価格が最も大きいものを正面路線として、評価計算上、基準とします。

貸宅地・貸家建付地の評価

借地権等の目的となっている貸宅地や貸家の用に供されている貸家建付地の評価は次のようになります。（評基通25、26）

i）AさんがBさんに土地のみを貸し付けている場合（貸宅地の場合）

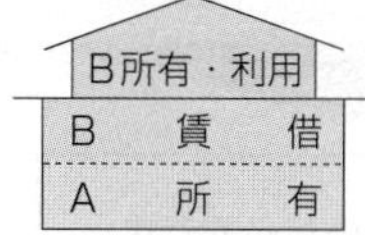

Aさんの土地	貸宅地＝自用地×（1－借地権割合）＊
Bさんの土地に係る権利	借地権＝自用地×借地権割合
Bさんの建物	自用建物＝固定資産税評価額×1

＊ 貸宅地割合が定められている地域は
貸宅地＝自用地×貸宅地割合
となります。

ii）AさんがBさんに家屋を貸し付けている場合（貸家建付地の場合）

B賃借
A所有
A　所　有

Aさんの土地	貸家建付地＝自用地×（1－借地権割合×借家権割合＊4×賃貸割合＊1）
Aさんの建物	貸家＝自用建物×（1－借家権割合＊4×賃貸割合＊1）
Bさんの土地に係る権利	借家人の有する権利＝借地権価額×借家権割合＊4×賃借割合＊3
Bさんの建物に係る権利	借家権＝自用建物×借家権割合＊4×賃借割合＊3

＊1 賃貸割合＝$\dfrac{\text{分母のうち課税時期において賃貸されている各独立部分の床面積の合計}}{\text{その家屋の各独立部分の床面積の合計}}$

2 ＊1の分子の「賃貸されている各独立部分」には、継続的に賃貸されていた各独立部分で、課税時期において、一時的に賃貸されていなかったと認められるものを含めることができます。

＊3 賃借割合＝$\dfrac{\text{分母のうち賃借している各独立部分の床面積の合計}}{\text{その家屋の各独立部分の床面積の合計}}$

＊4 借家権は権利金等の名称をもって取引される慣行のある地域にあるものを除いて課税価格に算入されませんが、貸家・貸家建付地の評価に当たっては控除します。（評基通94）

- 借地権割合、貸宅地割合は、路線価地域内は「路線価図」に、倍率地域内は「評価倍率表」に掲げられています。
- 借地権の取引慣行がない地域における借地権は評価しないので、このような地域にある貸宅地は自用地としての評価額の80%の割合で評価します。
- 借家権割合は、国税局長が定める割合として「財産評価基準書」の中に掲げられています。（現在は全国一律30%）

定期借地権に関する評価

定期借地権(103ページ参照)については、原則として課税時期において借地権者に帰属する経済的利益及びその存続期間を基として評定した価額によって評価しますが、課税上弊害がない限り次の算式によって計算した金額によることができます。(評基通27－2、3)

定期借地権の評価額 ＝ 自用地価額 × $\dfrac{\text{定期借地権設定時における借地権者に帰属する経済的利益＊1}}{\text{定期借地権の設定時の宅地の時価（不明確な場合　自用地価額÷0.8）}}$ × $\dfrac{\text{課税時期におけるその定期借地権の残存期間年数に応じた基準年利率＊2による複利年金現価率(Ⓑ)}}{\text{定期借地権の設定期間年数に応じた基準年利率＊2による複利年金現価率(Ⓐ)}}$

＊1 借地権者に帰属する経済的利益 ＝ 次の金額の合計額

- 権利金の授受がある場合(返還を要しない金銭の支払又は財産の供与)…権利金の額
- 保証金の授受がある場合(返還を要する金銭等の預託)…保証金の授受に伴う経済的利益の額
  - 基準年利率＊2未満の利率による利息の支払又は無利息の場合
  - 保証金の額－(保証金の額×Ⓐの場合の複利現価率)－(保証金の額×約定利率×Ⓐの率)
- 実質的に贈与を受けたと認められる差額地代の額がある場合(個々の取引を総合的に判断)…毎年享受すべき差額地代の現在価値
  - 差額地代の額×Ⓐの率

＊2　基準年利率については275ページ④＊2参照

① **定期借地権の目的となっている宅地(②を除く。)の評価**(評基通25(2))

いずれか低い方
- 自用地価額－[上記による定期借地権の価額]
- 自用地価額－(自用地価額×簡便割合)

簡便割合	
残存期間が5年以下	5%
残存期間が5年超10年以下	10%
残存期間が10年超15年以下	15%
残存期間が15年超	20%

② **一般定期借地権の目的となっている宅地の評価の特例**(平10課評2－8、平11課評2－14)

課税上弊害がない限り普通借地権の借地権割合の地域区分A、Bの地域及び普通借地権の取引慣行のない地域を除き、一般定期借地権の目的となっている宅地については、下記算式により評価します。(①の方法は選択できません。)

自用地価額－〔自用地価額×(1－底地割合)×$\dfrac{\text{Ⓑの率}}{\text{Ⓐの率}}$〕

借地権割合の地域区分 路線価図	評価倍率表	底地割合
C	70%	55%
D	60%	60%
E	50%	65%
F	40%	70%
G	30%	75%

❷土地等に関する相続税対策

土地等に関する相続税対策については、生前に配偶者への居住用不動産の贈与や相続時精算課税制度などの贈与税の特例の活用(289・292～293ページ参照)、事業用資産の事業承継税制の適用、建物の建築等による相続財産の評価額の引下げ対策などが考えられます。

	対　策	効　果	注意点	参照
生前贈与	配偶者へ贈与	配偶者控除の特例を活用すれば2,110万円まで無税で贈与できます。	第2次相続などの考慮が必要です。	右ページ
生前贈与	事業承継税制	承継時に生じる納税を猶予でき、一定の場合免除できます。	納税が免除されない場合があります。	右ページ
生前贈与	相続時精算課税	基礎控除(毎年110万円)及び特別控除額(累計2,500万円)までは贈与時に課税されません。	相続が発生した場合に、贈与時から不動産の時価が下がっていると不利になります。	292ページ
評価額の減額	借金をして土地、建物を購入	土地や建物の評価額が借金より小さくなり、相続財産が少なくなることがあります。	借金の返済計画等について慎重な検討が必要です。	275ページ
評価額の減額	空地にマンションを建ててマンション経営	貸家建付地評価となり、更地の評価額よりも低くなります。	マンション経営自体が、事業経営として採算がとれるか慎重な検討が必要です。また、納税用資産としての利用が難しくなります。	287ページ
評価額の減額	会社に貸し付け、建物を建てさせ、相当の地代を値上げせずに収受し続ける	土地の評価額が上昇すれば自然発生借地権が生じ、土地の評価額を下げられます。	相当の地代を慎重に計算する必要があります。また、「無償返還の届出書」を提出しないことが前提です。	100ページ

1.配偶者への居住用不動産の贈与

婚姻期間が20年以上の夫婦間で居住用不動産もしくは居住用不動産の取得資金を贈与した場合には、110万円の基礎控除の他に2,000万円の配偶者控除の特例が適用されるため、将来の相続税課税に備えて財産の分散を図っておく場合や、将来の売却時に譲渡所得に対する居住用財産の最高3,000万円の特別控除の適用を２人とも受けたい場合などに、大変有効な制度です。（相法21の６、相規９、相基通21の６－１、21の６－８）

要件	①婚姻届を提出した日から贈与があった日までの婚姻期間が20年以上の夫婦間の贈与である。 ②配偶者から贈与される財産は居住用不動産か居住用不動産の取得資金に限る。 ③贈与を受けた者が、贈与を受けた年の翌年３月15日までに実際に居住し、かつ、その後も引き続き居住する見込みであること。

チェックポイント	①敷地だけの贈与を受ける場合は、家屋の所有者が配偶者か同居の親族でなければなりません。 ②店舗兼住宅又はその敷地については、専ら居住の用に供している部分のみが対象となります。 ③同一の配偶者からの贈与について2,000万円に満たない場合でも一生に一度しか適用を受けることができません。 ④贈与税の配偶者控除の適用から７年以内（令和５年までは３年以内）に贈与者が亡くなっても、相続税の課税価格に加算する必要はありません。（300ページ参照）（相法19） また、贈与者の相続開始の年に、配偶者への居住用財産の贈与が行われていた場合にも、相続税の申告書に贈与税の課税価格に算入する旨の記載や一定の書類の添付を条件に、贈与税の配偶者控除相当額については、相続税の課税価格に加算する必要はありません。

贈与税申告時の必要書類…①戸籍謄本（抄本）と戸籍の附票の写し（贈与後10日経過日以後作成分）、②贈与契約書又は登記事項証明書等（登記変更後のもの）
（必ず贈与税の申告が必要）

配偶者居住権

配偶者居住権とは、配偶者が相続開始時に居住していた被相続人所有の建物を対象として、終身又は一定期間、配偶者が対象建物に居住することができる権利（民法1028）であり、所有権とは別のものです。配偶者居住権を遺産分割協議により取得する、または遺贈されることにより、残された配偶者が賃料の負担なく同じ建物に住み続けることができます。なお、被相続人が建物の敷地も所有していた場合には、配偶者居住権とともに配偶者居住権に基づく敷地利用権も取得することになります。

相続税における評価方法

①配偶者居住権

$$\text{建物の時価}-\text{建物の時価}\times\frac{\text{残存耐用年数}-\text{居住権の存続年数}}{\text{残存耐用年数}}\times\text{存続年数に応じた民法の法定利率による複利現価率}$$

②配偶者居住権に基づく敷地利用権

土地の時価－土地の時価×存続年数に応じた民法の法定利率による複利現価率

配偶者居住権が不要となり、合意解除や放棄により消滅させる代わりに、配偶者が対価を受取る場合には、譲渡所得として課税されます。なお、建物や敷地の本来の取得費の一部が、配偶者居住権あるいは配偶者居住権に基づく敷地利用権の取得費とされ、譲渡所得の計算上控除されます。

2.個人の事業用資産に係る事業承継税制

自社株と同様に、個人の事業用資産に対しても事業承継税制が創設されました。一定の手続を要件として、個人の事業用資産に係る贈与税もしくは相続税の納税が猶予され、さらに一定の要件を満たす場合には納税が免除されるので、個人事業の承継に活用が期待されます。

なお、事業承継税制の適用を選択した事業用資産には、小規模宅地等の評価の特例（291ページ参照）は適用できませんので注意が必要です。事業承継税制では適用の対象となる相続人の納付税額のみが猶予されますが、小規模宅地等の特例では相続財産全体の課税価格が減額されるため、相続人全員の納付税額が減額されるという違いがあります。

税制適用の流れは282ページと同様ですが、適用期間は平成31年１月１日から令和10年12月31日までの贈与及び相続が対象です。

❶特例の要件

	贈与税の納税猶予（措法70の６の８）	相続税の納税猶予（措法70の６の10）
先代事業者の要件	青色申告の承認を受けており、該当事業について廃業の届出を提出すること	同左
後継者の要件＊1	①18歳以上であること ②継続して３年以上事業に従事していること ③該当事業について開業の届出を提出すること ④青色申告の承認を受けていること	①－ ②相続の直前に事業に従事していること（被相続人が60歳未満で死亡した場合を除く。） ③同左 ④青色申告の承認を受けていること又は承認を受ける見込みであること
事業の要件	不動産貸付業、資産管理事業＊2、風俗関連事業以外の事業であること	同左

＊1　自社株の納税猶予では後継者を最大３人とできますが、事業用資産の場合は１人とされています。

＊2　283ページの資産管理会社と同様の内容となる事業をいいます。

社長の税金編／3 事業承継と社長の税金

❷ 特例承継計画の策定・提出・確認

事業の後継者や承継時までの経営見通し等を記載した確認申請書（「個人事業承継計画」）を策定し、認定経営革新等支援機関の所見を記載の上、都道府県知事へ提出してその確認を受ける必要があるのは284ページと同様ですが、申請者が会社でなく個人であるため、定款の写し等が不要など申請書類が一部異なる他、以下の相違があります。なお、相続時精算課税の適用による贈与税額の計算については、284ページ❸と同様です。

事業承継計画の提出先	先代事業者の主たる事務所が所在する都道府県知事
確認者・提出先	後継者の主たる事務所が所在する都道府県知事
申請期限	令和８年３月31日まで（贈与・相続後の提出可）

❸ 後継者への事業用資産の贈与

後継者は、先代事業者から、以下の特例の対象となる事業用資産の贈与を受ける必要があります。また、先代事業者から贈与等が行われたことを条件に、先代事業者以外の同一生計親族等から１年以内に受ける事業用資産の贈与等も適用対象となります。

特例適用事業用資産	①宅地等（限度面積：400㎡） ②建物（限度床面積：800㎡） ③先代事業者等の青色申告書の貸借対照表に記載された一定の減価償却資産

❹ 円滑化法の認定の申請

284ページと同様、贈与等を受けた後に、先代事業者の要件、後継者の要件を満たしていることについて、後継者の主たる事務所が所在する都道府県知事に「円滑化法の認定」を受ける必要がありますが、申請者が会社でなく個人であるため申請書類が一部異なります。

❺ 贈与税の納税猶予の適用（贈与税申告書等の提出・担保提供）

284ページと同様ですが、以下の相違があります。

担保の提供	自社株の特例では、特例の適用を受ける特例適用株式等の全てを担保として提供すれば担保提供があったものとみなされますが、特例適用事業用資産を担保提供する際には、該当資産の担保力が猶予される贈与税及び利子税に不足する場合、別の資産の担保提供が必要です。

❻ 事業継続のチェック

① 都道府県知事への報告
自社株の場合と異なり、都道府県知事への報告は不要とされています。

② 税務署長への届出
284ページと同様ですが、特例の適用を受けた後、当初３年間は「継続届出書」の提出が毎年必要ですが、その後提出する必要はありません。

❼ 贈与税の免除（免除事由発生・手続）

贈与税の猶予税額の全部又は一部についてその納付が免除される場合は以下のとおりです。

免除される場合	(イ)(ロ) 285ページの(イ)(ロ)と同様 (ハ) 285ページ(ハ)と同様（特例適用株式等は、特例適用事業用資産と読み替えます。） (ニ) 後継者が重度障害となった場合 (ホ) 後継者(受贈者）が破産した場合 (ヘ) 経営環境の変化により特例を受けた事業用資産を譲渡、もしくは廃業する場合

❽ 相続税の納税猶予の適用（相続税申告書等の提出・担保提供）

285ページと同様です。（措法70の６の９）

❾ 相続税の免除（免除事由の発生・手続）

相続税の猶予税額の全部又は一部についてその納付が免除される場合は以下のとおりです。

免除される場合	(イ) 285ページ(イ)と同様（特例適用株式等は、特例適用事業用資産と読み替えます。） (ロ) 285ページ(ロ)と同様（特例適用株式等は、特例適用事業用資産と読み替えます。） (ハ) 後継者が重度障害となった場合 (ニ) 後継者(受贈者）が破産した場合 (ホ) 経営環境の変化により特例適用事業用資産を譲渡、もしくは廃業する場合

❿ 猶予税額を納付する場合

以下の場合は認定の取消事由に該当し、猶予税額の全部又は一部を納付しなければなりません。なお、納付税額の計算は、285ページと同様です。

納税する場合	(イ) 後継者が青色申告の承認を取り消された場合又は取り止める届出を提出した場合 (ロ) 後継者の特例対象となった事業用資産における事業の総収入金額がゼロとなった場合 (ハ) 特例適用事業用資産の全てが後継者の青色申告書の貸借対照表に計上されなくなった場合 (ニ) 特例適用事業用資産を譲渡した場合＊ (ホ) 特例適用事業用資産が事業供用されなくなった場合＊　　等

＊ 譲渡もしくは事業供用がされなくなった部分のみに納付義務が生じます。また譲渡により事業供用されなくなった場合において、譲渡の日から１年以内にその譲渡価額で事業用資産を取得する見込みの場合は、納付義務が生じません。

⓫ 現物出資による会社の設立

贈与税の申告期限から５年経過後に、特例適用事業用資産の全てを現物出資して会社を設立した際には、一定の場合は納税義務が生じません。

3.小規模宅地等の評価の特例

生前贈与をしなかった被相続人の居住用宅地等（借地権を含みます。）や、事業承継税制を選択適用しなかった事業用宅地等については、相続人による居住・事業等の継続に考慮して、相続税の課税価格の計算上、一定の面積までの部分については、路線価方式や倍率方式で計算した通常の評価額から80%もしくは50%の割合を減額することができます。（措法69の４）

(1)適用要件

①建物又は構築物の敷地の用に供されていたものである。（農地・採草放牧地を除きます。）
②棚卸資産又はこれに準ずる資産（雑所得の基因となる資産）に該当しないものである。
③共同で相続等した場合には、取得者ごとに適用要件を判定する。
④相続税の申告期限までに分割されている。（ただし、原則として申告期限３年以内に分割された場合はこの特例の適用を受けることができます。）
⑤相続税の申告書にこの特例の適用を受ける旨を記載し、計算明細書他一定の書類を添付する。

(2)特定要件と減額割合等

		特定要件	限度面積 減額割合
(イ)被相続人等の居住用宅地等＊1		①　被相続人の配偶者が取得　要件なし	330㎡ (A) 80%＊3
		②　被相続人と同居の親族が取得 相続開始前に当該宅地等の上に存する家屋に被相続人と同居しており、かつ相続税の申告期限まで保有してそこに居住していること	
		③　配偶者及び同居の法定相続人が存せず非同居親族が取得＊2 相続開始前３年以内に自己又はその配偶者の所有する家屋に居住したことがなく相続開始時から相続税の申告期限まで引き続き当該宅地等を保有していること	
		④　被相続人と生計を一にしていた親族の居住の用に供している場合 相続開始直前から相続税の申告期限まで引き続き当該宅地等を自己の居住の用に供し、相続開始時から相続税の申告期限まで引き続き当該宅地等を保有していること	
(ロ)被相続人等の事業用宅地等	個人事業用＊4	①　相続人の事業用宅地等 被相続人の親族が相続開始時から相続税の申告期限までの間にその事業を承継し、相続税の申告期限まで引き続き当該宅地等を保有し当該事業を営んでいること	400㎡ (B) 80%＊3＊5
		②　被相続人と生計を一にする親族の事業用宅地等 その親族が相続開始時から相続税の申告期限まで引き続き当該宅地等を保有し自己の事業の用に供していること	
	法人事業用	③　相続開始直前に同族関係者（６親等内の親族等）が株式・出資の50%超を有する法人の事業（不動産貸付業を除く。）の用に供されていた宅地等で、当該宅地等の取得者のうちに当該法人の法人税法上の役員（258ページ参照）である被相続人の親族がおり、相続税の申告期限まで引き続き当該宅地等を保有し当該法人の事業の用に供していること	
	貸付事業用＊6	④　相続人の貸付事業用宅地等 被相続人の親族が相続開始時から相続税の申告期限までの間にその貸付事業を承継し、相続税の申告期限まで引き続き当該宅地等を保有し、当該貸付事業を営んでいること	200㎡ (C) 50%
		⑤　被相続人と生計を一にする親族の貸付事業用宅地等 その親族が相続開始時から相続税の申告期限まで引き続き当該宅地等を保有し自己の貸付事業の用に供していること	

＊１　・複数の居住用宅地等がある場合には、主として居住の用に供されていた一つの宅地等に限られます。
・一棟の二世帯住宅で構造上区分のある住居に、被相続人とその親族がそれぞれ独立部分に居住していた場合には、敷地全体が対象となります。（措法69の４③二イ）ただし、建物が区分登記されている場合は、被相続人の居住部分に対応する敷地部分のみが対象となります。（措令40の２⑪）
・老人ホーム（注１）に入所したため被相続人の居住用に供されなくなった家屋の敷地の用に供されていた宅地等であっても、要介護認定等（注２）を受けていた被相続人が入所し、かつ、その家屋を貸付け等していない場合には、居住の用に供されていたものとして対象となります。（措法69の４①、措令40の２②③）
（注１）　平成30年４月１日以後開始する相続より、介護医療院に入所した場合についても適用されます。
（注２）　要介護認定等を受けているかどうかは、老人ホーム等への入所時点ではなく、相続開始の直前で判定します。

＊２　平成30年４月１日以後開始する相続より、持ち家に居住していない者の対象範囲から、以下の者が除外されます。
・相続開始前３年以内に、その者の３親等内の親族又はその者と特別な関係のある法人が所有する国内にある家屋に居住したことがある者
・相続開始時において居住の用に供していた家屋を過去に所有していたことがある者

＊３　80%減額になるかどうかの判定には、宅地・建物の貸借関係が無償であることの確認が必要です。（措通69の４－４、69の４－７）

＊４　平成31年４月１日以後開始する相続より、相続開始前３年以内に事業の用に供された宅地等は特例の対象となりませんが、以下の場合は対象となります。
・平成31年３月31日以前に事業の用に供された宅地等
・事業用減価償却資産の相続時の価額が、その事業の用に供された宅地等の15%以上である場合で、平成31年４月１日以後に事業の用に供された宅地等

＊５　「郵便官舎の敷地の用に供されている宅地等」についても同様に取り扱われます。

＊６　平成30年４月１日以後開始する相続より、相続開始前３年以内に貸付事業の用に供された宅地等は特例の対象となりませんが、以下の場合は対象となります。
・平成30年３月31日以前に貸付事業の用に供された宅地等
・相続開始前３年を超えて事業的規模で貸付事業を行っている者が、平成30年４月１日以後に貸付事業の用に供した宅地等

(3)限度面積の計算

限度面積が３種類、減額割合が２種類あるため、併用適用する場合は、限度面積の調整計算が最も有利になる選択をする必要があります。

特例の対象に貸付事業用宅地等がない場合	A（330㎡まで）＋B（400㎡まで）≦730㎡
特例の対象に貸付事業用宅地等がある場合	A×200/330＋B×200/400＋C≦200㎡

5 贈与と遺言書で争族対策

——争族だけは避けたいもの——

自社株を誰に承継するかについて後継者が決まった場合には、納税猶予制度を用いることで税負担を縮小させるとともに、親族間の争いの回避も可能となります。

また、生前に、後継者以外に自らの財産を分け与えたい場合には、相続時精算課税制度や贈与税の特例の活用が考えられます。

それ以外の相続財産に関しても、相続人間の争いの多くは遺言によって遺産分割の方法を明示しておけば防止できるものです。

遺言がない場合には、全相続人で遺産分割協議を行うことになります。何千万円、何億円という財産が無償で手に入る機会ですから、どうしても各相続人が自らの権利を強く主張し、争いとなりがちです。

遺言書を活用すれば、争族せずに相続人が相続財産を仲良く相続し、互いに助け合って暮らしていく道筋をつけることにもなります。

1 生前贈与

争族対策の一つとして、生前に財産を分け与えたい人に贈与しておくという方法があります。ここでは贈与税の仕組みと、生前贈与による争族対策や相続税対策について見ていくことにします。

1.贈与税の仕組み

個人が個人から財産の贈与(死因贈与を除きます。)を受けた場合には贈与税が課せられます。(相法21、21の2)

{ **課税価格**：その年の1月1日から12月31日までの間に贈与により取得した財産の価額の合計額(本来の贈与財産＋みなし贈与財産－非課税財産) － **基礎控除額**：110万円 } ×**税率＝贈与税額**

このようなものも対象となります(みなし贈与財産)
- ●保険料を支払っていない者が受け取った満期保険金等（274ページ参照）
- ●著しく低い価額の対価で財産を譲り受けた場合のその財産の時価と支払った対価との差額
- ●対価を支払わないで又は著しく低い価額の対価で債務の免除を受けた場合の免除された金額
- ●同族会社の増資の際に親族間で価値の移転があった場合（201ページ参照）

このようなものは対象となりません(非課税財産等)
- ●法人から財産の贈与を受けた場合（所得税が課されます。）
- ●扶養義務者から生活費又は教育費として贈与を受けた財産のうち通常必要と認められるもの
- ●相続があった年に被相続人から贈与を受けた財産（原則として相続税の対象となります。）
- ●社交上必要と認められる香典、見舞金等のうち社会通念上相当と認められるもの

贈与税の速算表

基礎控除・配偶者控除後の課税価格(A)	一般的な贈与の場合	直系尊属から子又は孫＊1への贈与の場合（特例贈与＊2）
200万円以下	(A)×10%	(A)×10%
300万円以下	(A)×15%－10万円	(A)×15%－10万円
400万円以下	(A)×20%－25万円	
600万円以下	(A)×30%－65万円	(A)×20%－30万円
1,000万円以下	(A)×40%－125万円	(A)×30%－90万円
1,500万円以下	(A)×45%－175万円	(A)×40%－190万円
3,000万円以下	(A)×50%－250万円	(A)×45%－265万円
4,500万円以下	(A)×55%－400万円	(A)×50%－415万円
4,500万円超		(A)×55%－640万円

＊1　贈与を受けた年の1月1日において18歳以上の子又は孫に限る。
＊2　課税価格が300万円を超えるときは、直系尊属の証明のために戸籍謄本等の提出が必要です。

贈与税の申告・納税

贈与により財産を取得した者で贈与税額があるときは、財産を取得した年の翌年の2月1日から3月15日の間に申告・納税を行わなければなりません。

なお、一定の条件を満たす場合には延納（5年以内の年賦）が認められる場合があります。

2.相続時精算課税制度（令和6年1月1日以後の贈与）

(注)　令和5年12月31日以前の贈与については、令和4年度版の本書等をご参照ください。

相続時精算課税制度とは、次世代への生前贈与を行いやすくするための制度で、受贈者の選択により、贈与時に上記の贈与制度（暦年贈与）に代えて、贈与財産から基礎控除（毎年110万円）及び特別控除額（累計2,500万円）を控除した残額に一律20%を乗じた贈与税を納め、贈与者が亡くなったときにこの制度を受けた贈与財産（贈与時の価額から相続時精算課税制度の基礎控除（毎年110万円）を控除した残額）と相続財産を合算して相続税を計算し、この制度による既納の贈与税額を精算するものです。(相法21の9)

この制度が適用できるのは、その年の1月1日時点において60歳以上の父母又は祖父母が贈与者、18歳以上の子である推定相続人又は孫が受贈者の場合の贈与（特例事業承継税制の場合は、受贈者の範囲が拡大しています。(284、290ページ参照)）で、適用を受ける場合には、贈与税の申告期間内に「相続時精算課税選択届出書」と必要添付書類を税務署に提出する必要があります。また、この制度は、受贈者が各々、贈与者ごとにこの制度の適用を選択することができますが、一度選択すると暦年課税への変更はできません。

なお、相続時精算課税制度は少額の贈与でも贈与税の申告が必要でしたが、令和６年１月１日以後、毎年110万円以下の贈与については贈与税の申告が不要となります。(相続時精算課税選択届出書の提出は必要です。)

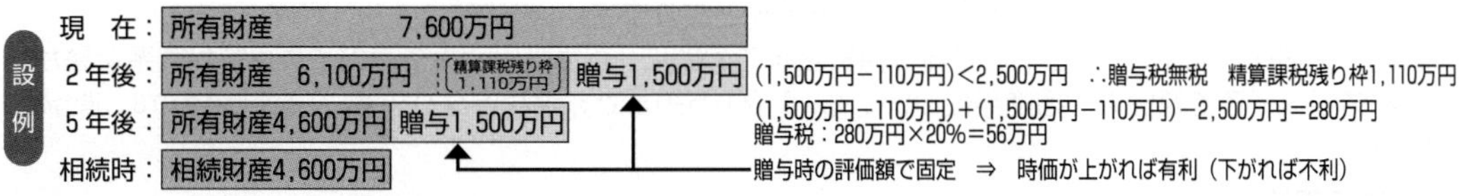

設例

現　在：	所有財産　7,600万円		
２年後：	所有財産　6,100万円	（精算課税残り枠 1,110万円）	贈与1,500万円
５年後：	所有財産4,600万円	贈与1,500万円	
相続時：	相続財産4,600万円		

(1,500万円－110万円)<2,500万円　∴贈与税無税　精算課税残り枠1,110万円
(1,500万円－110万円)＋(1,500万円－110万円)－2,500万円＝280万円
贈与税：280万円×20%＝56万円
贈与時の評価額で固定　⇒　時価が上がれば有利（下がれば不利）

●相続時精算課税制度による相続税の計算（法定相続人１人の場合）
（4,600万円+1,500万円－110万円+1,500万円－110万円）－3,600万円（基礎控除）＝3,780万円（相続財産）
3,780万円×20%－200万円＝556万円－56万円（既納贈与税）＝500万円（納める相続税）
<参考>暦年課税で30年間にわたって毎年100万円（合計3,000万円）贈与した場合
（4,600万円＋700万円（前７年加算 300ページ参照））－3,600万円＝1,700万円（相続財産）
1,700万円×15%－50万円＝205万円（納める相続税）

アドバイス

果実（収益）を生む不動産等がある場合、相続時精算課税を使って生前に贈与すると、贈与後の収益による被相続人の財産増加を回避することができ、メリットは大きいといえます。また、贈与財産の評価額が贈与時に固定化されますので、将来値上がりが期待できる場合は有利になることもあります。一方で、贈与財産が値下がりした場合や、上記<参考>のようなケースであれば、相続時精算課税を一度選択すると暦年課税への変更ができないので、連年贈与と比べて不利になることもあります。相続時精算課税の適用に当たっては、慎重に検討するようにしましょう。

３.住宅取得等資金の贈与の特例

平成27年１月１日から令和８年12月31日までの間に住宅取得等資金の贈与を受け、翌年の３月15日までに住宅用家屋（家屋の敷地も含む。）を取得し居住の用に供した場合には非課税限度額の特例があります。(措法70の２、70の３、平成27年措附97)なお、特例適用後の残額には基礎控除110万円を適用することができ、また、相続時精算課税制度を適用する場合は、親の年齢が60歳未満であっても基礎控除（毎年110万円）及び特別控除額（累計2,500万円）を併用することができます。

(1)非課税限度額

住宅取得等資金の贈与日	省エネ等住宅＊1	左記以外
令和６年１月～令和８年12月＊2	1,000万円	500万円

＊1　省エネ等住宅とは、次のいずれかに適合するものであることにつき、証明されたものをいいます。①断熱等性能等級５かつ、一次エネルギー消費量等級６以上、②耐震等級２以上もしくは免震建築物であること、③高齢者等配慮対策等級３以上。
＊2　令和６年１月１日以後に住宅資金等の贈与を受けている場合でも、旧基準（断熱等性能等級４又は一次エネルギー消費量等級４以上、あるいは、＊１の②③のいずれか）を満たし、かつ下記を満たす住宅用家屋を取得するときには、特例を適用することができます。
A 令和５年12月31日以前に建築確認を受けているもの
B 令和６年６月30日以前に建築されたもの
3　平成27年１月１日から令和５年12月31日までの間に複数回この特例の適用を受ける場合は、既にこの特例の適用を受けて贈与税の課税価格に算入しなかった金額を控除した残額が非課税限度額となります。

(2)適用要件等

受贈者の要件	家屋等の要件
①　住宅取得等資金を贈与した者が直系尊属（相続時精算課税制度の場合は親）であること＊1 ②　住宅取得等資金の贈与を受けた年の１月１日において18歳以上であること ③　住宅取得等資金の贈与を受けた時に日本国内に住所を有する者であること、または日本国籍を有し、かつ受贈者または贈与者が過去５年以内に日本に住所を有したことがあること ④受贈者の贈与を受けた年の合計所得金額が2,000万円以下であること ⑤平成26年以前に平成27年度税制改正前の旧非課税制度の適用を受けていないこと	①　贈与を受けた年の翌年３月15日までに住宅用家屋の新築（当該新築に先行してその敷地の用に供される土地等を取得する場合における当該土地等の取得）、取得又は増改築を行い、その家屋に居住すること又は贈与を受けた年の翌年12月31日までに遅滞なくその家屋に居住する見込みであること ②　贈与を受けた資金の全額を住宅用家屋の新築、取得（家屋の敷地も含む。）又は増改築に充て、かつ、その住宅用家屋は、自己の配偶者等特別の関係のある人から取得したものではないこと ③　住宅用家屋は国内にあって、登記簿上の床面積が50㎡＊2以上240㎡以下（相続時精算課税制度の場合は床面積の上限はない。）で、かつその床面積の50%以上は居住用であること ④　中古家屋の場合の適用要件は、住宅借入金等特別控除における住宅の購入（建築）の場合の要件における中古家屋の要件と同様です。(247ページ参照、なお、令和４年１月１日以後の贈与は築年数要件を廃止) ⑤　増改築等の場合には、一定の工事に該当することが「確認済証」等により証明されたもので、工事費用が100万円以上、増改築後の床面積の２分の１以上が居住用、増改築後の床面積が50㎡＊2以上240㎡以下（相続時精算課税制度の場合は床面積の上限はない。）であること

＊1　配偶者の父母（又は祖父母）と養子縁組をしている場合は直系尊属に当たります。
＊2　令和３年１月１日以後の贈与より、受贈者の贈与を受けた年の合計所得金額が1,000万円以下の場合は40㎡。

贈与税申告時の必要書類…①戸籍の謄本（増改築等の場合は、戸籍の附票の写しも）、②登記事項証明書等、③工事請負契約書等の書類、④取得した家屋が中古家屋である場合、耐震基準適合証明書又は住宅性能証明書など
（必ず贈与税の申告が必要）

贈与を受けた年の翌年の３月15日までに居住していない場合等であっても、居住できない事情等を証明する書類を上記の書類とともに添付すれば、贈与を受けた年の贈与税の申告において、特例の適用を受けることができます。

４.教育資金及び結婚・子育て資金の一括贈与の特例

平成25年４月１日から令和８年３月31日までの間に、30歳未満の子や孫等が直系尊属から受ける一括贈与は、教育資金にのみ使う場合に1,500万円まで非課税となります。（措法70の２の２、措令40の４の３）

また、平成27年４月１日から令和７年３月31日までの間に、18歳以上50歳未満の子や孫等が直系尊属から受ける結婚・子育て資金の一括贈与についても、1,000万円まで非課税となります。（措法70の２の３、措令40の４の４）

(1) 適用要件

	教育資金の一括贈与の特例	結婚・子育て資金の一括贈与の特例
①受贈者＊1	贈与者の30歳未満の直系卑属（子、孫等）であること	贈与者の18歳以上50歳未満の直系卑属(子、孫等)であること
②非課税限度額	受贈者１人につき1,500万円(学校等以外に支払う金銭については500万円まで)	受贈者１人につき1,000万円(結婚に際して支出する費用は300万円まで)
③預入先	金融機関等（信託会社、銀行等、証券会社）と資金管理契約を締結して口座開設等	
④申　告	金融機関等を経由して非課税申告書＊2を納税地の税務署長に提出	
⑤資金の使途	教育資金＊3＊4又は結婚・子育て資金＊5に充てられること（払出の際に金融機関等に領収書等を提出＊6）	児童福祉法の子育て世帯訪問支援事業及び親子関係形成支援事業施設に支払うもの

＊1　平成31年４月１日以後、受贈者の前年の合計所得金額が1,000万円を超える場合は、特例の対象となりません。

＊2　非課税申告書には、①贈与等を証する書類（贈与契約書等）、②受贈者の氏名、生年月日、住所又は居所、贈与者との続柄を証する書類（戸籍謄本・抄本や住民票の写し等）を添付して金融機関に提出する必要があります。

＊3　教育資金には、学校等（外国の教育施設のうち一定のものを含む。）に支払う入学金や授業料等のほか学校等以外の費用で社会通念上相当と認められるものも含まれます。学校等以外とは、学習塾、スイミングスクール、ピアノ教室などをいい、通学定期券代や留学渡航費等も含まれます。

＊4　令和元年７月１日以後に支払われる教育資金については、受贈者が23歳となった翌日以後に学校等以外に支払われる教育に関する役務提供の対価など、一定のものが特例の対象から除外されます。ただし、教育訓練給付金の支給対象となる教育訓練を受講するための費用は上記の場合であっても特例の対象とされます。

＊5　結婚・子育て資金には、挙式費用や子の保育費のほか、新居の住居費、不妊治療費やベビーシッター費も含まれます。

＊6　平成28年以降の教育資金の一括贈与の特例については、領収書等の記載金額が１万円以下で、かつ、その年中における合計支払金額が24万円に達するまでのものは、領収書等に代えて支払先、支払金額等の明細を記載した書類を提出することができることとなりました。

(2) 資金管理契約の終了

<table>
<tr><th></th><th colspan="2">教育資金の一括贈与の特例</th><th>結婚・子育て資金の一括贈与の特例</th></tr>
<tr><td rowspan="4">終了事由</td><td colspan="2">①受贈者が30歳に達した場合＊7</td><td>①受贈者が50歳に達した場合</td></tr>
<tr><td colspan="3">②口座等の残高がゼロとなったことにより、契約が終了した場合</td></tr>
<tr><td colspan="3">③契約終了前に受贈者が死亡した場合</td></tr>
<tr><td colspan="3">④契約終了前に贈与者が死亡した場合</td></tr>
<tr><td rowspan="3">終了時の残額の課税</td><td>①の場合</td><td colspan="2">非課税拠出額から教育又は結婚・子育て資金支出額を差し引いた残額（管理残額）について、当該事由のあった年の受贈者の贈与税の課税価格に算入されます。(令和５年４月１日以後に適用される贈与税率は、一般税率となります。)</td></tr>
<tr><td>③の場合</td><td colspan="2">管理残額がある場合、その残額は、受贈者の相続人の相続財産となります。</td></tr>
<tr><td>④の場合</td><td colspan="2">管理残額がある場合、受贈者が相続又は遺贈により取得したものとみなして、その受贈者の相続財産＊8となります。なお、令和３年４月１日以後の贈与により取得する金銭等から、受贈者が孫等の場合、相続税額の２割加算の対象となります。</td></tr>
</table>

＊7　令和元年７月１日以後に、受贈者が30歳となって教育資金管理の契約が終了する場合でも、＊8(ロ)又は(ハ)のいずれかの場合は終了しないものとされます。受贈者が30歳に達した日以後は、１年を通じて＊8(ロ)又は(ハ)に該当しなくなった年の12月31日もしくは受贈者が40歳に達する日のいずれか早い日に、教育資金管理の契約が終了することとされます。

＊8　教育資金の一括贈与の特例については、贈与者の死亡の日において以下の(イ)～(ハ)のいずれかであった場合は、相続財産とはならないため、相続税の課税対象となりません。

(イ)受贈者が23歳未満の場合、(ロ)受贈者が学校等に在学している場合、(ハ)受贈者が教育訓練給付金の支給対象となる教育訓練を受講している場合

なお、令和３年３月31日以前に贈与者が死亡した場合は、贈与者の死亡前３年以内の教育資金の一括贈与に係る管理残額は、相続財産となります。（結婚・子育て資金の一括贈与に係る管理残高は、贈与者の死亡日までの年数にかかわらず、相続財産となります。）また、令和５年４月１日以後に贈与者が死亡し、その贈与者の相続税の課税価格の合計が５億円超の場合には、受贈者が上記(イ)～(ハ)に該当する場合であっても、死亡日の管理残高は相続財産となります。

●非課税拠出額とは非課税の適用を受けるものとして非課税申告書に記載された金額の合計、教育又は結婚・子育て資金支出額とは教育資金等の支払であることが証明された金額の合計をいいます。

MEMO

通常贈与により毎年少しずつ多くの人に

子に生前贈与を行った場合、贈与された資産が生む果実はすべて子が受け取ることができます。こうした収益を生む資産や上記のように将来値上がりが予想されるような資産で高額なものは、相続時精算課税制度により（基礎控除（毎年110万円）及び特別控除額（2,500万円）まで贈与税は無税で移転できます。）贈与するメリットがあります。

しかし、相続時精算課税制度は贈与した財産を再度相続税の計算に含めて計算し直しますので、時価が下がったような場合には不利になります。

そうしたことから、通常贈与により、110万円の基礎控除を利用しながら、毎年少しずつ贈与していくことにより、相続税より低い税率で財産を移転することも検討しましょう。（ただし、基礎控除内の連年贈与は問題となるケースが多いので注意が必要です。）

通常贈与は、少額を、長期に、多数の者に贈与するのがポイント
（相続開始前７年以内の贈与分は相続財産に加算される点に注意。303ページ参照）

世代飛越し贈与

相続時精算課税制度（基礎控除（毎年110万円）及び特別控除額（2,500万円）まで贈与税は無税。ただし、相続税の２割加算の適用はあります。）や教育資金の一括贈与の特例（1,500万円まで贈与税は無税）を活用すれば、子への相続、子から孫への相続と２回相続税を支払うことなく孫への贈与が可能です。通常贈与の活用も含めて、世代を飛び越しての贈与について検討しましょう。

❷遺言書の３つの方式

遺言は、「遺言書」として書面で作成しなければ法的な効力は生じません。通常、「遺言書」といわれるものには、次の３つの方式があり、それぞれ長所・短所がありますので、作成する場合には十分検討し、自分にあった方法を選択してください。（民法967～972、1004）また、遺言と同様の効果を生じるものとして「死因贈与契約」という方法もありますが、登録免許税や不動産取得税の取扱いが異なるので注意が必要です。

種　類	自筆証書遺言＊1（民法968）	公正証書遺言（民法969）	秘密証書遺言（民法970）
証人又は立会人	不要	証人２人以上	公証人１人 証人２人以上
書く人	本人自筆 （代筆、ワープロ等は認められません。＊2）	公証人 （遺言者が口述します。）	自筆でなくてもよい
署名・押印	本人	本人・証人・公証人	遺言書…本人 封　書…本人・証人・公証人
日　付	本人が年月日まで必ず書く	必要	遺言書……不要 封　書……提出日付が必要
家庭裁判所の検認	必要	不要	必要
メリット・デメリット	●証人がいらないなど作成が簡単である ●費用がかからない ●遺言内容を秘密にできる ●紛失や改変される心配がある ●要件不備等で無効になる可能性がある	●公証人役場に保管されるため紛失や改変の心配がない ●遺言書の内容を秘密にできない ●手続が面倒で費用がかかる	●遺言の存在を明確にでき、一方、遺言内容は秘密にできる ●改変の心配はない ●手続が幾分面倒、費用も若干かかる

＊１　令和２年７月10日以後の相続より、遺言者本人による法務局への保管申請が可能となりました。
＊２　平成31年１月13日以後の相続より、財産目録を自署以外で作成しても有効です。
●病気などの事由で危篤におちいった者が、遺言をしようとする場合など（普通方式による遺言ができない場合）には、上記３つの普通方式の遺言に代えて特別方式による遺言が認められます。

遺留分侵害額請求（民法1046）

令和元年７月１日以降の相続では、法定相続分と異なる遺言により右の遺留分（法定相続人のための法律上の最低保証）が侵害された相続人は、相続の開始等があったことを知ったときから１年以内（相続開始から10年以内）であれば、遺留分侵害額請求を行うことができます。争族を防止する上からも遺言書を書くときには遺留分にも配慮しておくことが重要です。

以前の遺留分減殺請求は相続財産そのものに対する請求でしたが、遺留分侵害額請求は金銭債権としての請求となりました。この点、金銭以外で支払った場合は代物弁済として譲渡所得の対象となるため、支払資金が不足する場合は代償分割を採用することも考えられます。

遺留分
- 直系尊属のみが相続人の場合（父母、祖父母）　─相続財産の３分の１
- その他の場合（兄弟姉妹は遺留分を有しません）　─相続財産の２分の１

なお、各人の遺留分は上記の金額を法定相続分に従って配分した金額となります。（民法1042）

承継法による民法の特例が施行されたことにより、後継者が旧代表者から自社株の生前贈与を受けた場合には、一定の要件を満たすことにより、自社株の価額の全部または一部について、遺留分を算定するための財産の価額から除外することができます。（除外合意）また、生前贈与後に後継者の貢献により株式価値が上昇した場合でも、遺留分を算定するための財産の価額に合意時の評価額で算入することもできます。（固定合意）

6 相続の発生からのスケジュール

――次々に迎える期限への対応――

相続税の申告期限は相続開始から**10か月以内**ですが、それまでにもさまざまな手続を行っていかなければなりません。精神的にも動揺している状況で、必要な手続を実施しながら、相続財産の全容を把握し相続人の間で遺産分割の協議を行っていくことは、大変労力のかかるものです。

また、中途半端な状況で手続を進めてしまうことは、後々の争いの種ともなりかねません。こうした点からも、事前の相続財産の把握や評価の試算、遺言書の作成等の実施が求められます。

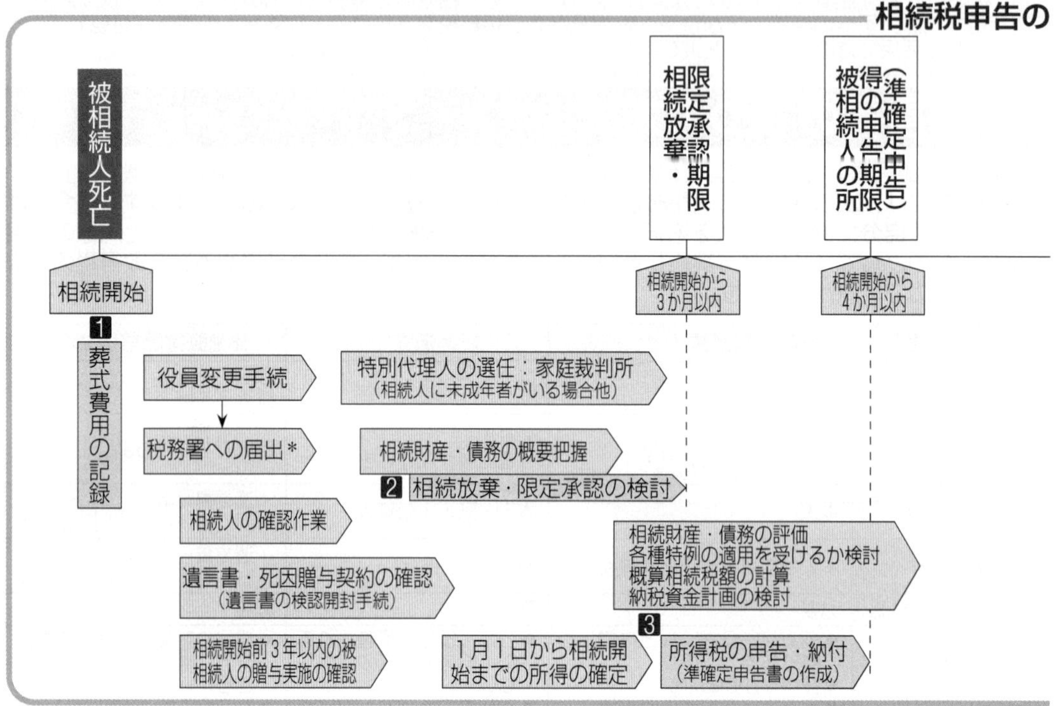

1 葬式費用の記録

被相続人に係る葬式費用は債務控除として相続財産から控除することができます。葬式費用の取扱いは大体次のようになります。忙しくても、明細や領収書等をきちんと残しておくようにしましょう。

葬式費用となる費用（相基通13－4）	
①	埋葬、火葬、納骨に要した費用
②	通夜、密葬、本葬など、いわゆる「葬式」にかかった費用で相当程度のもの
③	葬式の前後に要した費用のうち、通常葬式に伴うと認められるもの
④	遺体、遺骨の運搬費用など

葬式費用にならない費用（相基通13－5）	
㋑	いわゆる「香典返し」の費用
㋺	墓碑、墓地の購入費用、墓地の借入料
㋩	初七日会などの法会に要した費用など

会社の負担した社葬費用は、会社がその社葬を行うことが社会通念上相当と認められる場合で、社葬のために通常要すると認められる部分の金額に限り、会社の損金の額に算入できます。なお、会葬者が持参した香典は法人の収入としないで遺族の収入とすることができ（法基通9－7－19）、遺族が受け取った香典のうち社会通念上相当と認められるものについては課税されません。

＊税務署への届出（消費税関係）

個人事業を相続する場合、被相続人の届出書の効力は相続人には及ばないので課税期間中に新たに課税事業者や簡易課税制度の選択届出書を出すか否かの検討が必要な場合があります。（消基通1－4－12、13－1－3の2）

また、適格請求書発行事業者に登録するかどうかの検討が必要な場合があります。（消法57の3）

❷ 相続放棄・限定承認

相続財産・債務の概要把握を行って、債務が多い場合などで相続したくない相続人がいる場合には、単独で、相続の開始があったことを知った時から３か月以内に相続の放棄をする旨を家庭裁判所に申述します。（民法915、938）なお、相続の放棄が裁判所で受理されると、特段の理由がない限り取消しできません。

また、相続によって得た財産の限度においてのみ被相続人の債務及び遺贈を履行するという条件で相続をするという場合には、相続の開始があったことを知った時から３か月以内に財産目録を作成して、限定承認をする旨を相続人全員で家庭裁判所に申述します。（民法915、922～924）なお、限定承認を行うに当たっては、被相続人に譲渡所得税が課されるので、注意が必要です。

MEMO

相続放棄した者は、法定相続人に含まれて基礎控除等の計算は行われますが、代襲相続が開始しない、相次相続控除の規定は適用されない等の不利な点もあり、また、先順位の人が全員放棄した場合には次順位の人が相続人となりますので十分検討を加えたうえで実行に移す必要があります。

スケジュール表

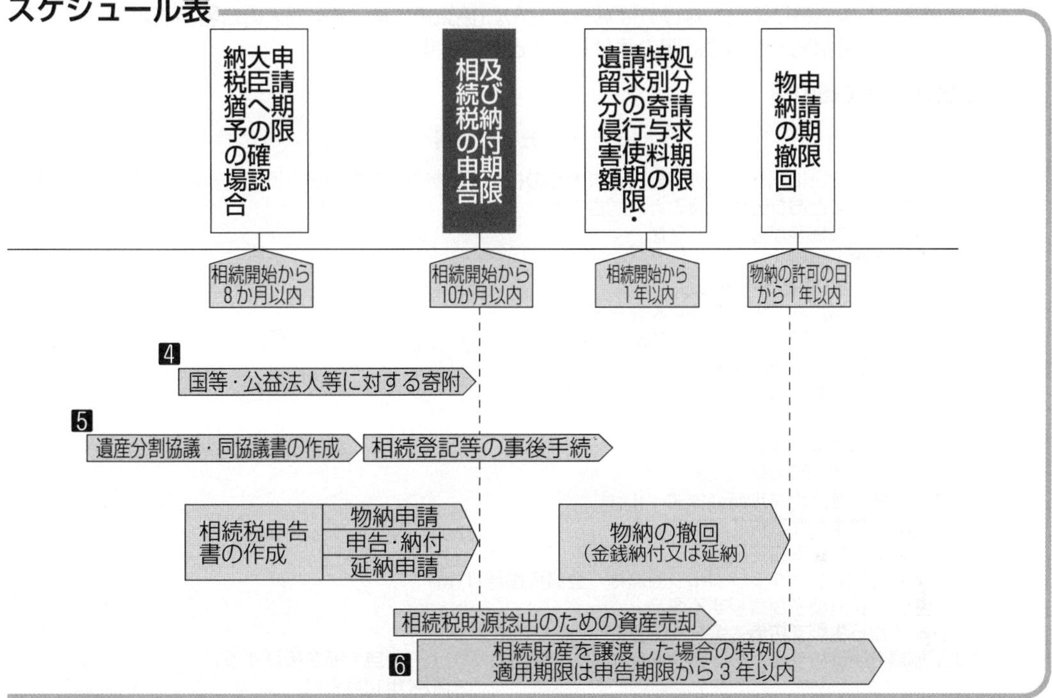

❸ 準確定申告（所法124、125）

年の中途で死亡した人の確定申告は、相続人が、１月１日から死亡した日までの所得を計算して相続開始を知った日の翌日から４か月以内に申告しなければなりません。（これを準確定申告といいます。）

- 確定申告をしなければならない人が翌年の１月１日から確定申告期限（原則３月15日）までの間に死亡した場合は、本年分だけでなく前年分も申告期限が３月15日ではなく、相続開始を知った日の翌日から４か月以内となります。

  なお、相続開始の時において支給期の到来していない給与等は、相続財産となるため所得税は課税されません。（所基通９-17、相基通３-33）

❹ 国等・公益法人等に相続財産を贈与した場合の非課税（措法40、70）

相続又は遺贈により取得した財産を国・地方公共団体、特定の公益法人や認定NPO法人などに寄附した場合には、その寄附をした財産は相続税の対象とはなりません。

- 要件としては「相続財産を相続税の申告期限までに寄附する」、「寄附する公益法人は、教育や科学の振興など公益の増進に著しく寄与すると認められるものであること」などがあります。

  また、国・地方公共団体に寄附をした場合、又は公益法人に対して公益目的に使用されること等の要件に該当することにつき国税庁長官の承認を受けた寄附をした場合には譲渡所得は課税されません。

5 遺産分割協議書の作成

相続人が数人あるときは、相続財産はその共同所有となり（民法898）、その財産を各相続人に分配する手続（遺産分割）が必要となります。遺産分割に当たっては、今回の相続税の申告において配偶者の税額軽減（303ページ参照）をどのように活用するのかといった観点だけでなく、各人の納税資金の保有状況、相続後に不動産等の相続財産を売却しなければならないとした場合の所得税等の問題（右ページ参照）、第２次相続に対する影響等さまざまな観点からの検討が必要です。なお、遺産分割の手続には遺言によるもの、分割協議によるもの、調停によるもの等がありますが、ここでは分割協議による方法についてみていくこととします。

（注）令和５年４月１日より、相続開始10年経過後に行う遺産分割については特別受益や寄与分は考慮されず、原則として法定相続分又は指定相続分によって画一的に行うこととされました。

⑴ 遺産分割協議書の作成

遺産分割の協議がまとまった証しとして遺産分割協議書を作成します。この遺産分割協議書は相続を登記原因として不動産を移転させる場合に必要となりますし、配偶者に対する相続税額の軽減の適用を受ける場合にも申告書に添付しなければなりません。（協議書には、各相続人の自署、押印（実印による）が必要で、また各相続人の印鑑証明の添付も必要となります。）

⑵ 遺産分割協議書の例

遺産分割協議書

令和×年８月13日に死亡した被相続人花丸太郎の相続人である妻花丸梅子、子花丸一男、鈴木桜は、被相続人の遺産を次のとおり分割することに同意する。

１．相続人花丸梅子が取得する財産
⑴ 大阪市生野区×××
宅地　210平方メートル
⑵ 同所同番所在　木造瓦葺平家建居宅１棟
家屋番号　17　　床面積　135平方メートル
⑶ 上記居宅内にある家財一式
⑷ Ａ銀行生野支店普通預金　500万円

２．相続人花丸一男が取得する財産
⑴ 大阪市東成区×××
宅地　190平方メートル
⑵ 株式会社ハナマル商会株式　100株

３．相続人鈴木桜が取得する財産
⑴ Ａ銀行生野支店定期預金　1,000万円
⑵ Ｂカントリークラブゴルフ会員権（会員権番号111番）

４．相続人花丸梅子が負担する債務
⑴ Ａ銀行生野支店借入金　300万円

上記協議を明確にするため本書３通を作成し、署名押印の上、各自１通を所持する。

令和×年12月２日
大阪市生野区×××　　花丸　梅子 ㊞
大阪市東成区×××　　花丸　一男 ㊞
京都市西京区×××　　鈴木　　桜 ㊞

成年後見人と特別代理人

⑴ 成年後見人
相続人のなかに認知症、知的障害などによって判断能力が十分でない者がいる場合は、家庭裁判所に成年後見人の選任を申し立てたうえで遺産分割協議を行う必要があります。

⑵ 特別代理人
相続人のなかに未成年者がいる場合は、遺産分割に当たって、親権者とその子との利益が相反することになるため、家庭裁判所に特別代理人の選任を請求することになります。（民法826）特別代理人の選任手続には１か月程度を要することがあるため事前の準備が必要です。なお、成年後見人が相続人である場合も、遺産分割に当たって、被後見人と後見人との利益が相反することになるため、特別代理人の選任が必要です。

MEMO

遺産分割の方法について

相続財産を各相続人に分配する方法としては、①相続財産をそのままの形で分割する現物分割のほか、②共同相続人の１人又は数人に相続財産を取得させ、他の相続人に対しては、相続財産取得者が代償として代償金を支払う代償分割、③相続財産の全部又は一部を共同相続人全員の共有とする共有分割、④相続財産の全部又は一部を金銭に換価しその換価代金を分割する換価分割といった方法があり、これらの方法を適宜併用することができます。

特別寄与料の請求

令和元年7月1日以後の相続より、特別寄与者＊1は相続人に対して、特別寄与料を請求できます＊2。特別寄与料の額が確定した場合、特別寄与者は、その額を遺贈により取得したものとみなされ、相続税の課税がなされます。（相法4②、民法1050）

特別寄与料を支払うこととなった各相続人は、相続税の課税価格から特別寄与料を控除でき、特別寄与料の額が相続税の申告期限までに確定しない場合は、確定後4か月以内であれば更正の請求を行うことができます。（相法13④）

＊1　特別寄与者とは、被相続人に対して無償で療養看護その他の労務の提供を行うことで、被相続人の財産の維持又は増加について特別の寄与をした被相続人の親族をいいます。（相続人等は含みません。）

＊2　相続人が複数いる場合、相続人同士が協議して特別寄与料の額を決めますが、協議が調わない時等については、特別寄与者は家庭裁判所に、協議に代わる処分を請求できます。後者の場合、特別寄与料を請求できる期限は、特別寄与者が相続の開始等があったことを知った時から6か月以内もしくは相続開始から1年以内のどちらか早い時とされます。

6 相続財産を譲渡した場合の特例（措法39）

相続又は遺贈により取得した財産を、相続の開始日から相続税の申告期限の翌日以後3年以内に譲渡した場合には、その譲渡した資産の取得費に、譲渡した者が負担する相続税額のうちの一定額を加算することができ、譲渡所得がその分少なくなるという特例です。

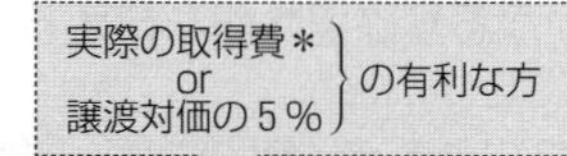

＊　相続によって取得した財産の取得費は、被相続人がその財産を購入したときの購入代金や購入手数料などを基に計算します。

相続財産を譲渡したときの譲渡所得の計算

譲渡対価 －（取得費 ＋ 相続税の取得費加算 ＋ 譲渡費用）－ 特別控除 ＝ 譲渡所得

相続又は遺贈により取得した資産を譲渡した場合
　譲渡した資産に対応する相続税相当額だけが、取得費に加算されます。

$$\text{取得費に加算する金額} = \text{譲渡した者の}\left(\text{確定相続税額} \times \frac{\text{その資産の価額}}{\text{課税価格（債務控除前）}}\right)$$

〈例えば〉

甲さんが平成27年1月1日以後に相続した財産が…

土地A 4,000万円 ＋ 土地B 8,000万円 ＋ その他資産C 4,000万円 ＝ 1億6,000万円（相続税評価額）

で、甲さんの相続税が3,000万円だったとします。

土地A（4,000万円）もしくはその他の資産C（4,000万円）を譲渡した場合

➡取得費に加算される金額は、$3{,}000\text{万円} \times \frac{4{,}000\text{万円}}{1\text{億}6{,}000\text{万円}} = 750\text{万円}$

★　このように、相続又は遺贈により取得した相続財産を相続開始の日から相続税の申告期限の翌日以後3年以内に譲渡した場合には、相続税相当額だけが取得費に加算され、実際譲渡した相続財産の分、譲渡所得が減少します。

適用上のポイント	●取得費に加算できるのは、最高でも譲渡益部分までです。 ●相続税の申告期限から3年以内であれば、譲渡の回数に制限はありませんが、取得費に加算できるのは、すでに取得費に加算した額を控除した額までです。 ●相続等により取得した土地等については、物納した土地等や物納申請中の土地等は含まれません。相続税の納付を物納によるかどうかを検討するときには、この制度との有利不利も慎重に検討するようにしましょう。 ●相続等により相続時精算課税制度による贈与財産を取得した者が、相続税の申告期限から3年以内に譲渡した場合もこの特例を受けることができます。 ●この特例を受けるには、相続税の申告書の写しと計算明細書を申告の際に添付することが必要です。 ●更正の請求によりこの特例を適用することはできません。

空き家に係る譲渡所得の特別控除の特例

空き家の発生を抑制するため、相続人が相続により取得した被相続人の居住用不動産（空き家＊1又は空き家除却後の敷地）を相続から3年を経過する日の属する年の12月31日までに譲渡＊2し、一定の要件＊3を満たす場合は、譲渡所得から3,000万円（相続人の数が3人以上の場合は2,000万円）の特別控除を受けることができます。なお、相続財産に係る譲渡所得の特例（措法39）との併用はできませんので、いずれか有利な方を選択適用することになります。（措法35③、措令23）

＊1　耐震性のない場合は、耐震リフォームをしたものに限ります。

＊2　平成28年4月1日から令和9年12月31日までの譲渡につき適用があります。

＊3　相続開始直前に被相続人以外に居住していた者がいないこと、昭和56年5月31日以前に建築された家屋（区分所有建築物は除く。）であること、譲渡対価が1億円を超えないこと、相続から譲渡まで貸付、事業又は居住用に供されていたことがないこと　等

4　平成31年4月1日以後に行う不動産の譲渡より、被相続人が老人ホームや介護医療院に入所したために居住用に供されなくなった家屋の敷地の用に供されていた宅地等であっても、要介護認定等を受けていた被相続人が入所し、かつ、その家屋を貸付け等していない場合には、居住の用に供されていたものとして対象となります。

5　相続人は、不動産を相続で取得したことを知った日から3年以内に、相続登記をする義務があります。

7 相続税の申告

――基礎控除額以下なら相続税はかからない――

相続開始からさまざまな手続を行ってきましたが、最後に残った手続が相続税の申告と納付です。相続税の申告においては、相続財産を漏れなく把握し、それを正しく評価することが、その中心的手続となります。相続財産の評価については既に検討を加えましたので、ここではそれ以後の流れについてみていくこととします。

① 課税価格の合計額の計算

相続財産を計算してみて課税価格の合計額＊が遺産にかかる基礎控除額を超えるときに、原則として相続税がかかります。

＊　課税価格の合計額とは、各人ごとに取得した遺産の総額から非課税財産及び債務・葬式費用を控除し、相続開始前７年以内の贈与財産（下記参照）を加えて算出したものの合計額です。

非課税財産

相続又は遺贈により取得した財産であっても、その遺産の性質や政策的配慮、社会的見地などの理由から、非課税財産として相続税の課税対象から除かれるものがあります。

- 墓所や仏壇、庭内神しの敷地など（相法12①）
- 公益事業用財産（相法12①）
- 個人立幼稚園等の教育用財産（相令附④、相規附②～③）
- 生命保険金や死亡退職金のうちそれぞれ一定額（274～275ページ参照）（相法12①）
- 相続税の申告期限までに国等又は特定の公益法人などに贈与した相続財産（措法70）

債務控除

相続又は遺贈（包括遺贈及び被相続人からの相続人に対する遺贈に限ります。）により、財産を取得した者が、その取得の時に無制限納税義務者である場合（274ページ参照）、債務控除として次の金額のうち、その者の負担に属する部分の金額を控除します。

①　被相続人の債務で相続開始の際、現に存するもの（公租公課を含みます。）

②　被相続人に係る葬式費用（296ページ参照）

●制限納税義務者については、相続又は遺贈により取得した財産に直接関係する債務で、その負担する部分のみ控除できます。

相続開始前７年以内の贈与財産

相続又は遺贈により財産を取得した者が、相続開始前７年以内（令和５年までは３年以内）に被相続人から贈与を受けた財産(相続開始４年～７年前の期間の贈与財産については、その価額の総額から100万円を控除した残額)は、相続税の課税価格に加算する（相法19）とともに、加算された財産の価額に対応する贈与税の額は、加算された人の相続税額から控除します。（贈与税額控除は303ページ参照）

なお、加算期間は令和９年１月１日の相続から順次延長され、加算期間が７年間になるのは、令和13年１月１日以降の相続となります。

●基礎控除（110万円）以下の贈与財産や相続開始の年に贈与を受けた財産も加算しますが（この場合は、贈与税額控除はありません。）、贈与税の配偶者控除の特例を受けている場合の配偶者控除に相当する価額及び相続時精算課税贈与財産は加算する必要はありません。

相続時精算課税贈与財産

相続時精算課税制度の適用対象となる贈与者（特定贈与者）が死亡し相続税の申告をする場合には、特定贈与者から相続（遺贈）により財産を取得した者だけでなく、相続時精算課税贈与財産を相続前に売るなどして相続（遺贈）により財産を取得しなかった者についても、相続時精算課税贈与財産を相続により取得したものとみなして、相続税の課税価格に加算することになります。（相法21の15、21の16）

〈相続税の計算の流れ〉

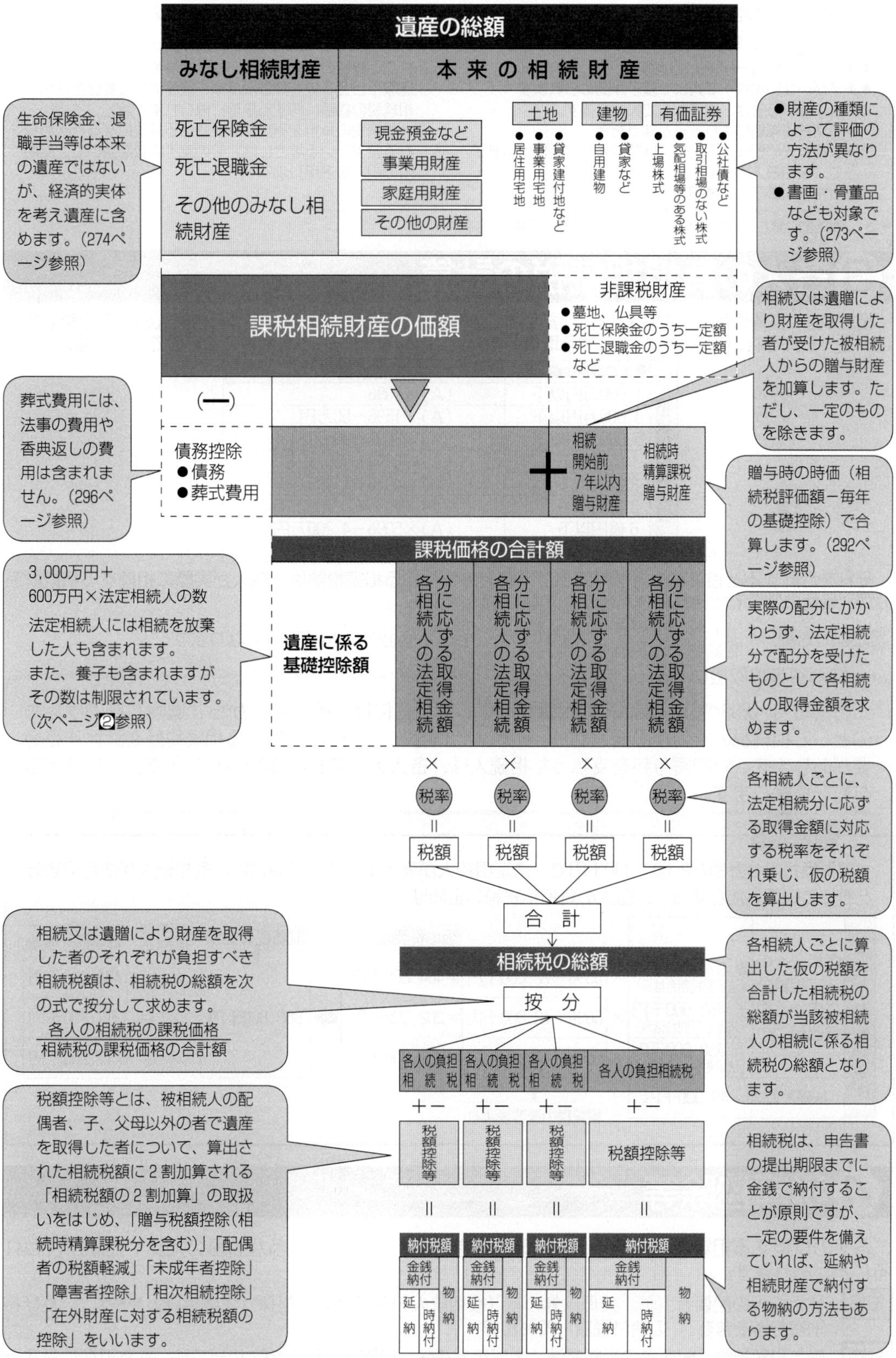

遺産の総額

みなし相続財産	本来の相続財産
死亡保険金 死亡退職金 その他のみなし相続財産	現金預金など 事業用財産 家庭用財産 その他の財産 土地：●居住用宅地 ●事業用宅地 ●貸家建付地など 建物：●自用建物 ●貸家など 有価証券：●上場株式 ●気配相場等のある株式 ●取引相場のない株式 ●公社債など

生命保険金、退職手当等は本来の遺産ではないが、経済的実体を考え遺産に含めます。（274ページ参照）

●財産の種類によって評価の方法が異なります。
●書画・骨董品なども対象です。（273ページ参照）

課税相続財産の価額

非課税財産
●墓地、仏具等
●死亡保険金のうち一定額
●死亡退職金のうち一定額
など

（−）

債務控除
●債務
●葬式費用

葬式費用には、法事の費用や香典返しの費用は含まれません。（296ページ参照）

＋ 相続開始前7年以内贈与財産　相続時精算課税贈与財産

相続又は遺贈により財産を取得した者が受けた被相続人からの贈与財産を加算します。ただし、一定のものを除きます。

贈与時の時価（相続税評価額－毎年の基礎控除）で合算します。（292ページ参照）

課税価格の合計額

遺産に係る基礎控除額	各相続人の法定相続分に応ずる取得金額	各相続人の法定相続分に応ずる取得金額	各相続人の法定相続分に応ずる取得金額	各相続人の法定相続分に応ずる取得金額

3,000万円＋600万円×法定相続人の数
法定相続人には相続を放棄した人も含まれます。
また、養子も含まれますがその数は制限されています。（次ページ❷参照）

実際の配分にかかわらず、法定相続分で配分を受けたものとして各相続人の取得金額を求めます。

× 税率 ＝ 税額（各相続人ごと）

各相続人ごとに、法定相続分に応ずる取得金額に対応する税率をそれぞれ乗じ、仮の税額を算出します。

合　計

相続税の総額

各相続人ごとに算出した仮の税額を合計した相続税の総額が当該被相続人の相続に係る相続税の総額となります。

按　分

相続又は遺贈により財産を取得した者のそれぞれが負担すべき相続税額は、相続税の総額を次の式で按分して求めます。

$$\frac{\text{各人の相続税の課税価格}}{\text{相続税の課税価格の合計額}}$$

各人の負担相続税	各人の負担相続税	各人の負担相続税	各人の負担相続税
＋−	＋−	＋−	＋−
税額控除等	税額控除等	税額控除等	税額控除等
＝	＝	＝	＝
納付税額	納付税額	納付税額	納付税額
金銭納付（延納・一時納付）／物納	金銭納付（延納・一時納付）／物納	金銭納付（延納・一時納付）／物納	金銭納付（延納・一時納付）／物納

税額控除等とは、被相続人の配偶者、子、父母以外の者で遺産を取得した者について、算出された相続税額に２割加算される「相続税額の２割加算」の取扱いをはじめ、「贈与税額控除（相続時精算課税分を含む）」「配偶者の税額軽減」「未成年者控除」「障害者控除」「相次相続控除」「在外財産に対する相続税額の控除」をいいます。

相続税は、申告書の提出期限までに金銭で納付することが原則ですが、一定の要件を備えていれば、延納や相続財産で納付する物納の方法もあります。

❷遺産に係る基礎控除額（相法15）

遺産に係る基礎控除額＝3,000万円＋600万円×法定相続人の数＊1＊2 （276ページ参照）

＊1　相続税の計算上、子供として認められる養子の数は制限されています

- **●実子がいる場合⟶１人だけ養子が認められます**
- **●実子がいない場合→２人まで養子が認められます**

1　次に掲げる者は、実子として扱われます。
- ●特別養子縁組により養子となった者
- ●被相続人の配偶者の実子又は特別養子縁組による養子で、被相続人の養子になった者
- ●被相続人の子の代襲相続人

2　この養子の数の制限は、生命保険金の非課税限度額、退職手当金等の非課税限度額、遺産に係る基礎控除額、相続税の総額に関する事項に限られます。

3　相続税の負担を不当に減少させる結果になると認められる養子がいる場合には、その養子の数を除いて上記制限の規定を適用します。

＊2　相続を放棄した相続人についても法定相続人の数に含まれます。

❸各人の負担相続税の計算

相続税は、実際の配分にかかわらず、法定相続分で配分を受けたものとして、各相続人の取得金額を算出し、そのそれぞれの法定相続分に応ずる取得金額に対応する税額を下の相続税の速算表で求めます。

相続税の速算表

各人の取得金額（A）	相続税
1,000万円以下	（A）×10%
3,000万円以下	（A）×15%－50万円
5,000万円以下	（A）×20%－200万円
1億円以下	（A）×30%－700万円
2億円以下	（A）×40%－1,700万円
3億円以下	（A）×45%－2,700万円
6億円以下	（A）×50%－4,200万円
6億円超	（A）×55%－7,200万円

それを合計すると相続税の総額が決まり、各人の負担する相続税額は、各人が実際に相続する相続財産の課税価格の割合で按分計算されます。すなわち、

相続税の総額 × $\frac{\text{各人の相続税の課税価格}}{\text{相続税の課税価格の合計額}}$ が、各人の負担する相続税額になります。

特別寄与の取扱い

特別寄与（299ページ参照）の金額が確定した場合には、被相続人から「遺贈」を受けたものとして相続税の申告が必要となり、相続人と同様に、自己が負担する相続税額を計算する必要があります。特別寄与料を支払った相続人は、各人の相続税の課税価格から支払った特別寄与料を控除します。

計算例

課税価格の合計額が2,000,000千円で、法定相続人が妻と子供２人の場合に、各相続人が法定相続分どおりに相続したとすると、各人の負担相続税の金額は…

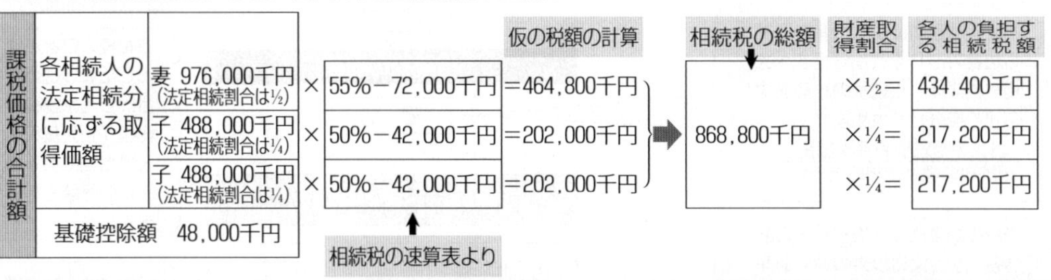

❹税額控除等

各人の負担する相続税額に各人の個別事情等を考慮して、次のような税額の加算や控除が行われることがあります。

加算：被相続人の配偶者、子、父母以外の者（被相続人の養子となった孫（代襲相続人を除く。）及び特別寄与者を含む。）の納付税額…20%加算

控除：贈与税額控除、配偶者の税額軽減、未成年者控除、障害者控除、相次相続控除、在外財産に対する相続税額の控除

贈与税額控除

相続又は遺贈により財産を取得した者が、その相続の開始前７年以内（令和５年までは３年以内）に被相続人から贈与により財産を取得している場合には、その贈与された財産を相続財産に含めて相続税を計算するかわりに次の式で計算した金額を控除します。（相法19）

贈与税額控除額 ＝ その贈与された年分の贈与税額 × （その贈与された年に贈与を受けた財産のうち相続税の課税価格に加算される財産の価格）／（その贈与された年分の贈与税の課税価格）

贈与税の配偶者控除の適用を受けたものがある場合には、その配偶者控除相当額を控除します。

相続時精算課税制度の贈与税額控除

相続時精算課税制度の適用を受けて既に納税した贈与税額がある場合には、その税額を控除します。なお、通常の贈与税額控除と違い、その金額が相続税額から控除しきれない場合には還付を受けることができますし、相続（遺贈）により財産を取得した人だけでなく、相続時精算課税贈与財産を相続前に売却するなどして相続等により財産を取得しなかった人についても、相続税の課税価格に相続時精算課税贈与財産を加算した上で相続税を計算し、贈与税額を控除して精算することになります。（相法21の15、21の16）

配偶者の税額軽減

被相続人の配偶者が相続又は遺贈により財産を取得した場合は、配偶者の相続税から次の金額を税額軽減額として控除することができます。（相法19の２）

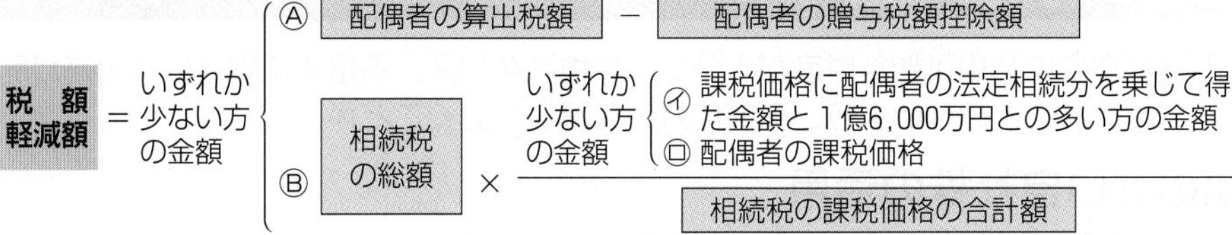

MEMO

相続税の申告期限までに、遺産が未分割であれば、配偶者の税額軽減は受けられません。

ただし、申告期限から原則として３年以内に分割されれば、分割が成立した日の翌日から４か月以内に更正の請求をして配偶者の税額軽減を受けることができます。

なお、当初の申告の際に仮装隠ぺいされていた財産は、対象にはなりません。

未成年者控除

法定相続人が未成年者のときは、次の金額をその未成年者の相続税から控除します。（相法19の３）

未成年者控除額 ＝10万円×（18歳－その未成年者の年齢）＊

- 原則として、制限納税義務者に該当する者を除きますが、控除不足額がある場合には未成年者控除の対象となるその相続人の扶養義務者（制限納税義務者及び未成年者を含む。）において控除することができます。

＊未成年者の年齢を差し引いた計算結果に１年未満の端数が生じたときは、切り上げて１年として計算します。

相次相続控除

相続人が相続又は遺贈により財産を取得した場合に、その第２次相続の被相続人が死亡前10年以内に開始した第１次相続によって財産を取得したことがある場合には、第２次相続の相続人の納付すべき相続税額は、その被相続人が納付した第１次相続にかかる相続税額のうち一定額を控除します。（相法20）

- 相続を放棄した人又は相続権を失った人については適用がありません。

障害者控除

法定相続人が、障害者のときは、次の金額をその相続人の相続税から控除します。（相法19の４）

障害者控除額 ＝10万円（特別障害者は、20万円）×（85歳－障害者の年齢）

- 原則として、制限納税義務者等に該当する者を除きますが、控除不足額がある場合には障害者控除の対象となるその相続人の扶養義務者（制限納税義務者等及び未成年者を含む。）において控除することができます。
- 障害者とは、心身喪失の常況にある者、失明者その他の精神又は身体に障害のある者で、一定の者をいいます。
- 特別障害者とは、障害者のうち、精神又は身体に重度の障害がある者で一定の者をいいます。
- 成年被後見人は、特別障害者に該当するとして、障害者控除の対象となります。

在外財産に対する相続税額の控除

相続財産が外国にあり、外国の法令により相続税に相当する税が課税された場合、相続税からその税額のうち一定額を控除します。（相法20の２）

- 相続時の国外財産の申告漏れ等を防ぐために、その年の12月31日時点で5,000万円超の国外財産を保有する居住者には、翌年６月30日までに「国外財産調書」を提出することが義務付けられています。（137、274ページ参照）期限内に提出しなかった場合には罰則措置もありますので注意が必要です。

8 申告納付、延納・物納

――これだけの相続税どう納めたらいいの？――

相続税は 相続の開始を知った日の翌日から10か月以内に被相続人の死亡時の住所地の所轄税務署長に申告し、金銭で納付するのが原則です。（相法27、33）

しかし、相続財産が金銭だけなら問題はないのですが、相続財産の大部分が不動産である場合には納税資金が不足することも考えられます。

そこで、期限内に納付することが難しい場合や換金の難しい財産がある場合を考慮して、延納や物納の制度が認められています。

また、相続が開始するまでに将来の納税に備え、相続財産の構成を見直しておくことも重要な相続税対策となります。なお、令和３年４月１日以後に提出する申告書への押印義務の廃止に伴い、複数の相続人等がいる場合には、申告書の提出者を明らかにするために、申告書第１表には共同して提出する相続人等のみを記載して提出することとなります。

① 相続税の納税資金対策

相続財産のうち納税資金に利用可能な財産が十分あるか検討を加え、不足する場合には相続が開始してから相続人が慌てることのないよう、事前に対策を講じておくことが必要です。

１．取引相場のない自社株の活用

自社株が相続開始時に譲渡可能となるよう環境整備を行っておきます。

店頭登録、証券取引所への上場等、株式を公開し自社株を納税用資産に転換する。

会社が自己株式として相続発生後に買い取ることができるよう、資金面等の手当てを行っておく。（257ページ参照）

２．生命保険の活用

生命保険金で相続税の納税が可能となるよう保険加入を行っておきます。

個人で生命保険に加入
個人で生命保険に加入した場合の保険料は所得税の生命保険料控除の対象となり、受け取った死亡保険金はみなし相続財産となり、500万円×法定相続人の控除があります。

会社で生命保険に加入
会社が役員保険に加入し受け取った生命保険金を死亡退職金の財源とします。
（ただし、過大役員退職給与については損金不算入）
➜相続税の退職手当等の非課税限度額の活用になります。

保険料の贈与を受けた相続人が契約者、被保険者を被相続人として生命保険加入
毎年保険料の贈与を受け贈与税の申告をしておくことにより、一時金として受け取った生命保険金は相続人の一時所得となります。

３．不動産の流動化

生前売却・買換え
例えば、地形や立地が悪い物件は、生前に売却・整理し資金化しておくか、いつでも売却可能な優良物件に買い換えておく。

物納に適した物件にする
例えば、複雑な権利関係を有する賃貸物件などの権利関係を整理したり、隣地との境界線を明確にしておくなど物納条件を満たす物件にしておく。

●相続税は全ての相続人が納税を完了するまで、他の相続人が連帯して納付する責任があります。

❷延納と物納

こんなときは延納

次の要件をすべて満たせば、相続税を５～20年以内の分割で納めることができます。（相法38）
●納期限までに金銭で一時に納付することを困難とする事由があり、その金額の限度内であること
●申告、更正又は決定による税額が10万円を超えること
●原則として国債及び地方債、不動産などの担保を提供すること
（ただし、延納税額が100万円未満でかつ延納期間が３年以下のときは担保は不要です。）
●相続税の納期限又は納付すべき日までに延納申請書等を提出し、税務署長の許可を受けること

延納期間と利子税（相法52、措法70の10、70の11、93）

延納した場合には、利息に相当する利子税を納めなければなりませんが、課税相続財産の価額に占める不動産等の価額の割合によって、認められる最長の延納期間と利子税の率が異なります。

なお、各年の特例基準割合（192ページ＊１＊２参照）が7.3％未満の場合、利子税の軽減が行われ、次の算式により計算された割合（特例割合）が適用されます。

〈算式〉 利子税（年割合）×特例基準割合÷7.3％（注）0.1％未満切捨

●令和６年の特例基準割合（0.4％＋0.5％＝0.9％）の場合下表の率となります。

延納期間と利子税率	区分			延納期間（最長）	利子税（年割合）	特例割合（年割合）
	課税相続財産の価額に占める不動産等の価額の割合	75％以上	不動産等＊の価額に対応する相続税	20年	年3.6％	年0.4％
			その他の財産の価額に対応する相続税	10年	年5.4％	年0.6％
		50％以上75％未満	不動産等の価額に対応する相続税	15年	年3.6％	年0.4％
			その他の財産の価額に対応する相続税	10年	年5.4％	年0.6％
		50％未満	立木の価額が課税相続財産の価額の30％超の場合の立木の価額に対応する相続税	５年	年4.8％	年0.5％
			その他の財産の価額に対応する相続税	５年	年6.0％	年0.7％

＊　不動産等とは、不動産や不動産の上に存する権利、立木、事業用減価償却資産、特定同族会社の株式や出資をいいます。なお、上記の表については一部特例分等を除いています。

物納できる場合も

次の要件をすべて満たせば相続財産そのもので納付（物納）することができます。ただし、その納付額は原則として相続税評価額となります。（相法41）
●延納によっても金銭で納付することを困難とする事由があること
（金銭で納付することを困難とする事由があるかどうかについては、貸付金の返還、退職金の給付確定等、近い将来確実と認められる金銭収入及び事業用資産の購入等近い将来において確実と認められる臨時的支出等を考慮した上で判定します。（相基通41－１））
●相続税の納期限又は納付すべき日までに物納申請書等を提出し、税務署長の許可を受けること
●金銭で納付することが困難である金額の限度内であること
●物納できる財産であること

物納できる財産は、相続又は遺贈により取得したもので、国内にあるものに限られており、物納できる財産の順序も定められています。

第１順位　国債、地方債、不動産、船舶、上場されている株式等
（社債・証券投資信託又は貸付信託の受益証券含む。）

第２順位　非上場の株式等
（社債・証券投資信託又は貸付信託の受益証券含む。）

第３順位　動産

特定登録美術品
相続開始時に既に文化庁の登録を受けている特定登録美術品については、左記の順序にかかわらず、物納することができます。

MEMO

管理処分不適格財産及び物納劣後財産の明確化

物納できない財産（管理処分不適格財産）及び物納の順序が後順位にされる財産（物納劣後財産）が明確に規定されています。

管理処分不適格財産（相法41②、相令18）
・担保権の目的財産、係争中の財産、共有財産、暴力団員等の影響を受ける財産
・境界が明らかでない土地、無道路地、耐用年数を経過している建物
・譲渡制限株式　など

物納劣後財産（相法41④、相令19）
・地上権等の権利が設定されている土地
・法令の規定に違反して建築された建物及びその敷地
・事業の休止している法人に係る株式　など

総合計算例　細目次

（以下の申告書及び申告書別表については、株式会社TKCの法人決算申告システム（TPS1000）を利用して作成しています。）

Ⓥ事業税・特別法人事業税又は地方法人特別税・住民税の計算

Ⓥ事業所税の計算

Ⓥ事業税（外形標準課税制度）の計算

Ⓥ消費税の計算（小規模事業者における税額計算の特例を適用した場合）

Ⓥ特定同族会社の留保金課税の計算

Ⓧ欠損金の繰戻しによる還付金額の計算

Ⅰ 総合計算例の前提となる事項

1. 会社の概要

商号	株式会社　ハナマル商会
設立年月日	昭和58年４月１日
本社所在地	大阪市天王寺区×××
工場所在地	大阪市住之江区×××
営業所所在地	兵庫県伊丹市×××
国内子会社	ハナマル東京販売㈱
所在地	東京都港区×××
中国子会社	ハナマル上海有限公司
所在地	中国上海市×××
国内関係会社	ハナマル滋賀㈱（持株割合40%）
所在地	滋賀県彦根市×××
業種	製造業
資本金	1,000万円（発行済株式総数200株）
代表者氏名	花丸　太郎
代表者住所	大阪市生野区×××
決算	年１回、３月31日
事業年度	第42期：令和６年４月１日～令和７年３月31日
決算確定日	令和７年５月20日
従業者数	45人（うち役員数３人。令和７年３月31日現在）

㈱ハナマル商会　出資関係図

令和７年3月31日現在

1　内国法人
㈱ハナマル商会

100%
2　内国法人
ハナマル
東京販売㈱

100%
3　外国法人
ハナマル
上海有限公司
（中国）

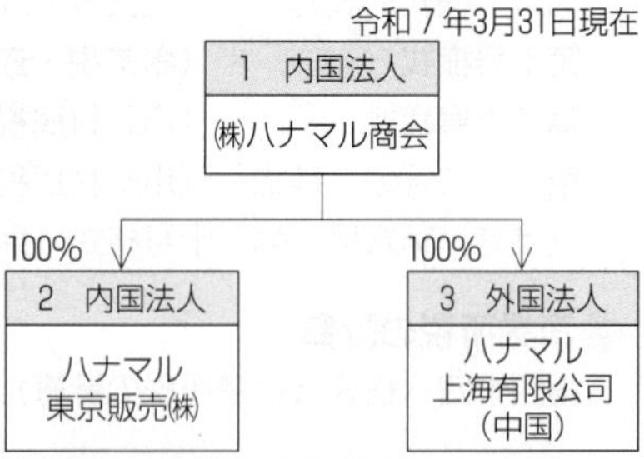

●内国法人との間に完全支配関係がある法人は「出資関係を系統的に記載した図」（上記参照）と、グループ内の各法人の法人名、納税地、所轄税務署、代表者氏名等を記載した「グループ一覧」を出資関係図として確定申告書に添付して提出する必要があります。（法規35五）

なお、㈱ハナマル商会は、適用除外事業者（199ページ参照）には該当しません。

2. 株主等の状況

氏　名	他の株主との関係	所有株式数
花丸　太郎	本　　人	80株
花丸　梅子	花丸太郎の配偶者	10株
花丸　一男	花丸太郎の長男	50株
三ツ星商事㈱	本　　人	40株
丸花　次郎	本　　人	15株
㈱ハナマル商会	自己株式	5株

・三ツ星商事㈱（資本金３億円）は、被支配会社でない法人に該当します。
・議決権に関して内容の異なる種類株式等は発行しておりません。

3. 過年度の株主総会における決議

平成18年５月23日開催の株主総会において、会社法第447条に基づく資本金の額の減少について、下記のとおり決議を行っています。

1　資本金20,000,000円のうち10,000,000円を減少し、その他資本剰余金に振り替える。
2　資本金から振り替えたその他資本剰余金10,000,000円を繰越利益剰余金に振り替えることにより損失の填補を行う。

4. 令和６年３月期の貸借対照表の純資産の部

純資産の部

Ⅰ　株主資本	
1　資本金	10,000,000
2　利益剰余金	32,293,300
(1)　利益準備金	2,000,000
(2)　その他利益剰余金	30,293,300
別途積立金	8,000,000
繰越利益剰余金	22,293,300
3　自己株式	△ 250,000
純資産の部合計	42,043,300

なお、税務上の繰越欠損金が13,650,000円あります。（334ページ参照）

5. 令和６年３月期の株主総会（令和６年５月22日開催）で下記の剰余金の処分及び役員賞与の支給について承認を受けました。

なお、令和６年３月期の決算で損金経理により役員賞与引当金4,550,000円を計上していましたが、令和７年３月期の決算では、経済環境悪化のため計上していません。

利益準備金については、配当の10分の１を超えて資本金の４分の１の計上限度額まで積み立てています。

1　剰余金の配当	1,950,000	これらの剰余金の処分については、当期の株主資本等変動計算書に当期変動額として記載します。
2　利益準備金	500,000	
3　別途積立金	14,550,000	

6. ハナマル商会では、令和７年３月期の決算で特別償却準備金2,940,000円を計上しています。

7. 令和７年３月期の株主総会（令和７年５月20日開催予定）において、下記の剰余金の配当について承認を受ける予定です。

剰余金の配当　　2,925,000円（配当基準日：令和７年３月31日、効力発生日：令和７年５月21日）

8. 租税公課の状況

	未払を取り崩して納付した金額	仮払経理による納付（△は還付）	損金経理による納付	当期に未払計上した金額
法人税				4,185,900
地方法人税				499,500
道府県民税	42,000			90,400
市町村民税	160,000			461,200
事業税等				2,353,200
源泉所得税		△530,920	1,225,931	
加算税			65,500	
その他の税金			5,022,900	
合計	202,000	△530,920	6,314,331	7,590,200

・この他に、未払計上した事業所税が前期末に690,000円（当期に申告納付済）、当期末に810,000円あります。
・源泉所得税には、復興特別所得税を含んでいます。
・源泉所得税の還付金（△で表示）は、未収入金勘定（仮払経理）で受け入れたものです。
・加算税は、従業員から源泉徴収した所得税を、納付期限までに納付しなかったことによる不納付加算税です。
・損益計算書の「法人税、住民税及び事業税」と、「租税公課（販管費及び製造原価）」の内訳は、以下のとおりです。

法人税、住民税及び事業税	
納税充当金繰入額	7,590,200
源泉所得税	1,225,931
合計	8,816,131

租税公課	
未払事業所税	810,000
加算税	65,500
その他の税金	5,022,900
合計	5,898,400

9. 受取利息に関する事項

	利子の計算期間	計算期間期首簿価（元本数）	計算期間中移動数	計算期間期末簿価（元本数）	受取利息額	源泉徴収所得税額
銀行預金	―	―	―	―	60,000	9,189
甲社社債	令5.10.1～令6.9.30	―	令6.1.10取得 200口	2,000,000（200口）	80,000	12,252

10. 賃上げ促進税制に関する事項

ハナマル商会は、当事業年度において支給する給与等支給額が前事業年度より2.5%以上増加しているなど、賃上げ促進税制及びその拡充措置を受けるための適用要件をすべて満たしています。（20ページ参照）

〔各事業年度の給与等支給額等〕

	令和６年３月期（前事業年度）	令和７年３月期（適用年度）
①　給与等支給額	203,981,000	226,850,000
②　①に充てるため他の者から支払を受ける金額（310ページ12②～④の金額）	390,000	490,000
③　②のうち雇用安定助成金額に該当するもの（310ページ12④の金額）	80,000	100,000
④　教育訓練費（厚生費に含まれています。）	800,000	1,200,000

11. 受取配当金に関する事項

銘柄	配当等の計算期間	計算期間期首簿価(元本数)	持株割合	計算期間中移動数	計算期間期末簿価(元本数)	配当の額	源泉所得税額
乙社株式(上場株式)	令5.4.1～令6.3.31	38,800,000(80,000株)	2％	令6.3.22取得20,000株	47,500,000(100,000株)	4,000,000	612,600
丙証券投資信託の受益証券	令6.1.1～令6.12.31	10,000,000(5,000口)	−	令6.7.29譲渡1,000口	8,000,000(4,000口)	600,000	91,890
ハナマル東京販売㈱株式	令5.4.1～令6.3.31	3,000,000(60株)	100%	−	3,000,000(60株)	600,000	0
ハナマル上海有限公司出資	令5.1.1～令5.12.31	20,000,000(20,000株)	100%	−	20,000,000(20,000株)	5,000,000	500,000
ハナマル滋賀㈱株式	令5.10.1～令6.9.30	4,000,000(4,000株)	40%	−	4,000,000(4,000株)	200,000	0

・ハナマル東京販売㈱は完全子法人株式等に該当し、ハナマル滋賀㈱は配当等の支払基準日において関連法人株式等に該当することから、これらの配当については源泉徴収されていません。（88ページ参照）
・乙社株式の計算期間経過後の移動　令6.4.14　5,000株譲渡、令6.5.19　25,000株取得
・当年度の期首及び期末の有価証券の内訳は以下のとおりです。なお、会社が保有する有価証券は、売買目的外有価証券（その他有価証券）に該当し、期末日の市場価格等に基づく時価法により評価しています。
・丙証券投資信託は株式投資信託（公社債投資信託以外の証券投資信託）に該当します。（特定株式投資信託には該当しません。）

	前期末簿価	当期末簿価	当期末時価	評価差額
甲社社債	2,000,000	2,000,000	2,000,000	0
乙社株式	47,500,000＊	57,625,000	60,600,000	2,975,000
丙証券投資信託の受益証券	10,000,000	8,000,000	8,000,000	0
ハナマル東京販売㈱株式	3,000,000	3,000,000	3,000,000	0
ハナマル上海有限公司出資	20,000,000	20,000,000	20,000,000	0
ハナマル滋賀㈱株式	4,000,000	4,000,000	4,000,000	0
合計	86,500,000	94,625,000	97,600,000	2,975,000

＊　前期末時価は、前期末簿価と同じです。

12. 雑収入の内訳

①作業屑等の売却	1,100,000	−
②出向負担金	240,000	他の者から支払を受ける金額に該当します。
③キャリアアップ助成金	150,000	他の者から支払を受ける金額に該当します。
④雇用調整助成金	100,000	他の者から支払を受ける金額及び雇用安定助成金額に該当します。

13. 貸倒引当金の当期中の動き

期首残高	当期戻入高	当期繰入高	期末残高
2,950,000	2,950,000	1,400,000	1,400,000

14. 賞与引当金の当期中の動き

期首残高	当期戻入高	当期繰入高	期末残高
12,000,000	12,000,000	13,000,000	13,000,000

令和６年３月期に計上した役員賞与引当金4,550,000円については、令和６年５月22日開催の株主総会で承認を受けた後に同額を支給しています。（引当金の目的取崩し）

15. 退職給付引当金の当期中の動き

期首残高	当期取崩高	当期繰入高	期末残高
31,800,000	7,000,000	12,400,000	37,200,000

・当期の取崩高は、退職者に対して退職金を支払ったことによる取崩しです。

16. 寄附金の内訳

ハナマル東京販売㈱	1,200,000
日本育英会	1,000,000
○○府立○○高等学校	800,000
特定非営利活動法人市民オンブズマン○○	500,000

・特定非営利活動法人市民オンブズマン○○は、認定NPO法人に該当します。（71ページ参照）
・他に、業況の悪化している取引先に対する貸付金を無利息で行っているため、利息1,000,000円を税務上寄附金として処理します。

17. 減価償却に関する事項

会社の採用する減価償却方法は、平成10年4月1日以後取得した建物及び、平成28年4月1日以後に取得した建物附属設備、構築物は定額法、それ以外は定率法です。なお、平成19年3月31日までに取得した既存資産は、旧定額法及び旧定率法で償却しています。

また、令和6年5月に1,400万円の機械及び装置を購入しており、特別償却の適用を受けるため、特別償却準備金を計上（税効果会計を適用）しています。

（注） 準備金方式による計算方法について説明を行うため、ここでは税額控除を選択せずに特別償却（準備金方式）を選択しています。なお、一定の要件の下で、中小企業者等が特定経営力向上設備を取得した場合の即時償却制度の適用を受けることもできます。（122ページ参照）

【取得価額30万円未満の減価償却資産の会計処理】

・取得価額20万円以上30万円未満の減価償却資産

当期に取得したパソコン（取得価額25万円、取得年月：令和7年2月）については、「中小企業者等の少額減価償却資産の取得価額の損金算入の特例制度」を適用し、取得時に費用処理（消耗品費に計上）しています。

・取得価額10万円以上20万円未満の減価償却資産（一括償却資産）

取得時に全額消耗品費に計上しており、各期の状況は以下のとおりです。

	取得価額の合計額	当期損金算入限度額	前期からの繰越損金算入限度超過額
令和7年3月期（注）	592,020	197,340	―
令和6年3月期（注）	270,000	90,000	180,000
令和5年3月期（注）	180,000	60,000	60,000

（注） 取得価額30万円未満の減価償却資産については、中小企業者等の少額減価償却資産の取得価額の損金算入の特例制度（措法67の5）の規定により取得価額の合計額300万円を限度として損金に算入することができますが、別表十六(八)の記載方法について説明を行うため、ここでは、20万円未満のものについては「一括償却資産」として処理しています。

18. 子会社に関する事項

会社の概要（配当に関する事項）　　　（単位：円）　　　　（単位：人民元）

会社名	ハナマル東京販売㈱	ハナマル上海有限公司
所在地	東京都港区×××	中国上海市×××
事業年度	令5.4.1～令6.3.31	令5.1.1～令5.12.31
主たる事業	○○卸売	○○製造
資本の金額	3,000,000	1,000,000(20,000,000円)
持株（出資）割合	100%	100%
配当金	600,000	250,000(5,000,000円)
配当に係る源泉税	0	25,000(500,000円)
配当確定日	令6.5.20	令6.4.30

（ハナマル東京販売㈱）

・令和7年1月31日に、ハナマル東京販売㈱に対し、以下の不動産を売却しています。

	売却額	帳簿価額	売却損益
建物	12,000,000	11,000,000	1,000,000
土地	30,000,000	40,000,000	△10,000,000
合計	42,000,000	51,000,000	△ 9,000,000

（注）1 売却時までの期中減価償却費は損金及び益金に算入できないため、期首帳簿価額により売却損益を計算しています。

2 同社に対し、譲渡損益調整資産である旨及び建物の償却に伴う調整計算について簡便法を適用する旨を通知しています。また、同社より建物の耐用年数として27年を適用する旨、通知を受けています。（216ページ参照）

(ハナマル上海有限公司)

・配当金に係る源泉税は、2008年1月1日より、「中華人民共和国企業所得税法（新法）」が施行されたことに伴い、10%で計算しています。

・便宜的に換算レートはすべて20円/1人民元として計算しています。

・特定外国関係会社に該当せず、租税負担割合が20%を超えているものとします。
このため、外国子会社合算税制の対象になりません。（146ページ参照）

・ハナマル商会はハナマル上海で製造された部材を仕入れて製品を製造しており、今期の取引金額は30万人民元です。この取引金額は独立した第三者との間で通常成立するであろう取引価格であり、売上高営業利益率を使用して計算されたものです。この計算方法については税務当局の確認を取っています。

19. 交際費・使途秘匿金に関する事項

交際費勘定の中に、贈答先を明らかにできない商品券代70万円（使途秘匿金課税の対象）と一人当たり10,000円以下の飲食費20万円及び10,000円超の飲食費540万円（明細等の記入あり）が含まれています。

旅費交通費勘定の中に、取引先接待の際のタクシー代15万円（税抜）が含まれています。

20. 役員賞与に関する事項

ハナマル商会では令和6年12月2日に役員に対して計455万円の賞与を支払いました。この賞与の支給については、309ページ5の株主総会（令和6年5月22日開催）で決議しており、令和6年6月22日までに「事前確定届出給与に関する届出書」を税務署に提出しています。

21. 消費税に関する事項

ハナマル商会は適格請求書発行事業者です。

消費税の経理方法は、税抜経理方式を採用しています。

(1) 売上の課税区分に関する事項

科目	課税（税率10%）	輸出免税	非課税
売上高	500,000,000	50,000,000	−
雑収入	1,100,000	−	−
建物売却収入	12,000,000	−	−
土地売却収入	−	−	30,000,000
有価証券売却収入	−	−	7,065,000
受取利息	−	−	140,000
合計	513,100,000	50,000,000	37,205,000

(2) 仕入の課税区分に関する事項

	計算書類より		非課税・不課税又は課税の区分					
				課税仕入れの内訳（税抜き）				
	販売費及び一般管理費	製造原価その他	非課税仕入れ又は不課税仕入れの額	課税外国貨物	8%（経過措置）	8%（軽減税率）	免税事業者等	10%
材料仕入高		141,805,600		9,900,000			10,200,000	121,705,600
賃金		160,000,000	160,000,000					
役員報酬	28,500,000		28,500,000					
給料手当	26,500,000		26,500,000					
役員賞与	4,500,000		4,500,000					
賞与	6,550,000	33,800,000	40,350,000					
賞与引当金繰入	2,000,000	11,000,000	13,000,000					
賞与引当金戻入	△2,500,000	△9,500,000	△12,000,000					
法定福利費	3,510,000	8,365,000	11,875,000					
厚生費	7,970,000	6,500,000	2,920,000			550,000		11,000,000
退職給付費用	2,800,000	9,600,000	12,400,000					
外注加工費		16,000,000						16,000,000
消耗品費		8,000,000						8,000,000
水道光熱費	3,090,000	3,589,000						6,679,000
減価償却費	150,000	3,221,009	3,371,009					
貸倒損失	727,273		727,273					
賃借料	9,600,000	2,400,000	2,000,000		2,400,000			7,600,000
旅費交通費	3,650,000	3,795,500	2,660,000					4,785,500
租税公課	1,137,400	4,761,000	5,898,400					
寄付金	3,500,000		3,500,000					
交際費	8,800,000		1,000,000					7,800,000
貸倒引当金繰入	1,400,000		1,400,000					
貸倒引当金戻入	△2,950,000		△2,950,000					
雑費	1,578,923	539,031	1,407,954			240,000		470,000
支払利息		2,200,000	2,200,000					
雑損失		1,591,060	1,591,060					
構築物		3,000,000						3,000,000
機械装置		14,000,000						14,000,000
ソフトウエア		500,000						500,000
合計	110,513,596	425,167,200	310,850,696	9,900,000	2,400,000	790,000	10,200,000	201,540,100

給与等の人件費は通常不課税仕入れ

輸入貨物に係る消費税等は、実際に税関で納付し又は納付すべき額を集計し、対価の額からは計算しません。

従業員の冠婚葬祭の祝金等

減価償却費は不課税仕入れ

下記(4)参照

従業員の社宅家賃

従業員の海外出張旅費

平成29年9月に締結した機械の所有権移転外ファイナンスリース契約であるため、引渡（リース開始）時の消費税率8%が適用されます。（153ページ参照）

租税公課に該当する項目は通常不課税仕入れ

引当金の繰入れ・戻入れは不課税取引です。

金銭で支出する寄附金は不課税仕入れ

贈答用の商品券代等

国際為替郵便の手数料等

利息の支払は通常非課税仕入れ

厚生費は従業員用のお茶等の飲み物代、雑費は定期購読の新聞代

交際費等に係る控除対象外消費税額等39,835円を含んでいます。

(3) 輸入貨物に係る消費税（国税）780,000円

(4) 貸倒れに関する事項

当期中の貸倒れの額　800,000円（税込み、消費税等の額72,727円（税率10%））

過年度に貸倒処理した債権で当期中に回収した額216,000円（税込み、消費税等の額16,000円（税率8%））

(5) 当期の中間納付税額　消費税（国税）9,000,000円、地方消費税2,538,300円＊

＊　地方消費税の中間納付税額は消費税（国税）の22／78となります。

22. 税効果会計に関する事項

(1) 税効果会計とは

税引前当期純利益から単純に納付すべき税額を控除すると、税務上の加減算項目によって法人税等の金額が変わるために利益と税金費用（法人税、住民税及び事業税）が合理的に対応しません。そこで、税金費用を適切に期間対応させるために「税効果会計」が必要となります。

なお、税効果会計では、繰延税金資産又は繰延税金負債の金額は、回収又は支払が行われると見込まれる期の実効税率*に基づき計算するものとされています。

* 実効税率は、以下の算式により求められます。（適用する税率は、通常会社の本店所在地において適用される税率によります。）

$$\frac{\text{法人税率}\times(1+\text{法人住民税率}+\text{地方法人税率})+\text{事業税率}+\text{事業税の標準税率}\times\text{特別法人事業税率}}{1+\text{事業税率}+\text{事業税の標準税率}\times\text{特別法人事業税率}}$$

$$=\frac{23.2\%\times(1+7\%+10.3\%)+7\%+7\%\times37\%}{1+7\%+7\%\times37\%}\fallingdotseq 33.58\%$$

なお、外形標準課税制度の適用を受ける資本金の額等が１億円超の法人の実効税率（標準税率を前提、事業税の外形基準部分は除く。）は29.74%となります。

(2) 計算方法

一時差異（会計上の資産・負債の額と税務上の資産・負債の額との差額）等の内容と繰延税金資産・負債の計算は次のとおりです。なお、計算の便宜上、実効税率はすべて30%として計算しています。

328ページの別表五(一)より、将来減算一時差異の項目と金額を抽出します。なお、仮払源泉所得税は、確定した債権として貸借対照表（未収入金）に計上されており、一時差異に該当しません。

334ページの別表七(一)より金額を抽出します。

（繰延税金資産の計算）

	期首	期中増減	期末
未払事業税等	-	2,353,200	2,353,200
未払事業所税	690,000	120,000	810,000
貸引繰入超過額（個別評価）	-	250,000	250,000
貸引繰入超過額（一括評価）	-	34,435	34,435
賞与引当金	12,000,000	1,000,000	13,000,000
退職給付引当金	31,800,000	5,400,000	37,200,000
減価償却超過額	2,494,440	57,663	2,552,103
一括償却資産超過額	240,000	244,680	484,680
繰越欠損金	13,650,000	△13,650,000	-
譲渡損益調整資産		9,009,259	9,009,259
計	60,874,440	4,819,237	65,693,677
×30% ①	18,262,300	Ⓐ1,445,800	19,708,100

（繰延税金負債の計算）

328ページの別表五(一)より将来加算一時差異の項目と金額を抽出します。

	期首	期中増減	期末
特別償却準備金	−	4,200,000	4,200,000
計	−	4,200,000	4,200,000
×30% ②	−	Ⓑ1,260,000	1,260,000
その他有価証券評価差額		2,975,000	2,975,000
計	−	2,975,000	2,975,000
×30% ③	−	Ⓒ 892,500	892,500
法人税等調整額 ①－②		185,800	
相殺後の繰延税金資産 ①－②－③	18,262,300		17,555,600

・繰延税金資産・負債の計算に際しては100円未満を切り捨てて計算しています。
・会社は来年度以降も当分の間十分な課税所得の発生が見込まれ、繰延税金資産の回収可能性については問題ありません。

以上の結果を基にした場合の当期の税効果会計の仕訳は以下のとおりとなります。

①繰延税金資産の計上

（借方）		金額	（貸方）		金額
繰延税金資産	Ⓐ	1,445,800	法人税等調整額		1,445,800

②繰延税金負債の計上

（借方）	金額	（貸方）		金額
法人税等調整額	1,260,000	繰延税金負債	Ⓑ	1,260,000
投資有価証券	2,975,000	繰延税金負債	Ⓒ	892,500
		その他有価証券評価差額金		2,082,500

③繰延税金資産・負債の相殺

（借方）	金額	（貸方）	金額
繰延税金負債	2,152,500	繰延税金資産	2,152,500

→この結果、貸借対照表及び損益計算書は、それぞれ314、315ページのようになります。

Ⅱ計算書類

1．貸借対照表

㈱ハナマル商会

貸借対照表

（令和7年3月31日現在）

（単位：円）

資産の部		負債の部	
科目	金額	科目	金額
Ⅰ 流動資産	**120,468,073**	**Ⅰ 流動負債**	**160,638,397**
現金及び預金	27,503,633	支払手形	12,000,000
受取手形	15,000,000	買掛金	25,514,500
売掛金	39,000,000	短期借入金	70,650,000
棚卸資産	38,295,444	未払金	800,000
未収入金	450,000	未払費用	8,059,700
その他の流動資産	1,618,996	未払法人税等	7,590,200
貸倒引当金	△1,400,000	未払事業所税等	810,000
		未払消費税等	18,646,600
Ⅱ 固定資産	**255,378,841**	前受金	2,052,000
1．有形固定資産	99,094,241	預り金	1,250,000
建物	7,672,840	賞与引当金	13,000,000
構築物	2,900,000	その他の流動負債	265,397
機械装置	13,414,084		
工具器具備品	107,317	**Ⅱ 固定負債**	**149,000,000**
土地	75,000,000	長期借入金	111,800,000
2．無形固定資産	5,829,000	退職給付引当金	37,200,000
借地権	5,250,000	**負債の部合計**	309,638,397
ソフトウエア	450,000	**純資産の部**	
電話加入権	129,000	**Ⅰ 株主資本**	**64,126,017**
3．投資その他の資産	150,455,600	**1 資本金**	**10,000,000**
投資有価証券	70,600,000	**2 利益剰余金**	**54,376,017**
関係会社株式	7,000,000	(1) 利益準備金	2,500,000
関係会社出資金	20,000,000	(2)その他利益剰余金	51,876,017
長期貸付金	20,000,000	特別償却準備金	2,940,000
長期性預金	10,000,000	別途積立金	22,550,000
敷金	5,300,000	繰越利益剰余金	26,386,017
繰延税金資産	17,555,600	**3 自己株式**	**△250,000**
		Ⅱ 評価・換算差額等	**2,082,500**
		1 その他有価証券評価差額金	2,082,500
		純資産の部合計	66,208,517
資産の部合計	375,846,914	**負債及び純資産合計**	375,846,914

2. 損益計算書

㈱ハナマル商会

損　益　計　算　書

（自令和６年４月１日　至令和７年３月31日）　　　　（単位：円）

Ⅰ売上高		550,000,000
Ⅱ売上原価		
期首製品棚卸高	19,000,000	
当期製品製造原価	407,052,296	
合計	426,052,296	
期末製品棚卸高	17,000,000	409,052,296
売上総利益		140,947,704
Ⅲ販売費及び一般管理費		110,513,596
営業利益		30,434,108
Ⅳ営業外収益		
受取利息	140,000	
受取配当金	10,400,000	
有価証券売却益	2,690,000	
債権償却取立益	200,000	
雑収入	1,590,000	15,020,000
Ⅴ営業外費用		
支払利息	2,200,000	
雑損失	1,591,060	3,791,060
経常利益		41,663,048
Ⅵ特別損失		
固定資産売却損	9,000,000	9,000,000
税引前当期純利益		32,663,048
法人税、住民税及び事業税	8,816,131	
法人税等調整額	△185,800	8,630,331
当期純利益		24,032,717

3. 株主資本等変動計算書

(単位：円)

	株主資本								評価・換算差額等		純資産合計
	資本金	利益剰余金					自己株式	株主資本合計	その他有価証券評価差額金	評価・換算差額等合計	
		利益準備金	その他利益剰余金			利益剰余金合計					
			特別償却準備金	別途積立金	繰越利益剰余金						
当期首残高	10,000,000	2,000,000	0	8,000,000	22,293,300	32,293,300	△250,000	42,043,300	0	0	42,043,300
当期変動額											
剰余金の配当					△1,950,000	△1,950,000		△1,950,000			△1,950,000
剰余金の配当に伴う利益準備金の積立		500,000			△500,000	0		0			0
別途積立金の積立				14,550,000	△14,550,000	0		0			0
特別償却準備金の積立			2,940,000		△2,940,000	0		0			0
当期純利益					24,032,717	24,032,717		24,032,717			24,032,717
株主資本以外の項目の当期変動額(純額)									2,082,500	2,082,500	2,082,500
当期変動額合計	0	500,000	2,940,000	14,550,000	4,092,717	22,082,717	0	22,082,717	2,082,500	2,082,500	24,165,217
当期末残高	10,000,000	2,500,000	2,940,000	22,550,000	26,386,017	54,376,017	△250,000	64,126,017	2,082,500	2,082,500	66,208,517

4. 販売費及び一般管理費の明細書

販売費及び一般管理費の明細書

(単位：円)

科目	金額
役員報酬	28,500,000
給料手当	26,500,000
役員賞与	4,500,000
賞与	6,550,000
賞与引当金繰入	2,000,000
賞与引当金戻入	△ 2,500,000
法定福利費	3,510,000
厚生費	7,970,000
退職給付費用	2,800,000
水道光熱費	3,090,000
減価償却費	150,000
貸倒損失	727,273
賃借料	9,600,000
旅費交通費	3,650,000
租税公課	1,137,400
寄附金	3,500,000
交際費	8,800,000
貸倒引当金繰入	1,400,000
貸倒引当金戻入	△ 2,950,000
雑費	1,578,923
合計	110,513,596

5. 製造原価報告書

㈱ハナマル商会

製造原価報告書

（単位：円）

Ⅰ材料費		
期首材料棚卸高	1,345,100	
当期材料仕入高	141,805,600	
合計	143,150,700	
期末材料棚卸高	1,710,000	
当期材料費		141,440,700
Ⅱ労務費		
賃金	160,000,000	
賞与	33,800,000	
賞与引当金繰入	11,000,000	
賞与引当金戻入	△ 9,500,000	
法定福利費	8,365,000	
厚生費	6,500,000	
退職給付費用	9,600,000	
当期労務費		219,765,000
Ⅲ経費		
外注加工費	16,000,000	
消耗品費	8,000,000	
水道光熱費	3,589,000	
減価償却費	3,221,009	
賃借料	2,400,000	
旅費交通費	3,795,500	
租税公課	4,761,000	
雑費	539,031	
当期経費		42,305,540
当期総製造費用		403,511,240
期首仕掛品棚卸高		23,126,500
合計		426,637,740
期末仕掛品棚卸高		19,585,444
当期製品製造原価		407,052,296

6. 個別注記表

個 別 注 記 表

令和６年４月１日から
令和７年３月31日まで

㈱ハナマル商会

Ⅰ　重要な会計方針に係る事項に関する注記

1　「中小企業の会計に関する基本要領」の適用
この計算書類は、「中小企業の会計に関する基本要領」によって作成しています。

2　有価証券の評価基準及び評価方法
①　時価のあるもの　　期末日の市場価格等に基づく時価法（評価差額は全部純資産直入法によって処理し、売却原価は移動平均法により算定しています。）
②　時価のないもの　　移動平均法による原価法

3　棚卸資産の評価基準及び評価方法
総平均法による原価法（貸借対照表価額は収益性の低下に基づく簿価切下げの方法により算定）
ただし、原材料は最終仕入原価法

4　固定資産の減価償却の方法
有形固定資産　　定率法、ただし平成10年４月１日以後に取得した建物（建物附属設備を除く。）、平成28年４月１日以後に取得した建物附属設備及び構築物については定額法
無形固定資産　　定額法

5　引当金の計上基準
①　貸倒引当金　　債権の貸倒れによる損失に備えるため、一般債権について法人税法の規定による法定繰入率により計上するほか、個々の債権の回収可能性を勘案して計上しています。
②　賞与引当金　　従業員の賞与支給に備えるため、将来の支給見込額のうち当期負担分を計上しています。
③　退職給付引当金　　従業員の退職給付に備えるため、退職金規定に基づく期末要支給額により計上しています。

6　消費税等の会計処理
消費税等の会計処理は税抜方式を採用しています。

Ⅱ　株主資本等変動計算書に関する注記

1　当該事業年度の末日における発行済株式の数　　200株

2　当該事業年度の末日における自己株式の数　　５株

3　当該事業年度中に行った剰余金の配当に関する事項
令和６年５月22日の定時株主総会において、次の通り決議されました。

①配当金の総額　　1,950,000円
②配当の原資　　利益剰余金
③１株当たりの配当額　　10,000円
④基準日　　令和６年３月31日
⑤効力発生日　　令和６年５月23日

4　当該事業年度の末日後に行う剰余金の配当に関する事項
令和７年５月20日開催予定の定時株主総会において、次の通りの決議を予定しております。

①配当金の総額　　2,925,000円
②配当の原資　　利益剰余金
③１株当たりの配当額　　15,000円
④基準日　　令和７年３月31日
⑤効力発生日　　令和７年５月21日

Ⅲ 消費税の計算（以下、特にことわりのない限り消費税と地方消費税を合せて「消費税」と表現しています。）

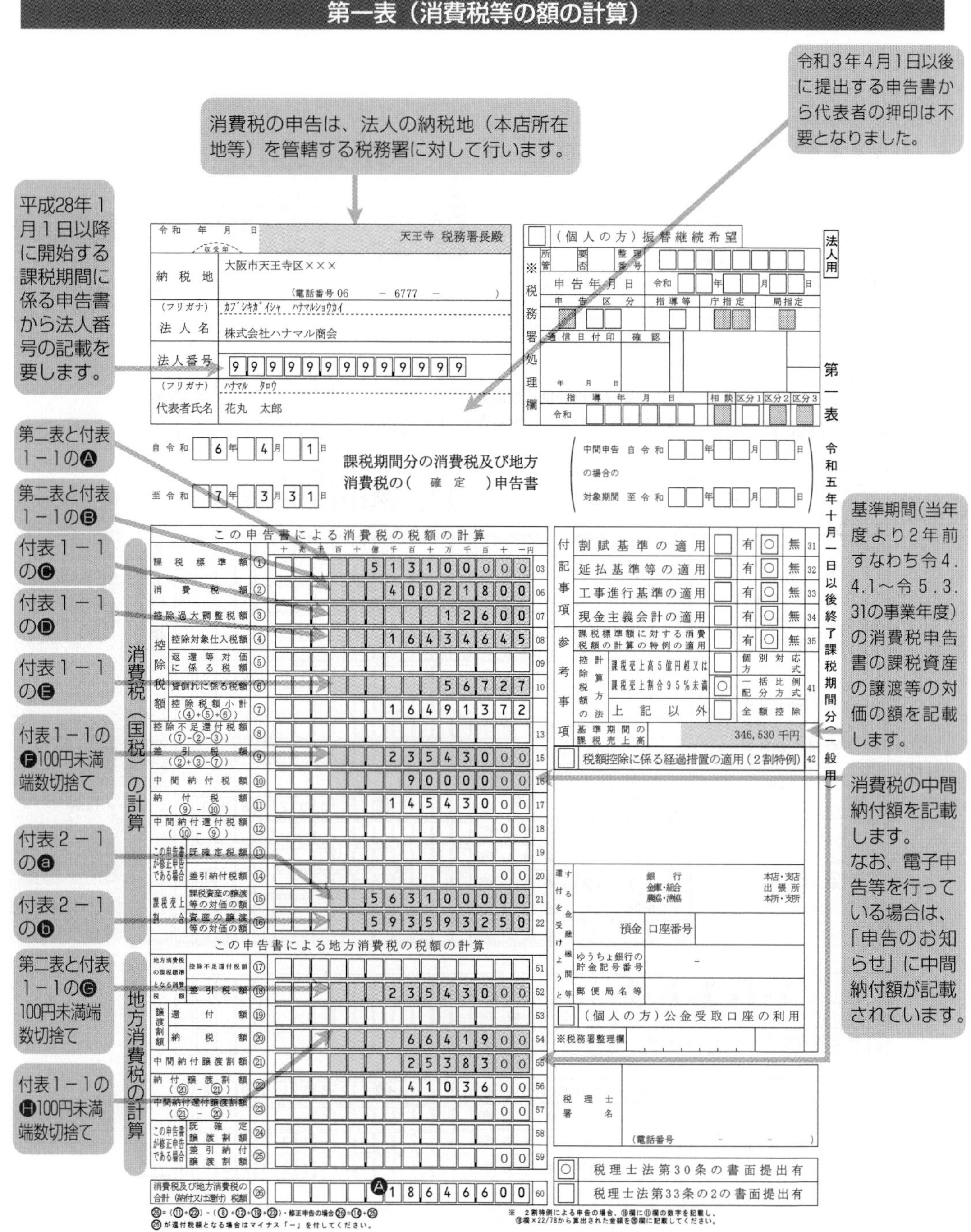

令和　年　月　日　　天王寺 税務署長殿

納税地	大阪市天王寺区××× （電話番号 06 － 6777 － ）
（フリガナ）	カブシキガイシャ　ハナマルショウカイ
法人名	株式会社ハナマル商会
法人番号	9999999999999
（フリガナ）	ハナマル　タロウ
代表者氏名	花丸　太郎

（個人の方）振替継続希望

※税務署処理欄：所管／要否／整理番号／申告年月日 令和　年　月　日／申告区分／指導等／庁指定／局指定／通信日付印／確認／指導年月日 令和／相談／区分1／区分2／区分3

法人用

第一表　令和五年十月一日以後終了課税期間分（一般用）

自 令和 6年 4月 1日
至 令和 7年 3月 31日

課税期間分の消費税及び地方消費税の（ 確定 ）申告書

中間申告の場合の対象期間　自 令和　年　月　日　至 令和　年　月　日

この申告書による消費税の税額の計算

		十兆 千 百 十 億 千 百 十 万 千 百 十 一円	
課税標準額	①	5131000000	03
消費税額	②	40021800	06
控除過大調整税額	③	12600	07
控除税額：控除対象仕入税額	④	16434645	08
控除税額：返還等対価に係る税額	⑤		09
控除税額：貸倒れに係る税額	⑥	56727	10
控除税額：控除税額小計（④+⑤+⑥）	⑦	16491372	
控除不足還付税額（⑦-②-③）	⑧		13
差引税額（②+③-⑦）	⑨	23543000	15
中間納付税額	⑩	9000000	16
納付税額（⑨-⑩）	⑪	14543000	17
中間納付還付税額（⑩-⑨）	⑫	00	18
この申告書が修正申告である場合：既確定税額	⑬		19
この申告書が修正申告である場合：差引納付税額	⑭	00	20
課税売上割合：課税資産の譲渡等の対価の額	⑮	5631000000	21
課税売上割合：資産の譲渡等の対価の額	⑯	5935932500	22

この申告書による地方消費税の税額の計算

地方消費税の課税標準となる消費税額：控除不足還付税額	⑰		51
地方消費税の課税標準となる消費税額：差引税額	⑱	23543000	52
譲渡割額：還付額	⑲		53
譲渡割額：納税額	⑳	6641900	54
中間納付譲渡割額	㉑	2538300	55
納付譲渡割額（⑳-㉑）	㉒	4103600	56
中間納付還付譲渡割額（㉑-⑳）	㉓	00	57
この申告書が修正申告である場合：既確定譲渡割額	㉔		58
この申告書が修正申告である場合：差引納付譲渡割額	㉕	00	59
消費税及び地方消費税の合計（納付又は還付）税額	㉖	Ⓐ18646600	60

㉖＝（⑪+㉒）－（⑧+⑫+⑲+㉓）・修正申告の場合㉖＝⑭+㉕
㉖が還付税額となる場合はマイナス「－」を付してください。

付記事項・参考事項

項目	有	無	
割賦基準の適用		○	31
延払基準等の適用		○	32
工事進行基準の適用		○	33
現金主義会計の適用		○	34
課税標準額に対する消費税額の計算の特例の適用		○	35

控除税額の計算方法：課税売上高5億円超又は課税売上割合95％未満 ○ 一括比例配分方式（個別対応方式／一括比例配分方式）／上記以外 全額控除　41

基準期間の課税売上高　346,530千円

税額控除に係る経過措置の適用（2割特例）　42

還付を受けようとする金融機関等：銀行・金庫・組合・農協・漁協　本店・支店・出張所・本所・支所／預金 口座番号／ゆうちょ銀行の貯金記号番号 －／郵便局名等

（個人の方）公金受取口座の利用

※税務署整理欄

税理士署名（電話番号　－　－　）

○ 税理士法第30条の書面提出有
税理士法第33条の2の書面提出有

※ 2割特例による申告の場合、⑱欄に⑳欄の数字を記載し、⑱欄×22/78から算出された金額を⑳欄に記載してください。

結果 消費税（国税）と地方消費税を合せたⒶの18,646,600円が、確定消費税等の額として確定申告期限（令和7年5月31日（令和7年5月31日は土曜日であるためその翌々日である令和7年6月2日が申告期限となります））までに納付しなければならない金額です。

課税標準額等の内訳書

納税地	大阪市天王寺区××× （電話番号06 － 6777 － ）
（フリガナ）	カブシキガイシャ ハナマルショウカイ
法人名	株式会社ハナマル商会
（フリガナ）	ハナマル タロウ
代表者氏名	花丸　太郎

整理番号　　法人用

改正法附則による税額の特例計算			
軽減売上割合（10営業日）		附則38①	51
小売等軽減仕入割合		附則38②	52

159ページ参照

第二表　令和四年四月一日以後終了課税期間分

自 令和 6年 4月 1日
至 令和 7年 3月 31日

課税期間分の消費税及び地方消費税の（確定）申告書

中間申告の場合の対象期間　自 令和　年　月　日　至 令和　年　月　日

項目		番号	金額（円）	
課税標準額 ※申告書（第一表）の①欄へ		①	Ⓐ 5131000000	01
課税資産の譲渡等の対価の額の合計額	3％適用分	②		02
	4％適用分	③		03
	6.3％適用分	④		04
	6.24％適用分	⑤		05
	7.8％適用分	⑥	5131000000	06
	（②～⑥の合計）	⑦	5131000000	07
特定課税仕入れに係る支払対価の額の合計額（注1）	6.3％適用分	⑧		11
	7.8％適用分	⑨		12
	（⑧・⑨の合計）	⑩		13
消費税額 ※申告書（第一表）の②欄へ		⑪	Ⓑ 400218000	21
⑪の内訳	3％適用分	⑫		22
	4％適用分	⑬		23
	6.3％適用分	⑭		24
	6.24％適用分	⑮		25
	7.8％適用分	⑯	400218000	26
返還等対価に係る税額 ※申告書（第一表）の⑤欄へ		⑰		31
⑰の内訳	売上げの返還等対価に係る税額	⑱		32
	特定課税仕入れの返還等対価に係る税額（注1）	⑲		33
地方消費税の課税標準となる消費税額（注2）	（㉑～㉓の合計）	⑳	Ⓖ 235430028	41
	4％適用分	㉑		42
	6.3％適用分	㉒	-130832	43
	6.24％及び7.8％適用分	㉓	235673860	44

321ページの①、①－1、①－2より

消費税率3％適用分（全額国税）を記載します。
消費税率5％適用分のうち国税（4％）相当額を記載します。
消費税率8％適用分のうち国税（6.3％）相当額を記載します。
消費税率8％（軽減）適用分のうち国税（6.24％）相当額を記載します。
消費税率10％適用分のうち国税（7.8％）相当額を記載します。

321ページの②より

321ページの⑬より

結果　ⒶⒷⒼを第一表に転記します。

付表１－１・１－２（税率別消費税額計算表 兼 地方消費税の課税標準となる消費税額計算表）

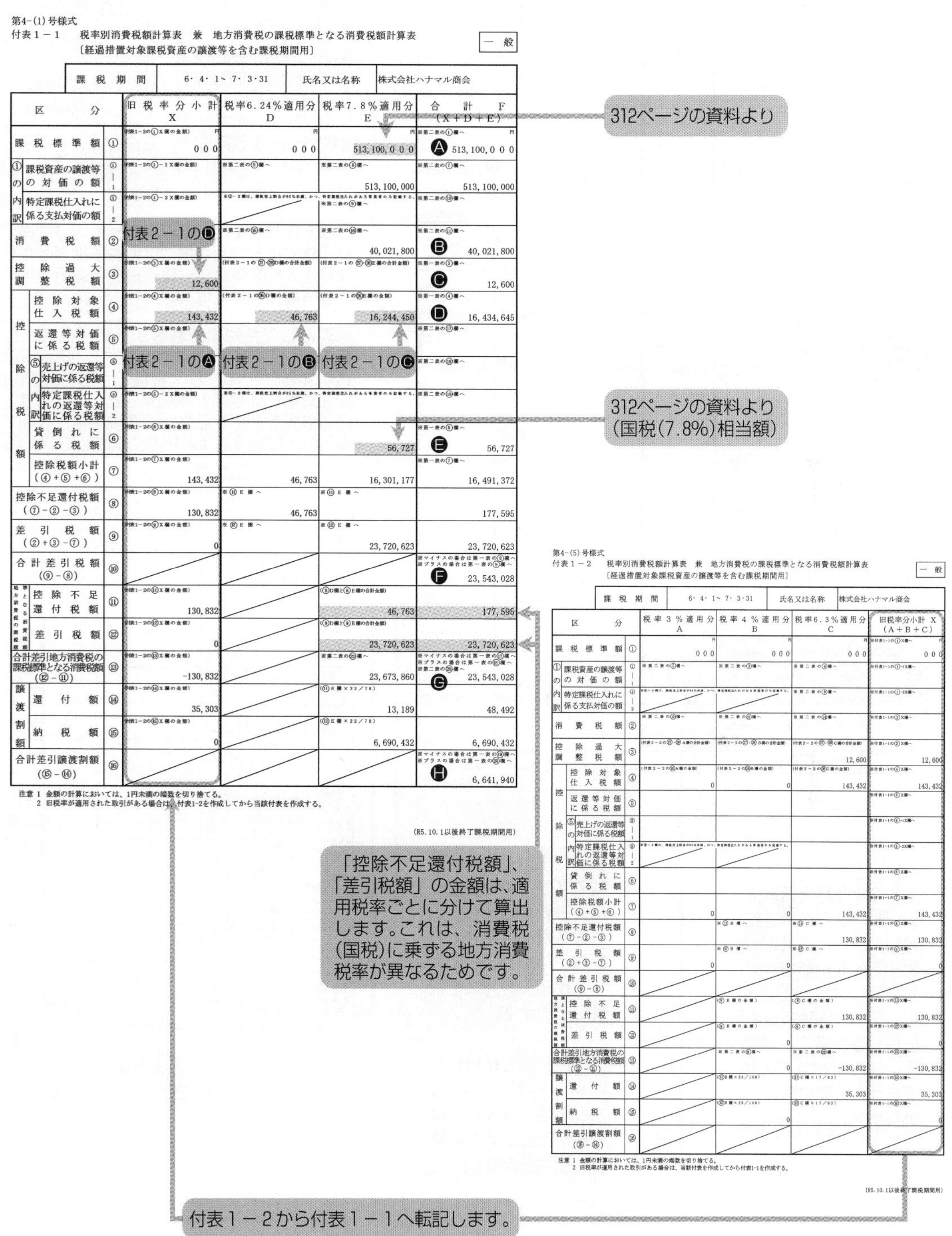

第4-(1)号様式
付表１－１　税率別消費税額計算表　兼　地方消費税の課税標準となる消費税額計算表
〔経過措置対象課税資産の譲渡等を含む課税期間用〕　一　般

課税期間	6・4・1～7・3・31	氏名又は名称	株式会社ハナマル商会

区分		旧税率分小計 X	税率6.24％適用分 D	税率7.8％適用分 E	合計 F (X＋D＋E)
課税標準額	①	(付表1-2の①X欄の金額) 000	000	513,100,000	※第二表の①欄へ Ⓐ 513,100,000
①の内訳 課税資産の譲渡等の対価の額	①-1	(付表1-2の①-1X欄の金額)	※第二表の⑤欄へ	※第二表の⑥欄へ 513,100,000	※第二表の⑦欄へ 513,100,000
①の内訳 特定課税仕入れに係る支払対価の額	①-2	(付表1-2の①-2X欄の金額)	※①-2欄は、課税売上割合が95％未満、かつ、特定課税仕入れがある事業者のみ記載する。	※第二表の⑨欄へ	※第二表の⑩欄へ
消費税額	②		※第二表の⑮欄へ	※第二表の⑯欄へ 40,021,800	※第二表の⑪欄へ Ⓑ 40,021,800
控除過大調整税額	③	(付表1-2の③X欄の金額) 12,600	(付表2-1の㉗・㉘D欄の合計金額)	(付表2-1の㉗・㉘E欄の合計金額)	※第一表の③欄へ Ⓒ 12,600
控除税額 控除対象仕入税額	④	(付表1-2の④X欄の金額) 143,432	(付表2-1の㉖D欄の金額) 46,763	(付表2-1の㉖E欄の金額) 16,244,450	※第一表の④欄へ Ⓓ 16,434,645
控除税額 返還等対価に係る税額	⑤	(付表1-2の⑤X欄の金額)			※第二表の⑰欄へ
⑤の内訳 売上げの返還等対価に係る税額	⑤-1				※第二表の⑱欄へ
⑤の内訳 特定課税仕入れの返還等対価に係る税額	⑤-2	(付表1-2の⑤-2X欄の金額)	※⑤-2欄は、課税売上割合が95％未満、かつ、特定課税仕入れがある事業者のみ記載する。		※第二表の⑲欄へ
控除税額 貸倒れに係る税額	⑥	(付表1-2の⑥X欄の金額)		56,727	※第一表の⑥欄へ Ⓔ 56,727
控除税額 控除税額小計 (④＋⑤＋⑥)	⑦	(付表1-2の⑦X欄の金額) 143,432	46,763	16,301,177	※第一表の⑦欄へ 16,491,372
控除不足還付税額 (⑦－②－③)	⑧	(付表1-2の⑧X欄の金額) 130,832	※⑪E欄へ 46,763	※⑪E欄へ	177,595
差引税額 (②＋③－⑦)	⑨	(付表1-2の⑨X欄の金額) 0	※⑫E欄へ	※⑫E欄へ 23,720,623	23,720,623
合計差引税額 (⑨－⑧)	⑩				※マイナスの場合は第一表の⑧欄へ ※プラスの場合は第一表の⑨欄へ Ⓕ 23,543,028
地方消費税の課税標準となる消費税額 控除不足還付税額	⑪	(付表1-2の⑪X欄の金額) 130,832		(⑧D欄と⑧E欄の合計金額) 46,763	177,595
地方消費税の課税標準となる消費税額 差引税額	⑫	(付表1-2の⑫X欄の金額) 0		(⑨D欄と⑨E欄の合計金額) 23,720,623	23,720,623
合計差引地方消費税の課税標準となる消費税額 (⑫－⑪)	⑬	(付表1-2の⑬X欄の金額) －130,832		※第二表の㉓欄へ 23,673,860	※マイナスの場合は第一表の⑰欄へ ※プラスの場合は第一表の⑱欄へ ※第二表の⑳欄へ Ⓖ 23,543,028
譲渡割額 還付額	⑭	(付表1-2の⑭X欄の金額) 35,303		(⑪E欄×22／78) 13,189	48,492
譲渡割額 納税額	⑮	(付表1-2の⑮X欄の金額) 0		(⑫E欄×22／78) 6,690,432	6,690,432
合計差引譲渡割額 (⑮－⑭)	⑯				※マイナスの場合は第一表の⑲欄へ ※プラスの場合は第一表の⑳欄へ Ⓗ 6,641,940

注意 1 金額の計算においては、1円未満の端数を切り捨てる。
2 旧税率が適用された取引がある場合は、付表1-2を作成してから当該付表を作成する。

(R5.10.1以後終了課税期間用)

第4-(5)号様式
付表１－２　税率別消費税額計算表　兼　地方消費税の課税標準となる消費税額計算表
〔経過措置対象課税資産の譲渡等を含む課税期間用〕　一　般

課税期間	6・4・1～7・3・31	氏名又は名称	株式会社ハナマル商会

区分		税率3％適用分 A	税率4％適用分 B	税率6.3％適用分 C	旧税率分小計 X (A＋B＋C)
課税標準額	①	000	000	000	※付表1-1の①X欄へ 000
①の内訳 課税資産の譲渡等の対価の額	①-1	※第二表の②欄へ	※第二表の③欄へ	※第二表の④欄へ	※付表1-1の①-1X欄へ
①の内訳 特定課税仕入れに係る支払対価の額	①-2	※①-2欄は、課税売上割合が95％未満、かつ、特定課税仕入れがある事業者のみ記載する。		※第二表の⑧欄へ	※付表1-1の①-2X欄へ
消費税額	②	※第二表の⑫欄へ	※第二表の⑬欄へ	※第二表の⑭欄へ	※付表1-1の②X欄へ
控除過大調整税額	③	(付表2-2の㉗・㉘A欄の合計金額)	(付表2-2の㉗・㉘B欄の合計金額)	(付表2-2の㉗・㉘C欄の合計金額) 12,600	※付表1-1の③X欄へ 12,600
控除税額 控除対象仕入税額	④	(付表2-2の㉖A欄の金額) 0	(付表2-2の㉖B欄の金額) 0	(付表2-2の㉖C欄の金額) 143,432	※付表1-1の④X欄へ 143,432
控除税額 返還等対価に係る税額	⑤				※付表1-1の⑤X欄へ
⑤の内訳 売上げの返還等対価に係る税額	⑤-1				※付表1-1の⑤-1X欄へ
⑤の内訳 特定課税仕入れの返還等対価に係る税額	⑤-2	※⑤-2欄は、課税売上割合が95％未満、かつ、特定課税仕入れがある事業者のみ記載する。			※付表1-1の⑤-2X欄へ
控除税額 貸倒れに係る税額	⑥				※付表1-1の⑥X欄へ
控除税額 控除税額小計 (④＋⑤＋⑥)	⑦	0	0	143,432	※付表1-1の⑦X欄へ 143,432
控除不足還付税額 (⑦－②－③)	⑧		※⑪B欄へ	※⑪C欄へ 130,832	※付表1-1の⑧X欄へ 130,832
差引税額 (②＋③－⑦)	⑨	0	※⑫B欄へ 0	※⑫C欄へ	※付表1-1の⑨X欄へ 0
合計差引税額 (⑨－⑧)	⑩				
地方消費税の課税標準となる消費税額 控除不足還付税額	⑪		(⑧B欄の金額)	(⑧C欄の金額) 130,832	※付表1-1の⑪X欄へ 130,832
地方消費税の課税標準となる消費税額 差引税額	⑫		(⑨B欄の金額) 0	(⑨C欄の金額)	※付表1-1の⑫X欄へ 0
合計差引地方消費税の課税標準となる消費税額 (⑫－⑪)	⑬		※第二表の㉑欄へ 0	※第二表の㉒欄へ －130,832	※付表1-1の⑬X欄へ －130,832
譲渡割額 還付額	⑭		(⑪B欄×25／100)	(⑪C欄×17／63) 35,303	※付表1-1の⑭X欄へ 35,303
譲渡割額 納税額	⑮		(⑫B欄×25／100) 0	(⑫C欄×17／63)	※付表1-1の⑮X欄へ 0
合計差引譲渡割額 (⑮－⑭)	⑯				

注意 1 金額の計算においては、1円未満の端数を切り捨てる。
2 旧税率が適用された取引がある場合は、当該付表を作成してから付表1-1を作成する。

(R5.10.1以後終了課税期間用)

結果　ⒶⒷⒸⒹⒺⒻⒼⒽのそれぞれの金額が消費税の額を計算する要素となります。

付表2－1・2－2（課税売上割合・控除対象仕入税額等の計算表）

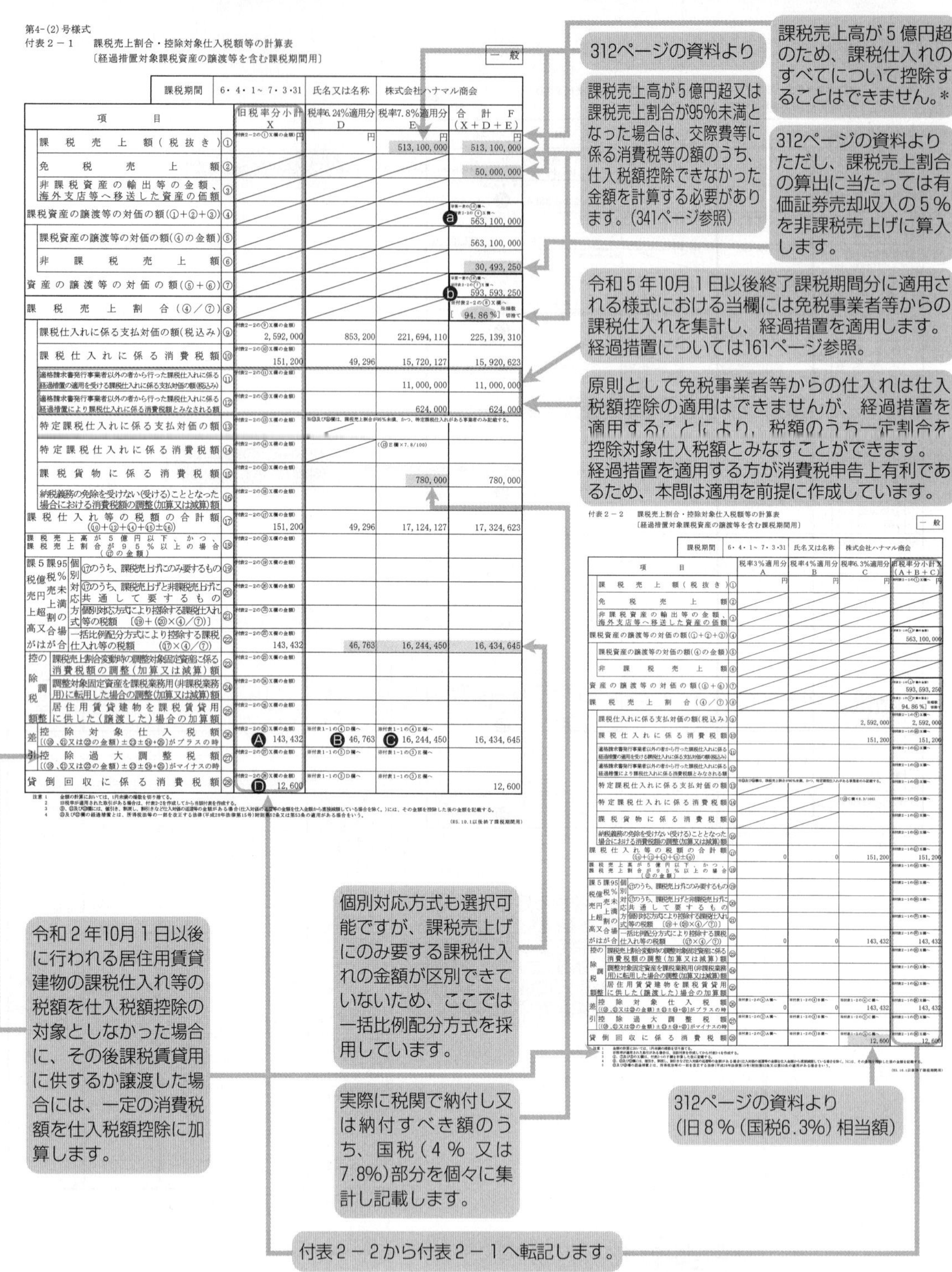

第4-(2)号様式

付表2－1　課税売上割合・控除対象仕入税額等の計算表
〔経過措置対象課税資産の譲渡等を含む課税期間用〕　一般

課税期間	6・4・1～7・3・31	氏名又は名称	株式会社ハナマル商会

項目		旧税率分小計 X	税率6.24%適用分 D	税率7.8%適用分 E	合計 F (X＋D＋E)
課税売上額（税抜き）	①	円	円	円 513,100,000	円 513,100,000
免税売上額	②				50,000,000
非課税資産の輸出等の金額、海外支店等へ移送した資産の価額	③				
課税資産の譲渡等の対価の額（①＋②＋③）	④				ⓐ 563,100,000
課税資産の譲渡等の対価の額（④の金額）	⑤				563,100,000
非課税売上額	⑥				30,493,250
資産の譲渡等の対価の額（⑤＋⑥）	⑦				ⓑ 593,593,250
課税売上割合（④／⑦）	⑧				[94.86 %] ※端数切捨て
課税仕入れに係る支払対価の額（税込み）	⑨	2,592,000	853,200	221,694,110	225,139,310
課税仕入れに係る消費税額	⑩	151,200	49,296	15,720,127	15,920,623
適格請求書発行事業者以外の者から行った課税仕入れに係る経過措置の適用を受ける課税仕入れに係る支払対価の額（税込み）	⑪			11,000,000	11,000,000
適格請求書発行事業者以外の者から行った課税仕入れに係る経過措置により課税仕入れに係る消費税額とみなされる額	⑫			624,000	624,000
特定課税仕入れに係る支払対価の額	⑬		※⑬及び⑭欄は、課税売上割合が95%未満、かつ、特定課税仕入れがある事業者のみ記載する。		
特定課税仕入れに係る消費税額	⑭			(⑬E欄×7.8/100)	
課税貨物に係る消費税額	⑮			780,000	780,000
納税義務の免除を受けない（受ける）こととなった場合における消費税額の調整（加算又は減算）額	⑯				
課税仕入れ等の税額の合計額（⑩＋⑫＋⑭＋⑮±⑯）	⑰	151,200	49,296	17,124,127	17,324,623
課税売上高が5億円以下、かつ、課税売上割合が95%以上の場合（⑰の金額）	⑱				
課税売上高が5億円超又は課税売上割合が95%未満の場合　個別対応方式　⑰のうち、課税売上げにのみ要するもの	⑲				
個別対応方式　⑰のうち、課税売上げと非課税売上げに共通して要するもの	⑳				
個別対応方式　個別対応方式により控除する課税仕入れ等の税額〔⑲＋（⑳×④／⑦）〕	㉑				
一括比例配分方式により控除する課税仕入れ等の税額（⑰×④／⑦）	㉒	143,432	46,763	16,244,450	16,434,645
控除税額の調整　課税売上割合変動時の調整対象固定資産に係る消費税額の調整（加算又は減算）額	㉓				
控除税額の調整　調整対象固定資産を課税業務用（非課税業務用）に転用した場合の調整（加算又は減算）額	㉔				
控除税額の調整　居住用賃貸建物を課税賃貸用に供した（譲渡した）場合の加算額	㉕				
差引　控除対象仕入税額〔（⑱、㉑又は㉒の金額）±㉓±㉔＋㉕〕がプラスの時	㉖	Ⓐ 143,432	Ⓑ 46,763	Ⓒ 16,244,450	16,434,645
差引　控除過大調整税額〔（⑱、㉑又は㉒の金額）±㉓±㉔＋㉕〕がマイナスの時	㉗				
貸倒回収に係る消費税額	㉘	Ⓓ 12,600			12,600

注意 1　金額の計算においては、1円未満の端数を切り捨てる。
2　旧税率が適用された取引がある場合は、付表2-2を作成してから当該付表を作成する。
3　⑨、⑪及び⑬欄には、値引き、割戻し、割引きなど仕入対価の返還等の金額がある場合（仕入対価の返還等の金額を仕入金額から直接減額している場合を除く。）には、その金額を控除した後の金額を記載する。
4　⑪及び⑫欄の経過措置とは、所得税法等の一部を改正する法律（平成28年法律第15号）附則第52条又は第53条の適用がある場合をいう。

(R5.10.1以後終了課税期間用)

312ページの資料より

課税売上高が5億円超又は課税売上割合が95%未満となった場合は、交際費等に係る消費税等の額のうち、仕入税額控除できなかった金額を計算する必要があります。（341ページ参照）

課税売上高が5億円超のため、課税仕入れのすべてについて控除することはできません。＊

312ページの資料より
ただし、課税売上割合の算出に当たっては有価証券売却収入の5%を非課税売上げに算入します。

令和5年10月1日以後終了課税期間分に適用される様式における当欄には免税事業者等からの課税仕入れを集計し、経過措置を適用します。経過措置については161ページ参照。

原則として免税事業者等からの仕入れは仕入税額控除の適用はできませんが、経過措置を適用することにより、税額のうち一定割合を控除対象仕入税額とみなすことができます。経過措置を適用する方が消費税申告上有利であるため、本問は適用を前提に作成しています。

付表2－2　課税売上割合・控除対象仕入税額等の計算表
〔経過措置対象課税資産の譲渡等を含む課税期間用〕　一般

課税期間	6・4・1～7・3・31	氏名又は名称	株式会社ハナマル商会

項目		税率3%適用分 A	税率4%適用分 B	税率6.3%適用分 C	旧税率分小計 X (A＋B＋C)
課税売上額（税抜き）	①	円	円	円	円
免税売上額	②				
非課税資産の輸出等の金額、海外支店等へ移送した資産の価額	③				
課税資産の譲渡等の対価の額（①＋②＋③）	④				563,100,000
課税資産の譲渡等の対価の額（④の金額）	⑤				
非課税売上額	⑥				
資産の譲渡等の対価の額（⑤＋⑥）	⑦				593,593,250
課税売上割合（④／⑦）	⑧				[94.86 %] ※端数切捨て
課税仕入れに係る支払対価の額（税込み）	⑨			2,592,000	2,592,000
課税仕入れに係る消費税額	⑩			151,200	151,200
適格請求書発行事業者以外の者から行った課税仕入れに係る経過措置の適用を受ける課税仕入れに係る支払対価の額（税込み）	⑪				
適格請求書発行事業者以外の者から行った課税仕入れに係る経過措置により課税仕入れに係る消費税額とみなされる額	⑫				
特定課税仕入れに係る支払対価の額	⑬	※⑬及び⑭欄は、課税売上割合が95%未満、かつ、特定課税仕入れがある事業者のみ記載する。			
特定課税仕入れに係る消費税額	⑭			(⑬C欄×6.3/100)	
課税貨物に係る消費税額	⑮				
納税義務の免除を受けない（受ける）こととなった場合における消費税額の調整（加算又は減算）額	⑯				
課税仕入れ等の税額の合計額（⑩＋⑫＋⑭＋⑮±⑯）	⑰	0	0	151,200	151,200
課税売上高が5億円以下、かつ、課税売上割合が95%以上の場合（⑰の金額）	⑱				
課税売上高が5億円超又は課税売上割合が95%未満の場合　個別対応方式　⑰のうち、課税売上げにのみ要するもの	⑲				
個別対応方式　⑰のうち、課税売上げと非課税売上げに共通して要するもの	⑳				
個別対応方式　個別対応方式により控除する課税仕入れ等の税額〔⑲＋（⑳×④／⑦）〕	㉑				
一括比例配分方式により控除する課税仕入れ等の税額（⑰×④／⑦）	㉒	0	0	143,432	143,432
控除税額の調整　課税売上割合変動時の調整対象固定資産に係る消費税額の調整（加算又は減算）額	㉓				
控除税額の調整　調整対象固定資産を課税業務用（非課税業務用）に転用した場合の調整（加算又は減算）額	㉔				
控除税額の調整　居住用賃貸建物を課税賃貸用に供した（譲渡した）場合の加算額	㉕				
差引　控除対象仕入税額〔（⑱、㉑又は㉒の金額）±㉓±㉔＋㉕〕がプラスの時	㉖	0	0	143,432	143,432
差引　控除過大調整税額〔（⑱、㉑又は㉒の金額）±㉓±㉔＋㉕〕がマイナスの時	㉗				
貸倒回収に係る消費税額	㉘			12,600	12,600

(R5.10.1以後終了課税期間用)

個別対応方式も選択可能ですが、課税売上げにのみ要する課税仕入れの金額が区別できていないため、ここでは一括比例配分方式を採用しています。

令和2年10月1日以後に行われる居住用賃貸建物の課税仕入れ等の税額を仕入税額控除の対象としなかった場合に、その後課税賃貸用に供するか譲渡した場合には、一定の消費税額を仕入税額控除に加算します。

実際に税関で納付し又は納付すべき額のうち、国税（4％又は7.8%）部分を個々に集計し記載します。

312ページの資料より
（旧8％（国税6.3%）相当額）

付表2－2から付表2－1へ転記します。

結　果　Ⓐの143,432円が旧8％（国税6.3%）適用分、Ⓑの46,763円が軽減8％（国税6.24%）適用分、Ⓒの16,244,450円が10%（国税7.8%）適用分の控除対象仕入税額となります。

＊　平成24年4月1日以後に開始する課税期間から、課税売上高が5億円を超える場合には課税売上割合が95%以上の場合も課税仕入れのすべてを控除することはできなくなっています。（170ページ参照）
ハナマル商会は課税売上高が5億円超のため、仮に課税売上割合が95%以上であっても課税仕入れの全額控除はできません。

Ⅳ法人税の計算

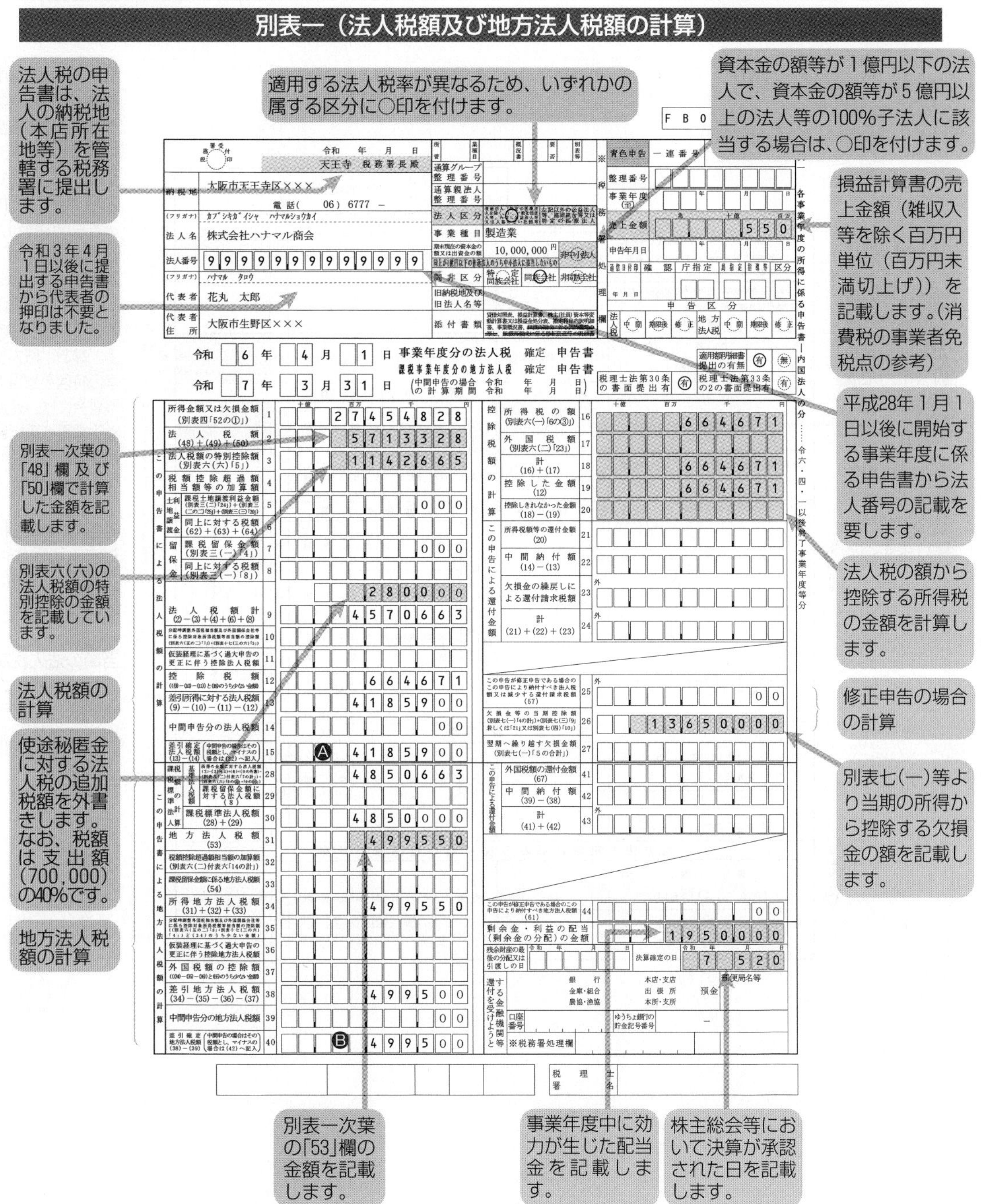

結　果 Ⓐ「15」欄の法人税額4,185,900円とⒷ「40」欄の地方法人税額499,500円がそれぞれ確定税額として、確定申告期限（令和７年５月31日（令和７年５月31日は土曜日であるためその翌々日である令和７年６月２日が申告期限となります））までに納付しなければならない金額です。

＊　普通法人で、中小法人等（適用除外事業者に該当しない。199ページ参照）に該当する場合は、令和７年３月31日までの間に開始する事業年度の所得の金額のうち、800万円以下の金額に対する法人税率（軽減税率適用）が19％から15％に引き下げられています。

別表一次葉（法人税額及び地方法人税額の計算）

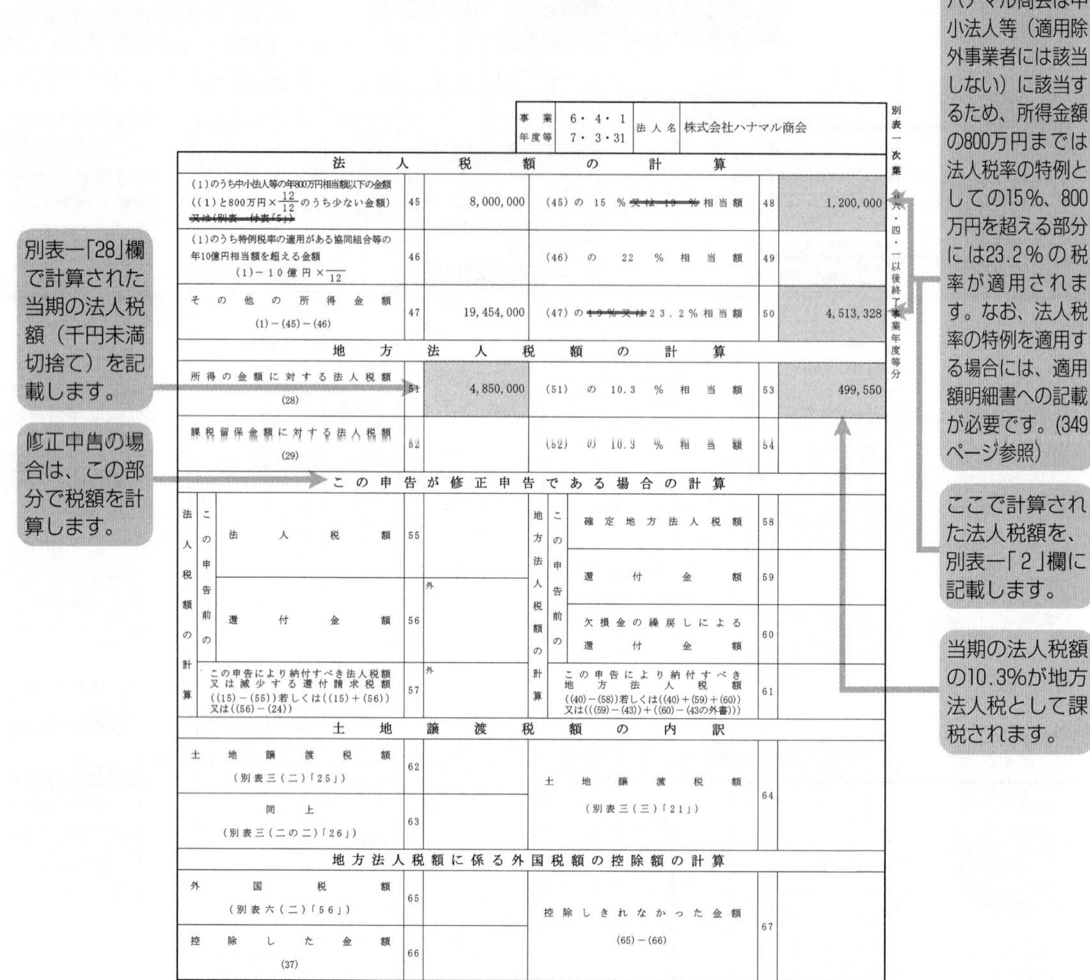

別表一次葉　令六・四・一以後終了事業年度等分

事業年度等	6・4・1 7・3・31	法人名	株式会社ハナマル商会

法人税額の計算					
(1)のうち中小法人等の年800万円相当額以下の金額 ((1)と800万円×$\frac{12}{12}$のうち少ない金額) ~~又は(別表一付表「5」)~~	45	8,000,000	(45)の 15 % ~~又は 19 %~~ 相当額	48	1,200,000
(1)のうち特例税率の適用がある協同組合等の年10億円相当額を超える金額 (1)－10億円×$\frac{}{12}$	46		(46)の 22 % 相当額	49	
その他の所得金額 (1)－(45)－(46)	47	19,454,000	(47)の ~~19%又は~~ 23.2% 相当額	50	4,513,328
地方法人税額の計算					
所得の金額に対する法人税額 (28)	51	4,850,000	(51)の 10.3 % 相当額	53	499,550
課税留保金額に対する法人税額 (29)	52		(52)の 10.3 % 相当額	54	
この申告が修正申告である場合の計算					
法人税額の計算　この申告前の　法人税額	55		地方法人税額の計算　この申告前の　確定地方法人税額	58	
還付金額	56	外	還付金額	59	
			欠損金の繰戻しによる還付金額	60	
この申告により納付すべき法人税額又は減少する還付請求税額 ((15)－(55))若しくは((15)＋(56))又は((56)－(24))	57	外	この申告により納付すべき地方法人税額 ((40)－(58))若しくは((40)＋(59)＋(60))又は(((59)－(43))＋((60)－(43の外書)))	61	
土地譲渡税額の内訳					
土地譲渡税額 (別表三(二)「25」)	62		土地譲渡税額 (別表三(三)「21」)	64	
同上 (別表三(二の二)「26」)	63				
地方法人税額に係る外国税額の控除額の計算					
外国税額 (別表六(二)「56」)	65		控除しきれなかった金額 (65)－(66)	67	
控除した金額 (37)	66				

別表二（同族会社等の判定）

（175ページ参照）

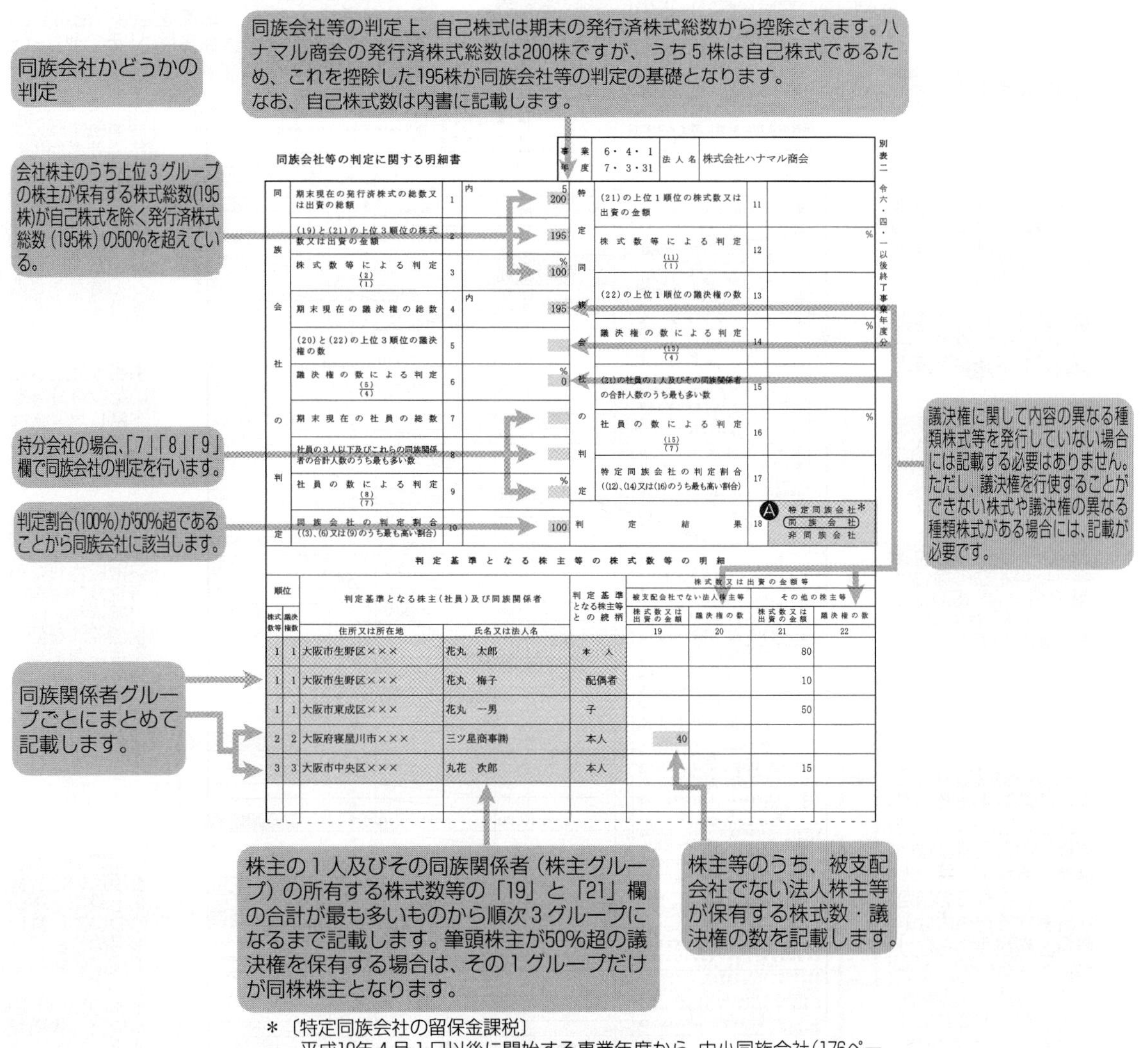

同族会社等の判定に関する明細書

事業年度	6・4・1 7・3・31	法人名	株式会社ハナマル商会

別表二　令六・四・一以後終了事業年度分

同族会社の判定			
期末現在の発行済株式の総数又は出資の総額	1	内 5	200
(19)と(21)の上位3順位の株式数又は出資の金額	2		195
株式数等による判定 $\frac{(2)}{(1)}$	3		100 %
期末現在の議決権の総数	4	内	195
(20)と(22)の上位3順位の議決権の数	5		
議決権の数による判定 $\frac{(5)}{(4)}$	6		0 %
期末現在の社員の総数	7		
社員の3人以下及びこれらの同族関係者の合計人数のうち最も多い数	8		
社員の数による判定 $\frac{(8)}{(7)}$	9		%
同族会社の判定割合((3)、(6)又は(9)のうち最も高い割合)	10		100

特定同族会社の判定		
(21)の上位1順位の株式数又は出資の金額	11	
株式数等による判定 $\frac{(11)}{(1)}$	12	%
(22)の上位1順位の議決権の数	13	
議決権の数による判定 $\frac{(13)}{(4)}$	14	%
(21)の社員の1人及びその同族関係者の合計人数のうち最も多い数	15	
社員の数による判定 $\frac{(15)}{(7)}$	16	%
特定同族会社の判定割合((12)、(14)又は(16)のうち最も高い割合)	17	
判定結果	18	Ⓐ 特定同族会社* （同族会社） 非同族会社

判定基準となる株主等の株式数等の明細

順位 株式数等	順位 議決権数	判定基準となる株主（社員）及び同族関係者 住所又は所在地	氏名又は法人名	判定基準となる株主等との続柄	被支配会社でない法人株主等 株式数又は出資の金額 19	被支配会社でない法人株主等 議決権の数 20	その他の株主等 株式数又は出資の金額 21	その他の株主等 議決権の数 22
1	1	大阪市生野区×××	花丸　太郎	本　人			80	
1	1	大阪市生野区×××	花丸　梅子	配偶者			10	
1	1	大阪市東成区×××	花丸　一男	子			50	
2	2	大阪府寝屋川市×××	三ツ星商事㈱	本人	40			
3	3	大阪市中央区×××	丸花　次郎	本人			15	

＊〔特定同族会社の留保金課税〕
平成19年４月１日以後に開始する事業年度から、中小同族会社（176ページ参照）については、特定同族会社の留保金課税の対象法人から除外されています。
このため、ハナマル商会は特定同族会社の留保金課税の適用がありません。
（留保金課税の適用があるとした場合の判定及び計算については368ページ参照）

結　果　Ⓐ「18」欄のとおりハナマル商会は同族会社に該当します。

別表四（所得の金額の計算）

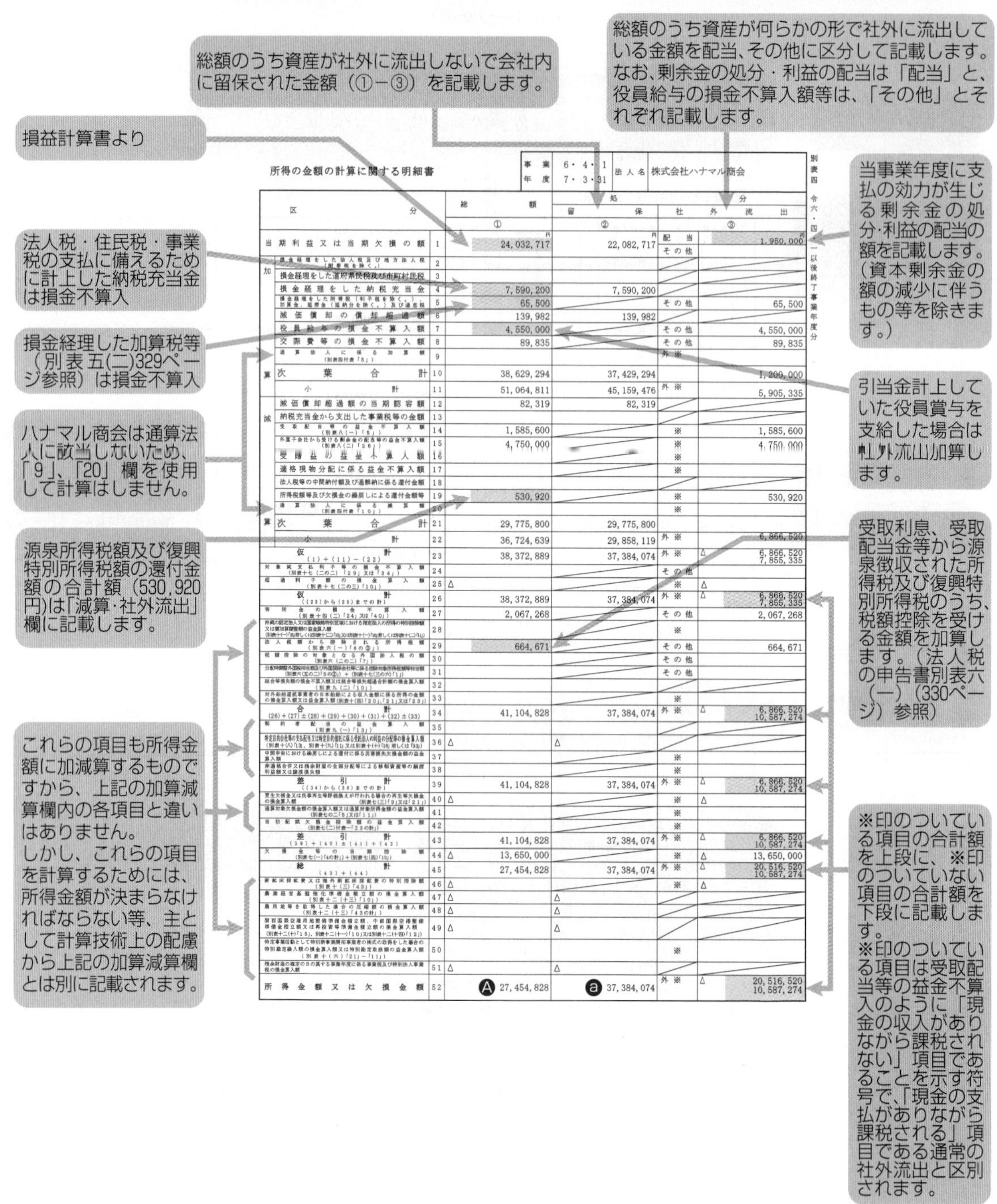

所得の金額の計算に関する明細書

事業年度 6・4・1 ～ 7・3・31　法人名 株式会社ハナマル商会

別表四　令六・四・一以後終了事業年度分

区分		総額 ①	処分 留保 ②	処分 社外流出 ③	
当期利益又は当期欠損の額	1	24,032,717円	22,082,717円	配当 その他	1,950,000円
加算 損金経理をした法人税及び地方法人税（附帯税を除く。）	2				
加算 損金経理をした道府県民税及び市町村民税	3				
加算 損金経理をした納税充当金	4	7,590,200	7,590,200		
加算 損金経理をした附帯税（利子税を除く。）、加算金、延滞金（延納分を除く。）及び過怠税	5	65,500		その他	65,500
加算 減価償却の償却超過額	6	139,982	139,982		
加算 役員給与の損金不算入額	7	4,550,000		その他	4,550,000
加算 交際費等の損金不算入額	8	89,835		その他	89,835
加算 通算法人に係る加算額（別表四付表「5」）	9			外※	
加算 次葉合計	10	38,629,294	37,429,294		1,200,000
加算 小計	11	51,064,811	45,159,476	外※	5,905,335
減算 減価償却超過額の当期認容額	12	82,319	82,319		
減算 納税充当金から支出した事業税等の金額	13				
減算 受取配当等の益金不算入額（別表八(一)「5」）	14	1,585,600		※	1,585,600
減算 外国子会社から受ける剰余金の配当等の益金不算入額（別表八(二)「26」）	15	4,750,000		※	4,750,000
減算 受贈益の益金不算入額	16			※	
減算 適格現物分配に係る益金不算入額	17			※	
減算 法人税等の中間納付額及び過誤納に係る還付金額	18				
減算 所得税額等及び欠損金の繰戻しによる還付金額等	19	530,920		※	530,920
減算 通算法人に係る減算額（別表四付表「10」）	20			※	
減算 次葉合計	21	29,775,800	29,775,800		
減算 小計	22	36,724,639	29,858,119	外※	6,866,520
仮計（1）＋（11）－（22）	23	38,372,889	37,384,074	外※	Δ 6,866,520 7,855,335
対象純支払利子等の損金不算入額（別表十七(二の二)「29」又は「34」）	24			その他	
超過利子額の損金算入額（別表十七(二の三)「10」）	25	Δ		※	Δ
仮計（(23)から(25)までの計）	26	38,372,889	37,384,074	外※	Δ 6,866,520 7,855,335
寄附金の損金不算入額（別表十四(二)「24」又は「40」）	27	2,067,268		その他	2,067,268
沖縄の認定法人又は国家戦略特別区域における指定法人の所得の特別控除額又は要加算調整額の益金算入額（別表十(一)「15」若しくは別表十(二)「10」又は別表十(一)「16」若しくは別表十(二)「11」）	28			※	
法人税額から控除される所得税額（別表六(一)「6の③」）	29	664,671		その他	664,671
税額控除の対象となる外国法人税の額（別表六(二の二)「7」）	30			その他	
分配時調整外国税相当額及び外国関係会社等に係る控除対象所得税額等相当額（別表六(五の二)「5の②」）＋（別表十七(三の六)「1」）	31			その他	
組合等損失額の損金不算入額又は組合等損失超過合計額の損金算入額（別表九(二)「10」）	32				
対外船舶運航事業者の日本船舶による収入金額に係る所得の金額の損金算入額又は益金算入額（別表十(四)「20」、「21」又は「23」）	33			※	
合計（26）＋（27）±（28）＋（29）＋（30）＋（31）＋（32）±（33）	34	41,104,828	37,384,074	外※	Δ 6,866,520 10,587,274
契約者配当の益金算入額（別表九(一)「13」）	35				
特定目的会社等の支払配当又は特定目的信託に係る受託法人の利益の分配等の損金算入額（別表十(八)「13」、別表十(九)「11」又は別表十(十)「16」若しくは「33」）	36	Δ	Δ		
中間申告における繰戻しによる還付に係る災害損失欠損金額の益金算入額	37			※	
非適格合併又は残余財産の全部分配等による移転資産等の譲渡利益額又は譲渡損失額	38			※	
差引計（(34)から(38)までの計）	39	41,104,828	37,384,074	外※	Δ 6,866,520 10,587,274
更生欠損金又は民事再生等評価換えが行われる場合の再生等欠損金の損金算入額（別表七(三)「9」又は「21」）	40	Δ		※	Δ
通算対象欠損金額の損金算入額又は通算対象所得金額の益金算入額（別表七の二「5」又は「11」）	41			※	
当初配賦欠損金控除額の益金算入額（別表七(二)付表一「23の計」）	42			※	
差引計（39）＋（40）±（41）＋（42）	43	41,104,828	37,384,074	外※	Δ 6,866,520 10,587,274
欠損金等の当期控除額（別表七(一)「4の計」）＋（別表七(四)「10」）	44	Δ 13,650,000		※	Δ 13,650,000
総計（43）＋（44）	45	27,454,828	37,384,074	外※	Δ 20,516,520 10,587,274
新鉱床探鉱費又は海外新鉱床探鉱費の特別控除額（別表十(三)「43」）	46	Δ		※	Δ
農業経営基盤強化準備金積立額の損金算入額（別表十二(十三)「10」）	47	Δ	Δ		
農用地等を取得した場合の圧縮額の損金算入額（別表十二(十三)「43の計」）	48	Δ	Δ		
関西国際空港用地整備準備金積立額、中部国際空港整備準備金積立額又は再投資等準備金積立額の損金算入額（別表十二(十)「15」、別表十二(十一)「10」又は別表十二(十四)「12」）	49	Δ	Δ		
特定事業活動として特別新事業開拓事業者の株式の取得をした場合の特別勘定繰入額の損金算入額又は特別勘定取崩額の益金算入額（別表十(六)「21」－「11」）	50			※	
残余財産の確定の日の属する事業年度に係る事業税及び特別法人事業税の損金算入額	51	Δ	Δ		
所得金額又は欠損金額	52	Ⓐ 27,454,828	ⓐ 37,384,074	外※	Δ 20,516,520 10,587,274

結果　Ⓐ「52①」欄の27,454,828円が法人税の課税標準である所得金額となり、別表一で計算される法人税額の計算基礎となります。（➡323ページ）

別表四（次葉）（所得の金額の計算）

前ページの別表四の「加算」・「減算」欄に書き切れない場合に、この次葉を作成し、記入します。

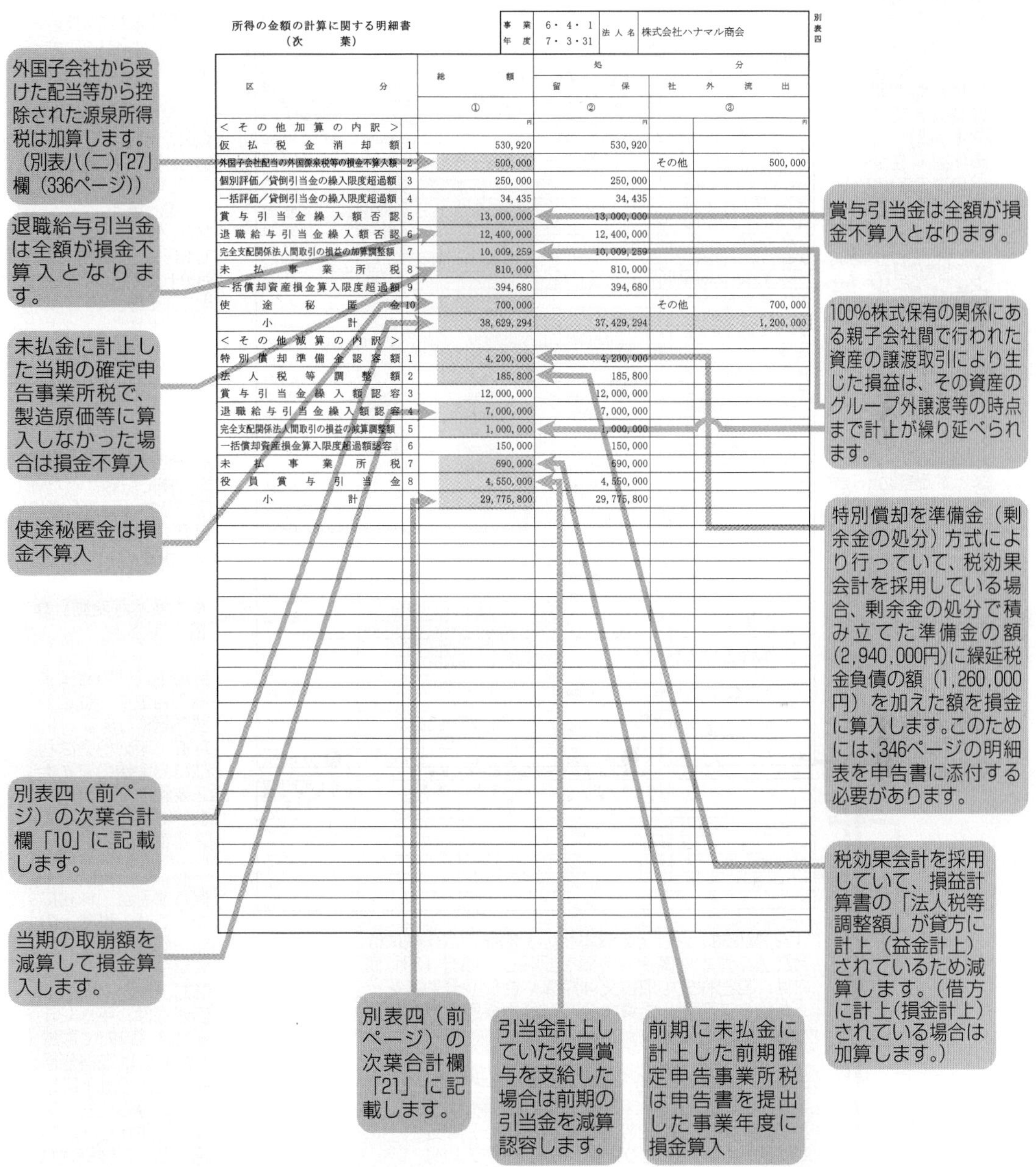

所得の金額の計算に関する明細書（次葉）　事業年度 6・4・1～7・3・31　法人名 株式会社ハナマル商会　別表四

区分		総額 ①	処分 留保 ②	社外流出 ③	
＜その他加算の内訳＞		円	円		円
仮払税金消却額	1	530,920	530,920		
外国子会社配当の外国源泉税等の損金不算入額	2	500,000		その他	500,000
個別評価／貸倒引当金の繰入限度超過額	3	250,000	250,000		
一括評価／貸倒引当金の繰入限度超過額	4	34,435	34,435		
賞与引当金繰入額否認	5	13,000,000	13,000,000		
退職給与引当金繰入額否認	6	12,400,000	12,400,000		
完全支配関係法人間取引の損益の加算調整額	7	10,009,259	10,009,259		
未払事業所税	8	810,000	810,000		
一括償却資産損金算入限度超過額	9	394,680	394,680		
使途秘匿金	10	700,000		その他	700,000
小計		38,629,294	37,429,294		1,200,000
＜その他減算の内訳＞					
特別償却準備金認容額	1	4,200,000	4,200,000		
法人税等調整額	2	185,800	185,800		
賞与引当金繰入額認容	3	12,000,000	12,000,000		
退職給与引当金繰入額認容	4	7,000,000	7,000,000		
完全支配関係法人間取引の損益の減算調整額	5	1,000,000	1,000,000		
一括償却資産損金算入限度超過額認容	6	150,000	150,000		
未払事業所税	7	690,000	690,000		
役員賞与引当金	8	4,550,000	4,550,000		
小計		29,775,800	29,775,800		

別表五（一）（利益積立金額及び資本金等の額の計算）

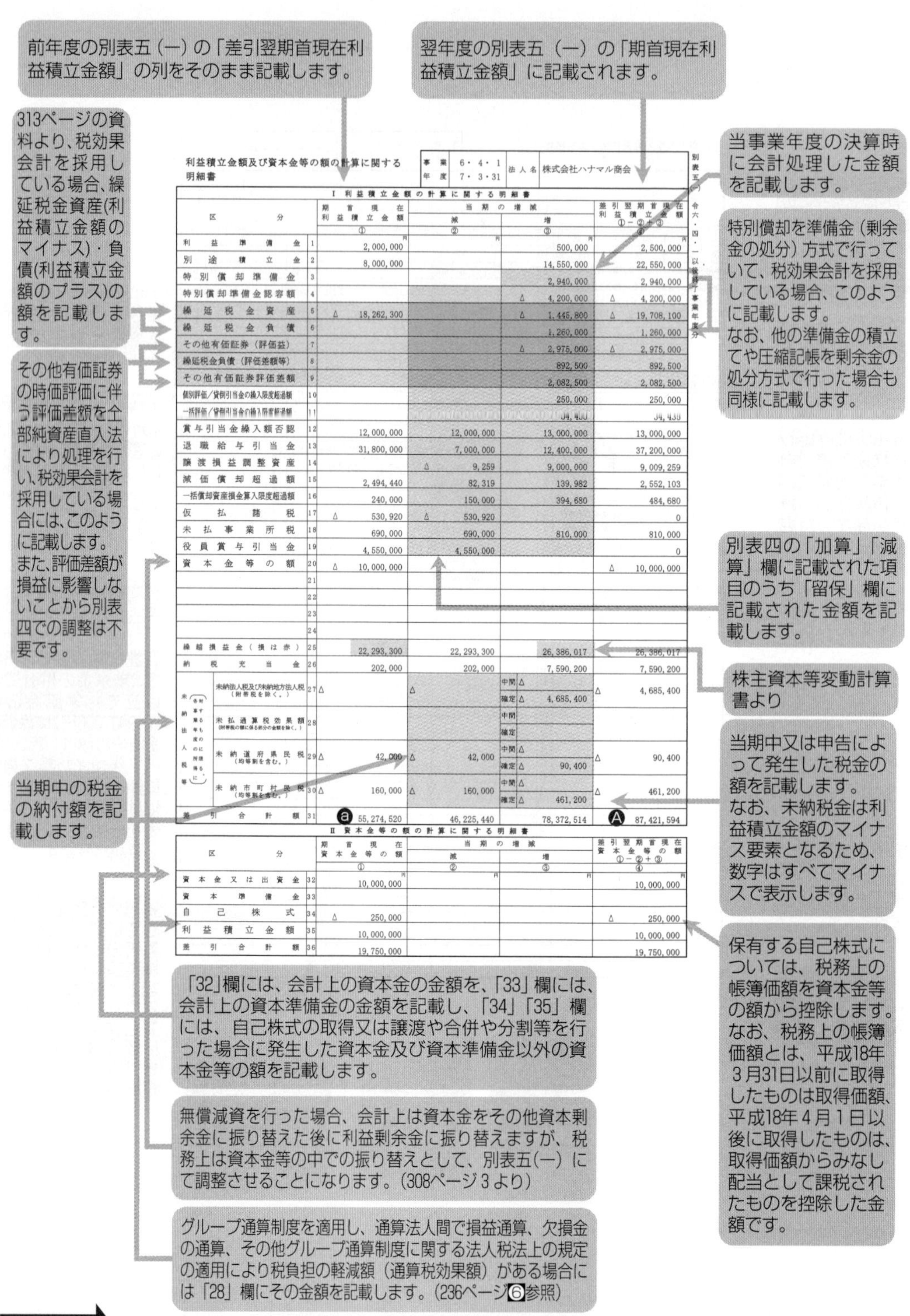

利益積立金額及び資本金等の額の計算に関する明細書　　事業年度 6・4・1／7・3・31　法人名 株式会社ハナマル商会　　別表五(一)　令六・四・一以後終了事業年度分

I 利益積立金額の計算に関する明細書

区分		期首現在利益積立金額 ①	当期の増減 減 ②	当期の増減 増 ③	差引翌期首現在利益積立金額 ①－②＋③ ④
利益準備金	1	2,000,000円	円	500,000円	2,500,000円
別途積立金	2	8,000,000		14,550,000	22,550,000
特別償却準備金	3			2,940,000	2,940,000
特別償却準備金認容額	4			△ 4,200,000	△ 4,200,000
繰延税金資産	5	△ 18,262,300		△ 1,445,800	△ 19,708,100
繰延税金負債	6			1,260,000	1,260,000
その他有価証券（評価益）	7			△ 2,975,000	△ 2,975,000
繰延税金負債（評価差額等）	8			892,500	892,500
その他有価証券評価差額	9			2,082,500	2,082,500
個別評価／貸倒引当金の繰入限度超過額	10			250,000	250,000
一括評価／貸倒引当金の繰入限度超過額	11			34,4[illegible]	34,430
賞与引当金繰入額否認	12	12,000,000	12,000,000	13,000,000	13,000,000
退職給与引当金	13	31,800,000	7,000,000	12,400,000	37,200,000
譲渡損益調整資産	14		△ 9,259	9,000,000	9,009,259
減価償却超過額	15	2,494,440	82,319	139,982	2,552,103
一括償却資産損金算入限度超過額	16	240,000	150,000	394,680	484,680
仮払諸税	17	△ 530,920	△ 530,920		0
未払事業所税	18	690,000	690,000	810,000	810,000
役員賞与引当金	19	4,550,000	4,550,000		0
資本金等の額	20	△ 10,000,000			△ 10,000,000
	21				
	22				
	23				
	24				
繰越損益金（損は赤）	25	22,293,300	22,293,300	26,386,017	26,386,017
納税充当金	26	202,000	202,000	7,590,200	7,590,200
未納法人税等（退職年金等積立金に対するものを除く。） 未納法人税及び未納地方法人税（附帯税を除く。）	27	△	△	中間 △ 確定 △ 4,685,400	△ 4,685,400
未払通算税効果額（附帯税の額に係る部分の金額を除く。）	28			中間 確定	
未納道府県民税（均等割を含む。）	29	△ 42,000	△ 42,000	中間 △ 確定 △ 90,400	△ 90,400
未納市町村民税（均等割を含む。）	30	△ 160,000	△ 160,000	中間 △ 確定 △ 461,200	△ 461,200
差引合計額	31	ⓐ 55,274,520	46,225,440	78,372,514	Ⓐ 87,421,594

II 資本金等の額の計算に関する明細書

区分		期首現在資本金等の額 ①	当期の増減 減 ②	当期の増減 増 ③	差引翌期首現在資本金等の額 ①－②＋③ ④
資本金又は出資金	32	10,000,000円	円	円	10,000,000円
資本準備金	33				
自己株式	34	△ 250,000			△ 250,000
利益積立金額	35	10,000,000			10,000,000
差引合計額	36	19,750,000			19,750,000

結　果　以下の計算式で別表四の留保金額と利益積立金額の関係が正しく記入されているかを確認します。

ⓐ55,274,520＋別表四ⓐ37,384,074－(4,685,400＋90,400＋461,200)＝87,421,594(Ⓐ)

（4,685,400＋90,400＋461,200：法人税・住民税の当期発生税額）

別表五（二）（租税公課の納付状況）

（14ページ参照）

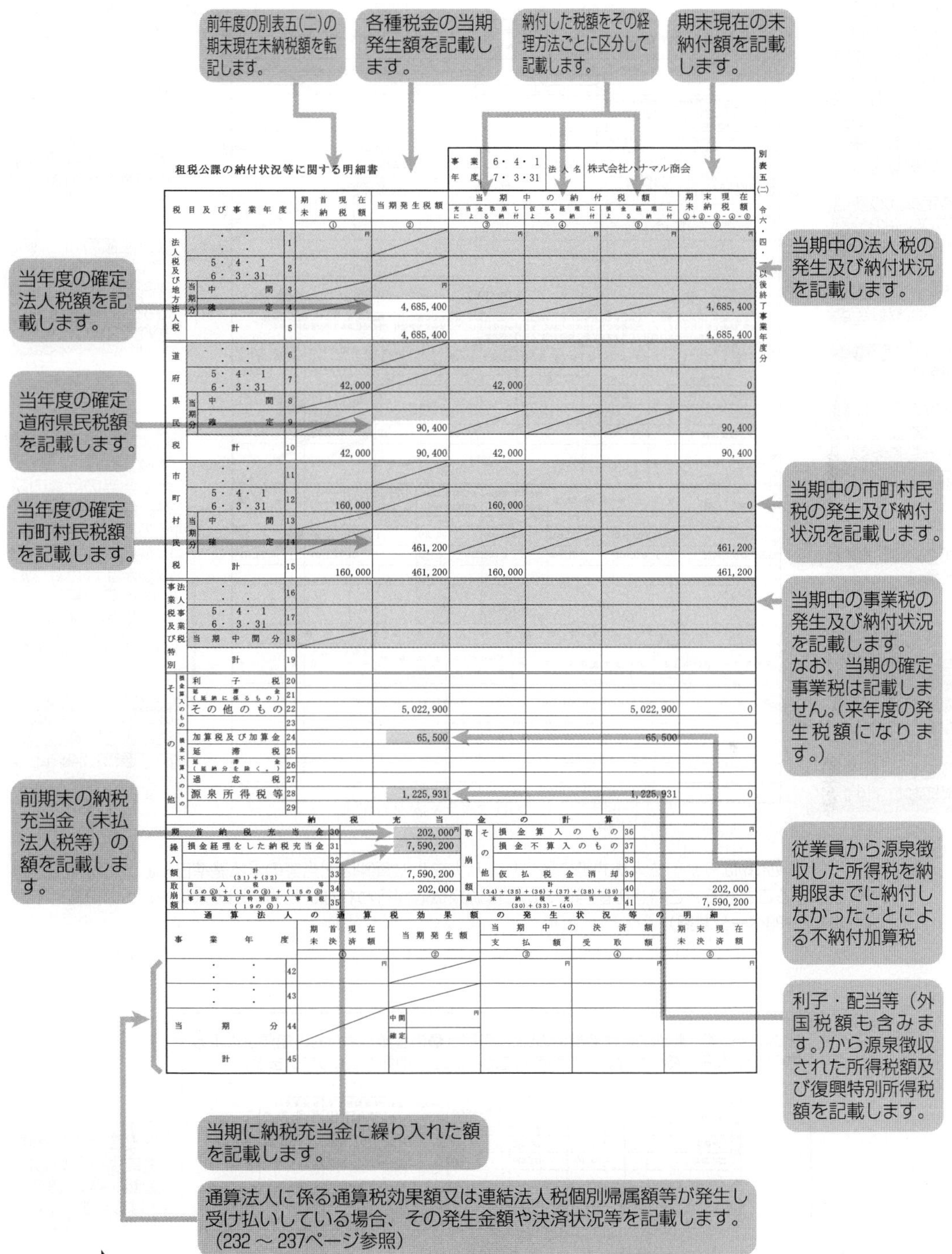

租税公課の納付状況等に関する明細書　事業年度 6・4・1～7・3・31　法人名 株式会社ハナマル商会　別表五(二)　令六・四・一以後終了事業年度分

税目及び事業年度		期首現在未納税額①	当期発生税額②	充当金取崩しによる納付③	仮払経理による納付④	損金経理による納付⑤	期末現在未納税額①+②-③-④-⑤⑥
法人税及び地方法人税 ・・	1	円		円		円	円
5・4・1～6・3・31	2						
当期分 中間	3		円				
当期分 確定	4		4,685,400				4,685,400
計	5		4,685,400				4,685,400
道府県民税 ・・	6						
5・4・1～6・3・31	7	42,000		42,000			0
当期分 中間	8						
当期分 確定	9		90,400				90,400
計	10	42,000	90,400	42,000			90,400
市町村民税 ・・	11						
5・4・1～6・3・31	12	160,000		160,000			0
当期分 中間	13						
当期分 確定	14		461,200				461,200
計	15	160,000	461,200	160,000			461,200
事業税及び特別法人事業税 ・・	16						
5・4・1～6・3・31	17						
当期中間分	18						
計	19						
その他 損金算入のもの 利子税	20						
延滞金（延納に係るもの）	21						
その他のもの	22		5,022,900			5,022,900	0
	23						
損金不算入のもの 加算税及び加算金	24		65,500			65,500	0
延滞税	25						
延滞金（延納分を除く。）	26						
過怠税	27						
源泉所得税等	28		1,225,931			1,225,931	0
	29						

納税充当金の計算

項目		金額	項目		金額
期首納税充当金	30	202,000円	取崩額 その他 損金算入のもの	36	円
繰入額 損金経理をした納税充当金	31	7,590,200	損金不算入のもの	37	
	32			38	
計 (31)+(32)	33	7,590,200	仮払税金消却	39	
取崩額 法人税額等 (5の③)+(10の③)+(15の③)	34	202,000	計 (34)+(35)+(36)+(37)+(38)+(39)	40	202,000
事業税及び特別法人事業税 (19の③)	35		期末納税充当金 (30)+(33)-(40)	41	7,590,200

通算法人の通算税効果額の発生状況等の明細

事業年度		期首現在未決済額①	当期発生額②	当期中の決済額 支払額③	当期中の決済額 受取額④	期末現在未決済額⑤
・・	42	円		円	円	円
・・	43					
当期分	44		中間 円 / 確定			
計	45					

結　果　損金不算入とされる税金（法人税、住民税等）の支払を損金経理した場合や、損金算入とされる税金（事業税等）の支払を充当金から取り崩したり仮払経理した場合は、別表四で所得金額に加減算する必要があります。（➡326、327ページ）

別表六（一）（法人税額から控除する所得税額の計算）

（88ページ参照）

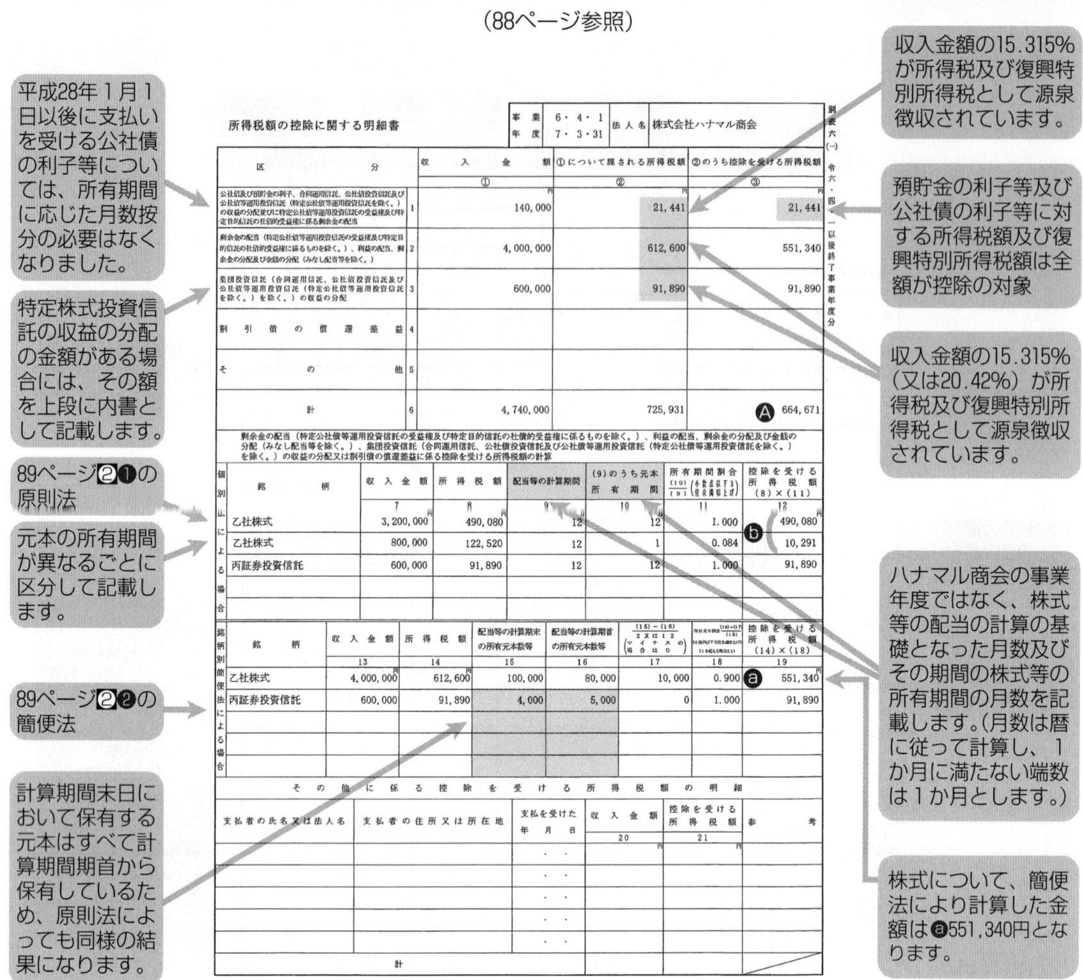

所得税額の控除に関する明細書　事業年度 6・4・1～7・3・31　法人名 株式会社ハナマル商会　別表六(一)　令六・四・一以後終了事業年度分

区分		収入金額 ①	①について課される所得税額 ②	②のうち控除を受ける所得税額 ③
公社債及び預貯金の利子、合同運用信託、公社債投資信託及び公社債等運用投資信託（特定公社債等運用投資信託を除く。）の収益の分配並びに特定公社債等運用投資信託の受益権及び特定目的信託の社債的受益権に係る剰余金の配当	1	140,000円	21,441円	21,441円
剰余金の配当（特定公社債等運用投資信託の受益権及び特定目的信託の社債的受益権に係るものを除く。）、利益の配当、剰余金の分配及び金銭の分配（みなし配当等を除く。）	2	4,000,000	612,600	551,340
集団投資信託（合同運用信託、公社債投資信託及び公社債等運用投資信託（特定公社債等運用投資信託を除く。）を除く。）の収益の分配	3	600,000	91,890	91,890
割引債の償還差益	4			
その他	5			
計	6	4,740,000	725,931	Ⓐ 664,671

剰余金の配当（特定公社債等運用投資信託の受益権及び特定目的信託の社債的受益権に係るものを除く。）、利益の配当、剰余金の分配及び金銭の分配（みなし配当等を除く。）、集団投資信託（合同運用信託、公社債投資信託及び公社債等運用投資信託（特定公社債等運用投資信託を除く。）を除く。）の収益の分配又は割引債の償還差益に係る控除を受ける所得税額の計算

個別法による場合 銘柄	収入金額 7	所得税額 8	配当等の計算期間 9	(9)のうち元本所有期間 10	所有期間割合 (10)/(9)（小数点以下3位未満切上げ） 11	控除を受ける所得税額 (8)×(11) 12
乙社株式	3,200,000円	490,080円	12	12	1.000	490,080円
乙社株式	800,000	122,520	12	1	0.084	10,291
丙証券投資信託	600,000	91,890	12	12	1.000	91,890

❻ = 490,080 + 10,291

銘柄別簡便法による場合 銘柄	収入金額 13	所得税額 14	配当等の計算期末の所有元本数等 15	配当等の計算期首の所有元本数等 16	(15)−(16) / 2又は12（マイナスの場合は0） 17	所有元本割合 (16)+(17) / (15)（小数点以下3位未満切上げ）（1を超える場合は1） 18	控除を受ける所得税額 (14)×(18) 19
乙社株式	4,000,000円	612,600円	100,000	80,000	10,000	0.900	ⓐ 551,340円
丙証券投資信託	600,000	91,890	4,000	5,000	0	1.000	91,890

その他に係る控除を受ける所得税額の明細

支払者の氏名又は法人名	支払者の住所又は所在地	支払を受けた年月日	収入金額 20	控除を受ける所得税額 21	参考
		・　・	円	円	
		・　・			
		・　・			
		・　・			
		・　・			
計					

（注）ハナマル東京販売㈱は完全子法人株式等に該当し、ハナマル滋賀㈱は配当等の支払基準日において関連法人株式等に該当することから、これらの配当については源泉徴収が行われないため、別表六（一）への記載は不要となります。（88ページ参照）

株式について、個別法による場合の500,371円（❻の金額）よりも、簡便法による場合551,340円（ⓐの金額）の方が有利であるため、簡便法によっています。

個別法による場合 銘柄	収入金額 7	所得税額 8	配当等の計算期間 9	(9)のうち元本所有期間 10	所有期間割合 (10)/(9)（小数点以下3位未満切上げ） 11	控除を受ける所得税額 (8)×(11) 12
乙社株式	3,200,000	490,080	12	12	1.000	490,080
乙社株式	800,000	122,520	12	1	0.084	10,291

株式について、個別法により計算した金額は❻500,371円となります。

結果 Ⓐ「6③」欄の664,671円が法人税額から控除される所得税額ですので、まず別表四「29」欄に記入し、別表一「16」欄に転記します。（➡323、326ページ）

別表六（六）（法人税の額から控除される特別控除額）

法人税額の特別控除の規定の適用を受ける場合には、別表六（六）「法人税の額から控除される特別控除額に関する明細書」を作成し、「５」欄の特別控除額を別表一「３」に転記することになります。

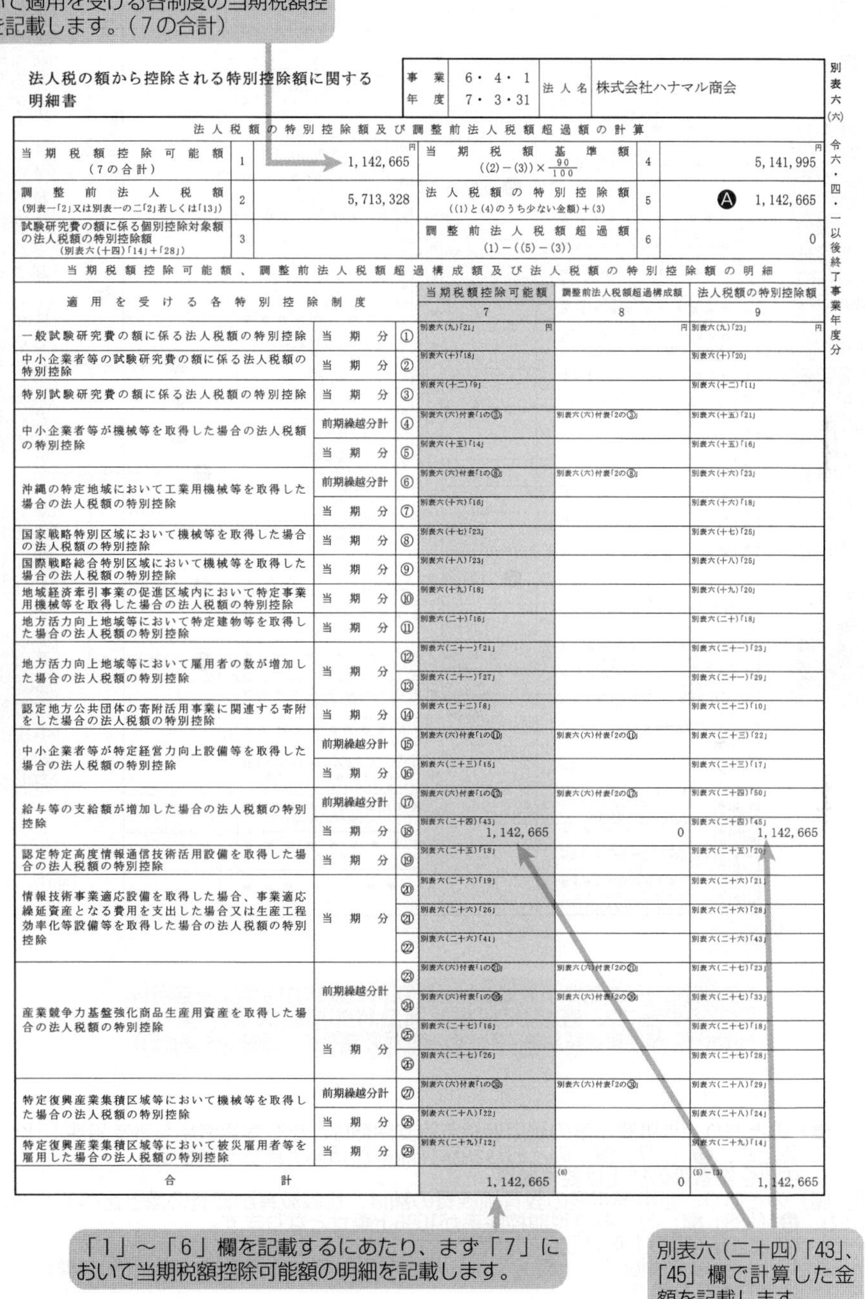

法人税の額から控除される特別控除額に関する明細書

事業年度	6・4・1 ～ 7・3・31	法人名	株式会社ハナマル商会

別表六(六)　令六・四・一以後終了事業年度分

法人税額の特別控除額及び調整前法人税額超過額の計算					
当期税額控除可能額 （７の合計）	1	1,142,665 円	当期税額基準額 $((2)-(3))\times\frac{90}{100}$	4	5,141,995 円
調整前法人税額 (別表一「2」又は別表一の二「2」若しくは「13」)	2	5,713,328	法人税額の特別控除額 ((1)と(4)のうち少ない金額)＋(3)	5	Ⓐ 1,142,665
試験研究費の額に係る個別控除対象額の法人税額の特別控除額 (別表六(十四)「14」＋「28」)	3		調整前法人税額超過額 (1)－((5)－(3))	6	0

当期税額控除可能額、調整前法人税額超過構成額及び法人税額の特別控除額の明細					
適用を受ける各特別控除制度			当期税額控除可能額 7	調整前法人税額超過構成額 8	法人税額の特別控除額 9
一般試験研究費の額に係る法人税額の特別控除	当期分	①	別表六(九)「21」 円	円	別表六(九)「23」 円
中小企業者等の試験研究費の額に係る法人税額の特別控除	当期分	②	別表六(十)「18」		別表六(十)「20」
特別試験研究費の額に係る法人税額の特別控除	当期分	③	別表六(十二)「9」		別表六(十二)「11」
中小企業者等が機械等を取得した場合の法人税額の特別控除	前期繰越分計	④	別表六(六)付表「1の③」	別表六(六)付表「2の③」	別表六(十五)「21」
	当期分	⑤	別表六(十五)「14」		別表六(十五)「16」
沖縄の特定地域において工業用機械等を取得した場合の法人税額の特別控除	前期繰越分計	⑥	別表六(六)付表「1の⑧」	別表六(六)付表「2の⑧」	別表六(十六)「23」
	当期分	⑦	別表六(十六)「16」		別表六(十六)「18」
国家戦略特別区域において機械等を取得した場合の法人税額の特別控除	当期分	⑧	別表六(十七)「23」		別表六(十七)「25」
国際戦略総合特別区域において機械等を取得した場合の法人税額の特別控除	当期分	⑨	別表六(十八)「23」		別表六(十八)「25」
地域経済牽引事業の促進区域内において特定事業用機械等を取得した場合の法人税額の特別控除	当期分	⑩	別表六(十九)「18」		別表六(十九)「20」
地方活力向上地域等において特定建物等を取得した場合の法人税額の特別控除	当期分	⑪	別表六(二十)「16」		別表六(二十)「18」
地方活力向上地域等において雇用者の数が増加した場合の法人税額の特別控除	当期分	⑫	別表六(二十一)「21」		別表六(二十一)「23」
		⑬	別表六(二十一)「27」		別表六(二十一)「29」
認定地方公共団体の寄附活用事業に関連する寄附をした場合の法人税額の特別控除	当期分	⑭	別表六(二十二)「8」		別表六(二十二)「10」
中小企業者等が特定経営力向上設備等を取得した場合の法人税額の特別控除	前期繰越分計	⑮	別表六(六)付表「1の⑪」	別表六(六)付表「2の⑪」	別表六(二十三)「22」
	当期分	⑯	別表六(二十三)「15」		別表六(二十三)「17」
給与等の支給額が増加した場合の法人税額の特別控除	前期繰越分計	⑰	別表六(六)付表「1の⑰」	別表六(六)付表「2の⑰」	別表六(二十四)「50」
	当期分	⑱	別表六(二十四)「43」 1,142,665	0	別表六(二十四)「45」 1,142,665
認定特定高度情報通信技術活用設備を取得した場合の法人税額の特別控除	当期分	⑲	別表六(二十五)「18」		別表六(二十五)「20」
情報技術事業適応設備を取得した場合、事業適応繰延資産となる費用を支出した場合又は生産工程効率化等設備等を取得した場合の法人税額の特別控除	当期分	⑳	別表六(二十六)「19」		別表六(二十六)「21」
		㉑	別表六(二十六)「26」		別表六(二十六)「28」
		㉒	別表六(二十六)「41」		別表六(二十六)「43」
産業競争力基盤強化商品生産用資産を取得した場合の法人税額の特別控除	前期繰越分計	㉓	別表六(六)付表「1の㉑」	別表六(六)付表「2の㉑」	別表六(二十七)「23」
		㉔	別表六(六)付表「1の㉖」	別表六(六)付表「2の㉖」	別表六(二十七)「33」
	当期分	㉕	別表六(二十七)「16」		別表六(二十七)「18」
		㉖	別表六(二十七)「26」		別表六(二十七)「28」
特定復興産業集積区域等において機械等を取得した場合の法人税額の特別控除	前期繰越分計	㉗	別表六(六)付表「1の㉚」	別表六(六)付表「2の㉚」	別表六(二十八)「29」
	当期分	㉘	別表六(二十八)「22」		別表六(二十八)「24」
特定復興産業集積区域等において被災雇用者等を雇用した場合の法人税額の特別控除	当期分	㉙	別表六(二十九)「12」		別表六(二十九)「14」
合計			1,142,665	(6) 0	(5)－(3) 1,142,665

結果 Ⓐ「５」欄の1,142,665円が当期の法人税額から控除する特別控除額の合計額です。この金額を別表一「３」に記載します。（➡323ページ）

別表六（二十四）（給与等の支給額が増加した場合の法人税額の特別控除）

（20ページ参照）

●ハナマル商会は、中小企業者等（大規模法人との間に支配関係を有さず、かつ、適用除外事業者には該当しません。199ページ⑤中小法人等と中小企業者等の判定参照）に該当するため、別表六（二十四）を用いて特別控除額を計算します。

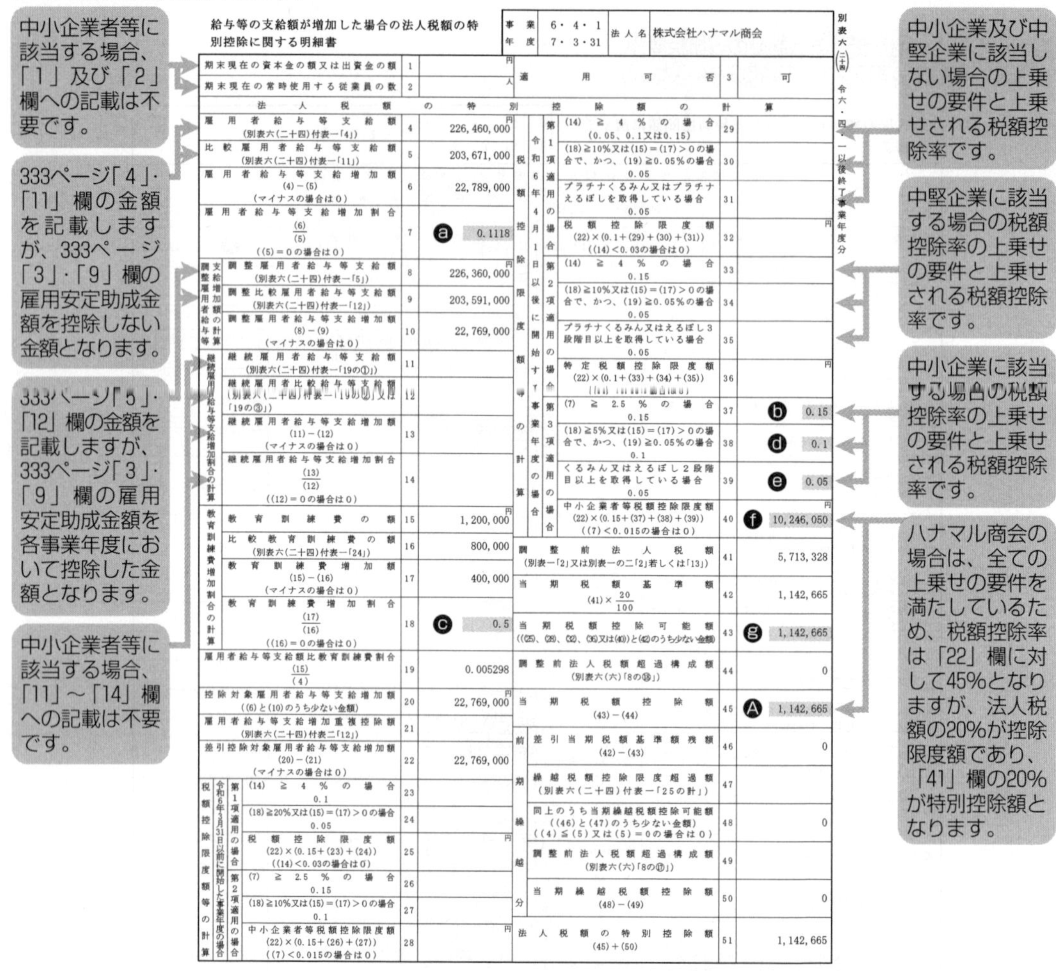

給与等の支給額が増加した場合の法人税額の特別控除に関する明細書

事業年度	6・4・1 7・3・31	法人名	株式会社ハナマル商会

別表六(二十四) 令六・四・一以後終了事業年度分

区分	項目	番号	金額
	期末現在の資本金の額又は出資金の額	1	円
	期末現在の常時使用する従業員の数	2	人
	適用可否	3	可
法人税額の特別控除額の計算			
	雇用者給与等支給額 (別表六(二十四)付表一「4」)	4	226,460,000円
	比較雇用者給与等支給額 (別表六(二十四)付表一「11」)	5	203,671,000
	雇用者給与等支給増加額 (4)－(5) (マイナスの場合は0)	6	22,789,000
	雇用者給与等支給増加割合 $\frac{(6)}{(5)}$ ((5)＝0の場合は0)	7	ⓐ 0.1118
調整雇用者給与等支給増加額の計算	調整雇用者給与等支給額 (別表六(二十四)付表一「5」)	8	226,360,000円
調整雇用者給与等支給増加額の計算	調整比較雇用者給与等支給額 (別表六(二十四)付表一「12」)	9	203,591,000
調整雇用者給与等支給増加額の計算	調整雇用者給与等支給増加額 (8)－(9) (マイナスの場合は0)	10	22,769,000
継続雇用者給与等支給増加割合の計算	継続雇用者給与等支給額 (別表六(二十四)付表一「19の①」)	11	
継続雇用者給与等支給増加割合の計算	継続雇用者比較給与等支給額 (別表六(二十四)付表一「19の②」又は「19の③」)	12	
継続雇用者給与等支給増加割合の計算	継続雇用者給与等支給増加額 (11)－(12) (マイナスの場合は0)	13	
継続雇用者給与等支給増加割合の計算	継続雇用者給与等支給増加割合 $\frac{(13)}{(12)}$ ((12)＝0の場合は0)	14	
教育訓練費増加割合の計算	教育訓練費の額	15	1,200,000円
教育訓練費増加割合の計算	比較教育訓練費の額 (別表六(二十四)付表一「24」)	16	800,000
教育訓練費増加割合の計算	教育訓練費増加額 (15)－(16) (マイナスの場合は0)	17	400,000
教育訓練費増加割合の計算	教育訓練費増加割合 $\frac{(17)}{(16)}$ ((16)＝0の場合は0)	18	ⓒ 0.5
	雇用者給与等支給額比教育訓練費割合 $\frac{(15)}{(4)}$	19	0.005298
	控除対象雇用者給与等支給増加額 ((6)と(10)のうち少ない金額)	20	22,769,000円
	雇用者給与等支給増加重複控除額 (別表六(二十四)付表二「12」)	21	
	差引控除対象雇用者給与等支給増加額 (20)－(21) (マイナスの場合は0)	22	22,769,000
税額控除限度額等の計算 令和6年3月31日以前に開始した事業年度の場合 第1項適用の場合	(14) ≧ 4 % の場合 0.1	23	
同 第1項適用の場合	(18)≧20%又は(15)＝(17)＞0の場合 0.05	24	
同 第1項適用の場合	税額控除限度額 (22)×(0.15＋(23)＋(24)) ((14)＜0.03の場合は0)	25	円
同 第2項適用の場合	(7) ≧ 2.5 % の場合 0.15	26	
同 第2項適用の場合	(18)≧10%又は(15)＝(17)＞0の場合 0.1	27	
同 第2項適用の場合	中小企業者等税額控除限度額 (22)×(0.15＋(26)＋(27)) ((7)＜0.015の場合は0)	28	円
税額控除限度額等の計算 令和6年4月1日以後に開始する事業年度の場合 第1項適用の場合	(14) ≧ 4 % の場合 (0.05、0.1又は0.15)	29	
同 第1項適用の場合	(18)≧10%又は(15)＝(17)＞0の場合で、かつ、(19)≧0.05%の場合 0.05	30	
同 第1項適用の場合	プラチナくるみん又はプラチナえるぼしを取得している場合 0.05	31	
同 第1項適用の場合	税額控除限度額 (22)×(0.1＋(29)＋(30)＋(31)) ((14)＜0.03の場合は0)	32	円
同 第2項適用の場合	(14) ≧ 4 % の場合 0.15	33	
同 第2項適用の場合	(18)≧10%又は(15)＝(17)＞0の場合で、かつ、(19)≧0.05%の場合 0.05	34	
同 第2項適用の場合	プラチナくるみん又はえるぼし3段階目以上を取得している場合 0.05	35	
同 第2項適用の場合	特定税額控除限度額 (22)×(0.1＋(33)＋(34)＋(35)) [illegible]	36	円
同 第3項適用の場合	(7) ≧ 2.5 % の場合 0.15	37	ⓑ 0.15
同 第3項適用の場合	(18)≧5%又は(15)＝(17)＞0の場合で、かつ、(19)≧0.05%の場合 0.1	38	ⓓ 0.1
同 第3項適用の場合	くるみん又はえるぼし2段階目以上を取得している場合 0.05	39	ⓔ 0.05
同 第3項適用の場合	中小企業者等税額控除限度額 (22)×(0.15＋(37)＋(38)＋(39)) ((7)＜0.015の場合は0)	40	ⓕ 10,246,050円
	調整前法人税額 (別表一「2」又は別表一の二「2」若しくは「13」)	41	5,713,328
	当期税額基準額 (41)× $\frac{20}{100}$	42	1,142,665
	当期税額控除可能額 ((25)、(28)、(32)、(36)又は(40))と(42)のうち少ない金額)	43	ⓖ 1,142,665
	調整前法人税額超過構成額 (別表六(六)「8の⑱」)	44	0
	当期税額控除額 (43)－(44)	45	Ⓐ 1,142,665
前期繰越分	差引当期税額基準額残額 (42)－(43)	46	0
前期繰越分	繰越税額控除限度超過額 (別表六(二十四)付表一「25の計」)	47	
前期繰越分	同上のうち当期繰越税額控除可能額 ((46)と(47)のうち少ない金額) ((4)≦(5)又は(5)＝0の場合は0)	48	0
前期繰越分	調整前法人税額超過構成額 (別表六(六)「8の⑰」)	49	
前期繰越分	当期繰越税額控除額 (48)－(49)	50	0
	法人税額の特別控除額 (45)＋(50)	51	1,142,665

雇用者給与等支給額が増加した場合の法人税額の特別控除を適用している場合には、適用額明細書の「租税特別措置法の条項」欄、「区分番号」欄、「適用額」欄に所定の記載が必要です。（349ページ参照）

- ⓐ（「7」欄）のとおり、当事業年度の雇用者給与等支給額は、比較雇用者給与等支給額と比べて2.5%以上増加しているため、ⓑ（「37」欄）のとおり税額控除率が15%上乗せとなります。
  →20ページ、中小企業者等の賃上げ要件参照
- ⓒ（「18」欄）のとおり、当事業年度の教育訓練費の額は、比較教育訓練費の額と比べて5%以上増加しているため、ⓓ（「38」欄）のとおり税額控除率が10%上乗せとなります。
  →20ページ、中小企業者等の上乗せ要件①参照
- くるみん認定以上、又は2段階目以上のえるぼし認定を受けている場合は、ⓔ（「39」欄）のとおり税額控除率が5%上乗せとなります。
  →20ページ、中小企業者等の上乗せ要件②参照

※制度の詳細は、20ページ参照。

結　果 Ⓐ「45」欄の1,142,665円が当期の法人税額から控除する特別控除額です。この金額を別表六(六)「18」に記載します。(→331ページ)

別表六（二十四）付表一（給与等支給額及び比較教育訓練費の額の計算）

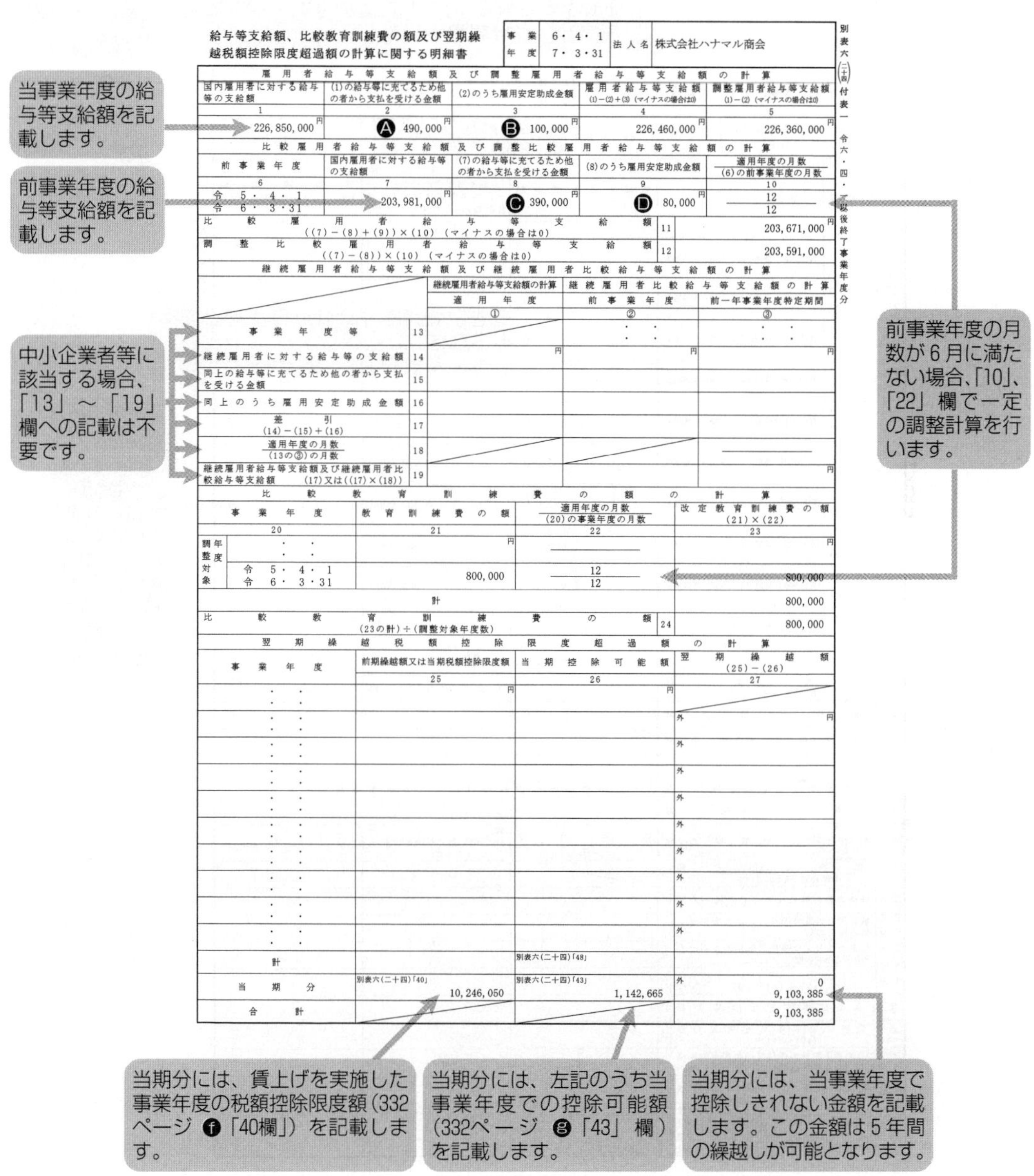

給与等支給額、比較教育訓練費の額及び翌期繰越税額控除限度超過額の計算に関する明細書

事業年度	6・4・1 ～ 7・3・31	法人名	株式会社ハナマル商会

別表六(二十四)付表一　令六・四・一以後終了事業年度分

雇用者給与等支給額及び調整雇用者給与等支給額の計算

国内雇用者に対する給与等の支給額	(1)の給与等に充てるため他の者から支払を受ける金額	(2)のうち雇用安定助成金額	雇用者給与等支給額 (1)－(2)＋(3)（マイナスの場合は0）	調整雇用者給与等支給額 (1)－(2)（マイナスの場合は0）
1	2	3	4	5
226,850,000円	Ⓐ 490,000円	Ⓑ 100,000円	226,460,000円	226,360,000円

比較雇用者給与等支給額及び調整比較雇用者給与等支給額の計算

前事業年度	国内雇用者に対する給与等の支給額	(7)の給与等に充てるため他の者から支払を受ける金額	(8)のうち雇用安定助成金額	適用年度の月数 / (6)の前事業年度の月数
6	7	8	9	10
令5・4・1 ～ 令6・3・31	203,981,000円	Ⓒ 390,000円	Ⓓ 80,000円	12/12

項目	番号	金額
比較雇用者給与等支給額 ((7)－(8)＋(9))×(10)（マイナスの場合は0）	11	203,671,000円
調整比較雇用者給与等支給額 ((7)－(8))×(10)（マイナスの場合は0）	12	203,591,000

継続雇用者給与等支給額及び継続雇用者比較給与等支給額の計算

		継続雇用者給与等支給額の計算 適用年度 ①	継続雇用者比較給与等支給額の計算 前事業年度 ②	継続雇用者比較給与等支給額の計算 前一年事業年度特定期間 ③
事業年度等	13		・・ ～ ・・	・・ ～ ・・
継続雇用者に対する給与等の支給額	14	円	円	円
同上の給与等に充てるため他の者から支払を受ける金額	15			
同上のうち雇用安定助成金額	16			
差引 (14)－(15)＋(16)	17			
適用年度の月数 / (13の③)の月数	18			
継続雇用者給与等支給額及び継続雇用者比較給与等支給額 (17)又は((17)×(18))	19			円

比較教育訓練費の額の計算

	事業年度	教育訓練費の額	適用年度の月数 / (20)の事業年度の月数	改定教育訓練費の額 (21)×(22)
	20	21	22	23
調整対象年度	・・ ～ ・・	円		円
	令5・4・1 ～ 令6・3・31	800,000	12/12	800,000
計				800,000
比較教育訓練費の額 (23の計)÷(調整対象年度数) 24				800,000

翌期繰越税額控除限度超過額の計算

事業年度	前期繰越額又は当期税額控除限度額 25	当期控除可能額 26	翌期繰越額 (25)－(26) 27
・・ ～ ・・	円	円	
・・ ～ ・・			外 円
・・ ～ ・・			外
・・ ～ ・・			外
・・ ～ ・・			外
・・ ～ ・・			外
・・ ～ ・・			外
・・ ～ ・・			外
・・ ～ ・・			外
・・ ～ ・・			外
・・ ～ ・・			外
計		別表六(二十四)「48」	
当期分	別表六(二十四)「40」 10,246,050	別表六(二十四)「43」 1,142,665	外 0 9,103,385
合計			9,103,385

Ⓐ・Ⓒ中小企業者等がその給与等に充てるため他の者から支払を受ける金額（出向負担金やキャリアアップ助成金など）がある場合、その金額は各事業年度の給与等の支給額から除外されます。（21ページ①給与等支給額参照）

Ⓐ・Ⓒのその給与等に充てるため他の者から支払を受ける金額に含まれているⒷ・Ⓓの雇用安定助成金額（雇用調整助成金等）については、332ページ「7」欄の雇用者給与等支給増加割合の判定に用いる雇用者給与等支給額（332ページ「4」欄）及び比較雇用者給与等支給額（332ページ「5」欄）から控除せず計算しますが、控除対象雇用者給与等支給増加額（332ページ「20」欄）からは控除して計算します。（21ページ①給与等支給額参照）

また、「21」欄の教育訓練費については、その明細などが記載された一定書類を保存する必要があります。

別表七（一）（欠損金の損金算入の計算）

（185ページ参照）

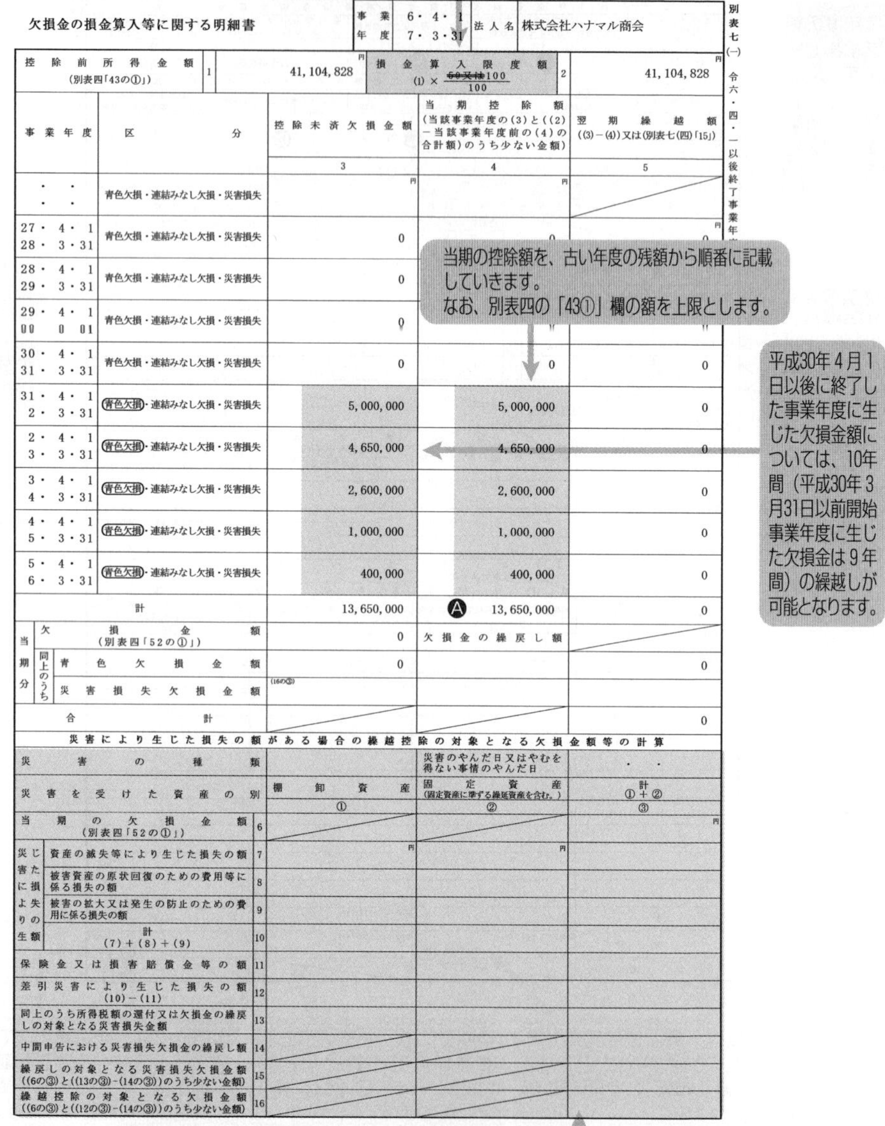

欠損金の損金算入等に関する明細書

事業年度	6・4・1 7・3・31	法人名	株式会社ハナマル商会

控除前所得金額 (別表四「43の①」)	1	41,104,828円	損金算入限度額 (1) × ~~50又は~~100 / 100	2	41,104,828円

事業年度	区分	控除未済欠損金額 3	当期控除額 (当該事業年度の(3)と((2)－当該事業年度前の(4)の合計額)のうち少ない金額) 4	翌期繰越額 ((3)－(4))又は(別表七(四)「15」) 5
・・ ・・	青色欠損・連結みなし欠損・災害損失	円	円	
27・4・1 28・3・31	青色欠損・連結みなし欠損・災害損失	0	0	円 0
28・4・1 29・3・31	青色欠損・連結みなし欠損・災害損失	0		
29・4・1 00 0 01	青色欠損・連結みなし欠損・災害損失	0		
30・4・1 31・3・31	青色欠損・連結みなし欠損・災害損失	0	0	0
31・4・1 2・3・31	(青色欠損)・連結みなし欠損・災害損失	5,000,000	5,000,000	0
2・4・1 3・3・31	(青色欠損)・連結みなし欠損・災害損失	4,650,000	4,650,000	0
3・4・1 4・3・31	(青色欠損)・連結みなし欠損・災害損失	2,600,000	2,600,000	0
4・4・1 5・3・31	(青色欠損)・連結みなし欠損・災害損失	1,000,000	1,000,000	0
5・4・1 6・3・31	(青色欠損)・連結みなし欠損・災害損失	400,000	400,000	0
計		13,650,000	Ⓐ 13,650,000	0
当期分	欠損金額 (別表四「52の①」)	0	欠損金の繰戻し額	
	同上のうち 青色欠損金額	0		0
	同上のうち 災害損失欠損金額	(16の③)		
合計				0

災害により生じた損失の額がある場合の繰越控除の対象となる欠損金額等の計算

災害の種類			災害のやんだ日又はやむを得ない事情のやんだ日	・・
災害を受けた資産の別		棚卸資産 ①	固定資産 (固定資産に準ずる繰延資産を含む。) ②	計 ①＋② ③
当期の欠損金額 (別表四「52の①」)	6			円
災害により生じた損失の額 資産の滅失等により生じた損失の額	7	円	円	
被害資産の原状回復のための費用等に係る損失の額	8			
被害の拡大又は発生の防止のための費用に係る損失の額	9			
計 (7)＋(8)＋(9)	10			
保険金又は損害賠償金等の額	11			
差引災害により生じた損失の額 (10)－(11)	12			
同上のうち所得税額の還付又は欠損金の繰戻しの対象となる災害損失金額	13			
中間申告における災害損失欠損金の繰戻し額	14			
繰戻しの対象となる災害損失欠損金額 ((6の③)と((13の③)－(14の③))のうち少ない金額)	15			
繰越控除の対象となる欠損金額 ((6の③)と((12の③)－(14の③))のうち少ない金額)	16			

別表七(一)　令六・四・一以後終了事業年度分

●更生欠損金の損金算入や再生等欠損金の損金算入、解散の場合の欠損金の損金算入については別表七（三）や別表七（四）を作成する必要があります。（209～211ページ参照）

結果　Ⓐの13,650,000円を当期控除額として、別表四の「44」欄に記載します。（➡326ページ）

別表八（一）（受取配当等の益金不算入の計算）

（解説は87ページにあります。）

受取配当等の益金不算入に関する明細書

事業年度	6・4・1 7・3・31	法人名	株式会社ハナマル商会

別表八(一) 令六・四・一以後終了事業年度分

完全子法人株式等に係る受取配当等の額 （9の計）	1	600,000円	非支配目的株式等に係る受取配当等の額 （33の計）	4	3,968,000円
関連法人株式等に係る受取配当等の額 （16の計）	2	200,000	受取配当等の益金不算入額 (1)＋((2)－(20の計))＋(3)×50%＋(4)×(20%)	5	Ⓔ 1,585,600
その他株式等に係る受取配当等の額 （26の計）	3				

受取配当等の額の明細

							計
完全子法人株式等	法人名	6	ハナマル東京販売㈱				計
	本店の所在地	7	東京都港区×××				
	受取配当等の額の計算期間	8	令5・4・1 令6・3・31	・・ ・・	・・ ・・	・・ ・・	
	受取配当等の額	9	600,000円	円	円	円	600,000円
関連法人株式等	法人名	10	ハナマル滋賀㈱				計
	本店の所在地	11	滋賀県彦根市×××				
	受取配当等の額の計算期間	12	令5・10・1 令6・9・30	・・ ・・	・・ ・・	・・ ・・	
	保有割合	13	40.0%				
	受取配当等の額	14	200,000円	円	円	円	200,000円
	同上のうち益金の額に算入される金額	15					
	益金不算入の対象となる金額 (14)－(15)	16	200,000				Ⓑ 200,000
	(34)が「不適用」の場合又は別表八(一)付表「13」が「非該当」の場合 (16)×0.04	17	8,000				Ⓒ 8,000
	同上以外の場合　(16)／(16の計)	18	1				1
	同上以外の場合　支払利子等の10％相当額 (((38)×0.1)又は(別表八(一)付表「14」))×(18)	19	220,000円	円	円	円	Ⓓ 220,000円
	受取配当等の額から控除する支払利子等の額 (17)又は(19)	20	8,000				8,000
その他株式等	法人名	21					計
	本店の所在地	22					
	保有割合	23					
	受取配当等の額	24	円	円	円	円	円
	同上のうち益金の額に算入される金額	25					
	益金不算入の対象となる金額 (24)－(25)	26					
非支配目的株式等	法人名又は銘柄	27	乙社株式				計
	本店の所在地	28					
	基準日等	29	令6・3・31	・・	・・	・・	
	保有割合	30	2.0%				
	受取配当等の額	31	4,000,000円	円	円	円	4,000,000円
	同上のうち益金の額に算入される金額	32	32,000				32,000
	益金不算入の対象となる金額 (31)－(32)	33	3,968,000				3,968,000

支払利子等の額の明細

令第19条第2項の規定による支払利子控除額の計算				34	適用・（不適用）
当期に支払う利子等の額	35	2,200,000円	超過利子額の損金算入額 （別表十七(二の三)「10」）	37	円
国外支配株主等に係る負債の利子等の損金不算入額、対象純支払利子等の損金不算入額又は恒久的施設に帰せられるべき資本に対応する負債の利子の損金不算入額 （別表十七(一)「35」と別表十七(二の二)「29」のうち多い金額）又は（別表十七(二の二)「34」と別表十七の二(二)「17」のうち多い金額）	36		支払利子等の額の合計額 (35)－(36)＋(37)	38	Ⓐ 2,200,000

Ⓒの8,000円（Ⓑ×4%）の方が、Ⓓの220,000円（Ⓐ×10%）より小さく有利となるため、Ⓒの8,000円を使って計算します。

310ページの乙株式の持株割合より

315ページの支払利息より

結　果　受取配当等の益金不算入に係る負債利子の計算は、制度の簡素化、負債利子の適正な控除の観点から令和4年4月1日以後開始事業年度より計算方法が簡素化されています。（86ページ参照）

Ⓔ「5」欄の1,585,600円を受取配当等益金不算入額として別表四「14」欄で所得から減算します。（➡326ページ）

別表八（二）（外国子会社から受ける配当等の益金不算入の計算）

（144ページ参照）

外国子会社から受ける配当等の益金不算入等に関する明細書

事業年度	6・4・1 7・3・31	法人名	株式会社ハナマル商会

別表八(二)　令六・四・一以後終了事業年度分

区分	項目	番号				
外国子会社の名称等	名称	1	ハナマル上海有限公司			
	本店又は主たる事務所の所在 国名又は地域名	2	中華人民共和国			
	本店又は主たる事務所の所在 所在地	3	中国上海市			
	主たる事業	4				
	発行済株式等の保有割合	5	100 %	%	%	%
	発行済株式等の通算保有割合	6	%	%	%	%
益金不算入額等の計算	支払義務確定日	7	6・4・30	・・	・・	・・
	支払義務確定日までの保有期間	8				
	剰余金の配当等の額	9	（人民元 250,000）円 5,000,000	（　）円	（　）円	（　）円
	(9)の剰余金の配当等の額に係る外国源泉税等の額	10	（人民元 25,000）円 500,000	（　）円	（　）円	（　）円
	法第23条の2第2項第1号に掲げる剰余金の配当等の額の該当の有無	11	有・㊝	有・無	有・無	有・無
	益金不算入の対象とならない損金算入配当等の額の計算　法第23条の2第3項又は第4項の適用の有無	12	有・無	有・無	有・無	有・無
	損金算入配当等の額　(9)の元本である株式又は出資の総数又は総額につき外国子会社により支払われた剰余金の配当等の額	13	（　）円	（　）円	（　）円	（　）円
	損金算入配当等の額　(13)のうち外国子会社の所得の金額の計算上損金の額に算入された金額	14	（　）円	（　）円	（　）円	（　）円
	損金算入対応受取配当等の額 $(9) \times \frac{(14)}{(13)}$	15	（　）円	（　）円	（　）円	（　）円
	益金不算入の対象とならない損金算入配当等の額 (9)又は(15)	16	（　）円	（　）円	（　）円	（　）円
	(16)に対応する外国源泉税等の額 (10)又は$((10) \times \frac{(14)}{(13)})$	17	（　）円	（　）円	（　）円	（　）円
	剰余金の配当等の額に係る費用相当額 ((9)−(16))×5％	18	250,000			
	法第23条の2の規定により益金不算入とされる剰余金の配当等の額 (9)−(16)−(18)	19	4,750,000			
	措置法第66条の8第2項又は第8項の規定により益金不算入とされる剰余金の配当等の額 (別表十七(三の七)「23」＋「24」)	20				
	(16)のうち措置法第66条の8第3項又は第9項の規定により益金不算入とされる損金算入配当等の額 (別表十七(三の七)「25」)	21				
	(9)のうち益金不算入とされる剰余金の配当等の額 (19)＋(20)＋(21)	22	4,750,000			
	法第39条の2の規定により損金不算入とされる外国源泉税等の額 (10)−(17)	23	500,000			
	(23)のうち措置法第66条の8第14項の規定により損金不算入の対象外とされる外国源泉税等の額 (別表十七(三の七)「28」)	24				
	(10)のうち損金不算入とされる外国源泉税等の額 (23)−(24) (マイナスの場合は0)	25	500,000			
	益金不算入とされる剰余金の配当等の額の合計 ((22)欄の合計)	26	Ⓐ 4,750,000 円			
	損金不算入とされる外国源泉税等の額の合計 ((25)欄の合計)	27	Ⓑ 500,000			

外国子会社からの配当金額を記載します。

配当等に係る外国源泉税等の金額を記載します。

外国子会社から受け取る配当で、その外国子会社において損金算入される配当（法法23の2②一）に該当する場合には、12〜17欄で益金算入される配当と損金算入される源泉税等を算定します。（注）この外国子会社においては損金算入配当はないものとしています。

結　果　Ⓐ「26」欄の4,750,000円が益金不算入とされる金額ですので、別表四「15」欄に記載します。(➡326ページ)

配当等から控除されたⒷ「27」欄の源泉所得税は損金に算入されないため、別表四に記載して加算します。(➡327ページ)

また、外国税額控除の対象とはなりません。（144ページ参照）

別表十一（一）（個別評価金銭債権に係る貸倒引当金の損金算入の計算）

（68ページ参照）

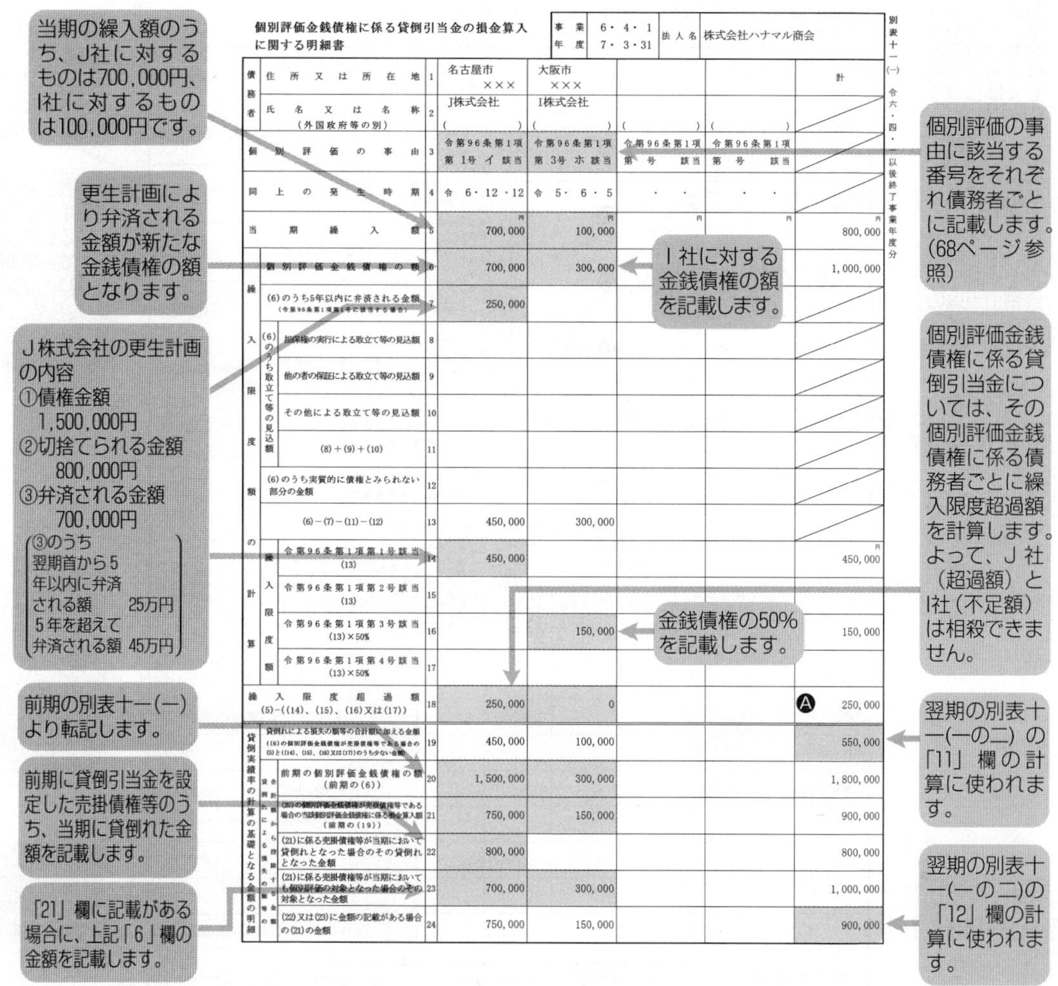

個別評価金銭債権に係る貸倒引当金の損金算入に関する明細書

事業年度 6・4・1～7・3・31　法人名 株式会社ハナマル商会

項目	番号					計
債務者 住所又は所在地	1	名古屋市 ×××	大阪市 ×××			
債務者 氏名又は名称（外国政府等の別）	2	J株式会社 (　)	I株式会社 (　)	(　)	(　)	
個別評価の事由	3	令第96条第1項第1号イ該当	令第96条第1項第3号ホ該当	令第96条第1項第　号該当	令第96条第1項第　号該当	
同上の発生時期	4	令 6・12・12	令 5・6・5	・・	・・	
当期繰入額	5	円 700,000	円 100,000	円	円	円 800,000
繰入限度額の計算 個別評価金銭債権の額	6	700,000	300,000			1,000,000
(6)のうち5年以内に弁済される金額（令第96条第1項第1号に該当する場合）	7	250,000				
(6)のうち取立て等の見込額 担保権の実行による取立て等の見込額	8					
他の者の保証による取立て等の見込額	9					
その他による取立て等の見込額	10					
(8)＋(9)＋(10)	11					
(6)のうち実質的に債権とみられない部分の金額	12					
(6)－(7)－(11)－(12)	13	450,000	300,000			
繰入限度額 令第96条第1項第1号該当 (13)	14	450,000				円 450,000
令第96条第1項第2号該当 (13)	15					
令第96条第1項第3号該当 (13)×50%	16		150,000			150,000
令第96条第1項第4号該当 (13)×50%	17					
繰入限度超過額 (5)－((14)、(15)、(16)又は(17))	18	250,000	0			Ⓐ 250,000
貸倒実績率の計算の基礎となる金額の明細 貸倒れによる損失の額等の合計額に加える金額（(6)の個別評価金銭債権が売掛債権等である場合の(5)と((14)、(15)、(16)又は(17))のうち少ない金額）	19	450,000	100,000			550,000
貸倒れによる損失の額等の合計額から控除する金額 前期の個別評価金銭債権の額（前期の(6)）	20	1,500,000	300,000			1,800,000
(20)の個別評価金銭債権が売掛債権等である場合の当該個別評価金銭債権に係る損金算入額（前期の(19)）	21	750,000	150,000			900,000
(21)に係る売掛債権等が当期において貸倒れとなった場合のその貸倒れとなった金額	22	800,000				800,000
(21)に係る売掛債権等が当期においても個別評価の対象となった場合のその対象となった金額	23	700,000	300,000			1,000,000
(22)又は(23)に金額の記載がある場合の(21)の金額	24	750,000	150,000			900,000

別表十一(一)　令六・四・一以後終了事業年度分

ハナマル商会は中小法人等に該当するため、個別評価金銭債権に係る繰入限度額の全額について損金算入が認められます。
また、適用除外事業者に該当しないため、一括評価金銭債権に係る貸倒引当金の損金算入の計算（338ページ）についても、法定繰入率に係る繰入額の全額の損金算入が認められます。
（199ページ⑤中小法人等と中小企業者等の判定参照）

結　果

Ⓐ「18」の計欄の250,000円を貸倒引当金の繰入限度超過額として別表四で所得に加算します。（➡327ページ）

別表十一（一の二）（一括評価金銭債権に係る貸倒引当金の損金算入の計算）

（69ページ参照）

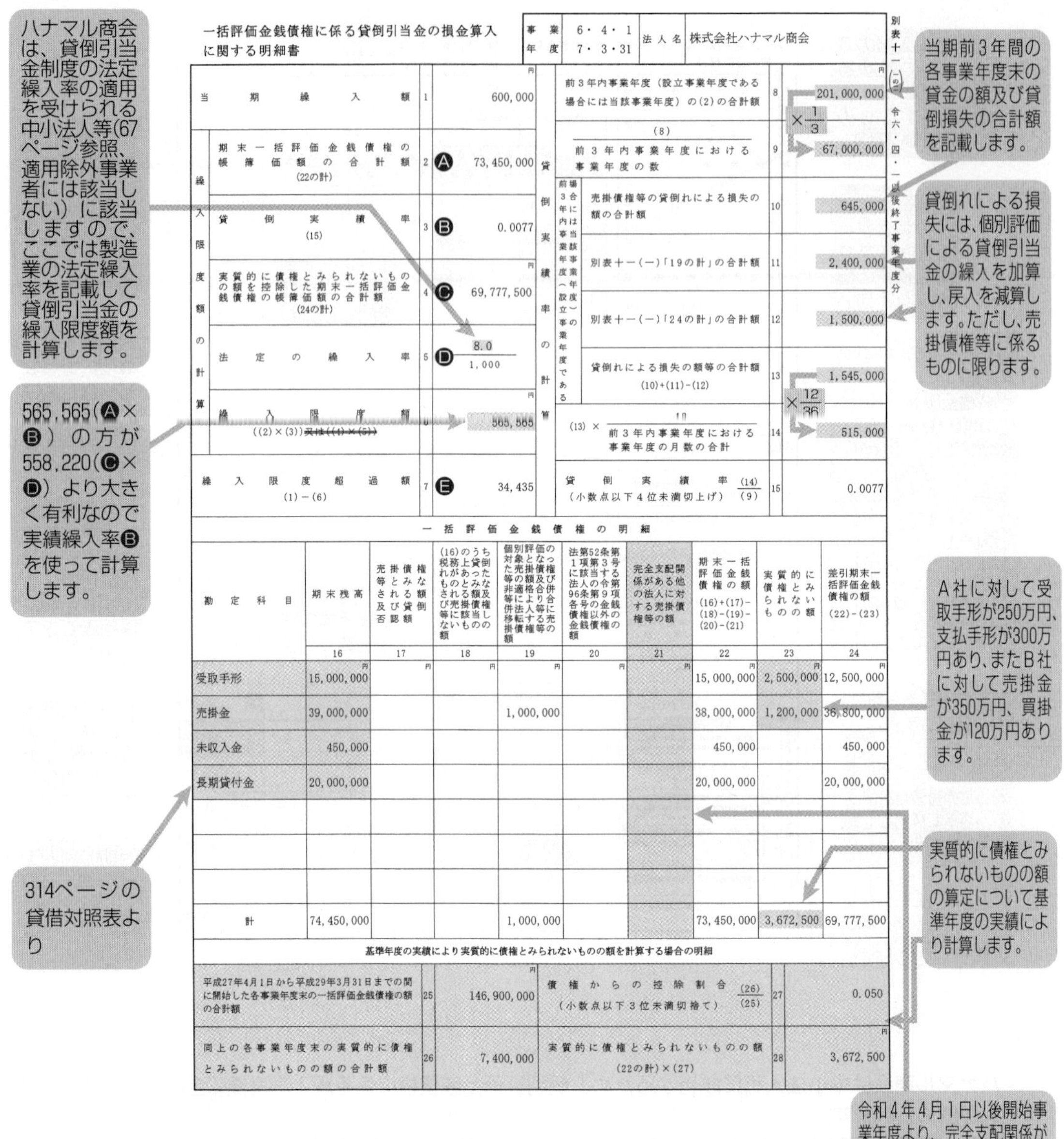

一括評価金銭債権に係る貸倒引当金の損金算入に関する明細書

事業年度	6・4・1 ～ 7・3・31	法人名	株式会社ハナマル商会

別表十一(一の二) 令六・四・一以後終了事業年度分

項目		金額
当期繰入額	1	600,000円
繰入限度額の計算：期末一括評価金銭債権の帳簿価額の合計額 (22の計)	2	Ⓐ 73,450,000
繰入限度額の計算：貸倒実績率 (15)	3	Ⓑ 0.0077
繰入限度額の計算：実質的に債権とみられないものの額を控除した期末一括評価金銭債権の帳簿価額の合計額 (24の計)	4	Ⓒ 69,777,500円
繰入限度額の計算：法定の繰入率	5	Ⓓ 8.0/1,000
繰入限度額の計算：繰入限度額 ((2)×(3))~~又は((4)×(5))~~	6	565,565円
繰入限度超過額 (1)－(6)	7	Ⓔ 34,435

貸倒実績率の計算		金額
前3年内事業年度（設立事業年度である場合には当該事業年度）の(2)の合計額	8	201,000,000円
(8) / 前3年内事業年度における事業年度の数	9	67,000,000
前3年内事業年度（設立事業年度である場合には当該事業年度）：売掛債権等の貸倒れによる損失の額の合計額	10	645,000
同：別表十一(一)「19の計」の合計額	11	2,400,000
同：別表十一(一)「24の計」の合計額	12	1,500,000
同：貸倒れによる損失の額等の合計額 (10)+(11)-(12)	13	1,545,000
(13) × 12 / 前3年内事業年度における事業年度の月数の合計	14	515,000
貸倒実績率 (14)/(9)（小数点以下4位未満切上げ）	15	0.0077

一括評価金銭債権の明細

勘定科目	期末残高	売掛債権等とみなされる額及び貸倒否認額	(16)のうち税務上貸倒れがあったものとみなされる額及び売掛債権等に該当しないものの額	個別評価の対象となった売掛債権等の額及び非適格合併等により合併法人等に移転する売掛債権等の額	法第52条第1項第3号に該当する法人の令第96条第9項各号の金銭債権以外の金銭債権の額	完全支配関係がある他の法人に対する売掛債権等の額	期末一括評価金銭債権の額 (16)+(17)-(18)-(19)-(20)-(21)	実質的に債権とみられないものの額	差引期末一括評価金銭債権の額 (22)-(23)
	16	17	18	19	20	21	22	23	24
受取手形	15,000,000円	円	円	円	円	円	15,000,000円	2,500,000円	12,500,000円
売掛金	39,000,000			1,000,000			38,000,000	1,200,000	36,800,000
未収入金	450,000						450,000		450,000
長期貸付金	20,000,000						20,000,000		20,000,000
計	74,450,000			1,000,000			73,450,000	3,672,500	69,777,500

基準年度の実績により実質的に債権とみられないものの額を計算する場合の明細

項目		金額	項目		金額
平成27年4月1日から平成29年3月31日までの間に開始した各事業年度末の一括評価金銭債権の額の合計額	25	146,900,000円	債権からの控除割合 (26)/(25)（小数点以下3位未満切捨て）	27	0.050
同上の各事業年度末の実質的に債権とみられないものの額の合計額	26	7,400,000	実質的に債権とみられないものの額 (22の計)×(27)	28	3,672,500円

＊「8」、「10」、「11」、「12」欄の記載方法

	期末一般売掛債権等の額	貸倒損失額	個別評価による繰入額	個別評価による戻入額
令和6年3月期	80,000,000	—	900,000	750,000
令和5年3月期	70,000,000	—	750,000	750,000
令和4年3月期	51,000,000	645,000	750,000	—
合計	①201,000,000	②645,000	③2,400,000	④1,500,000

「8」欄の計算＝①201,000,000、「10」欄の計算＝②645,000、「11」欄の計算＝③2,400,000、「12」欄の計算＝④1,500,000

ハナマル商会は、中小法人等（適用除外事業者に該当しない）に該当するため、法定繰入率に係る繰入限度額の計算の選択も可能です。

結　果　Ⓔ「7」欄の34,435円を貸倒引当金の繰入限度超過額として別表四で所得に加算します。（➡327ページ）

（71ページ参照）

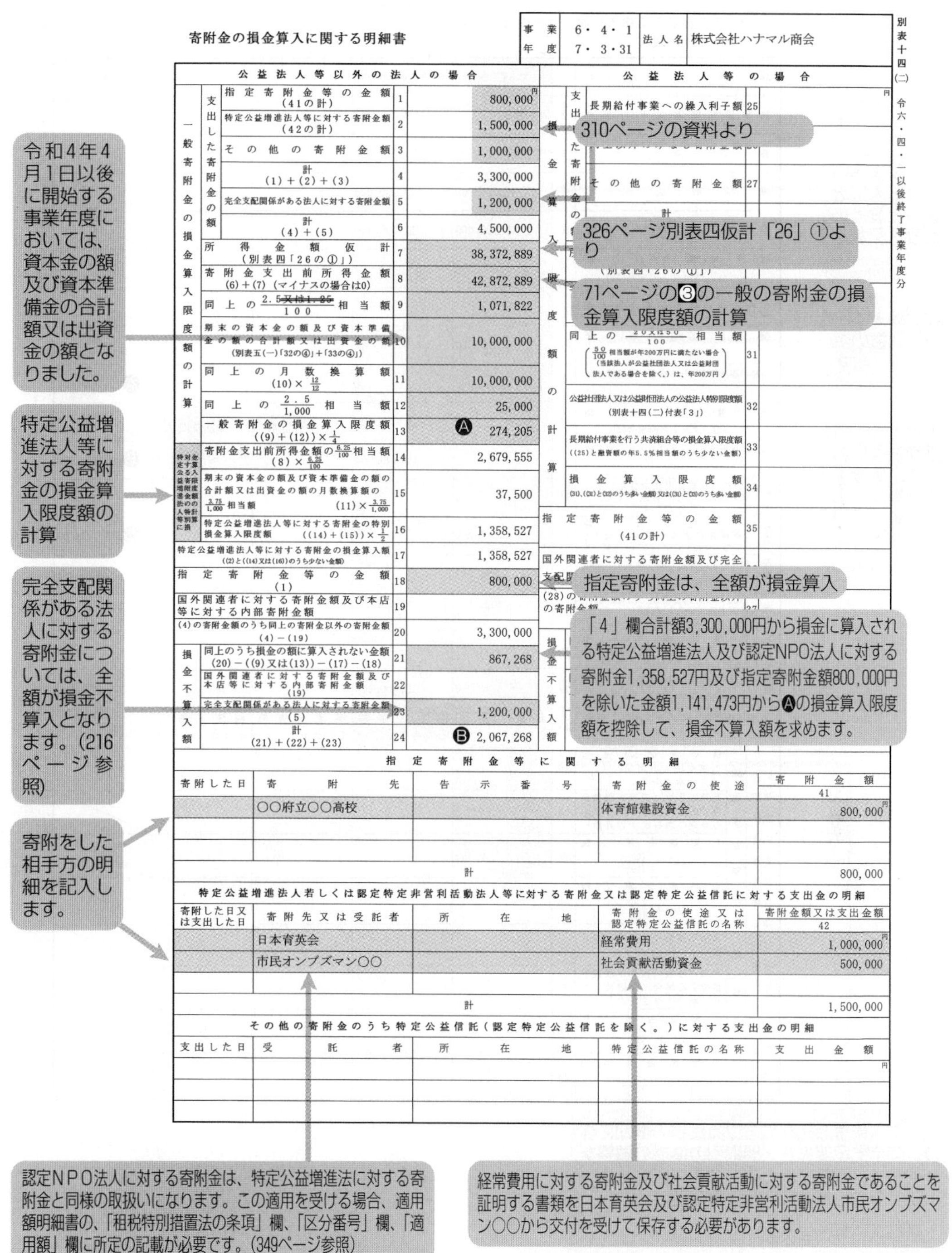

寄附金の損金算入に関する明細書

事業年度	6・4・1 7・3・31	法人名	株式会社ハナマル商会

別表十四(二) 令六・四・一以後終了事業年度分

公益法人等以外の法人の場合

区分	項目	番号	金額
一般寄附金の損金算入限度額の計算／支出した寄附金の額	指定寄附金等の金額（41の計）	1	800,000円
	特定公益増進法人等に対する寄附金額（42の計）	2	1,500,000
	その他の寄附金額	3	1,000,000
	計 (1)＋(2)＋(3)	4	3,300,000
	完全支配関係がある法人に対する寄附金額	5	1,200,000
	計 (4)＋(5)	6	4,500,000
	所得金額仮計（別表四「26の①」）	7	38,372,889
	寄附金支出前所得金額 (6)＋(7)（マイナスの場合は0）	8	42,872,889
	同上の $\frac{2.5\text{又は}1.25}{100}$ 相当額（「又は1.25」抹消）	9	1,071,822
	期末の資本金の額及び資本準備金の額の合計額又は出資金の額（別表五(一)「32の④」＋「33の④」）	10	10,000,000
	同上の月数換算額 (10)×$\frac{12}{12}$	11	10,000,000
	同上の $\frac{2.5}{1,000}$ 相当額	12	25,000
	一般寄附金の損金算入限度額 ((9)＋(12))×$\frac{1}{4}$	13	Ⓐ 274,205
特定公益増進法人等に対する寄附金の特別損金算入限度額の計算	寄附金支出前所得金額の$\frac{6.25}{100}$相当額 (8)×$\frac{6.25}{100}$	14	2,679,555
	期末の資本金の額及び資本準備金の額の合計額又は出資金の額の月数換算額の$\frac{3.75}{1,000}$相当額 (11)×$\frac{3.75}{1,000}$	15	37,500
	特定公益増進法人等に対する寄附金の特別損金算入限度額 ((14)＋(15))×$\frac{1}{2}$	16	1,358,527
	特定公益増進法人等に対する寄附金の損金算入額（(2)と((14)又は(16))のうち少ない金額）	17	1,358,527
	指定寄附金等の金額 (1)	18	800,000
	国外関連者に対する寄附金額及び本店等に対する内部寄附金額	19	
	(4)の寄附金額のうち同上の寄附金以外の寄附金額 (4)－(19)	20	3,300,000
損金不算入額	同上のうち損金の額に算入されない金額 (20)－((9)又は(13))－(17)－(18)	21	867,268
	国外関連者に対する寄附金額及び本店等に対する内部寄附金額 (19)	22	
	完全支配関係がある法人に対する寄附金額 (5)	23	1,200,000
	計 (21)＋(22)＋(23)	24	Ⓑ 2,067,268

公益法人等の場合

区分	項目	番号	金額
損金算入限度額の計算／支出した寄附金の額	長期給付事業への繰入利子額	25	円
	その他の寄附金額	27	
	計		
	（別表四「26の①」）		
	同上の $\frac{20\text{又は}50}{100}$ 相当額（$\frac{50}{100}$相当額が年200万円に満たない場合（当該法人が公益社団法人又は公益財団法人である場合を除く。）は、年200万円）	31	
	公益社団法人又は公益財団法人の公益法人特別限度額（別表十四(二)付表「3」）	32	
	長期給付事業を行う共済組合等の損金算入限度額（(25)と融資額の年5.5%相当額のうち少ない金額）	33	
	損金算入限度額（(31)、((31)と(32)のうち多い金額)又は((31)と(33)のうち多い金額)）	34	
	指定寄附金等の金額（41の計）	35	
	国外関連者に対する寄附金額及び完全支配関…		
	(28)の…の寄附金額	37	
損金不算入額			

指定寄附金等に関する明細

寄附した日	寄附先	告示番号	寄附金の使途	寄附金額 41
	○○府立○○高校		体育館建設資金	800,000円
		計		800,000

特定公益増進法人若しくは認定特定非営利活動法人等に対する寄附金又は認定特定公益信託に対する支出金の明細

寄附した日又は支出した日	寄附先又は受託者	所在地	寄附金の使途又は認定特定公益信託の名称	寄附金額又は支出金額 42
	日本育英会		経常費用	1,000,000円
	市民オンブズマン○○		社会貢献活動資金	500,000
		計		1,500,000

その他の寄附金のうち特定公益信託（認定特定公益信託を除く。）に対する支出金の明細

支出した日	受託者	所在地	特定公益信託の名称	支出金額
				円

認定NPO法人に対する寄附金は、特定公益増進法に対する寄附金と同様の取扱いになります。この適用を受ける場合、適用額明細書の、「租税特別措置法の条項」欄、「区分番号」欄、「適用額」欄に所定の記載が必要です。（349ページ参照）

経常費用に対する寄附金及び社会貢献活動に対する寄附金であることを証明する書類を日本育英会及び認定特定非営利活動法人市民オンブズマン○○から交付を受けて保存する必要があります。

結果 Ⓑ「24」欄の2,067,268円を損金不算入額として別表四の「27」欄に記載します。（➡326ページ）

別表十四（六）（完全支配関係がある法人の間の取引の損益の調整の計算）

（216ページ参照）

311ページの資料より。完全支配関係のある法人に譲渡した資産の概要を記載します。

損金算入する譲渡利益の額を記載します。

譲受法人において、譲渡・償却等が行われた場合に記載します。

益金算入する譲渡損失の額を記載します。

完全支配関係がある法人の間の取引の損益の調整に関する明細書

事業年度	6・4・1 7・3・31	法人名	株式会社ハナマル商会

		番号					計
譲受法人名		1	ハナマル東京販売㈱	ハナマル東京販売㈱			
譲渡損益調整資産の種類		2	固定資産	固定資産			
譲渡年月日		3	令 7・1・31	令 7・1・31	・・	・・	
譲渡収益の額		4	円 12,000,000	円 30,000,000	円	円	
譲渡原価の額		5	11,000,000	40,000,000			
調整前譲渡利益額 (4)−(5)（マイナスの場合は0）		6	1,000,000	0			
圧縮記帳等による損金算入額		7					
譲渡利益額 (6)−(7)		8	1,000,000	0			
当期が譲渡年度である場合の損金算入額 (8)		9	1,000,000	0			Ⓐ 円 1,000,000
譲渡損失額 (5)−(4)（マイナスの場合は0）		10	0	10,000,000			
当期が譲渡年度である場合の益金算入額 (10)		11	0	10,000,000			Ⓑ 10,000,000
譲渡利益額の調整	(8)のうち期首現在で益金の額に算入されていない金額（前期の(14)）	12					0
	当期益金算入額（簡便法により計算する場合には、(21)又は(25)の金額）	13	9,259				Ⓒ 9,259
	翌期以後に益金の額に算入する金額 ((8)又は(12))−(13)	14	990,741	0			990,741
譲渡損失額の調整	(10)のうち期首現在で損金の額に算入されていない金額（前期の(17)）	15					0
	当期損金算入額（簡便法により計算する場合には、(22)又は(26)の金額）	16					0
	翌期以後に損金の額に算入する金額 ((10)又は(15))−(16)	17	0	10,000,000			10,000,000
当期に譲受法人において生じた調整事由		18	譲渡・(償却) その他（ ）	(譲渡)・償却 その他（ ）	譲渡・償却 その他（ ）	譲渡・償却 その他（ ）	
簡便法により当期に益金又は損金の額に算入する金額を計算する場合 減価償却資産	償却期間の月数（譲受法人が適用する耐用年数）×12	19	月 324	月	月	月	
	当期の月数（当期が譲渡年度である場合には譲渡日から当期の末日までの月数）	20	3				
	当期益金算入額 (8)×(20)/(19)	21	円 9,259	円	円	円	
	当期損金算入額 (10)×(20)/(19)	22					
繰延資産	支出の効果の及ぶ期間の月数	23	月	月	月	月	
	当期の月数（当期が譲渡年度である場合には譲渡日から当期の末日までの月数）	24					
	当期益金算入額 (8)×(24)/(23)	25	円	円	円	円	
	当期損金算入額 (10)×(24)/(23)	26					

別表十四(六) 令六・四・一以後終了事業年度分

ハナマル東京販売㈱における建物の償却に伴う、完全支配関係法人間取引の損益の調整を簡便法で行うこととしています。このため、以下で計算した金額9,259円を調整します。

$$1,000,000 \times \frac{3\text{か月}}{27\text{年} \times 12\text{か月}} = 9,259$$

結 果 Ⓐ「9」欄の1,000,000円を、完全支配関係法人間取引の損益の減算調整額として別表四で所得から減算し、Ⓑ「11」欄の10,000,000円及びⒸ「13」欄の9,259円を、完全支配関係法人間取引の損益の加算調整額として、別表四で所得に加算します。（327ページ参照）

別表十五（交際費等の損金算入の計算）

（60ページ参照）

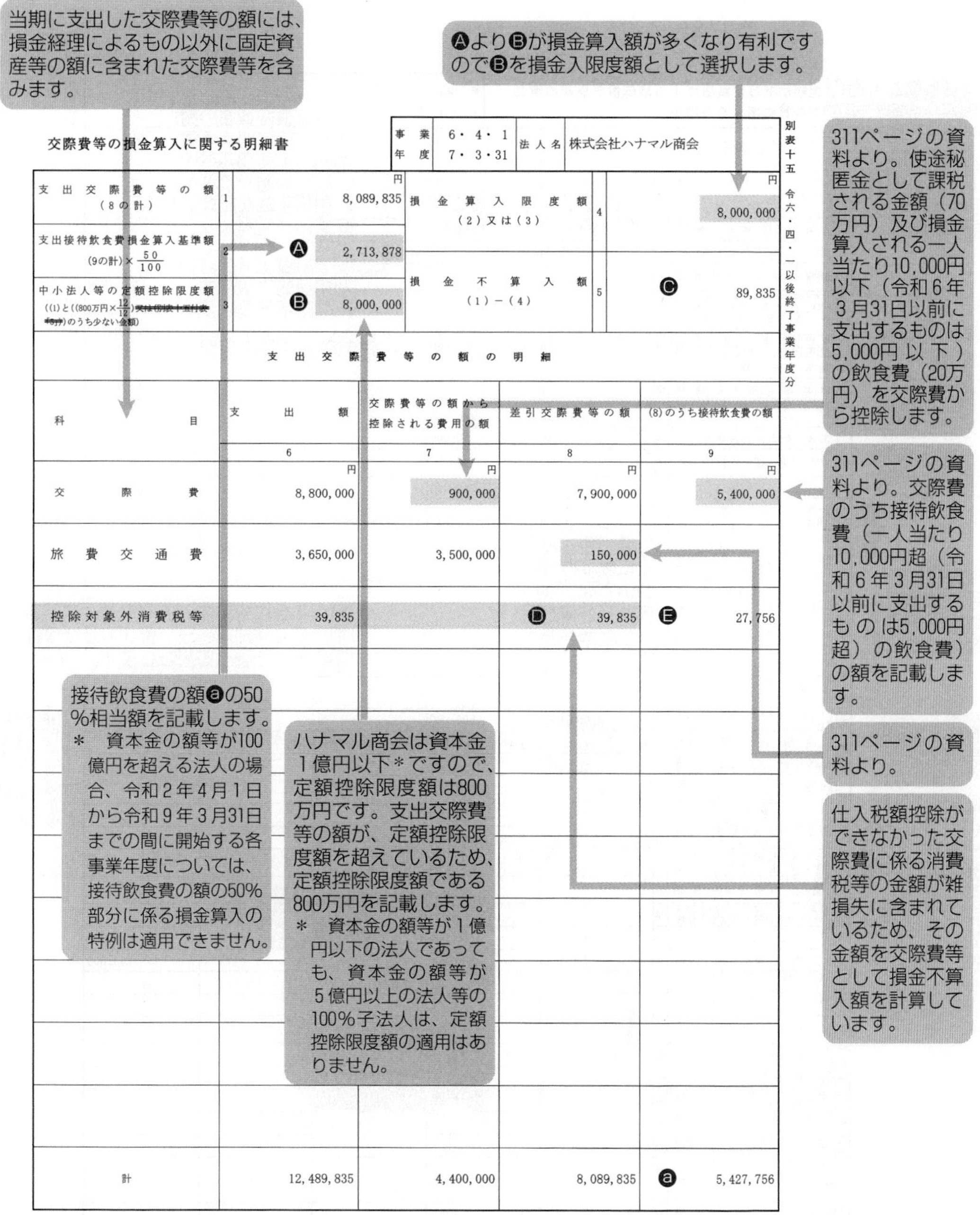

交際費等の損金算入に関する明細書

事業年度	6・4・1 7・3・31	法人名	株式会社ハナマル商会

別表十五　令六・四・一以後終了事業年度分

項目		金額	項目		金額
支出交際費等の額（8の計）	1	8,089,835円	損金算入限度額（2）又は（3）	4	8,000,000円
支出接待飲食費損金算入基準額（9の計）×$\frac{50}{100}$	2	Ⓐ 2,713,878			
中小法人等の定額控除限度額（（1）と（（800万円×$\frac{12}{12}$）~~又は（別表十五付表5計）~~）のうち少ない金額）	3	Ⓑ 8,000,000	損金不算入額（1）−（4）	5	Ⓒ 89,835

支出交際費等の額の明細

科目	支出額 6	交際費等の額から控除される費用の額 7	差引交際費等の額 8	(8)のうち接待飲食費の額 9
	円	円	円	円
交際費	8,800,000	900,000	7,900,000	5,400,000
旅費交通費	3,650,000	3,500,000	150,000	
控除対象外消費税等	39,835		Ⓓ 39,835	Ⓔ 27,756
計	12,489,835	4,400,000	8,089,835	ⓐ 5,427,756

（交際費等に係る控除対象外消費税額の計算、322ページ参照）

① 交際費等のうち課税仕入れであるもの　{7,800,000円＊1（交際費）−200,000円（一人当たり10,000円以下の飲食費）＊2}＋150,000円（旅費交通費）＝7,750,000円
② 交際費等に係る消費税等　①×10%＝775,000円
③ 課税売上割合　94.86%
④ 交際費等に加算する金額　775,000円×（100%−94.86%）＝39,835円（Ⓓ）
⑤ ④のうち接待飲食費の額に係るもの　5,400,000円×10%×（100%−94.86%）＝27,756円（Ⓔ）

＊1　販売費及び一般管理費の交際費勘定のうち課税仕入れであるもの。（312ページ参照）
＊2　交際費勘定に含まれている一人当たり10,000円以下の飲食費は交際費等に該当しないため。

結果　Ⓒ「5」欄の89,835円を交際費の損金不算入額として別表四の「8」欄に記載します。（➡326ページ）

（116ページ参照）

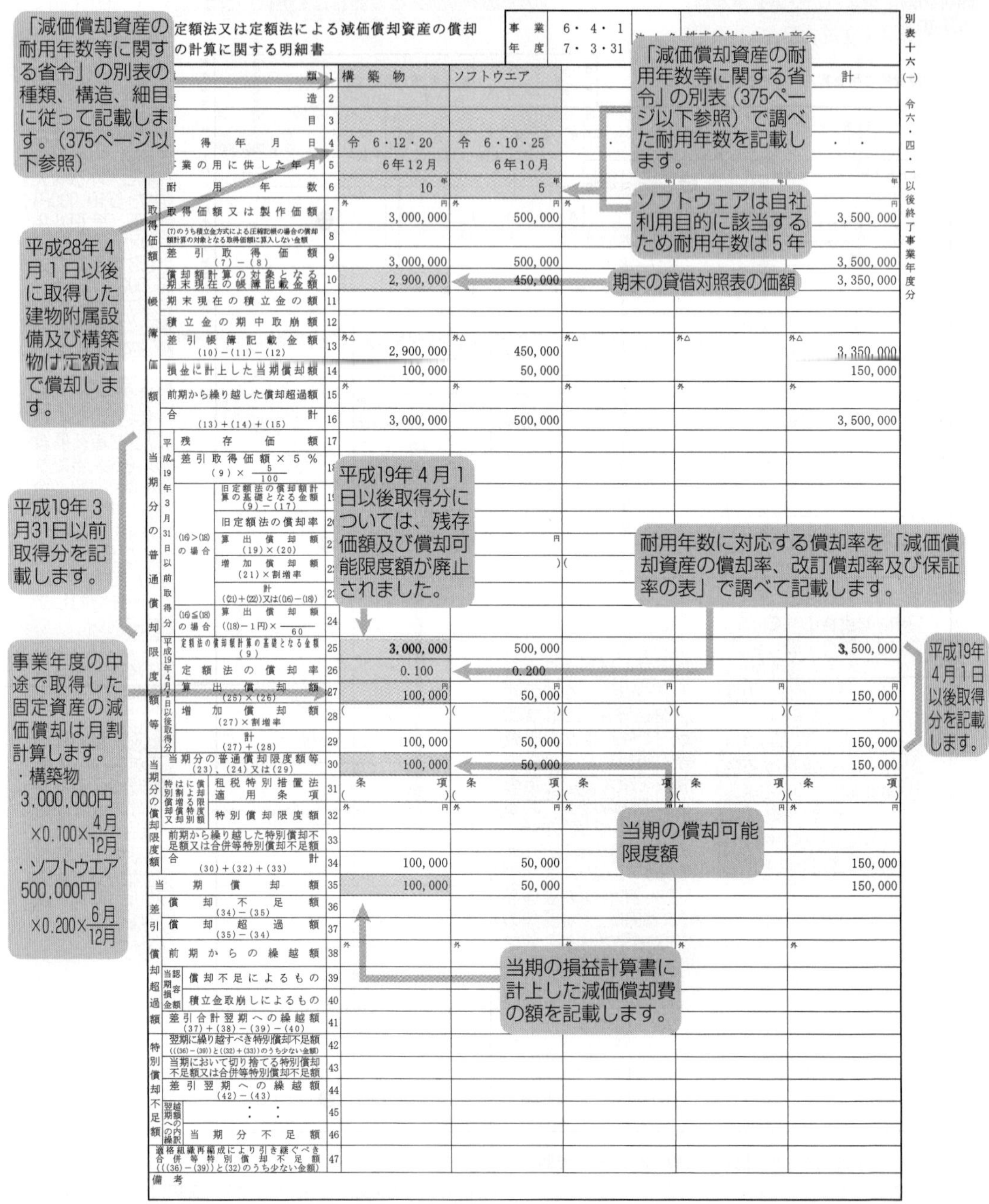

定額法又は定額法による減価償却資産の償却の計算に関する明細書

事業年度 6・4・1 ～ 7・3・31

類	1	構築物	ソフトウエア			計
造	2					
目	3					
得年月日	4	令 6・12・20	令 6・10・25	・ ・		・ ・
業の用に供した年月	5	6年12月	6年10月			
耐用年数	6	10 年	5 年	年	年	年
取得価額 取得価額又は製作価額	7	外 3,000,000 円	外 500,000 円	外		3,500,000 円
取得価額 (7)のうち積立金方式による圧縮記帳の場合の償却額計算の対象となる取得価額に算入しない金額	8					
取得価額 差引取得価額 (7)－(8)	9	3,000,000	500,000			3,500,000
帳簿価額 償却額計算の対象となる期末現在の帳簿記載金額	10	2,900,000	450,000			3,350,000
帳簿価額 期末現在の積立金の額	11					
帳簿価額 積立金の期中取崩額	12					
帳簿価額 差引帳簿記載金額 (10)－(11)－(12)	13	外△ 2,900,000	外△ 450,000	外△	外△	外△ 3,350,000
帳簿価額 損金に計上した当期償却額	14	100,000	50,000			150,000
帳簿価額 前期から繰り越した償却超過額	15	外	外	外	外	外
帳簿価額 合計 (13)＋(14)＋(15)	16	3,000,000	500,000			3,500,000
当期分の普通償却限度額等 平成19年3月31日以前取得分 残存価額	17					
平成19年3月31日以前取得分 差引取得価額×5% (9)×5/100	18					
平成19年3月31日以前取得分 (16)＞(18)の場合 旧定額法の償却額計算の基礎となる金額 (9)－(17)	19					
(16)＞(18)の場合 旧定額法の償却率	20					
(16)＞(18)の場合 算出償却額 (19)×(20)	21		円			
(16)＞(18)の場合 増加償却額 (21)×割増率	22		)(			
(16)＞(18)の場合 計 ((21)＋(22))又は((16)－(18))	23					
(16)≦(18)の場合 算出償却額 ((18)－1円)×/60	24					
平成19年4月1日以後取得分 定額法の償却額計算の基礎となる金額 (9)	25	3,000,000	500,000			3,500,000
平成19年4月1日以後取得分 定額法の償却率	26	0.100	0.200			
平成19年4月1日以後取得分 算出償却額 (25)×(26)	27	100,000 円	50,000 円	円	円	150,000 円
平成19年4月1日以後取得分 増加償却額 (27)×割増率	28	(　)	(　)	(　)	(　)	(　)
平成19年4月1日以後取得分 計 (27)＋(28)	29	100,000	50,000			150,000
当期分の普通償却限度額等 (23)、(24)又は(29)	30	100,000	50,000			150,000
当期分の償却限度額 特別償却限度額又は割増償却による特別償却 租税特別措置法適用条項	31	条 項 (　)	条 項 (　)	条 項 (　)	条 項 (　)	条 項 (　)
特別償却限度額	32	外 円	外 円	外 円	外 円	外 円
前期から繰り越した特別償却不足額又は合併等特別償却不足額	33					
合計 (30)＋(32)＋(33)	34	100,000	50,000			150,000
当期償却額	35	100,000	50,000			150,000
差引 償却不足額 (34)－(35)	36					
差引 償却超過額 (35)－(34)	37					
償却超過額 前期からの繰越額	38	外	外	外	外	外
当期損金認容額 償却不足によるもの	39					
当期損金認容額 積立金取崩しによるもの	40					
差引合計翌期への繰越額 (37)＋(38)－(39)－(40)	41					
特別償却不足額 翌期に繰り越すべき特別償却不足額 (((36)－(39))と((32)＋(33))のうち少ない金額)	42					
当期において切り捨てる特別償却不足額又は合併等特別償却不足額	43					
差引翌期への繰越額 (42)－(43)	44					
翌期への繰越額の内訳 ：　：	45					
当期分不足額	46					
適格組織再編成により引き継ぐべき合併等特別償却不足額 (((36)－(39))と(32)のうち少ない金額)	47					
備考						

結　果　償却不足額（「36」欄）、償却超過額（「37」欄）が共に発生していませんので、別表四で所得金額に加減算する必要はありません。

別表十六（二）（減価償却額〈定率法〉の計算）

（116ページ参照）

「減価償却資産の耐用年数等に関する省令」の別表の種類、構造、細目に従って記載します。（375ページ以下参照）

旧定率法又は定率法による減価償却資産の償却額の計算に関する明細書

事業年度	6・4・1 7・3・31	法人名	株式会社ハナマル商会

別表十六(二)　令六・四・一以後終了事業年度分

区分	項目		建物	機械及び装置	機械及び装置	器具及び備品	合計
資産区分	種類	1	建物	機械及び装置	機械及び装置	器具及び備品	合計
	構造	2					
	細目	3					
	取得年月日	4	平 10・12・20	平 19・3・15	令 6・5・17	平 18・10・31	・・
	事業の用に供した年月	5	10年12月	19年 3月	6年 5月	18年10月	
	耐用年数	6	38 年	12 年	12 年	10 年	年
取得価額	取得価額又は製作価額	7	外 50,000,000円	外 21,000,000円	外 14,000,000円	外 2,400,000円	外 87,400,000円
	(7)のうち積立金方式による圧縮記帳の場合の償却額計算の対象となる取得価額に算入しない金額	8					
	差引取得価額 (7)−(8)	9	50,000,000	21,000,000	14,000,000	2,400,000	87,400,000
償却額計算の基礎となる額	償却額計算の対象となる期末現在の帳簿記載金額	10	7,672,840	1,557,250	11,856,834	107,317	21,194,241
	期末現在の積立金の額	11					
	積立金の期中取崩額	12					
	差引帳簿記載金額 (10)−(11)−(12)	13	外△ 7,672,840	外△ 1,557,250	外△ 11,856,834	外△ 107,317	外△ 21,194,241
	損金に計上した当期償却額	14	550,000	500,000	2,143,166	27,843	3,221,009
	前期から繰り越した償却超過額	15	外 2,494,440	外	外	外	外 2,494,440
	合計 (13)+(14)+(15)	16	10,717,280	2,057,250	14,000,000	135,160	26,909,690
	前期から繰り越した特別償却不足額又は合併等特別償却不足額	17					
	償却額計算の基礎となる金額 (16)−(17)	18	10,717,280	2,057,250	14,000,000	135,160	26,909,690
当期分の普通償却限度額等 平成19年3月31日以前取得分	差引取得価額×5% (9)×5/100	19	2,500,000	1,050,000		120,000	3,670,000
	(16)＞(19)の場合 旧定率法の償却率	20	0.059	0.175		0.206	
	(16)＞(19)の場合 算出償却額 (18)×(20)	21	632,319円	360,018円	円	27,843円	1,020,180円
	(16)＞(19)の場合 増加償却額 (21)×割増率	22	( )	( )	( )	( )	( )
	(16)＞(19)の場合 計 ((21)+(22))又は((18)−(19))	23	632,319	360,018			992,337
	(16)≦(19)の場合 算出償却額 ((19)−1円)×12/60	24		360,018		27,843	387,861
平成19年4月1日以後取得分	定率法の償却率	25			0.167		
	調整前償却額 (18)×(25)	26	円	円	2,143,166円	円	2,143,166円
	保証率	27			0.05566		
	償却保証額 (9)×(27)	28	円	円	779,240円	円	779,240円
	(26)＜(28)の場合 改定取得価額	29					
	(26)＜(28)の場合 改定償却率	30					
	(26)＜(28)の場合 改定償却額 (29)×(30)	31	円	円	円	円	円
	増加償却額 ((26)又は(31))×割増率	32	( )	( )	( )	( )	( )
	計 ((26)又は(31))+(32)	33			2,143,166		2,143,166
当期分の償却限度額	当期分の普通償却限度額等 (23)、(24)又は(33)	34	632,319	360,018	2,143,166	27,843	3,163,346
	特別償却又は割増償却による特別償却限度額 租税特別措置法適用条項	35	条 項 ( )	条 項 ( )	条 項 ( )	条 項 ( )	条 項 ( )
	特別償却限度額	36	外 円	外 円	外 4,200,000円	外 円	外 4,200,000円
	前期から繰り越した特別償却不足額又は合併等特別償却不足額	37					
	合計 (34)+(36)+(37)	38	632,319	360,018	2,143,166	27,843	3,163,346
	当期償却額	39	550,000	500,000	2,143,166	27,843	3,221,009
差引	償却不足額 (38)−(39)	40	82,319				82,319
	償却超過額 (39)−(38)	41		139,982			Ⓐ 139,982
償却超過額	前期からの繰越額	42	外 2,494,440	外	外	外	外 2,494,440
	当期損金認容額 償却不足によるもの	43	82,319				Ⓑ 82,319
	当期損金認容額 積立金取崩しによるもの	44					
	差引合計翌期への繰越額 (41)+(42)−(43)−(44)	45	2,412,121	139,982			2,552,103
特別償却不足額	翌期に繰り越すべき特別償却不足額 (((40)−(43))と((36)+(37))のうち少ない金額)	46					
	当期において切り捨てる特別償却不足額又は合併等特別償却不足額	47					
	差引翌期への繰越額 (46)−(47)	48					
	翌期への繰越額の内訳 ・・	49					
	翌期への繰越額の内訳 当期分不足額	50					
	適格組織再編成により引き継ぐべき合併等特別償却不足額 (((40)−(43))と(36)のうち少ない金額)	51					
備考							

「減価償却資産の耐用年数等に関する省令」の別表（375ページ以下参照）で調べた耐用年数を記載します。

耐用年数に対応する償却率を「減価償却資産の償却率、改訂償却率及び保証率の表」で調べて記載します。

平成19年3月31日以前取得分を記載します。

平成19年4月1日以後取得分を記載します。

「中小企業者等が機械等を取得した場合等の特別償却」を準備金（剰余金の処分）方式で行っているため特別償却の付表(二)「12」欄より特別償却限度額を「36」欄に外書きし別表十六(九)の「8」欄に転記します。

期末の貸借対照表の価額

当期の償却額

過年度から繰り越した償却限度超過額を記載します。

事業年度の中途で取得した固定資産の減価償却は月割計算します。
●機械及び装置
$14,000,000 \times 0.167 \times \frac{11月}{12月}$

当期の償却限度額

当期の損益計算書に計上した減価償却費の額を記載します。

次期以降に繰り越される償却限度超過額です。

減価償却費「26」欄が償却保証額「28」欄を下回ることとなった事業年度以降記載します。

減価償却資産の種類ごとに、かつ償却の方法の異なるごとに区分し、その区分ごとの合計額でこの別表を記載し提出することも償却明細書を保存しておくことを条件に認められています。（法令63②）

結　果　Ⓐ「41」欄の139,982円を減価償却の償却超過額として別表四の「6」欄に記載し、またⒷ「43」欄の82,319円を減価償却超過額の当期認容額として別表四の「12」欄に記載します。（➡326ページ）

別表十六（七）（少額減価償却資産の損金算入の計算）

（115ページ参照）

●ハナマル商会は中小企業者等（大規模法人との間に支配関係を有さず、かつ、適用除外事業者に該当しない）に該当するため、「中小企業者等の少額減価償却資産の損金算入の特例」の適用を受けることができます。（199ページ⑤中小法人等と中小企業者等の判定参照）

「減価償却資産の耐用年数等に関する省令」の別表の種類、構造、細目に従って記載します。（375ページ以下参照）

少額減価償却資産の取得価額の損金算入の特例に関する明細書

事業年度	6・4・1 7・3・31	法人名	株式会社ハナマル商会

別表十六(七) 令六・四・一以後終了事業年度分

区分	項目						合計
資産区分	種類	1	器具及び備品				
	構造	2	事務機器				
	細目	3	パソコン				
	事業の用に供した年月	4	7年 2月				
取得価額	取得価額又は製作価額	5	円 250,000	円	円	円	円 250,000
	法人税法上の圧縮記帳による積立金計上額	6					0
	差引改定取得価額 (5)-(6)	7	250,000				250,000
資産区分	種類	1					
	構造	2					
	細目	3					
	事業の用に供した年月	4					
取得価額	取得価額又は製作価額	5	円	円	円	円	円
	法人税法上の圧縮記帳による積立金計上額	6					
	差引改定取得価額 (5)-(6)	7					
資産区分	種類	1					
	構造	2					
	細目	3					
	事業の用に供した年月	4					
取得価額	取得価額又は製作価額	5	円	円	円	円	円
	法人税法上の圧縮記帳による積立金計上額	6					
	差引改定取得価額 (5)-(6)	7					
当期の少額減価償却資産の取得価額の合計額 ((7)の計)		8					円 250,000

中小企業者等の少額減価償却資産の取得価額の損金算入の特例を適用している場合には、適用額明細書の「租税特別措置法の条項」欄、「区分番号」欄、「適用額」欄に所定の記載が必要です。（349ページ参照）

「8」欄の金額は、300万円*が限度となります。
* 当期が1年に満たない場合は、300万円×その事業年度の月数/12により計算した金額

別表十六（八）（一括償却資産の損金算入の計算）

（115ページ参照）

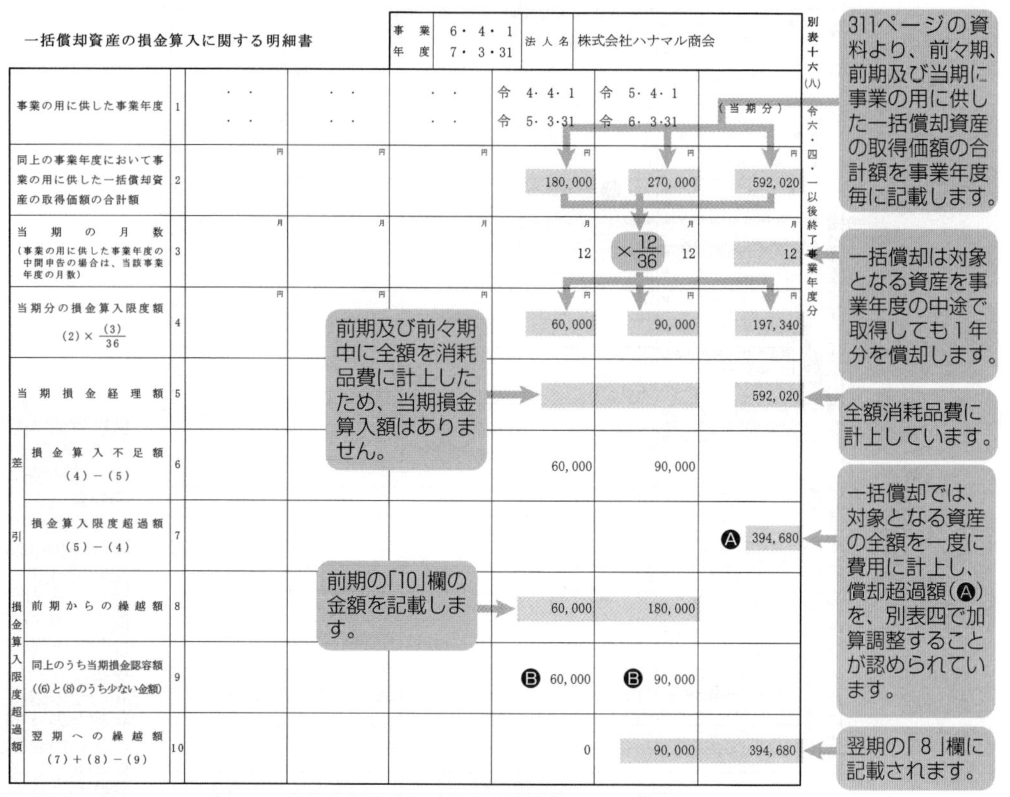

一括償却資産の損金算入に関する明細書

事業年度	6・4・1 7・3・31	法人名	株式会社ハナマル商会

事業の用に供した事業年度	1	・・ ・・	・・ ・・	・・ ・・	令 4・4・1 令 5・3・31	令 5・4・1 令 6・3・31	（当期分）
同上の事業年度において事業の用に供した一括償却資産の取得価額の合計額	2	円	円	円	円 180,000	円 270,000	円 592,020
当期の月数 （事業の用に供した事業年度の中間申告の場合は、当該事業年度の月数）	3	月	月	月	月 12	月 12	月 12
当期分の損金算入限度額 (2) × $\frac{(3)}{36}$	4	円	円	円	円 60,000	円 90,000	円 197,340
当期損金経理額	5						592,020
差引 損金算入不足額 (4) − (5)	6				60,000	90,000	
差引 損金算入限度超過額 (5) − (4)	7						Ⓐ 394,680
損金算入限度超過額 前期からの繰越額	8				60,000	180,000	
損金算入限度超過額 同上のうち当期損金認容額 ((6)と(8)のうち少ない金額)	9				Ⓑ 60,000	Ⓑ 90,000	
損金算入限度超過額 翌期への繰越額 (7) + (8) − (9)	10				0	90,000	394,680

結　果　Ⓐ「7」欄の394,680円を損金算入限度超過額として別表四で所得に加算し、Ⓑ「9」欄の150,000円(60,000円＋90,000円)を当期損金認容額として別表四で所得から減算します。(➡327ページ)

別表十六（九）（特別償却準備金の損金算入の計算）

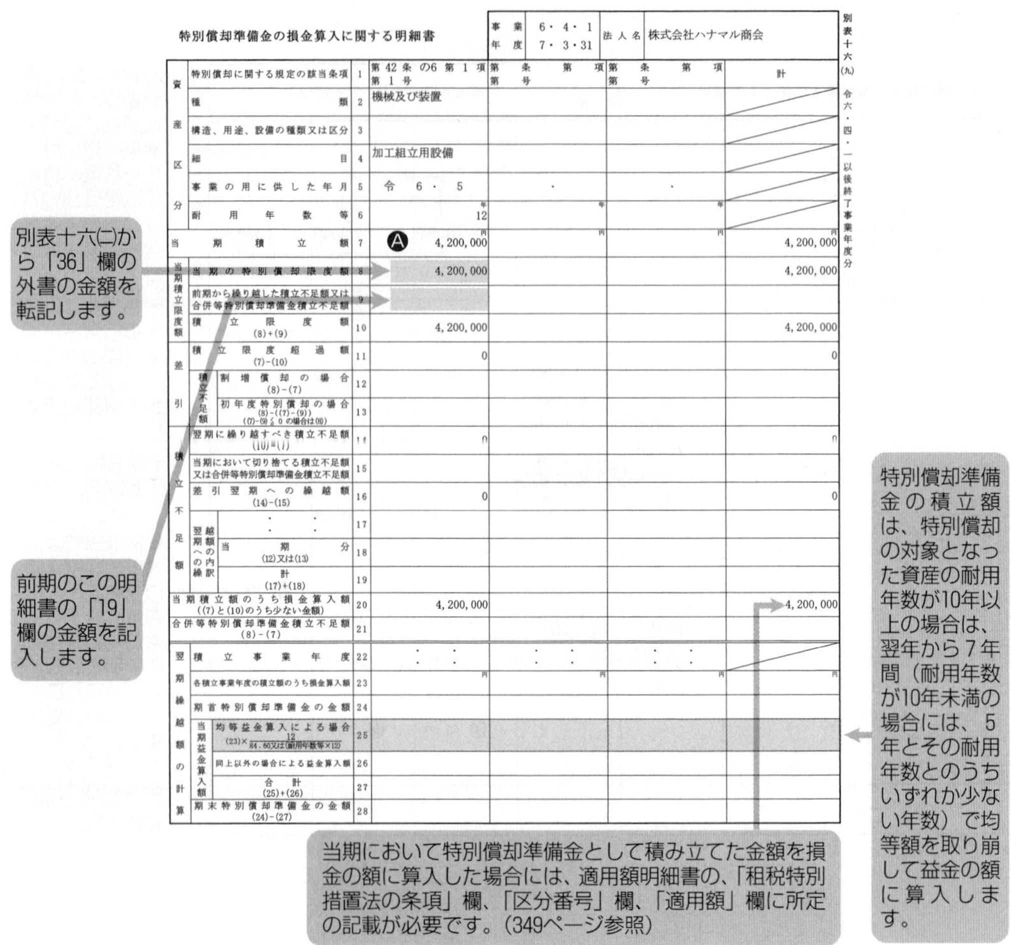

特別償却準備金の損金算入に関する明細書

事業年度	6・4・1 7・3・31	法人名	株式会社ハナマル商会

区分	項目					計
資産区分	特別償却に関する規定の該当条項	1	第42条の6第1項第1号	第　条　第　項第　号	第　条　第　項第　号	計
	種類	2	機械及び装置			
	構造、用途、設備の種類又は区分	3				
	細目	4	加工組立用設備			
	事業の用に供した年月	5	令　6・5	・	・	
	耐用年数等	6	12年	年	年	
当期積立額		7	Ⓐ 4,200,000円	円	円	4,200,000円
当期積立限度額	当期の特別償却限度額	8	4,200,000			4,200,000
	前期から繰り越した積立不足額又は合併等特別償却準備金積立不足額	9				
	積立限度額 (8)+(9)	10	4,200,000			4,200,000
差引	積立限度超過額 (7)−(10)	11	0			0
	積立不足額　割増償却の場合 (8)−(7)	12				
	積立不足額　初年度特別償却の場合 (8)−((7)−(9))　((7)−(9)≦0の場合は(8))	13				
積立不足額	翌期に繰り越すべき積立不足額 (10)−(7)	14	0			0
	当期において切り捨てる積立不足額又は合併等特別償却準備金積立不足額	15				
	差引翌期への繰越額 (14)−(15)	16	0			0
	翌期への繰越額の内訳　・　・	17				
	翌期への繰越額の内訳　当期分 (12)又は(13)	18				
	翌期への繰越額の内訳　計 (17)+(18)	19				
当期積立額のうち損金算入額（(7)と(10)のうち少ない金額）		20	4,200,000			4,200,000
合併等特別償却準備金積立不足額 (8)−(7)		21				
翌期繰越額の計算	積立事業年度	22	・　・	・　・	・　・	
	各積立事業年度の積立額のうち損金算入額	23	円	円	円	円
	期首特別償却準備金の金額	24				
	当期益金算入額　均等益金算入による場合 $(23)\times\frac{12}{84、60又は(耐用年数等\times12)}$	25				
	当期益金算入額　同上以外の場合による益金算入額	26				
	当期益金算入額　合計 (25)+(26)	27				
	期末特別償却準備金の金額 (24)−(27)	28				

別表十六(九)　令六・四・一以後終了事業年度分

剰余金の処分による租税特別措置法上の諸準備金等について税効果会計を採用している場合には、次のような明細表を作成し法人税申告書に添付する必要があります。

類別（適用法令）	科目	期首残高			税率変更による調整額			繰入額		
		令和6年3月31日現在繰延税金負債	令和6年3月31日現在準備金等	一時差異	法人税等調整額による調整額	第42期準備金等調整額	税率変更後一時差異	法人税等調整額による調整額	第42期準備金等調整額	一時差異増加額
中小企業者等の機械等の特別償却額（措法42の6①一）	繰延税金負債	−	−	−	−	−	−	1,260,000	−	1,260,000
	特別償却準備金	−	−	−	−	−	−	−	2,940,000	2,940,000
合計		−	−	−	−	−	−	1,260,000	2,940,000	4,200,000

類別（適用法令）	科目	取崩額			期末残高		
		法人税等調整額による調整額	第42期準備金等調整額	一時差異減少額	令和7年3月31日現在繰延税金負債	令和7年3月31日現在準備金等	一時差異
中小企業者等の機械等の特別償却額（措法42の6①一）	繰延税金負債	−	−	−	1,260,000	−	1,260,000
	特別償却準備金	−	−	−	−	2,940,000	2,940,000
合計		−	−	−	1,260,000	2,940,000	4,200,000

Ⓐ「7」と一致します。

結　果　Ⓐ「7」欄の当期積立額4,200,000円を準備金（剰余金の処分）方式のため別表四で所得から減算します。（➡327ページ）当期は、積立限度超過額（「11」欄）及び益金算入額（「25」欄「26」欄の合計額）はないので所得に加算する必要はありません。

特別償却の付表（特別償却の償却限度額の計算に関する付表）

（122ページ参照）

●ハナマル商会は中小企業者等（大規模法人との間に支配関係を有さず、かつ、適用除外事業者に該当しない）に該当するため、「中小企業者等が取得した機械等の特別償却」の適用を受けることができます。
（199ページ❺中小法人等と中小企業者等の判定参照）

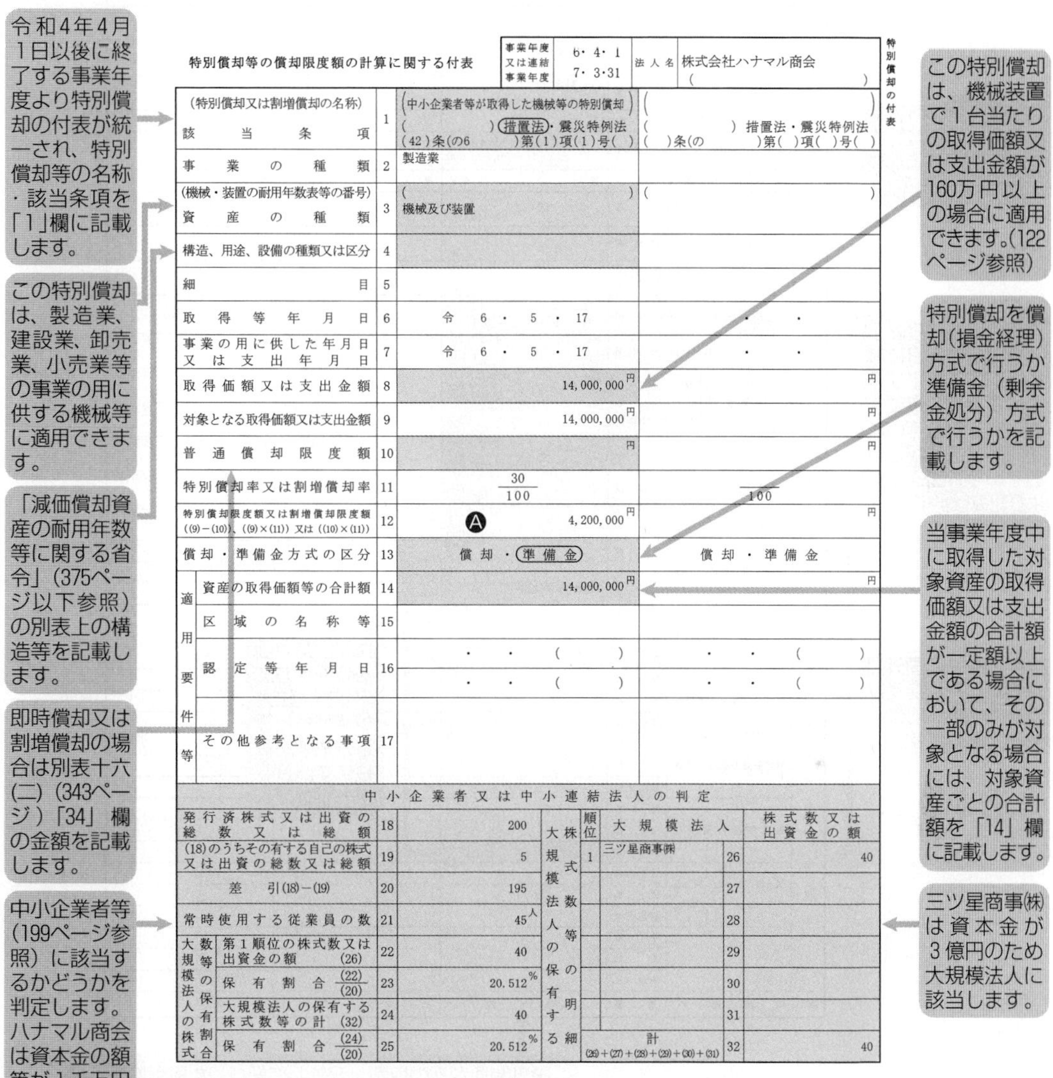

特別償却等の償却限度額の計算に関する付表

事業年度又は連結事業年度	6・4・1 7・3・31	法人名	株式会社ハナマル商会 （　　）

項目			
（特別償却又は割増償却の名称） 該当条項	1	（中小企業者等が取得した機械等の特別償却） （　　）（措置法）・震災特例法 （42）条（の6　）第（1）項（1）号（　）	（　　） （　　）措置法・震災特例法 （　）条（の　）第（　）項（　）号（　）
事業の種類	2	製造業	
（機械・装置の耐用年数表等の番号） 資産の種類	3	（　　） 機械及び装置	（　　）
構造、用途、設備の種類又は区分	4		
細目	5		
取得等年月日	6	令　6・5・17	・　・
事業の用に供した年月日又は支出年月日	7	令　6・5・17	・　・
取得価額又は支出金額	8	14,000,000円	円
対象となる取得価額又は支出金額	9	14,000,000円	円
普通償却限度額	10	円	円
特別償却率又は割増償却率	11	30/100	/100
特別償却限度額又は割増償却限度額 （(9)－(10)）、（(9)×(11)）又は（(10)×(11)）	12	❹　4,200,000円	円
償却・準備金方式の区分	13	償却・（準備金）	償却・準備金
適用要件等　資産の取得価額等の合計額	14	14,000,000円	円
適用要件等　区域の名称等	15		
適用要件等　認定等年月日	16	・　・（　　） ・　・（　　）	・　・（　　） ・　・（　　）
適用要件等　その他参考となる事項	17		

中小企業者又は中小連結法人の判定

項目			大規模法人の保有する株式数等の明細	順位	大規模法人		株式数又は出資金の額
発行済株式又は出資の総数又は総額	18	200					
(18)のうちその有する自己の株式又は出資の総数又は総額	19	5		1	三ツ星商事㈱	26	40
差引(18)－(19)	20	195				27	
常時使用する従業員の数	21	45人				28	
大規模法人の株式数等の保有割合　第1順位の株式数又は出資金の額　(26)	22	40				29	
大規模法人の株式数等の保有割合　保有割合 (22)/(20)	23	20.512%				30	
大規模法人の株式数等の保有割合　大規模法人の保有する株式数等の計　(32)	24	40				31	
大規模法人の株式数等の保有割合　保有割合 (24)/(20)	25	20.512%		計 (26)＋(27)＋(28)＋(29)＋(30)＋(31)		32	40

令和4年4月1日以後に終了する事業年度より特別償却の付表が統一され、特別償却等の名称・該当条項を「1」欄に記載します。

この特別償却は、製造業、建設業、卸売業、小売業等の事業の用に供する機械等に適用できます。

「減価償却資産の耐用年数等に関する省令」（375ページ以下参照）の別表上の構造等を記載します。

即時償却又は割増償却の場合は別表十六(二)（343ページ）「34」欄の金額を記載します。

中小企業者等（199ページ参照）に該当するかどうかを判定します。ハナマル商会は資本金の額等が1千万円で、「23」欄の保有割合が1/2未満であり、「25」欄の保有割合が2/3未満であるため中小企業者等に該当します。

この特別償却は、機械装置で1台当たりの取得価額又は支出金額が160万円以上の場合に適用できます。（122ページ参照）

特別償却を償却（損金経理）方式で行うか準備金（剰余金処分）方式で行うかを記載します。

当事業年度中に取得した対象資産の取得価額又は支出金額の合計額が一定額以上である場合において、その一部のみが対象となる場合には、対象資産ごとの合計額を「14」欄に記載します。

三ツ星商事㈱は資本金が3億円のため大規模法人に該当します。

特定経営力向上設備等に該当する場合は、上乗せ措置として即時償却の適用を受けることができます。（特定中小企業者等の場合10%の税額控除も選択可。122ページ参照）

結　果

❹「12」欄の4,200,000円が、中小企業者等が機械等を取得した場合等の特別償却限度額となります。なお、準備金（剰余金処分）方式を採用しているため、4,200,000円を別表十六（二）「36」欄に外書きします。

別表十七（四）（国外関連者に関する明細書）

（147ページ参照）

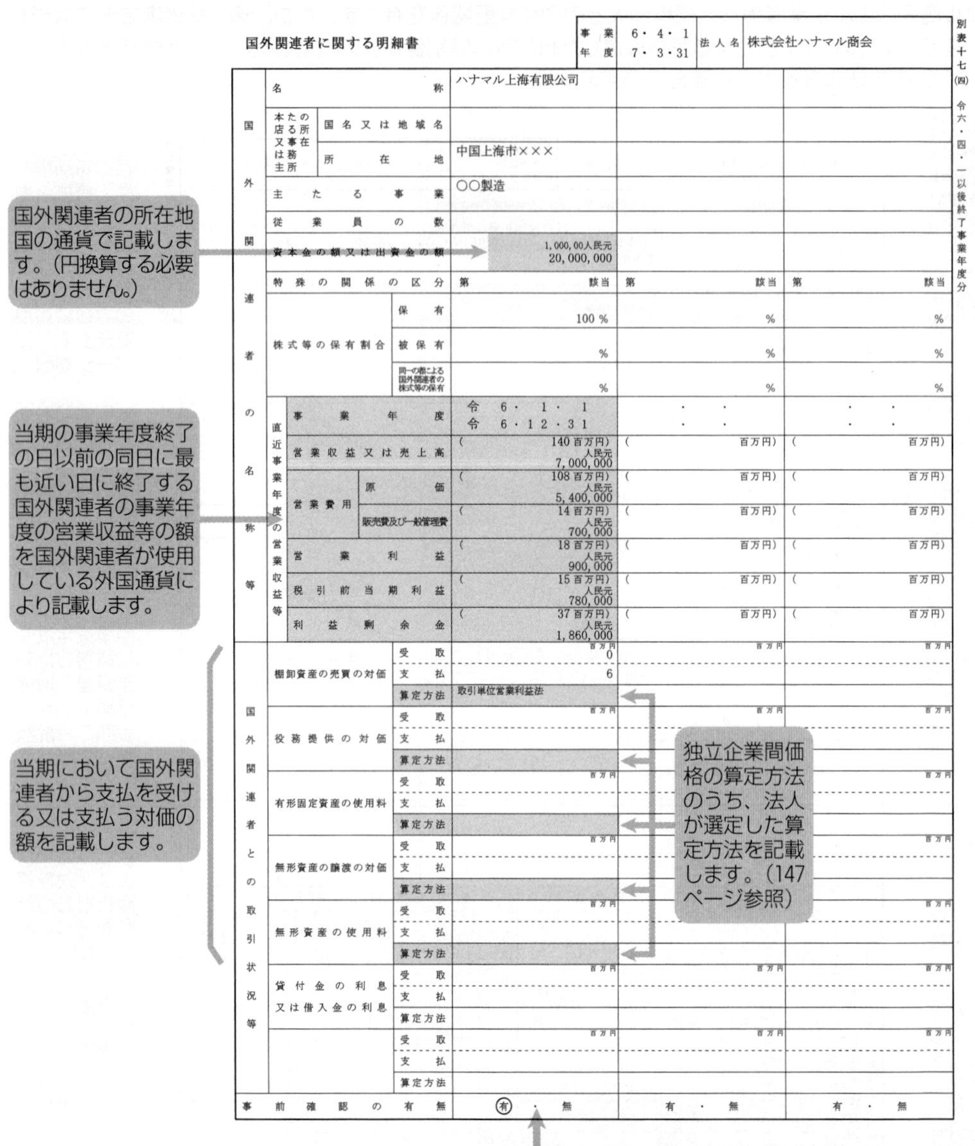

国外関連者に関する明細書　　事業年度 6・4・1 ～ 7・3・31　　法人名 株式会社ハナマル商会

別表十七(四)　令六・四・一以後終了事業年度分

国外関連者の名称等			
名称	ハナマル上海有限公司		
本店又は主たる事務所の所在地：国名又は地域名			
本店又は主たる事務所の所在地：所在地	中国上海市×××		
主たる事業	○○製造		
従業員の数			
資本金の額又は出資金の額	1,000,00人民元 20,000,000		
特殊の関係の区分	第　該当	第　該当	第　該当
株式等の保有割合：保有	100 %	%	%
株式等の保有割合：被保有	%	%	%
株式等の保有割合：同一の者による国外関連者の株式等の保有	%	%	%
直近事業年度の営業収益等：事業年度	令 6・1・1 令 6・12・31	・・ ・・	・・ ・・
営業収益又は売上高	（140百万円）人民元 7,000,000	（百万円）	（百万円）
営業費用：原価	（108百万円）人民元 5,400,000	（百万円）	（百万円）
営業費用：販売費及び一般管理費	（14百万円）人民元 700,000	（百万円）	（百万円）
営業利益	（18百万円）人民元 900,000	（百万円）	（百万円）
税引前当期利益	（15百万円）人民元 780,000	（百万円）	（百万円）
利益剰余金	（37百万円）人民元 1,860,000	（百万円）	（百万円）

国外関連者との取引状況等				
棚卸資産の売買の対価	受取	百万円 0	百万円	百万円
	支払	6		
	算定方法	取引単位営業利益法		
役務提供の対価	受取	百万円	百万円	百万円
	支払			
	算定方法			
有形固定資産の使用料	受取	百万円	百万円	百万円
	支払			
	算定方法			
無形資産の譲渡の対価	受取	百万円	百万円	百万円
	支払			
	算定方法			
無形資産の使用料	受取	百万円	百万円	百万円
	支払			
	算定方法			
貸付金の利息又は借入金の利息	受取	百万円	百万円	百万円
	支払			
	算定方法			
	受取	百万円	百万円	百万円
	支払			
	算定方法			
事前確認の有無		(有)・無	有・無	有・無

● この別表は、法人が国外関連者（147ページ参照）との間で取引を行った場合に作成し、確定申告書に添付しなければなりません。

適用額明細書

法人が法人税関係特別措置の適用を受ける場合は、「租税特別措置の適用状況の透明化等に関する法律」により「適用額明細書」を法人税確定申告書に添付して提出することとされています。

適用額明細書の添付がなかった場合又は添付があっても虚偽の記載があった場合には、法人税関係特別措置の適用は受けられないため注意が必要です。

なお、適用額明細書へ記載すべき法人税関係特別措置は、法人税に関する租税特別措置又は令和２年改正前措置のうち、税額又は所得の金額を減少させるものをいいます。

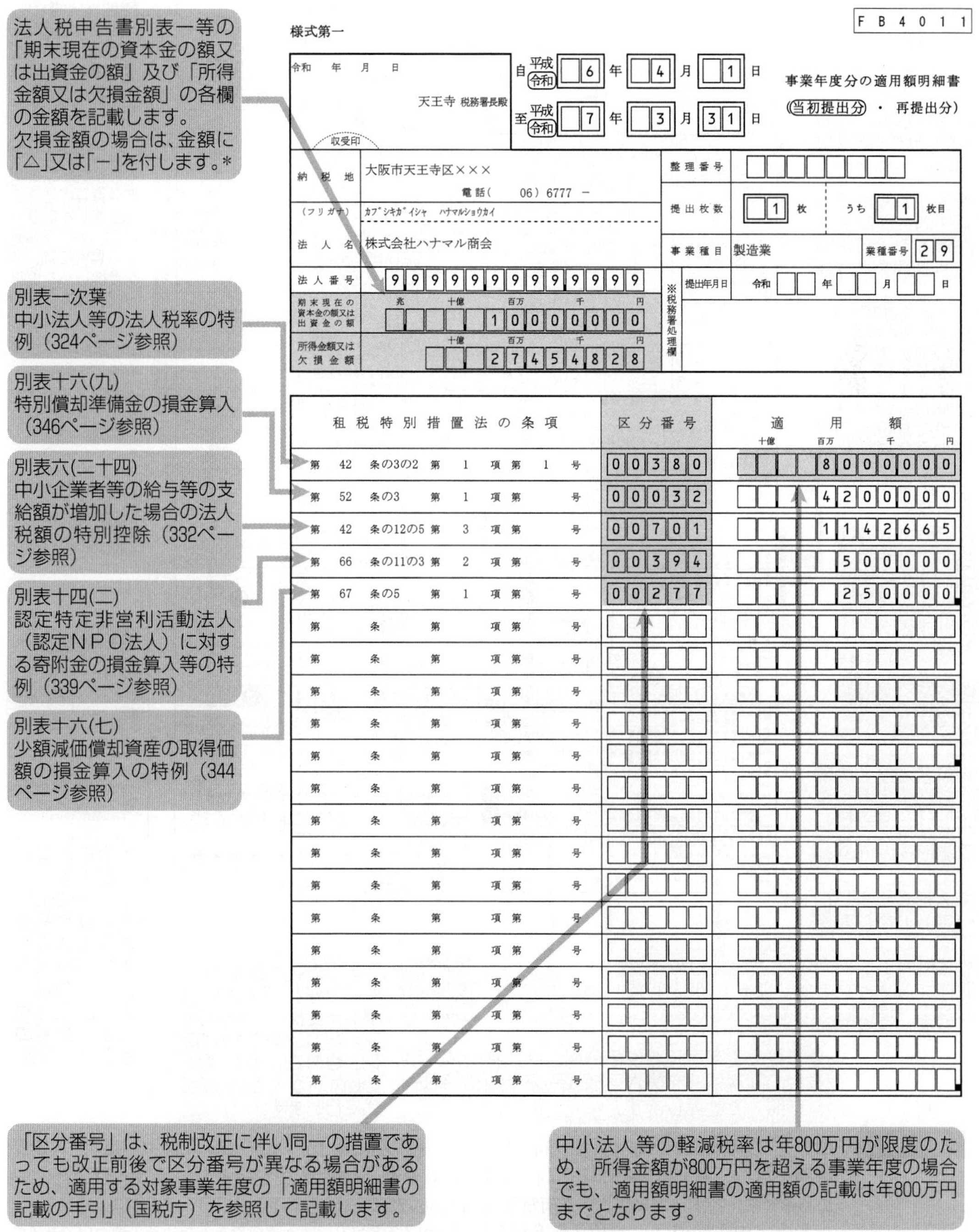

FB4011

様式第一

令和　年　月　日

天王寺 税務署長殿

収受印

自 平成/令和 6年 4月 1日
至 平成/令和 7年 3月 31日
事業年度分の適用額明細書
（当初提出分）・再提出分）

納税地	大阪市天王寺区××× 電話（06）6777 －
（フリガナ）	ｶﾌﾞｼｷｶﾞｲｼｬ ﾊﾅﾏﾙｼｮｳｶｲ
法人名	株式会社ハナマル商会
法人番号	9999999999999
期末現在の資本金の額又は出資金の額	10000000
所得金額又は欠損金額	27454828
整理番号	
提出枚数	1 枚　うち 1 枚目
事業種目	製造業　業種番号 29
※税務署処理欄	提出年月日 令和　年　月　日

租税特別措置法の条項	区分番号	適用額（十億 百万 千 円）
第42条の3の2第1項第1号	00380	8000000
第52条の3第1項第　号	00032	4200000
第42条の12の5第3項第　号	00701	1142665
第66条の11の3第2項第　号	00394	500000
第67条の5第1項第　号	00277	250000
第　条　第　項第　号		
第　条　第　項第　号		
第　条　第　項第　号		
第　条　第　項第　号		
第　条　第　項第　号		
第　条　第　項第　号		
第　条　第　項第　号		
第　条　第　項第　号		
第　条　第　項第　号		
第　条　第　項第　号		
第　条　第　項第　号		
第　条　第　項第　号		
第　条　第　項第　号		
第　条　第　項第　号		
第　条　第　項第　号		

＊　所得金額が０円、又は欠損が生じた場合、当該事業年度においては「税額控除」や「中小法人等の軽減税率」の適用がないため、適用額明細書にこれらの措置についての記載は不要です。

Ⓥ事業税・特別法人事業税又は地方法人特別税・住民税の計算（令和６年度税制改正前の様式となっております。）

第六号様式（事業税・特別法人事業税又は地方法人特別税・道府県民税の計算）

この様式は事業税・特別法人事業税又は地方法人特別税・道府県民税の申告書で、法人税申告書の別表一に相当するものです。

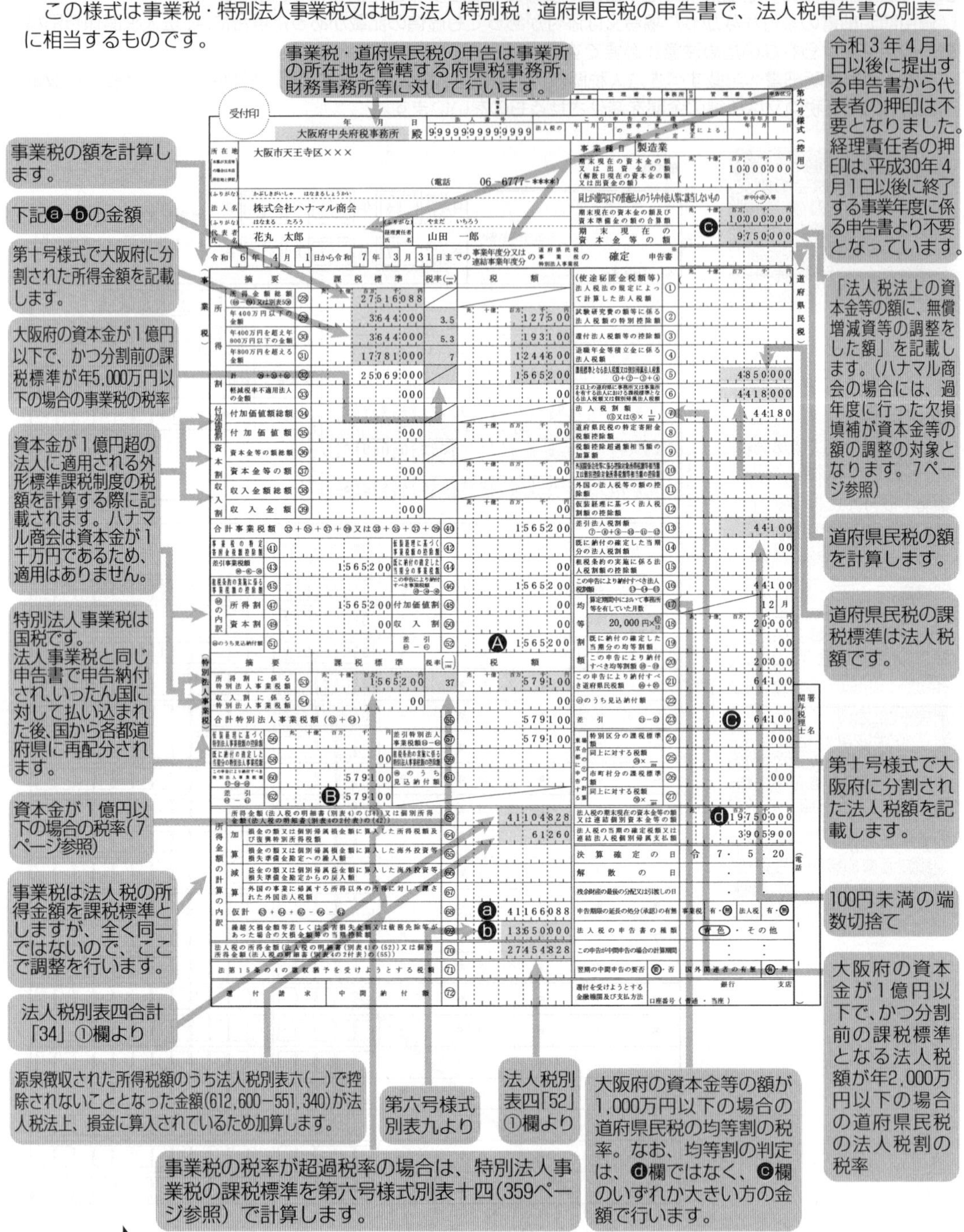

結　果　Ⓐ「52」欄の1,565,200円が大阪府に納める事業税額、Ⓑ「62」欄の579,100円が特別法人事業税額となり、Ⓒ「23」欄の64,100円が大阪府に納める道府県民税額となります。（兵庫県に納める事業税・特別法人事業税・道府県民税の計算は355ページです。）

なお確定申告期限は、令和７年５月31日（令和７年５月31日は土曜日であるためその翌々日である令和７年６月２日が申告期限となります）です。

無償増減資等により、資本金等の額の調整計算を行った場合には、各地方自治体に株主総会議事録等の書類の提出が必要となる場合があります。

第六号様式別表九（欠損金の繰越控除の計算）

事業税は、法人税の所得金額を課税標準としますが、法人税の所得金額と全く同一というわけではないため控除できる欠損金の額も変わってきます。

この明細書は、事業税の課税標準を算定する際、控除する欠損金の額を計算し、事業税の申告書（第六号様式）に添付します。

欠損金額等及び災害損失金の控除明細書（法第72条の2第1項第1号・第3号に掲げる事業）

事業年度	6・4・1 7・3・31	法人名	株式会社ハナマル商会

第六号様式別表九（控用）

控除前所得金額 第6号様式㉘－（別表10⑨又は㉑）	①	41,166,088円	損金算入限度額 ①×60又は100/100	②	41,166,088円

事業年度	区分	控除未済欠損金額等又は控除未済災害損失金③	当期控除額④（当該事業年度の③と（②－当該事業年度前の④の合計額）のうち少ない金額）	翌期繰越額⑤（（③－④）又は別表11⑰）
・・ ・・	欠損金額等・災害損失金	円	円	
平27・4・1 平28・3・31	欠損金額等・災害損失金	0	0	円 0
平28・4・1 平29・3・31	欠損金額等・災害損失金			0
平29・4・1 平30・3・31	欠損金額等・災害損失金			0
平30・4・1 平31・3・31	欠損金額等・災害損失金	0	0	0
平31・4・1 令2・3・31	(欠損金額等)・災害損失金	5,000,000	5,000,000	0
令2・4・1 令3・3・31	(欠損金額等)・災害損失金	4,650,000	4,650,000	0
令3・4・1 令4・3・31	(欠損金額等)・災害損失金	2,600,000	2,600,000	0
令4・4・1 令5・3・31	(欠損金額等)・災害損失金	1,000,000	1,000,000	0
令5・4・1 令6・3・31	(欠損金額等)・災害損失金	400,000	400,000	0
計		13,650,000	Ⓐ 13,650,000	0
当期分	(欠損金額等)・災害損失金	0		
当期分 同上のうち	災害損失金			円
当期分 同上のうち	青色欠損金	0		0
合計				0

前年度より繰り越されてきた欠損金の未控除額

今年度の所得金額を上限として古い年度の欠損金額から順番に控除していきます。

災害により生じた損失の額の計算

災害の種類		災害のやんだ日又はやむを得ない事情のやんだ日	・・
当期の欠損金額 ⑥	円	差引災害により生じた損失の額（⑦－⑧） ⑨	円
災害により生じた損失の額 ⑦		繰越控除の対象となる損失の額（⑥と⑨のうち少ない金額） ⑩	
保険金又は損害賠償金等の額 ⑧			

結果 Ⓐの13,650,000円が、本年度の事業税の課税標準である所得金額から控除されます。（➔350ページ）

第十号様式（事業税・道府県民税の課税標準の分割明細書）

事業税･道府県民税の法人税割は、会社の所得金額や法人税額を課税標準として計算するため、２以上の都道府県に事業所等を有する場合は、各都道府県ごとに課税標準を分割しなければなりません。

この明細書は、その場合に事業税・道府県民税の申告書（第六号様式）に添付します。

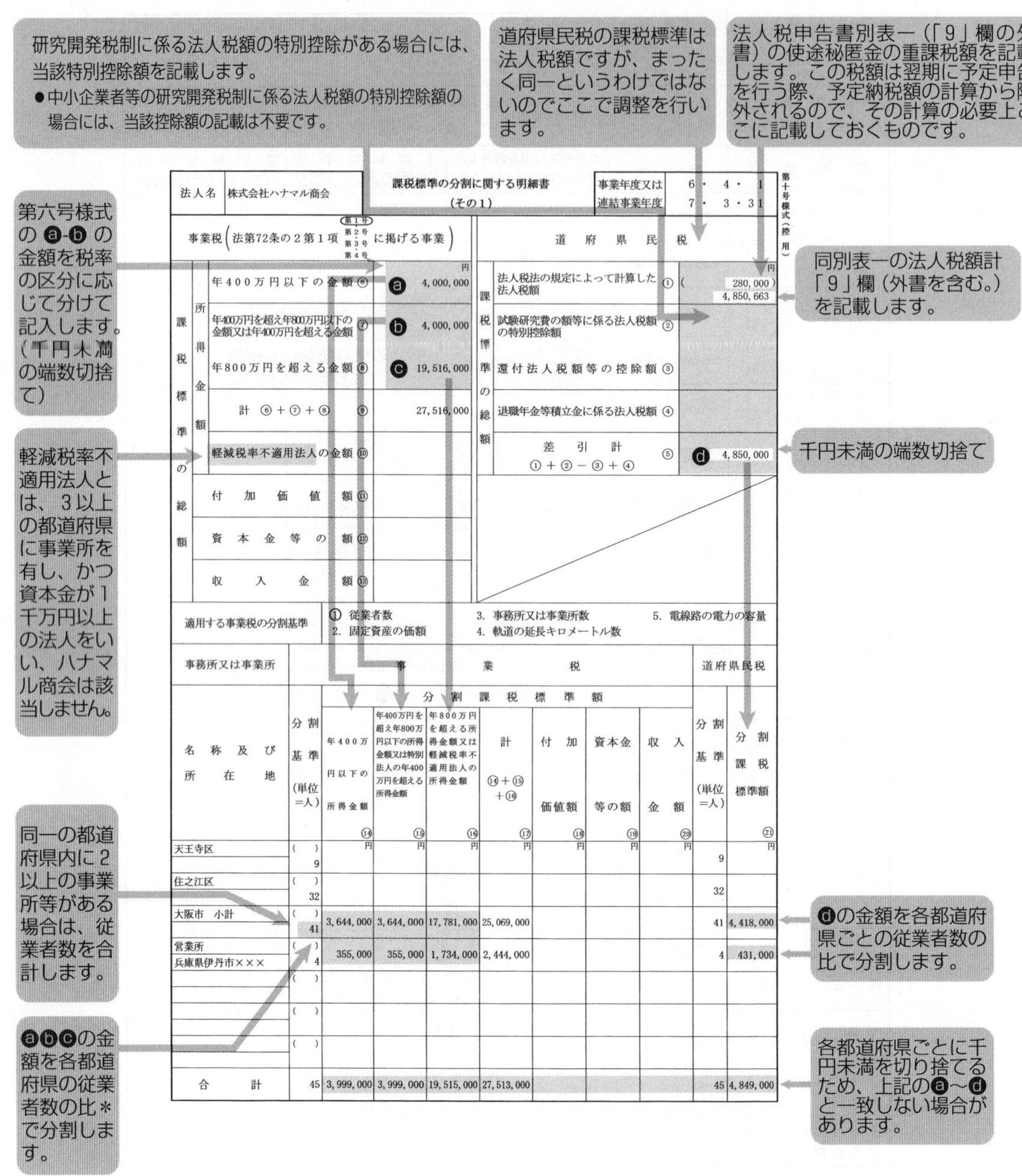

第十号様式（控用）

法人名	株式会社ハナマル商会	課税標準の分割に関する明細書（その1）	事業年度又は連結事業年度	6・4・1 7・3・31

事業税（法第72条の2第1項 第1号（○）・第2号・第3号・第4号 に掲げる事業）			道府県民税		
課税標準の総額	所得金額	年400万円以下の金額 ⑥	ⓐ 4,000,000円	課税標準の総額	法人税法の規定によって計算した法人税額 ①	（280,000）4,850,663円
		年400万円を超え年800万円以下の金額又は年400万円を超える金額 ⑦	ⓑ 4,000,000		試験研究費の額等に係る法人税額の特別控除額 ②	
		年800万円を超える金額 ⑧	ⓒ 19,516,000		還付法人税額等の控除額 ③	
		計 ⑥＋⑦＋⑧ ⑨	27,516,000		退職年金等積立金に係る法人税額 ④	
		軽減税率不適用法人の金額 ⑩			差引計 ①＋②－③＋④ ⑤	ⓓ 4,850,000
	付加価値額 ⑪					
	資本金等の額 ⑫					
	収入金額 ⑬					

適用する事業税の分割基準	① 従業者数　2. 固定資産の価額　3. 事務所又は事業所数　4. 軌道の延長キロメートル数　5. 電線路の電力の容量

事務所又は事業所 名称及び所在地	事業税 分割基準（単位＝人）	分割課税標準額 年400万円以下の所得金額 ⑭	年400万円を超え年800万円以下の所得金額又は特別法人の年400万円を超える所得金額 ⑮	年800万円を超える所得金額又は軽減税率不適用法人の所得金額 ⑯	計 ⑭＋⑮＋⑯ ⑰	付加価値額 ⑱	資本金等の額 ⑲	収入金額 ⑳	道府県民税 分割基準（単位＝人）	分割課税標準額 ㉑
天王寺区	（　）9	円	円	円	円	円	円	円	9	円
住之江区	（　）32								32	
大阪市　小計	（　）41	3,644,000	3,644,000	17,781,000	25,069,000				41	4,418,000
営業所 兵庫県伊丹市×××	（　）4	355,000	355,000	1,734,000	2,444,000				4	431,000
	（　）									
	（　）									
	（　）									
合計	45	3,999,000	3,999,000	19,515,000	27,513,000				45	4,849,000

＊　非製造業（鉄道事業等一定の事業を除く。）については、課税標準の２分の１を事務所又は事業所数の比で、２分の１を従業者数の比で分割します。

結　果　各都道府県ごとに分割された所得金額又は法人税額が、各都道府県の事業税・道府県民税の課税標準となります。

第二十号様式（市町村民税の計算）

この様式は市町村民税の申告書であり、法人税申告書の別表一に相当するものです。

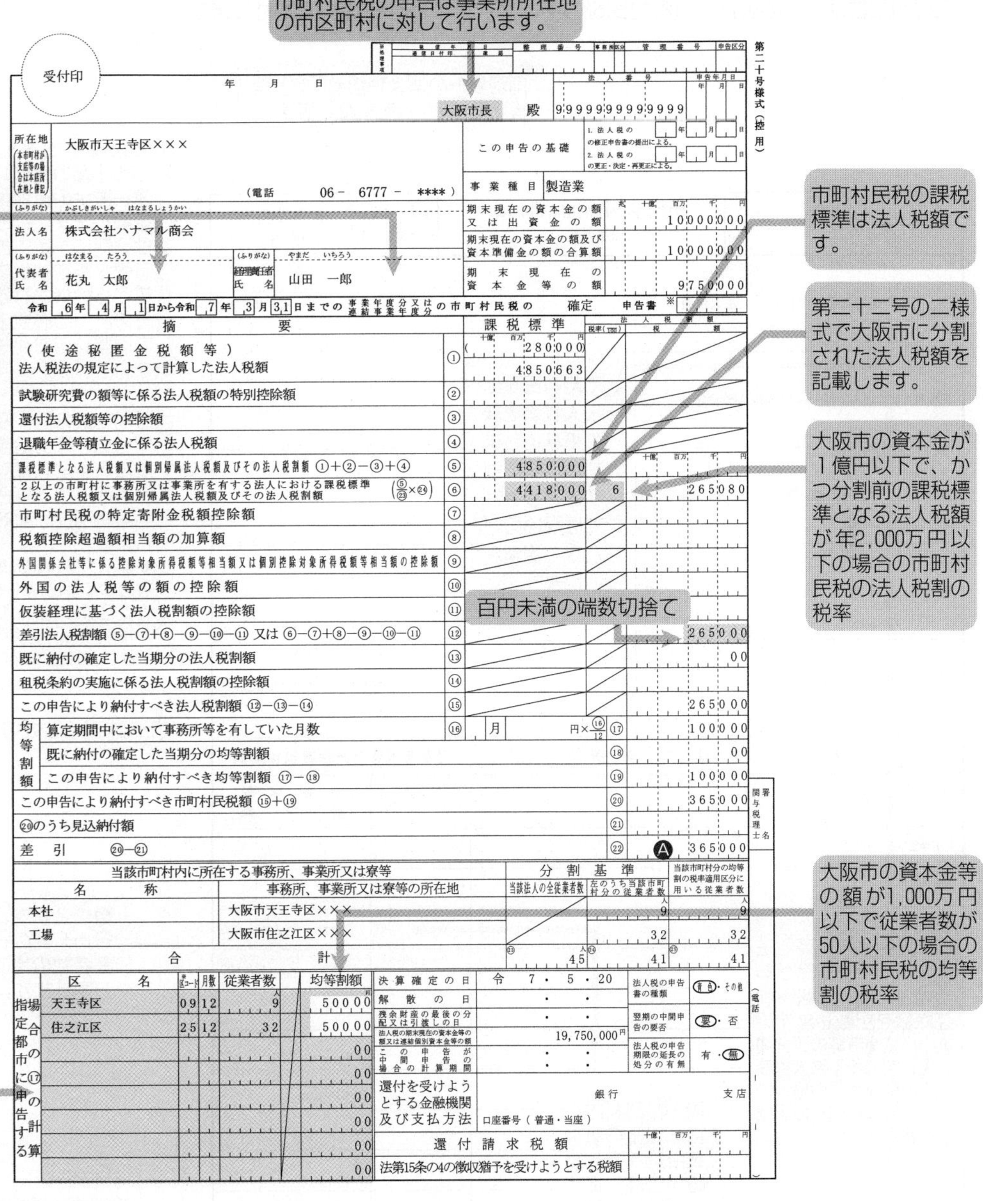

第二十号様式（控用）

受付印　年　月　日

大阪市長　殿

法人番号　9999999999999

所在地　大阪市天王寺区×××　（電話　06－6777－****）

法人名　株式会社ハナマル商会（かぶしきがいしゃ　はなまるしょうかい）

代表者氏名　花丸　太郎（はなまる　たろう）

経理責任者氏名　山田　一郎（やまだ　いちろう）

この申告の基礎

事業種目　製造業

項目	金額
期末現在の資本金の額又は出資金の額	10000000
期末現在の資本金の額及び資本準備金の額の合算額	10000000
期末現在の資本金等の額	9750000

令和 6 年 4 月 1 日から令和 7 年 3 月 31 日までの事業年度分又は連結事業年度分の市町村民税の　確定　申告書

摘要		課税標準	税率(100分の)	税額
（使途秘匿金税額等）法人税法の規定によって計算した法人税額	①	(280000) 4850663		
試験研究費の額等に係る法人税額の特別控除額	②			
還付法人税額等の控除額	③			
退職年金等積立金に係る法人税額	④			
課税標準となる法人税額又は個別帰属法人税額及びその法人税割額 ①＋②－③＋④	⑤	4850000		
２以上の市町村に事務所又は事業所を有する法人における課税標準となる法人税額又は個別帰属法人税額及びその法人税割額 (⑤/㉓)×㉔	⑥	4418000	6	265080
市町村民税の特定寄附金税額控除額	⑦			
税額控除超過額相当額の加算額	⑧			
外国関係会社等に係る控除対象所得税額等相当額又は個別控除対象所得税額等相当額の控除額	⑨			
外国の法人税等の額の控除額	⑩			
仮装経理に基づく法人税割額の控除額	⑪			
差引法人税割額 ⑤－⑦＋⑧－⑨－⑩－⑪ 又は ⑥－⑦＋⑧－⑨－⑩－⑪	⑫			265000
既に納付の確定した当期分の法人税割額	⑬			00
租税条約の実施に係る法人税割額の控除額	⑭			
この申告により納付すべき法人税割額 ⑫－⑬－⑭	⑮			265000
均等割額　算定期間中において事務所等を有していた月数	⑯	月	円×⑯/12 ⑰	100000
均等割額　既に納付の確定した当期分の均等割額	⑱			00
均等割額　この申告により納付すべき均等割額 ⑰－⑱	⑲			100000
この申告により納付すべき市町村民税額 ⑮＋⑲	⑳			365000
⑳のうち見込納付額	㉑			
差引 ⑳－㉑	㉒			Ⓐ 365000

名称	事務所、事業所又は寮等の所在地	当該法人の全従業者数	左のうち当該市町村分の従業者数	当該市町村分の均等割の税率適用区分に用いる従業者数
本社	大阪市天王寺区×××		9	9
工場	大阪市住之江区×××		32	32
合計		㉓ 45	㉔ 41	41

指定都市に申告する場合の⑰の計算

区名	区コード	月数	従業者数	均等割額
天王寺区	09	12	9	50000
住之江区	25	12	32	50000
				00
				00
				00
				00
				00
				00

決算確定の日	令 7・5・20
解散の日	
残余財産の最後の分配又は引渡しの日	
法人税の期末現在の資本金等の額又は連結個別資本金等の額	19,750,000円
この申告が中間申告の場合の計算期間	
法人税の申告書の種類	青色・その他
翌期の中間申告の要否	要・否
法人税の申告期限の延長の処分の有無	有・無
還付を受けようとする金融機関及び支払方法	銀行　支店　口座番号（普通・当座）
還付請求税額	
法第15条の4の徴収猶予を受けようとする税額	

結　果　Ⓐ「22」欄の365,000円が大阪市に納付する市町村民税額です。（伊丹市に納める市町村民税の計算は355ページです。）

なお、確定申告期限は令和７年５月31日（令和７年５月31日は土曜日であるためその翌々日である令和７年６月２日が申告期限となります）です。

第二十二号の二様式（市町村民税の課税標準の分割明細書）

市町村民税は会社の法人税額を課税標準として計算するため、2以上の市町村に事業所等を有する場合は各市町村ごとに課税標準を分割しなければなりません。

この明細書は、その場合に市町村民税の申告書（第二十号様式）に添付します。

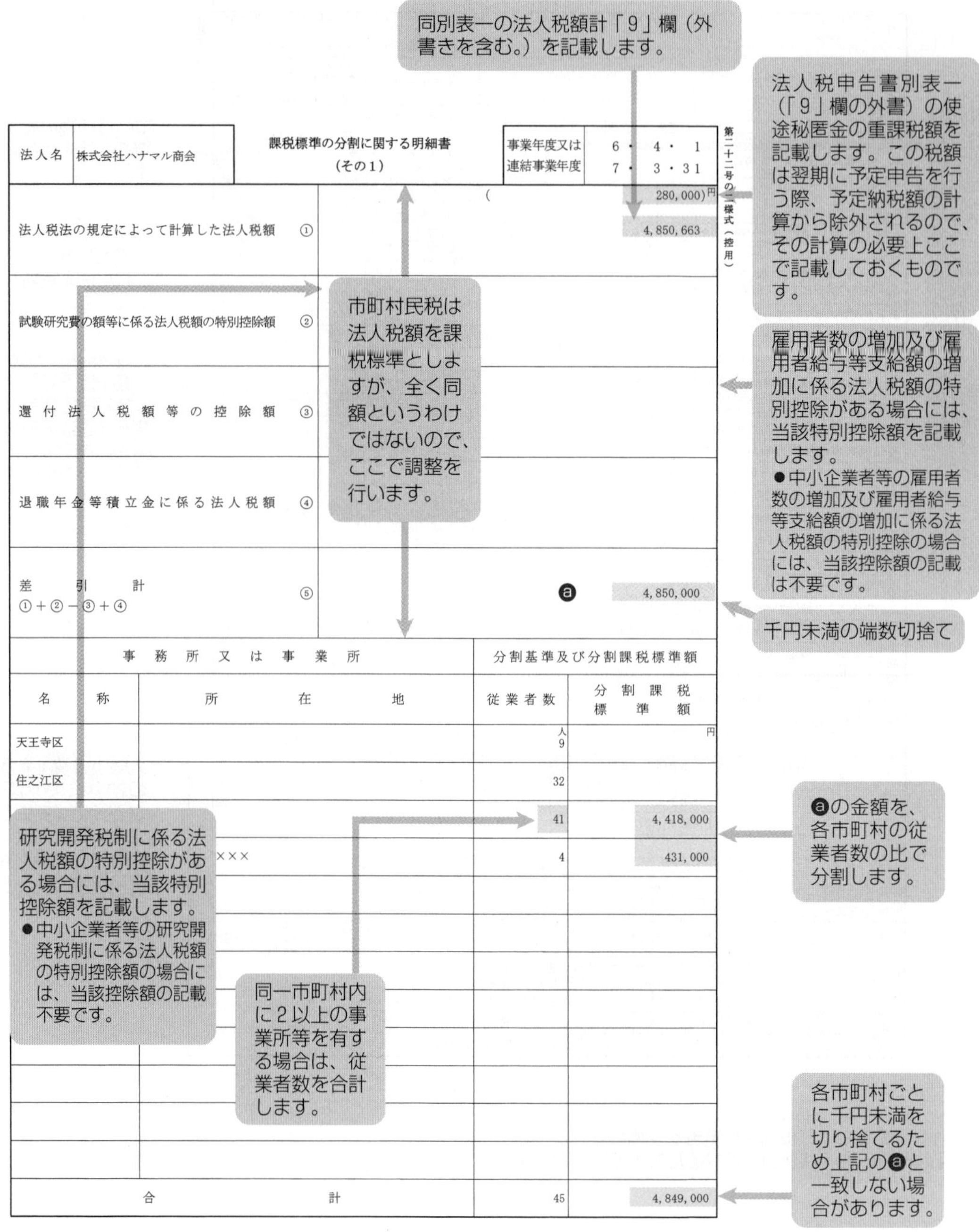

法人名	株式会社ハナマル商会	課税標準の分割に関する明細書（その1）	事業年度又は連結事業年度	6・4・1 ～ 7・3・31

項目		金額
法人税法の規定によって計算した法人税額	①	（280,000）円 4,850,663
試験研究費の額等に係る法人税額の特別控除額	②	
還付法人税額等の控除額	③	
退職年金等積立金に係る法人税額	④	
差引計 ①＋②－③＋④	⑤	❹ 4,850,000

事務所又は事業所 名称	所在地	従業者数	分割課税標準額
天王寺区		9人	円
住之江区		32	
		41	4,418,000
	×××	4	431,000
合計		45	4,849,000

結　果 各市町村ごとに分割された法人税額が、各市町村の市町村民税の課税標準となります。

参考 第六号・第二十号様式（兵庫県・伊丹市提出分）

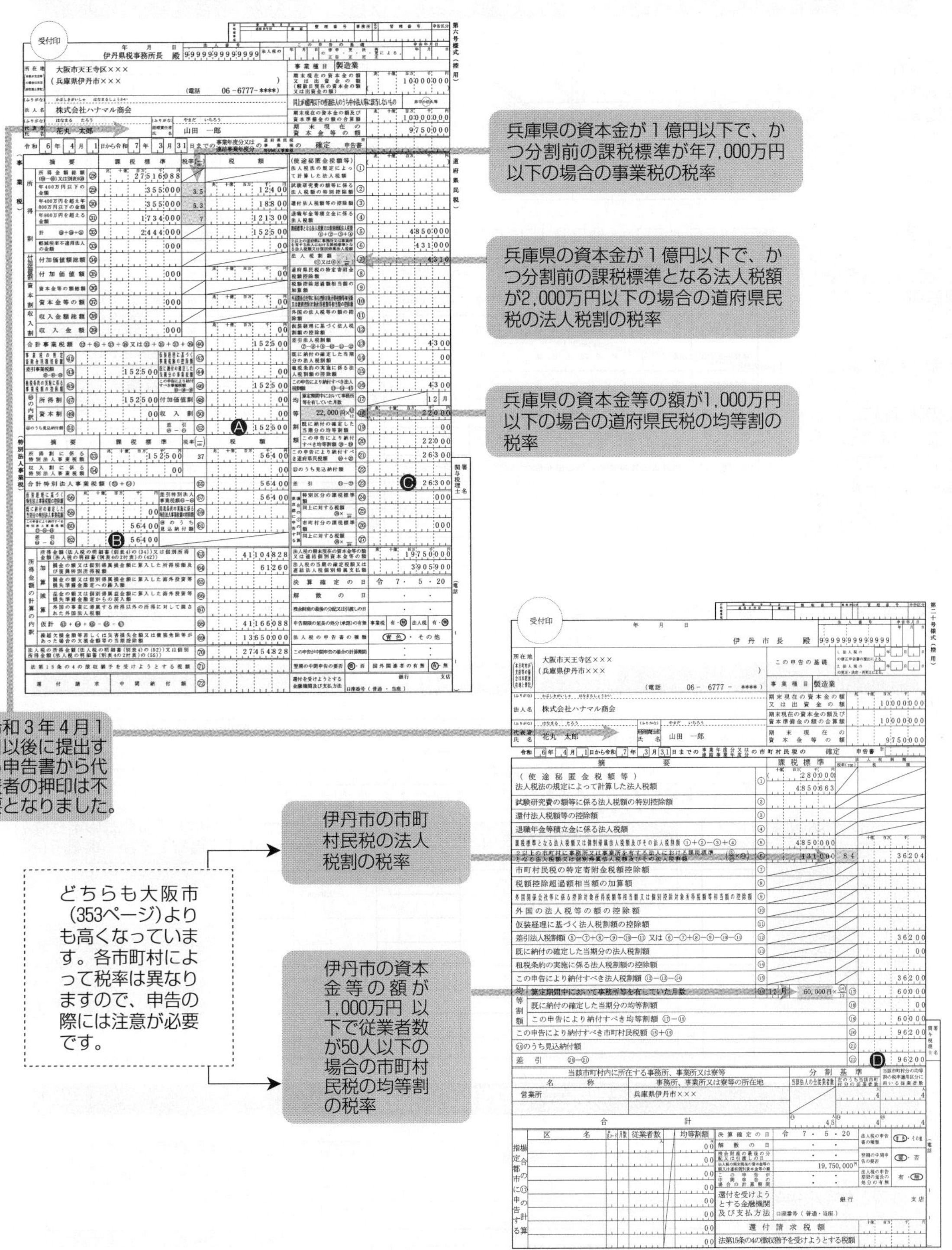

結　果 Ⓐ「52」欄の152,500円が兵庫県に納付する事業税額、Ⓑ「62」欄の56,400円が特別法人事業税額、Ⓒ「23」欄の26,300円が同じく兵庫県に納付する道府県民税額となり、Ⓓ「22」欄の96,200円が伊丹市に納付する市町村民税額となります。

なお、確定申告期限は令和７年５月31日（令和７年５月31日は土曜日であるためその翌々日である令和７年６月２日が申告期限となります）です。

Ⅵ 事業所税の計算

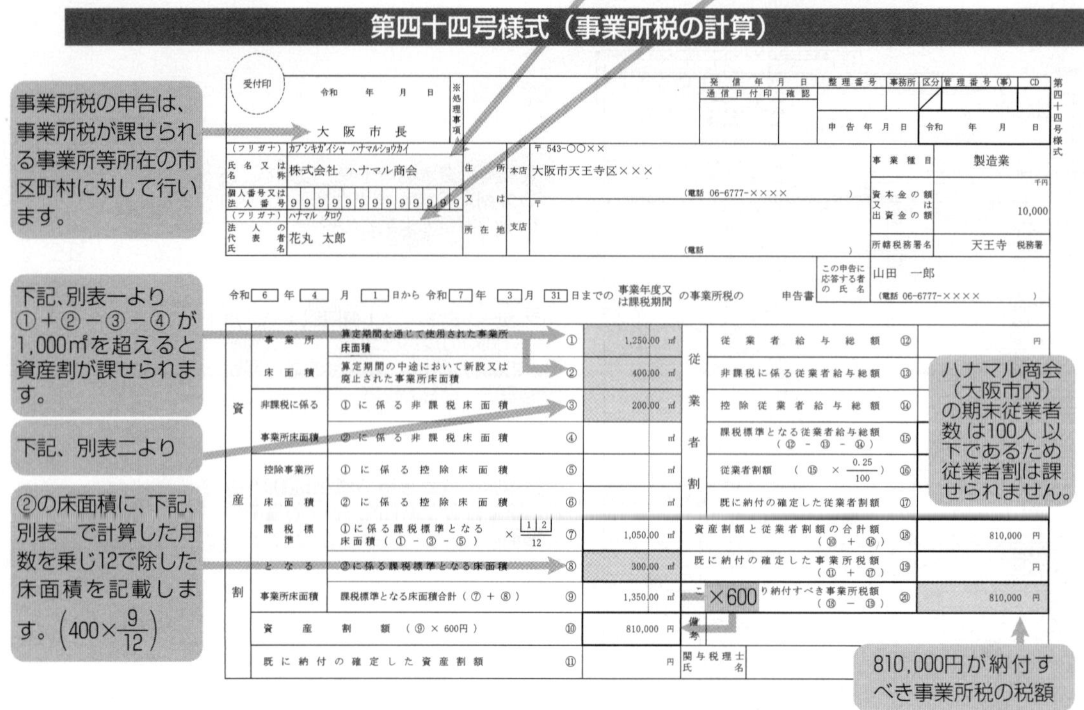

令和3年4月1日以後に提出する申告書から法人代表者の押印は不要となりました。

第四十四号様式（事業所税の計算）

事業所税の申告は、事業所税が課せられる事業所等所在の市区町村に対して行います。

大阪市長

（フリガナ）	カブシキガイシャ ハナマルショウカイ
氏名又は名称	株式会社 ハナマル商会
個人番号又は法人番号	9 9 9 9 9 9 9 9 9 9 9 9 9
（フリガナ）	ハナマル タロウ
法人の代表者氏名	花丸 太郎
住所又は所在地（本店）	〒 543-○○×× 大阪市天王寺区××× （電話 06-6777-××××）
事業種目	製造業
資本金の額又は出資金の額	10,000 千円
所轄税務署名	天王寺 税務署
この申告に応答する者の氏名	山田 一郎（電話 06-6777-××××）

令和 6 年 4 月 1 日から 令和 7 年 3 月 31 日までの 事業年度又は課税期間 の事業所税の 申告書

下記、別表一より①＋②－③－④が1,000㎡を超えると資産割が課せられます。

下記、別表二より

②の床面積に、下記、別表一で計算した月数を乗じ12で除した床面積を記載します。$\left(400 \times \frac{9}{12}\right)$

資産割		番号	金額
事業所床面積	算定期間を通じて使用された事業所床面積	①	1,250.00 ㎡
	算定期間の中途において新設又は廃止された事業所床面積	②	400.00 ㎡
非課税に係る事業所床面積	①に係る非課税床面積	③	200.00 ㎡
	②に係る非課税床面積	④	㎡
控除事業所床面積	①に係る控除床面積	⑤	㎡
	②に係る控除床面積	⑥	㎡
課税標準となる事業所床面積	①に係る課税標準となる床面積（①－③－⑤） × 12/12	⑦	1,050.00 ㎡
	②に係る課税標準となる床面積	⑧	300.00 ㎡
	課税標準となる床面積合計（⑦＋⑧）	⑨	1,350.00 ㎡
資産割額（⑨×600円）		⑩	810,000 円
既に納付の確定した資産割額		⑪	円

×600

従業者割	番号	金額
従業者給与総額	⑫	円
非課税に係る従業者給与総額	⑬	
控除従業者給与総額	⑭	
課税標準となる従業者給与総額（⑫－⑬－⑭）	⑮	
従業者割額（⑮×0.25/100）	⑯	
既に納付の確定した従業者割額	⑰	
資産割額と従業者割額の合計額（⑩＋⑯）	⑱	810,000 円
既に納付の確定した事業所税額（⑪＋⑰）	⑲	円
差引納付すべき事業所税額（⑱－⑲）	⑳	810,000 円

備考

関与税理士氏名

ハナマル商会（大阪市内）の期末従業者数は100人以下であるため従業者割は課せられません。

810,000円が納付すべき事業所税の税額

●事業所税には、事業所床面積を課税標準として課される資産割と、従業者給与総額を課税標準として課される従業者割があります。なお、従業者割が課される場合（期末従業者数100人超）においては、その税率は100分の0.25です。

別表一（事業所等の明細書）

事業所等明細書

明細区分の別：1．算定期間を通じて使用された事業所等　2．算定期間の中途において新設又は廃止された事業所等

算定期間：令和 6 年 4 月 1 日から 令和 7 年 3 月 31 日まで

処理事項：整理番号／事務所／区分／管理番号（事）／CD

氏名又は名称：株式会社 ハナマル商会

個人番号又は法人番号：9 9 9 9 9 9 9 9 9 9 9 9 9

第四十四号様式別表一

※明細番号	明細区分	事業所等の名称／事業所用家屋の所有者	所在地及びビル名／住所・氏名	専用床面積⑦／共用床面積④	事業所床面積（⑦＋④）⑨	使用した期間（年月日）／同上の月数	従業者割
	1	本社	大阪市天王寺区×××	150.00 ㎡	150.00 ㎡	6.4.1から 7.3.31まで	
		大阪市中央区××× 丸花 次郎		0.00 ㎡		12月	
	1	工場	大阪市住之江区×××	1,100.00 ㎡	1,100.00 ㎡	6.4.1から 7.3.31まで	人 円
		大阪市天王寺区××× ㈱ハナマル商会		0.00 ㎡		12月	
	計			㎡	1,250.00 ㎡	. . から . . まで	
				㎡		月	
	2	工場	大阪市住之江区×××	400.00 ㎡	400.00 ㎡	6.6.3から 7.3.31まで	
		大阪市天王寺区××× ㈱ハナマル商会		0.00 ㎡		9月	
	計			㎡	400.00 ㎡	. . から . . まで	人 円
				㎡		月	

大阪市内にあるすべての事業所を、算定期間を通じて使用されたものと、中途において新設又は廃止されたものとに分けて記入します。

ハナマル商会の本社は借家ですが、事業所税は課税されます。

事業年度の中途で新設された事業所の月数は新設された月の翌月から起算して計算します。

別表二（非課税の明細書）

非課税明細書

算定期間：令和 6 年 4 月 1 日から 令和 7 年 3 月 31 日まで

処理事項：整理番号／事務所／区分／管理番号（事）／CD

氏名又は名称：株式会社 ハナマル商会

個人番号又は法人番号：9 9 9 9 9 9 9 9 9 9 9 9 9

第四十四号様式別表二

※明細番号　事業所等の名称：工場　事業所等の所在地：大阪市住之江区×××

非課税の内訳	資産割 非課税床面積 ⑦	従業者割 非課税従業者数 ④	従業者割 非課税従業者給与総額 ⑨
法 第701条の34 第 3 項 第 26 号該当 社員食堂	200.00 ㎡	人	円
	㎡	人	円
障がい者・65歳以上の従業者		人	円
合計	㎡	人	円
非課税事業所床面積等の合計	㎡	人	円

非課税となる根拠条文を記入します。この場合社員食堂は勤労者の福利厚生施設に該当するため、非課税です。

Ⅶ 事業税（外形標準課税制度）の計算

ハナマル商会の資本金は1,000万円ですから、事業税について外形標準課税制度の適用を受けませんが、仮に資本金が１億円超であったとして、外形標準課税制度が適用された場合の法人事業税の計算を行ってみます。

[事業税（外形標準課税制度）の計算の前提となる事項]

（特に記載の無い事項は、308ページから318ページの前提条件と同じとします。）
・資本金等の額３億円（資本金の額２億円、資本準備金の額１億円）
（資本準備金の額には、平成13年４月１日以後の無償減資等により発生した額は含まれていません。）
・賃上げ促進税制に関する事項として、309ページの記載事項に以下を追加します。

	令和６年３月期 前事業年度	令和７年３月期 当事業年度
①継続雇用者への給与等支給額	190,720,000	200,300,000
②①に充てるため他の者から支払を受ける金額	190,000	240,000
③②のうち雇用安定助成金額に該当するもの	30,000	50,000

（各勘定科目の外形標準課税制度の計算対象・対象外の区分）

	計算書類より		計算対象・対象外	
	販売費及び一般管理費他	製造原価	対象外	対象
材料仕入		141,805,600	141,805,600	
賃金		160,000,000		160,000,000
役員報酬	28,500,000			28,500,000
給与手当	26,500,000			26,500,000
役員賞与	4,500,000			4,500,000
賞与	6,550,000	33,800,000		40,350,000
賞与引当金繰入	2,000,000	11,000,000	13,000,000	
賞与引当金戻入	△2,500,000	△9,500,000	△12,000,000	
法定福利費	3,510,000	8,365,000	11,875,000	
厚生費	7,970,000	6,500,000	14,470,000	
退職給付費用	2,800,000	9,600,000	12,400,000	
外注加工費		16,000,000	13,000,000	3,000,000
消耗品費		8,000,000	8,000,000	
水道光熱費	3,090,000	3,589,000	6,679,000	
減価償却費	150,000	3,221,009	3,371,009	
貸倒損失	727,273		727,273	
賃借料	9,600,000	2,400,000	2,400,000	9,600,000
旅費交通費	3,650,000	3,795,500	7,445,500	
租税公課	1,137,400	4,761,000	5,898,400	
寄附金	3,500,000		3,500,000	
交際費	8,800,000		8,800,000	
貸倒引当金繰入	1,400,000		1,400,000	
貸倒引当金戻入	△2,950,000		△2,950,000	
雑費	1,578,923	539,031	2,117,954	
受取利息	△140,000			△140,000
受取配当金	△10,400,000		△10,400,000	
有価証券売却益	△2,690,000		△2,690,000	
雑収入	△1,590,000		△1,590,000	
支払利息	2,200,000			2,200,000
雑損失	1,591,060		1,591,060	
償却債権取立益	△200,000		△200,000	
固定資産売却損	9,000,000		9,000,000	

賞与引当金繰入は法人税法上損金の額に算入されないため、報酬給与額には含まれませんが、法人税法上損金の額に算入された賞与は、報酬給与額に含まれます。

法定福利費はその支払が法令で義務づけられていることから、報酬給与額には含まれません。

退職給付費用については法人税法上損金の額に算入されないため、報酬給与額には含まれませんが、法人税法上損金の額に算入された退職金は、報酬給与額に含まれます。
当期は退職者に対して退職金を7,000,000円支払っており、同額が別表四で減算され、損金の額に算入されています。

労働者の派遣を受けたことによる派遣会社への支払派遣料の75%は報酬給与額の算定の対象となります。

土地建物の賃借料は純支払賃借料の算定の対象となります。

リース会社に対する機械装置のリース代は純支払賃借料の算定の対象となりません。

[付加価値割における賃上促進税制の見直し]

令和６年４月１日から令和９年３月31日までの間に開始する事業年度において、国内雇用者に給与等を支給し、下記要件を満たす場合には、雇用者全体の給与等支給額（21ページ①給与等支給額参照）から前年度の雇用者全体の給与等支給額を控除した金額に一定の調整を加えた金額を付加価値割の課税標準から控除することができます。

要件　(①－②)／②　≧　３％
①　継続雇用者の給与等支給額（21ページ①給与等支給額参照）
②　前年度の継続雇用者の給与等支給額

第六号様式（事業税・特別法人事業税又は地方法人特別税・道府県民税の計算）

この様式は事業税・特別法人事業税又は地方法人特別税・道府県民税の申告書で、外形標準課税制度の適用対象・対象外を問わずすべての法人に共通の様式となります。外形標準課税制度の適用対象法人（資本金の額又は出資金の額が１億円を超える法人）については、令和２年４月１日以後に開始する事業年度より電子申告が義務化されました。この電子申告義務化により、確定・中間申告時に国税へ決算書等を電子申告するため、地方税への貸借対照表及び損益計算書等の提出は不要となっています。

01006B22

受付印

年　月　日　大阪府中央府税事務所　殿

法人番号　9999999999999

所在地	大阪市天王寺区×××　（電話　06－6777－****）
法人名（ふりがな：かぶしきがいしゃ はなまるしょうかい）	株式会社ハナマル商会
代表者氏名（ふりがな：はなまる たろう）	花丸　太郎
経理責任者氏名（ふりがな：やまだ いちろう）	山田　一郎
事業種目	製造業
期末現在の資本金の額又は出資金の額	200000000
期末現在の資本金の額及び資本準備金の額の合算額	300000000
期末現在の資本金等の額	300000000

令和 6 年 4 月 1 日から令和 7 年 3 月 31 日までの事業年度分又は連結事業年度分の道府県民税・事業税・特別法人事業税の　確定　申告書

事業税

番号	摘要	課税標準	税率	税額
28	所得金額総額	33402849		
29	年400万円以下の金額	000		00
30	年400万円を超え年800万円以下の金額	000		00
31	年800万円を超える金額	000		00
32	計 ㉙＋㉚＋㉛	000		00
33	軽減税率不適用法人の金額	30432000	1.18	359000
34	付加価値額総額	238615949		
35	付加価値額	217404000	1.26	2739200
36	資本金等の額総額	300000000		
37	資本金等の額	273333000	0.525	1434900
38	収入金額総額			
39	収入金額	000		00
40	合計事業税額			4533100

番号	項目	金額	番号	項目	金額
41	事業税の特定寄附金税額控除額		42	仮装経理に基づく事業税額の控除額	
43	差引事業税額	4533100	44	既に納付の確定した当期分の事業税額	00
45	租税条約の実施に係る事業税額の控除額		46	この申告により納付すべき事業税額	4533100
47	所得割	359000	48	付加価値割	2739200
49	資本割	1434900	50	収入割	00
51	㊻のうち見込納付額		52	差引	Ⓐ 4533100

特別法人事業税

番号	摘要	課税標準	税率	税額
53	所得割に係る特別法人事業税額	304300	260	791100
54	収入割に係る特別法人事業税額	00		00
55	合計特別法人事業税額			791100

番号	項目	金額	番号	項目	金額
56	仮装経理に基づく特別法人事業税額の控除額		57	差引特別法人事業税額	791100
58	既に納付の確定した当期分の特別法人事業税額	00	59	租税条約の実施に係る特別法人事業税額の控除額	
60	この申告により納付すべき特別法人事業税額	791100	61	見込納付額	
62	差引	Ⓑ 791100			

所得金額の計算の内訳

番号	項目	金額
63	所得金額（法人税の明細書（別表４）の（34））又は個別所得金額（法人税の明細書（別表４の２付表）の（42））	46991589
64	加算　損金の額又は個別帰属損金額に算入した所得税額及び復興特別所得税額	61260
65	加算　損金の額又は個別帰属損金額に算入した海外投資等損失準備金勘定への繰入額	
66	減算　益金の額又は個別帰属益金額に算入した海外投資等損失準備金勘定からの戻入額	
67	外国の事業に帰属する所得以外の所得に対して課された外国法人税額	
68	仮計　㊸＋㊹＋㊺－㊻－㊼	ⓐ 47052849
69	繰越欠損金額等若しくは災害損失金額又は債務免除等があった場合の欠損金額等の当期控除額	ⓑ 13650000
70	法人税の所得金額（法人税の明細書（別表４）の（52））又は個別所得金額（法人税の明細書（別表４の２付表）の（55））	33341589
71	法第15条の４の徴収猶予を受けようとする税額	
72	還付請求／中間納付額	

道府県民税

番号	項目	金額
1	法人税法の規定によって計算した法人税額	
2	試験研究費の額等に係る法人税額の特別控除額	
3	還付法人税額等の控除額	
4	退職年金等積立金に係る法人税額	
5	課税標準となる法人税額又は個別帰属法人税額 ①＋②＋③＋④	8867000
6	２以上の道府県に事務所又は事業所を有する法人における課税標準となる法人税額又は個別帰属法人税額	8078000
7	法人税割額	161560
8	道府県民税の特定寄附金税額控除額	
9	税額控除超過額相当額の加算額	
10	外国関係会社等に係る控除対象所得税額等相当額又は個別控除対象所得税額等相当額の控除額	
11	外国の法人税等の額の控除額	
12	仮装経理に基づく法人税割額の控除額	
13	差引法人税割額 ⑦－⑧＋⑨－⑩－⑪－⑫	161500
14	既に納付の確定した当期分の法人税割額	00
15	租税条約の実施に係る法人税割額の控除額	00
16	この申告により納付すべき法人税割額 ⑬－⑭－⑮	161500
17	均等割　算定期間中において事務所等を有していた月数	12月
18	260,000円×⑰/12	260000
19	既に納付の確定した当期分の均等割額	00
20	この申告により納付すべき均等割額 ⑱－⑲	260000
21	この申告により納付すべき道府県民税額 ⑯＋⑳	421500
22	㉑のうち見込納付額	00
23	差引 ㉑－㉒	421500
24	特別区分の課税標準額	000
25	同上に対する税額	
26	市町村分の課税標準額	000
27	同上に対する税額	
	法人税の期末現在の資本金等の額又は連結個別資本金等の額	300000000
	法人税の当期の確定税額又は連結法人税個別帰属支払額	6375900
	決算確定の日	
	解散の日	
	残余財産の最後の分配又は引渡しの日	
	申告期限の延長の処分（承認）の有無	事業税 有・無　法人税 有・無
	法人税の申告書の種類	青色・その他
	この申告が中間申告の場合の計算期間	
	翌期の中間申告書の要否	要・否
	国外関連者の有無	有・無
	還付を受けようとする金融機関及び支払方法	銀行　支店　口座番号（普通・当座）

令和４年４月１日以後に開始する事業年度については、軽減税率の適用対象外となり、全て1.18%（超過税率）に統一されています。

第十号様式で大阪府に分割された所得金額、付加価値額、資本金等の額を記載します。

第六号様式別表十四で計算した基準法人所得割額を記載します。

外形標準課税適用法人に対する税率（8ページ参照）

令和３年４月１日以後に提出する申告書から代表者の押印は不要となりました。経理責任者の押印は、平成30年４月１日以後に終了する事業年度に係る申告書より、不要となっています。

損益計算書上、所得割に係る事業税は、「法人税、住民税及び事業税」として表示します。

第六号様式別表五の二の「11」欄の金額を記載します。

第六号様式別表五の二の「20」欄の金額を記載します。

損益計算書上、付加価値割及び資本割に係る事業税は販売費及び一般管理費の区分（具体的には「租税公課」）にて表示します。

未納事業税の貸借対照表上の表示は、所得割、付加価値割、資本割に係る事業税を合算して未払法人税等に計上します。

〔予定もしくは中間申告納付〕

外形標準課税対象法人については、法人税法等の規定により法人税の予定もしくは中間申告の提出が不要の場合であっても、事業税については事業年度開始の日から６か月を経過した時点より２か月以内に予定もしくは中間申告を行わなければなりません。

結　果　Ⓐ「52」欄の4,533,100円が大阪府に納める事業税額、Ⓑ「62」欄の791,100円が特別法人事業税額となります。なお、確定申告期限は令和７年５月31日（令和７年５月31日は土曜日であるためその翌々日である令和７年６月２日が申告期限となります）です。

第六号様式別表十四（基準法人所得割額及び基準法人収入割額に関する計算）

※処理事項	整理番号	事務所	区分	管理番号	申告区分

第六号様式別表十四（控用）

法人名	株式会社ハナマル商会	法人番号	9999999999999
		事業年度	令和6年4月1日から 令和7年3月31日まで

基準法人所得割額及び基準法人収入割額に関する計算書

1．基準法人所得割額の計算

	摘要		所得割の課税標準	税率（/100）	基準法人所得割額
法第七十二条の二第一項第一号に掲げる事業の所得割	所得金額総額	①	33402849		
	年400万円以下の金額	②	000		00
	年400万円を超え年800万円以下の金額	③	000		00
	年800万円を超える金額	④	000		00
	計 ②+③+④	⑤	000		00
	軽減税率不適用法人の金額	⑥	30432000	1	304300

特別法人事業税は国税ですので、超過課税が実施されている場合は、課税標準である所得割の金額を、標準税率で計算する必要があります。

2．基準法人収入割額の計算

	摘要		収入割の課税標準	税率（/100）	基準法人収入割額
法第七十二条の二第一項第二号に掲げる事業の収入割	収入金額総額	⑦			
	収入金額	⑧	000		00
法第七十二条の二第一項第三号に掲げる事業の収入割	収入金額総額	⑨			
	収入金額	⑩	000		00
法第七十二条の二第一項第四号に掲げる事業の収入割	収入金額総額	⑪			
	収入金額	⑫	000		00

結果　外形標準課税法人の令和４年４月１日以後に開始する事業年度については、800万円以下の所得金額に対する軽減税率の適用はなく、すべて標準税率１％（⑥欄）に統一されています。

第六号様式別表五の二（付加価値額及び資本金等の額の計算）

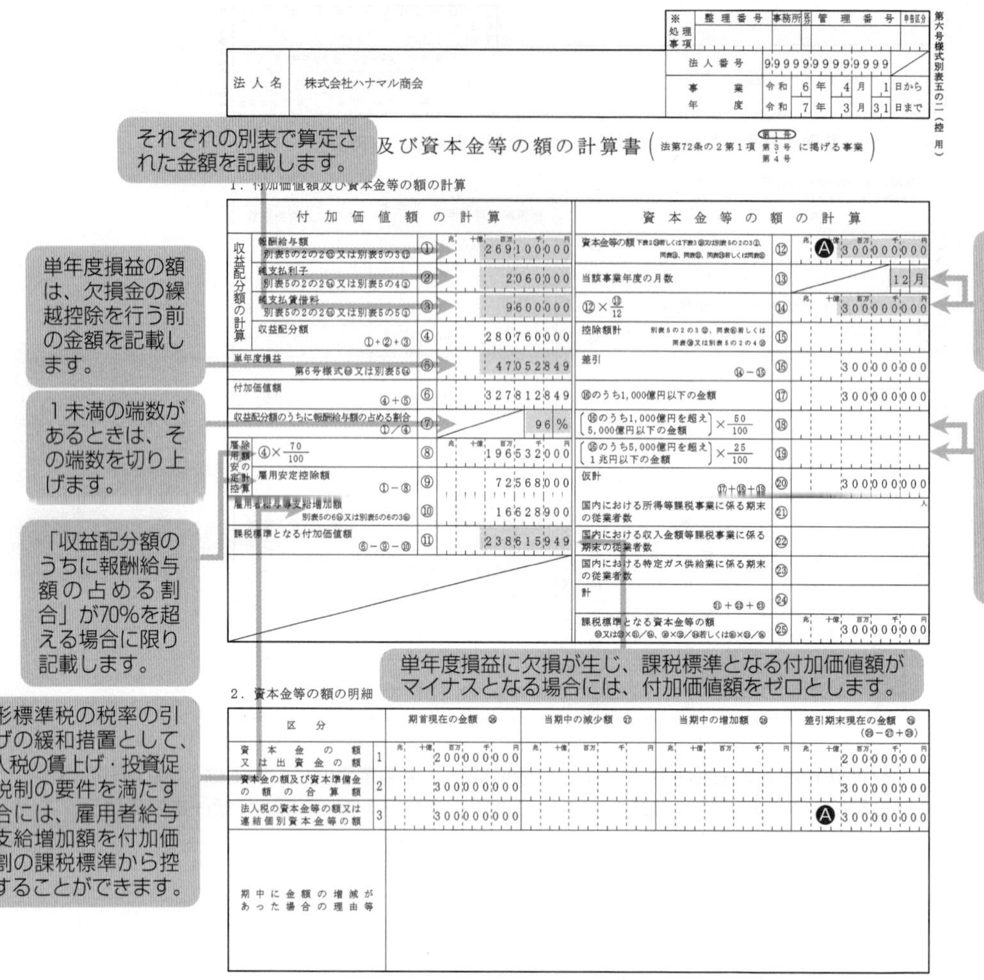

※処理事項	整理番号	事務所	区分	管理番号	申告区分

法人名	株式会社ハナマル商会	法人番号	9999999999999
		事業年度	令和6年4月1日から 令和7年3月31日まで

第六号様式別表五の二（控用）

及び資本金等の額の計算書（法第72条の2第1項 第1号 第3号 第4号 に掲げる事業）

1．付加価値額及び資本金等の額の計算

付加価値額の計算		金額	資本金等の額の計算		金額
収益配分額の計算 報酬給与額 別表5の2の2⑬又は別表5の3⑫	①	269,100,000	資本金等の額 下表2⑩若しくは下表3⑩又は別表5の2の3①、同表⑨、同表⑩、同表⑬若しくは同表⑯	⑫	Ⓐ 300,000,000
純支払利子 別表5の2の2⑭又は別表5の4①	②	2,060,000	当該事業年度の月数	⑬	12月
純支払賃借料 別表5の2の2⑮又は別表5の5①	③	9,600,000	⑫×⑬/12	⑭	300,000,000
収益配分額 ①+②+③	④	280,760,000	控除額計 別表5の2の3⑩、同表⑥若しくは同表⑨又は別表5の2の4⑩	⑮	
単年度損益 第6号様式⑲又は別表5⑭	⑤	47,052,849	差引 ⑭−⑮	⑯	300,000,000
付加価値額 ④+⑤	⑥	327,812,849	⑯のうち1,000億円以下の金額	⑰	300,000,000
収益配分額のうちに報酬給与額の占める割合 ①/④	⑦	96%	（⑯のうち1,000億円を超え5,000億円以下の金額）×50/100	⑱	
雇用安定控除額の計算 ④×70/100	⑧	196,532,000	（⑯のうち5,000億円を超え1兆円以下の金額）×25/100	⑲	
雇用安定控除額 ①−⑧	⑨	72,568,000	仮計 ⑰+⑱+⑲	⑳	300,000,000
雇用者給与等支給増加額 別表5の6⑲又は別表5の6の3⑯	⑩	16,628,900	国内における所得等課税事業に係る期末の従業者数	㉑	人
課税標準となる付加価値額 ⑥−⑨−⑩	⑪	238,615,949	国内における収入金額等課税事業に係る期末の従業者数	㉒	
			国内における特定ガス供給業に係る期末の従業者数	㉓	
			計 ㉑+㉒+㉓	㉔	
			課税標準となる資本金等の額 ⑳又は⑳×㉑/㉔、⑳×㉒/㉔若しくは⑳×㉓/㉔	㉕	300,000,000

2．資本金等の額の明細

区分		期首現在の金額 ㉖	当期中の減少額 ㉗	当期中の増加額 ㉘	差引期末現在の金額 ㉙（㉖−㉗+㉘）
資本金の額又は出資金の額	1	200,000,000			200,000,000
資本金の額及び資本準備金の額の合算額	2	300,000,000			300,000,000
法人税の資本金等の額又は連結個別資本金等の額	3	300,000,000			Ⓐ 300,000,000
期中に金額の増減があった場合の理由等					

第六号様式別表五の三（報酬給与額の計算）

※処理事項	整理番号	事務所	区分	管理番号	申告区分

第六号様式別表五の三（控用）

法人名	株式会社ハナマル商会	法人番号	9999999999999
		事業年度	令和6年4月1日から 令和7年3月31日まで

報酬給与額に関する明細書（法第72条の2第1項 第1号・第3号・第4号 に掲げる事業）

役員又は使用人に対する給与

事務所又は事業所 名称	所在地	期末の従業者数	給与の額	備考
本社	大阪市天王寺区	9人	53,200,000円	
工場	大阪市住之江区	32	197,800,000	
営業所	兵庫県伊丹市	4	15,850,000	
小計		①	266,850,000	
加算又は減算		②		
計（①＋②）		③	266850000	

役員又は使用人のために支出する掛金等

項目		金額	項目		金額
退職金共済制度に基づく掛金	1	円	適格年金返還金額のうち厚生年金基金への事業主払込相当額	11	円
確定給付企業年金に係る規約に基づく掛金又は保険料	2		適格年金返還金額のうち確定給付企業年金基金への事業主払込相当額	12	
企業型年金規約に基づく事業主掛金	3		適格年金返還金額のうち他の適格年金への事業主払込相当額	13	
個人型年金規約に基づく掛金	4		適格年金返還金額のうち特定退職金共済への事業主払込相当額	14	
勤労者財産形成給付金契約に基づく信託金等	5		適格年金の要留保額移管の場合における資産価額相当額	15	
勤労者財産形成基金契約に基づく信託金等	6		適格年金返還金額のうち企業型年金の個人別管理資産への事業主払込相当額	16	
厚生年金基金の事業主負担の掛金及び徴収金 8－9	7		適格年金返還金額のうち企業型年金の過去勤務債務等に充てる事業主払込相当額	17	
事業主として負担する掛金及び負担金の総額	8		小計 11＋12＋13＋14＋15＋16＋17	⑤	
代行相当部分	9				
適格退職年金契約に基づく掛金及び保険料	10				
小計 1＋2＋3＋4＋5＋6＋7＋10	④		計（④－⑤）	⑥	

労働者派遣等に係る金額の計算

労働者派遣等を受けた法人		金額	労働者派遣等をした法人		金額
派遣元に支払う金額の合計 別表5の3の2①	⑦	3000000	派遣労働者等に支払う報酬給与額の合計 別表5の3の2②	⑨	
$⑦ \times \frac{75}{100}$	⑧	2250000	派遣先から支払を受ける金額の合計 別表5の3の2③	⑩	
			$⑨ - \left(⑩ \times \frac{75}{100}\right)$	⑪	
報酬給与額の計算（③＋⑥＋⑧＋⑪）	⑫	269100000			

「給与の額」は、役員、使用人に対する報酬、給料、賃金、賞与、退職手当等で、原則として法人税の所得の計算上、損金の額に算入されるもののみが含まれます。

期末の従業者数及び給与の額には、派遣労働者に係るものは含めません。

「加算又は減算」欄には事務所等ごとの記載が困難なもので加算すべきもの又は減算すべきものがある場合に記載します。

「計③」の金額は、357ページ「対象」欄の賃金160,000,000円、役員報酬28,500,000円、給与手当26,500,000円、役員賞与4,500,000円、賞与40,350,000円および当期の支払退職金で法人税法上、損金の額に算入された7,000,000円の合計額と一致します。

労働者の派遣を受けたり、行ったりした場合には、第六号様式別表五の三の二で計算した報酬給与額を加減算します。

掛金等についても「給与の額」と同様に、役員、使用人に対するもので、原則として法人税の所得の計算上、損金の額に算入されるもののみが含まれます。

支払った派遣料及び受け取った派遣料のうち、75%が報酬給与額の計算対象となります。

第六号様式別表五の三の二（労働者派遣に係る報酬給与額の計算）

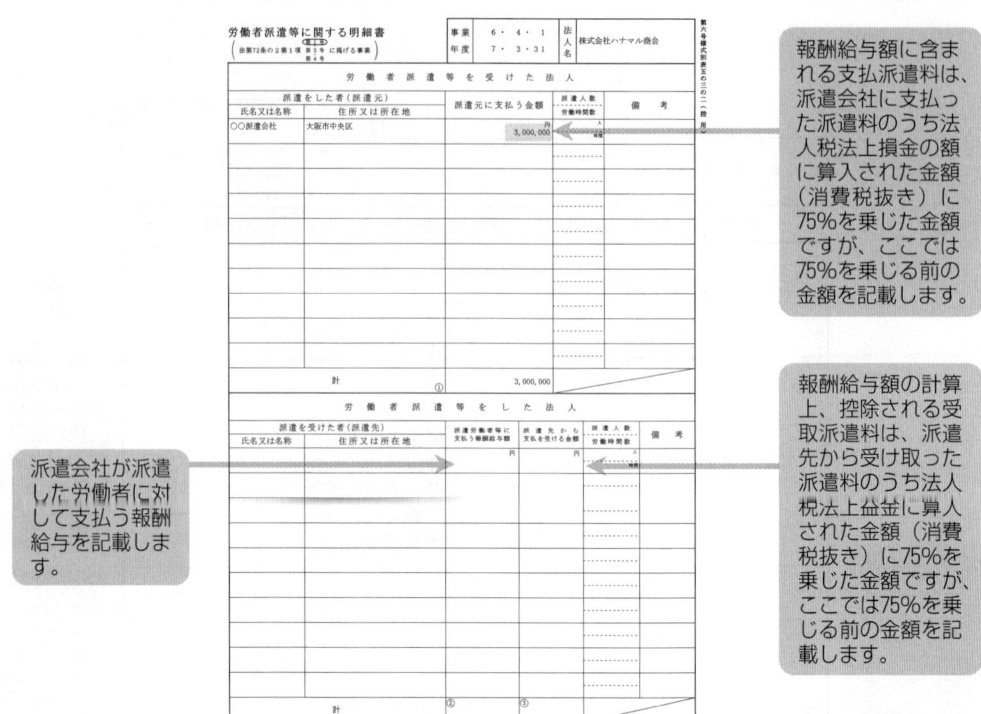

労働者派遣等に関する明細書（法第72条の２第１項 第１号・第３号・第４号 に掲げる事業）

事業年度	6・4・1 7・3・31	法人名	株式会社ハナマル商会

労働者派遣等を受けた法人

派遣をした者（派遣元） 氏名又は名称	住所又は所在地	派遣元に支払う金額	派遣人数 労働時間数	備考
○○派遣会社	大阪市中央区	円 3,000,000	人 時間	
計		① 3,000,000		

労働者派遣等をした法人

派遣を受けた者（派遣先） 氏名又は名称	住所又は所在地	派遣労働者等に支払う報酬給与額	派遣先から支払を受ける金額	派遣人数 労働時間数	備考
		円	円	人 時間	
計		②	③		

第六号様式別表五の三の二（控用）

第六号様式別表五の四（純支払利子の計算）

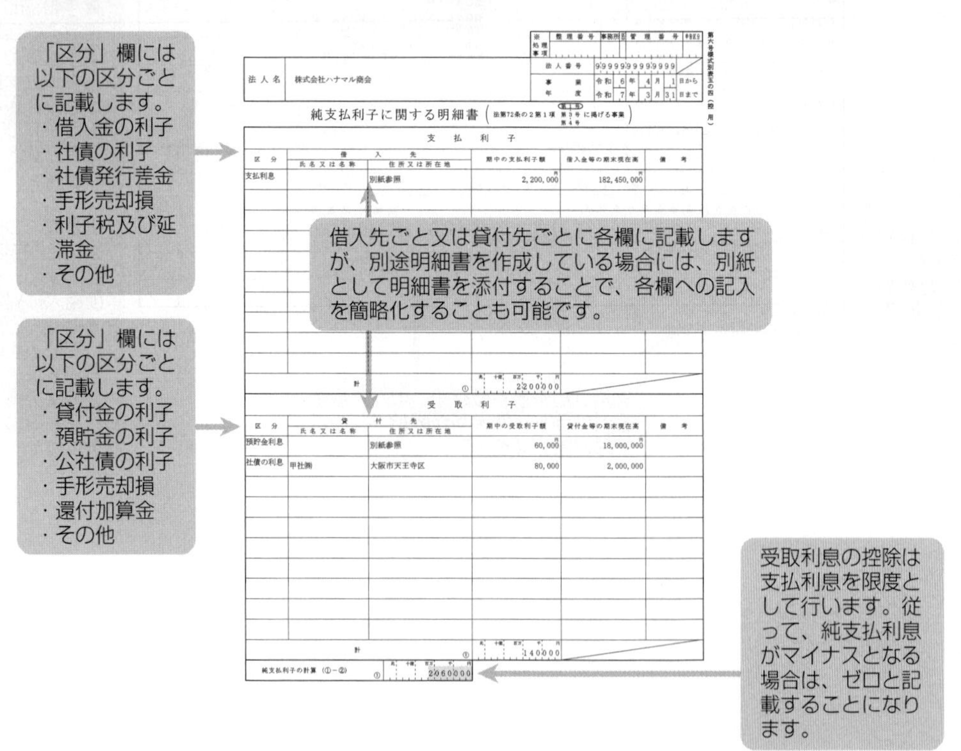

法人名	株式会社ハナマル商会	法人番号	9999999999999
		事業年度	令和 6 年 4 月 1 日から 令和 7 年 3 月 31 日まで

純支払利子に関する明細書（法第72条の２第１項 第１号・第３号・第４号 に掲げる事業）

支払利子

区分	借入先 氏名又は名称	住所又は所在地	期中の支払利子額	借入金等の期末現在高	備考
支払利息		別紙参照	円 2,200,000	円 182,450,000	
計			① 2200000		

受取利子

区分	貸付先 氏名又は名称	住所又は所在地	期中の受取利子額	貸付金等の期末現在高	備考
預貯金利息		別紙参照	円 60,000	円 18,000,000	
社債の利息	甲社㈱	大阪市天王寺区	80,000	2,000,000	
計			② 140000		
純支払利子の計算（①−②）			③ 2060000		

第六号様式別表五の四（控用）

第六号様式別表五の五（純支払賃借料の計算）

賃借している土地又は家屋（住宅、店舗、工場、倉庫その他の建物をいいます。また土地又は家屋には、これらと一体となって効用を果たす構築物及び附属設備を含みます。）ごとに記載します。

支払及び受取賃借料に該当するのは、賃貸借期間が1か月以上連続しているものに限られます。したがって、ここでは当事業年度中における契約期間を記載します。

第六号様式別表五の五（控用）

※処理事項	整理番号	事務所	管理番号	申告区分

法人名	株式会社ハナマル商会	法人番号	9999999999999
		事業年度	令和 6年 4月 1日から 令和 7年 3月 31日まで

純支払賃借料に関する明細書（法第72条の2第1項 第1号 第3号 第4号 に掲げる事業）

支払賃借料				
土地の用途又は家屋の用途若しくは名称 / 所在地	貸主の氏名又は名称 / 住所又は所在地	契約期間	期中の支払賃借料	備考
本社 / 大阪市天王寺区	○○不動産 / 大阪市生野区	令 6・4・1 / 令 7・3・31	円 5,600,000	本店事務所家賃
営業所 / 兵庫県伊丹市	△△不動産 / 兵庫県伊丹市	令 6・4・1 / 令 7・3・31	2,000,000	営業所家賃
社宅 / 奈良県香芝市	□□不動産 / 奈良県奈良市	令 6・4・1 / 令 7・3・31	2,000,000	借上社宅家賃
計		①	9,600,000	

支払賃借料及び受取賃借料の対象となる土地又は家屋には、これらと一体となって効用を果たす構築物又は附属設備が含まれます。ただし、土地又は家屋と構築物等の賃貸借契約が別個独立した契約である場合には、当該構築物等の賃借料は、支払及び受取賃借料とはなりません。しかし、この場合であっても、両者が物理的に一体となっている等両者が独立して賃借されていないと認められるときは、構築物の賃借料は支払及び受取賃借料となります。

受取賃借料				
土地の用途又は家屋の用途若しくは名称 / 所在地	借主の氏名又は名称 / 住所又は所在地	契約期間	期中の受取賃借料	備考
			円	
計		②		

純支払賃借料の計算（①－②） ③	9,600,000

当設例では、社宅に係る家賃を従業員から受け取っていないため、給与課税が発生しています。
社宅家賃に対して給与課税がなされている場合であっても、当該金額は報酬給与額にも受取賃借料にも含めません。

受取賃借料の控除は支払賃借料を限度として行います。したがって、純支払賃借料がマイナスとなる場合は、ゼロと記載することになります。

第六号様式別表五の六の三（給与等の支給額が増加した場合の付加価値額の控除）

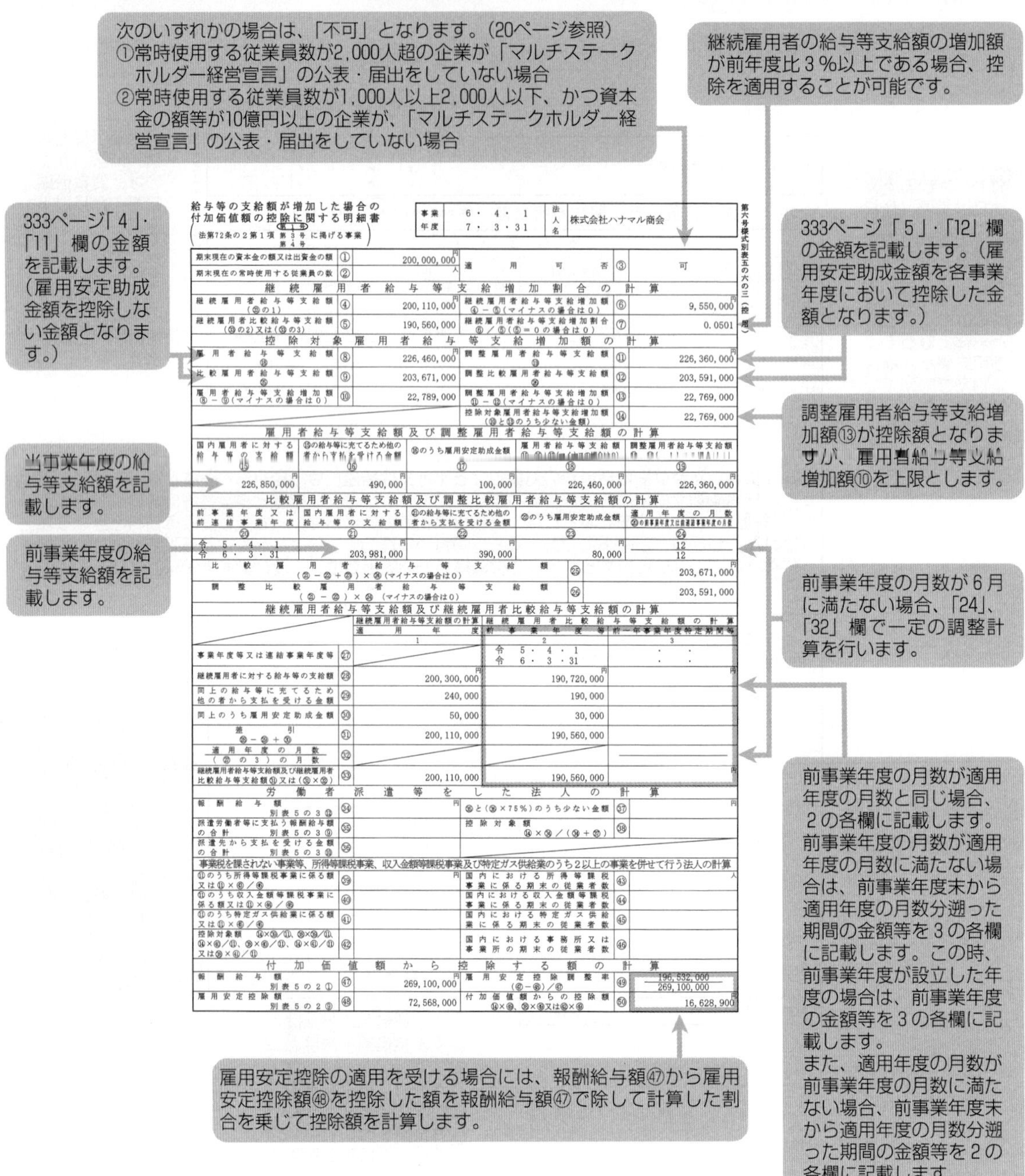

給与等の支給額が増加した場合の付加価値額の控除に関する明細書
（法第72条の２第１項 第１号・第３号・第４号 に掲げる事業）

事業年度	6・4・1 7・3・31	法人名	株式会社ハナマル商会

第六号様式別表五の六の三（控用）

項目	番号	金額	項目	番号	金額
期末現在の資本金の額又は出資金の額	①	200,000,000円	適用可否	③	可
期末現在の常時使用する従業員の数	②	人			
継続雇用者給与等支給増加割合の計算					
継続雇用者給与等支給額（㉝の１）	④	200,110,000円	継続雇用者給与等支給増加額 ④－⑤（マイナスの場合は０）	⑥	9,550,000円
継続雇用者比較給与等支給額（㉝の2）又は（㉝の3）	⑤	190,560,000	継続雇用者給与等支給増加割合 ⑥／⑤（⑤＝０の場合は０）	⑦	0.0501
控除対象雇用者給与等支給増加額の計算					
雇用者給与等支給額 ⑱	⑧	226,460,000円	調整雇用者給与等支給額 ⑲	⑪	226,360,000円
比較雇用者給与等支給額 ㉕	⑨	203,671,000	調整比較雇用者給与等支給額 ㉖	⑫	203,591,000
雇用者給与等支給増加額 ⑧－⑨（マイナスの場合は０）	⑩	22,789,000	調整雇用者給与等支給増加額 ⑪－⑫（マイナスの場合は０）	⑬	22,769,000
			控除対象雇用者給与等支給増加額（⑩と⑬のうち少ない金額）	⑭	22,769,000

雇用者給与等支給額及び調整雇用者給与等支給額の計算

国内雇用者に対する給与等の支給額 ⑮	⑮の給与等に充てるため他の者から支払を受ける金額 ⑯	⑯のうち雇用安定助成金額 ⑰	雇用者給与等支給額 ⑱	調整雇用者給与等支給額 ⑲
226,850,000円	490,000円	100,000円	226,460,000円	226,360,000円

比較雇用者給与等支給額及び調整比較雇用者給与等支給額の計算

前事業年度又は前連結事業年度 ⑳	国内雇用者に対する給与等の支給額 ㉑	㉑の給与等に充てるため他の者から支払を受ける金額 ㉒	㉒のうち雇用安定助成金額 ㉓	適用年度の月数／⑳の前事業年度又は前連結事業年度の月数 ㉔
令5・4・1 令6・3・31	203,981,000円	390,000円	80,000円	12／12

項目	番号	金額
比較雇用者給与等支給額（㉑－㉒＋㉓）×㉔（マイナスの場合は０）	㉕	203,671,000円
調整比較雇用者給与等支給額（㉑－㉒）×㉔（マイナスの場合は０）	㉖	203,591,000

継続雇用者給与等支給額及び継続雇用者比較給与等支給額の計算

		継続雇用者給与等支給額の計算 適用年度 1	継続雇用者比較給与等支給額の計算 前事業年度等 2	継続雇用者比較給与等支給額の計算 前一年事業年度特定期間等 3
事業年度等又は連結事業年度等	㉗		令5・4・1 令6・3・31	・・ ・・
継続雇用者に対する給与等の支給額	㉘	200,300,000円	190,720,000円	円
同上の給与等に充てるため他の者から支払を受ける金額	㉙	240,000	190,000	
同上のうち雇用安定助成金額	㉚	50,000	30,000	
差引 ㉘－㉙＋㉚	㉛	200,110,000	190,560,000	
適用年度の月数／（㉗の３）の月数	㉜			
継続雇用者給与等支給額及び継続雇用者比較給与等支給額㉛又は（㉛×㉜）	㉝	200,110,000	190,560,000	円

労働者派遣等をした法人の計算

項目	番号	金額	項目	番号	金額
報酬給与額 別表５の３⑫	㉞	円	㉟と（㉞×75%）のうち少ない金額	㊲	円
派遣労働者等に支払う報酬給与額の合計 別表５の３⑨	㉟		控除対象額 ⑭×㉞／（㉞＋㊲）	㊳	
派遣先から支払を受ける金額の合計 別表５の３⑩	㊱				

事業税を課されない事業等、所得等課税事業、収入金額等課税事業及び特定ガス供給業のうち２以上の事業を併せて行う法人の計算

項目	番号	金額	項目	番号	金額
⑪のうち所得等課税事業に係る額又は⑪×㊸／㊻	㊴	円	国内における所得等課税事業に係る期末の従業者数	㊸	人
⑪のうち収入金額等課税事業に係る額又は⑪×㊹／㊻	㊵		国内における収入金額等課税事業に係る期末の従業者数	㊹	
⑪のうち特定ガス供給業に係る額又は⑪×㊺／㊻	㊶		国内における特定ガス供給業に係る期末の従業者数	㊺	
控除対象額 ⑭×㊴／⑪、㊳×㊴／⑪、⑭×㊵／⑪、㊳×㊵／⑪、⑭×㊶／⑪又は㊳×㊶／⑪	㊷		国内における事務所又は事業所の期末の従業者数	㊻	

付加価値額から控除する額の計算

項目	番号	金額	項目	番号	金額
報酬給与額 別表５の２①	㊼	269,100,000円	雇用安定控除調整率（㊼－㊽）／㊼	㊾	196,532,000／269,100,000
雇用安定控除額 別表５の２⑨	㊽	72,568,000	付加価値額からの控除額 ⑭×㊾、㊳×㊾又は㊷×㊾	㊿	16,628,900円

結　果　賃上げ促進税制の適用要件を満たす場合、法人事業税付加価値割において一定額を控除することができます。
ハナマル商会は本問では資本金１億円超であることから、中小企業者等以外に該当し、継続雇用者の給与等支給額が一定額を超えていることが適用要件となります。（20ページ参照）
ハナマル商会は適用要件を満たしているため、付加価値割額について控除を受けることができます。

第十号様式（事業税・道府県民税の課税標準の分割明細書）

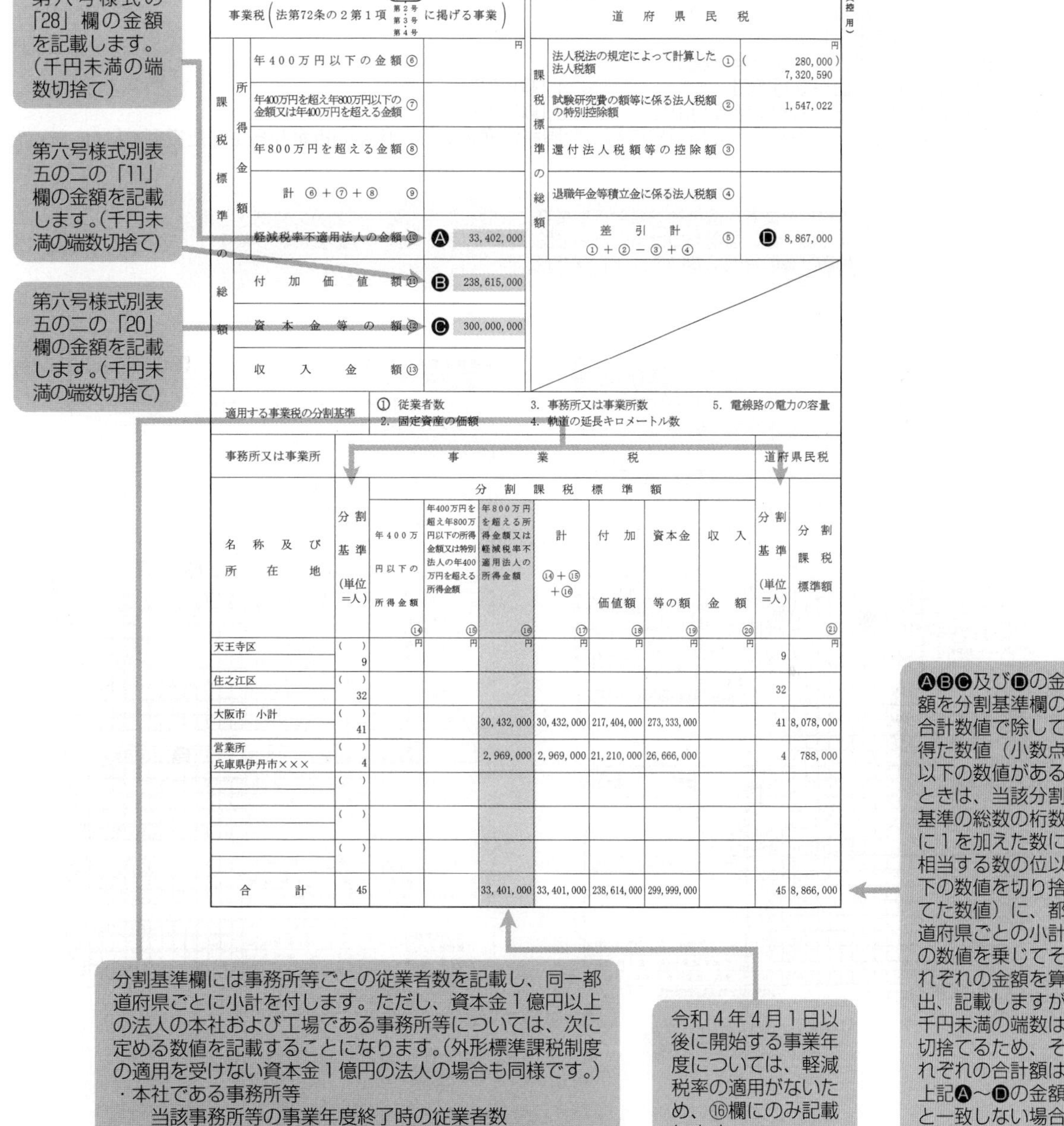

第十号様式（控用）

法人名	株式会社ハナマル商会	課税標準の分割に関する明細書（その1）	事業年度又は連結事業年度	6・4・1 7・3・31

事業税（法第72条の2第1項 (第1号)・第2号・第3号・第4号 に掲げる事業）		道府県民税	
課税標準の総額	円	課税標準の総額	円
所得金額 年400万円以下の金額 ⑥		法人税法の規定によって計算した法人税額 ①	(280,000) 7,320,590
所得金額 年400万円を超え年800万円以下の金額又は年400万円を超える金額 ⑦		試験研究費の額等に係る法人税額の特別控除額 ②	1,547,022
所得金額 年800万円を超える金額 ⑧		還付法人税額等の控除額 ③	
所得金額 計 ⑥＋⑦＋⑧ ⑨		退職年金等積立金に係る法人税額 ④	
軽減税率不適用法人の金額 ⑩	Ⓐ 33,402,000	差引計 ①＋②－③＋④ ⑤	Ⓓ 8,867,000
付加価値額 ⑪	Ⓑ 238,615,000		
資本金等の額 ⑫	Ⓒ 300,000,000		
収入金額 ⑬			

適用する事業税の分割基準	① 従業者数　2. 固定資産の価額　3. 事務所又は事業所数　4. 軌道の延長キロメートル数　5. 電線路の電力の容量

事務所又は事業所	事業税								道府県民税	
		分割課税標準額								
名称及び所在地	分割基準（単位＝人）	年400万円以下の所得金額 ⑭	年400万円を超え年800万円以下の所得金額又は特別法人の年400万円を超える所得金額 ⑮	年800万円を超える所得金額又は軽減税率不適用法人の所得金額 ⑯	計 ⑭＋⑮＋⑯ ⑰	付加価値額 ⑱	資本金等の額 ⑲	収入金額 ⑳	分割基準（単位＝人）	分割課税標準額 ㉑
		円	円	円	円	円	円	円		円
天王寺区	( ) 9								9	
住之江区	( ) 32								32	
大阪市　小計	( ) 41			30,432,000	30,432,000	217,404,000	273,333,000		41	8,078,000
営業所 兵庫県伊丹市×××	( ) 4			2,969,000	2,969,000	21,210,000	26,666,000		4	788,000
	( )									
	( )									
	( )									
合計	45			33,401,000	33,401,000	238,614,000	299,999,000		45	8,866,000

第六号様式の「28」欄の金額を記載します。（千円未満の端数切捨て）

第六号様式別表五の二の「11」欄の金額を記載します。（千円未満の端数切捨て）

第六号様式別表五の二の「20」欄の金額を記載します。（千円未満の端数切捨て）

ⒶⒷⒸ及びⒹの金額を分割基準欄の合計数値で除して得た数値（小数点以下の数値があるときは、当該分割基準の総数の桁数に1を加えた数に相当する数の位以下の数値を切り捨てた数値）に、都道府県ごとの小計の数値を乗じてそれぞれの金額を算出、記載しますが千円未満の端数は切捨てるため、それぞれの合計額は上記Ⓐ～Ⓓの金額と一致しない場合があります。

分割基準欄には事務所等ごとの従業者数を記載し、同一都道府県ごとに小計を付します。ただし、資本金1億円以上の法人の本社および工場である事務所等については、次に定める数値を記載することになります。（外形標準課税制度の適用を受けない資本金1億円の法人の場合も同様です。）

・本社である事務所等
　当該事務所等の事業年度終了時の従業者数
・製造業を行う法人の工場である事務所等
　当該事務所等の事業年度終了時の従業者数（当該数値が奇数の場合には、1を加えた数値）の2分の1に相当する数値を加えた数値（ただし、上段括弧内には、上記2分の1の数値を加える前の数値を記載します。）

なお、道府県民税の分割基準については、事業年度終了時の事業所等ごとの従業者数を記載することとなります。

令和4年4月1日以後に開始する事業年度については、軽減税率の適用がないため、⑯欄にのみ記載します。

Ⅷ 小規模事業者における税額計算の特例を適用した場合の計算

ハナマル商会は従来から課税事業者であったため、小規模事業者における税額計算の特例の適用を受けませんが、仮にハナマル商会が基準期間の課税売上高1,000万円以下の小規模事業者であり、適格請求書発行事業者に登録して課税事業者を選択したことで税額計算の特例を適用した場合の消費税の計算を行ってみます。

【消費税の計算の前提となる事項】

（特に記載の無い事項は、308ページから318ページの前提条件と同じとします。）

- 令和６年９月14日に適格請求書発行事業者登録申請書を納税地を所轄する税務署長に提出しており、10月１日から課税事業者となっている。
- 基準期間の売上高1,000万円
- 第42期事業年度の課税売上高（税抜）
  令和６年４月１日～９月30日　　　　　1,500万円
  令和６年10月１日～令和７年３月31日　　2,000万円
- 令和６年10月１日～令和７年３月31日に行った課税資産の譲渡に係る売掛金から生じた貸倒れはないものとする。

小規模事業者が適格請求書発行事業者に登録した場合の税額計算の特例を適用する場合は、当欄をつけるとともに第二表、付表６の添付が必要になります。税額計算の特例については161ページ参照。

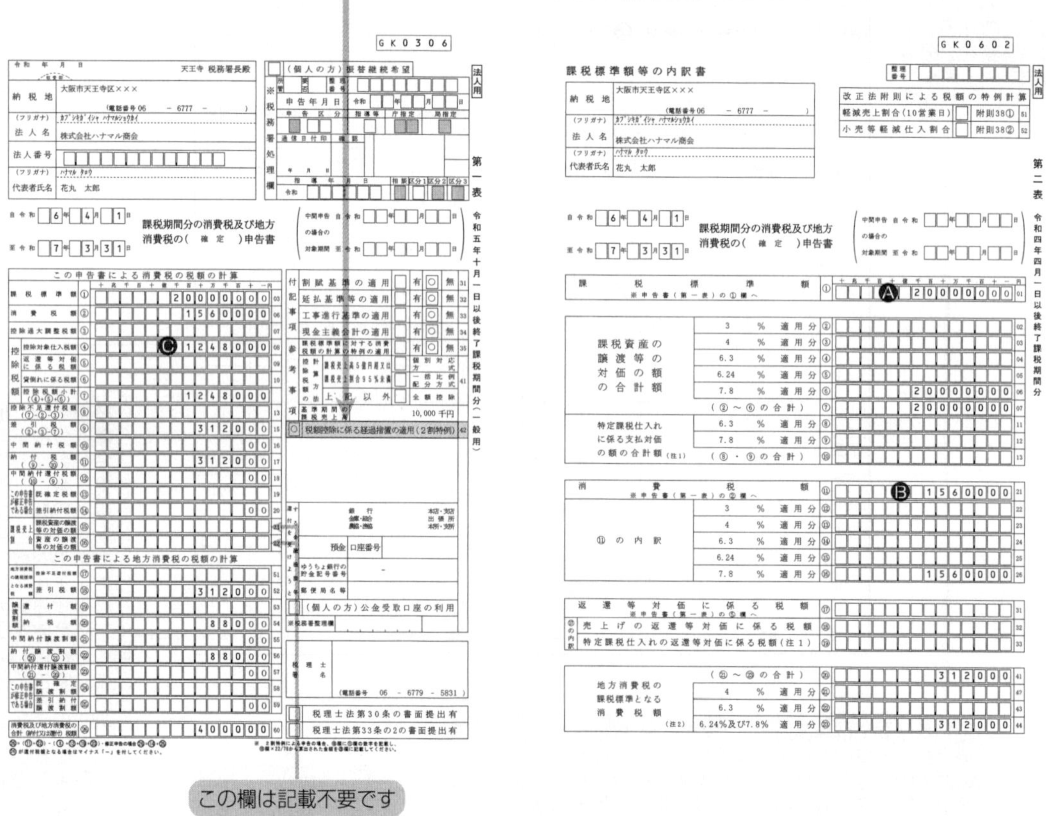

第4-(13)号様式

付表６　税率別消費税額計算表
〔小規模事業者に係る税額控除に関する経過措置を適用する課税期間用〕

特　別

課　税　期　間	6・4・1～7・3・31	氏名又は名称	株式会社ハナマル商会

Ⅰ　課税標準額に対する消費税額及び控除対象仕入税額の計算の基礎となる消費税額

区　分		税率6.24％適用分 A	税率7.8％適用分 B	合計 C (A＋B)
課税資産の譲渡等の対価の額	①	※第二表の⑤欄へ 円	※第二表の⑥欄へ 円 20,000,000	※第二表の⑦欄へ 円 20,000,000
課税標準額	②	①A欄(千円未満切捨て) 000	①B欄(千円未満切捨て) 20,000,000	※第二表の①欄へ Ⓐ 20,000,000
課税標準額に対する消費税額	③	(②A欄×6.24/100) ※第二表の⑮欄へ	(②B欄×7.8/100) ※第二表の⑯欄へ 1,560,000	※第二表の⑪欄へ Ⓑ 1,560,000
貸倒回収に係る消費税額	④			※第一表の③欄へ
売上対価の返還等に係る消費税額	⑤			※第二表の⑰、⑱欄へ
控除対象仕入税額の計算の基礎となる消費税額 (③＋④－⑤)	⑥	0	1,560,000	1,560,000

Ⅱ　控除対象仕入税額とみなされる特別控除税額

項　目		税率6.24％適用分 A	税率7.8％適用分 B	合計 C (A＋B)
特別控除税額 (⑥×80％)	⑦	0	1,248,000	※第一表の④欄へ Ⓒ 1,248,000

Ⅲ　貸倒れに係る税額

項　目		税率6.24％適用分 A	税率7.8％適用分 B	合計 C (A＋B)
貸倒れに係る税額	⑧			※第一表の⑥欄へ

税額計算の特例を適用した場合、課税標準額に対する消費税額の80%が仕入税額控除として認められます。

課税期間中に行った課税資産の譲渡に係る売掛金から貸倒れが生じた場合、当欄に記載し消費税額計算に反映します。
ハナマル商会では該当する貸倒れはありません。

注意　金額の計算においては、1円未満の端数を切り捨てる。

(R5.10.1以後終了課税期間用)

結　果　ⒶⒷⒸのそれぞれの金額が消費税の額を計算する要素となります。
ハナマル商会は令和６年10月１日から課税事業者となっていることから、第42期事業年度の課税標準額は令和６年10月１日～令和７年３月31日の課税売上高になります。
そして、税額計算の特例を適用することにより、課税売上高に係る消費税額の８割が控除対象仕入税額として認められます。

Ⅸ 特定同族会社の留保金課税の計算

ハナマル商会の資本金の額は1,000万円ですから、平成19年４月１日以後に開始する事業年度について、特定同族会社の留保金課税の適用を受けませんが、仮に資本金の額が１億円超であったとして、特定同族会社の留保金課税が適用された場合の別表三（一）の記載について検討します。

[留保金課税の計算の前提となる事項]

（特に記載のない事項は、308ページから318ページの前提条件と同じとします。）

・資本金の額２億円

別表二（同族会社等の判定）

（175ページ参照）

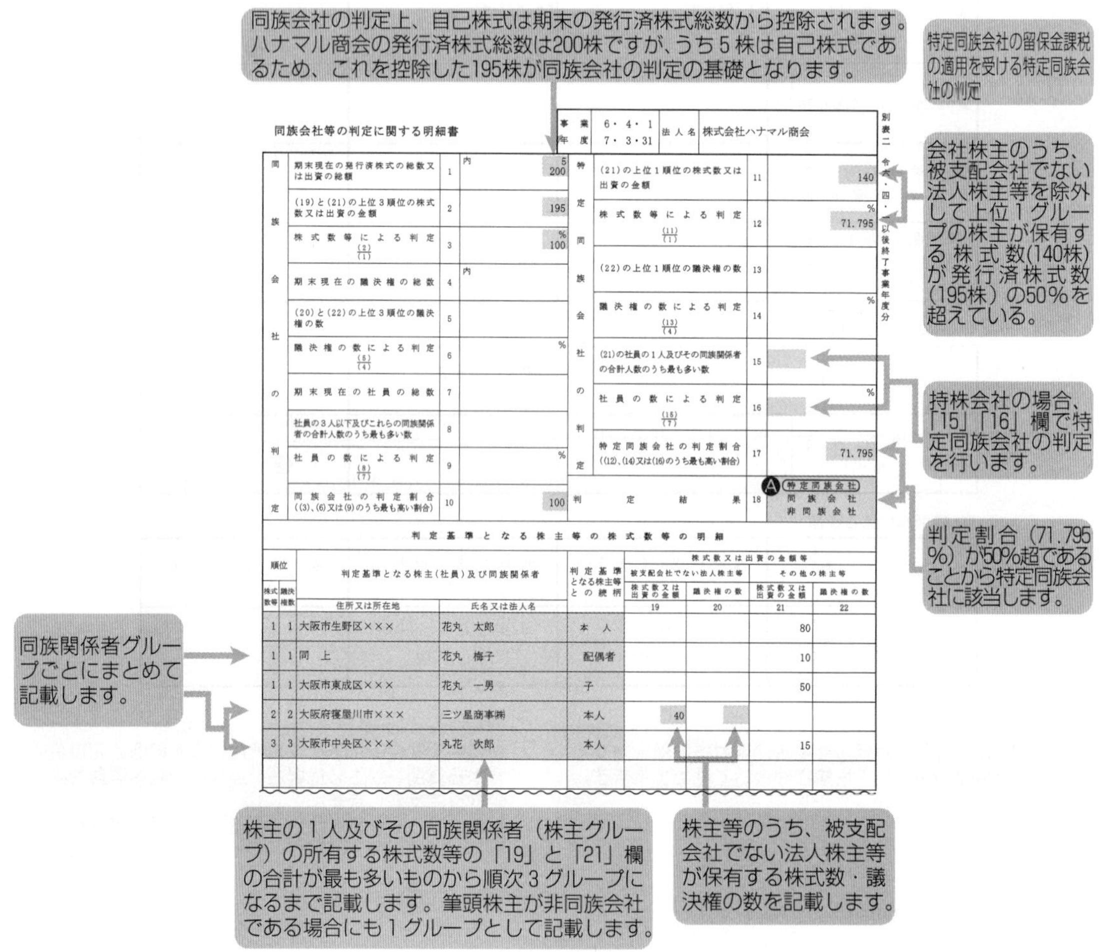

同族会社等の判定に関する明細書

事業年度	6・4・1 ～ 7・3・31	法人名	株式会社ハナマル商会

別表二　令六・四・一以後終了事業年度分

区分	項目	番号	金額等	区分	項目	番号	金額等
同族会社の判定	期末現在の発行済株式の総数又は出資の総額	1	内 5 200	特定同族会社の判定	(21)の上位1順位の株式数又は出資の金額	11	140
	(19)と(21)の上位3順位の株式数又は出資の金額	2	195		株式数等による判定 (11)/(1)	12	71.795 %
	株式数等による判定 (2)/(1)	3	100 %		(22)の上位1順位の議決権の数	13	
	期末現在の議決権の総数	4	内		議決権の数による判定 (13)/(4)	14	%
	(20)と(22)の上位3順位の議決権の数	5			(21)の社員の1人及びその同族関係者の合計人数のうち最も多い数	15	
	議決権の数による判定 (5)/(4)	6	%		社員の数による判定 (15)/(7)	16	%
	期末現在の社員の総数	7			特定同族会社の判定割合 ((12)、(14)又は(16)のうち最も高い割合)	17	71.795
	社員の3人以下及びこれらの同族関係者の合計人数のうち最も多い数	8		判定結果		18	Ⓐ(特定同族会社) 同族会社 非同族会社
	社員の数による判定 (8)/(7)	9	%				
	同族会社の判定割合 ((3)、(6)又は(9)のうち最も高い割合)	10	100				

判定基準となる株主等の株式数等の明細

順位 株式数等	順位 議決権数	判定基準となる株主（社員）及び同族関係者 住所又は所在地	氏名又は法人名	判定基準となる株主等との続柄	被支配会社でない法人株主等 株式数又は出資の金額 19	被支配会社でない法人株主等 議決権の数 20	その他の株主等 株式数又は出資の金額 21	その他の株主等 議決権の数 22
1	1	大阪市生野区×××	花丸　太郎	本　人			80	
1	1	同　上	花丸　梅子	配偶者			10	
1	1	大阪市東成区×××	花丸　一男	子			50	
2	2	大阪府寝屋川市×××	三ツ星商事㈱	本人	40			
3	3	大阪市中央区×××	丸花　次郎	本人			15	

結　果　Ⓐ「18」欄のとおりハナマル商会は特定同族会社に該当するため、別表三（一）で留保金課税の計算を行う必要があります。

別表三（一）・別表三（一）付表（留保金課税の計算）

（177ページ参照）

特定同族会社の留保金額に対する税額の計算に関する明細書　事業年度 6・4・1／7・3・31　法人名 株式会社ハナマル商会　別表三(一)　令六・四・一以後終了事業年度分

留保金額に対する税額の計算

課税留保金額			税額		
年3,000万円相当額以下の金額((21)又は(3,000万円×12/12)のいずれか少ない金額)	1	8,525,000円	(1)の10%相当額	5	852,500円
年3,000万円相当額を超え年1億円相当額以下の金額(((21)－(1))又は(1億円×─/12－(1))のいずれか少ない金額)	2		(2)の15%相当額	6	
年1億円相当額を超える金額 (21)－(1)－(2)	3		(3)の20%相当額	7	
計 (21) (1)＋(2)＋(3)	4	8,525,000	計 (5)＋(6)＋(7)	8	Ⓐ 852,500

課税留保金額の計算

当期留保金額の計算		
留保所得金額（別表四「52の②」）	9	38,346,489円
前期末配当等の額（通算法人間配当等の額を除く。）（前期の(11)）	10	1,950,000
当期末配当等の額（通算法人間配当等の額を除く。）	11	2,925,000
法人税額及び地方法人税額の合計額（((別表一「2」－「3」＋「4」＋「6」＋「9の外書」－「11」－「18」)－別表六(五の二)「5の③」)と0のいずれか多い金額)＋((別表一「31」＋「32」－「36」－「65」)と0のいずれか多い金額)－((別表六(五の二)「5の②」)－(別表一「2」－「3」＋「4」＋「6」＋「9の外書」))と0のいずれか多い金額)（マイナスの場合は0）	12	6,469,623
住民税額 (28)	13	833,571
外国関係会社等に係る控除対象所得税額等相当額（別表十七(三の六)「1」）	14	
法人税額等の合計額 (12)＋(13)－(14)（マイナスの場合は0）	15	7,303,194
通算法人の留保金加算額（別表三(一)付表二「5」）	16	
通算法人の留保金控除額（別表三(一)付表二「10」）	17	
他の法人の株式又は出資の基準時の直前における帳簿価額から減算される金額（別表三(一)付表一「19」）	18	
当期留保金額 (9)＋(10)－(11)－(15)＋(16)－(17)－(18)	19	30,068,295
留保控除額（別表三(一)付表一「33」）	20	21,543,243
課税留保金額 (19)－(20)	21	8,525,000

住民税額の計算		
住民税額の計算の基礎となる法人税額：中小企業者等以外の法人（別表一「2」＋「4」＋「6」＋「9の外書」－「11」－「17」）－（別表六(六)「6の②」＋「9の④」から「9の⑦」までの合計＋「9の⑩」から「9の⑫」までの合計＋「9の⑬」から「9の⑱」までの合計）	22	8,015,112円
住民税額の計算の基礎となる法人税額：中小企業者等（別表一「2」＋「4」＋「6」＋「9の外書」－「11」－「17」）－（別表六(六)「3」＋「9の②」から「9の⑦」までの合計＋「9の⑨」から「9の⑩」までの合計＋「9の⑪」から「9の⑫」までの合計＋「9の⑬」から「9の⑱」までの合計）	23	
住民税額 ((22)~~又は(23)~~)×10.4%	24	833,571
特定寄附金を支出した場合：特定寄附金の額の合計額に係る控除額（特定寄附金の額の合計額）×40%	25	
特定寄附金を支出した場合：調整地方税額に係る控除額（(24)＋(別表一「11」＋「17」)×10.4%－(別表六(二)付表六「7の計」)×10.4%)×20%（マイナスの場合は0）	26	
特定寄附金を支出した場合：住民税額から控除される金額（(25)又は(26)のいずれか少ない金額）	27	
住民税額 (24)－(27)	28	833,571

留保金額の計算

別表四で計算された「所得金額」のうち留保された金額

ハナマル商会は特定同族会社に該当するため（別表二参照）留保金課税の計算をすることになります。

前期別表三(一)「11」の金額

年3,000万円までの課税留保金額に対する税率は10%

事業年度終了の日の翌日から決算確定の日までの間に決議された剰余金の配当等の額を記載します。

別表一の「法人税額2」に使途秘匿金の重課税額を加えた金額

別表一の「「法人税額2」から「法人税額の特別控除3」を控除した金額」と「地方法人税額31」に使途秘匿金の重課税額を加え、控除所得税額等を控除した金額を記載します。

「25」～「27」欄で地方税法の特定寄附金の控除額を計算し、住民税額を算出します。

付表ⓐ、ⓑ、ⓒのうち最も大きい金額を記載します。

当期留保金額より留保控除額を差し引いたものが課税留保金額です。

特定同族会社の留保金額から控除する留保控除額の計算に関する明細書　事業年度 6・4・1／7・3・31　法人名 株式会社ハナマル商会　別表三(一)付表一　令六・四・一以後終了事業年度分

積立金基準額の計算		
期末資本金の額又は出資金の額	1	200,000,000円
同上の25%相当額	2	50,000,000
期首利益積立金額（別表五(一)「31の①」)－(別表三(一)「10」)	3	53,324,520
期中増減：適格合併等により増加した利益積立金額	4	
期中増減：適格分割型分割等により減少した利益積立金額	5	
期末利益積立金額 (3)＋(4)－(5)	6	53,324,520
積立金基準額 (2)－(6)	7	ⓐ 0
定額基準額 2,000万円 × 12/12	8	ⓑ 20,000,000

所得基準額の計算		
所得金額（別表四「52の①」）	9	33,341,589
非適格合併による移転資産等の譲渡利益額又は譲渡損失額（別表四「38」）	10	
受取配当等の益金不算入額（別表八(一)「5」から通算法人間配当等の額に係る金額を除いた金額）	11	1,585,600
外国子会社等から受ける剰余金の配当等の益金不算入額（別表八(二)「26」)＋(別表十七(三の七)「27の計」)	12	4,750,000
受贈益の益金不算入額（別表四「16」）	13	
法人税額の還付金等（過誤納及び中間納付額に係る還付金を除く。）（別表四「19」)＋(別表四付表「7」)	14	530,920
欠損金等の当期控除額（別表七(一)「4の計」)＋(別表七(三)「9」若しくは「21」又は別表七(四)「10」)	15	13,650,000
中間申告における繰戻しによる還付に係る災害損失欠損金額の益金算入額（別表四「37」）	16	
通算法人の所得基準額加算額（別表三(一)付表二「13」）	17	
通算法人の所得基準額控除額（別表三(一)付表二「17」）	18	
他の法人の株式又は出資の基準時の直前における帳簿価額から減算される金額（別表八(三)「13」の合計額）	19	
新鉱床探鉱費又は海外新鉱床探鉱費の特別控除額（別表十(三)「43」）	20	
対外船舶運航事業者の日本船舶による収入金額に係る所得の金額の損金算入額（別表十(四)「20」）	21	
対外船舶運航事業者の日本船舶による収入金額に係る所得の金額の益金算入額（別表十(四)「21」又は「23」）	22	
沖縄の認定法人又は国家戦略特別区域における指定法人の所得の特別控除額（別表十(一)「15」)又は(別表十(二)「10」)	23	
沖縄の認定法人又は国家戦略特別区域における指定法人の要加算調整額の益金算入額（別表十(一)「16」)又は(別表十(二)「11」)	24	
収用等の場合等の所得の特別控除額（別表十(五)「22」＋「37」＋「42」＋「47」＋「52」）	25	
特定事業活動として特別新事業開拓事業者の株式の取得をした場合の特別勘定繰入額の損金算入額（別表十(六)「12」）	26	
特定事業活動として特別新事業開拓事業者の株式の取得をした場合の特別勘定取崩額の益金算入額（別表十(六)「18」＋「20」）	27	
肉用牛の売却に係る所得の特別控除額（別表十(七)「22」）	28	
超過利子額の損金算入額（別表十七(二の三)「10」）	29	
課税対象金額等の益金算入額（別表十七(三の二)「28」)＋(別表十七(三の三)「9」)＋(別表十七(三の四)「11」)	30	
所得等の金額 (9)－(10)＋(11)＋(12)＋(13)＋(14)＋(15)－(16)＋(17)－(18)－(19)＋(20)＋(21)－(22)＋(23)－(24)＋(25)＋(26)－(27)＋(28)＋(29)－(30)	31	53,858,109
所得基準額 (31)×40%	32	ⓒ 21,543,243
留保控除額（(7)、(8)又は(32)のいずれか多い金額）	33	21,543,243

積立金基準による留保控除額の計算

所得基準による留保控除額の計算

別表五(一)「31の①」と別表三(一)「10」より

別表八(一)のⒺの金額

別表八(二)Ⓐの金額

完全支配関係のある法人から寄附を受けた場合の受贈益（216ページ参照）の金額（別表四「16」欄）を記載します。

結　果　Ⓐ「8」欄の852,500円を留保金に対する法人税額として、また、Ⓐを課税標準とした852,000円(千円未満切捨て)×10.3% =87,756円を地方法人税額として、それぞれ別表一に記載します。

Ⓧ欠損金の繰戻しによる還付金額の計算

ハナマル商会は令和６年４月１日から令和７年３月31日において欠損金は生じていませんが、仮に欠損金が生じており、前年に法人税を納税していた場合の欠損金の繰戻し還付について検討します。

[欠損金の繰戻し還付金額の計算の前提となる事項]

・令和７年３月期に欠損金が生じ、欠損事業年度終了時において中小法人等＊に該当する。
・令和６年３月期に課税所得が生じ法人税及び地方法人税を納付している。
・ハナマル商会は、適用除外事業者に該当しません。

欠損金の繰戻しによる還付請求書

（184ページ参照）

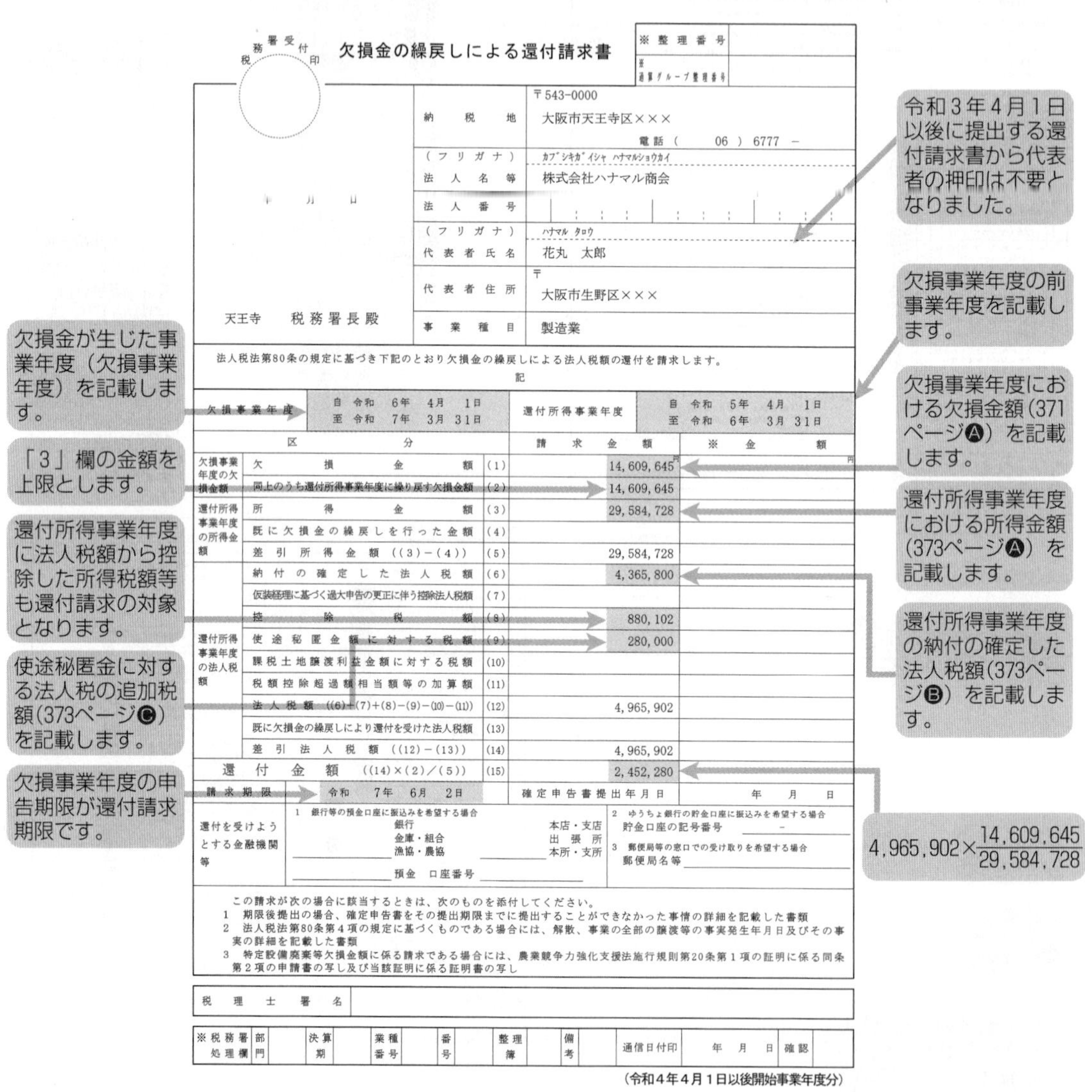

欠損金の繰戻しによる還付請求書

税務署受付印　※整理番号　※通算グループ整理番号

年　月　日

天王寺　税務署長殿

納税地	〒543-0000 大阪市天王寺区××× 電話（06）6777 －
（フリガナ）	ｶﾌﾞｼｷｶﾞｲｼｬ ﾊﾅﾏﾙｼｮｳｶｲ
法人名等	株式会社ハナマル商会
法人番号	
（フリガナ）	ﾊﾅﾏﾙ ﾀﾛｳ
代表者氏名	花丸　太郎
代表者住所	〒 大阪市生野区×××
事業種目	製造業

法人税法第80条の規定に基づき下記のとおり欠損金の繰戻しによる法人税額の還付を請求します。

記

欠損事業年度	自 令和 6年 4月 1日 至 令和 7年 3月 31日	還付所得事業年度	自 令和 5年 4月 1日 至 令和 6年 3月 31日

区分			請求金額	※金額
欠損事業年度の欠損金額	欠損金額	(1)	14,609,645円	円
	同上のうち還付所得事業年度に繰り戻す欠損金額	(2)	14,609,645	
還付所得事業年度の所得金額	所得金額	(3)	29,584,728	
	既に欠損金の繰戻しを行った金額	(4)		
	差引所得金額（(3)－(4)）	(5)	29,584,728	
還付所得事業年度の法人税額	納付の確定した法人税額	(6)	4,365,800	
	仮装経理に基づく過大申告の更正に伴う控除法人税額	(7)		
	控除税額	(8)	880,102	
	使途秘匿金額に対する税額	(9)	280,000	
	課税土地譲渡利益金額に対する税額	(10)		
	税額控除超過額相当額等の加算額	(11)		
	法人税額（(6)＋(7)＋(8)－(9)－(10)－(11)）	(12)	4,965,902	
	既に欠損金の繰戻しにより還付を受けた法人税額	(13)		
	差引法人税額（(12)－(13)）	(14)	4,965,902	
還付金額（(14)×(2)／(5)）		(15)	2,452,280	
請求期限	令和 7年 6月 2日		確定申告書提出年月日	年　月　日

還付を受けようとする金融機関等
1　銀行等の預金口座に振込みを希望する場合　銀行　金庫・組合　漁協・農協　本店・支店　出張所　本所・支所　預金　口座番号
2　ゆうちょ銀行の貯金口座に振込みを希望する場合　貯金口座の記号番号　－
3　郵便局等の窓口での受け取りを希望する場合　郵便局名等

この請求が次の場合に該当するときは、次のものを添付してください。
1　期限後提出の場合、確定申告書をその提出期限までに提出することができなかった事情の詳細を記載した書類
2　法人税法第80条第４項の規定に基づくものである場合には、解散、事業の全部の譲渡等の事実発生年月日及びその事実の詳細を記載した書類
3　特定設備廃棄等欠損金額に係る請求である場合には、農業競争力強化支援法施行規則第20条第１項の証明に係る同条第２項の申請書の写し及び当該証明に係る証明書の写し

税理士署名

※税務署処理欄　部門　決算期　業種番号　番号　整理簿　備考　通信日付印　年　月　日　確認

（令和４年４月１日以後開始事業年度分）

結果　欠損事業年度の確定申告書とともに提出することで、「15」欄の2,452,280円を還付請求できます。また、地方法人税についても法人税の還付金2,452,280円の10.3%相当額252,584円が併せて還付されます。

欠損事業年度における法人税申告書別表一

令和３年４月１日以後に提出する申告書から代表者の押印は不要となりました。

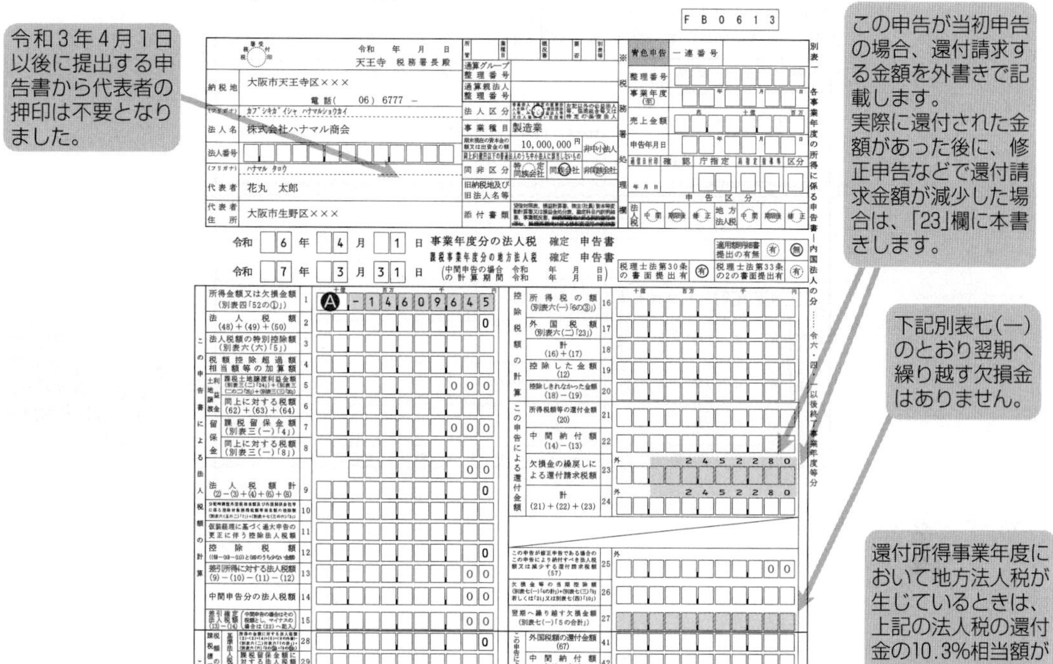

FB0613

提出先	令和　年　月　日　天王寺　税務署長殿
納税地	大阪市天王寺区×××　電話（06）6777－
（フリガナ）	カブシキガイシャ ハナマルショウカイ
法人名	株式会社ハナマル商会
法人番号	
（フリガナ）	ハナマル タロウ
代表者	花丸　太郎
代表者住所	大阪市生野区×××
事業種目	製造業
期末現在の資本金の額又は出資金の額	10,000,000円
同非区分	同族会社
青色申告	一連番号

令和 6 年 4 月 1 日　事業年度分の法人税　確定　申告書
令和 7 年 3 月 31 日　課税事業年度分の地方法人税　確定　申告書

適用額明細書提出の有無：無　税理士法第30条の書面提出有：有　税理士法第33条の2の書面提出有

項目	番号	金額
所得金額又は欠損金額（別表四「52の①」）	1	Ⓐ －14609645
法人税額（48）＋（49）＋（50）	2	0
法人税額の特別控除額（別表六（六）「5」）	3	
税額控除超過額相当額等の加算額	4	
土地譲渡利益金額	5	000
同上に対する税額（62）＋（63）＋（64）	6	
留保金額（別表三（一）「4」）	7	000
同上に対する税額（別表三（一）「8」）	8	
		00
法人税額計（2）－（3）＋（4）＋（6）＋（8）	9	0
	10	
仮装経理に基づく過大申告の更正に伴う控除法人税額	11	
控除税額	12	0
差引所得に対する法人税額（9）－（10）－（11）－（12）	13	00
中間申告分の法人税額	14	00
差引確定法人税額（13）－（14）	15	00
基準法人税額	28	0
課税留保金額に対する法人税額	29	
課税標準法人税額（28）＋（29）	30	000
所得税の額（別表六（一）「6の③」）	16	
外国税額（別表六（二）「23」）	17	
計（16）＋（17）	18	
控除した金額（12）	19	
控除しきれなかった金額（18）－（19）	20	
所得税額等の還付金額（20）	21	
中間納付額（14）－（13）	22	
欠損金の繰戻しによる還付請求税額	23	外 2452280
計（21）＋（22）＋（23）	24	外 2452280
この申告が修正申告である場合のこの申告により納付すべき法人税額又は減少する還付請求税額（57）	25	外 00
欠損金等の当期控除額（別表七（一）「4の計」）＋（別表七（三）「9」若しくは「21」又は別表七（四）「10」）	26	
翌期へ繰り越す欠損金額（別表七（一）「5の合計」）	27	
外国税額の還付金額（67）	41	
中間納付額（39）－（38）	42	
計（41）＋（42）	43	外 252584

この申告が当初申告の場合、還付請求する金額を外書きで記載します。
実際に還付された金額があった後に、修正申告などで還付請求金額が減少した場合は、「23」欄に本書きします。

下記別表七（一）のとおり翌期へ繰り越す欠損金はありません。

還付所得事業年度において地方法人税が生じているときは、上記の法人税の還付金の10.3%相当額が併せて還付されます。

欠損事業年度における法人税申告書別表七（一）

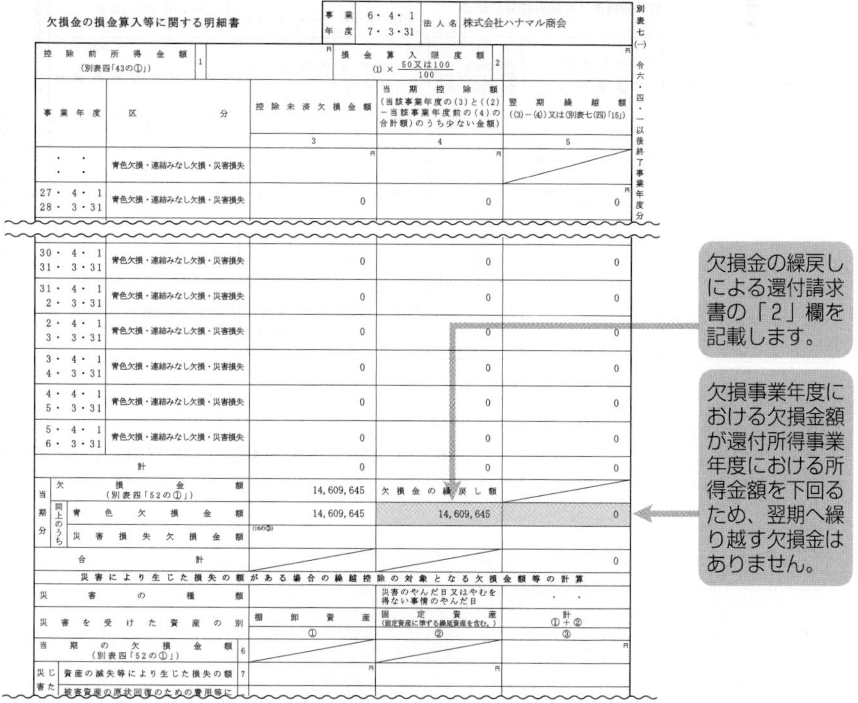

欠損金の損金算入等に関する明細書　事業年度 6・4・1～7・3・31　法人名 株式会社ハナマル商会

控除前所得金額（別表四「43の①」） 1		損金算入限度額 (1) × 50又は100/100　2	

事業年度	区分	控除未済欠損金額 3	当期控除額（当該事業年度の(3)と((2)－当該事業年度前の(4)の合計額)のうち少ない金額） 4	翌期繰越額（(3)－(4)）又は（別表七（四）「15」） 5
・・	青色欠損・連結みなし欠損・災害損失			
27・4・1～28・3・31	青色欠損・連結みなし欠損・災害損失	0	0	0
30・4・1～31・3・31	青色欠損・連結みなし欠損・災害損失	0	0	0
31・4・1～2・3・31	青色欠損・連結みなし欠損・災害損失	0	0	0
2・4・1～3・3・31	青色欠損・連結みなし欠損・災害損失	0	0	0
3・4・1～4・3・31	青色欠損・連結みなし欠損・災害損失	0	0	0
4・4・1～5・3・31	青色欠損・連結みなし欠損・災害損失	0	0	0
5・4・1～6・3・31	青色欠損・連結みなし欠損・災害損失	0	0	0
計		0	0	0
当期分	欠損金額（別表四「52の①」）	14,609,645	欠損金の繰戻し額	
	同上のうち 青色欠損金額	14,609,645	14,609,645	0
	同上のうち 災害損失欠損金額			
合計				0

災害により生じた損失の額がある場合の繰越控除の対象となる欠損金額等の計算

	棚卸資産 ①	固定資産（固定資産に準ずる繰延資産を含む。） ②	計 ①＋② ③
災害の種類 / 災害のやんだ日又はやむを得ない事情のやんだ日			・・
当期の欠損金額（別表四「52の①」） 6			
災害により生じた損失の額 資産の滅失等により生じた損失の額 7			
被害資産の原状回復のための費用等に…			

欠損金の繰戻しによる還付請求書の「2」欄を記載します。

欠損事業年度における欠損金額が還付所得事業年度における所得金額を下回るため、翌期へ繰り越す欠損金はありません。

欠損事業年度における第六号様式別表九

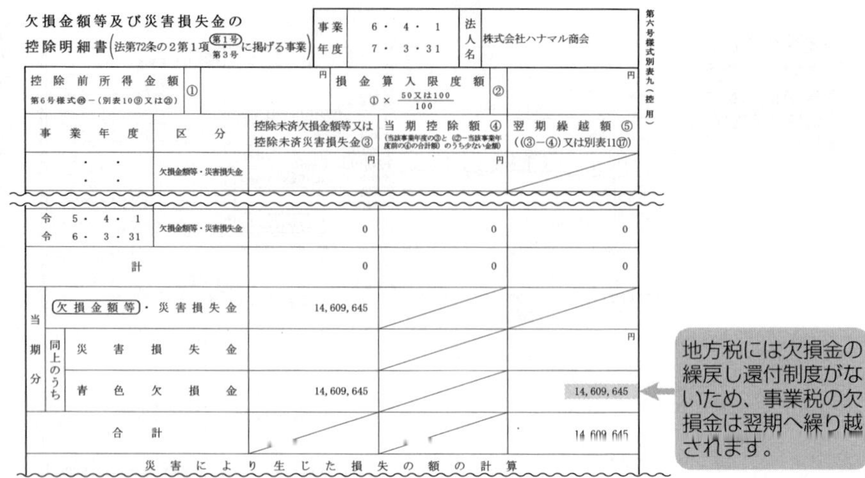

第六号様式別表九（控用）

欠損金額等及び災害損失金の控除明細書（法第72条の2第1項第1号・第3号に掲げる事業）

事業年度	6・4・1 〜 7・3・31	法人名	株式会社ハナマル商会

控除前所得金額 第6号様式㊾－（別表10⑨又は㉑） ①	円	損金算入限度額 ① × 50又は100 / 100 ②	円

事業年度		区分	控除未済欠損金額等又は控除未済災害損失金③	当期控除額④（当該事業年度の③と（②－当該事業年度前の④の合計額）のうち少ない金額）	翌期繰越額⑤（（③－④）又は別表11⑰）
・・ ・・		欠損金額等・災害損失金	円	円	
令 5・4・1 令 6・3・31		欠損金額等・災害損失金	0	0	0
計			0	0	0
当期分	欠損金額等・災害損失金		14,609,645		
	同上のうち	災害損失金			円
		青色欠損金	14,609,645		14,609,645
合計					14,609,645

災害により生じた損失の額の計算

欠損事業年度における第六号様式別表二の五（控除対象還付法人税額明細書）

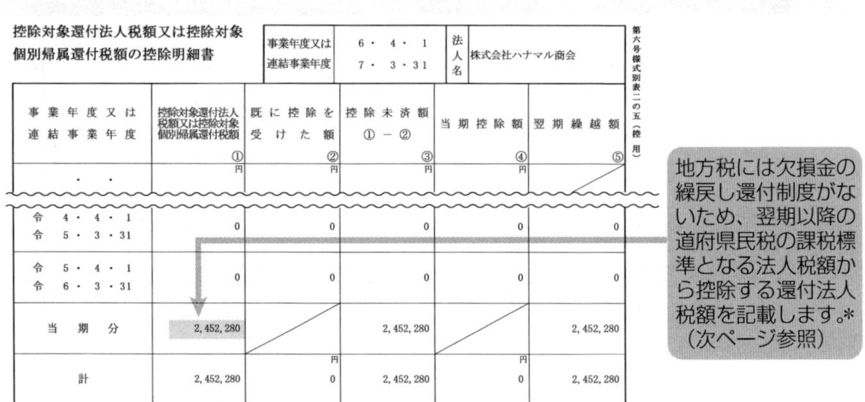

第六号様式別表二の五（控用）

控除対象還付法人税額又は控除対象個別帰属還付税額の控除明細書

事業年度又は連結事業年度	6・4・1 〜 7・3・31	法人名	株式会社ハナマル商会

事業年度又は連結事業年度	控除対象還付法人税額又は控除対象個別帰属還付税額 ①	既に控除を受けた額 ②	控除未済額 ①－② ③	当期控除額 ④	翌期繰越額 ⑤
・・	円	円	円	円	
令 4・4・1 令 5・3・31	0	0	0	0	0
令 5・4・1 令 6・3・31	0	0	0	0	0
当期分	2,452,280		2,452,280		2,452,280
計	2,452,280	円 0	2,452,280	円 0	2,452,280

＊　市町村民税の場合は同じ内容の「第二十号様式別表二の五」を作成します。

（参考）還付所得事業年度における法人税額　別表一

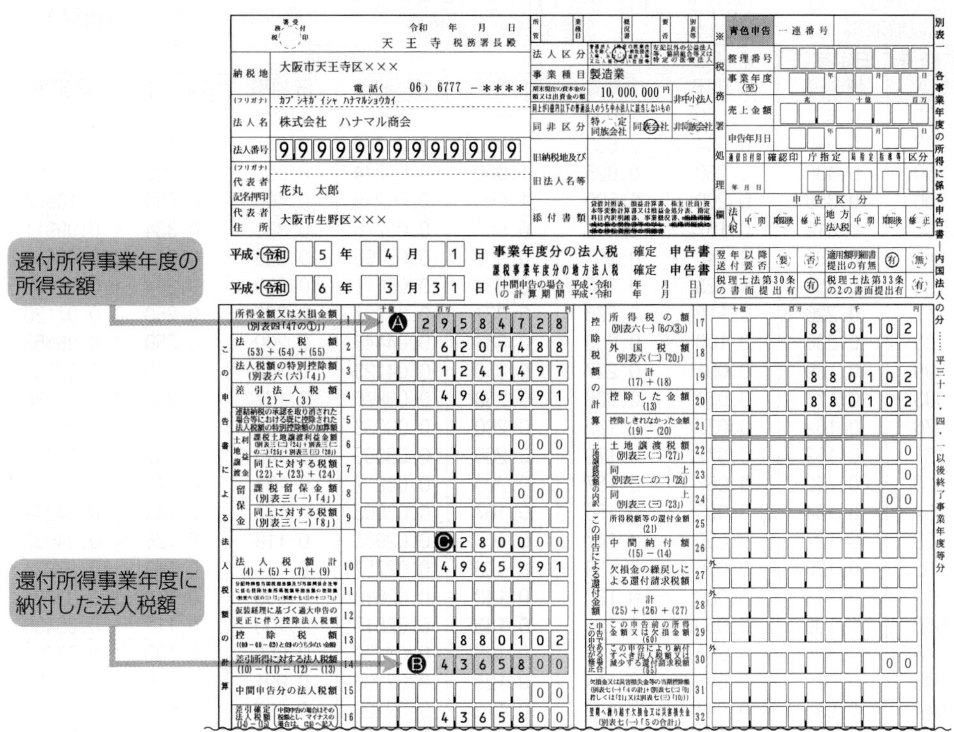

天王寺 税務署長殿

納税地	大阪市天王寺区××× 電話（06）6777 －＊＊＊＊
（フリガナ）	カブシキガイシャ ハナマルショウカイ
法人名	株式会社 ハナマル商会
法人番号	9999999999999
代表者記名押印	花丸 太郎
代表者住所	大阪市生野区×××

事業種目 製造業　期末現在の資本金の額又は出資金の額 10,000,000円　非中小法人

平成・令和 5年 4月 1日 事業年度分の法人税 確定 申告書

平成・令和 6年 3月 31日

	項目	金額
1	所得金額又は欠損金額	Ⓐ 29584728
2	法人税額 (53)＋(54)＋(55)	6207488
3	法人税額の特別控除額	1241497
4	差引法人税額 (2)－(3)	4965991
6	土地譲渡利益金額	000
8	課税留保金額	000
		Ⓒ 2800000
10	法人税額計 (4)＋(5)＋(7)＋(9)	4965991
13	控除税額	88010 2
14	差引所得に対する法人税額 (10)－(11)－(12)－(13)	Ⓑ 4365800
15	中間申告分の法人税額	00
16	差引確定法人税額	4365800
17	所得税の額	88010 2
19	計 (17)＋(18)	88010 2
20	控除した金額	88010 2
22	土地譲渡税額	0
23	同上	0
24	同上	00
30	この申告により納付すべき法人税額又は減少する還付請求税額	00

（地方法人税についても、法人税と併せて、法人税の還付金の10.3%相当額が還付されます。）

〔繰戻し還付を受けた事業年度の、翌期以降の法人住民税における課税標準額の調整〕

（単位：円）

	令和６年３月期	令和７年３月期	令和８年３月期
所得金額	30,000,000	△14,000,000	25,000,000
繰戻し還付請求をした場合の法人税額	9,000,000	△4,200,000	ⓐ 7,500,000
同上の場合の法人住民税の課税標準額	9,000,000	0	ⓑ 3,300,000

法人税の税率は、計算の便宜上30%として計算しています。

上記の設例で、繰戻し還付請求をした場合の令和８年３月期の法人税額は、繰越欠損金がないため、ⓐ 7,500,000(25,000,000×30%)になります。しかし、地方税には繰戻し還付制度がないため、この法人税額を基準に法人住民税を計算すると過大になります。

そこで、令和７年３月期の還付法人税額4,200,000円を控除して調整したⓑ 3,300,000円（7,500,000－4,200,000）を基準に法人住民税を計算することになります。

なお、繰戻し還付請求をしない場合の令和８年３月期の法人税額は、3,300,000円（25,000,000－14,000,000=11,000,000×30%）となり、ⓑの調整後の金額と一致します。

資　料

減価償却資産の償却率、改定償却率及び保証率の表

耐用年数	平成19年3月31日以前取得		平成19年4月1日以後取得	平成19年４月１日から平成24年３月31日までの取得			平成24年４月１日以後取得		
				定率法					
	旧定額法償却率	旧定率法償却率	定額法償却率	償却率	改定償却率	保証率	償却率	改定償却率	保証率
2	0.500	0.684	0.500	1.000	—	—	1.000	—	—
3	0.333	0.536	0.334	0.833	1.000	0.02789	0.667	1.000	0.11089
4	0.250	0.438	0.250	0.625	1.000	0.05274	0.500	1.000	0.12499
5	0.200	0.369	0.200	0.500	1.000	0.06249	0.400	0.500	0.10800
6	0.166	0.319	0.167	0.417	0.500	0.05776	0.333	0.334	0.09911
7	0.142	0.280	0.143	0.357	0.500	0.05496	0.286	0.334	0.08680
8	0.125	0.250	0.125	0.313	0.334	0.05111	0.250	0.334	0.07909
9	0.111	0.226	0.112	0.278	0.334	0.04731	0.222	0.250	0.07126
10	0.100	0.206	0.100	0.250	0.334	0.04448	0.200	0.250	0.06552
11	0.090	0.189	0.091	0.227	0.250	0.04123	0.182	0.200	0.05992
12	0.083	0.175	0.084	0.208	0.250	0.03870	0.167	0.200	0.05566
13	0.076	0.162	0.077	0.192	0.200	0.03633	0.154	0.167	0.05100
14	0.071	0.152	0.072	0.179	0.200	0.03389	0.143	0.167	0.04854
15	0.066	0.142	0.067	0.167	0.200	0.03217	0.133	0.143	0.04565
16	0.062	0.134	0.063	0.156	0.167	0.03063	0.125	0.143	0.04294
17	0.058	0.127	0.059	0.147	0.167	0.02905	0.118	0.125	0.04038
18	0.055	0.120	0.056	0.139	0.143	0.02757	0.111	0.112	0.03884
19	0.052	0.114	0.053	0.132	0.143	0.02616	0.105	0.112	0.03693
20	0.050	0.109	0.050	0.125	0.143	0.02517	0.100	0.112	0.03486
21	0.048	0.104	0.048	0.119	0.125	0.02408	0.095	0.100	0.03335
22	0.046	0.099	0.046	0.114	0.125	0.02296	0.091	0.100	0.03182
23	0.044	0.095	0.044	0.109	0.112	0.02226	0.087	0.091	0.03052
24	0.042	0.092	0.042	0.104	0.112	0.02157	0.083	0.084	0.02969
25	0.040	0.088	0.040	0.100	0.112	0.02058	0.080	0.084	0.02841
26	0.039	0.085	0.039	0.096	0.100	0.01989	0.077	0.084	0.02716
27	0.037	0.082	0.038	0.093	0.100	0.01902	0.074	0.077	0.02624
28	0.036	0.079	0.036	0.089	0.091	0.01866	0.071	0.072	0.02568
29	0.035	0.076	0.035	0.086	0.091	0.01803	0.069	0.072	0.02463
30	0.034	0.074	0.034	0.083	0.084	0.01766	0.067	0.072	0.02366
31	0.033	0.072	0.033	0.081	0.084	0.01688	0.065	0.067	0.02286
32	0.032	0.069	0.032	0.078	0.084	0.01655	0.063	0.067	0.02216
33	0.031	0.067	0.031	0.076	0.077	0.01585	0.061	0.063	0.02161
34	0.030	0.066	0.030	0.074	0.077	0.01532	0.059	0.063	0.02097
35	0.029	0.064	0.029	0.071	0.072	0.01532	0.057	0.059	0.02051
36	0.028	0.062	0.028	0.069	0.072	0.01494	0.056	0.059	0.01974
37	0.027	0.060	0.028	0.068	0.072	0.01425	0.054	0.056	0.01950
38	0.027	0.059	0.027	0.066	0.067	0.01393	0.053	0.056	0.01882
39	0.026	0.057	0.026	0.064	0.067	0.01370	0.051	0.053	0.01860
40	0.025	0.056	0.025	0.063	0.067	0.01317	0.050	0.053	0.01791
41	0.025	0.055	0.025	0.061	0.063	0.01306	0.049	0.050	0.01741
42	0.024	0.053	0.024	0.060	0.063	0.01261	0.048	0.050	0.01694
43	0.024	0.052	0.024	0.058	0.059	0.01248	0.047	0.048	0.01664
44	0.023	0.051	0.023	0.057	0.059	0.01210	0.045	0.046	0.01664
45	0.023	0.050	0.023	0.056	0.059	0.01175	0.044	0.046	0.01634
46	0.022	0.049	0.022	0.054	0.056	0.01175	0.043	0.044	0.01601
47	0.022	0.048	0.022	0.053	0.056	0.01153	0.043	0.044	0.01532
48	0.021	0.047	0.021	0.052	0.053	0.01126	0.042	0.044	0.01499
49	0.021	0.046	0.021	0.051	0.053	0.01102	0.041	0.042	0.01475
50	0.020	0.045	0.020	0.050	0.053	0.01072	0.040	0.042	0.01440

（注）　耐用年数省令別表第七～十には、耐用年数100年までの計数が規定されていますが、上記表では、50年超の部分は省略しています。

〈機械及び装置以外の有形減価償却資産の耐用年数表（要約）〉

種類	細目	構造又は用途別の耐用年数							
		鉄骨鉄筋コンクリート造又は鉄筋コンクリート造	れんが造、石造又はブロック造	金属造 骨格材の肉厚が4ミリ超	金属造 骨格材の肉厚が3ミリ超4ミリ以下	金属造 骨格材の肉厚が3ミリ以下	木造又は合成樹脂造	木骨モルタル造	簡易建物
建物	事務所又は美術館及び下記以外のもの	50年	41年	38年	30年	22年	24年	22年	年
	住宅、寄宿舎、宿泊所、学校又は体育館	47	38	34	27	19	22	20	
	飲食店、貸席、劇場、演奏場、映画館又は舞踏場		38	31	25	19	20	19	
	飲食店又は貸席で、木造内装部分の面積が3割を超えるもの	34							
	その他のもの	41							
	旅館又はホテル		36	29	24	17	17	15	
	木造内装部分の面積が3割を超えるもの	31							
	その他のもの	39							
	店舗	39	38	34	27	19	22	20	
	病院	39	36	29	24	17	17	15	
	変電所、発電所、送受信所、停車場、車庫、格納庫、荷扱所、映画製作ステージ、屋内スケート場、魚市場又はと畜場	38	34	31	25	19	17	15	
	公衆浴場	31	30	27	19	15	12	11	
	工場（作業場を含む。）又は倉庫								
	塩素等の著しい腐食性を有する液体又は気体の影響を直接全面的に受けるもの、冷蔵倉庫（＊のついている分は倉庫事業用のものを除く。）及び放射性同位元素の放射線を直接受けるもの	24＊	22＊	20＊	15	12	9	7	
	塩等の著しい潮解性を有する固体を常時蔵置するためのもの及び著しい蒸気の影響を直接全面的に受けるもの	31	28	25	19	14	11	10	
	その他のもの				24	17	15	14	
	倉庫事業用の倉庫								
	冷蔵倉庫用のもの	21	20	19					
	その他のもの	31	30	26					
	その他のもの	38	34	31					
	木製主要柱が10センチメートル角以下のもので、土居ぶき、杉皮ぶき、ルーフィングぶき又はトタンぶきのもの								10
	掘立造のもの及び仮設のもの								7

種類	構造又は用途	細　　目	耐用年数
建物附属設備	電気設備（照明設備を含む。）	蓄電池電源設備 その他のもの	6年 15
	給排水又は衛生設備及びガス設備		15
	冷房、暖房、通風又はボイラー設備	冷暖房設備（冷凍機の出力が22キロワット以下のもの） その他のもの	13 15
	昇降機設備	エレベーター	17
		エスカレーター	15
	消火、排煙又は災害報知設備及び格納式避難設備		8
	エヤーカーテン又はドアー自動開閉設備		12
	アーケード又は日よけ設備	主として金属製のもの その他のもの	15 8
	店用簡易装備		3
	可動間仕切り	簡易なもの その他のもの	3 15
	前掲のもの以外のもの及び前掲の区分によらないもの	主として金属製のもの その他のもの	18 10
構築物	広告用のもの	金属造のもの	20
		その他のもの	10
	競技場用、運動場用、遊園地用又は学校用のもの	スタンド 主として鉄骨鉄筋コンクリート造又は鉄筋コンクリート造のもの 主として鉄骨造のもの 主として木造のもの	 45 30 10
		競輪場用競走路 コンクリート敷のもの その他のもの	 15 10
		ネット設備	15
		野球場、陸上競技場、ゴルフコースその他のスポーツ場の排水その他の土工施設	30
		水泳プール	30
		その他のもの 児童用のもの すべり台、ぶらんこ、ジャングルジムその他の遊戯用のもの その他のもの その他のもの 主として木造のもの その他のもの	 10 15 15 30
	緑化施設及び庭園	工場緑化施設 その他の緑化施設及び庭園（工場緑化施設に含まれるものを除く。）	7 20
	舗装道路及び舗装路面	コンクリート敷、ブロック敷、れんが敷又は石敷のもの	15
		アスファルト敷又は木れんが敷のもの	10
		ビチューマルス敷のもの	3

種類	構造又は用途	細　　目	耐用年数
構築物	鉄骨鉄筋コンクリート造又は鉄筋コンクリート造のもの（前掲のものを除く。）	水道用ダム	80年
		トンネル	75
		橋	60
		岸壁、桟橋、防壁（爆発物用のものを除く。）、堤防、防波堤、塔、やぐら、上水道、水槽及び用水用ダム	50
		乾ドック	45
		サイロ	35
		下水道、煙突及び焼却炉	35
		高架道路、製塩用沈殿池、飼育場及び塀	30
		爆発物用防壁及び防油堤	25
		造船台	24
		放射性同位元素の放射線を直接受けるもの	15
		その他のもの	60
	コンクリート造又はコンクリートブロック造のもの（前掲のものを除く。）	やぐら及び用水池	40
		サイロ	34
		岸壁、桟橋、防壁（爆発物用のものを除く。）、堤防、防波堤、トンネル、上水道及び水槽	30
		下水道、飼育場及び塀	15
		爆発物用防壁	13
		引湯管	10
		鉱業用廃石捨場	5
		その他のもの	40
	れんが造のもの（前掲のものを除く。）	防壁（爆発物用のものを除く。）、堤防、防波堤及びトンネル	50
		煙突、煙道、焼却炉、塀及び爆発物用防壁 塩素、クロールスルホン酸その他の著しい腐食性を有する気体の影響を受けるもの その他のもの	 7 25
		その他のもの	40
	石造のもの（前掲のものを除く。）	岸壁、桟橋、防壁（爆発物用のものを除く。）、堤防、防波堤、上水道及び用水池	50
		乾ドック	45
		下水道、塀及び爆発物用防壁	35
		その他のもの	50
	土造のもの（前掲のものを除く。）	防壁（爆発物用のものを除く。）、堤防、防波堤及び自動車道	40
		上水道及び用水池	30
		下水道	15
		塀	20
		爆発物用防壁及び防油堤	17
		その他のもの	40

種類	構造又は用途	細目	耐用年数
構築物	金属造のもの（前掲のものを除く。）	橋（はね上げ橋を除く。）	45年
		はね上げ橋及び鋼矢板岸壁	25
		サイロ	22
		送配管 鋳鉄製のもの 鋼鉄製のもの	 30 15
		ガス貯槽 液化ガス用のもの その他のもの	 10 20
		薬品貯槽 塩酸、ふっ酸、発煙硫酸、濃硝酸その他の発煙性を有する無機酸用のもの 有機酸用又は硫酸、硝酸その他前掲のもの以外の無機酸用のもの アルカリ類用、塩水用、アルコール用その他のもの	 8 10 15
		水槽及び油槽 鋳鉄製のもの 鋼鉄製のもの	 25 15
		浮きドック	20
		飼育場	15
		つり橋、煙突、焼却炉、打込み井戸、塀、街路灯及びガードレール	10
		露天式立体駐車設備	15
		その他のもの	45
	合成樹脂造のもの（前掲のものを除く。）		10
	木造のもの（前掲のものを除く。）	橋、塔、やぐら及びドック	15
		岸壁、桟橋、防壁、堤防、防波堤、トンネル、水槽、引湯管及び塀	10
		飼育場	7
		その他のもの	15
	前掲のもの以外のもの及び前掲の区分によらないもの	主として木造のもの	15
		その他のもの	50
車両及び運搬具	特殊自動車（ブルドーザー、パワーショベルその他の自走式作業用機械並びにトラクター及び農業用作業機械を含まない。）	消防車、救急車、レントゲン車、散水車、放送宣伝車、移動無線車及びチップ製造車	5
		モータースィーパー及び除雪車	4
		タンク車、じんかい車、し尿車、寝台車、霊きゅう車、トラックミキサー、レッカーその他特殊車体を架装したもの 小型車（じんかい車及びし尿車にあっては積載量が2トン以下、その他のものにあっては総排気量が2リットル以下のものをいう。） その他のもの	 3 4
車両及び運搬具	運送事業用、貸自動車業用又は自動車教習所用の車両及び運搬具（前掲のものを除く。）	自動車（二輪又は三輪自動車を含み、乗合自動車を除く。） 小型車（貨物自動車にあっては積載量が2トン以下、その他のものにあっては総排気量が2リットル以下のものをいう。） その他のもの 大型乗用車（総排気量が3リットル以上のものをいう。） その他のもの	年 3 5 4
		乗合自動車	5
		自転車及びリヤカー	2
		被けん引車その他のもの	4
	前掲のもの以外のもの	自動車（二輪又は三輪自動車を除く。） 小型車（総排気量が0.66リットル以下のものをいう。） その他のもの 貨物自動車 ダンプ式のもの その他のもの 報道通信用のもの その他のもの	 4 4 5 5 6
		二輪又は三輪自動車	3
		自転車	2
		鉱山用人車、炭車、鉱車及び台車 金属製のもの その他のもの	 7 4
		フォークリフト	4
		トロッコ 金属製のもの その他のもの	 5 3
		その他のもの 自走能力を有するもの その他のもの	 7 4
工具	測定工具及び検査工具（電気又は電子を利用するものを含む。）		5
	治具及び取付工具		3
	ロール	金属圧延用のもの	4
		なつ染ロール、粉砕ロール、混練ロールその他のもの	3
	型（型枠を含む。）、鍛圧工具及び打抜工具	プレスその他の金属加工用金型、合成樹脂、ゴム又はガラス成型用金型及び鋳造用型	2
		その他のもの	3
	切削工具		2
	金属製柱及びカッペ		3

種類	構造又は用途	細目	耐用年数
工具	前掲のもの以外のもの	白金ノズル	13年
		その他のもの	3
	前掲の区分によらないもの	白金ノズル	13
		その他の主として金属製のもの	8
		その他のもの	4
器具及び備品	1 家具、電気機器、ガス機器及び家庭用品（他の項に掲げるものを除く。）	事務机、事務いす及びキャビネット 主として金属製のもの その他のもの	 15 8
		応接セット 接客業用のもの その他のもの	 5 8
		ベッド	8
		児童用机及びいす	5
		陳列棚及び陳列ケース 冷凍機付又は冷蔵機付のもの その他のもの	 6 8
		その他の家具 接客業用のもの その他のもの 主として金属製のもの その他のもの	 5 15 8
		ラジオ、テレビジョン、テープレコーダーその他の音響機器	5
		冷房用又は暖房用機器	6
		電気冷蔵庫、電気洗濯機その他これらに類する電気又はガス機器	6
		氷冷蔵庫及び冷蔵ストッカー（電気式のものを除く。）	4
		カーテン、座ぶとん、寝具、丹前その他これらに類する繊維製品	3
		じゅうたんその他の床用敷物 小売業用、接客業用、放送用、レコード吹込用又は劇場用のもの その他のもの	 3 6
		室内装飾品 主として金属製のもの その他のもの	 15 8
		食事又はちゅう房用品 陶磁器製又はガラス製のもの その他のもの	 2 5
		その他のもの 主として金属製のもの その他のもの	 15 8

種類	構造又は用途	細目	耐用年数
器具及び備品	2 事務機器及び通信機器	謄写機器及びタイプライター 孔版印刷又は印書業用のもの その他のもの	年 3 5
		電子計算機 パーソナルコンピュータ（サーバー用のものを除く。） その他の電子計算機	 4 5
		複写機、計算機（電子計算機を除く。）、金銭登録機、タイムレコーダーその他これらに類するもの	5
		その他の事務機器	5
		テレタイプライター及びファクシミリ	5
		インターホーン及び放送用設備	6
		電話設備その他の通信機器 デジタル構内交換設備及びデジタルボタン電話設備 その他のもの	 6 10
	3 時計、試験機器及び測定機器	時計	10
		度量衡器	5
		試験又は測定機器	5
	4 光学機器及び写真製作機器	オペラグラス	2
		カメラ、映画撮影機、映写機及び望遠鏡	5
		引伸機、焼付機、乾燥機、顕微鏡その他の機器	8
	5 看板及び広告器具	看板、ネオンサイン及び気球	3
		マネキン人形及び模型	2
		その他のもの 主として金属製のもの その他のもの	 10 5
	6 容器及び金庫	ボンベ 溶接製のもの 鍛造製のもの 塩素用のもの その他のもの	 6 8 10
		ドラム缶、コンテナーその他の容器 大型コンテナー（長さが6メートル以上のものに限る。） その他のもの 金属製のもの その他のもの	 7 3 2
		金庫 手提げ金庫 その他のもの	 5 20
	7 理容又は美容機器		5

種類	構造又は用途	細　　　目	耐用年数
器具及び備品	8　医療機器	消毒殺菌用機器	4年
		手術機器	5
		血液透析又は血しょう交換用機器	7
		ハバードタンクその他の作動部分を有する機能回復訓練機器	6
		調剤機器	6
		歯科診療用ユニット	7
		光学検査機器 ファイバースコープ その他のもの	 6 8
		その他のもの レントゲンその他の電子装置を使用する機器 移動式のもの、救急医療用のもの及び自動血液分析器 その他のもの その他のもの 陶磁器製又はガラス製のもの 主として金属製のもの その他のもの	 4 6 3 10 5
	9　娯楽又はスポーツ器具及び興行又は演劇用具	たまつき用具	8
		パチンコ器、ビンゴ器その他これらに類する球戯用具及び射的用具	2
		碁、将棋、まあじゃん、その他の遊戯具	5
		スポーツ具	3
		劇場用観客いす	3
		どんちょう及び幕	5
		衣しょう、かつら、小道具及び大道具	2
		その他のもの 主として金属製のもの その他のもの	 10 5
	10　生物	植物 貸付業用のもの その他のもの	 2 15
		動物 魚類 鳥類 その他のもの	 2 4 8

種類	構造又は用途	細　　　目	耐用年数
器具及び備品	11　前掲のもの以外のもの	映画フィルム（スライドを含む。）、磁気テープ及びレコード	2
		シート及びロープ	2
		きのこ栽培用ほだ木	3
		漁具	3
		葬儀用具	3
		楽器	5
		自動販売機（手動のものを含む。）	5
		焼却炉	5
		無人駐車管理装置	5
		その他のもの 主として金属製のもの その他のもの	 10 5
	12　前掲する資産のうち、当該資産について定められている前掲の耐用年数によるもの以外のもの及び前掲の区分によらないもの	主として金属製のもの	15年
		その他のもの	8

〈無形減価償却資産の耐用年数表〉

種　　類		耐用年数
漁　業　権		10年
ダム使用権		55
水　利　権		20
特　許　権		8
実用新案権		5
意　匠　権		7
商　標　権		10
ソフトウエア	複写して販売するための原本 その他のもの	3 5
育成者権	種苗法第4条第2項に規定する品種 その他	10 8
営　業　権　（207ページ参照）		5
専用側線利用権		30
鉄道軌道連絡通行施設利用権		30
電気ガス供給施設利用権		15
水道施設利用権		15
工業用水道施設利用権		15
電気通信施設利用権		20

〈画地調整率表を使用した土地評価の具体例〉

花丸太郎氏が保有する次の宅地（自宅）を次ページの「画地調整率表」を使用して評価します。

なお、下記の評価明細書は相続税、贈与税の申告の際、土地の評価額を計算する際に使用する表です。

土地及び土地の上に存する権利の評価明細書（第１表）　大阪国税 局（所）生野税務署　6 年分　280××ページ

（平成三十一年一月分以降用）

（住居表示）	（大阪市生野区×××）	所有者	住所（所在地）	大阪市生野区×××	使用者	住所（所在地）	大阪市生野区×××
所在地番	大阪市生野区○○○		氏名（法人名）	花丸　太郎		氏名（法人名）	花丸　太郎

地目	地積	路線価 正面	路線価 側方	路線価 側方	路線価 裏面	地形図及び参考事項
(宅地) 山林 田 雑種地 畑（　）	210 ㎡	250,000 円	円	円	円	路線価250千円、8m、5m、210㎡、10m、25m

間口距離	5 m	利用区分	(自用地) 私道 貸宅地 貸家建付借地権 貸家建付地 転貸借地権 借地権（　）	地区区分	ビル街地区 (普通住宅地区) 高度商業地区 中小工場地区 繁華街地区 大工場地区 普通商業・併用住宅地区
奥行距離	25 m				

自用地１平方メートル当たりの価額

区分	計算	（1㎡当たりの価額）	記号
1 一路線に面する宅地	（正面路線価）250,000 円 ×（奥行価格補正率）0.97　← 奥行価格補正率表より	242,500 円	A
2 二路線に面する宅地	（A）円 ＋（[側方・裏面 路線価] 円 ×［奥行価格補正率］. ×［側方・二方 路線影響加算率］0.）	円	B
3 三路線に面する宅地	（B）円 ＋（[側方・裏面 路線価] 円 ×［奥行価格補正率］. ×［側方・二方 路線影響加算率］0.）	円	C
4 四路線に面する宅地	（C）円 ＋（[側方・裏面 路線価] 円 ×［奥行価格補正率］. ×［側方・二方 路線影響加算率］0.）	円	D
5-1 間口が狭小な宅地等	（AからDまでのうち該当するもの）円 ×（間口狭小補正率 . ×奥行長大補正率 .）	円	E
5-2 不整形地	（AからDまでのうち該当するもの）242,500 円 × 不整形地補正率※ 0.86 ※不整形地補正率の計算 （想定整形地の間口距離）10 m ×（想定整形地の奥行距離）25 m ＝（想定整形地の地積）250 ㎡ （（想定整形地の地積）250 ㎡ －（不整形地の地積）210 ㎡）÷（想定整形地の地積）250 ㎡ ＝（かげ地割合）16 % （不整形地補正率表の補正率）0.96 ×（間口狭小補正率）0.94 ＝ 0.90 ①（小数点以下2位未満切捨て） （奥行長大補正率）0.92 ×（間口狭小補正率）0.94 ＝ 0.86 ② ［不整形地補正率（①、②のいずれか低い率、0.6を下限とする。）］0.86	208,550 円	F
6 地積規模の大きな宅地	（AからFまでのうち該当するもの）円 × 規模格差補正率※ 0. ※規模格差補正率の計算 （地積（Ⓐ））（Ⓑ）（Ⓒ）（地積（Ⓐ））（小数点以下２位未満切捨て） ｛（ ㎡× ＋ ）÷ ㎡｝× 0.8 ＝ 0.	円	G
7 無道路地	（F又はGのうち該当するもの）円 ×（1 － 0.（※）） ※割合の計算（0.4を上限とする。） （（正面路線価）円 ×（通路部分の地積）㎡）÷（（F又はGのうち該当するもの）円 ×（評価対象地…	円	H
8-1 がけ地等を有する宅地	［南、… （AからHまでのうち該当するもの）円 ×	円	I
8-2 土砂災害特別警戒区域内にある宅地	（AからHまでのうち該当するもの）円 × 特別警戒区域補正率※ 0. ※がけ地補正率の適用がある場合の特別警戒区域補正率の計算（0.5を下限とする。） ［南、東、西、北］ （特別警戒区域補正率表の補正率）0. ×（がけ地補正率）0. ＝（小数点以下２位未満切捨て）0.	円	J
9 容積率の異なる２以上の地域にわたる宅地	（AからJまでのうち該当するもの）円 ×（1 －（控除割合（小数点以下３位未満四捨五入））0.）	円	K
10 私道	（AからKまでのうち該当するもの）円 × 0.3	円	L

自用地の評価額	自用地１平方メートル当たりの価額（AからLまでのうちの該当記号）	地積	総額（自用地１㎡当たりの価額）×（地積）	
	（F）208,550 円	210 ㎡	43,795,500 円	M

（注）1　5-1の「間口が狭小な宅地等」と5-2の「不整形地」は重複して適用できません。
2　5-2の「不整形地」の「AからDまでのうち該当するもの」欄の価額について、AからDまでの欄で計算できない場合には、（第２表）の「備考」欄等で計算してください。
3　「がけ地等を有する宅地」であり、かつ、「土砂災害特別警戒区域内にある宅地」である場合については、8-1の「がけ地等を有する宅地」欄ではなく、8-2の「土砂災害特別警戒区域内にある宅地」欄で計算してください。

（資4-25-1-A4統一）

間口狭小補正率表より

奥行長大補正率表より（奥行距離／間口距離＝25m／5m＝5）

このような不整形地を評価する場合、①と②の計算方法のどちらか有利な方を選択することができます。

この土地の評価額

①不整形地の地積区分を判定します。（不整形地地積区分表）→A
②不整形地補正率表より①及び上記かげ地割合の場合の補正率を求めます。→0.96

〈宅地の路線価評価に用いる画地調整率表等〉平成30年分以降適用分

奥行価格補正率表

地区区分 奥行距離(m)	ビル街地区	高度商業地区	繁華街地区	普通商業・併用住宅地区	普通住宅地区	中小工場地区	大工場地区
4未満	0.80	0.90	0.90	0.90	0.90	0.85	0.85
4以上 6未満		0.92	0.92	0.92	0.92	0.90	0.90
6 〃 8 〃	0.84	0.94	0.95	0.95	0.95	0.93	0.93
8 〃 10 〃	0.88	0.96	0.97	0.97	0.97	0.95	0.95
10 〃 12 〃	0.90	0.98	0.99	0.99	1.00	0.96	0.96
12 〃 14 〃	0.91	0.99	1.00	1.00		0.97	0.97
14 〃 16 〃	0.92	1.00				0.98	0.98
16 〃 20 〃	0.93					0.99	0.99
20 〃 24 〃	0.94					1.00	1.00
24 〃 28 〃	0.95				0.97		
28 〃 32 〃	0.96		0.98		0.95		
32 〃 36 〃	0.97		0.96	0.97	0.93		
36 〃 40 〃	0.98		0.94	0.95	0.92		
40 〃 44 〃	0.99		0.92	0.93	0.91		
44 〃 48 〃	1.00		0.90	0.91	0.90		
48 〃 52 〃		0.99	0.88	0.89	0.89		
52 〃 56 〃		0.98	0.87	0.88	0.88		
56 〃 60 〃		0.97	0.86	0.87	0.87		
60 〃 64 〃		0.96	0.85	0.86	0.86	0.99	
64 〃 68 〃		0.95	0.84	0.85	0.85	0.98	
68 〃 72 〃		0.94	0.83	0.84	0.84	0.97	
72 〃 76 〃		0.93	0.82	0.83	0.83	0.96	
76 〃 80 〃		0.92	0.81	0.82			
80 〃 84 〃		0.90	0.80	0.81	0.82	0.93	
84 〃 88 〃		0.88		0.80			
88 〃 92 〃		0.86			0.81	0.90	
92 〃 96 〃	0.99	0.84					
96 〃 100 〃	0.97	0.82					
100 〃	0.95	0.80			0.80		

側方路線影響加算率表

地区区分	加算率	
	角地の場合	準角地の場合
ビル街地区	0.07	0.03
高度商業地区 繁華街地区	0.10	0.05
普通商業・併用住宅地区	0.08	0.04
普通住宅地区 中小工場地区	0.03	0.02
大工場地区	0.02	0.01

(注) 準角地とは、右図のように一系統の路線の屈折部の内側に位置するものをいう。

二方路線影響加算率表

地区区分	加算率
ビル街地区	0.03
高度商業地区 繁華街地区	0.07
普通商業・併用住宅地区	0.05
普通住宅地区 中小工場地区 大工場地区	0.02

奥行長大補正率表

地区区分 奥行距離 間口距離	ビル街地区	高度商業地区 繁華街地区 普通商業・併用住宅地区	普通住宅地区	中小工場地区	大工場地区
2以上3未満	1.00	1.00	0.98	1.00	1.00
3 〃 4 〃		0.99	0.96	0.99	
4 〃 5 〃		0.98	0.94	0.98	
5 〃 6 〃		0.96	0.92	0.96	
6 〃 7 〃		0.94	0.90	0.94	
7 〃 8 〃		0.92		0.92	
8 〃		0.90		0.90	

間口狭小補正率表

地区区分 間口距離(m)	ビル街地区	高度商業地区	繁華街地区	普通商業・併用住宅地区	普通住宅地区	中小工場地区	大工場地区
4未満	—	0.85	0.90	0.90	0.90	0.80	0.80
4以上 6未満	—	0.94	1.00	0.97	0.94	0.85	0.85
6 〃 8 〃	—	0.97		1.00	0.97	0.90	0.90
8 〃 10 〃	0.95	1.00			1.00	0.95	0.95
10 〃 16 〃	0.97					1.00	0.97
16 〃 22 〃	0.98						0.98
22 〃 28 〃	0.99						0.99
28 〃	1.00						1.00

不整形地補正率表

地区区分 かげ地割合 / 地積区分	高度商業地区、繁華街地区、普通商業・併用住宅地区、中小工場地区			普通住宅地区		
	A	B	C	A	B	C
10%以上	0.99	0.99	1.00	0.98	0.99	0.99
15% 〃	0.98	0.99	0.99	0.96	0.98	0.99
20% 〃	0.97	0.98	0.99	0.94	0.97	0.98
25% 〃	0.96	0.98	0.99	0.92	0.95	0.97
30% 〃	0.94	0.97	0.98	0.90	0.93	0.96
35% 〃	0.92	0.95	0.98	0.88	0.91	0.94
40% 〃	0.90	0.93	0.97	0.85	0.88	0.92
45% 〃	0.87	0.91	0.95	0.82	0.85	0.90
50% 〃	0.84	0.89	0.93	0.79	0.82	0.87
55% 〃	0.80	0.87	0.90	0.75	0.78	0.83
60% 〃	0.76	0.84	0.86	0.70	0.73	0.78
65% 〃	0.70	0.75	0.80	0.60	0.65	0.70

不整形地地積区分表

地区区分 / 地積区分	A	B	C
高度商業地区	1,000㎡未満	1,000㎡以上 1,500㎡未満	1,500㎡以上
繁華街地区	450㎡未満	450㎡以上 700㎡未満	700㎡以上
普通商業・併用住宅地区	650㎡未満	650㎡以上 1,000㎡未満	1,000㎡以上
普通住宅地区	500㎡未満	500㎡以上 750㎡未満	750㎡以上
中小工場地区	3,500㎡未満	3,500㎡以上 5,000㎡未満	5,000㎡以上

50音順 項目索引

（この索引は、項目を、すべてその読みがなで50音順に並べたものです。）

ら

わ

著者紹介

私たちは、企業経営に関する良き外部のアドバイザーとして、公認会計士・税理士といった会計税務の専門家だけでなく、弁護士、中小企業診断士、司法書士、不動産鑑定士、弁理士、社会保険労務士等の専門家とネットワークを組み、経営、税務、法律、システム等企業経営全般にわたる専門分野からのサービスの提供を行っています。

なお、今回の改訂にあたり下村剛史氏（税理士）、黒川剛史氏（公認会計士・税理士）、山本泰志氏（税理士）、竹内康洋氏、廣田秀幸氏（公認会計士）の協力を得ました。

溝端　浩人（みぞばた・ひろと）
（公認会計士・税理士）
1963年生まれ
1988年公認会計士登録

松本　栄喜（まつもと・ひでき）
（税理士）
1972年生まれ
2005年税理士登録

妙中　茂樹（たえなか・しげき）
（公認会計士・税理士）
1961年生まれ
1988年公認会計士登録

城　　知宏（しろ・ともひろ）
（公認会計士・税理士）
1978年生まれ
2014年公認会計士登録

令和６年版　図解・業務別　会社の税金実務必携

2024年９月20日　初版発行
2024年10月28日　第２刷発行

編著者　溝端　浩人／妙中　茂樹
　　　　松本　栄喜／城　　知宏

発行者　小泉　定裕

発行所　株式会社　清文社

東京都文京区小石川１丁目3－25（小石川大国ビル）
〒112-0002　電話03（4332）1375　FAX03（4332）1376
大阪市北区天神橋２丁目北2－6（大和南森町ビル）
〒530-0041　電話06（6135）4050　FAX06（6135）4059
URL https://www.skattsei.co.jp/

印刷：大村印刷㈱

■本書の内容に関するお問い合わせは編集部までFAX（06-6135-4056）又はメール（edit-w@skattsei.co.jp）でお願いします。
■本書の追録情報等は、当社ホームページ（https://www.skattsei.co.jp）をご覧ください。

ISBN978-4-433-70754-5